JN085778

THERION
METAL

Spelar på Ultra i Handen den:7 Maj
Start kl 19:30 BE THERE BAJSVÄCK

MEGAROCK PROD. PRESENTS:

"A night of
Metallic Mayhem
med

CandleMass
Agony
MANINNYA
ICCAGO

STOCKHOLM, LÖR 12/3
KOLINGSBORG KL.18.00
(T-SLUSSEN)

PRIS FÖRKÖP 50 KR
SAMMA KV

BILJETTER
STOCKHOL
PER TEL. 08

ntombeD
(STOCKHOLM - LP AKTUELLA)

GRAVE
(GOTLAND)

XYSMA
(FINLAND)

rematory
(STOCKHOLM)

ABHOTH
(VÄSTERÅS)

(STRÄNGNÄS)

SALA

FREDAGS
29/6

O.B.S !!!
18.00
BRAKAR DET LOST

FOLKETS HUS
30:-

GRAVE
Första fastlandsspelninger
för dessa VISBY grabbar

SATANIC
SLAUGHTER (LINKÖPING)
RCHRISTE
(LINGHEM)

16 JUNI KL. 19.00
0 KR

POWER
HOUR

表紙：ニッケ・アンダソン
骸骨に羽根が生えたイラスト：エリック・サールストルム

監修：ステーファン・ペッタション、オルヴァー・セーフストルム、ヴィクトリア・クレスティー、パトリック・クロンバリ、トゥビアス・ペッタション、フレードリック・カーレーン、ニッケ・アンダソン、フレッド・エストビー、トマス・リンドバリ、オーラ・リンドグレーン、アンデシュ・シュルツ

アーティスト宣材用写真を除き、パトリック・クロンバリ、アンデシュ・シュルツ、ニッケ・アンダソン、オルヴァー・セーフストルム、イェスペル・トゥーションが所有していた写真を使用した。

インタヴューは 2006 年春から 2008 年春にかけて著者、または著者の代理人によって行われた（特記してあるものを除く）。

Swedish Death Metal

スウェディッシュ・デスメタル

Daniel Ekeroth

ダニエル・エーケロート 著

Translated by Atsushi Fujimoto

藤本淳史 譯

Contents Swedish Death Metal

謝辞

次に挙げる人物のサポートなしには本書の執筆を成し遂げることができなかった。恩に着るぜ、将来いつか恩返しがしたい。"頽落への道"がお前らとともに永遠にあらんことを！

次の奴らに感謝の意を伝えたい：
アンデシュ・ビョーラー、フレードリック・カーレーン、フレッド・エストビー、ダーヴィド・ブロムクヴィスト、マッティ・カルキ、ウッフェ・セーダルンド、トマス・リンドバリ、イェスペル・トゥーション、ヨニー・ヘードルンド、クリストフェル・ヨンソン、ヨーハン・エードルンド、クリスティアン・ヴォーリーン、トマス・ニークヴィスト、フレードリック・ホルムグレーン、オーラ・リンドグレーン、ダニエル・ヴァラ、ヨルゲン・リンド、ヤン・ヨハンソン、ペータル・アールクヴィスト、ダン・スワリ、マティアス・ケネード、トッテ・マルティーニ、オーケ・ヘンリクソン、マッツ・スヴェンソン、ローゲル・スヴェンソン、レンナルト・ラーション、マルティン・シュールマン、エリック・ストランドバリ、ヨルゲン・ジグフリードソン、ディグビー・ビアソン、トゥビアス・フォルゲ、デニス・レーンダム、ペータル・テクレン、ラーシュ＝ユーラン・ペトロフ、マティアス・クリング、トミー・カールソン

次の奴らには特に感謝の意を伝えたい：
ニッケ・アンダソン、アンデシュ・シュルツ、ヨーハン・ヤンソン、オルヴァー・セーフストルム、ステーファン・ペッタション、ヴィクトリア・クレスティー、クリスティアン・スヴェンソン、ロバン・ベシロヴィッチ、ヘワル・ボザルスラン、ロニー・ベンツォン、オスカル・シャボー＝フェーケテ、パトリック"クロニス"クロンバリ

本書は次の人物に捧げる：
トマス"クォーソン"フォーシュバリ
レイフ・クズネル
ステーファン"ダーク"カールソン
ミエシュコ・タラールツィク

本書には掲載されていないバンドが多くあることを俺も十分承知している。また、十分な情報を得られなかったバンドがいることもご容赦いただきたい。何か間違いを見つけたり、本書に掲載すべきだったバンドについて知っていることがあれば、将来の改訂版のために君の知恵を貸してほしい！

日本語版『スウェディッシュ・デスメタル』に寄せて

　わぉ、2006 年秋にオリジナル版『スウェディッシュ・デスメタル』の原稿を書き終えてか
ら、沢山のことが起こったなぁ。この本がアメリカ、ポーランド、ドイツ、フランス、イタリア
各国語で出版されるほど、大反響をもたらすなんて当初は想像もできなかった。でも俺は
いつも日本語で出版されることを夢にみていたんだ。どうしてかって？　だって、日本ってい
うのは世界一クールな場所だからな！

　俺が最初に日本の音楽に出会ったのは、1984 年に学校のカフェテリアで Flower
Travellin' Band の『Satori』を聴いたときだった。その作品は俺の生涯でベスト 5 に入
るアルバムになった。翌年に、ライブエイドに出演した Loudness のパフォーマンスを目の
当たりにしてから、Anthem、Sigh、Necrophile、G.I.S.M.、Gauze、Death Side、
Church of Misery など数多くの素晴らしいバンドにもはまっていったんだ。

　でも俺が初めて日本を訪れたのは約 10 年前。正直圧倒されたね。日本食、カルチャー、
飲み屋、それにレコード店は最高なんだ！　その時に、関根成年と知り合いになって、日本
語版を出そうかっていう話になったんだ。そして、彼がパブリブの濱崎誉史朗と翻訳者の藤
本淳史に話をつけてくれた。彼らのおかげで日本語版がもう夢の話ではなくなった。俺は
楽しみながら本書を書いたから、君も気に入ってくれると嬉しい！

では楽しんでくれ！

2020 年 3 月 10 日
ダニエル・エーケロート

はじめに

「**俺が言ったことを信じないでくれ その言葉に真実なんてないんだ**」
　　──Thin Lizzy　（訳者註：Thin Lizzy の『Johnny the Fox（邦題：詐欺師ジョニー）』
（1976 年）収録の「Don't Believe a Word（邦題：甘い言葉に気をつけろ）」からの一節）

　このフィル・ライノットの言葉は、本書執筆準備中の俺の複雑な心境を実によく表
している。ガセネタを集めて炎上するのではないかと気後れしたこともあったが、心
折らずにこの途方もない旅を続けるしかないと覚悟した。まあ、この本はロケット工
学について書いたものじゃない。これはデスメタルについて書いた本だからな！

　１０代が中核をなしていたこのデスメタルのようなアンダーグラウンド現象について
書こうとする際に、立ちはだかったのはデタラメの情報源の存在だ。現存するエクス
トリーム・メタルの関連書籍の多くは、薄っぺらい内容で、曖昧な憶測に基づいて
いる。マイナーなバンドについては言及されず、メジャーなバンドも音楽シーンの流
行に翻弄され、彼らの本質が歪曲されている。したがって、メタル関連書籍のペー
ジを漁るよりも、真の逸話が隠されている膨大なファンジン（同人誌）を貪り読み、
編纂しようと考えたのである。１０代のノリや勢いで書かれているのがファンジンの持
ち味ではあるが、全くのデタラメの情報を意図的に流したりすることもあるので純然
たる事実を見い出すのはとうてい無理である。複数のファンジンと照らし合わせて事
実関係を出来る限り確認してみたが、嘘つき合戦の様相を呈していることも多いと感
じ、正確性という点においては憂慮すべきであろう。

　このほか、さらにバンドに直接聞いてみる手段も試みた。インタビューは広範囲に
行なわれたが、確実に正確な情報を得たとは言えなかった。実際、いつメンバーチェ
ンジが行なわれたとか、いつデモテープが録音されたとか、いつライブが行なわれ
たとかを聞いても、あやふやな部分が多かった。自分のバンドに関してもそうであっ
たので、当然な気もする。今から思うと、当時スウェディッシュ・デスメタルのムー
ヴメントを後世に残すという意図があったわけではなく、当事者達は後先考えずに本
能の赴くままやりたい放題やっていただけなのである。したがって、記憶には不確実
性がつきものだということを容赦いただきたい。

　俺が最初にやったことといえば、部屋や押し入れの中を隈なく掃除しながら古い
デモテープやファンジンを探すことだった。知り合いにも頼み込んで同じことをさせた
ものだったから、俺は迷惑極まりない奴だったかもしれない。真っ暗闇の居間で、

引き出しや段ボール箱をひっくり返し、貴重音源の発掘作業が連日連夜続いた。当時成功するに至らなかったバンド、俺の琴線に触れることがなかったバンドをもう一度掘り起こし、その素晴らしさを再認識できたのは大きな収穫だった。デスメタルに明け暮れていた昔の自分に浸るあまり、我に返ると、現実感覚を失っていた。

　その後、2 年ほど音源をひたすら聴き、ファンジンを貪り読んだ（時折メモも取りながら）。そして、当時のシーンを牽引していたメンバーや重要人物への接触を図った。皆がこのプロジェクトに熱意を示してくれ、ウラ話を惜しげなく共有してくれたので（個人的に知っている面々も多かった）、滑り出しは順調かと思われた。日本ツアーの真っ最中にも関わらず返信してくれた奴もいたし、フランスでの休暇から帰った当日にインタビューに応じてくれた奴もいた。当時のメンバーと全く連絡がつかなくて、途方に暮れていても、そのうち見つかるだろうと楽観的に考えるようにした。連絡が一切つかない人物もいたが、それが偶然俺の友人の同僚であったり、ホラー映画のトレード仲間を通じ、超マイナーなバンドのメンバーと連絡がとれたことがあった。また、シーンから完全に姿を消していた人物が（誰も連絡をした覚えはないのに！）、どこからともなくパーティーにやってきて昔の武勇伝を語るという奇妙な出来事もあった。彼が語り始めた瞬間、地獄からの啓示が閃いたのだと、戦慄を覚えた。

　内容に関して、徹底的な調査をしたわけではない。特にシーンの晩期においては、本来言及すべき多くのバンドを掲載し忘れていると自覚している。深度を掘り下げていくにつれて、毎週新しいバンドを発見していく過程で、これが一大プロジェクトになりつつあるということに驚きを覚えずにはいられなかった。しかし、これはあくまで俺自身が経験した黎明期のスウェディッシュ・デスメタルの歴史であることを心に留めておいてほしい。他の著書にもいえることだが、完璧な客観性を維持するのは難しく、本書も内容の大半は俺の記憶、嗜好、そして知識に依存している部分が大きい。これまで膨大な数のバンドに出会ったが、すべてのバンドを記載するのは不可能に近いということを考慮していただきたい。

　そして、当然記載されて然るべき多くのバンドが意図的に記載されていないこともある。真正デスメタルと初期のシーンに焦点を絞ったために、大方のスウェディッシュ・ブラックメタル・バンドについては敢えて取り上げていない。一方、場違いだと異を唱える者もいるかもしれないが、初期のシーンを語る上で、スラッシュメタル・バンドへの言及は必然性があると感じている。というのも、初期において、デスメタルとスラッシュメタルは同一視されていたからである。俺は中途半端なバンドではなく、真正デスメタル・バンドを追究しているのである。なんといってもこれはデスメタルについての本なのだから。

それと、本書を妥当な長さに収めるために、1993 年以降の出来事についてはいったん筆を止めている。俺からすると、初期のデモテープのシーンから革新的なファースト・アルバムに至る一連の過程が重要なものであって、ムーヴメントの中で非常に興味深い事象の一つであると感じている。その後のバンドが成し遂げた業績よりも、初期においてカギを握るバンドや事象について言及していることが本書の醍醐味である。

　さらに、自分に正直でいられるうえ、より面白さが伝わると思ったので個人的な嗜好を開けっぴろげに晒した。古き良きファンジンのクールなスタイルを手本にしたほうが、真正デスメタルの精神を継承できると俺は信じている。

　本書はロックジャーナリズムの世界においてかなり稀有なアプローチをとっている。それは音楽性についてである。俺の経験から言うと、多くの音楽書籍では、酒、セックス、ドラッグなど、ロックカルチャーのセンセーショナルな側面に重きを置いて書いている。特に、デスメタルのようなエクストリームなジャンルにおいて、ジャーナリスト達は音楽性よりも不快な歌詞やイメージに耽って、安っぽいゴシップに集約させてしまう傾向がある。そのような浅はかで、全デスメタルファンを敵に回すようなやり口は到底許されるべきではない。デスメタルの素晴らしい音楽性、スウェディッシュ・デスメタルの偉大なる功績を、尊厳をもって真摯に扱うことが俺の使命である。

　残念なことに本書の執筆中、エクストリーム・スウェディッシュ・メタル・シーンにおける 3 名の巨匠がこの世を去った。Bathory のトマス "クォーソン" フォーシュバリ、Satanic Slaughter のステーファン "ダーク" カールソン、Nihilist のレイフ・クズネルである。フォーシュバリとカールソンに関しては、俺が彼らにインタビューしようとしたほんの数週間前に亡くなった。これによってプロジェクトが暗礁に乗り上げたかのようにみえた。しかし、時間が経つにつれて、シーンを築き上げたこれら巨匠達の軌跡を後世に残すときが訪れたのだという想いが宿りはじめた。このため本書は、そのような伝説達に想いを馳せる場としても提供したいと思った。

　本書執筆中に俺が感じた高揚感を読者にも味わってもらえたら何よりと思う。そして、この本の大半は真実であると願っている。何年にもわたってスウェーデンが輩出してきた偉大なバンドのことを少しでも知ってもらえることが出来ればそれでいい。酷い間違いがあるならば、是非俺に連絡をくれ、君の知恵を拝借したい。最後に、いくつかのアーティストに対する俺の評価は手厳しいときもあるが、本書に出てくるすべてのバンドを心から敬愛していることを分かってほしい。メタル音楽、特にデスメタルは 80 年代後期の俺のやさぐれた 10 代において、生き甲斐を感じさせてくれた。デスメタルはこの荒んだ世の中で生き延びる糧を与えてくれたんだ。

それは今でも同じだけど。

ダニエル・エーケロート

序文

　デスメタルっ子達よ、輪に入れっー! デスメタルおじさんの場所もあるぜー! 残虐性に隠れた真実を知りたいオタク野郎も来てみるがいい。ポーザーの皆さまもほらこっちこっち。ポーザーっていう言葉、覚えてるよな? 今もいるんだよなぁ、そんな奴。むしろ前よりも増えているかもな。すべてのポーザーの奴ら、青酸カリでもくれてやるから、とっととここから失せろ。あの世にでも逝ってくれ。それが俺の望むところ……って冗談だって。おっと、前置きが長すぎた。じゃあ本題に入ろうか?

　スウェディッシュ・デスメタルって何だ? 独特の音楽性、感触、死に至るまでの生き様。それは "スウェディッシュ・ファッキング・デスメタル"。なんてこった、今も生き残っているよな。うすらマヌケな奴らどもよ、こっちに来てデスメタルの始祖達を崇めようぜ（スウェディッシュということばをほんの少しの間だけ置いておいて）。デスメタルが勃発したころ、アドレナリンで満たされた、むせ返るようなデスメタル野郎達が支配していたよなぁ。Nihilist、Obscurity、Tribulation、Morbid、Grave、Dismember、Therion がいたな。脳天直撃してぶっ倒れちまったよ!

　それじゃあ、初めてスウェーデンの重厚感に出会ったときのことを話してもいいか? 俺は汗臭っさくてハングリーなメタル小僧でさぁ、目の前にあるすべてのメタル・アルバム、デモテープ、ファンジンを貪っていた。1983 年に Silver Mountain のアルバム『Shakin' Brains（邦題:シェイキン・ブレインズ）』を手に入れたとき（当時、俺は 14 歳、念のため）、その音楽的センスとずっしりとした重たさに痺れたなぁ。いまだそのアルバムは大好きなんだ。程なくして、Overdrive が俺のステレオから流れてきたとき、これだ!と思ったね。彼らはもちろん素晴らしいバンドだったけど、それ以上にスウェーデンっていう響きが俺にとって未知の世界だった。（訳者註:Overdrive は 1980 年結成の正統派メタル・バンド。ライファートが耳にしたこのアルバムは『Metal Attack』〈1983 年〉または、『Swords And Axes』〈1984 年〉であろう。バンドは何度か解散したものの現在でも活動を続け、2014 年には来日公演を行っている）

　そうこうするうち、狂気の沙汰が起きたんだよ。Bathory のファースト・アルバムをターンテーブルにセットしたら、全身に電流がビリビリ流れたね。悪魔の山羊が描かれたそのアルバムを初めて聴いたとき、どこ出身なんて気にしちゃあいなかった。最高に病んでて、もう憑りつかれてもいいやって思った。濁流に飲み込まれろ、クソ野郎〜!って雄叫びあげたよ。そんで次に出会ったのが、Nihilist。うわマジかよ、こりゃすんげえなと思った。彼らが Entombed や Unleashed に変化していったのも間違いなかったなぁ。Entombed の『Left Hand Path（邦題:顚落への道）』は、

この病んだ世界で正しいデスメタル道というものを切り開いてくれたのさ。その他にも、Carbonized、Macabre End、General Surgery、Comecon があって、甲乙つけ難かった。Nifelheim、Maze of Torment も他の追随を許さなかったよな！一時はとめどなく、バンドが派生したり、サイド・プロジェクトが結成し、デスメタル・バンドの交配が行なわれたりして、本当に充実してた。デスメタルがシーンを覆い尽していたんだ。

　もう少しで書き終わるからな。俺はすぐに退散するから安心してくれ。1993年、ロサンジェルスで元中華料理店の地下巣窟のようなところで Dismember が Autopsy と対バンしたんだ。クレイジーでヤバいショーだったな。超満員で、天井を掠めるくらいダイブをしまくってたなあ。良い思い出だよな、そうだろ？（訳者註：この場所は 1970 年代後半から 1980 年代初頭にロサンジェルスのパンクロックシーンの活性化に一役買った Hong Kong Café という名のライブハウス。その後 1992 年から 1995 年にかけて復活していた。動画サイトで "AUTOPSY Los Angeles, CA. 6-12-1993" と検索すると、当時の生々しい模様を垣間見ることができる）もう一つ強烈な経験は、Murder Squad のセカンド・アルバムのレコーディングをするために、ストックホルムに招待されたこと。本当に光栄だったね。ビール、ウィスキー、チョコレート、旧友、そして新しい友人、言うまでもなくメタルにも囲まれて過ごせたのは素晴らしかった！そういえば、ギターをレコーディングしているときに、自分に向ってこう口走ってたよ。「うわっ、やべえ！今、俺って超スウェディッシュ・デスメタルっぽい音を出しているんじゃねえかぁ……これだよ、これ！」

　あと何か手短に言えることはあるかなあ。デスメタルの歴史のこの一端を担うことが出来て本当に感謝しているし、今日のこの音楽を形つくった偉大な先人達に礼を言いたい。このデスメタルという野獣を生かし、そして、野獣のくせぇ臭いをプンプンにさせている奴らにも乾杯！

　ゲスく生きろよ、この変態野郎！

クリス・ライファート
（Death/Autopsy/Abscess）

イントロダクション――なぜスウェーデンなのか?

「デスメタルっていうヘンテコなモノがあるんだってな。灼熱のフロリダと極寒のここストックホルムで人気があるんだろ? よくわかんないけど、こんな感じなんだよな。ウワアアアアアアー!」

――サーストン・ムーア 1991 年 Sonic Youth ストックホルム公演時のステージ上 MC より

　90 年代初頭、デスメタルが一つのジャンルとして確立されたとき、2 つの地が世界のエクストリーム・メタルの中心地として突出していた。1 つ目は Morbid Angel、Death、Massacre、Deicide などのバンドを有するアメリカのフロリダ。この 20 世紀におけるポピュラーカルチャーの中心地であるアメリカから、エクストリームなバンドが多く誕生していたため、そこでデスメタルが勃発したことは、さして驚くべきことではなかった。しかし、スウェーデン、首都のストックホルムで、Entombed、Tiamat、Therion、Unleashed、Afflicted、Dismember など良質のバンドが生まれたことは特に注目に値する。いったい何故このような極寒の北欧の小国が、過激な音楽ジャンルの中心地になり得たのであろうか。完璧な答えはないかもしれないが、それを導き出してみようと思う。

　80 年代以降、スウェーデンは人口比率でメタル・バンドが最も多いことで、世界でも有数の国のうちの一つであった。しかし、他の国と比較しても、メタル音楽がとりたて人気があった訳ではない。スウェーデンでデスメタル・ブームが到来した背景には、社会システムが関係しているのではないかと思われる。スウェーデンは裕福な国であるため(今や過去形になっているが)、人々は誰でも気軽にバンドを結成する風潮があった。昔から楽器やリハーサル室が自治体によって提供されている。リハーサルやレコーディングの費用も支援団体が賄ってくれることがある。さらに、スウェーデンの多くの都市にはリハーサル室が完備された大型施設もあり、ほとんど無料で借りることができる。

　スウェーデンの一般的な町は、極めて小さく退屈である。2 番目に大きい都市のユーテボリでも人口は 50 万人以下、多くの町の人口はたった 2 万 5 千人程度である。スウェーデンの若者達は、スポーツに打ち込んだり、バンドを組んだりする以外やることがなかった。この結果、ひしめくようにバンドが生まれたのである。多くの若者は退屈しのぎやフラストレーションを発散させるためにバンドを結成したため、メタルやパンクに行きつくのが当然な流れだった。俺が育った面白みもなく野暮ったい

アーヴェスタという町でも、ガレージや学校、ユースセンター（余暇活動施設）にメタル・バンドが溢れかえり、メタルは身近な存在だった。それにもかかわらず、ライブ活動を行う場所は皆無だった。パブは数えるほどしかなかったが、そこでメタル・バンドの演奏はほとんど認められなかった。また、18歳以上、多くの場合は20歳にならないと行くことすらもできなかった。そのため、ユースセンターや学校のダンスパーティーでの演奏以外、長い間にわたってライブ活動の地盤も存在していなかったのである。そういえば、俺の学校のほとんどの奴らは、目標もない人生を送っていたか、スポーツに打ち込んでいたかのどちらかだったと思う（有名なのは、アイスホッケー選手で名声を博しているニクラス・リドストルム、スピードウェイ・ロードレース世界選手権チャンピオンのトーニ・リーカルソンである）。

　80年代後半に勃発したデスメタル・シーンのおかげで、スウェーデンのメタル・シーンが認知され、海外でセンセーションを巻き起こした。デスメタルが流行る前は、耳に優しい軟弱なEuropeやギターの名手Yngwie J. Malmsteenが海外で素晴らしい成功を収めていたが、80年代中盤以降、より過激でオリジナリティーに溢れるバンドが注目されるようになった。その代表格は、革新的なブラックメタル・バンドのBathory、そしてドゥームメタルの元祖Candlemassである。予想だにしなかった彼らの成功は、スウェーデンの若者達を自国のバンドに夢中にさせるきっかけを与えた。この出来事で、良質のバンドがスウェーデンに存在していることを対外的にアピールすることが出来た。また、たとえ過激な音楽性であったとしても、海外で成功できることを証明したのである。

　一時代を築いたこのブームの火付け役は、たった数人のティーンエージャーだった。リハーサル室の外でたむろしていた彼らは才能豊かで、恐ろしく早熟であったが、当初はままごと遊びに興じているだけだと思われた。のちに少年らは、Entombed、Dismember、Tiamatといったバンドで活躍し、世界のデスメタル・シーンの牽引者となった。インスピレーションを受けた多くの若者達は、次から次へとバンドを結成した。のちのシーンに多大な影響を与えることになる、At the GatesやDissectionもこの中に含まれていた。世界でもトップクラスのスタジオとして名を馳せたSunlight Studioは、初期のシーンで多くのバンドに支持され、若者達に自身のスタジオを立ち上げるきっかけを与えた。スウェーデンのバンドは、アメリカや他のヨーロッパのバンドとは一線を画す独特のスタイルを追求した。そのおかげで、同国出身のバンドは高品質かつ個性豊かなバンドを表す代名詞としても使われるようになった。スウェディッシュ・デスメタルは巨大なブームとして急速に発展し、廃れることなく今日まで続いている。

それではシーンの起源、そして発展を検証してみよう。俺についてこい!

第1章:
死者の夜明け

Death のデモテープ――素晴らしいアートワークだ!

ス ウェディッシュ・デスメタルのシーンについて語る前に、このジャンルの世界的発展についてざっと見渡してみよう。本書では初期デスメタル・シーンをすべて網羅するのではなく、影響力を持つバンドを手短に述べるのみとする。君がデスメタルの成り立ちについて詳しいのであれば、次節（パンク・コネクション）から読み進めることをお勧めする。

エクストリーム・メタルの発展は、一筋の系図をたどっている。Black Sabbath の重量感のあるダウン・チューニングのリフとオカルトイメージから始まり、Judas Priest の正確なリフとスピードを経て、最後に Motörhead の緊張感溢れるメタルとパンクの融合に行き着いた。これら３つの由緒あるバンドをルーツとして、80 年代に突入したころに、イギリス、ニューカッスル出身の３人組 Venom が産み落とされた。Venom の重要性を垣間見ることが

Venom——死の始祖。

出来る、初期の２枚のアルバム、1981 年の『Welcome to Hell（邦題：地獄への招待状）』と 1982 年の『Black Metal （邦題：ブラックメタル）』では、過激なイメージ、粗削りの音楽性、無慈悲なヴォーカル・スタイルが極限まで表現されていた。故に Venom は、エクストリーム・メタルの主要な３ジャンルへの道筋を照らしたといえる。１つ目のジャンルはスラッシュメタル。これは 80 年代ではむしろスピードメタルと言われていた。２つ目のジャンルはブラックメタル。これは、Venom のセカンド・アルバムのタイトル名に由来する。そして最後に、デスメタルである。

スラッシュメタルは Metallica、Exodus、Anthrax、そして Slayer 等によってアメリカで発祥したジャンルである。サンフランシスコ・ベイエリア地区一帯がムーヴメントの震源地として、"ベイエリア・スラッシュ"といわれるスタイルが確立された。そのスタイルは、基本的にスピード感のあるヘヴィ・メタルで、縦横無尽に動き回るリフと安定した２ビートのドラム・パターンで構成される。ジャンルには固定したイメージは存在せず、歌詞も社会問題を扱うものが多い。これらのバンドの中で Slayer は例外であった。初期はプリミティヴなコープス・ペイントを施し、暴力、死、そしてオカルトをテーマにしていた。Slayer は初期スラッシュ・バンドの中で最も暴力的で、あらゆる点においてデスメタルの先駆けといえる唯一のバンドである。1986 年の『Reign in Blood（邦題：レイン・イン・ブラッド）』はその激しい音楽性ゆえ、

トム・アラヤの高音でクリーンなヴォーカルを除けば、今日の基準と比較してもデス
メタルと捉えてもおかしくはない。その後、Dark Angel や Sadus などのアメリカの
スラッシュ・バンドが同様の攻撃性を追求していった。

　一方、ヨーロッパでは、スラッシュメタルは恐ろしく凶暴化し、邪悪に解釈され
ていった。Venom の軌跡を継承した最初期における最重要なバンドは、スイスの
Hellhammer である。Hellhammer は、結成当時からオカルトモチーフに傾倒し、

初期の Sodom のデモテープ。

初期はステージ名を使用し、コープス・ペイント
を施していた。彼らはアメリカのバンドと比較して
も、より残虐なアプローチを提示した。トム・ウォ
リアーのダウン・チューニングされ歪んだギター、
野太く唸るようなヴォーカルは、来るべきデスメ
タルのジャンルに多大なインスピレーションを与え
た。"デスメタル"という用語は、1983 年にメタ
ルファンジン『Death Metal』を Hellhammer
のメンバーが発行したことにも由来している。こ
のファンジンがきっかけで、1984 年にドイツの
Noise Records が、Hellhammer や Running
Wild、Dark Avenger、Helloween といった強
力なラインナップを収録した『Death Metal』

というタイトルのコンピレーション・アルバムをリリースしたともいわれる。初回盤は、
むごたらしく血みどろのジャケットで発表されたことでも悪名高く、のちの Cannibal
Corpse などに見られるアルバム・アートワークの先取りをしていたといえる。後世
に多大な影響力を及ぼしたミニアルバム発表後、Hellhammer は Celtic Frost へ
と変容を遂げ、初期は残忍冷酷なアプローチを追求していた。しかし間もなく、ヘ
アメタル路線に血迷ってしまったのは周知のとおりである。

　同時期に、ドイツ三羽烏の Sodom、Destruction、Kreator はエクストリー
ム・メタルの可能性を極限まで突き詰めていた。アメリカ勢とは異なり、彼らは
Hellhammer と同様、原始的アプローチのスラッシュメタルを造り出した。ギター
はさらにダウン・チューニングで、粗々しいサウンド、唸るようなヴォーカル、暴
力的でオカルトイメージを惜しげなく表現していた。Sodom の『In the Sign of
Evil』（1985 年）、Kreator の『Endless Pain』（1985 年）、Destruction
の『Sentence of Death』（1984 年）の楽曲のアレンジやリフは、Exodus や
Slayer 等にみられるスピードメタルを踏襲していたが、その生々しい攻撃性と冒涜

1985 年頃の
Possessed。

的スタンスは新たな方向性を示した。Hellhammer、Sodom、Kreator、それに
Destruction は、のちにデスメタルとして知られるようになるジャンルに多大な刺激
を与えた。

　"デスメタル"という用語は、デビュー当時のスウェーデン出身、Bathory の暴虐
的なサウンドを描写する際にも使われていた。特に、1985 年の Bathory のセカン
ド・アルバム『The Return』は、その粗削りのプロダクション、絶叫ヴォーカル、
そして狂人的な速さで、当時のすべてのバンドを超越していたといっても過言ではな
い。しかし、音圧を感じさせないプロダクション、シンプルなリフ、そして彼らのイメー
ジは、やがてデスメタルとして呼ばれる音楽にはカテゴライズされないかもしれない。
のちにデスメタル・バンドとして変貌を遂げるヨーロッパ勢、ポーランドの Vader、チェ
コスロヴァキアの Krabathor も同時期に結成された。両バンドとも、1983 年結成
ではあったが、当時のレパートリーはカバー曲中心の平凡なスピードメタル・バンド
にすぎなかった。

　ここで、再度アメリカに視点を移し、今日のデスメタルに至る過程をみていこう。

　デスメタルを一つのジャンルとして発展させたのは、1982 年、当時中学生であっ
たマイク・トレイオとマイク・サスによって結成されたサンフランシスコの Possessed
であろう。Venom のパンキッシュな側面に影響を受けた彼らは、仰々しい悪魔的な
イメージを武器に、攻撃的サウンドへの追求を目指した。1983 年、オリジナル・メ
ンバーでヴォーカリストのバリー・フィスクの自殺の後、後任のジェフ・ベセーラの加
入によりバンドの凶暴さが急激に加速した。ふとしたきっかけで自らの音楽性を"デ
スメタル"と呼びはじめたとベセーラは語っている。**「高校で英語の授業中に思いつ
いたんだよ。"スピードメタル"と"ブラックメタル"は既に使われてしまっていたし、**

どうすりゃいいんだと思ったんだ。で、浮かんだのが"デスメタル"ってわけだ。Venom や他の誰も連想させるものではなかったしな。別にそれを定義づけようと思ったわけじゃない。俺達はただ音楽をやりたくて、この世で最もヘヴィーになりたかっただけさ。皆をイラつかせ、そいつらがゲッソリしちゃうくらいのをな。"フラワーメタル"なんてわけにゃいかないだろ。」(ジェフ・ベセーラ Possessed 『Choosing Death』より) (訳者註:『Choosing Death』はアルバート・マドリアン著のデスメタルの歴史を綴った本。ここにもスウェディッシュ・デスメタルに関する記述がある)

　かくしてデスメタルが誕生した。初期のデスメタル・シーンの原動力となったもう一つのバンドは、1983 年にオーランドで結成された Mantas である(のちに Death と改名)。バーニー"カム"リーとフレドリック"リック・ロズ"デリロがバンドを結成したほんの数週間後、パーティーで出会ったチャック・シュルディナーが加入した。バンド名から察するとおり、Mantas は Venom から多大なる影響を受けていたが(Mantas は Venom のギタリストのステージネームから拝借している)、残虐性溢れるリフとギターサウンドの融合という点において、やがて Venom を遥か凌ぐことになる。

　1983 年から 1984 年の間に始動したアメリカのバンドは、シカゴの Deathstrike (のちに Master と改名)、ミシガン州フリント出身の Tempter (のちに Genocide、Repulsion と改名)、フロリダの Executioner (のちに Obituary と改名)、そして、デスメタル・シーンにおいて最重要バンド、フロリダ州タンパ出身の Heretic (のちに Morbid Angel と改名) である。どのバンドも楽曲のスピードが増し、チューニングが下がり、ザラザラしたヴォーカルが特徴的であったが、Venom の亜流に甘んじ、オリジナリティーを確立するまでには至らなかった。彼らがシーンに衝撃を与える存在になるのは改名後である。

　1984 年 10 月、Mantas は初のオフィシャル・デモテープ『Reign of Terror』を録音した。サウンドは粗削りなスピードメタルの域を脱してはいなかったが、暴力的なサウンドにフィットするバンド名に変えようとしていた。そして、クリスマスの直前、Mantas はバンド名を Death へと改名した。彼らが掲げるようになった"コープス・グラインディング・デスメタル (Corpse Grinding Death Metal= 死体粉砕デスメタル)"というスローガンは、新たなジャンルの命名に一役買ったといえる。同年大晦日、Death としての初ライブ (Nasty Savage の前座) が録音され、その音源はテープ・トレーダーの間で定番アイテムとして出回るようになった。この時点でチャック・シュルディナーがバンドの音楽的方向性の全権を握るようになっていたため、Death は以後何年にも及ぶ不安定なメンバー交代の憂き目にあう。

一方、1984 年、伝説的なデモテープ『Death Metal』を発表した Possessed は、デスメタルをさらに具現化しようとしていた。この点で、本音源は革命的であったと言わざるを得ない。Possessed は、当時多くのバンドに支持された Venom ／ Motörhead 路線を回避し、"大仰な" スタイルに突き進んだ。感情剥き出しで極限まで加速した楽曲が、複雑なリフやドラム・パターンと絡み合っていたのである。さらに、ベセーラの絶叫しながら唸る歌唱法は当時誰も聴いたことがなく、時代の先取りをしていたといえる。Possessed が打ち出したこのスタイルは、のちにデスメタルの特徴として広く認知されるようになり、彼らのデモは最古のデスメタル音源であると一般的に捉えられるようになった。

　デモテープ『Death Metal』はアンダーグラウンドで諸手を挙げて受け入れられ、1984 年末、Possessed は Combat Records との契約を手にする。ラリー・ラロンデをセカンド・ギタリストとしてメンバーに加え、バンドの体制を整えた彼らは、1985 年の高校の春休みにデビューアルバム『Seven Churches（邦題：セヴン・チャーチズ）』のレコーディングを行なった。私見ではあるが、この作品が最古のデスメタル・アルバムであることに疑いの余地はない。粗削りのギターサウンド、荒々しい超人的ヴォーカル、複雑な曲構成、悪魔崇拝がテーマの歌詞、そして、怒り満ち溢れた雰囲気、そのどれをとっても既存領域を凌駕していた。威風堂々たるサウンド、数多くのテンポ・チェンジ、変則的なリフパターンは衝撃的で、それまでのスピードメタルの様式を多くの点で覆した。当時気づいた者は僅かであったが、デスメタルは既に誕生していたのである。

　1984 年フロリダで、天才ギタリスト、トレイ・アザトースが Heretic を結成していた（のちにデスメタルの象徴的存在となる Morbid Angel の前身）。当時過激といわれていた多くのバンドは Venom からの影響を受けていたが、Morbid Angel は Slayer と Mercyful Fate の複雑な曲構成のスタイルからインスピレーションを受けていた。Morbid Angel はイメージにもこだわり、バンドロゴは神秘的雰囲気を醸し出していた。1986 年、デイヴィッド・ヴィンセントによって設立された Goreque Records 用にファースト・アルバムが録音されたが（その音源は、のちに Earache Records から発売される『Abominations of Desolation』）、トレイは楽曲が正当に評価されないことを危惧。一旦活動を休止し、リチャード・ブルーネル以外の演奏力不足のメンバーを解雇した。それから間もなく、Morbid Angel は伝説となる複雑で先進的なデスメタル・スタイルを作り上げるのである。

　時同じく、チャック・シュルディナーは Death に適任のドラマー、クリス・ライファートを探し当て、デモテープ『Mutilation』を完成させた。そのデモテープがきっか

デスメタル界の帝王 Morbid Angel。

けで、Possessed も在籍していた Combat Records との契約に至った。ファースト・
アルバム『Scream Bloody Gore（邦題：スクリーム・ブラッディ・ゴア）』は五感
が麻痺するほど強烈な作品で、当時存在した激しい音楽性のバンドらを宇宙の彼方
に葬るほどの勢いがあった。極悪ヴォーカル、血みどろの歌詞、生々しいギターサウ
ンド、ハンマーで打ち付けるようなドラム、そして、邪悪なリフで満たされたこのアル
バムは、革命的最高傑作として歓迎され、彼らは前途洋々かのように見えた。しかし、
クリス・ライファートはチャックとフロリダに移り住むことを良しとせず、1987 年 2 人
は袂を分かつこととなる。その後、チャックは再びメンバーを探し始め、クリスは 80
年代後半のスウェディッシュ・デスメタル・シーンに多大な影響を与える Autopsy
の原型を作り始める。
　1985 年に入り、Tempter は Genocide へと改名し、新たな残虐性を求めるべ

く楽曲のスピードを上げ始めた。1985 年後半のデモテープ『Violent Death』で狂人的速度の限界に挑戦し、1986 年には、イギリスの Napalm Death と共に、世界一高速なバンドになっていた。計り知れないインパクトをアンダーグラウンド・シーンに与えたデモテープ『The Stench of Burning Flesh』を発表後、6 月に Repulsion へと改名。どのレーベルも興味を示すことがなかったため、費用を自ら賄いスタジオで『Slaughter of the Innocent』のレコーディングを行なった。残虐性をキープしつつ超高速であるという点において、その音源は衝撃的であった。当時のリスナーにとって Repulsion は激しすぎて、時代が彼らに追い付くことができなかった。1987 年 11 月に Repulsion は解散したが、彼らは、狂人的超高速デスメタル・スタイルの新たな礎を築いた。

　速度にこだわっていた Repulsion に対抗できた数少ないバンドの一つは、1985 年、メタルキッズであったオスカー・ガルシアとジェシー・ピンタドによって結成されたロサンジェルスの Terrorizer であろう。当初、Terrorizer は Death や Death Strike/Master に影響を受けていたが、ジェシーが Napalm Death のデモテープを入手したことがターニングポイントとなった。それまで 2 人が耳にした中で最も速い楽曲をプレイしていた Napalm Death のスタイルを Terrorizer にも取り入れようとしたのである。彼らが求める速度に応えられる熟練したドラマーが必要であったが、すぐに技巧派ドラマー、ピート・サンドヴァルが見つかった。新ドラマーを入れて 3 人体制となった Terrorizer は、強烈な印象をもたらしたリハーサル・テープを何本か録音した。しかし、地元ロサンジェルスでは激しすぎるという理由でライブハウスでの演奏には至らず、バンド活動が停滞。ピート・サンドヴァルが Morbid Angel からの誘いを受け入れ、1988 年 8 月に Terrorizer は解散した。

　この時点で、Napalm Death はアメリカのシーンを席巻していた。Napalm Death の結成は 1981 年まで遡るが、1985 年末まで正統派ハードコアパンク（速くブルータルではあったが）をプレイしていた。1985 年 11 月、神憑り的速さのドラマー、ミック・ハリス加入後、音楽性に変化が訪れた。ミックは "ブラスト・ビート" と "グラインドコア" という 2 つの重要な用語を発明した張本人である。前者は狂人的速さのバスドラムとスネアドラムのビートを表し、後者はそのビートによって作り出される超高速音楽である。常に落ち着きのないミックは、バンドに狂気のスピードと同時に、激しいメンバーチェンジをももたらした。数本の驚異的なデモテープ・リリース後、当時設立したての Earache Records の目に留まり、1987 年にデビューアルバム『Scum』がリリースされる。この時点で、このアルバムは世界最高速であったことは間違いない。Napalm Death の登場は、全メタル・シーンにとって衝撃的

Napalm Deathのデモテープ。パンク寄りだった。

な出来事だったのである。

　一介のアンダーグラウンド・パンク・バンドだった Napalm Death は、『Scum』のたった一作によって、世界中から絶大な支持を受けるエクストリーム・バンドへと変貌を遂げた。そして彼らの成功が所属レーベル Earache に予想だにしなかった恩恵をもたらしたのである。当初誰にも見向きされなかった Earache の活動が、世界初のデスメタル・レーベルとして突如注目され、レーベル運営が軌道に乗り始めた。Earache はその後数年間、数多くのトップクラスのデスメタル・バンドと契約を交わした。そのうちの一つに Carcass がいた。

　Carcass は 1985 年にドラマーのケン・オーウェンとギタリストのビル・スティアーによって結成された（ビルが Napalm Death に 1987 年から 1989 年まで在籍していたのはご存知のとおり）。1987 年、Carcass はヴォーカル／ベースのジェフ・ウォーカーと結託し、デモテープ『Flesh Ripping Sonic Torment』を制作。極限までにダウン・チューニングされたギターと残虐的スピードでオリジナリティーを打ち出し、歌詞やアートワークは流血や変形死体部位をテーマとしていた。のちにこれ

Carcass スウェーデン公演のポスター。

Earache――世界初の真正デスメタル・レーベル。

が、デスメタルのサブジャンル、ゴアグラインド・バンドに多大な影響をもたらすこと
となる。Earache Records と契約を交わした Carcass は、1988 年 6 月に鮮烈
的デビュー作『Reek of Putrefaction（邦題：腐乱死臭）』をリリース。その粗削
りのアルバムは予想以上に売れ、BBC ラジオの有名 DJ、ジョン・ピールが 1988
年の年間ベストアルバムに選出するほどであった。

　しかし、同

　年旋風を巻き起こした作品は、1988 年 9 月リリースされた Napalm Death の
『From Enslavement to Obliteration（邦題：ナパーム・デス）』であろう。レコー
ド店ではソールドアウトが続出し、Sonic Youth のアルバムを UK インディーチャート
1 位の座から引きずり下ろした。時代の寵児となった Napalm Death は、激しく、
速くプレイすることを多くのバンドに促したのである。

　Napalm Death は多くのバンドを触発した。1987 年、自らのオリジナリティーを
模索していた Morbid Angel は、デイヴィッド・ヴィンセントをベーシスト兼ヴォーカ
リストとして迎え入れた（Morbid Angel は、デイヴィッド・ヴィンセントの設立したレー

ベルからデビュー作をリリースするはずだった)。ノースカロライナ州シャーロットに活動拠点を移し、驚異的な進歩を見せたデモテープ『Thy Kingdom Come』を発表。演奏がよりタイトになり、楽曲も速くなると同時に、邪悪さも備わった。しかし、トレイ・アザトースは何かが足りないと感じていた。Napalm Death を聴いた瞬間、バンドに必要なのは超高速ドラマーであると悟ったのである。1988 年、Morbid Angel は地元フロリダに戻り、同年夏、Terrorizer のドラマー、ピート・サンドヴァルを加入させた。すべての準備が整い、彼らは Earache Records と契約した。(訳者註:そして、解散状態だった Terrorizer は、フロリダに集結しグラインドコアの名作『World Downfall』の制作に取り掛かる)

　Morbid Angel は神秘的イメージを醸し出す一方、同じくフロリダ出身の Executioner は Xecutioner と改名し、アマチュア路線を脱却しようとしていた。Xecutioner はのちに、デスメタル・バンド御用達になるスタジオ、タンパの Morrisound でレコーディングした初のデスメタル・バンドである。デスメタル・シーンで名を馳せたスコット・バーンズによってプロデュースされたデモテープは、Roadrunner Records との契約に導かれることになる。Obituary へと改名した彼らは、Morrisound に戻り、ファースト・アルバム『Slowly We Rot (邦題:スロウリー・ウィー・ロット)』のレコーディングを行なった。

　フロリダで注目を集めたもう一つのバンドは Amon である(のちに Deicide と改名)。1987 年 7 月に結成され、一か月も経たないうちに最初のデモテープ『Feasting the Beast』をレコーディングした。バンドはオフィシャル・デモテープ『Sacrificial』をリリースするまでに紆余曲折あったが、Roadrunner Records との契約を手に入れた。

　同時期には、元 Death のドラマー、クリス・ライファートの新バンド Autopsy が Peaceville と契約した。1986 年にはデスメタルの始祖、Possessed のセカンド・アルバム、『Beyond the Gates (邦題:ビヨンド・ザ・ゲイツ)』がリリースされた。1988 年には息を吹き返した Death が、斬新かつ複雑なアプローチを体現したセカンド・アルバム『Leprosy (邦題:レプロシー)』をシーンに見せつけた。メタル・シーンには、極めて過激な現象が訪れようとしていた。

　1989 年、デスメタルは一つのジャンルとして確立した。同年春リリースの、Obituary の『Slowly We Rot』、Autopsy の『Severed Survival』、Morbid Angel の『Altars of Madness (邦題:狂える聖壇)』には重要なデスメタルの要素が随所に詰まっていた。その中でも、テクニカルかつ攻撃的な音楽性を武器としていた Morbid Angel は、デスメタル・シーンを牽引することとなった。

「Death の「Infernal Death」のリフには、デスメタルのすべての要素が詰まっている。それをコピーするのは簡単だったが、Morbid Angel の登場によって曲が複雑になった。同じように演奏するには練習が必要だったんだ。」（ミカエル・オーケルフェルト Opeth/Bloodbath）

　Carcass のセカンド・アルバム『Symphonies of Sickness（邦題：疫魔交響曲）』の成功により、多くのレーベルは新たなバンドを血眼になって探し始めた。Immolation と Cannibal Corpse の契約はあっという間に決まり、スウェーデンのバンド、Entombed や Carnage にも白羽の矢が立った。デスメタルは、内輪だけの漠然としたアンダーグラウンド現象ではなくなっていたのある。

　以上まとめると、デスメタルは次の特徴を持つ。

- ・正確に歌詞が聞き取れない、深く唸るようなヴォーカル
- ・ダウン・チューニングされ重量感のある歪んだギター
- ・ツーバスが多用された高速ドラム
- ・多くのブレイク、ストップ、テンポ・チェンジのある複雑な曲構成
- ・変則的で捻じれたリフパターン
- ・死、流血、暴力、オカルト、ホラーをテーマとした歌詞
- ・特徴的なバンドロゴとそれに伴うイメージ（しかし、決まったイメージや衣装がある訳ではない）

　上記のリストは単純化させたものであるので、例外も存在することを覚えておいてほしい。1989 年には、スウェディッシュ・デスメタルのシーンはブレイク寸前であった。デスメタルの主な影響については分かったので、その世界的な広がりについて書くことはそろそろ終わりにしよう。では、少しづつ軌道に乗り始めていたスウェディッシュ・シーンの国内での発展について見てみよう。

パンク・コネクション：パンクとのつながり

　Napalm Death の例を見るまでもなく、エクストリーム・メタルは、ヘヴィメタルというよりもエクストリーム・パンクから進化していったものである。初期のスウェディッシュ・デスメタル・シーンの特徴は、伝統的スウェディッシュ・メタルの影響を微塵にも感じさせないものだった。1969 年に結成された November などの初期のスウェディッシュ・ハードロック・バンドは、どちらかというとメタルではなく、サイケデリック要素のあるヘヴィ・ブルーズ／ロックバンドであった。70 年代になると、スウェディッ

シュ・ハードロック・バンドは、プログレ要素を取り入れ、November はその中でも最も激しい音楽性を持つバンドだった。Heavy Load を除き、スウェディッシュ・ヘヴィメタルが話題になることは稀であった。スウェーデンでは、"メタル"を Europe（「Final Countdown」のヒットで有名である）などのポーザーバンドと指していたため、新しいメタル・シーンが生まれる要素はなかった。

　海外のスピードメタル・シーン（特にパンキッシュなドイツのバンド）に影響を受けたスウェディッシュ・デスメタルのパイオニア達は、"スピードメタル"や"エクストリーム・パンク"の称号を掲げ、活動をしていた。メタルとパンク・シーンの不快で偏狭な敵対関係が続いていたが、2 つのジャンルには共通点が多くあった。速さ、歪み、重さ、そして攻撃性は、エクストリーム・パンクとエクストリーム・メタルにおいて重要な要素であった。（訳者註：本書では、筆者はこの"スピードメタル"という用語を、"スラッシュメタル"と同列に扱っていると思われる。筆者が述べているとおり、80 年代はメタルのジャンルには明確な線引きがなかったのである）

　賢明な読者ならば、パンクの流行が、超高速で攻撃的な音楽性へと変化していったと気づくであろう。70 年代後期から 80 年初頭にかけて、Discharge や Black Flag は世界で最も暴力的なバンドであった。メタルがより極悪さを求め始めたとき、パンクから攻撃性と速さを取り入れた――つまり一連の流れは、Motörhead → Venom → Slayer → Morbid Angel であった。同様の動きはスウェーデンでも起きていた。

　より攻撃的なアプローチをとった最初のパンク・バンドは、ストックホルム出身の Rude Kids であった。1979 年のデビューアルバム『Safe Society』はありふれたパンクレコードだったが、B 面最後を飾る「Marquee」のドラム・パターンは特筆すべきである。彼らはイギリスの Discharge の成功に触発されたクラストパンクを連想させる、"D ビート"をスウェーデンで初めて採用した。80 年代に生まれた"D ビート"の呼称はスウェーデン発祥であったが、海外の雑誌でもよく使われていた。

　"D ビート"（別称、"クラスト・ビート"、また"Discharge ビート"）の"D"とは Discharge の頭文字"D"を指すが、今やそのルーツを気にする者などいないだろう。このビートは Motörhead がエクストリーム音楽に導入し、Discharge が完成させたのである。

　スウェディッシュ・パンク・シーンが激しさを求めるようになる一方で、Rude Kids の音楽性はソフトに方向転換していった。しかし、ブルータルな音楽性を追求する者もいた。その中でもよく知られているのが、フディクスヴァル出身で 1976 年から The Kallare、The Turf など多くの無名パンク・バンドで活動していたロルフ・リヴォ

ルトである。1980年、ロルフは攻撃
性に富むハードコアを推し進めるべく、
Missbrukarna（元 The Turf）を再
始動させた。当初、Missbrukarna
は音源を発表せず、ライブ中心に活動
し、人気を博していた。カセットアルバ
ム『Krigets Gentlemän』（1983
年）と Panik とのスプリット・シングル
（1984年）がようやくリリースされた
ころ、残虐性が頂点に達した。

　ブルータル・ハードコアを語る上
で、最重要バンドは 1981 年に結成
されたユーテボリ出身の Anti Cimex
であろう。リハーサル音源を何本か発
表したのちにリリースされたシングル
『Anarkist Attack』は王道パンクロッ
クを彷彿させた。1982 年、ヴォーカ
リストのニルが解雇され、悪名高きベー
シスト、トマス・ヨンソンがヴォーカリス
トの座に就いたときに転機が訪れた。
バンドとして飛躍的成長を見せたシン
グル『Raped Ass』（1982 年後半
リリース）は、最も生々しく、暴力的な
ハードコア音源のうちの 1 枚としていま
だ高く評価されている。その後、Anti

上から：
・Anti-Cimex の 1 枚目のシングル（初回盤は
大変な値打ちもの）。
・黙示録的パンク

Cimex は 1984 年にシングル『Victims of a Bomb Raid』、1986 年に 12 イン
チ『Criminal Trap』をリリースするが、解散の道をたどる。
　Anti Cimex は 1990 年に Moderat Likvidation/Black Uniforms のクリフが
メンバーに加わり、短期間再結成したが、伝説的なスウェディッシュ・ハードコア・
バンドとしてその地位を築いたのは結成初期であり、初期の作品における攻撃性は
いまだ新鮮である。また、ヨンソンは最高峰のハードコア・ヴォーカリストの 1 人とし
て知られている。
　ヨンソンは Anti Cimex 在 籍 中、同 様 に ブ ル ー タ ル な ユ ー テ ボ リ 出 身

左から：
・80 年代中期にギターをかき鳴らしている
Mob 47 のオーケ。
・Mob 47/Protes Bengt のコンピレーション
CD。

Skitslickers（国外では Shitlickers として知られる）のメンバーとして加わっていた。短期間の活動中、Skitslickers が残した唯一のシングル『Spräckta Snutskallar』は、激しさにおいて Anti Cimex と互角であった。同シングルによってヨンソンはスウェーデンの No.1 ハードコア・ヴォーカリストとしての地位を確立した。初期スウェディッシュ・ハードコア・シーンでもう一つ重要なバンドとして、マルメー出身の Moderat Likvidation が挙げられる。彼らの唯一のシングル『Nitad』（1983 年）は、ハードコア史上最も粗削りな音源だった――ギターサウンドにおいては無類のインパクトを持っていた。

　1983 年までに Agoni や The Sun などのバンドを生み出していたストックホルム・ハードコア・シーンの中で最高に強烈であったのは、北部タービー出身の Mob 47 である。1981 年に、お遊び程度のメタル／パンク・バンド、Speedy として活動を始めたが、次第に彼らの暴虐性が増加する。

「*1981 年夏、俺は、クリル、ヨッケ、それにあと 2 名でバンドを結成したんだ。当初はメタルとパンクの中間という感じだったけど、メンバーが 3 人になった途端、Censur のようなアグレッシブなパンクをやるようになった。Discharge、Dead Kennedys、Poison Idea、Crucifix、それにスウェーデンの Skitslickers や Anti Cimex にも影響を受けた。*」（オーケ・ヘンリクソン　Mob 47）

　これらのバンドにインスピレーションを受けた Mob 47 はタイトな演奏を武器に、攻

めの姿勢を見せ始めた。至極のウルトラ・ブルータル・ハードコアが詰め込まれた1983 年のデモテープ『Hardcore Attack』と 1984 年のシングル『Kärnvapen Attack』は、海外での評価が上々であった。同シングルは、伝説的なパンク雑誌『Maximumrocknroll』において、史上最高のハードコア音源として絶賛された。こうして Mob 47 は、世界で最も過激なバンドとして数えられるようになっていた。

「リハーサル室備え付けの 4 トラックのテープレコーダーですべて録音していたんだ。そこは俺の親父が働いていたボーリング場の事務所でもあったから " ボーリング・スタジオ " って呼んでいたよ。俺達は狂ったような激速の D ビート・パンクを超タイトに演奏したかったんだ。」（オーケ・ヘンリクソン Mob 47）

しかし、史上最高のスウェディッシュ・ハードコア・バンドの一つであった Mob 47 は長続きしなかった。バンド最後の音源となった 1985 年のコンピレーション・テープ『Stockholm's Mangel』への楽曲提供と数回のライブの後、解散した。演奏出来るライブハウスもなかったため、スウェーデンのハードコア・シーンは活性化しなかったのである。

「1984 年頃、ストックホルムでエクストリーム音楽が好きな奴は一握りしかいなかった。激しい音楽といえば、ヘヴィメタルか初期パンクという感じだった。俺達が企画したライブは、あまり人が来なかったけどうまくいった。俺達のデビューは早すぎたのかもしれない。」（オーケ・ヘンリクソン Mob 47）

そう、時代は彼らに追いついていなかった。何とかしてライブを数回行なったが、彼らは酷い扱いを受けていた。

「ファールンのライブ会場に着いたら PA を借りなきゃいけなかった。営業終了後たった 30 分だけ演奏出来たけど、ギャラなんてもらっちゃいない。次のノーシューピングでの客はたった 3 人。でも俺達目当てだったから、20 クローナ (約 3 ドル) を手に入れた。往復 120 マイルも運転しなきゃならなかったっていうオチはあるけど。」（ヨルゲン・ヨーステーゲル Mob 47）

既にご存知かもしれないが、当時過激な音楽に興味をもつ者はほとんどいなかった。そんな状況にうんざりした Mob 47 は結局解散の道を選んだ（しかし、2006 年には再結成し、素晴らしいライブを行なった）。最初の解散後、オーケはしばらくバンドを続けた。「80 年代中期は、Possessed、Venom、Slayer 等のエクストリームなバンドを聴いていた。その後、パンクとメタルを劇的に融合させたバンド、Heresy に出会ったんだ。Filthy Christians のペールとオーラが結成した、Protes Bengt は Heresy から影響を受けた。とにかく俺達は速くプレイがしたかったんだ。スウェーデンでは " スピード競争 " があったけど、Asocial が勝利した。

上から：
・グラインドの始祖 Asocial。
・『Religion Sucks』──クラストパンクとブラックメタルが見事に融合した！

彼らのデモは本当に凄かったなぁ。」
（オーケ・ヘンリクソン Mob 47）

　ヘーデモラ出身の Asocial は、ハードコア・パンクを次のレベルに到達させた。正統派ハードコア・バンドとして結成された彼らは、1980 年から 1982 年まで多くのリハーサル・テープを残した。スウェーデンで最も速く、過激なバンドとしてオフィシャル音源をリリースするのはもう少し経ってからである。

「いつバンドを結成したかなんて覚えていないが、確か 1980 年初頭だったと思う。俺達はパンクを演奏してフラストレーションを発散させたい、ただのガキだった。初期は Jerry's Kids、MDC、DRI などアメリカ勢、そのうち Discharge や Exploited などイギリス勢にも影響を受けるようになった。」
（マッツ・スヴェンソン Asocial）

　エクストリーム音楽が進化をたどる上で重要な作品は、Asocial による初のデモテープ音源『How Could Hardcore Be Any Worse?』（1982 年）である。彼らは吐き気をもよおすぐらいの全速力で演奏することに心血注いだ。驚天動地の強烈なドラム・ビート──スネアドラムをひたすら叩き続けるこの "ワン・ビート" は、のちに "ブラスト・ビート" と呼ばれるようになるが、1982 年当時、理解を示した者はほとんどいなかった。彼らは当時最もブルータルな音の壁をディストーションとノイズによって、すでに当時作り上げていたのである。短く激烈な楽曲の上に、トミーが怒りに任せて絶叫するこの Asocial のデモテープがグラインドコアの始まりだと俺は思っている。

「当初は 2 ビートの曲だったが、"スネアを叩きっぱなしにしておくともっと暴力的になる" ってメンバーの誰かが考えたんだ。当時誰もそんなこと思いつかなかったが、俺達は若くて怒りに満ち溢れていたから出来たんだ。トミーのヴォーカルがガ

ラガラなのは（のちに知られるデス・ヴォイスのようである）レコーディングの間ずっと二日酔いで声が擦れていたからだよ。俺達自身も何をしたいのか分からなかったなあ。」（マッツ・スヴェンソン Asocial）

　俺が知る限り、『How Could Hardcore Be Any Worse?』をリリースしたAsocial は、当時世界で最も速く、残虐的なバンドだった。のちに同系統の音楽を志す者が現れたのは何年も経ってからである。もしそのころ、Napalm Death がAsocial を聴いていたらぶちのめされていただろう！

「**当時、俺達のように速くプレイしている奴なんて知らなかった。俺達の後、DRI、Siege、Napalm Death がスピードを競うようになった。Napalm Death のメンバーが俺達のデモテープを聴いて音楽性を変えたって前に聞いたことがあるんだ。それが本当かどうか分からないけど、もしそうだとしたら光栄だよ！**」（マッツ・スヴェンソン Asocial）

　革新的エクストリーム音楽が発展していく中で、正当評価を受けずにいた Asocial は、初期のこの激速スタイルを辞めてしまう。いずれにせよ、彼らがやったことは正しかった――そして、彼らは世界最速のバンドであった事実は変えられない。

「**ここ、ヘーデモラのギグで Mob 47 の奴らは"北の田舎っぺにブルータルパンクの手本をみせてやる"なんて豪語してた。演奏が始まると、俺達がショウを完全に喰ったもんだから、奴らはビビって逃げ出そうとしてた。ざまあみろって。**」（マッツ・スヴェンソン Asocial）

　1983 年、ベースのトンパが Svart Parad を結成すべく Asocial を脱退。残ったメンバーは、ストレートなクラスト寄りに舵を切り、1984 年シングル『Det Bittra Slutet』をリリース。このシングルは Anti Cimex、Skitslickers、Moderat Likvidation、Svart Parad、 後 発 の Avskum、Totalitär、No Security、Bombanfall と共に、スウェディッシュ・ハードコア史を語る上で避けて通ることのできない重要な 1 枚となった。「**バンド活動中は、注目を受けたこともない。数本ギグをやっても誰も寄ってもこなかった。バンドが音楽性を変えた途端、Napalm Death が売れ始めた。俺達がとっくにやってたことが大衆受けし始めたんだ。俺達はちょっと早すぎたのかもしれない。**」（マッツ・スヴェンソン Asocial）

　1983 年末、1 人のパンク少年が過激なクラストパンクをメタリックに変えようとした。彼は Bathory のクォーソンとして知られるトマス・フォーシュバリ。その後数年にわたり、クラスト・バンドの Agoni はスピードメタルの Agony に、Asocial のメンバーは最高級スラッシュ・バンド Hatred に、数多くの若いパンク・バンドは次々とメタル・バンドへと変容した。80 年代中期から後期にかけて、Filthy Christians

や G-Anx は、1982 年に Asocial が産み出したグラインドのスタイルを発展させた。

1988 年、クラスト・バンド Disaccord がデスメタル・バンド Carnage へと変化し、1991 年にはパンク・バンド Moses のメンバーが悪名高きブラックメタル・バンド Marduk を結成した。こうしてエクストリーム・バンドは、パンクを通過し、メタルの領域に入り込んだのである。

Moses のフライヤー。このデモテープの後、暗黒世界に誘われたモルガン・ホーカンソンは超ブルータルな Marduk を結成した。

「*俺が加入していたころの Disaccord は厳密にはパンク・バンドではなかった。Discharge、Venom、Motörhead が合わさった感じだった。超高速で攻撃的。そんなのが俺は好きだった。ギターソロやダウンピッキングのリズムを導入して、Disaccord にメタル色を散りばめた。でも、暗黒デスメタル地獄にどっぷりはまったが最後。Disaccord に対して興味を失って、脱退した翌日に俺は友人のヨーハン・リーヴァ（ベース＆ヴォーカル）と Carnage をスタートさせたんだ。*」（マイケル・アモット Carnage/Carcass/Arch Enemy）

Earache Records のディグビー・ピアソンは、シーンの過渡期を次のように回想する。

「*多くの奴らと同じように、俺は UK クラストパンクとアメリカのハードコアの大ファンだった。スウェーデンのクラスト・バンドのテープを CBR のフレッダ・ホルムグレーンから爆買いしていたから、俺がライブ企画を始めたときに、スウェーデンからイギリスにバンドを呼び寄せることは当然の流れだった。それで企画したのが Anti Cimex とスラッシュに変貌した Agoni の UK ツアー。初期のテープトレード・シーンでは、少数のパンクス達は Motörhead とか Venom を認めていた。スラッシュメタルブームのとき、Metallica の 1 本目のデモテープはパンクス達のテープトレードの "ウォント・リスト" にいつも挙がっていた。しばらく経って Death のデモテー*

プを聴いたとき、もっと凄いことが起こるんじゃないかって震えたよ。*Death* とか *Vomit* などのメタル・バンドは、ハードコア・パンクとスラッシュメタルのシーンの究極発展型といえるんじゃないかな。」（ディグビー・ピアソン Earache Records ＜レーベル＞）

「*最初 Kiss* にはまって、次にケニーの親父のコレクションから発見したパンクレコードに、2 人して飛びついた。一丁前にパンクス気取りさ。で、ある日誰かが聴かせてくれた *Venom* を超クールだとは思ったけど、メタルにのめり込んだのは 13 歳のときにフレッド・エストビーに出会ってからだ。奴はメタル小僧だったから、俺に *Metallica* とか *Slayer* を、俺はパンク少年だったから奴に *Discharge* や *GBH* を、互いに聴かせ合っていたんだ。"*世界最速バンド合戦*" なんて遊びもしてたな。メタルでもハードコアでも、速けりゃ何でもよかったんだ。」（ニッケ・アンダソン Nihilist/Entombed）（訳者註：ケニーは後に The Hellacopters にベーシストとして参加する）

「*パンクに始まって、それがデスメタルにつながった。Possessed* の最初のデモテープを聴いて夢中になって以来、エクストリーム・メタルが俺の人生に欠かせなくなった。今や聴くのはほとんど激烈デスメタルだけど、スウェーデンから *Visceral Bleeding*、*Insision*、*Spawn of Possession* などが出てきたのは嬉しいよ。」（マッツ・スヴェンソン Asocial）

　以上、このように簡単にまとめてみた。大雑把にいうと、エクストリーム・パンクから生まれたのがエクストリーム・メタルである。では、パンクをあとにし、スウェディッシュ・メタルがどのように残虐化していったのかを見ていこう。

「暗黒の力が解き放たれ
怒りで身も心も固くなる
地獄の沙汰に錯乱し
墓と闇夜をぶち壊す
死者を蘇らせろ」
——Bathory「Raise the Dead」

第2章：
スウェディッシュ・
メタルの残虐化

1983 年当時、スウェーデンでは売れ線狙いの大人しい音楽が好まれていた。音楽チャートの常連は、Freestyle、Noice、Gyllene Tider（のちにペール・ゲッスレは Roxette のメンバーとして世界的に有名となる）などの人畜無害なポップバンド。Europe や Treat などの軟弱ヘアメタルやメインストリームから対局の位置にいた Heavy Load や Gotham Cityなどのバンドもいたが、その数は多くなかった。ましてや、クラストパンクの Asocial、Anti Cimex やMob 47 らはエクストリーム音楽ファンにはまだ未知の存在であった。このような不毛地帯に降臨したのが、偉大なる Bathory である。

　過激な音楽性を追求するすべてのスウェディッシュ・バンドにとって、Bathory は最も重要かつ影響力のあるバンドであることに寸分の疑いの余地もない。彼らは活動期間中、メタル・シーンの様相を一変させたとともに、スウェディッシュ・シーンの柱石としての立場も確立させた。また、90 年代初頭のノルウェーのブラックメタル・ムーヴメントにおいても最もインスピレーションを与えた存在となった。Bathory が醸し出す徹底した邪悪さには、ノルウェーのバンドは到底追いつけなかった。それどころか、追い越そうとしたバンドもいなかった。いわば、Bathory は唯一無二なイーヴル・ブラックメタルの伝道者であり、これからもそれは決して変わることはない。

　Bathory は、架空のキャラクター "クォーソン"（ヴォーカル／ギター）が率いるワンマン・プロジェクトであった。活動中、彼の実名は明らかにされず、スウェーデンのエクストリーム・メタル・シーン中枢部からも漏れ伝えられることはなかった。彼は、Runka Snorkråka、Pär Vers、Fjärt Bengrot、Folke Ostkuksgrissla（意味が分からなければスウェーデン語を学んでくれ！）など様々な偽名を数々のインタビューで嬉々として名乗り、煙に巻いていた。2004 年 6 月、彼の突然の死により、彼の本名はトマス・フォーシュバリということがわかった。なお、本書では "クォーソン" と呼ぶこととする。

　若き日に人生のレールを踏み外したクォーソンにとって、70 年代後期のパンクだけが唯一の心のよりどころだった。**「79 ～ 80 年にパンク・バンドを始めていなかったら、ヤク中のホームレスになっていたかもしれない。幸いそんな連中が周りにいなかったから、代わりにパンクにのめりこんだんだ。影響を受けたのは Exploited や GBH だった。」**（クォーソン Bathory 『Backstage』誌 第 2 号より 1996 年 筆者訳による）

　クォーソンが 80 年代初頭に活動していた Oi! やパンク・バンドとして知られていたのは、Stridkuk（スウェーデン語で Warcock——戦争の "ナニ"）である。当時、スウェーデンにメタル・シーンはほとんど存在しなかったが、しかし実際、若いパン

Bathory のファースト・アルバムのインナースリーヴ。

ク・バンドらは Black Sabbath や Motörhead などに影響を受けていた。クォーソンは、GBH、Black Sabbath、Motörhead よりもブルータルなバンドを結成すべく、ベースプレイヤーとツーバスを高速で叩けるドラマーを音楽雑誌で募集した。そして1983 年 2 月下旬、正統派メタル・バンド、元 Die Cast のドラマー、ヨーナス・オーケルンドとベースのフレードリック・ハノイがメンバーに加わった。

　1983 年 3 月 16 日、トリオとして生まれた Bathory は、クングスホルメンの楽器店 Musikbörsen で落ち合い、ストックホルムのサンクト・エリクスプラン周辺にあるシーツナガータン通りの小さなリハーサル室で最初のセッションを行なった（『In Memory of Quorthon』のボックスセットには上記の日付が記載されているが、1996 年のペトラ・エイホによる雑誌、『Heathendoom』誌 第 1 号掲載のクォーソンとのインタビューでは、Bathory が 3 月 3 日に誕生したと記載されてある）。
「*俺達が最初に書いた曲は、Black Sabbath の「Symptom of the Universe」の雰囲気がある「Satan is My Master」だった。歌詞は本当に酷かった。すぐさま「Witchcraft」「Sacrifice」と立て続けに創った。他のメンバーは、Whitesnake とか Iron Maiden、Saxon に入れ込んでいて、そんな感じの曲を書いて欲しかったようだけど……。*」（クォーソン Bathory 『Backstage』

誌 第 2 号より 1996 年 筆者訳による）

　初めてのリハーサルの合間で若き 3 人は、スウェーデン出身の有名バンド、Europe のメンバーである “テンペスト” の下らない名前を真似て、様々なステージネームをつくりながらふざけあった。つまり、少なくともスウェーデンでは、ブラックメタルのステージネームは根っからジョークであった。“サタン” や “ブラック・スペード”、“エース・シュート” などの名前を考え出した後、若きヴォーカリストは “クォーソン” という仮名を思いついた。命名されたのが “クォーソン” で良かったと、我々は今さらながらほっと胸をなでおろしている。

　バンド結成の約 1 年前からクォーソンの頭から Bathory という単語が離れることはなかった。イギリス・ロンドンの観光名所 The London Dungeon で見た、鮮血で満たされたバスタブに漬かるエルジェーベト・バートリの姿が脳裏に焼き付いていたのだ――中世残酷物語に惹かれたわけではない。露わになった胸と血に興味があっただけである！

　Bathory はバンド結成当初、のちに唯一となるライブを計画していた。彼らはユースセンターなどの場所で 30 名程度の観客の前で 6 〜 8 回のライブが行なわれたと伝えられている。また、スウェーデンのファンジンのインタビューにおいても、クォーソンが 1983 年に数回ライブを行なったと記録されている。しかし、『In Memory of Quorthon』付属のブックレットでは、彼らは実際にライブをしなかったと仄めかされている。各メンバーの演奏能力が不足していた以上に、メンバー間の音楽性が違っていたため、カバー曲の選定がまとまらずライブには至らなかったかもしれない。ヨーナスとフレードリックは、Iron Maiden や Judas Priest にはまっていたが、クォーソンは当時どのバンドよりもより残虐性溢れるサウンドを創り上げたかった。こういった理由で、結成当初から事がスムーズに運ばなかった。

「オルヴィクで何回かプレイした。スメズレテン地区に近いノッケビー周辺の映画館で演ったときは、少なくとも 100 人近く集まり、30 ぐらいのバンドと対バンした。みんな酔っていて、よく知っている奴らばかりで、ギグ後の楽屋ではガールフレンドはとっかえひっかえで、ホント "きょうだい" みたいだったよ。バカやってさあ、まあ、若気の至りってやつだよ。」（クォーソン Bathory 『Backstage』誌 1 号より 1996 年 筆者訳による）

　初期のメンバーは流動的だった。1983 年夏にヨーナスとフレードリックがロンドンに遊びに行っていた間も、クォーソンは以前在籍していた Oi バンドの Stridskuk からリーキャル・ベルマンをベースに、ヨーハン・エルヴェンをドラムに従え、リハーサルを行っていた。彼らの助けを借り、Bathory はリハーサル室で「Sacrifice」「Live in Sin」「Die in Fire」「You Don't Move Me」を一発録りでレコーディングした。のちのレパートリーに残った後者2曲は、結成後数か月間のBathoryのサウンドをよく表している。ヨーナスとフレードリックがロンドンから戻り、バンド復帰後の数か月間は、ヴァサスタン、ヴィーキングヒル、ヴァートスバーガ、ソルナ周辺のリハーサル室を転々としていたが、練習よりもビールを飲んで酔いつぶれるのが常だった。しばらくすると、メンバー間の音楽的方向性の違いが明らかとなり、活動に行き詰まりを感じ始めた。1983年末には、解散の危機に直面していたが、予期せぬ事態が起こったため、バンドは少なくとももう1か月は存続することになった。

　伝説はここから始まった。学校の更生プログラムの一環で、クォーソンは1982年から、レコード会社Tyfon所有スタジオでアルバイトを始めた（彼は問題児だったのだ）。スタジオに出入りできたのは、彼の父親、ボルイェ "ザ・ボス" フォーシュバリがオーナーだったからだ。クォーソンもボルイェ・フォーシュバリも親子関係を否定していたが、スウェディッシュ・メタル・シーンでは周知の事実であった。

　父の監視の下、クォーソンは最初、コーヒー入れや書類の整理を任されていたが、1983年末にはフルタイムのアルバイトとして働いた。同じころ、Tyfonはスカンジナヴィアのメタル・バンドのコンピレーション・アルバムの制作に取り掛かっていた。EuropeがスウェーデンのバンドコンテストRock SMで予想だにしなかった優勝を勝ち取ったことで、スカンジナヴィア諸国のバンドに対する関心が高まり、Tyfonもそのブームに乗ろうと躍起になっていた。コンピレーション・アルバムにはスウェーデンのB級バンドと平凡なOZを含むフィンランドの数バンドが収録される予定だった。しかし、1984年1月、フィンランドの1バンドが奇跡的に参加を辞退したのである。レーベルは代わりのバンドを探したが、あてはいなかった。クォーソンはここぞとばかりに自分のバンドBathoryを売り込むと、Tyfonは音も聴かずにその新人バンドと契約した。父と息子は深い絆でつながり、親子鷹はBathoryを成功へと導いていくのである。この驚愕の事実が、世界中のエクストリーム音楽シーンに知れ渡るのはだいぶ後の話である。

「その空いた枠にねじ込むために、どんな手を使ってでもTyfonを説得しようとした。どのような音楽をやっているのかと聞かれたから、"超残虐的" とか "荒々しくて悪魔っぽい" とかどうしようもない単語を使った。とにかく必死だったんだよ。」
（クォーソン Bathory『In the Memory of Quorthon』ブックレット 2006）

　数日後の1月23日、雪で覆われた極寒のストックホルムのスタジオに駆け込み、初のレコーディングが行なわれた。この時点では、どのような音になるのかクォーソンにも想像がつかなかった。すべて偶然に生まれたのである。スタジオに

入り、彼らは「The Return of Darkness and Evil」のスロー・ヴァージョンを
レーベル関係者に披露した。思いもよらずに曲は気に入られ、2曲収録することと
なった。2曲目にレコーディングしたのは、「Sacrifice」である。数か月後の3
月に『Scandinavian Metal Attack』がリリースされ、若きクォーソンはレコード
にBathoryの名を目の当たりにすると誇らしい気分となった。しかし、その時点で
ヨーナスとフレードリックは既に脱退し、クォーソンは1人となったため、この時点で
Bathoryは活動休止状態だった（今日、ヨーナス・オーケルンドは、Prodigy、
Madonna、Metallicaなどのプロモーション・ビデオ監督として、世界でつとに有
名である）。（訳者註：近年、Taylor Swift、Beyoncé、Lady GaGaなどのプロモーション・
ビデオも手掛けている。さらに映画『SPUN』〈2004年〉、『Horseman』〈2009年〉を制作。
ノルウェーのブラックメタル・シーンの全貌に迫ったノンフィクション『Lords of Chaos〈邦
題：ブラックメタルの血塗られた歴史〉』を映画化した2019年公開の『Lords of Chaos』で
監督も務めている）

　大方の予測に反し、『Scandinavian Metal Attack』で最も反応があったの
はBathoryだった。事実リリース後、レーベルが受け取ったすべてのファンレター
のうち95パーセントは、この粗削りの新人に対するものだった。Tyfonはすぐさま
Bathoryのアルバム制作を決定。クォーソンは驚きを隠せないまま、新メンバーを
集めバンドの再始動を目指した。友人でStridskukの元メンバーのリーキャル・ベ
グマンとヨーナス・エルヴェンにオファーしたが、リーキャルだけメンバーに加わった。
レコーディングが6月に差し迫っていたため、新しいドラマーを早急に探す必要があっ
たクォーソンは、やっとのことでステーファン・ラーションを見つけ出すことができた。
5月22日に新ラインナップのBathoryは、リハーサルを録音した。これが、ファー
スト・アルバムのレコーディング前の唯一の音合わせであった。

　6月14日、3人はリハーサル不十分のまま、Bathoryのファースト・アルバム
のレコーディングのためにHeavenshore Studioに入った。そこはスタジオというよ
りも、デモテープ制作用に倉庫を改装しただけの場所であった。たったの5,000ク
ローナ（約700ドル）の予算でレコーディングされたこのアルバムは、その後起こっ
た出来事を考えると安すぎる金額であった。チェリーレッド色のIbanez Destroyer
ギターとシンバル1つだけの極小ドラムセット、それに20ワットのYamahaのアン
プ（ディストーションペダルは使用されていない）を自ら持ち込み、スタジオ備え付け
のお手製8トラック・テープレコーダーを使って作業に取り掛かった。費用が限られ、
1本のマスターに収めるためテープのスピードを半分にしたのが原因で、ハムノイズ
が混ざった。さらに、レコーディングとミックスダウンは32〜56時間という驚異的

な早さで仕上げられた。

「スタジオの中ではいつも息苦しく感じたことと音の処理方法に問題があったことは覚えているが、どのようにレコーディングをしたのかはほとんど忘れてしまった。その後 Heavenshore でレコーディングした作品でも同じことがいえる。鮮明に覚えているのは、古くなった車部品の潤滑油の臭いがそこら中に立ち込めていたこととカーペットに何十年と染みついたタバコの臭いだった。まあ俺は、当時タバコを吸っていたから大して気にならなかったが。」（クォーソン Bathory『In the Memory of Quorthon』ブックレット 2006）

　1984 年秋に Tyfon からリリースされた Bathory のファースト・アルバムに言葉を失うほど衝撃を受けたのは、ほかでもない B 級バンドだらけのスウェディッシュ・メタル・シーンに微塵も期待もしていなかったリスナーだった。サウンドは初期 Venom を踏襲し、プロダクションはさらに生々しく、そして、「War」では途方もなく残虐的で、のちの Bathory アルバムの暴力性を予見していた。速さは当時のメタル・シーンのどのバンドよりも上回っていたが、Asocial などのハードコア・バンドには及ばなかった。端的に表すならば、Venom の悪魔の乱痴気騒ぎとサンフランシスコ・スラッシュメタルのパワーが融合していた。

　ヴォーカル・スタイルは Venom のクロノスの延長線にあることは明らかだったが、信じ難いことにクォーソンは亡くなるまで、ファースト・アルバム作成前に Venom を聴いたこともなかったと言い続けた。しかし、Venom のファースト・アルバムを聴いてみると、2 バンドの類似点は明らかである。事実、ヨーナス・オーケルンドは、初期 Bathory は Venom に最もインスパイアされたと Nirvana 2002 のエリック・クヴィックに打ち明けていた。

　Venom との類似点は音楽性だけではなく、Venom のファースト・アルバムに描かれた“山羊のデザイン”でも明らかである。クォーソンは、ホラーコミックから拝借した鼻、口、2 つの目玉を切り取り、のりで貼り付け、山羊に似せたコラージュを作った。それに、修正液をたんまり使い、切り取り線が目立たないようにするとともに、手書きで体、耳、体毛、それに角の部分を描いた。出来上がりに満足しない者もいたが、以来、Bathory の象徴となり、邪悪なオーラを漂わせることとなる。

　クォーソンは Bathory のデビューアルバムのジャケットの色を、Venom のデビューアルバムのジャケットに使用されているものと同じ金色を使う予定だった。予算オーバーのため、しかたなく印刷業者に金色に近い色を依頼した。しかし、鮮やかな黄色で印刷されたジャケットを手にしたクォーソンは、あまりの酷さに卒倒した――同情するほど本当に酷かったのである。グッラ・イエテン（黄色山羊）と称されるほど有

名で、のちにエクストリーム・メタル界で最も高価なレコードの１枚となった。初回盤 1,000 枚が売り切れると、印刷は白色に変更された。

　さらに、裏ジャケットにまつわる逸話も興味深い。パンクの DIY 精神に倣い、バンド名と曲のタイトルは"オールド・イングリッシュ"フォントのアルファベット転写シートを使ってレイアウトされた。"c"の文字が間もなく足りなくなったため、代わりに近い発音の"s"が選ばれ、「Necromancy」から「Necromansy」へとスペル変更された。イントロ曲の「Storm of Damnation」は、クォーソンが曲のリストに入れるのを忘れたために酷い扱いを受けた。

　実質的にバンドとして存在していなかったため、ジャケットにメンバー写真は掲載されなかった。３枚目のアルバムまでずっと掲載していなかったので、バンドが神格化され、人々に恐怖心を植え付けることとなった——しかしそれは偶然の産物であった。同じく、２人のメンバーが既に脱退していたため、ファースト・アルバムにはメンバー名の記載がない。クォーソンはミステリアスなバンドにしようと思ったわけではなく、混乱を避けるため既にバンドと無関係な人物を敢えて入れなかっただけである。唯一、表記されたのは"クォーソン"いう別称と"ボス"（両者ともプロデューサーとして）の名だけである。

　Bathory は他の Tyfon 所属バンドと比べると音楽性が過激すぎてレーベルのカラーと合わなかったため、クォーソンは偽称レーベル名を考え出す必要があった。当初は、レーベルの名称を Noise とする予定だったが、ドイツのレーベルがその名を使用していたため、Black Mark に落ち着いた。７年後、ボルイェ・フォーシュバリが同名レーベルを設立したが、それまでは Tyfon 内部で差別化を図るために使われた名称にすぎなかった。

　アルバムセールスへの心配は杞憂にすぎず、初回盤の 1,000 枚は２週間という驚異的な早さでソールドアウトとなった。その後も売れ続け、クォーソンは Bathory を本格的に始動させ、人生を賭けると決心した。

「（デビュー作のレコーディング後）俺は"十分やったし、これでもう終わりにしよう"と思った。そうしたら、カルト的な人気が出て、『Kerrang !』誌でも多く取り上げられるようになった。次のアルバムを作る段階になって初めて"こりゃイケるんじゃないか！"って思ったんだ。」（クォーソン Bathory『Heathendoom』誌 第１号より 筆者訳による）

　Bathory の快進撃を目の当たりにしたクォーソンは、世界を相手にする決意を固めた。1984 年 10 月のインタビューで、"デスメタル"という表現を初めて使ったのは自分であると言い放った。それ以前は誰も使っていなかった、という彼の言い

暗黒と悪の再臨……。

分は真実かもしれない。しかし、前述のように、Possessedの曲タイトル、そしてHellhammerのメンバーが発行したファンジン名、さらにNoise Recordsのコンピレーション・アルバムのタイトルに既に『Death Metal』という言葉が使われていたのは確かなことである。新しく刺激的なことが起こりつつあった事実は変わらないのだから、誰が最初に使い始めたのかを議論するのはここではやめておこう。デスメタルやブラックメタルがジャンルとして確立されたのはその後のことで、最初はカテゴライズ出来ない斬新で新しい音楽に対する呼称として使われていたにすぎなかった。Tyfon／Black Markのボルイェ・フォーシュバリは、デスメタルというジャンルの降誕において、Bathoryと彼自身が重要な存在であったことは間違いないと回想する。

「*私はデスメタルの誕生に関わっていた。アメリカで初めてデスメタルと呼ばれたバンドはBathoryだったから、世界初のデスメタル・バンドが私のレーベルに所属していたことになる。だから、私は世界初のデスメタル・プロデューサーの1人といっても差し支えないだろう。*」（ボルイェ・フォーシュバリ Tyfon／Black Mark『Close-Up』誌 第1号より 1991年 筆者訳による）

このように彼は大げさに語っている。Bathoryがメタル・シーンからさらに注目を浴びるようになったのは次のアルバム『The Return』である。バンドとしての成長がみられなかったことから、1984末にリリースされる予定だったシングルをレーベルは延期。間もなく、ステーファンとリーキャルがバンドを脱退した。それ以降、スタジオ・ミュージシャンからのヘルプはあったが、クォーソンによる完全なるワンマン・プロジェクトとなった。

初期を代表する他の4枚のアルバムと違い、『The Return』はプロ仕様のElectra Studioでレコーディングされた。この時点で、クォーソンはそれまでとは一線を画すエクストリーム音楽の土壌が、Hellhammer/Celtic FrostやSodomらによって醸成されようとしていたことを感じ取り、彼らとの覇権争いに参戦したのである。そして、BathoryはHellhammer/Celtic FrostやSodomらをも凌駕した。1985年にTyfonよりリリースされたこのアルバムは全世界に激震をもたらした。

『The Return』の速さ、攻撃性、過激な音楽性に驚愕した者は俺だけではなかったはず。ファースト・アルバムよりも冷酷で完膚なきまでの禍々しさを伝えるこの作品は、おぞましく呻くヴォーカルにより生命が宿り、歌詞はさらにダークサイドに深化した。Bathory の中で極めてエクストリームなこの作品は、多くの点において史上最も邪悪なアルバムの一つであるといえる。ジャケットに描かれた闇雲を照らす満月、余分なものを削ぎ落した無慈悲なサウンド、悪魔主義的歌詞、それらすべて符合していたのである。もう Venom、Mercyful Fate、Hellhammer は忘れたほうがいい——のちにブラックメタルと称される要素をすべて持ち合わせているのは、この『The Return』である。ゆえに、Bathory の提示した多くの方法論——ヴォーカル、曲構成、プロダクション、歌詞が初期 Mayhem と Burzum に継承されたのである。その後、Bathory はエクストリーム・メタルの始祖として世界中で崇められることになるが、これは単なる始まりにしかすぎなかった。*「開放的で、プロフェッショナルで、さらに高価な Electra Studio で録音されたが、24 トラック、それに 5 本のマイクは俺達にとって十分すぎるくらいだった。ドラムの音は Exciter の 『Heavy Metal Maniac』を手本にした。ブルータルなドラム音だったからな。」*（クォーソン Bathory『Backstage』誌 第 30 号より 1996 年 筆者訳による）

『The Return』では、徹底した邪悪さを表現することに成功したが、その後 2 枚のアルバムは Heavenshore でレコーディングが行なわれた。それは、よりプリミティヴな機材のほうが、Bathory の音楽性と予算に合致していたからである。それでも、『The Return』が最高級スタジオで録音された、ブラックメタル・アルバムの傑作であることには変わりはない。『The Return』のリリース後、Bathory の人気はさらに火が付き、ライブを行うことが喫緊の課題となった——そう考えていたのはアルバムをさらに売り出したい Tyfon だけではなかったはず。ところが、スウェーデン国内には、激烈なプレイスタイルのドラマーがいなかったので、国外で探すしかなかった。1986 年初め、クォーソンはデンマークの偉大なスラッシュ・バンドである Artillery のカーステン・ニールセンへアプローチしたが、叶わなかった。次に接触したのは Sodom のウィッチハンターであった。参加に前向きな姿勢を示した彼は、リハーサルのためストックホルムまで訪れたが、しかし実現には至らなかった。

「2、3 日だけ集中してリハーサルした後は、結局ビデオをずっと観ながら、ジャンクフードを貪っていただけだ。それからは、何もなかったな。」（クォーソン Bathory『In the Memory of Quorthon』ブックレット 2006 年）

それから間もなく、クォーソンはライブ活動の構想を封印し、スタジオ作品のみの発表に専念することを決断。この決断が功を奏し、Bathory はそれから素晴らしい

作品を作り上げるのである。Bathory は 1986 年半ば、活動を休止し、エクストリーム・スウェディッシュ・メタルのたすきを他のバンドに渡した。

心に深い傷を負ったスウェーデン

　1986 年 2 月 28 日夜に起きたオラフ・パルメ首相暗殺事件は、スウェーデン人の心に深い傷を残した。国家が立ち直れないほどのショック状態に陥り、暗殺事件が迷宮入りすると、スウェーデンは陰気で不気味な場所に変容した。国家が暗黒に包まれた途端、エクストリーム・メタルの扉が開いたのである。スウェーデンの長く、暗い冬夜に高らかに響いたのは Slayer『Reign in Blood（邦題：レイン・イン・ブラッド）』や Metallica『Master of Puppets（邦題：メタル・マスター）』など一切の妥協を許さないスラッシュメタルの名作だった。

　しかし残念なことに、スラッシュメタル界で寵愛を受け、尊敬されていた Metallica のクリフ・バートンがそれから間もなくしてスウェーデンの死亡者リストに加わることになった。9 月 27 日早朝、スウェーデン南部ユングビュー郊外の E4 ハイウェイで Metallica のツアーバスがスリップし、車外に投げ出されたクリフがバスの下敷きとなり圧死するという悲劇的な事故が起こったのである。前日のストックホルムでのコンサートが伝説的なラインナップによる最後のライブとなった。クリフの死によって、Metallica とすべてのスラッシュメタル・シーンは、それまでとはまるで別物となった。当時を振り返ると、その日を境にスラッシュメタルは終焉に向かったと言う者もいたほどである。その言葉どおり、スラッシュメタル・シーンは数年後、跡形も無くなってしまったのである。

　同夜、メタルラジオ番組『Rockbox』の DJ、ペール・フォンタンダはこの悲劇的なニュースを動揺しながら伝えた。多くの Metallica の曲が流され、番組は彼らへと捧げられた。スウェーデンでは既に確固たる地位を築いていた Metallica は、俺の知り合いすべてに共通するお気に入りのバンドだった。このラジオ放送の後、Metallica への評価はまさに "信仰" のように変わった。事実、クリフ死亡のニュースを聞いた俺の知り合いが自殺未遂をしたぐらいである。エクストリーム音楽は俺達にとってそれほど重要なものだった。

　同夜の放送で、あるバンドの曲も流された。この悲劇的な番組を象徴するそのバンドとは Black Dragon Records から『Epicus Doomicus Metallicus』をリリースしたばかりの Candlemass だった。荘厳な悲壮感を醸しだす「Solitude」は、虚無感にさいなまれた俺達の心をずしりと突き刺した。その瞬間、俺達の多くは自分達でバンドを結成することを決めた。少なくとも俺はそうだった。エクストリーム・

メタルの伝説を継承することが必要だったのだ。俺達は皆ギターを取り、Metallica のスピードとパワー、それに Candlemass のヘヴィネスを融合させようとしたのである。

　Candlemass は本当に重量感たっぷりだった。Black Sabbath のリフよりも分厚く、歌詞はこれまでのどのスウェーデンのバンドよりも陰鬱だった――特に「Solitude」の歌詞は気が滅入るほど不吉だった。頭蓋骨に十字架が刺さったジャケットを見るといまだに背筋がゾクッとしてしまう。録音状態も明瞭で、音に厚みがあった。奥行きのある『Epicus Doomicus Metallicus』はドゥームメタルの傑作であると今でもいわれている。その後のリリースは、このファースト・アルバムの質には届くことはなかったが、彼らはシーンに多大な足跡を残した。そしてそれから数年内に、スウェーデンの若者は病的なほどの斬新な音楽で世界のメタル・シーンに影響力を与えることになる。

　前述したラジオ番組『Rockbox』が重要な役割を担ったことを、ここで言っておくべきであろう。新しく刺激的な音楽を数年間紹介し続けたこの番組で、俺は Candlemass だけではなく、S.O.D.、Dark Angel、Death Angel、Heathen、Testament、Overkill といったバンドに初めて触れることが出来た。番組のおかげで、スウェーデンでエクストリーム音楽に対する欲求が高まった。番組を聴いて、バンドの名前を知って、翌日そのバンドのレコードを探しに行くのがお決まりのパターンだった。番組の DJ、ペール・フォンタンダはスウェーデンのエクストリーム・アンダーグラウンド・メタル・シーンの勃興において重要な役割を果たした。これはまさに、5 年前のラジオ番組『Ny Vag』の DJ である、ヨーナス・アルムクヴィストとホーカン・パーションが 80 年代のスウェディッシュ・パンク・シーンを活性化させ、絶大な影響力を持っていたことと同じ現象が起こったのである!

「『*Rockbox*』を憑りつかれたように聴いていた。数年間は刺激的な音楽を知る手段だったからな。」（パトリック・ヤンセン Orchriste/Seance/The Haunted）

「最初は『*Hårdrock*』という番組だった。毎週番組をテープに録音して、繰り返し 10 回ぐらいは聴いていたんだ。『*Hårdrock*』が終了した後、次に始まったのは『*Rockbox*』。DJ のペール・フォンタンダはスウェーデンでメタルを浸透させるのに一役買ったと思う。『*Rockbox*』がなかったら、今の俺はなかったかもしれない。」（トマス・リンドバリ Grotesque/At the Gates/Disfear）

「『*Rockbox*』は毎週欠かさず聴いていた。エクストリームなやつはいつも 2、3 曲しか流れなかったけど、その数曲のために聴いていたようなものだったなぁ。」（ニッケ・アンダソン Nihilist/ Entombed）

「『Rockbox』ではいつも1、2曲しかエクストリームなやつが流れなかったから耳を澄まして聴かなきゃいけなかった。バンド名を素早くメモして、次の日にはレコード店で注文していた。『Rockbox』はブルータルな音楽に触れる唯一の手段だったんだ。その後、テープ・トレーディングにはまって、『Metal Forces』などの雑誌から情報を得るようになった。」（オーラ・リンドグレーン Grave）

Candlemass の初期のライブ告知ポスター。当時活躍していたバンドも前座で出演。

Bathory の永遠の業火へ

1986 年から 1987 年頃にスウェーデンでリリースされた音源に目を向けてみよう。発売後たちまちアンダーグラウンドで絶賛された 1 枚に、Bathory の 3 枚目の『Under the Sign of the Black Mark』が挙げられる。過去 2 枚のアルバムも素晴らしい出来ではあったが、エクストリーム・メタルを語る上で、この 3 枚目ほど完璧なアルバムはないといってもいいほどである。多くのブラックメタル愛好家達はこのアルバムをいまだに名盤として高く評価している。アルバムが醸し出す迫力は満点で、この世の悪夢がすべてここに凝縮されている。過去 2 枚の作品と比較すると与える衝撃は薄れたものの、楽曲の質が向上したことで、一曲一曲に暗黒のストーリーが描写され、Bathory の可能性が余すところなく発揮されている。リフやアレンジはより磨きがかかり、テンポ・チェンジが多くあった――これはのちにデスメタルで頻繁に展開される手法となった。特に「Woman of Dark Desires」や「Equimanthorn」における、スローダウンしたコーラス部分にその手法は顕著に

みられた。

『Under the Sign of the Black Mark』は、デビュー作や『The Return』と比較すると多様性に富んでいた。「Massacre」など疾走感ある楽曲や「Enter the Eternal Fire」のような荘厳でゆったりとした楽曲が交互に収録されていることで、絶大な効果をもたらした。

「このアルバムの影響力といったら凄かったってもんじゃない。クォーソンは、エクストリーム・ブラックメタルを作り上げた1人だったんだ。Venomとか他の連中とは一線を画していたんだよな。テンポに関していうと、『The Return』は速すぎて正気を保つのがやっとだった。Burzumの奴らとかクソくらえって。Bathoryの10年もあとに彼らは出てきたんだから。クォーソンは本当にヤバかったんだよ。俺が彼をリスペクトしているのはそれだけじゃないんだ。『Under the Sign of the Black Mark』は"究極の形"を表現しているからだよ。これは誰もが全速力でプレイする前の1985年くらいの話なんだよな。他の奴らが2ビートでプレイしていたときに、彼は既に滅茶苦茶速かった。彼にはセンスがあったんだよ。」（ペータル・テクレン Hypocrisy/Pain/Bloodbath/Abyss Studio）

　さらにこのアルバムはこれまでで一番臨場感に溢れていた。過去2作品はドライ

「彼らに逆らわないほうがいい」

『Under the Sign of the Black Mark』——史上最高のブラックメタル・アルバムであることに疑いの余地はない。

で深みを感じられなかったが、『Under the Sign of the Black Mark』はリヴァーヴを過剰にかけたおかげで、唯一無二の、そして不快感を覚えるほどのサウンドを構築することに成功した。元々臨場感を出すために、過度にリヴァーヴが使われるはずではなかった。

「『Under the Sign of the Black Mark』や『Blood Fire Death』を聴くと、*10秒程度のリヴァーヴを何か所も使っている。今のバンドがやったら、ただ耳障りなだけだよな。でも当時は、オンボロ機材を使って倉庫でレコーディングしていたから、ミキサー卓に八つ当たりするくらいしかできなかったんだ。とにかく予算がなかったから、曲の粗の目立つところを隠すために必要以上にエコーをかけたんだよ。」*（クォーソン Bathory『Heathendoom』誌 第1号 筆者訳による）

　こうして Bathory は身の毛もよだつようなブラックメタルを偶然に発明し、多くのバンドにインスパイアさせた。歌詞に関しては、『Under the Sign of the Black Mark』はより成熟していた。悪魔主義的歌詞や闇雲に喚き散らすことを止め、死や破壊など暗黒の幻想をテーマにした。例えば、「Call from the Grave」は、死の淵にいる者の錯乱した精神状態が描写されていた。このような死に関するテーマは後のデスメタル・バンドによって嫌というほど取り上げられることになる。この Bathory のこの3枚目で最後に注目すべき点は、クォーソンのヴォーカルである。このレコードで彼はトレードマークである絶叫スタイルを芸術的レベルまで昇華させたのだ。前作まで聴かれた Venom のクロノスのような呻き声は姿を消し、その代わり

に、苦痛にもがき苦しむようなヴォーカル・スタイルへと変化した。この拷問を受けているような激しい叫びは、90年代多くのブラックメタル・バンドによって模倣されることになった。

　興味深いことにクォーソンは『Under the Sign of the Black Mark』を毛嫌いしていた。「*この世で『Under the Sign of the Black Mark』ほど嫌いなアルバムなんてない。曲で一秒たりとも気に入っているところがないし、音も最悪。俺はカラスのような鳴き声で歌っているし、ギターソロも豚の鳴き声のようで、ぞっとする。良い点なんて一つもない史上最低最悪のアルバムだ!*」（クォーソン Bathory『Heathendoom』第1号より1996年　筆者訳による）

　このアルバムが強力な作品であることは明らかであるにもかかわらず、クォーソンがなぜこのように評価するのかは不思議でならない。確かに彼が思い描いていたアルバムを作れなかったかもしれないし、当初構想していた理想にとらわれすぎていたのかもしれない。彼はBathoryのサウンドを意図して作り上げたのではなく、アーティストとしての限界が結果的に作品に投影してしまったと理解すれば、その言い分は十分に説明がつくだろう。そこにBathoryの音楽性の独特さの秘密があるのかもしれない。クォーソンという仮の姿を通し、どこからともなく楽曲が彼に舞い降りた。演奏能力が楽曲の質に追いつけなかったがゆえに、驚異的で独特なサウンドを作り上げたのである。これが今まで誰もBathoryのスタイルを習得できなかった理由だ。MayhemやBurzumはBathoryに近づこうとしたが、成就できなかった。彼らはクォーソン自身でさえやらなかったBathoryの音楽性を真似しようとしたのである。成功することができなかったことで、クォーソンはフラストレーションが溜まり、これが彼のこのアルバムに対する否定的な姿勢につながったと理解出来なくもない。演奏能力が向上し、良いスタジオに入り、全身全霊で曲を書いたにもかかわらず、以降のアルバムは『Under the Sign of the Black Mark』（それに次のアルバム『Blood Fire Death』）ほど売れなかった。これは多くのバンドにも起こる現象である——デビュー作やデモテープ発表後にダメになってしまうバンドは数多い。したがって、Bathoryにも同じことが起きたのだと容易に想像できる。

　最高傑作『Under the Sign of the Black Mark』の後に制作された少なくとも2枚のアルバムは、シーンに多大な影響力を及ぼした。この時点で、スウェーデンで何かが起こりつつあった。ギターとドラムで武装した若者達がBathoryによって切り開かれた道をたどろうとしたのである。アンダーグラウンドの奥深くで野獣が這い上がろうとしていたが、誰もその動きを止められずにいた。

Obscurity と Mefisto
——アンダーグラウンド・シーンの始まり

スウェーデンのバンドで Bathory を踏襲したバンドは、マルメー出身 Obscurity である。ドス黒いオーラを持つこのバンドは、ダニエル・ヴァラとヤン・ヨハンソンによって 1985 年に結成されたが、本格的に始動したのは、超マイナーバンド出身で元 Vulcania のヨルゲン・リンデが加入し、トリオ体制になってからである。

「*Obscurity を結成したのは、流行りつつあったブラックメタルのスタイルに凄くはまっていたからだった。Venom、Slayer、そして Bathory のファースト・アルバムがリリースされてから、もう後戻りはできなかった。俺達は完全に病みつきになってしまった。*」（ダニエル・ヴァラ、ヤン・ヨハンソン、ヨルゲン・リンデ Obscurity）

翌年、Obscurity は、『Ovations to Death』と『Damnations Pride』の 2 本のデモテープをリリースし、スウェディッシュ・アンダーグラウンド・シーンで熱狂的に支持された。最初のデモテープは、未熟でかなり粗削りな仕上がりではあったが、初期の暴力的スピードメタルを聴くことが出来る。

「*俺達は、余計なものを削ぎ落し、暗く、暴虐的なメタルをやろうと当初は考えていた。それから演奏方法を学んだんだよ。6 曲仕上げてから、デモテープに収録した。高速でプレイしたいドラマーが見つからなかったから、バンドのギタリストは最初にバスドラを録音し、最後に他のドラムパートを録音しなければならなかった。スタジオのエンジニアは、俺達が音楽を全くわかっていないんじゃないかと訝しがっていた。俺達は真逆のことをやっていたわけだからなあ。*」（ダニエル・ヴァラ、ヤン・ヨハンソン、ヨルゲン・リンデ Obscurity）

このように彼らは邪悪な音楽を作ろうとしていたのだ。最初のデモテープはプリミティヴすぎて、クラストパンクのような音楽性であったが、その後演奏能力は向上し、ドラマーが加入してから、楽曲の整合性が高まった。2 本目のデモテープ『Damnations Pride』をレコーディングするためにスタジオに入ると、すべてがスムーズに進んだ。「*ドラマーを正式加入させ、楽曲の質も良くなり、きちんとしたスタジオを選び、演奏能力も上がった。『Damnations Pride』への反応は凄かった。テープは直ぐソールドアウトになって、世界中から手紙を受け取るようになった。嬉しかったのはブラジル、日本、オーストラリアなどから手紙を受け取ったこと。ほんと驚いたよ！*」（ダニエル・ヴァラ、ヤン・ヨハンソン、ヨルゲン・リンデ Obscurity）

デモテープ『Damnations Pride』はまさにエネルギーに満ち溢れていた。

Bathory からインスピレーションを受けていたのは明らかだったが、それ以上に Sodom、Kreator、特に Destruction などのドイツのスラッシュメタル・バンドからの影響も大きかった。それに、ダニエル・ヴァラのヴォーカルは驚くほど Destruction のシュミーアにそっくりだった！ Obscurity を今聴いてみると、古臭さ

時計回りに左上から：

・『Megalomania』──このデモテープでアンダーグラウンド・シーンがスタートした。

・Mefisto のデモテープ『The Puzzle』。

・1987 年頃の Mefisto。

が全くなく、驚くほどパワーが漲っていることがわかる。Obscurity は当時最も速く
プレイしていたバンドで、特に「Demented」という楽曲はまさに狂気だった。その
スタイルはのちにスウェディッシュ・アンダーグラウンド界の帝王となった Merciless
の到来を予見させるものであった。Obscurity は本当に素晴らしくアンダーグラウン
ドでは絶賛されていたが、結局思ったほど注目されずに終わってしまった。彼らはシー
ンに登場するのが早かったのである。

*「俺達は演奏する場所もなかったから、ライブはやったこともない。リハーサル室か
ら追い出され、どのレーベルも俺達に関心を示さなかったから嫌気がさしてしまっ
たんだ。もし 90 年代まで続けていたら、なんとかなっていたかもしれない。だけ
ど、1987 年当時は希望なんてありゃしなかった。俺達のような老いぼれをリス
ペクトしてくれる巨大なエクストリーム・メタルのブームがそのうち訪れるなんて夢
にも思わなかったよ！」*（ダニエル・ヴァラ、ヤン・ヨハンソン、ヨルゲン・リンデ

Obscurity）

「*Obscurity は凄く良かった。でも、当時はシーンなんてなかったから彼らは有名になれなかったんだ。ライブをやらなかったから誰にも知られていなかったが、彼らの音楽は俺に多大な影響を与えた。*」（クリスティアン "ネクロロード" ヴォーリーン Grotesque/Liers in Wait/Decollation）

　Obscurity がマルメーで活動をしていたころ、ストックホルムから若いグループが暗黒エクストリーム・メタル・シーンに躍り出ようとしていた。1986 年頃、Mefisto はスウェーデンのアンダーグラウンドメタル界隈で、Obscurity よりも注目されていた。オマール・アメド（ギター）、サンドロ・カヤンダ（ベース・ヴォーカル）、ローベット・グラナス（ドラム）の 3 人組は、スウェーデンにおいて当時最もブルータルな音楽性でカルト的な人気を博した。Torment というバンド名で 1984 年に結成されたころはお遊び程度の活動であったが、1986 年のデモテープ『Megalomania』と『The Puzzle』リリース後、シーンに影響力を与えるようになった。攻撃的で邪悪さ溢れる両デモテープは、Bathory の方法論を踏襲していたが、リフや音楽性は Sodom、Kreator、Destruction、Slayer などのスラッシュメタルから多大な影響を受けていた。Obscurity は同じくスラッシュメタル影響下だったが、Mefisto のほうが上手だった。ドラムは一音一音アクセントをつけるような暴力的なスタイルで、リフは陰鬱でタイトだった。さらに、サンドロのヴォーカルは残虐的歌詞を粗削りかつ野太く吐き捨てるスタイルだったので、クォーソンの絶叫スタイルとは全く異なっていた。彼のヴォーカルは Nihilist/Entombed のラーシュ＝ユーラン・ペトロフや Grave のヨルゲン・サンドストルムなどの陰鬱に唸るヴォーカル・スタイルの先取りをしていたのである。彼らの演奏能力は高く、エクストリーム・メタルの将来を担う存在であるとアンダーグラウンドの雑誌でもてはやされた。

「*俺はテープ・トレーディングにはまっていて、Opeth を結成したヴォーカルのダーヴィドが Mefisto のデモテープ『The Puzzle』を送ってくれたんだ。それまではデスメタルに興味があったものの、『The Puzzle』を聴くまでそれほど入れ込んではいなかった。Hellhammer のようなデスメタルは確かにブルータルだったし、俺もそういうのが好きだった。Mefisto はイントロにクラシックギターを導入して、ギターソロも素晴らしかったよ。そこには俺が求めていたブルータルさがあったんだよな。それで俺は完全に圧倒されたよ。俺にとって 『The Puzzle』はスカンジナヴィアン・デスメタルの最高傑作なんだ。*」（ミカエル・オーケルフェルト Opeth/Bloodbath）

　残念なことに Mefisto はアンダーグラウンドから脱することができなかった。

Obscurityと同じく、彼らは2本のデモテープ制作後、消滅した。当時のスウェディッシュ・シーンには過激すぎて得体のしれない存在だったのかもしれない。また、1985年にサンドロが癌に冒されてしまったことで、バンド活動が停滞。さらにバンド内でいざこざが起こったのである。サンドロとローベットは陰鬱で粗削りのスタイルを続けていこうとしたが、オマールはプリミティヴなメタルをやるよりも、自身のギターの腕前を披露したかったのだ。彼らのこの対立は、ギターが前面に押し出されているMefistoの2本目のデモテープ『The Puzzle』で聴くことも出来る。

「2本のデモテープでは、個々のメンバーが異なった方向性を目指していたことがわかる。オマールのギターソロはYngwie Malmsteenの7分のギターソロのように、楽曲全体を支配しようとしていた。自分のやり方を彼は押し通そうとしていたんだ。彼の演奏技術は抜群なのはわかっていたけど、ローベットと俺は『Megalomania』のようにもっと粗削りでストレートに演りたかった。ローベットとオマールはそりが合わなくて、デモテープのレコーディングのときにケンカして歯を折ってしまったんだ（因みに、歯が折れてしまったオマールは現在差し歯である）。」
（サンドロ・カヤンダ Mefisto 『Septic Zine』誌 第5号より）

　Mefistoと Obscurity が消失し、スウェディッシュ・アンダーグラウンド・シーンは暫しの休息状態に陥る。彼らが少しでもライブを行っていればそうならなかったかもしれない。しかし、両バンドとも後のデスメタル・バンドの連中に忘れ去られたわけではなかった。「Mefistoの連中は、活動していたときも、一体誰がやっているかもわからなくて、誰にも知られていなかったんだ。Bathoryのように彼らの存在は霞んだ感じだった。実際、彼らのことを知っている奴は今でもいないんじゃないかな。」（フレードリック・カーレーン Merciless）

「Mefisto は Bathory のレコードのサンクス・リストに載っていたから、いいバンドだと察しがついた。ガタイがよくてカッコいいルックスの奴らだと俺は思っていたけど、実際見た目は町でトラブルを起こすような"チーマー"みたいだったんだ。彼らはアディダスのジャージを着ていて、1人の奴はシルクハットなんて被ってたよ。俺は"なんじゃありゃ？"って思ったな。」（ミカエル・オーケルフェルト Opeth/ Bloodbath）

「もし彼らがライブやっていたら、シーンはもっと早く大きくなっていたかもしれない。しかし、残念ながらそうならなかった。」（フレッド・エストビー Dismember/ Carnage）

「Mefisto は重要だった。俺は早くから彼らのデモを聴いていた。Obscurity はストックホルムでは知られていなくて、音源を入手できなかった。誰も彼らがどんな

奴らかも知らなかったけど、ファンジンで情報を得ていたから興味があったんだ。こ
れらの初期のバンドはライブを行なわなかったんだよな。つまり、80 年代中期は、
初期のバンドにとってライブのブッキングが凄く大変だったってことなんだよ。エクス
トリーム・メタル・バンドは、村八分のような状況にもがいていたんだ。」（ニッケ・
アンダソン Nihilist/Entombed）

「*Mefisto* は忘れちゃいけない。彼らはずっと昔にデモテープをリリースしたん
だ。彼らのことを気に入ってた。今はダメになってしまったけど、グレイトなリフは
健在だな。彼らを聴くと昔に戻って感傷的になってしまうんだ。」（マッティ・カルキ
Carnage/Dismember）

「*Mefisto* は超良かったね。彼らの最初のデモテープは素晴らしかったよ。
確か彼らは凄く若かったんだよな。」（レンナルト・ラーション 『Heavy Metal
Massacre/Backstage』誌）

　Obscurity と Mefisto の他に暴力的にスピードメタルを演奏していたバンドは 2、
3 存在していた。1985 年に悪名高きステーファン "ダーク" カールソンによってリン
シューピングで結成された Satanic Slaughter は、結成当初はプリミティヴで演奏
能力が未熟だったため、デモテープを作るまでには至らなかった。その後、1986
年に Satanic Slaughter の 2 人のメンバーはさらにクオリティーの高い Total
Death を結成するために脱退したが、そのバンドは俺の知る限りデモテープは作ら
なかったと思う。

　初期のエクストリーム・スウェディッシュ・メタル・シーンは総じて音源制作に意
欲的ではなかったのである。しかし、のちにデスメタル・シーンの一端となるバンド
群で、Chronic Decay と Legion （のちに Cranium として知られるようになる）
と Corpse （のちの Grave）は音源を積極的に発表した。Chronic Decay と
Legion は 1986 年にデモテープをリリースしていたが、のちにリリースされた音源
よりもクオリティーは低かった。これらのバンドは Mefisto ほどのパワーを持ち合わ
せていなかった。

　同時期には、Melissa （のちにストレートなスラッシュをプレイすることになる）、
Greffwe、Virgin Sin、そしてフード付きガウンをまとったミステリアスなブラックメタ
ル・バンドの Natas Forewop Eht （1984 年に結成）などいくつかの超マイナー
バンドはデモテープを作成していた。実際俺は、Greffwe と Natas Forewop Eht
のデモテープは聴いたことはないが、デモテープのレヴューを雑誌で見たことはある
し、2 人だけだが 80 年代に音源を聴いたと言っている奴もいる。この 2 つのバンド
はほぼ作り話で終わってしまってはいるが、それはそれでカッコいいと思う。コープス・

ペイントとスパイクで武装したエシルストゥーナ出身の恐るべきウルトラネクロ・スラッシュ・デスメタル・バンド、Death Ripper のリハーサル風景を 1986 年に収録したビデオテープが少なくとも存在するので、すべて作り話とは言い切れないだろう。(訳者註：興味があれば、"Death Ripper rehearsal" をキーワードに動画サイトで検索してほしい。当時のプリミティヴなスラッシュメタル・バンドの姿を垣間見ることができる)

　理解できないのは Bathory は人気があったのにもかかわらず、スウェーデンのレコード会社はエクストリーム・メタルに関心を示さなかったことである。クォーソンの音楽性とドイツのスピードメタル・シーンの融合を目指していたアーティストを支持する代わりに、レーベルは Europe のようなラジオでもオンエアされやすいバンドを探すことに躍起になっていた。スラッシュメタルに人気が出てきたときも、レーベルはベイエリア・スラッシュ・バンドのような洗練されたバンドと契約しようとしていた。ただ問題は、契約にたどり着けるようなバンドがスウェーデンにはいなかったことなのである。

スウェディッシュ・スラッシュメタル

　B 級レベルのスウェディッシュ・スラッシュ・バンドの中でも取り上げるべきバンドはいくつかある。最初期に認知されていたバンドにボーデン出身の Maninnya Blade がいる。彼らは 1980 年頃に結成され、その後 4 年の間に何本もの超限定デモテープを出し、シングル『The Barbarian/Ripper Attack』を Platina Records からリリースした。その 2 年後、Killerwatt と契約を交わしアルバムをリリースしたが、彼らの音楽性に攻撃性はほとんどなかった──スラッシュメタルというよりは Motörhead の二番煎じだったのである。しかし、しばらくして彼らは Hexenhaus に生まれ変わる。

　この時期に登場し、高品質で王道スラッシュメタルに突き進んだバンドはウップサーラ出身の Damien である。Damien は 1982 年に結成されたが、デモテープがリリースされたのは 1986 年になってからだ。比較的粗削りな初のデモテープ『Hammer of the Gods』を発表した後、『Onslaught without Mercy』（1986 年）、『Chapter I』（1987 年）、『Chapter II』（1987 年）と立て続けにリリースした。3 本目のデモテープで彼らはポテンシャルの高いエネルギッシュなスラッシュメタルを作り上げた。Damien は楽曲も良く、ヴォーカルや演奏力も抜群だった。しかし、彼らのような攻撃的なスラッシュはどのレーベルの目にも留まることはなかった。そのため 1988 年に自主レーベル Gothic Records を立ち上げ、音源をリリースした。活動期間中、Damien は何本かのライブを行なった。客はまばらだったが、その中の一本が産声を上げたばかりのデスメタル・シーンに影響を与えることになった。

時計回りに左上から：
・Maninniya Blade──ど派手な衣装で悩殺ポーズ。
・スウェーデンで初めてスラッシュメタルに“挑戦した”レコードといわれている。
・Melissa──「あの子たちと遊んじゃいけないよ」って親は言っていた。

「俺が初めて見たスラッシュメタルのライブは、1987年、ノーシューピングに
あったライブハウス Nya Strömmen で行なわれた Damien だった。その前に
Anthrax の「Gung-Ho」のビデオを観ていたから、超モッシュしまくる奴らだと
思っていたけど、会場に着くとキャンディーをペロペロ舐めている4人のキッズが
いただけだった。それがバンドのメンバーだったんだよ！でもライブではメンバーが
Hellhammer のようなコープス・ペイントをしていてカッコ良かった。一瞬のうち
にはまったよ。これがきっかけで俺は1年後ライブを企画して、ファンジンを発行す
るようになったんだ。ライブの後、キャンディーをペロペロ舐めていたキッズのうち
の1人と仲良くなったんだけど、それが数年後にブラックメタル・バンド Marduk
を結成するモルガン・ホーカンソンだった。」（ロバン・ベシロヴィッチ『Close-Up』
誌）

　スウェディッシュ・スラッシュ・バンドのデモテープの中で1986年6月に録音さ
れた、Agony の『Execution of Mankind』は最高傑作の一本だった。Mefisto
と同じく、Agony はストックホルム出身だった。元々彼らはクラストパンク・バンド
Agoni であったが、サンフランシスコのスラッシュメタル・ムーヴメントに触発され、
メンバーを入れ替え音楽性を大胆に変化させた。Agony は粗削りでブルータルに
もかかわらず、Mefisto にはなかった垢ぬけた雰囲気があった。リフや録音状態は
良好で、楽曲はテンポ・チェンジ、メロディー、モッシュパートもありスラッシュ然と
していた。彼らの音楽性は Exodus のヴォーカルに、Testament、Megadeth、
Slayer のおいしい部分を混ぜ合わせたようなものだった。クオリティーは高く、間も
なく Agony は Under One Flag と契約を交わすことになった。

　初期のスウェディッシュ・スラッシュメタルで、激しく混沌としたエネルギーを放って
いたバンドは、ランズクローナ出身の Hyste'riah だろう。彼らの狂乱のデビュー・
デモテープ『Attempt the Life』は1987年11月26日に地元の Ass Bang
Freak Studio でレコーディングされた。リフや曲構成は Destruction のそれに近
かったが、アメリカのスラッシュ・バンドにも影響を受けていた。デモテープに対する
反響はほとんどなかったにもかかわらず、彼らは活動を続け、5月10日同スタジ
オでセカンドデモテープのレコーディングを行なった。出来上がった『Jeremiad of
the Living』は前作よりも残念ながら攻撃性を失っていた。彼らの演奏能力は向上
したが、よりアメリカのバンドに接近したことが攻撃性を失くした理由であろう。個人
的には暴力的な1本目のほうが好みであったが、2本目も悪くない。

　その他のスウェーデンのスラッシュメタル・バンドでまともだったのは、ウレブルー
出身の Fallen Angel である。彼らは1984年に結成され、数本のデモテープで

有名になった。彼らの活動のピークは1989年9月22、25日にStudio Eagle
Oneでレコーディングされ、高評価を得た『Hang-Over』だった。カッコよくハー
モニーの利いたミドルテンポのリフが、ヨーハン・ブーロウのヴォーカルとうまく絡み
合っていた（ヨーハンはのちにデスメタル・バンド、Altarにセッション・ギタリストと
して参加した）。Fallen Angelは90年代に入ってアルバムをリリースするが、既に
音楽性は古臭く感じられた。

　80年代後期スウェーデンにおいて、よく話題に上っていたスラッシュメタル・バ
ンドといえばファーガシュタ出身のKazjurolだ。彼らは1986年に結成され、す
ぐにスプリット・シングル『Breaking the Silence』をリリースした。当時の彼ら

はかなり粗削りのクロスオーヴァー・バンドであっ
た が、評 判 は 上々だった。1987年にリリースし
た デ モ テ ー プ『The Earslaughter』とシング
ル『Messengers of Death』 で は、Suicidal
Tendencies寄りのサウンドを構築し、海外でも注
目を集めるようになった。Uproar Recordsのペー
タル・アールクヴィストがバンドをマネージングして
いたことで、このような評価を受けたのだろう。
*「Kazjurolはただのお遊びバンドとしてスタートし
たんだ。彼らのことを気に入っていたから、彼らの
面倒を見るようになった。いつの間にか本格的に
活動を始めて、楽器をきちんと演奏できるメンバー
を加入させていたな。それでKazjurolを売り出
すためにライブを沢山企画したんだ。ライブをやり
すぎたくらいだったかもしれないな!」*（ペータル・

スウェーデン最高峰のスラッシュ、
Hatred『Welcome to Reality』
のデモテープ。

アールクヴィスト 『Uproar』誌/Tid Är Musik＜音楽協会＞/Burning Heart＜
レーベル＞）（訳者註：90年代中期、Burning HeartはMillencolin、No Fun at All、Satanic
Surfersなどを擁し、メロディック・ハードコア・ブームの急先鋒に立っていた。その後、レー
ベルはアメリカのレーベルEpitaphに買収された）

　1988年にリリースされた有名なデモテープ『A Lesson in Love』がKazjurol
をActive Recordsとの契約に導いた。この時点で彼らは直球スタイルのスラッシュ
メタルを追求しており、1990年まで多くのライブを行なっていた。今Kazjurolを
聴いてみると、何故彼らがそんなに注目されていたのか理解に苦しむ──しかし、
当時の状況は今とは違っていたことを覚えておくべきである。

時計回りに上から
・初期の Kazjurol のバンド写真。
彼らは威圧的な大男だと勝手に思い込んでいた。
何を血迷っていたんだろうなぁ、俺は。
・Kazjurol のシングル。
・『A Lesson in Love』——80 年代後期にみ
んなが持っていたデモテープ。

Kazjurol と対照的に、ヘーデモラ出身の Hatred は俺にとって最強のスウェディッ
シュ・スラッシュメタル・バンドである。Agony や Bathory と同じく、この凄まじい
バンドはパンクにルーツを持っていた。ブラスト・ビートの草分け的存在で超ブルー
タル・ハードコア・バンド、Asocial の 3 人のメンバー（トマス・アンダソン、トミー・
ベグレン、ケネト・ウィルクンド）を擁していた。Hatred の 1 本目のデモテープ『Winds
of Doom』（1987 年）のクオリティーは普通だったが、次第にその状況も変わった。
　1989 年 1 月 7、8 日、Musikstugan でレコーディングされた 2 本目のデモテー
プ『Welcome to Reality』では、Hatred は驚異的な進歩を見せた。激速なテン
ポ、生々しいサウンド、剃刀のように鋭利なリフ、タイトなドラム、よく練りこまれた楽
曲の応酬だった。トマス・ルンディンの高音ヴォーカルは今では古臭く聴こえるかもし
れないが、素晴らしいスラッシュ・ヴォーカリストだった。他のスウェディッシュ・バン
ドと違い、Hatred はドイツのスピードメタル・シーンの荒っぽさとベイエリア・スラッ
シュ・バンドの綿密さをブレンドしたような音楽性だった。Hatred がサンフランシス
コで結成されていたならば、人気が出ていたであろう。
　この Hatred のクオリティーは、ラジオ番組『Rockbox』によって監修されたス
ウェーデンのメタル・コンピレーション・アルバムへ参加したことで確かなものとなっ
た（スラッシュ・バンドでそのアルバムに収録されたのは Hatred と Mortality だ
けである）。コンピレーション・アルバム参加曲、「Tempted by Violence」は
Agony の「Deadly Legacy」と同様、スウェーデンのスラッシュ史上最高の曲だ
と俺は思っている。Hatred にはスラッシュメタルの醍醐味が詰まっていた──しかし
アルバム制作まで至らなかったのは残念でならない。
　*「Hatred は凄すぎるバンドだった。他のスウェーデン出身バンドとは異なって、き
ちんと作曲出来ていたし、もっと注目されるべきだった。海外のバンドと比べても遜
色はなかったんだから。」*（ロバン・ベシロヴィッチ 『Close-Up』誌）
　Hatred と肩を並べるほどではなかったにもかかわらず、彼らよりも注目された
バンドはニューシューピングの Mezzrow だった。1988 年 2 月 20、21 日、
Svängrummet Studio でレコーディングされた秀逸なデモテープ『Frozen Soul』
は、リフ中心の楽曲構成でモッシュパートが惜しげなく表現されていたため、サン
フランシスコのバンドから影響を受けていたのが明らかだった。彼らは Exodus や
Death Angel スタイルに倣った心地よいリフとウッフェ・ペッションの巧みなヴォー
カルを武器に、イギリス／スウェーデンのレーベル Active と間もなく契約を交わした。
　しかし、スウェーデンのスラッシュメタル・バンドで最も成功し有名となったのは、ストッ
クホルム出身の Hexenhaus であった。他の多くのスウェーデンのスラッシュメタル・

スウェーデン初のエクストリーム
メタルファンジン。

バンドとは違い、Hexenhaus はパンク畑出身ではなく、古くから活動していたメタル・
バンド、Maninnya Blade の延長線上に位置したバンドだった。バンドのメンバーは
メタル・シーンで既に知られていた存在だったため、他のスラッシュメタル・バンドよ
りも一目置かれていた。他の多くのスウェーデンのスラッシュ・バンドにはあった攻撃
性が彼らには感じられなかったのは、パンクのルーツを持たなかったからであろう。

　Hexenhaus はメンバーの出入りが激しかったのでライブを行うことはなかった
が、Active からリリースした 3 枚のアルバムはかなり良い評判を得た（Mezzrow
唯一のアルバムも Active から発売された）。3 枚ともそれほどクオリティーは高くは
なく、スウェーデンのシーン全体に影響を与えるほどの説得力はなかった。驚くこと
に彼らのデビュー作『A Tribute to Insanity』（1988 年）のジャケットに使用さ
れた絵画が 3 年後 Morbid Angel の『Blessed are the Sick（邦題：病魔を崇
めよ）』にも使用されたことである。（訳者註：ベルギー象徴主義の美術家、ジャン・デルヴィ
ルの『Les trésors de Satan〈サタンの宝〉』）

　ウップサーラ出身の Midas Touch、ヘルシングボリ出身の God B.C.、そして

時計回りに上から：
・80年代中期によくあったスラッシュ
メタルのライブ告知ポスター。
・Hexenhaus は "Hexen Hause"
と記載されている。
・ニューシューピングのスラッシュ攻
撃。

ガールズバンド Ice Age ぐらいしかスウェーデンでは良質なバンドはいなかった。"スウェディッシュ・スラッシュメタル・シーン"と呼ばれるものは実際には存在しておらず、演奏する場所や彼らを掲載する雑誌すらもほとんどなかった。このため、バンド単体で活動していたようなものだった。シーンは存在していなかったが、80年代にいくつかのファンジンがスラッシュを取り上げ始めた。最初に発行されたのは『Heavy Metal Massacre』誌である。「*1983 年春、俺はテープ・トレーディングで知り合ったミッケ・ヨンソンとファンジンを立ち上げたんだ。それで出来上がったのが『Heavy Metal Massacre』。第 1 号を 10 月に発行して、1984 年 9 月に廃刊になるまで 4 号出したんだ。俺達はスウェーデンで初めて Slayer、Metallica、Exciter を掲載した雑誌だった。*」（レンナルト・ラーション 『Heavy Metal Massacre』誌／『Backstage』誌）

『Heavy Metal Massacre』は最も過激なメタルを掲載した雑誌として異彩を放っていた。ヘヴィメタルとスラッシュ以外にも、彼らはそれまで存在価値のない雑音として捉えられていたブラックメタルを取り上げ、一つのアート表現として崇めた。このアプローチは正にシーンをデスメタルやブラックメタルへと移り変える原動力へとつないだのである。第 1 号の編集後記でもそれを見てとれる。「*お前の心は病んでいるか？ 俺は病的でありたいし、拷問を受け、死と直面し、ブラックメタルを聴いているのが本望だ。メタルには手ぬるいやり方か荒々しくて攻撃的なやり方の 2 つしかない。俺は後者を選択した。苦悶と痛みが場を支配し、恐怖に慄く。何があろうとも俺は自分の道を貫くのだ。神に背くと、悪魔が微笑んでくれるぜ！*」（ミッケ・ヨンソン 『Heavy Metal Massacre』誌 第 1 号 1983 年）

　以上が今伝えられている真実なのだ。80 年代中期、スウェディッシュ・スラッシュメタルの活性化に貢献した人物は確かにいたが、強大で成功したムーヴメントを起こすことが出来なかった。ベイエリア・スラッシュメタルにインスピレーションを受けたスウェーデンのバンドは、スウェディッシュ・デスメタルの発展に重要な影響を与えることはなかった。スラッシュメタルの音源がリリースされていたころ、もっと過激な音楽が地下奥底から這いあがろうとしていた。1988 年、デスメタルのデモテープがスウェディッシュ・シーンに現れ始め、過激に変貌を遂げようとしていた。それでは、このスウェディッシュ・メタルの残虐的な変遷をあとにして、本書の主題であるデスメタルに移ろう。

HANG-OVER

JEREMIAD OF THE LIVING

時計回りに上から：

・狂乱のスラッシュメタル。

・メタルマニアの"いつものポーズ"が描かれている Fallen Angel のデモテープ。

・狂乱のスラッシュメタルその 2。

・Damien——ヴァイキングメタルのパイオニア？

・『Chapter I』——素晴らしい音楽性、素晴らしいジャケット。

第3章：
スウェディッシュ・
デスメタルの誕生

「死の翼が天空に舞い
葬送の風が吹き荒れる
朽ちた墓場の呪い
穢れなき魔術、葬送の風の中に
……死の呪い」
——Morbid「Wings of Funeral」

思い起こせば 80 年代中期は今と比べるとまるで別世界だった。携帯電話もインターネットも CD もなかった時代、たった 2 つしかなかったスウェーデンのテレビ放送局ではめったに音楽などかからなかった。ライブエイド・コンサートに出演した Status Quo の 2、3 曲の演奏を観るためにテレビにかじりついていた奴や、俺のようにラジオ番組『Rock Box』の放送を毎週首を長くして待っていたメタルキッズもいた。エクストリーム音楽に興味があっても、リリースされているレコードを見つけるのは一苦労だった。スラッシュメタルのレコードを取り扱っていた店は数店舗のみ、Slayer の『Reign in Blood』は輸入盤でしか手に入れることができなかった。厳しい状況でお目当てのものを探すには頭を働かす必要があった。こうした創造力がデスメタルの道を開いたのである。

　スラッシュメタルが市民権を得て、コマーシャル化し、聴くに堪えがたいほど退屈になったとき、若者達は新しく斬新なものを探し始めた。よりブルータルな音楽を彼らは求めるようになったのである。メタルキッズは自分の感性にあったバンドを探すことに慣れていた。レアなレコードを通販で入手していた奴は、世の中でまだ誰も聴いたことにないようなデモテープを探すことを当然のごとく始めた。80 年代後半に起こったアンダーグラウンドのテープ・トレーディング・ブームはスウェディッシュ・デスメタル・シーンを勃発させる起爆剤となった。このジャンルは数名の若者が、スウェーデンに入ってきたレアなメタルのカセットテープを手に入れたことによって始まったといっても過言ではない。

「*Metallica、Slayer、Celtic Frost、Kreator、Bathory、Sodom、Destruction* とか一通り聴いて、それからテープ・トレーディングの方法を覚えた。世界中のバンドの奴らとデモテープを交換し合ったんだ。*Morbid Angel、Oblivion、Sadus、Autopsy* など強烈なバンドを見つけて最高の気分だったよ。南アメリカのような珍しい地域からも沢山手紙を受け取ったからマジで信じられなかった!*」（フレードリック・カーレーン Merciless）

「*最初のころは、当時リリースされていたエクストリームなレコードをすべてを探し出そうとしていた。それから、フレッド・エストビー、フレッダ・ヨハンソン、俺の 3 人で徒党を組んですべて入手しようとした。間もなくして俺達はテープ・トレーディングというものを知り、世界中からレアな音源を集めたんだ。スウェーデンのテープ・トレーディング界隈で特に重要な役割を果たしていた Tribulation のフォーシュバリは誰よりも入手するのが早かったなぁ。俺は彼から Repulsion や Master をダビングしてもらったよ。一度デスメタルの魅力にはまったら、スラッシュメタルには興味を失った。学校の昼食休憩の時間に家にダッシュで帰って、郵便配達のおじさん*

の後をつけて回り、何か届いていないかと確かめるなんてこともした。強烈な時代
だったなぁ!」（ニッケ・アンダソン Nihilist/Entombed）

「俺はテープ・トレーディング狂としてよく知られていて、エクストリームなものは貪
欲に全部集めていたんだ。突然世界中から送られてくるテープで郵便受けが一杯
になり始めたので俺の親は困惑した。これはインターネットとか MP3 が出てくるずっ
と前の話なんだよ。こういうのは最高だろって今の若い奴らには言ってやりたいよ!」
（イェスペル・トゥーション Afflicted）

「俺の知り合いは割とみんなテープトレードをやっていたけど、ニッケ・アンダソン、
マグナス・フォーシュバリ、パトリック・クロンバリ、トマス・リンドバリはその中で
もよく知られていた。」（オルヴァー・セーフストルム Nirvana 2002）

「しばらくの間は、郵便物を受け取ることで自分の存在価値を確かめていた。手紙
やテープが南アメリカとかアメリカから届くのを見るとびっくりしたよ。」（クリスティ
アン "ネクロロード" ヴォーリーン Grotesque/Liers in Wait/Decollation）

「アメリカとか南アメリカからデモテープを受け取った途端、すべてがブルータルに
変わったんだ。」（フレッド・エストビー Dismember/Carnage）

　そう、新しく、暴力性に溢れるサウンドが世界中、特にアメリカで席巻しつつある
ことを最初にスウェーデンで察知したのはテープ・トレーダーだった。スウェーデンの
退屈な社会の中でテープ・トレーディングは、人生の糧を見つける手段でもあった。
現在では到底考えられないことではあるが、年端もいかない若者が毎日世界中の
人々に向けて、テープをダビングし長い手紙を書くことに何時間も費やしていたのだ。

「身内が企画したパーティーでのライブとかパンクのギグ以外、80 年代中期のス
ウェーデンは何も起こらなかった。良質のバンドがアメリカから沢山登場し、お目当
てのブツを手に入れるために週に 50 通くらいは手紙を書いた。テープ、T シャツ、
ファンジンをトレードしていたんだ。80 年代に入手した何百本というテープをいま
だ持っているよ。」（ヨニー・ヘードルンド Nihilist/Unleashed）

　テープ・トレーディングはスウェディッシュ・デスメタルの発展において重要な役割
を果たした。しかし、80 年代後期はほんの一握りの人物しか関わっていなかった。
熱心にテープ・トレーディングをしていたのは 50 人くらいだった。俺のようなインナー
サークルの外側にいる奴らは大半、少しやった程度で、世の中で起こっていることを
知る手段としてムーヴメントを真剣に捉えていた者はいなかった。いわば、数名の友
人とお気に入りの音楽を交換する一つの方法にすぎなかった。

「俺はあまりテープ・トレーディングはやらなかった。何人かの奴と連絡を取り合っ
て、何本かテープを交換しただけだった。膨大な所有音源のリストをお互い交換す

Heavy Sound——スウェディッ
シュ・デスメタルを活性化させた
レコード店。

ることにあまり意義を感じなかったんだ。俺達は相手が気に入ってくれそうなものを
ダビングしていただけだよ。実際、そうやって良いバンドを見つけたんだ。」（クリス
トフェル・ヨンソン Therion）

「俺のようなガキが世界中の人と文通するなんて凄いだろ。机に何時間もかじりつ
いて長い手紙を英語で書くんだよ。自分で何本ものテープから選曲して1本のテー
プにまとめていたから、根気とエネルギーが必要だった。トンパ・リンドバリがブラ
ジルかどこかから入手したテープには、"極悪な"感じに曲紹介をしたものがあった。
"それじゃあなぁ～次の曲はSadusの「Death to Posers」だぁ～!"っていう具
合にな。なぁ良い時代だっただろ。」（クリスティアン "ネクロロード" ヴォーリーン
Grotesque/Liers in Wait/Decollation）

　それでも、普通のメタルキッズはアンダーグラウンドについてまだ何も知らなかっ
た。将来有名となるアンデシュ・ビョーラー、オーラ・リンドグレーン、アンデシュ・シュ
ルツ、トマス・ニークヴィストであっても。

「1989 年夏、俺はトンパ・リンドバリからデスメタル、テープ・トレーディング、ファンジンの存在を知った。彼の家に行くと、そこには別世界の秘密基地があった。ポスター、フライヤー、ガイコツ、レコード、ビールの空き缶、デモテープ、ファンジン、それにワインの瓶がそこら中に散乱していて、酷かったってもんじゃない。でも全く新しいジャンルを発見することが出来てワクワクしたのを覚えている。トンパに出会う前に聴いていた一番エクストリームなバンドは *Slayer* だったな。」（アンデシュ・ビョーラー At the Gates/The Haunted）

「1988 年に *Possessed* の『*Seven Churches*』を入手して、俺の人生が変わった。新しい世界が開かれて、新しく刺激的なバンドを探すことにのめり込んだんだ。それで人生をデスメタルに賭けたんだ。入手できたすべての雑誌を読んで、狂ったようにデモテープをトレードしたんだ。麻薬のようなもので、飽きることなんてなかったよ。」（トマス・ニークヴィスト 『Putrefaction Mag』誌／No Fashion Records ＜レーベル＞/Iron Fist Productions ＜レーベル＞）

「初めてヨニー・ヘードルンドの自宅に行ったとき、デスメタルが何たるかが分かったんだ。彼は俺が聴いたこともないバンドのデモテープを何百本も持っていた。その後、俺は速攻テープ・トレーディングに身を投じたよ。」（アンデシュ・シュルツ Unleashed）

「*Nihilist* と *Dismember* の奴らと知り合いになると、アメリカのマイナーバンドのことを教えてくれたんだ。彼らと出会うまでは、シーンのことなんてこれっぽっちも知らなかった。」（オーラ・リンドグレーン Grave）

　テープ・トレーディングが盛んだったころ、初期のスウェディッシュ・シーンで最もホットな場所は、ストックホルムにある Heavy Sound というレコード店だった。ストックホルム中心街にあるガラの悪いレゲリング通りに面した場所に構えたその店は猫の額ほどの広さだった。店はヘヴィメタルやハードロック系を中心にストックしていたが、普通のレコード店と違っていたのは Sarcófago、Sodom、Possessed など超エクストリームな音源を世界中から輸入していたことだった。さらに重要なことは、店のオーナーは当時勃発の若いデスメタル・バンドのデモテープも店に置いていることだった。

「*Heavy Sound* がスウェディッシュ・デスメタル・シーンに凄く重要な役割を担っていたんだ。そこで、クールなスラッシュメタル・バンドや *Bathory* のレコードを買うことが出来たんだ。エクストリーム音楽を取り扱う店なんて当時他にはなかったしな。当時、エクストリームと評されていたすべての音源を2人のオヤジが売っていて、デモテープも置いていたんだ。」（マッティ・カルキ Carnage/Dismember）

「Heavy Sound を初めて訪れたとき、シーンのようなものが形成されていたのが分かった。あの雰囲気は忘れられないな！ スラッシュメタルのレコードがそこら中に飾ってあった。小さい町の出身の俺達にとってスラッシュメタル系レコードを見つけるのはほんと難しかった。でもその店にはそういうレコードがあったもんだからビビったよ！ Bathory が登場した後、俺は超過激なバンドだった Mefisto の 1 本目のデモテープを買ったよ。それから俺達のデモテープを持って行って、店でも売ってもらったんだ。」（フレードリック・カーレーン Merciless）

「Heavy Sound はブルータルなレコードが手に入るレコード店だった。俺は 300 キロ離れたイェーツビンからよく長い道のりをたどって旅していたなぁ。80 年代中期、その店はメタルキッズ同士が知り合う大切な場所でもあったんだ。デスメタル・シーンでまず最初に出会ったのは、当時 Nihilist に在籍していたバッフラ（マティアス）だった。それからトンパ・リンドバリに出会ったことで人脈が広がったんだ。Heavy Sound でバッフラとトンパに出会ったのは当然の流れだったのかもしれないな！」（オルヴァー・セーフストルム Nirvana 2002）

「80 年代後半 Heavy Sound は俺にとって、とても重要な場所だった。そこでベーシスト募集のチラシを見つけて、ラーシュ＝ユーラン・ペトロフとウルフ・セーダルンドと連絡を取ったんだ（後でわかったけど、実際彼らが募集していたのはギタリストだったのであって、俺は見間違えてしまったのだ）。こうして彼らと知り合って、彼らの地元のブレーデンでよくつるむようになったんだ。それにしても Heavy Sound で Grave のテープを見つけたときの衝撃は忘れられないな。ゴットランド島に住んでいる奴らが俺達がやっていたようなサウンドを追求していたんだよ。その当時は彼らと知り合いでもなかったけどのちに Heavy Sound がお互いを引き合わせてくれたんだ。」（ニッケ・アンダソン Nihilist/Entombed）

「俺は Heavy Sound で見たチラシがきっかけでデスメタル・シーンに関わるようになったんだ。ニッケ・アンダソンとウッフェ・セーダルンドがヴォーカリストをちょうど探していた。それは確か 1987 年くらいだったな。俺達はすぐ意気投合して、何週間かハードコア・バンドで演奏していたんだ。ニッケと知り合いになって、Dismember のメンバーとも知り合ったんだ。」（ヨーハン・エードルンド Treblinka/Tiamat）

「ムーヴメントが来ているって感じたのは、1987 年、Bathory の『Under the Sign of the Black Mark』発売後に Heavy Sound で行なわれたサイン会だった。グラント・マックウィリアムス（General Surgery）と一緒に行ったんだけど、俺は 14 歳のガキで、そこにはもの凄くクールなシャツを着た奴らが大挙して詰め

かけていたんだ。初期のデスメタル・シーンを作った奴らが大勢いたんじゃないか
なぁ。当時は彼らとは知り合いではなかったけど、そういう奴らがいるってことを確
かめることができた。その前はグラントしか知らなくてね。彼とも *Heavy Sound* で
友人になったんだ。俺は学校に友人はいなかった。エクストリーム・メタル好きに
友人なんて寄って来ないよな。*Bathory* のサイン会で世界が変わったんだよ。だっ
て俺達みたいな奴が大勢いたんだから。」（アンデシュ・シュルツ Unleashed）

「俺の親父がストックホルムに住んでいたから、*Heavy Sound* に行く機会は何度
もあった。ストックホルムに行ったときにはいつもそこに行ってたよ。店はいつも混
んでいて、行くだけでも楽しかった。*Afflicted Convulsion* のメンバーが店の外
にたむろしていて、ビール片手に酔っ払っていたのを覚えている。彼らは未成年で
アルコールを買えないくらい若かったけどな！そこは誰かと知り合う場所だったん
だ。*Heavy Sound* はシーンと呼ばれるものを作った最初の場所だったのかもしれ
ない。」（ロバン・ベシロヴィッチ 『Close-Up』誌）

「ヴィスビーではエクストリームなバンドを見つけるのは大変だった。*Metallica* と
か *Anthrax* とかの大物バンドのアルバムが買えればいい方だった。ストックホルム
に行って初めて *Heavy Sound* を見つけたときは世界が広がったんだ。レゲリング
通り──その通りの名前を聞くといまだ背筋がゾクッとするぜ。」（オーラ・リンドグ
レーン Grave）

「俺達にはきちんとしたデモテープを作る金なんてなかった。当時は 3 曲入りのデ
モテープを作るのは、今のレコードを 1 枚出すのと同じくらい難しかったんだよ。
Heavy Sound っていうレコード店で、レコード・ジャケットのバンドロゴを見て、
衝動買いしていたよ。"何ていう名前のバンドかロゴを見てもわかんないけど、凄い
バンドに決まっている！"ってね。俺はいまだに当時のデモをすべて持っているんだ。
例えば、*Nihilist*、*Carnage*、*Dismember*、*Mefisto* らのデモ。彼らは俺にとっ
て *Kiss* みたいなもんで、"彼らは俺達のヒーローだ"なんて思っていたよ。」
（ミカエル・オーケルフェルト Opeth）

「ユーテボリでは *Dolores* がストックホルムの *Heavy Sound* と同じような役割を
果たしていたよ。*Dolores* でクールなバンドのレコードを沢山買ったよ。だけど、
Dolores は *Heavy Sound* と違って誰かと知り合う場所ではなかった。ユーテボ
リにはシーンなんてなくてさぁ。エクストリーム音楽にはまっていても、周りに誰も
いなくて独りぼっちだったよ。」（トマス・リンドバリ Grotesque/At the Gates/
Disfear）（訳者註：動画サイトで、"Bathory-Quorthon with fans Stockholm 1986" と検索
すると、クォーソンがファンにサインをしている姿や当時の Heavy Sound の様子が確認でき

Ultrahuset でのライブでドラムを猛烈に叩きまくっている Morbid 在籍中のラーシュ=ユーラン・ペトロフ。

る。クォーソンの父親、ボルイェ・フォーシュバリ、Bathory メンバーのヴォールンス＜または、Sodom のウィッチハンター？＞、Morbid/Mayhem のペッレも確認できる。この中にデスメタル・シーンを形成するキッズ達がいるのかもしれない）

　Heavy Sound は、エクストリームで新しいサウンドを求める若者達に影響を与えたファンジンも仕入れていた。特に影響を与えたのはイギリスのファンジン『Metal Forces』である。『Metal Forces』にはデモテープのレヴューが多く掲載されていたため、テープ・トレーダーの間ではバイブル的な存在だった。

「『Metal Forces』は超重要だったね。聴いたこともないバンドを多く掲載していたし。」（ニッケ・アンダソン Nihilist/Entombed）

「『Metal Forces』は大手のファンジンの中でもベストだった。シーンで大物だった Death とか Dark Angel はもちろんのこと、デモテープの紹介ページにはクールなバンドも載っていた。」（トマス・リンドバリ Grotesque/At the Gates/Disfear）

「新しいバンドを探す主な情報源はラジオ番組の『Rockbox』だったけど、『Metal Forces』に出会ってからは、そこから情報を得るようになった。」（ロバン・ベシロヴィッチ『Close-Up』誌）

　最初にデスメタルのジャンルの存在を認めたのは、スウェーデンのパンク系ファン

ジンだった。

　デスメタルがパンク・シーンの陰に埋もれていた事実を、のちにアンダーグラウンド・シーンの立役者となる Morbid のライブレビューからでも見ることができる。ちなみに、Morbid は 1987 年 10 月 23 日、ライブハウスの Birkagården で Hatred と Tribulation の前座として出演した。

「Morbid のサウンドチェック中にライブは開場となった。彼らは既にメイクをしていて、ライブで使う小道具をセッティングしてからステージを降りた。間もなくライブが始まると、ライト、音響、スモーク、黒の棺桶などが使われた。Morbid の音楽性は酷いと思われたが、そんなこともなかった。パフォーマンスは凄く良かった。でも、これをレコードで再現することは到底できないだろうなと感じた。ライブが進むにつれて次第に良くなり、オーディエンスは狂ったようにヘッドバンギングし始めた。Morbid は察しのとおりメタルをやっているんだ。全体的に良かったけど、曲間のMCが英語だったのはダサかったなぁ。」（『Banan』誌 第 7 号より 筆者訳による）

　このような短いライブレポート以外にファンジンでスウェディッシュ・シーンが取り上げられることはまずなかった。パンクにはまっていなかったら、シーンが存在することさえ分からなかったであろう。一方、ノルウェーではスウェーデンとは正反対な状況だった。当時はエクストリームなバンドは見つけることはできなかったが、ノルウェーには偉大なファンジンが 2 誌も存在していた。それは、『Slayer Mag』と『Morbid Mag』だった。

「メタリオンのファンジンは他のファンジンよりもプロフェッショナルできちんと筋が通っていたから、彼とは早くから知り合いになった。1989 年の大晦日は Treblinka のメン

メタルにはドンチャン騒ぎや悪乗りがつきものだったころに撮られたメタリオンの姿。

バーと過ごしたんだ。デッドが窓から飛び降りようとしたりして、何が起きてもおかしくなかったな。そのころ、ノルウェーではまだ何も起こっていなかったんだよ。メタリオンと *Vomit* や *Mayhem* らのバンドがいただけだった。そのパーティーで凄く若いキッズ達が何人かいたのを覚えている。彼らがのちにブラックメタル・バンドを結成するメンバー達だったと思う。だけど、当時はただの余計な取り巻きにしかすぎなかった。」（クリスティアン "ネクロロード" ヴォーリーーン Grotesque/Liers in Wait/Decollation）

「ノルウェーの『*Slayer Mag*』は当時から最高だったな。メタリオンをリスペクトしているぜ！」（フレードリック・カーレーン Merciless）

「ノルウェーの『*Slayer Mag*』は紛れもなく当時からリスペクトされていたファンジンだったし、メタリオンとは何年か連絡を取り合っていたこともある。『*Morbid Mag*』も 80 年代から有名だったよ。」（クリストフェル・ヨンソン Therion）

「俺は最初、デンマークの『*Metallic Beast*』と『*Blackthorn*』という 2 つのファンジンを手にした。その 2 冊は *Master* のデモテープをレヴューしたり、デビュー当時から *Possessed* や *Mefisto* のインタビューを掲載していた。振り返ってみると俺に多大な影響をもたらした。それからもっと凄いノル

時計回りに上から：
- 『Morbid Mag』のフライヤー。
- 発行されなかったニッケ・アンダソンによる『Chickenshit』誌の広告。
- 『At Dawn They Read』誌――スウェーデンで初めてデスメタルを取り上げたファンジン。
- 『NOT』誌 第 4 号 表紙は 80 年代中期のクロスオーヴァーの雰囲気をよく表している。

ウェーのファンジンに出会ったんだ。『Slayer Mag』は超リスペクトされていてね。
『Morbid Mag』はスラッシュメタルを多く取り上げていたから、あんまり信頼でき
なかったんだよなあ。そんな風に考えてたなんて子供っぽいと思うけど、まあ仕方
なかったのさ。」（ニッケ・アンダソン Nihilist/Entombed）

　ニッケはファンジンを通して多くのデモテープがこの世に存在することを知ったので
ある。そして、タダでデモテープを入手する方法を思いついた。
「ファンジンを読んでから、俺は自分でもファンジンを作りたくなったんだ。それで
発行しようと思ったのが『Chickenshit』という雑誌だよ。だって、ファンジンを始
めたら貴重なデモテープを聴くこともできるだろ。一号も発行しなかったから、完全
なペテンだよな。だけど、実際は多くの時間を Nihilist に費やしたから、雑誌を

仕上げる時間なんてなかったよ。」（ニッケ・アンダソン　Nihilist/Entombed）

　ニッケはデザインやレイアウトを準備していたにもかかわらず、彼のファンジンは発行されなかった。ファンジンに関しては、スウェーデンは長い間隣国のデンマークやノルウェーに後れをとっていた。

　1987年頃エクストリームなメタルを掲載するファンジンが発行される前は、メタル系を中心に掲載していた定期発行雑誌『Hammer』や、スラッシュメタルを取り扱うファンジン『Heavy Metal Massacre』や『Metal Guardians』が存在しただけだった。

「結構粗雑なつくりのファンジンがいくつかあったんだ。その中には『NOT』と『To the Death』もあった。ノルウェーのファンジンはスウェーデンのファンジンよりも良かったな。特に『Slayer Mag』はその頂点にいた。」（ダニエル・ヴァラ、ヨルゲン・リンデ、ヤン・ヨハンソン　Obscurity）

　初期のスウェディッシュ・ファンジンは洗練されておらず、記事も面白くなかった。しかし、アンダーグラウンドで起こっている現象をとらえていた。そして、意外なことにエクストリーム・メタルのファンジンはスウェーデン最南部のスコーネ地方から現れた。この地方の代表的なバンドに、ブルータルなObscurityやマルメー出身のVirgin Sin、ランズクローナ出身のスラッシュメタル・バンドHyste'riah、そして彼らと同様にスラッシーだったヘルシングボリ出身のGod B.C.がいた。1985年、God B.C.のドラマーであるトム・ハルベックによるファンジン『At Dawn They Read』は、レンナルト"ファントム"ラーションの『Heavy Metal Massacre』と同じく、当初多くの正統派メタル・バンドを掲載していた。しかし、次第にブルータルなバンドを取り上げるようになった。ハルベックは90年代もファンジンの発行を続けた。

　ハルベックがファンジン第1号を発行する前後、マルメー地方にいる3人の若者もファンジンの発行を始めた。ヨニー・クリスチャンセンによってはじめられたこの雑誌は『NOT』と命名された。ほとんどメタルしか取り上げなかった『At Dawn They Read』と異なり、『NOT』はブルータルなサウンドであれば何でも取り上げた。BathoryやBulldozerだけではなく、ハードコア・バンドのMinor ThreatやGang Greenについても積極的に掲載した。3名の編集者達はブルータルなバンドを求めて、アンダーグラウンドを隈なく探し、Mayhem、Obscurity、Mefistoも見つけていた。『NOT』は『At Dawn They Read』よりもしっかりとした作りで、『Putrefaction Mag』などのデスメタル・ファンジンのお手本となった。

　同地方出身で同じくファンジンを発行したのはイースタ出身のマルティン・カールソ

ンだった。1987 年、彼は『Megalomaniac』
の第 1 号を発行した。『NOT』とは異なり、
カールソンが当時スラッシュメタル・バンドに
どっぷりはまっていたため、探求心を掻き立て
るようなバンドは多く掲載されなかった。実際、
Overkill や Paradox などベイエリアに影響さ
れていないスラッシュ・バンドは崇拝の対象と
なり、Napalm Death のようなブルータルな
バンドはこき下ろされた。「デスメタルを演奏す
るんだったら、整合性を維持してないとダメだ
ろ」とカールソンは Tribulation を酷評し、自
身の音楽的嗜好を露骨に表現した。マルティ
ン・カールソンは『Megalomaniac』の名称を
『Candour』に変更しファンジンの発行を続け
た。その後、彼は『Close-Up』のスタッフに
なった。現在、彼はスウェーデンのタブロイド紙
『Expressen』のスタッフライターとして活躍し
ている。

　マルティン・カールソンの近所に住んでいた
パトリック "クロニス" クロンバリが『NOT』
に近い雰囲気のファンジンを発行した。1987
年エクストリーム音楽を貪欲に追究した『To
the Death』が発行されたが、当初、デスメ
タルをあまり多く取り上げなかった。しかし、ク
ロンバリが Terrorizer、Morbid、Death、
Massacre、Darkthrone、Obscurity などの過激
なバンドを支持するようになったことで、誌面は
デスメタルに傾倒していった。誌面には Nihilist
のニッケ・アンダソンによる、クールなゾンビの
イラストが多く載っていたため、雑誌のレイアウト
は他のファンジンと比較してもデスメタル色が強
かった（ニッケはのちに『To the Death』のロ
ゴもデザインすることになる）。そして、カールソ

上から：
・『Megalomaniac』誌 第 2 号。
・『To the Death』誌 第 1 号——デ
スメタルを掲載したスウェーデン初のファ
ンジン。
・クロニスが発行した雑誌の第 2 号目。

ンと同様に、その後、クロンバリも『Close-Up』に寄稿するようになった。スラッシュ
メタルとハードコア・バンドの掲載が多かったが、パトリック・クロンバリのファンジン
『To the Death』は真正デスメタル・ファンジンに近づいたのである。
「*何故スウェーデン南部がファンジン・シーンのようなものを形成したのかはわから
ない。俺達はただ同時期に発行を始めただけなんだ。もの凄くお互いの関係は良
くて、お互いのファンジンを売って活性するように頑張っていたんだよ。でも俺は自
分のファンジンの売り込み方を知らなくてね。デモテープを送ってほしかったから、
方々に第 3 号を無料で配りまくったんだけど、うっかりして自分の住所を記載する
のを忘れてしまったんだよな……。*」（パトリック "クロニス" クロンバリ 『To the
Death』誌）
　1985 年から 1988 年まではスウェーデンには "デスメタル・シーン" は存在し
ていなかったが、テープ・トレーダーの内輪仲間、ファンジンの読者、編集者達は
変化をもたらそうとした。ブルータルなサウンドのデモテープがスウェーデンに入り込
み、新しく刺激的な音楽が彼ら自身のバンド結成を促したのである。
　このようにしてデスメタルは草の根から発生した。初期スウェディッシュ・デスメタ
ルの立役者達は、ネルシャツ、デニムのベスト、白のスニーカー、それにバンド T シャ
ツといういで立ちで決めていた。T シャツに至っては、現在とは反対に、新しいバン
ドであるほどクールと見なされていた。超限定で作られていたデスメタル・バンドの
T シャツを見つけるのは当時難しく、Nihilist のロゴがプリントされている白 T シャツ
は 5 枚、Nihilist の "ゴースト" デザインの T シャツは 20 枚しか作られなかった。
しかし、重要なことはエクストリームなバンドによってそれまでなかった斬新な音楽が
台頭したことである。ネルシャツを身にまとったスウェーデン中の若者が楽器を手に
すると、スウェディッシュ・デスメタルがついに産声を上げた。

Merciless

　スウェディッシュ・デスメタルがついに産声を上げた。この時までスウェーデンで
Bathory の軌跡を踏襲したバンドはいなかった。Obscurity や Mefisto といった
パイオニア達も 2 本のデモテープでシーンから消え去ってしまった。この状況を打破
したのがのちに有名になる Merciless だった。ストックホルムから 65 マイル西にあ
る小さな牧歌的な街、ストレングネース出身の彼らは 1986 年にメタル少年のフレー
ドリック・カーレーン（ベース）、ステーファン "スティペン" カールソン（ドラム）、エ
リック・ウォーリン（ギター）によって結成された。パンク・バンドに在籍していたフ
レードリックとメタル・バンドに在籍していたスティペンとエリックが融合したことで猛

烈なメタル集団となったのである。数か月後、ケーレがヴォーカリストとして加入し、バンドの体制が整ったことで、彼らの活動に勢いがついた。彼らは Obscurity や Mefisto と同じく、Bathory や Sodom、Destruction などドイツのスピードメタル・バンドに影響を受けていた。ドイツのバンド群の激しさが、Merciless の制御不能な 10 代の泥酔パワーに煽られて、この世で最もブルータルなサウンドが出来上がった。

「1986 年にエリック、スティペンと俺はこのバンドを始めたんだ。俺達はスティペンの実家の彼の部屋で Sodom とか Bathory、Slayer をよく聴いていたんだ。間もなく俺達も自分達で演奏したくなった。ヘッドバンギングに夢中だった俺達の頭の中で何が起こったのかわからなかったけど、バンドを始めようとしていたことは確かだった。俺達はパンクやメタル・バンドで演奏していたから、そのような激しい音楽にはまっていたんだ。」（フレードリック・カーレーン Merciless）

Obscurity や Mefisto と異なり、Merciless はバンドを始めてからすぐライブ活動を始めた——多分このことが Obscurity や Mefisto が成し遂げなかった成功を Merciless が収めた理由であろう。

「バンド初のライブはよく覚えている。結成間もないころで、学校のロックバンド・コンテストのようなものに参加したんだ。俺達はコープス・ペイントをして皆をギャフンと言わせてやったよ。マジなんだぜ！ 頭がもげそうなくらいヘッドバンギングをしていたら、誰かがベース・アンプのスイッチを切りやがった。激しすぎるという理由でさ。ほんと弱っちい奴らだよなぁ！」（フレードリック・カーレーン Merciless）

このような 10 代の若者のゴリ押しパワーがレコーディング・スタジオで炸裂した。Merciless の伝説的なファースト・デモテープである『Behind the Black Door』は 1987 年 7 月 18 日に地元のスタジオ Svängrummet でレコーディングされた。彼らはこのデモテープで Obscurity と Mefisto の方法論をさらにブルータルに解釈することを成し遂げた。特筆すべき点は、ケーレのヴォーカル・スタイルだろう。彼はスウェーデンで最も暴力的なヴォーカル・スタイルの持ち主であったことは間違いない——もっともクォーソンや Anti Cimex のヨンソンなどのパンク・バンドのヴォーカリストを除いてはだが……。ケーレはのちに初期スウェディッシュ・デスメタル・シーンで主流となるグロウル・スタイルを試みることに成功した。作品全体のプロダクションはそれまでのスウェーデンのメタル・バンドのデモテープを遥かに凌ぐものであった。

「俺達が 1 本目のデモテープをレコーディングしたとき、ヴォーカルがスタジオの中で凄くブルータルに聴こえて驚いたよ。リハーサル室では壊れた PA を通して金切声にしか聴こえなかったというのに。スタジオのエンジニアは頭がおかしい奴らがきたんじゃないかって思っていたにちがいない。だって俺達は血痕とか逆十字を

ペンキで描いたデニムベストを着ていたんだから。」（フレードリック・カーレーン　Merciless）

　1987 年、Merciless はアンダーグラウンドで注目され始め、『Slayer Mag』や『Morbid Mag』などのファンジンで崇められるようになる。Mefisto や Obscurity と違い、バンドに危機が訪れたときも活動を続けた。ケーレが 1988 年に脱退し、ロッガ・ペッタションが加入するとバンドはより強固になった。**「ロッガはスラッシュに最適なヴォイスを持っていて、俺達は平伏すくらいだった。彼が加入して、『Realm of the Dark』という最高のデモテープを作り上げたんだ。」**（フレードリック・カーレーン　Merciless）

　1988 年、地元近郊のエシルストゥーナにある Tuna Studio でレコーディングされた『Realm of the Dark』では、バンドの成長が顕著に表れていた。楽曲は加速度を増し、テンポ・チェンジが多くなると同時に整合性が高まった。これはのちのスウェディッシュ・デスメタルで確立される手法となった。プロダクションに関してはデモテープの『Behind the Black Door』よりもさらに進化し、ロッガ・ペッタションのヴォーカル・スタイルは、前任のケーレよりも残忍性に溢れていた。この『Realm of the Dark』はすべての点で完璧といえた。盛んにおこなわれていたテープ・トレーディングを通し、Merciless は世界中のアンダーグラウンド・シーンで一目置かれる存在となったのである。

「俺達は何年間も、一日に 10 通くらい手紙を受け取っていたな。それで、全部返信するのではなく、半分だけ対応しようということになったんだ。返信が出来なかった手紙は結構あったから今になってちょっと悔やんでいるんだ。でもそんなこと今更言ってもしょうがない。だって、俺達はいつもベロベロに酔っていたんだから。出来る限りのことはしたと思うな!」（フレードリック・カーレーン　Merciless）

　デモテープ『Realm of the Dark』は地元のアンダーグラウンド・メタル・シーンではかなりの反響があった。誰もがデモテープを手に入れ、みんなのお気に入りになった。パーティーではテープが繰り返し流されていたのを覚えている。『Realm of the Dark』は悪名高きオイスタイン "ユーロニモス" オーセットの興味を引き付け、彼のレーベル、Deathlike Silence Productions との契約へと導いた。（訳者註:"オイスタイン" は "ウースタイン"、"オーステン"、"オーセト"、"オーシェット" など様々な読み方もする。https://forvo.com/search/Aarseth/no/ 参照のこと）

「俺達の友人で Morbid のヴォーカルだったペッレ［デッドやペールとしても知られた］がノルウェーに移住して、Mayhem で歌い始めたんだ。オイスタイン・オーセットはペッレから俺達のことを聞いたのだと思う。Deathlike Silence

上から：
・スウェディッシュ・デスメタル界
の狂人達。
・『Realm of the Dark』——
最高峰のデモテープの１本。
・Merciless の伝説的デモテー
プ。

*Productions*は俺達と契約しようと連絡をしてきたんだ。」（フレードリック・カーレーン Merciless）

　このように Merciless は Bathory 後、初めてレコード契約にたどり着いたエクストリーム・スウェディッシュ・メタル・バンドとなった。彼らは精力的にライブ活動を行い、スウェーデンのアンダーグラウンド・メタル・シーンを牽引する存在として知られるようになる。彼らはその音楽性と同様に破天荒なメタル・ライフスタイルも実践していたことでも有名だった。特に、フレードリック・カーレーンはスウェディッシュ・メタル・シーンで狂人として有名だった。彼がパーティーで家から家のバルコニーを飛び渡ったり、家の屋根を登ったりするのは常だった。俺がカーレーンの壁伝いに登るテクニックを目撃したのは 1990 年にアーヴェスタで行なわれたイカれたパーティーだった。彼はヨーハン・ヤンソン（Interment、のちに Dellamorte に加入）のアパートの屋根への登頂を成功させたのだ。

「初期の Merciless は、彼らの音楽性でここストレングネースで有名だったわけではなかった。彼らがバンドを組んでいるというのは知ってたけど、どんなバンドかは知らなかった。彼らが悪名高かったのは酔っ払うと手に負えなくなるということだったんだ！ 1989 年に彼らと知り合うになると、俺もそのライフスタイルに溺れるようになった。まあ当時はマジで凄かったよ。カーレーンって奴は完全に気が狂っていたな！」（トマス・ニークヴィスト『Putrefaction Mag』誌／No Fashion Records ＜レーベル＞ /Iron Fist Productions ＜レーベル＞）

　Merciless には素晴らしい音楽性はあったが、彼らを "デスメタル・バンド" とカテゴライズするには正直慣れる。彼らは確かにスピードと攻撃性に溢れていたが、しかしそのシンプルなリフ構成はスラッシュメタルや Bathory のような単純化されたブラックメタルの方法論に近い。このような土壌を背景に出現したのは Nihilist であり、のちにスウェーデン初の真正デスメタル・バンドとしてその名をシーンに轟かすこととなる。

Morbid、Nihilist、初期ストックホルム・シーン

　Nihilist は 5 人の血気盛んな若者——ニッケ・アンダソン、アレックス・ヘリッド、レイフ・クズネル、ウッフェ・セーダルンド、そして、ラーシュ＝ユーラン・ペトロフによって結成された。1986 年、弱冠 14 歳のニッケがアレックスとレイフとサマーキャンプで知り合ったことがきっかけでバンドの結成となった。巷のいくつかの情報では、彼らが出会ったのが 1985 年と記録されているが、ニッケに確認したところ 1986 年だったということをここではっきりさせておきたい。彼らは全員エクストリーム音楽には

まっており、まず Sons of Satan というバンドを結成することになる。**「最初のころ
はバンドロゴを完成させて、何回かリハーサルをしたけど、お遊び程度だった。だ
けど、1986年の秋頃にはアレックスとレイフに会うために自分が住んでいたヴァー
ルバリ地区から彼らが住んでいたシースタ地区へ長い道のりを通うようになってい
たんだ。」**（ニッケ・アンダソン　Nihilist/Entombed）

　同時期にもう2人の若者、ウッフェ・セーダルンドとラーシュ=ユーラン・ペトロフ
はブレーデン地区にある学校で知り合う。

**「ラーシュと俺はメタルキッズでね。彼はドラムをやっていて、俺がギターを弾いて
いることを知っていた。それで、一緒に演ってみようかって話になった。学校では
メタル好きな奴なんていなかったから、最初はパンク・バンドを作ったんだ。その
後、ベーシストを探すために Heavy Sound でメンバー募集のチラシを貼ってもらっ
た。それがニッケ・アンダソンに出会うきっかけだった。」**（ウッフェ・セーダルンド
Morbid/Nihilist/Entombed/Disfear）

　3人のティーンエージャーは直ぐに意気投合し、オリジナル曲を創り始める。**「シー
スタに行くよりもブレーデンに行くほうが近かったから、ラーシュとウッフェとよくつる
むようになった。俺達3人はそれぞれ沢山のバンドに参加したし、バンド名も数多
く考えた。そして、セトラ地区のユースセンターの中にあるリハーサル室の Studio
Z で「Evil」という曲をレコーディングしたんだ。デモテープでは自分達のバンド
のことを Blasphemy と呼んでいたけど、あまりよく覚えていない。誰がそのバン
ドに入っていたのかもあまり覚えていないんだ。」**（ニッケ・アンダソン　Nihilist/
Entombed）

**「それから何もかも始まったんだ。俺達は自分達のバンドを Blasphemy と呼んで
いたんだ。メンバーは俺とニッケがギターでラーシュがドラム、そしてのちに The
Hellacopters のメンバーとなるケニー・ホーカンソンがベースだった。」**（ウッフェ・
セーダルンド　Morbid/Nihilist/Entombed/Disfear）

　ニッケ・アンダソン、ラーシュ=ユーラン・ペトロフ、ウッフェ・セーダルンド、レイフ・
クズネル、そしてアレックス・ヘリッドが多くのバンドを掛け持ちしているときに、ストッ
クホルムのアンダーグラウンド・シーンに一つのバンドが浮上した。そのバンドとは、
1986年後半ティーンエージャーのペール・イングヴェ・オリーン（ヴォーカル）、"ス
レイター"（ベース）によって結成された Morbid だった。ウッフェによるとスレイター
は Morbid とはリハーサルを行なわなかったそうだが、結成にはかかわっていたよう
だった。

　Morbid は、グループリーダーのオリーンの下で、メンバーのヨン・ハグストルム（"ヨ

ン・レンナルト"や"ゲヘナ"としても知られる）とギタリストの TG（パンク・バン
ド The Sun の元メンバー）、ベーシストのイェンス・ノースストルムの 4 人体制にな
るまで、ギタリストの入れ替わりが激しかった。彼らの音楽性に相応しい邪悪で陰鬱
なドラマーを探していたところ、しばらくしてラーシュ=ユーラン・ペトロフが加入した。
Morbid の楽曲の大半を書いていた TG が脱退すると、ウッフェ・セーダールンドにそ
の役が回ってきた。

「ラーシュが Morbid に加入するようになってから、ニッケは Blasphemy の残党
とバンドを作って、ドラムを演奏するようになった。ラーシュは俺のダチだったから、
Morbid の奴らとつるむようになって、結成当初のライブもすべて見ていたんだ。
ギタリストのメンバー交代が激しかったから、俺に順番が回ってくるのは時間の問題
だった。他の Morbid のメンバーはラーシュに満足していなくて、他のドラマーとも
演るようになった。"デッド"（ペール・イングヴェ・オリーン）と俺はニッケを呼び
出して、リハーサルもやったこともある。ニッケは良かったと思うんだけどねぇ……
でも彼はドラマーにならなかった。なぜか思い出せないんだけど。」（ウッフェ・セー
ダールンド Morbid/Nihilist/Entombed/Disfear）

　一方、ニッケ・アンダソンは一連の出来事をまるで違う角度から回想している。

「ウッフェとラーシュは Morbid の奴らを知っていて、ドラマーを探しているって言っ
ていたんだ。だから彼らのリハーサル室に出向いて、試しに一緒に演ってみた。そ
の日は俺は白の Wehrmacht（訳者註：アメリカ・オレゴン州ポートランド出身のクロ
スオーヴァー・スラッシュ・バンド。2014 年には来日公演もしている）の T シャツを着ていっ
たんだ、だから完全に失敗だったね。彼らのイメージするバンドとは全く違っていて、
演奏する前からダメ出しされていたようなもんだったよ！ 彼らは邪悪なものを求めて
いたんだけど、俺の T シャツは明らかにそれとは違っていた。俺はそのときは"世
界で一番速いバンド以外クズ"なんて思っていたから、そのバンドが本物か偽物か
なんて関係なかった。でも、デスメタルのアンダーグラウンド・シーンにどっぷりはまっ
たら、ヤワなものに対してチェックも厳しくなるんだよ。思い出してみると小っ恥ずか
しいけど、クールなことだろ。それが直向きさってやつだよ。」（ニッケ・アンダソン
Nihilist/Entombed）

　もしニッケが Morbid とのリハーサルに Bathory の T シャツを着ていたとしたら、
スウェディッシュ・デスメタル・シーンは今日とは違っていたかもしれない。とにかく
Morbid 初期のラインナップは、ウッフェとラーシュをニッケから遠ざけることになった
のである。その後、ウッフェとラーシュが Morbid に専念すると、Blasphemy は解
散の道をたどった。

「俺は Morbid に加わってから
すぐに、過去の楽曲をアレンジし
て、バンド活動を本格的に始動
させたんだ。この時期に俺達が
やった唯一のライブは、ライブハ
ウス Birkagården で行なわれた
Hatred と Tribulation との対バ
ンだった。ラーシュはライブの何日
か前に、Hatred 宛に Hatred の
ヴォーカルが下手だと揶揄するよう
な匿名の脅迫状を送りつけたんだ
よ。彼らはラーシュが送ったことを
突き止めたもんだから、ライブで
対バンするのは恥ずかしいったらあ
りゃしなかった。そりゃあペール、イェ
ンス、ヨンはラーシュに対して相当
頭に来ていたよ。それで、ラーシュ
はお祓い箱になるところだった。」
（ウッフェ・セーダルンド Morbid/
Nihilist/Entombed/Disfear）

1987 年 12 月 5、6 日、
Morbid は Thunderload Studio
で彼らのデビュー・デモテープと
なる『December Moon』のレ
コーディングを行なった。（訳者註：
Thunderload Studio はスウェーデン
の伝説的なヴァイキングメタル・バン
ド、Heavy Load のヴァールクィスト
兄弟所有のスタジオ。このスタジオ
で Candlemass の『Epicus Doomicus
Metallicus』や『Nightfall』などスウェ
ディッシュ・メタルを代表する作品が
レコーディングされた）Morbid は

Morbid の超伝説的なデビュー・デモテープ。
彼らはこのようなレイアウトをやらなくなってしまった
……。

Obscurity、Mefisto、Merciless よりも悪名高いかもしれないが、彼らの音楽性はこれらのバンドと比較すると力強さはなかった。オリーンのヴォーカルは "変わっていた" と表現するほうがいいかもしれない。しかし彼は Mayhem に加入してから、もっと凄いことを成し遂げるのである。とにかく Morbid はシーンに多大なインパクトを与えることになったのは事実である。

「ラーシュと俺は当時ストックホルムで唯一のケバブ料理店で Mefisto のサンドロと落ち合い、彼が俺たちを Thunderload Studio に連れて行ってくれて、そこでレコーディングすることを取り計らってくれたんだ。俺達はレコーディング費用 2,600 クローナ（約 350 ドル）をやっと捻出したけど、10 代のガキにとっては大金だったな。そんなこんなで小さい Peavey のアンプを持ち込んですぐレコーディングを始めたんだ。結果には満足したけど、ミックスされていないヴァージョンのほうが生々しくてよっぽど良かったなぁ。だけど俺達は若かったから、スタジオにいる大人に "お前がミックスすると全部おじゃんになるんだよ" なんて面と向かって言える勇気なかったもんなぁ。」（ウッフェ・セーダルンド Morbid/Nihilist/Entombed/Disfear）

Morbid のデモテープ『Last Supper...』。

『December Moon』のレコーディング後、ギタリストのヨン・ハグストルムはバンド脱退を決意した。グループはギタリストを失ったショックから立ち直ることが出来ず、間もなくオリーンも脱退してしまう。オリーンはノルウェーへと旅立ち、Mayhem に加入した。彼は新しいバンドでインパクトのあるステージを展開できると信じ、実際彼はステージ上で実行に移した。Morbid は崩壊状態にあったが、それでもあと 1 本デモテープを作る余力はまだあった。

「ヨンはレコーディング後すぐに脱退した。多分彼は俺達がリハーサルをしていたネッカまで、オーケシュベルイヤから来なくてはいけないことに嫌気さしたんだと思う。俺は彼の脱退後、何人かのギタリストとやってみたけど、上手くいかなかったな。俺達は 4 人組で続けることにして、パンク・バンドと数回対バンしたんだ。前やっていた仰々しいホラー演出なしでね。かなり上手くいったんだよ。でもバンド内にはもうケミストリーはなくなってしまったと全メンバーが感じたのかもしれない。ペールが Mayhem に行ってしまったから、俺としては Morbid は終わったと思ったよ。

別のヴォーカリストとギタリストで続けたけど、本物の Morbid はそこにはもうなかった。」（ウッフェ・セーダルンド Morbid/Nihilist/Entombed/Disfear）

　Morbid はオリーンの代わりとして、たまたま Sunlight Studio の近くに住んでいたフォトグラファーのヨーハン・スカリスブリックをヴォーカリストとして迎えた。1988 年 9 月、間もなくデスメタルの聖地として有名になる Sunlight Studio で、Morbid の 2 本目のデモテープである『Last Supper...』がレコーディングされたことは全くの偶然だった。

「皮肉なことに解散危機だった俺達は 2 本目のデモテープのときに自分達の方向性が見えてきたんだ。四六時中リハーサルをしたこと、そしてゾーランをセカンド・ギタリストとして迎えたことが良かったのだと思っている。彼は俺が今まで一緒にプレイしてきたギタリストの中で唯一得られるものがあったギタリストだった。俺はスケールを習得することが出来たし、Testament などのスラッシュメタルを好きになるきっかけを作ってくれたんだ。とにかく俺達はもう昔の Morbid ではなかった。俺達は体力がとにかく有り余っていたから、いっつも練習していたよ。」（ウッフェ・セーダルンド Morbid/Nihilist/Entombed/Disfear）

　2 本目のデモテープ『Last Supper...』は 1 本目よりもバンドとしての成長を見せたが、音楽的には混沌としていて、方向性は定まっていなかった。エクストリーム・メタル・バンドが Sunlight でレコーディングするのは初めてだったので、エンジニアのトマス・スコックスバリはこのような音楽をどう取り扱ったらいいのかまだ試行錯誤の段階だったからかもしれない。リフはデスメタルの曲構成に接近していたが、スラッシュメタルの域を脱していなかった。スカリスブリックのヴォーカルは、絶叫するというより "奇妙に語り掛ける" ようなスタイルだった。しかし、デモテープ全体が醸し出す雰囲気は絶品だった。

「レコーディングのときには気に入っていたんだけど、あとで聴いてみたら全然ダメだって思ったんだ。今ではもう聴けたもんじゃないよ。『Last Supper...』のレコーディングの後、潮時かなって思ったんだ。解散前から数えて 2 つ前のライブではラーシュと俺しか会場に現れなかったから、本当にどうしようもなかった。」（ウッフェ・セーダルンド Morbid/Nihilist/Entombed/Disfear）

　Morbid の 2 本目のデモテープは彼らの最後の作品となった。オリーンのカリスマ性を失った彼らには、バンドを存続させる余力など残されていなかった。そのころ、ウッフェ・セーダルンドとラーシュ＝ユーラン・ペトロフは、デスメタル・アンダーグラウンド・シーンを根底から揺るがすようなグループと関わっていた。そのグループとは Nihilist である。

それでは、Nihilist の歴史を紐解いてみよう。1987 年は、若きドラマーのニッケ・アンダソンにとって、様々なバンドに入れ代わり立ち代わり参加しては脱退を繰り返す波乱に満ちた年であった。ニッケとキスタ出身の友人、アレックス・ヘリッドとレイフ・クズネルは Brainwarp というバンドを始めようとしていた。当初、一風変わったスラッシュ・バンドの Voïvod や Wehrmacht にインスパイアされていたが、すぐにさらに残虐性溢れる、激しいものに魅了されるようになった。

『実際 Nihilist はシースタとブレーデン／ファールホルメン地区の若者が結託して出来たんだよ。ラーシュとウッフェは最初、正式メンバーではなかったけれど、バンドとは密接に関わっていたな。ラーシュとウッフェが何故セッションメンバーとして 1 本目のデモテープに記載されているのかは覚えていないなぁ。だって思い出しても、残りのメンバーと一緒にバンド活動をしていたし、1987 年の最初のギグでは 2 人ともプレイしていたからな。』（ニッケ・アンダソン　Nihilist/Entombed）

　事実、ウッフェ・セーダルンドとラーシュ＝ユーラン・ペトロフはこのとき、まだ Morbid のメンバーだったのでセッションメンバーとして見なされたのも理解できる。2 人とも Nihilist の 1 本目のデモテープ『Premature Autopsy』の制作に関わっていたことは間違いない。

『Nihilist と Entombed のバイオグラフィーを読むといつも頭にくるんだよ。だってそれって全くの嘘っぱちだからな。実際、俺は Nihilist の最初のギタリストであり、ヴォーカリストだったんだから。俺のヴォーカルがダメだったから、ラーシュが 1 本目のデモテープで歌ったんだよ。バッフラなんて Nihilist のメンバーでもなんでもなかったんだ。でも、ニッケは Nihilist に専念できるメンバーが欲しかったから、彼をクレジットしたんだと思う。ラーシュと俺は Morbid に加入していたからセッションメンバーとしてクレジットされていたんだよ。でもセッションメンバーなんてそんなのでたらめだよ、俺は最初からメインメンバーだったんだ。だから、セッションメンバーとして書いてあったのを見て Nihilist に愛想尽かしてさぁ、俺は Morbid と Infuriation に力を注ぐようになったんだ。』（ウッフェ・セーダルンド　Morbid/Nihilist/Entombed/Disfear）

　1988 年 3 月に Studio Z でレコーディングされた『Premature Autopsy』は、溢れんばかりのエネルギー、斬新なアイディア、そして生々しい攻撃性に満ちた驚異的なデモテープだった。この時点で、Nihilist は Merciless がデモテープで再現していた、絶叫ヴォーカルが強靭なスラッシュとデスメタルと絡み合ったスタイルを狙っていた。Nihilist は、Merciless がそうであったように Sodom や Destruction などの影響を受けていたと共に独創的なアイディアを持っていた。曲構成は洗練され、

上から：

・初期 Nihilist。

・Nihilist のロゴ──ゴア・ヴァージョン（クリスティアン・ヴォーリーン作）

・「Premature Autopsy」──初のスウェディッシュ・デスメタル・デモテープであることは間違いない。

上から：

・墓を囲んで冒涜行為中の Nihilist。

・デモテープ『Only Shreds Remain』。

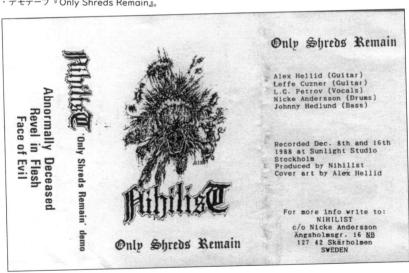

やがて有名となる Entombed サウンドがこの初期の音源からも垣間見ることができた。

「レコーディングするときがきたと思ったから、冷やかし半分に、以前行ったことのある小さなスタジオでレコーディングしたんだ。俺達は Repulsion と Master と同じようにカッコよくて、気に入ってもらえるようなデモテープを作りたかったんだ。そのうちアルバムを作れるなんて夢にも思わなかったよ。」（ニッケ・アンダソン Nihilist/Entombed）

　デモテープ『Premature Autopsy』は傑作だった。しかし、シーンに激震をもたらすようなスタイルを Nihilist はまだ完全に確立していなかった。ただ、このデモテープのリリースはスウェディッシュ・デスメタル史において最も画期的なことが起きた瞬間だったといえる。この強烈でブルータルなデモテープを作り上げた 4 名のメンバーは、のちにスウェーデンで最も有名な最高峰のデスメタル・バンドの Entombed を結成することになる。

「Nihilist のデモテープを初めて聴いたときのことを鮮明に覚えている。だって、超凄かったからな！彼らは当時シーンではトップクラスのクオリティーを誇っていて、Nihilist がいなかったらスウェーデンにはデスメタルのブームが起こらなかったかもしれない。彼らは他のバンドに道を切り開いてくれたんだよ。」（トマス・ニークヴィスト『Putrefaction Mag』誌／ No Fashion Records ＜レーベル＞ /Iron Fist Productions ＜レーベル＞）

「Nihilist は信じられないぐらい凄くて、全スウェディッシュ・デスメタル・シーンきっての逸材だった。それに異を唱える者なんていないよ。次にどんなことを仕掛けてくるのか、俺らはワクワクしながら待っていたんだ。ニッケ・アンダソンとはテープ・トレーディングをしていて、新曲のリハーサル音源を送ってくれたりもした。彼らのレベルが着実に上がっていくのを目の当たりにして、俺は言葉を失うくらいショックを受けたんだ。」（マイケル・アモット Carnage/Carcass/Arch Enemy）

　Nihilist は他のバンドの追随を許さなかった、ここで結論づけるには早すぎる。Merciless、Grave、Dismember、Treblinka 同様、Nihilist は将来を約束されていたものの、まだ一介の新人スウェディッシュ・バンドにすぎなかった。しかし、Morbid の口利きで 1988 年 12 月 8 日に Sunlight Studio で行なった 2 本目のデモテープのレコーディング後、その状況は一変した。デモテープ『Only Shreds Remain』がシーンに革命をもたらしたのである。

　Nihilist の 2 本目のデモテープでは、クズネルがギターを、メンバーよりも年上で友人だったヨニー・ヘードルンドがベースを担当することになり、バンドのラインナッ

プに変更があった。ヨニーの Nihilist への参加は偶然だった。

「*ニッケが Nihilist でベースをやらないかって聞いてきたんだ。まぁそれだけのことだ。はっきり覚えていないけど、確かクレイジーなパーティーの最中だったと思う。当時はそうやって何もかも始まったもんだよ。*」（ヨニー・ヘードルンド Nihilist/Unleashed）

「*ヨニーが参加してバンドの体制が整い、ラーシュがその後正式メンバーとなって、活動が上手くいくようになったんだ。*」（ニッケ・アンダソン Nihilist/Entombed）

　　Nihilist は新しいラインナップと完成度が高まってきた楽曲を武器に追従する者達をあっけなく蹴落とし、"100%真正スウェディッシュ・デスメタル" と評される音源を産み落とした。正確なリフ構成に、1本目のデモテープと明らかに違う鬼気迫るラーシュの咆哮、そして、ニッケのドラム捌きは見事としか言いようがない。『Only Shreds Remain』は、のちにスウェディッシュ・デスメタルの特徴である Sunlight Studio の超分厚いギターサウンドを堪能できる初の音源であった。しかし、ニッケ・アンダソンはレコーディングについて満足していたわけではなかった。

「*俺達は Morbid が使ったことがあるという理由だけで Sunlight でレコーディングしたんだ。特にドラムの音は酷かった。トマス・スコックスバリはデスメタル・サウンドの処理方法に関してはまだ模索中だったと思う。ギターの音が凄いのは、レイフがギターを担当するようになって、分厚い音を考案したからなんだよ。彼がそれをどのように考え出したのかを俺達は見当もつかなかった──でもその音に震えたよ！*」（ニッケ・アンダソン Nihilist/Entombed）

『Only Shreds Remain』で重要だったのは楽曲そのものだった。曲構成はバンドの成長を顕著に表し、一曲一曲は粒ぞろいだった。もう怖いものなどなかった。そして翌年、スウェーデンには雨後の筍のように新人デスメタル・バンドが相次いで結成されるようになった。スタジオでの時間が限られていたにもかかわらず、Nihilist がここまで達成したことは驚異的だった。

「*レコーディングの時間には余裕がなかった。1時間ごとスタジオ使用料を支払わなければならなかったけど、俺達には金なんてなかったよ。当時はレコーディング前に十分リハーサルをしなかったから、かなりきつかったな。*」（ヨニー・ヘードルンド Nihilist/Unleashed）

　　ここで物議を醸しだしたバンド名をもつ Treblinka の話題に移ろう。第二次大戦中のナチスドイツの強制収容所の名を冠した彼らは幾度かトラブルに見舞われた。初期のギグでは、演奏前にナチスとは無関係であることを証明しなければならなかった。ヨーハン・エードルンドはステージ上で次のように怒声を上げた。

「俺達は Treblinka。それがいけねえのかよ!」

　Treblinka は、River's Edge に在籍していたステーファン・ラーゲルグレーン（ギター）とアンデシュ・ホルムバリ（ドラム）が母体であった。ドイツ産スラッシュ影響下の激しいスラッシュメタル・バンドだった River's Edge は、1988 年 6 月に Soundstation Studio でデモテープ『Mind the Edge』をレコーディングした際に、ヨーハン・エードルンドをヴォーカリストとして迎え入れた。彼の苦悶する絶叫ヴォーカルがぞっとするほど不快な感覚を醸しだした。

「River's Edge の正式メンバーだったわけでもない。俺はステーファンの歌詞を歌うだけのセッションメンバーだったんだ。他のメンバーは Metallica や Megadeth のようなもっとコマーシャルな感じを求めていたようだった。そんなスタイルはやりたくなかったし、できっこない。俺はもっとエクストリームなものをやりたかったから、自分でバンドを始めたのさ。曲を創って、歌詞を書いて、デモテープにインデックス・カードを入れる作業とか、その他いろいろやったな。」（ヨーハン・エードルンド Treblinka/Tiamat）

　ヨーハン・エードルンドは 1988 年 3 月には既に彼自身のバンドである Treblinka を始動させていた。River's Edge と活動を共にしていたときに、ステーファン・ラーゲルグレーンとアンデシュ・ホルムバリと Treblinka を結成したのである。ベーシストとして、ハードコア・バンド The Clint Eastwood Experience に在籍していたヨルゲン・スルバリが加わった。この 4 名がスウェーデン発の人気バンド Tiamat の第 1 期ラインナップを構成していた。

「俺達は暇を持て余していたから友人達とバンドを始めただけなんだ。だからレコードを作るとか考えたこともなかったな。何をすべきかもわかっていなかったし、ただ楽しみのためにやっただけなんだ。バンドのロゴを考案したとき、クールと思ったものをすべて入れた。蜘蛛の巣、氷河、火、悪魔、666、ペンタグラムと逆十字というようにな。バカげているかもしれないが、Treblinka のロゴの中に全部入れるなんて凄いだろ。」（ヨーハン・エードルンド Treblinka/Tiamat）

　Treblinka はガラの悪いファールホルメンやシースタよりも、上品な北部タービー地区で活動していたため、ストックホルムのバンド群からは孤立していた。彼らは音楽性も他のバンドと異なっており、分厚いサンライト・サウンドを作り出すことに懸命になるのではなく、スラッシュメタルや Bathory や Venom のようなサウンドを目標としていた。その意味で彼らは Nihilist や Dismember よりも Merciless や Mefisto が目指していたものに近かったのである。

「俺達はストックホルム・シーンの外側にいたんだ。だけどストックホルム・シーン

時計回りに上から：

・River's Edge のデモテープ

・Treblinka 結成当初のギグ・フライヤー。死や邪悪さ満載の超クールなロゴに注目してほしい。

・ありがちなホラーコミック調の Treblinka のデビュー・デモテープ。

・Treblinka の 2 本目のデモテープ——新しいロゴでイメージも刷新された。

1988 年頃の Expulsion。

の連中を全員知っていたし、パーティーでも一緒だったし、音楽的嗜好も同じだっ
たから、ある意味シーンの一部だったのかもしれない。でも常にブラックメタル・バ
ンドでありたかった。多くのバンドが目指したゴアとかスプラッターには全く関心な
かったからな。だから Nihilist にはもっと逆さ十字とかオカルトに入れ込んでほし
かったんだよ。俺達は別に意図的に他のバンドと異なることをしようと思ったわけじゃ
ないんだ。直感に従ったまでさ。」（ヨーハン・エードルンド Treblinka/Tiamat）

　1988 年 11 月 18、19 日に Sunlight Studio でレコーディングされた
Treblinka のデビュー・デモテープ『Crawling in Vomits』では、やや歪んだギター
音、不可思議なメロディー、シンプルに一弦で奏でるリフを使ったシンプルなアプロー
チがとられた。この音源はヨーハン・エードルンドの容赦ない無慈悲な絶叫によって
完璧なものとなった。邪悪で冷酷な雰囲気を醸し出していたため、のちに登場する
ブラックメタル・バンドが Treblinka を崇めるのも頷ける。このデモテープでは粗っ
ぽくアマチュアの域を脱していなかったが、それを凌駕するパワーを持っていた。

「当時は大変だった。俺達には金がなくて、デモテープを録音するためにかなり長
い間生活を切り詰めなきゃいけなかった。Sunlight を選んだ理由は Morbid が
そこでレコーディングしたからだ。ニッケ・アンダソンとウッフェ・セーダルンドは

そこの音は酷いと言っていたが、だけど俺達は他を知らなかったから、そこを選ぶしかなかったんだ。俺達はレコーディングの方法も知らなかったから厄介だった。ギターを納得いくまで歪ませる方法も知らなかったな。」（ヨーハン・エードルンド　Treblinka/Tiamat）

　翌 1989 年にリリースされた Treblinka の 2 本目のデモテープ『The Sign of the　Pentagram』はよりプロフェッショナルなアプローチがとられた。プリミティヴでありながら粗々しさを残し、リフはよく練られ、楽曲のアレンジに整合性が高まった。曲自体はスラッシュメタルの範疇を脱していなかったが、歌詞には邪悪さが表れていた。1 本目のデモテープのテーマはスプラッターや乱痴気騒ぎのオンパレードだったが、この 2 本目のデモテープでは悪魔崇拝に主眼が置かれていた。俺が思うに、バンドはこの時期に、他のスウェディッシュ・バンドとの差別化を図るためにBathory のようなより邪悪なコンセプトを掲げることを決断したのだと思う。1989年当時、悪魔主義的歌詞を打ち出し、メイクを施すことは、他のバンドと一線を画す要素だったのである。

　表面上、Treblinka は音楽面、ルックスにおいても、ドス黒さを醸し出していた——しかし、その雰囲気もたった 1 曲の途中でふいに現れるブルース風のパートによって台無しになってしまった。面白いことに Tiamat のファースト・アルバムでも同じ過ちを繰り返すのである——このブルース風の間奏部分はティーンエージャーが遊び心を求めた結果ととらえれば納得できる！ とにかく Treblinka のデモテープは重要な作品で、今でも高評価を得ているのは確か。実際、Tiamat と改名した後の作品と比較しても遜色なく強力だった。（訳者註：この〝ブルース風パート〟というのは「Evilized」間奏部分である）

「2 本目のデモテープでは自分達は何を求めているのかわかっていたんだ。俺達はブラックメタル・バンドになりたかったから、歌詞も練りに練った。ただ、俺達はレコーディングに関しては未熟で、どのように音を出せばいいのかを分かっていなかったんだ。」（ヨーハン・エードルンド　Treblinka/Tiamat）

　Treblinka のステーファン・ラーゲルグレーンとアンデシュ・ホルムバリは同時期に Expulsion というバンドにも加入していた。River's Edge が前身バンドであった彼らは 1988 年に『Cerebral Cessation』を、1989 年には『Veiled in the Mist of Mystery』をリリースした。ヨーハン・エードルンドもこれらのデモテープにゲストヴォーカルとして参加していたため、両デモテープの音楽性は Treblinka に近いことは驚くに足らない。しかし、Expulsion は 90 年代中期に 2 枚のアルバムを制作したにもかかわらずシーンにインパクトを与えることもなく解散してしまう。—

方、エードルンドは Tiamat でブレイクを果たすのである。

「Expulsion で歌ったことは全く覚えていないけど、やったんじゃないかな。当時はバンドのレコーディングがあるときには決まってトマス・スコックスバリの Sunlight Studio に入り浸っていたから、ゲスト参加したけど忘れてしまったものも沢山あると思う。俺達は皆知り合いだったんだ。住む場所もなかったし、パブにも行くこともできなかったから、どこか行き場が欲しかったんだよ。」（ヨーハン・エードルンド Treblinka/Tiamat）

　初期スウェディッシュ・デスメタル・シーンにおいて、最重要のバンドの一つに、1988 年 4 月にフレッド・エストビー（ドラム）、ダーヴィド・ブロムクヴィスト（ギター）、ローベット・セネベック（ヴォーカル）によって結成された Dismember がある。フレッドは当初ギターを担当していたが、ドラマーが思うように見つからなかったため、友人のニッケ・アンダソンから中古のドラムセットを譲り受け、ニッケにドラムの叩き方を一から教えてもらったのだ。

　Dismember 結成当初、ニッケは彼らに多大な影響力を示した——彼らのためにバンド名を考案し、バンドロゴも作ったのである。ニッケは最初、バンド名を Dismemberizer に決めたが、ロゴを書くスペースが足りなくなったので、Dismember に短縮した。フレッド・エストビーは、バンド結成当初について次のように回想する。

「俺達は、スケボー、おんぼろギター、実家の地下倉庫の小さなリハーサル室、どうしようもなく古いニッケ・アンダソンのドラムセット、それに 30 ワットのアンプしかなかった、3 人のガキだったんだよ。ダーヴィドはギターも持っていなかったから、俺のヤツを貸してやった。俺達が影響を受けたのは Death、Slayer、Autopsy、Possessed、チリの Pentagram、Vulcano、Schizo、Sarcófago、それに Sepultura の 1 枚目だった。」（フレッド・エストビー Dismember/Carnage）

　彼らはメタルをガムシャラに演奏することくらいしか知らない、ただのダチの集まりだった。だから Dismember の最初の音源の酷さは驚くほどでもない。

「発表されなかった最初のデモテープは、とんでもなく無茶苦茶だったよ。いつもリハーサルしていたユースセンターでレコーディングをしたんだけど、レコーディング・エンジニアの奴は何もわかっちゃいなかった。そいつは知ったかぶりをしているだけだったから結果は言わずもがなだよな。あまりにも酷いから出さないことに決めたんだ。」（フレッド・エストビー Dismember/Carnage）

「俺達は自分達にもテープを残していない。レコーディングした奴は頭がイカれてい

左から：
・Dismember のデビュー・
デモテープ（ニッケ・アンダ
ソンのアートワークを採用）。
・デモテープ『Last
Blasphemies』。デスメタル
の最高傑作！

たからな。」（ダーヴィド・ブロムクヴィスト Dismember/Carnage/Entombed）

「最初のころ、俺達自身もレコーディングの仕方がよくわかっていなかったけど、次のデモテープを作るときにはなんとなくわかってきていた。それで、リハーサルを十分して Nihilist をレコーディングしたことのあるエンジニアを使うことにしたんだ。」

（フレッド・エストビー Dismember/Carnage）

彼らが Nihilist から譲り受けたのはエンジニアだけではなかった。Treblinka と違い、Dismember は Nihilist のリフやサウンドと似ていたので、彼らは友人達がこれまで切り開いてきた道筋の恩恵も受けることになる。

事実、1988 年 12 月 Dismember が小さな Studio Z に入り、1 本目のオフィシャル・デモテープを作成したとき、Nihilist のニッケ・アンダソンはベースとして参加した。『Dismembered』によって、Dismember はシーンにおいて認められる存在となる。多くの点で粗削りでプリミティヴな作品であったが、スウェディッシュ・デスメタルのあの雰囲気をよく感じ取ることができる。リフやギターは、所謂デスメタル・サウンドであったが、しかしこのデモテープにおけるローベット・セネベックの狂気満ち溢れるヴォーカル・スタイルは注目すべきである。俺自身、好きか嫌いかと問われると正直惑ってしまうが、一癖あるティーンエージャーの絶叫スタイルは独特なムードを撒き散らしていたといえる——そのムードとは青臭いティーンエージャーがやってしまうデスメタルというよりもブラックメタル風の“それ”である。デモテープに収録された「Death Evocation」は、のちにレコーディングされた同曲と比較すると全く違う雰囲気がある。

「『Dismembered』は、俺達と Nihilist がリハーサルしていたユースセンターで8 トラックのテープレコーダーを使ってレコーディングしたんだ。ヴォーカルの出来はそんなに良くなかったけど、結果には満足したよ。数か月経つとローベットはもっと感情を込めて歌えるようになったんだ。だから、デモテープの再プレスにヴォーカ

ルとギターの再録ヴァージョンを収録しようと思ったんだ。スタジオも予約したよ。でも結局その計画はポシャったんだ。なぜかというと、スタジオに行く途中、俺がマスターテープを Peavy のアンプの中にいれて運んでしまうなんてバカなことをしたから、せっかく録音したものが跡形もなく消えてしまったんだ!」（フレッド・エストビー Dismember/Carnage）

　デモテープを再プレスする代わりに、Dismember はレコーディング用に新曲を書くことになった。2 本目のデモテープは彼らのバンドの成長を如実に表していた。1989 年発表した『Last Blasphemies』は、スウェディッシュ・デスメタルの最高傑作ともいえる。分厚いサウンド、グルーヴィーなリフ、ハンマーで打ち付けるかのような 2 ビート、グロウル・ヴォーカルが極限まで表現されていた。レコーディングはプリミティヴであるにもかかわらず、非の打ちどころのないデモテープだった。

「2 本目のデモテープは、Studio Kuben でレコーディングしたんだけど、今となっては凄く後悔している。スタジオのエンジニアは俺達の音楽性を理解しようとも、気にかけようともしなかった。奴はただ金が欲しかっただけなんだ。ヴォーカル以外は良くなかったなぁ。特にドラムの音は酷かったし、上手く演奏できなかったんだ。」（フレッド・エストビー Dismember/Carnage）

　とにかく、当時は Dismember の右に出る者がいないほど、彼らは高いクオリティーを誇っていたため、シーンの頂点に君臨するはずだった。しかし、デスメタル・ムーヴメントは不可解な道をたどる。1989 年 10 月、フレッド・エストビーが Carnage に、ギターのダーヴィド・ブロムクヴィストが Entombed にベースとして加入したことで、Dismember は突如として解散してしまう。

「ダーヴィドとローベットと違って、俺は音楽に専念するために高校を中退したんだ。俺は一刻も早くアルバムを出したいと思っていた。マイケル・アモットと会ったとき方向性が一瞬で決まったんだ。だから俺は Carnage に加入するために Dismember を脱退したんだ。」（フレッド・エストビー Dismember/Carnage）

「俺はフレッド・エストビーほど固く決意していたわけじゃなんだよぉ!」（マイケル・アモット Carnage/Carcass/Arch Enemy）

　結局のところ、Carnage は解散してしまうが、これによって新ラインナップによる新生 Dismember への道が開かれることとなる。Nihilist から多大な影響を受けていた Dismember の最初の 2 本のデモテープのクオリティーは高かったが、Nihilist は 3 本目（そして Nihilist 名義として最後）のデモテープで"理想的デスメタル像"をシーンに知らしめた。レイフ・クズネルは両親とともにカナダへ移住してしまったので Nihilist のラインナップに変化が生じることとなった。新メンバーの候補

上から：
・冷酷で邪悪ないで立ちの Nihilist。
・Nihilist のライブ（トレードマークのネルシャツに注目！）。
・デモテープ『Drowned』。

として挙がったのは Nihilist の元メンバーのウッフェ・セーダルンドだった。彼が加入していた Morbid は既に解散を発表しており、新バンドの Infuriation の活動もままならない状態であったのである。

「レッフェ（レイフ）がバンドを去ったとき、誰を後釜としてメンバーに加えるかなんて話はなかったと思う。俺がただ彼らとまた活動を始めたという感じだった。バンド名を変更するという話も出ていたけど、Nihilist のバンド名はシーンで既に確立されていたからニッケは変更することを嫌がった。だから Nihilist として続けていくことにしたんだ。」（ウッフェ・セーダルンド Morbid/Nihilist/Entombed/Disfear）

　ラーシュが Nihilist の正式メンバーとなり、元 Morbid の 2 人もメンバーのラインナップに加わり、Nihilist は本格的に始動した。ニッケは新曲を書き、3 本目のデモテープを Studio Kuben でレコーディングした。1988 年にリリースされたこの『Drowned』は Nihilist の才能が余すところなく表現されていた。リフとヴォーカルは完璧でニッケのドラムは今までのレベルを凌駕していた。欲をいうと『Only Shreds Remain』と比べて厚みのないギターサウンドぐらいだろう。

「俺達はレイフの作ったあのギターサウンドを再現しようとしたんだ。それで、ウッフェはレイフのギターを借りて試してみたりもした。俺達はあのサウンドはギターに隠れているに違いないと思っていたけど、間違っていたね。レコーディングが終わってから、ウッフェがはじめてその秘密に気づいたよ。Boss の Heavy Metal ペダルのつまみをすべてフルテンにセットすればいいってことをね。それ以来、彼はその方法でやっているよ。」（ニッケ・アンダソン Nihilist/Entombed）

　ウッフェ・セーダルンドはクズネルとの最初のセッティングから若干変更を加えたものの、ペダルの中音域を最大にすることを変えてない。

「俺はレイフのサウンドをまねしようとしたわけじゃない。俺はただ彼のギターを借りただけなんだ。Nihilist の『Only Shreds Remain』と Entombed が同じようなサウンドだと思ったことは一度もない。Boss の Heavy Metal ディストーションペダルの使い方を編み出したレイフは凄いよ。俺たちなんてそのペダルの使い方もわかっていなかったから、『Drowned』のサウンドはお粗末だったな。」（ウッフェ・セーダルンド Morbid/Nihilist/Entombed/Disfear）

　Nihilist の活動は順調に続いていくと思われたが、バンド内でギクシャクし始めた。ベースのヨニー・ヘードルンドが他のメンバーの音楽的方向性に異を唱えるようになったのである。彼は一番年上のメンバーだったので、年端もいかない他のメンバーは誰として彼を解雇する勇気はなかった。代わりに彼らは 1989 年の夏に解散し、1 週間後ニッケとウッフェの 2 名が Entombed というバンド名の下に活動を再

開させた。

「ニッケは俺とはバンド活動をしたくなかったから、Nihilist はもうおしまいにするって言うんだ。それで彼は Entombed、俺は Unleashed を始動させた。その後のことはもう説明する必要はないよな。俺はうまく物事が進んで素直に嬉しいんだよ。俺がバンドに残っていたら、それほど良いバンドにはならなかったかもしれない。俺達はお互い歯車が噛み合っていなかったからな。」（ヨニー・ヘードルンド Nihilist/Unleashed）

「1989 年の夏、俺達とヨニーの方向性に違いが生じ始めた。俺達は彼のアイディアを受け付けられなくなっていたし、彼のヴァイキング趣味にもイラついていたんだよな。彼と話し合ったり、クビにする代わりにバンドを解散するなんて、バカで子供じみているよな。だけど、俺達はガキだったからどうしていいかわからなかったんだよ。」（ニッケ・アンダソン Nihilist/Entombed）

Grave & Grotesque
──スウェーデン国内における初期デスメタル

初期スウェディッシュ・デスメタル・バンドはストックホルムを活動の中心地としたものが多かったが、地方出身のバンドもいくつか存在していた。ストレングネース出身の Merciless の他に、バルト海沿岸の人里離れた島、ゴットランドのヴィスビー出身の Grave についても取り上げる必要があるだろう。この隔絶された地でメタルに没頭した数人の若者によって Grave は結成された。

「13 歳のときにバンドを結成したんだ。楽器を演奏できたのはドラマー、ヤンサだけだった。他の奴らは楽器をわしづかみにして、ありったけの気力で脳みそが飛び出るくらい頭を振っていただけだった。最初の何年間かは、Destroyer、Rising Power、Anguish とか色んなバンド名を考え出しては、活動していた。Anguish のころはデモテープもレコーディングしたんだよ。でも聴かせられるようなシロモノじゃなかったけどな！ 演り方なんてわからなかったけど、闇雲にメタルがプレイしたかっただけのガキだったんだ。」（オーラ・リンドグレーン Grave）

1986 年、彼らはバンド名を Corpse に改名し、本格的に活動を始めた。特にドイツのスピードメタル・バンドに影響を受けた彼らは、さらにブルータルさを求め、一心不乱に突っ走った。1986 年には、初期衝動で満たされたデモテープ『Black Dawn』をレコーディングすると、徐々にエクストリーム・メタルへと傾倒していった。1988 年 Corpse はスウェディッシュ・デスメタル・ムーヴメントではお決まりの理由によって Grave へと改名する。

上から：

・Grave のデモテープ『Sick Disgust Eternal』。

・初期 Grave のフライヤー。

「バンドを改名したのは演奏もろくにできないベースの奴を追い出すためだったん
だ。でも俺達はそいつをクビにすることをビビってた。それでバンド名を Grave に
変えて最初のギグに臨んだ——奴には隠してな！ その邪悪な名前のバンドはどん
なものかと、チェックしに来るのは当然だよな。それで Grave という不可思議な名
前のバンドは自分のバンドだったって奴は気づいたんだ。うわぁ、考えてみりゃあ、
顔から火が出るくらい恥ずかしい思い出だな！」（オーラ・リンドグレーン Grave）

　そう、Grave も Nihilist と同じように大人げないことをやっていたのである！ とに
かく Grave に改名すると、バンド活動に勢いがついてきた。1988 年の 8 月 30 日、
オーラ・リンドグレーン、ヨルゲン・サンドストルム、イェンス・ポールソンは Yellow
House Studio に入り、デモテープ『Sick Disgust Eternal』を 3 日間という過
密スケジュールの中でレコーディングした。出来上がった作品は、シンプルなリフ
と絶叫ヴォーカルがブルータルかつストレートな楽曲と絡み合い、プロダクションは
粗っぽく、楽曲のアレンジにはスラッシュメタルの雰囲気があった。『Sick Disgust
Eternal』の楽曲はクオリティーが高く、バンドのブレイクを予感させた。デモテープ
の 1 曲目の「Into the Grave」はデビューアルバムに収録された同曲よりもよっぽ
どブルータルだった。こうして Grave はストックホルムのバンドに近いサウンドを独自
に編み出していたのである。

「バンドはきちんと活動していたわけじゃなんだ。俺達はブルータルなスピードメタ
ル・バンドになりたかったんだ。今でも 1 本目のデモテープは気に入っているよ。
Kreator とか Sodom のようなドイツのバンドのカッコイイ雰囲気があるだろ？」
（オーラ・リンドグレーン Grave）

　サンヴィーケン出身の Sorcery も 1986 年にバンド活動を始動させた。結成当
初は、1987 年の『Arrival』や 1988 年の『Ancient Creation』で聴かれるよ
うな、一介のスラッシュメタル・バンドにすぎなかった。しかし、当時のアンダーグラ
ウンド・シーンではブルータルなものであれば何でも容認されていたので、音楽性
がスラッシュメタル寄りでもさほど問題とされなかった。この点で Sorcery はシーン
の発展に貢献したといえる。1989 年にレコーディングされたデモテープ『Unholy
Crusade』では、のちに彼らが深く追求することになるアメリカのバンド Death の
方法論を垣間見ることができる。Sorcery はシーンを席巻するほどのバンドにはなれ
なかったが、ストックホルム出身以外のスウェディッシュ・メタル・バンドの中では強
力なバンドであったのは確かだ。

　悪名高いテープ・トレーダーでありながらドラマーでもあるマグナス・フォー
シュバリが率いていた、スラハメル出身の Tribulation にも同様のことがいえる。

Tribulation は 1986 年に Pentagram というバンド名で結成され、同年、粗削りな仕上がりのデモテープ『Infernal Return』をリリース。翌年 2 月には Tribulation へと改名し、1988 年にはデモテープ『Pyretic Convulsions』を発表した。混沌かつ一風変わったスラッシュメタル・スタイルだった彼らは、初期のスウェディッシュ・アンダーグラウンド・シーンでは名が通っていた。彼らの音楽性はデスメタルではなかったにもかかわらず、特にマグナス・フォーシュバリはシーン全体において中心的な存在であった。

　Grave のように、ストックホルム以外のバンドで、1988 年に真正デスメタルを生み出したのはユーテボリ出身の Grotesque である。彼らのクオリティーは凄まじかった。Grotesque は 1986 年にギタリストのクリスティアン・ヴォーリーンによって結成されたバンド、Conquest が進化したものである。

「俺たちは当時、最もブルータルだったドイツのスピードメタルにインスパイアされていたんだ。俺達以外、ユーテボリには 3、4 のスピードメタル・バンドいたけど、彼らは皆 Metallica とかアメリカのバンドに入れ込んでいた。だから俺達のサウンドはほとんどの奴らには過激すぎて、理解されなかったんだ。」（クリスティアン "ネクロロード" ヴォーリーン Grotesque/Liers in Wait/Decollation）

　彼らは誰からも見向きされなかった。ヴォーリーンは Conquest に在籍中、不安定なラインナップに悩まされていた。バンドに合う人材を見つけるために、クリスティアンはエクストリーム・メタルにはまっているすべての人に声をかけた。そして、1988 年、当時 11 歳（！）のドラマー、ヨーハン・ラーゲルを探し出すことができた。同年、Conquest のギタリストでのちにベースにコンバートするダーヴィド・ハルテンが同じ音楽嗜好を持っていたトマス・リンドバリと知り合いになったことがきっかけで、間もなくトマスがヴォーカリストとしてメンバーに加入する。

「俺は自分たちのハードコア・バンドのベーシストを探していて、知り合いのギタリストにベースとして入らないかと持ち掛けた。だけど俺達のバンドは演奏もできないと思っていたのだろう、彼は乗り気じゃなかった。代わりに、彼は自分のバンド Conquest にヴォーカルとして加入しないかってもちかけてきたんだ。それで彼らのリハーサル室に行って、クリスティアンと会ったというわけだ。そこには俺達 2 人しかいなくて、ギターとヴォーカルだけで Bathory を何曲か演った。これが俺がバンドに加入した経緯だ。お互いの波長はピッタリだったよ。」（トマス・リンドバリ Grotesque/At the Gates/Disfear）

「近所にエクストリーム・メタルにはまっている奴がいるっていう情報をもってきたのは俺達のベーシストだよ。そいつが加入するにはそんな理由だけで十分だった

よ！」（クリスティアン“ネクロロード”ヴォーリーン Grotesque/Liers in Wait/Decollation）

　トマス・リンドバリがメンバー入り、バンドは Grotesque と改名した。トマスがアンダーグラウンド・デスメタルに造詣が深いこともあって、彼らのスタイルはブルータルさを増していった。

「俺達はもっとエクストリームな音楽を追求するようになっていった。俺が Possessed とか Bathory が好きだったということも関係している。アンダーグラウンドのデスメタル・シーンやテープ・トレーディングに俺達を引きずり込んだのはトマスなんだよ。その後、すべてが超過激に変貌して、俺達は逆さ十字とかコープス・ペイントでガチになっていった。俺達は狂っていると思っていた奴もいたようだけどな。1988 年頃、ブラックメタルっていうのは時代遅れで、その代わりテクニカルなスラッシュが流行っていたのを知っているよな？」（クリスティアン“ネクロロード”ヴォーリーン Grotesque/Liers in Wait/Decollation）

　こうして、Grotesque は地元のバンドとは一線を画すようになっていった。Conquest のころはアンダーグラウンド・シーンでまったく無名だったにも関わらず、Grotesque に改名してから状況は一変した。破壊力満点のこのバンドは、おんぼろのテープレコーダーを入手し、1988 年末、プリミティヴなデモテープ『Ripped from the Cross』をレコーディングした。

「手元にあった自分達用に録音したリハーサル・テープに新たにヴォーカルと 2 本目のギターを上から重ねたんだ。それがテープ・トレーディングに使ったヴァージョンだった。」（トマス・リンドバリ Grotesque/At the Gates/Disfear）

　デモテープ『Ripped from the Cross』はまだ未熟ではあったものの、Grotesque がシーンにその名を轟かせるには十分だった。彼らはそのころには既にスウェーデンで最もブルータルなバンドの一つとして知られ、クリスティアンの風変わりなリフとトマスの魂の篭もった絶叫は後発のバンドに多大な影響力を与えた。

　総体的に最初期のスウェディッシュ・デスメタル・シーンはストックホルム発祥のブームであった。その他の地域で 1989 年以前から活動していたバンドはヴェクファ出身の Carnage とエシルストゥーナ出身の Macrodex だった。

「ヴェクファには、当時強力なハードコア・パンクとスケーターのシーンがあったから俺達はその集団の中に入っていたんだ。いい奴らばかりだったけど、Carnage はそのシーンにピッタリ馴染んでいたわけではなかったんだ——俺達はヘヴィーすぎて、ブルータルすぎて、斬新すぎたんだ。メタル・シーンはダサくて、Metallica のカバーバンドか Bon Jovi になりたい奴ばっかだった。だから俺

達はハードコア・シーンにいるほうが居心地が良かったよ。」（マイケル・アモット Carnage/Carcass/Arch Enemy）

　Satanic Slaughter、Total Death、Orchriste らがいたリンシューピングには エクストリーム音楽シーンは存在していた。リンシューピングには Rockkarusellen （The Rock Carousel）という文化プロジェクトがあったので、シーンは活性化して いったのである。

　しかし、どのバンドもデスメタルとカテゴライズするには程遠かったし、何よりも彼 らは 1989 年までデモテープを制作しなかったのである。スウェディッシュ・デスメ タル・シーンは 1988 年に産声を上げ、翌年から鮮明に活気づくのである。

Cold death! - SORCERY

時計回りに右から：
・サンヴィーケンで最もヘヴィーなバンド。
・Tribulation/Pentagram 覚えていないか
もしれないが、多くのデスメタルのパイオニア達
は 1986 年当時はこのようなルックスだった。
・スウェーデンのテープトレードの第 1 人者が
自身のバンドを売り込んでいた。
・Tribulation のデビュー・デモテープ。

第4章：
スウェディッシュ
・デスメタル
・シーンの発展

「永遠の死の中に
信仰は葬られ
暗黒の彼方に
墓場の中に嵌る」
——Grave「Into the Grave」

時計回りに上から：
・ストックホルムで行なわれた有名なデスメタル・ギグのポスター。
Anorexia は Unleashed のアンデシュ・シュルツが在籍していたハードコア・バンド。
アンデシュはライブ当日体調を崩しAnorexia はプレイしなかった——しかし彼はライブ会場には来て、狂ったように頭を振っていた！
・ストックホルムで行なわれた多大な影響力をもたらしたスラッシュメタルのギグのポスター（Death は残念ながらプレイしなかった）。
・Grave がゴットランド島以外で初めてプレイしたときのポスター（Dismemberはラインナップには入ってない）。

1989 年以前の"スウェディッシュ・デスメタル・シーン"について語るほど
のことはほとんどない。気の合う仲間同士でバンドを作ってはプレイする、ダチの集
まり程度にすぎなかったからだ。彼らはリハーサルをして、レコードを買って、テープ
をトレードして、手紙のやりとりをしていたが、身内以外のメンバーと会ったり、駄弁っ
たり、つるんだりすることはごく稀だった。ギグもほとんど行なわれなかった——彼ら
にとっての重要なイベントは、わざわざスウェーデンまで来たスラッシュメタル・バン
ドのコンサートに行くことだった。

「初期のシーンは小さくて、テープ・トレーディングやコンサート会場で知り合った
エクストリーム・メタル好きな奴らはみんな知り合いだった。バンドのメンバーと知り
合いだったし、そんな音楽にはまっているキッズとも知り合いだった。俺達はスウェー
デンの各地にメタルマニア達が点在していることもわかっていた。ここユーテボリで
は、スピードメタルが好きな奴らはだいたい知り合い同士だった。初期のデスメタ
ル・シーンは、エクストリーム音楽が好きでたまらない奴らが集まって成り立ってい
たんだ。誰も仲間がアルバムをリリースするなんて思っていなかったし、ギグを行う
ことさえしなかった。でも"俺達がやらなきゃ誰がやるんだ"って感じだった。そう
いえば、当時は"デスメタラー"であることはクールなことではなくてね、エクスト
リーム音楽に入れ込んでいる奴は変人とか救いようのないクズだと思われていたん
だ。まあオタク野郎ってことだよな。初期のシーンに関わっていた奴らはみんないろ

スラッシュメタルはかつて世界を制覇していた。

んな意味で"ガチ"だったんだよ。」（クリスティアン "ネクロロード" ヴォーリーン
Grotesque/Liers in Wait/Decollation）

「俺達はキワモノ扱いにされていたんだよ。メタルTシャツにネルシャツを着ている
奴を見かけたら、俺は話しかけることにしていた。初めて行ったライブは、1987
年のAnthraxとTestamentだったんだけど、やっと俺の居場所が見つかったっ
て思ったな。」（アンデシュ・シュルツ Unleashed）

「シーンの規模は昔凄く小さかったということを今ではわかってもらえないと思う
な。デスメタルTシャツを着ている奴を街で見かけたら、そいつの名前を答えられ
るぐらいだった。メタルのコンサートでいろんな奴らと出会って、ビールを一緒に掻っ
込んで、住所を交換していたなぁ。それがシーンの始まりさ。」（イェスペル・トゥー
ション Afflicted）

「ストックホルムのライブ会場Fryshusetで行なわれたスラッシュメタルのギグに
はすべて行ったよ。そこでたくさんの奴らと会ったんだよ。1988年Slayerのライ
ブではKazjurolとMortalityの奴らがデモテープを売るために会場を歩き回っ
ていたなぁ。」（パトリック・ヤンセン Orchriste/Seance/The Haunted）

「スラッシュメタルのギグを観に行くために長い時間連絡船に揺られて旅をしなけれ
ばならなかったけど、それだけ俺達にはガッツがあったんだ。1988年のSlayer
のコンサート会場でNihilistとDismemberの奴らと知り合いになった。いや、
彼らと出会ったのは1986年のMetallicaのコンサートだったかもしれない。テー
プ・トレーディングを始めてからすぐに、ゴットランド島を出てストックホルムに行か
なきゃダメだ、と思うようになった。スラッシュメタルのギグには沢山のデモテープ
を持って行って、そこでいつも手売りしていたんだ。ギグそのものよりも会場の外
で起きていたことの方が重要だったかもしれない！ コンサート会場とレコード店の
Heavy Soundが俺が出会う場所だったってわけだ。俺達はパブに行くには若
すぎたし、親元で実家暮らしだったんだよ。」（オーラ・リンドグレーン Grave）

「80年代のスラッシュメタルのギグが重要なきっかけを与えてくれたんだ——バン
ドを観ることもできたし、多くの奴らと知り合いになることもできた。タービー出身の
TreblinkaとかExpulsionとかな。」（ニッケ・アンダソン Nihilist/Entombed）

「シーンというものは形成されていなくて、数人のメタルマニア達と、数人のパンク
ス達がパーティーをしていただけだった。だから"シーン"といえるほど大きなもの
ではなかった。エクストリーム音楽を聴いて、デモテープをレコーディングして、プ
レイしたい奴が、Anthrax、Slayer、Candlemassのライブ会場に行って、そ
こで出会うんだ。そういうエクストリーム音楽を聴いていた奴らがシーンの中心となっ

ストックホルムで行なわれた初期の
デスメタル・ギグのポスター。

　た。*Morbid は当時重要な存在でね、アンダーグラウンド現象は彼らがブレーデ
ンでライブを演ったときに始まったといっても過言じゃない。*」（フレッド・エストビー
Dismember/Carnage）

　わずか14歳から17歳だった初期スウェディッシュ・デスメタル・シーンの首謀
者達が年を重ねていくと、実家から這い出し、街でつるむようになった。初期のデ
スメタル・バンドらは徒党を組み、ギグを企画し始めた。当初は、彼ら若者の行動
に振り向く者などいなかったし、デスメタルのギグに行ったメタルマニア達は皆無に
等しかった。

　「*1987年末にシースタのユースセンターで、俺達 Nihilist は最初のギグをやっ
たんだ。オーディエンスにはメタル好きな奴なんて1人もいなくて、ただ俺達がやっ
ていたことを腹を抱えて笑っていたんだ。俺達はあまりにもガキんちょで、過激すぎ
たんだよな。奴らは俺達がジョークのつもりでやっていると思っていたみたいだ。*」
（ニッケ・アンダソン　Nihilist/Entombed）

　「*当時はギグなんてほとんどやられていなくて、演っていたバンドは数えるぐらいし
かなかった。俺が Nihilist に入った後、ストックホルム北部で一度ライブをやった
ことがある。そこには俺達と40人ぐらいのダチしかいなかった。ギグが終わると車*

座になって、バケツ一杯にみんなでゲロを吐き合ったことを覚えている。考えてみるとブッ飛んでいるだろ。まあ、それってニッケ流のユーモアだよ。当時のシーンっていうものはそんなもんだったよ！」（ヨニー・ヘードルンド Nihilist/Unleashed）

「当時ギグを企画するなんて不可能に近くて、どんな状況下でも演らないといけなかった。Grotesque の最初のギグはコーテダーラ近郊のフィンランド文化センターみたいなところだったな。ほんと訳わかんないだろ？ だけど、そんな昔の素朴な時代が好きなんだよ。だから、Disfear のギグをパンク系ライブハウスでやるのが好きなんだ。だって偽りがないし、本物だろ。」（トマス・リンドバリ Grotesque/At the Gates/Disfear）

　時間が経つにつれて、アンダーグラウンド・メタル・バンドのライブ活動ができる状況は徐々に整ってきた。しかし、デスメタル・バンドのライブができる場所はまだまだ限られていて、パンク系ライブハウスやユースセンターが中心だった。

「ゴットランド島では演奏できる場所なんてほとんどなかったよ。ユースセンターが楽器を持っている島民を集めて発表会を催す時に演るぐらいでさぁ。俺達はいくつか風変わりなライブを体験したことあるんだぜ——俺達以外の演者は12歳のヴァイオリン少年だったときもあった。だからメタル・シーンなんてここにはなかった。ゴットランド島を出て最初に演ったライブは、1990年頃にサーラで行なった Dismember と Entombed との対バンだったな。」（オーラ・リンドグレーン Grave）

「確か Grotesque は合計10回くらいのギグをすべてユースセンターで演ったと思う。俺達がやったギグの中で大きかったのは Carcass とのライブと、それに思い出深かったのは Morbid と Nihilist とのライブだったな。ユーテボリ以外で演った唯一のライブは、ヨン・ノトヴェイトがストレムスタードまで呼んでくれたものだった。当時はライブのチャンスなんてなくて、演奏したけりゃ自分でアクションを起こさないといけなかった。」（クリスティアン "ネクロロード" ヴォーリーン Grotesque/Liers in Wait/Decollation）

「メタル系のライブハウスなんて長い間なかったんだ。よくギグが行なわれていたのはパンク系のライブハウス Ultrahuset、Hunddagis、Vita Huset だった。ロック系ライブハウスはエクストリーム・メタルを毛嫌いしていたんだよ。一番大きかった Nihilist のギグは、ブレーデンに200人くらい集まったやつだったかな。それからシーンが活性化したんだ。」（ヨニー・ヘードルンド Nihilist/Unleashed）

「ブレーデンでのギグがきっかけで多くの奴らをデスメタルに惹きつけた。俺は本当に圧倒されて、何か起こるんじゃないかって感じとった。そこには俺達の知り合いじゃ

ない奴らが初めてギグに来たんだよ。奴らは俺達がやっていたことにシンパシーを感じていたようなんだ!」（ニッケ・アンダソン Nihilist/Entombed）

「Runan という名称のユースセンターでリハーサルをしていて、それから知り合い達とそこでギグを企画し始めたんだ。小さなステージと PA があったけど、プレイしたのは俺達が最初だったんじゃないかなぁ。ユースセンターのスタッフは俺達がやっていることを不快に思っていた。彼らは俺達の音楽性を認めていなかったし、そういうコンサートにくるガキどもを白い目で見ていたんだ──そのガキどもっていうのは Nihilist とか Dismember の知り合いだったんだけど。そういえば、Runan は墓地の隣にあったから厄介なこともあったなぁ。」（ヨーハン・エードルンド Treblinka/Tiamat）

「ユースセンターの中には俺達のことを不憫に思ったところもあったみたいで、渋々ギグを受け入れてくれたところもあった。タービーにあったユースセンター Runan は Treblinka の奴らが絡んでいて、凄くいい場所だった──音響も良かったし、スモークマシーンや照明設備もあってバッチリだった。パンク系のライブハウスで、例えばストックホルム南部ハーニンゲ市にある Hunddagis も良かった。Therion のギグをそこの居間みたいなところで観たこともある! 今じゃ想像もできないよな。」（イェスペル・トゥーション Afflicted）

「最初のギグは Hunddagis でやったんだけど、オーディエンスは 40 人もいなかったと思う──そこには最小限のステージを収容できる程度の小さな居間しかなかった。俺達は確か 3 曲演奏して、そのうち 2 曲はアンコールでもう一度演奏した。客は多くなかったけど、結構みんな暴れていた。俺は昔シャイだったから、ギグの前、緊張して震えが止まらなかったよ。2 回目のギグはハスビのユースセンターでやったんだけど、ステージはなかったな。床に座ってヘッドバンギングしている 5 人のデスメタラーと、何が起きているのかわからず狼狽する移民の子供達 15 人の前で演奏したんだよ。誰がそのギグを企画したのかわからなかったけど、その 2 回がマッティ・カルキ（Dismember）と一緒にやったライブだった。」（クリストフェル・ヨンソン Therion）

「地元以外で初めてプレイしたのはヴェーナムーで、No Security との対バンだった。会場にいた奴らは 10 人も満たなかったけど、ストックホルム郊外でのギグをオファーされたのは嬉しかったよ。あとで聞いた話なんだけど、No Security の奴らは俺達がロックスター気取りだったって言いふらしていたみたいだ。でもそれって変な話だよ。俺達は 2 本デモテープをリリースしただけのティーンエージャー集団にすぎなかったんだから。たぶん奴らは自分達のことをパンクス、俺達のことをメタ

ルキッズって思っていたから、だからそんな風に感じたのかもしれないな。そういえ
ば、Carnage のメンバーがそのギグに来てくれて凄く嬉しかった。そこで彼らと知
り合いになれたんだよ。」（ニッケ・アンダソン Nihilist/Entombed）

「80 年代後半にシーンにいなかった奴らは初期デスメタル・シーンの感覚とか、
誠実さとか、熱量なんて理解できないだろうな。見返りなんてものを気にしないで、
文句もたれないで黙々とやっていただけさ。心底好きだったから献身的になれたん
だよ。90 年代が到来して、デスメタルは金を産むようになっちまったから、初期の
その感覚は永遠に失われてしまったな。」（トマス・リンドバリ Grotesque/At the
Gates/Disfear）

90 年代初期以降、デスメタル・シーンから真のアンダーグラウンド精神が失われ
てしまったというのは紛れもない事実である。現在では、どんな小さなバンドであっ
ても地元のロックフェスティバルで演奏できるし、プロフェッショナルなデモテープをレ
コーディングすることもできる。しかし、当時は何をするにも労力が必要だったし、献
身的にならざるを得なかった。

1988 年辺りにデスメタルを専門に扱うファンジンが何冊か登場した。
『Megalomaniac』や『At Dawn They Read』はスラッシュメタル中心で、デス
メタルが少し掲載されるだけだったが、過激な方向に舵を切っていたことは確かだっ
た。エクストリーム・メタルを扱うファンジンブームの第一波はスウェーデン南部地方
からもたらされたが、第二波は国中に点在するバンドメンバーによってもたらされた。

ストックホルムでは Nihilist のニッケ・アンダソンはファンジン『Chickenshit』を
出版しようと目論んでいた。彼のファンジンは日の目を見ることはなかったが、彼が
やろうとしたことは多くの奴らにインスピレーションを与えた――いやすべての奴らに
影響を与えた。Nihilist のアレックス・ヘリッドとウッフェ・セーダルンドはファンジン
を出版しようと準備し、ヘリッドは自身のファンジン『Dark Awakening』を 1 号の
み出版した。ストックホルム出身の奴でファンジンを出版しようとしたのは Treblinka
のヨーハン・エードルンドとステーファン・ラーゲルグレーンだった。彼らは雄々しい
名前のファンジン『Poserkill』を出版した。

「ファンジンを始めたのは Treblinka と同じ時期だった。ステーファンがほとんど
のページを書いて、俺はいくつかのバンドにインタビューをしただけだった。ニッ
ケ・アンダソンは俺達が始める前にファンジンを作ろうとしていたけど、奴は出せ
なかった。俺達はなんとか 1 号だけは出したんだぜ！」（ヨーハン・エードルンド
Treblinka/Tiamat）

この痛快なタイトルのファンジン以外に、エードルンドは Mould in Hell という名を

時計回りに左上から：
・ヨーハン・エードルンドとステーファン・ラーゲルグ
レーンが出版した唯一のファンジン『Poserkill』誌。
表紙が最高！
・『Cascade』誌 第１号の混沌とした表紙。
・超貴重なヨン・ノトヴェイトの『Mega Mag』誌
第１号。
・ファンジン活性化に貢献したイェーツビンのファン
ジン『Hang'em High』誌。

冠したディストロを始めたし、同名タイトルの Treblinka のシングル盤もリリースした。このようにスウェディッシュ・デスメタル・シーンは活性化し始め、その後数年にわたり、シーン真っ最中にいる奴らは積極的にシーンに関わったのである。それは 80 年初期にハードコア・シーンで起こったことと同じような現象だった。

　1988 年、ユーテボリのビリダル地区出身の若者、トマス・リンドバリとヨーハン・ウステルバリはマニアックなファンジン『Cascade』を出版した。

「俺達のファンジンはスラッシュメタルやハードコア・シーンから刺激を受けて、作られていたんだ。Voïvod や Celtic Frost のレコードに記載してあったサンクス・リストを目を皿のようにして読んで、新しいバンドを見つけていったんだ。俺はマイナーなファンジンをよく読んでいたから、アンダーグラウンド・シーンが好きだったんだ。パトリック・クロンバリの『To the Death』に触発されて、俺もファンジンを作るようになった。彼のファンジンは俺にインスピレーションを与えてくれて、それから間もなくヨーハンと『Cascade』の第 1 号を出版したんだ。」（トマス・リンドバリ Grotesque/At the Gates/Disfear）

　出来上がったファンジンには当時ブルータルといわれた音楽がすべて凝縮され、レイアウトも崩壊寸前なくらい混沌としたものだった。『Cascade』はエクストリーム・メタル・シーンの最前線に立ち、Nihilist、Morbid Angel、Obscurity といったバンドを取り上げていた。雑誌が廃刊になるまでさらに 2 号が出版された。トマス・リンドバリは『Cascade』を出版すると同時期に異彩放つ Grotesque にも参加していた。一方、ヨーハン・ウステルバリは、Grotesque のクリスティアン・ヴォーリーンと共に Decollation、のちに Diabolique を結成した。

「俺達は世界中の奴らとテープ・トレーディングをし、最終的にはテープ・トレーディング・コミュニティーを作り上げて、デモテープやファンジンを交換し合った。元々はニッケ・アンダソンとやり取りのあったファンジン仲間の間だけでやっていたことだったけど、彼を介して全ストックホルム・シーンに広がっていったんだ。ストックホルムのデスメタル・シーンは他の地方の一歩先を行っていた。だから、ファンジンにはストックホルム・シーンのことが主に載っていた。ファンジンを作るのが好きだったけど、次第に音楽を作ることにシフトしていったんだ。」（トマス・リンドバリ Grotesque/At the Gates/Disfear）

　ファンジン『Cascade』第 1 号は北部僻地、イェーツビンの 2 名の若者、オルヴァー・セーフストルムとエリック・クヴィックにインスピレーションを与え、彼らはファンジン『Hang'em High』を出版した。彼らのファンジンはデスメタルを専門に扱い、同時期に彼らは自身のバンド Prophet 2002 も結成し、のちに Nirvana 2002 へ

と改名した。

「エリックがレコード店 Heavy Sound でファンジン『Cascade』第 1 号を手に入れて、俺達も自分達のファンジンを作るべきだと考えた。俺達は 14 歳くらいだったから、仕上がりは凄く粗かった。でも、何か必然性に駆られてやったんだよ。デスメタルは俺の人生そのものだったからな。」（オルヴァー・セーフストルム Nirvana 2002）

　そして、彼らの努力が報われることになった。ファンジン『Hang'em High』第 1 号は数か月後に世に出ることとなった。このファンジンにはスラッシュメタルが多く掲載されていたが、当時最も過激なバンドだった Grotesque、Death、Bathory、Nihilist なども掲載されていた。ファンジンはさらに 2 号出版されたのち幕を閉じ、彼ら編集者達は自身のバンドを中心に活動することになった。しかし、そのバンドもすぐに活動を休止することになったため、シーンにとってかなりの痛手となった。

「ファンジンを出版して良かったことは、友人ができたことだった。Grotesque のトンパ、Treblinka のヨーハン・エードルンド、Dismember や Nihilist のメンバーなど、もの凄い奴らと知り合いにもなれた。俺達は直ぐ打ち解けて、つるむようになったんだ——お互い住んでいる場所が凄く離れていたけどな！ 命を懸けていたし、いろんなところにも行ったなぁ。」（オルヴァー・セーフストルム Nirvana 2002）

　1989 年 Rabbit's Carrot のヨン・ノトヴェイトがユーテボリ北 50 マイルの都市ストレムスタードでファンジン『Mega Mag』の出版を始めた。第 1 号は粗削りのスラッシュメタル系ファンジンだったが、1990 年出版された 2 号目（最終号）では、ほとんどデスメタルしか掲載されていなかった。ヨンは同時期、偉大なバンド Dissection を結成すべく、Rabbit's Carrot から脱退した。『Mega Mag』第 2 号は、素晴らしいレイアウトとインタビューが掲載され見事な出来だった。スウェーデンのシーンも深く掘り下げられていたので、マイナス点など見あたらなかった。ノトヴェイトが『Mega Mag』を続けなかったのが残念でならないが、Dissection で手一杯だったのかもしれない。

「ヨン・ノトヴェイトは周りの奴らを引き合わせてくれたし、彼のファンジンは最高だった。彼は Grotesque をストレムスタードまで呼んでくれたんだ。そのギグは Grotesque がユーテボリ以外でやった唯一のギグだったよ。」（トマス・リンドバリ Grotesque/At the Gates/Disfear）

　初期スウェディッシュ・ファンジンの中で個人的に気に入っているのは、ストレングネース出身の超筆まめ少年、トマス・ニークヴィストが出版した『Putrefaction Mag』である。彼はバンドを結成することはなく、わずか 1 年程度で熱心なテープ・

トレーダーとなり、1988 年後半にファンジンを始め、数か月後に第 1 号を発刊した。**「俺はアンダーグラウンド・シーンに全身全霊を捧げていたんだ。俺は暇があると手紙を書いてシーンの奴らやバンドと知り合いになろうとしていた。だから『Putrefaction Mag』は、そんなやり取りの結果として自然に生まれたんだと思う。あまり深く考えずに、切り貼りして、好きなことをやっていただけさ!」**（トマス・ニークヴィスト　『Putrefaction Mag』誌 /No Fashion ＜レーベル＞ /Iron Fist Productions ＜レーベル＞）

　それまで出版されていたエクストリーム・メタル・ファンジンと異なり、『Putrefaction Mag』はデスメタル中心の誌面構成だった。たまにスラッシュも取り上げられていたが、Tribulation や Suffer などのスウェーデンのアンダーグラウンド・バンドに限られていた。未知のバンドを探し続けていたおかげで、彼がノルウェーのブラックメタル・シーンの存在を最初に察知した 1 人になった。他の多くのファンジン編集者と異なり、最初数年は定期的にファンジンを発刊した。1999 年まで 14

時計回りに左上から：
・『Mega Mag』誌　第 2 号のフライヤー。
・『Putrefaction Mag』誌──最高峰のスウェーデン発ファンジン。
・ぞっとするような『Putrefaction Mag』誌のフライヤー。

号刊行され、同時に伝説的なレーベル No Fashion も立ち上げた。

「俺は他にやることもなくてね。勉強することが嫌だったし、辺鄙な所に住んでいたから、ファンジンを作るしかなかった。いつもタイプライターの前に座っていたけど、『Putrefaction Mag』は世界中でよく売れたから努力の甲斐はあったかな。第 4 号はドイツとオランダだけで 500 部も売れたんだ! ティーンエージャーがつたない英語を使って書いたにしては上出来だったよな!」（トマス・ニークヴィスト『Putrefaction Mag』誌 /No Fashion <レーベル> /Iron Fist Productions <レーベル>）

　スウェディッシュ・メタル・シーンで最も成功した編集者、ロバン・ベシロヴィッチも同時期に活動を開始した。しかし、彼は最初からファンジンの編集をしていたわけではなかった。彼が最初に手掛けたのは、スウェーデン初のエクストリーム・メタル専門ラジオ番組『Power Hour』だった。

「ノーショーピングの高校生だった俺は 1987 年に『Power Hour』を始めたんだ。最初は何もわからなくて、自分の好きなレコードを流せるだけで幸せだった。でも翌年にライブハウスの Fryshuset で Anthrax と Testament が演ったとき、上手くいくんじゃないかって感じ始めた。俺は彼らにインタビューをしようと思ったけど、インタビューのブッキングの仕方なんてわかっちゃいなかった。俺達はツアーバスの外に張り込んで、メンバーの 1 人を捕まえた。まるで試合後に選手のコメントを取ろうとするスポーツ・ジャーナリストみたいにな!」（ロバン・ベシロヴィッチ『Close-Up』誌）

　Anthrax と遭遇してから、この若きラジオ DJ はタダでレコードを手に入れ、きちんとインタビューをブッキングするためにレコード会社と連絡を取り合う術を覚えた。スウェーデンではメタルを取り扱うメディアはなかったため、アレンジは容易だったといえる。メジャーバンドの Metallica でさえ『...And Justice for All』ツアー時に、独占インタビューに応じてくれたのである。ラジオ番組が定期的にオンエアされるようになると、ロバン・ベシロヴィッチは自身のコネクションを生かし、知り合いのバンドのライブを企画するようになった。

「1988 年 4 月 22 日にライブハウス Strömsholmen で、俺は Agony のギグを初めて企画したんだけど最悪だったよ。土壇場で PA をレンタルしなければならなかったし、前売りチケットは 8 枚しか売れていなかったから PA を運ぶための車をレンタルすることができなくて、機材をライブ会場まで手作業で運んだ。会場に着くと、ステージが PA の重みに耐えられないって分かった。だから俺達はステージを作るためにいろんなものを盗んできたからおまわりがやってきた。あんときはヤ

バかったな。」

「そうこうするうちにギグが始まったけど、50人しか集まらなかったんだよ。200人来ないと赤字でね。50人のうち4人しか18歳以上じゃなかったからほとんどの奴らは会場に入れなかった。仕方ないから俺達は残りの奴らを入場させるために会場内のバーを閉鎖したんだけど、ライブハウスの店長が激昂してさぁ。俺は結局多額の借金を負うことになったんだけど、俺の手元には一銭もなかったんだよね。ライブハウスの奴は怖そうなバイカーギャングみたいな兄ちゃんだったけど、俺はか弱き17歳の少年。それで結局、オフクロに電話して何とかしてもらった。」（ロバン・ベシロヴィッチ 『Close-Up』誌）

『Power Hour』——シーン活性化に一役買ったローカル・ラジオ番組。

ベシロヴィッチはプロモーターとしての最初のギグは落第生だったが、その後コンサート企画を続け、彼はこのとき既に人生を賭ける決心をしていた。同年秋、Thrash Bash 企画シリーズを立ち上げ、1988 年 11 月 25 日、Mezzrow、Total Death、Brejn Dedd（Edge of Sanity と Unisound Studio で有名なダン・スワノの最初期のバンド）をラインナップに冠し、第 1 回目の Thrash Bash を開催した。そういえば、Brejn Dedd にはのちに Abruptum で名が知られるヴォーカリストのトーニ "イット" シャルッカを擁していた。

「ロバンは80年代後半、ウステルユートランド地方のエクストリーム・シーンの牽引者だった。彼のラジオ番組は酷くて、初期のギグはきちんとアレンジされていなかったけど、彼は行動力があって音楽を心底愛していたんだよ。いくつものバンドに冷遇されてもインタビューし続けて、ギグをブッキングしていたんだ。地元でバンドがプレイできるようにアレンジしていたのは彼だけだったけど、それがシーンを活性化させることにつながった。ここ地元では彼に足を向けて寝られないよな。」（ダン・スワノ Edge of Sanity/Unisound ＜スタジオ＞）

この時点ではシーンはまだ無きに等しかった。たまにギグが行なわれても集まるのは数名だけだった。このような状況でもロバン・ベシロヴィッチは耐え忍び、40 回

以上もの Thrash Bash 企画を行なった。彼はデスメタルのギグを企画するようになったが、初期はスラッシュメタル系のギグが大半を占めていた。80 年代後半はまだデスメタル系ギグをブッキングしたり、インタビューをする奴らもいなかった。

「ロバンは俺達を煙たがっていたんだと思う。彼が惹かれていたのはスラッシュメタルだった。でももっとデスメタルを毛嫌いしていたのはファンジン『Megalomaniac』と『Candour』のマルティン・カールソンだった。奴らがどのように言っているか今わからないけど、当時は俺達のことを全くサポートしてくれなかったよ。Forbidden などを熱狂的に支持していたから、俺達は奴らのことをぬるいなぁって思っていたよ。」（ニッケ・アンダソン Nihilist/Entombed）（訳者註: Forbidden は 1985 年結成の技巧派ベイエリア・スラッシュ・バンド。ドラマーのポール・ボスタフはのちに、Slayer に加入した）

　スラッシュメタルとデスメタルの対立は確かにあったが、後のデスメタルとブラックメタル・シーンとの敵対関係と比べるとはるかに穏やかだった。当時ギグを多く企画していた人物はウップサーラ出身のヨルゲン・ジグフリードソンだった。1986 年、ヨルゲンは『Heavy Rock』誌を立ち上げたが、当初は正統派ヘヴィメタル・バンドが誌面を踊っていた。彼は自身のファンジンと同名の Heavy Rock と冠したライブを企画し始めると、次第に過激なサウンドを推すようになった。

「1987 年 11 月 29 日にウップサーラのライブハウス Brantingsgården で Candlemass と Agony と Damien のライブを企画したときにエクストリーム・スウェディッシュ・メタル・シーンがブレイクしたって感じたんだ。過激なスウェディッシュ・メタル・バンドのギグに多くの奴らが集結したのはそれが初めてじゃないかな。」（ヨルゲン・ジグフリードソン 『Heavy Rock』誌 /Musik Med Mening ＜ブッキング・エージェンシー＞ /Step One Records ＜レーベル＞）

「俺はデスメタルを聴き始めるずっと前からヨルゲンとは友達で、ウップサーラで Candlemass のライブがあったときには彼の家に泊まったこともあったんだ。ファンジン『Heavy Rock』が発行された 1986 年頃、つまり彼はスウェディッシュ・メタル・シーンの初期のころからずっとシーンを盛り上げていた存在だった。」（オルヴァー・セーフストルム Nirvana 2002）

　Candlemass2 回目のライブは、スウェーデン中の人々を結集させた。のちにヨルゲン・ジグフリードソンがデスメタル・ムーヴメントの大手プロモーターとして活躍するが、このころにエクストリーム・バンドのギグの大半を企画していたのは、小さな工業都市ファーガシュタ出身のペータル "バブス" アールクヴィストだった。パンク・シーン界隈ではよくあることだが、彼は若いときにパンクにはまるとともにクリエイティ

Thrash Bash コンサート 1 〜 4 回目までのポスター。

Thrash Bash 5 のフライヤー。

すべての Thrash Bash のギグには Total Death、Mezzrow、または Merciless が出演していた。

シーンは本当に小さかった！

『Heavy Rock』誌のお手製フライヤー。

ウップサーラでの Candlemass、Agony、
Damien のフライヤー
——このギグがすべての始まりだった。

ヴな追求もし始めた。

「俺がファンジンを作り始めたのは 1981 年のことだった。最初は初期 UK パンクにはまって、その後はアメリカのハードコアに興味が移った。スウェディッシュ・シーンに関わり始めて、ギグを企画するようになったのは 1982、83 年頃だったかな。でも、特定のライブ会場での企画ではなかったんだ。ヘーデモラのライブハウス Tonkällan にはずいぶん良くしてもらったけど、ここファーガシュタではライブができればどこでも良かった。ヘーデモラのライブハウスで Asocial や Svart Parad がギグを演ったけど、すっごく良かったな。」（ペータル・アールクヴィスト『Uproar』誌 /Tid Är Musik ＜音楽協会＞ /Burning Heart ＜レーベル＞）

　ライブ企画が軌道に乗ってくると、ペータルは Disorder、Subhumans、Instigators などイギリスのパンク・バンドをスウェーデンに呼び寄せ始めた。精力的な若者達も Mob 47 や Anti Cimex などのギグを観るためにスウェーデン中を駆け回るようになった。これに加え、ペータルは熱心なテープ・トレーダーとしても有名であった。彼は世界中のバンドを把握するために当時発行されたすべてのファンジンを読んでいた。時が経つと、ペータルの名は世界でも知られるようになった。彼は伝説的な米パンク雑誌『Maximumrocknroll』に寄稿するようになり、また自身のファンジン『Uproar』も立ち上げた。同時にレコードのディストロも始め、レコードのリリースも考えはじめた。

「俺のファンジン『Uproar』は次第にレコード・レーベルに変わって、最初にリリースしたのは Asocial と Bedrövlers とのスプリット・テープだった。その後、Crude SS のシングルなど、レコードも出すようになった。」（ペータル・アールクヴィスト 『Uproar』誌 /Tid Är Musik ＜音楽協会＞ /Burning Heart ＜レーベル＞）

　初期作品リリース後、Uproar は何枚かのパンク系シングルとファーガシュタのハードコア・バンドの音源を集めたコンピレーション・アルバム『The Vikings are Coming』をリリースした。80 年代中期、ペータルはメタル寄りになり、1987 年には地元のクロスオーヴァー・バンド Kazjurol のデビューシングルをリリースした。翌年、スウェーデン中のバラエティ豊かなエクストリーム・バンドが収録された、2 枚目のコンピレーション・アルバム『Hardcore for the Masses』をリリースした。グラインドコアの Filthy Christians や G-Anx、クロスオーヴァー・スラッシュの SLR、Tribulation、Kazjurol、クラスト・バンドの Totalitär、Asocial、Disaccord（Disaccord はのちに Carnage と改名される）、パンク・バンドの Strebers や Happy Farm が収録されていた。振り返ってみると、このアルバムで最も注目すべきバンドといえば、「Sentenced to Death」で参加した、結成直後

の Nihilist であろう。（訳者註：Disaccord は後に Arch Enemy で活躍するマイケル・アモットが在籍していたバンド。動画サイトではこの音源を確認できる）

「『Hardcore for the Masses』はスウェディッシュ・デスメタルをレコードに収録した初の音源だから、伝説的なアルバムなんだよ！ アルバムに収録された多くのバンドはエクストリーム・メタルの称号を掲げていたけど、Nihilist は頭一つ飛び抜けていたなぁ。『Hardcore for the Masses』をリリースするとすぐに、これからはデスメタルがブームになるってわかったんだよ。」（ペータル・アールクヴィスト 『Uproar』誌 /Tid Är Musik ＜音楽協会＞ /Burning Heart ＜レーベル＞）

　ペータルの興味がエクストリーム・メタルにシフトしていくと、彼は多くのメタルギグを企画し始め、Thrash 'Til Death フェスを開催するようになった。また Hexenhaus や Agony といったスラッシュメタル・バンドのブッキングも担当するようになった。

「誰かが Hellhammer が Crude SS に似ているって教えてくれたんだ。地元のレコード店には Hellhammer が置いていなかったから、その代わりに Celtic Frost の 1 枚目を手にいれた。一瞬で好きになったよ。1987 年にイギリスまで Napalm Death のライブを観に行ったんだけど、かなり衝撃を受けたね。バンドがエクストリームであれば、パンクかメタルなんて関係なくなったのは確かそのころだったと思う。俺はさらにスピードメタルに興味を持つようになって、Agony とか Hatred のギグを企画するようになったんだ。しばらくは小さなフェスも開催したんだけど、それほど上手くいかなかったなぁ。でもそのあとリベンジできたんだけどな！」（ペータル・アールクヴィスト 『Uproar』誌 /Tid Är Musik ＜音楽協会＞ / Burning Heart ＜レーベル＞）

　確かにペータルはその後リベンジを果たした。こうして彼は 80 年代後半から 90 年代前半にかけて、スウェーデンのエクストリーム・ギグを企画をするプロモーターとして名を馳せた。その後、何人ものプロモーターがエクストリーム・バンドのブッキングを手掛け始め、多くのファンジンが発行され始めた。さらに重要なことは、新人バンドが結成され、古株のバンドはスタジオでレコーディングできるようになったことだった。

「ギグが企画されると、俺は一つ残らず観に行っていた。Thrash Bash 企画のギグにはすべて行ったし、ファーガシュタで開催されたギグも全部観た。俺の人生そのものだったからなぁ。当時をそんな風に過ごして良かったよ。」（ダン・スワノ Edge of Sanity/Unisound ＜スタジオ＞）

バイスリーギャン――"クソったれ集団"

　ダン・スワノがこのように回想しているように、当時やっと"デスメタル人生"を
まっとうできる手筈が整いはじめた。ストックホルムでデスメタラーほど壮絶な人生を
送っていた奴らはいなかった――日々起こっていた逸話を話せばきりがないだろう。
当時、シーンは閉鎖的で、いつもの仲間同士がつるんでいたにしかすぎない。彼ら
は"バイスリーギャン"、またの名を"糞尿同盟"や"クソったれ集団"といわれる
秘密結社を立ち上げ、その名の下に彼らは延々とパーティーを繰り返し、バカ騒ぎを
して楽しんだ。彼らはまだティーンエージャーだったので、親と同居していたし、パブ
に入ることすらできなかったので、パーティーのときは街に繰り出さなければならなかっ
た。パブに行く代わりに、ティーンエージャーたちは地下鉄駅構内で飲んだくれて、ヘッ
ドバンギング大会を開催したものだから、乗客らは恐怖に慄くほどだった。バイスリー
ギャンの荒廃した日常の雰囲気を味わってもらうために、当事者達の声をここにあげ
よう。数々の酔っ払い武勇伝を持つ Unleashed のアンデシュ・シュルツである。

　*「当時すべてのことは、ニッケ・アンダソン周辺の集団から起こっていたんだ。ニッ
ケ、フレッド・エストビー、ウッフェ・セーダルンドやその仲間達はスラッシュメタル
のギグでよくつるんでいて、デスメタラーの集団が雪だるま式に増えていったんだ。
しばらくすると、その集団は毎週金曜、土曜夜にストックホルム中央駅の"ザ・マッ
プ"（駅周辺案内図）前で落ち合って、ギャングの様に街に繰り出していた。」* （ア
ンデシュ・シュルツ Unleashed）

　*「80 年代後半にはよくヒッチハイクしてストックホルムに行ったなあ。ストックホルム
に着くと"ザ・マップ"にまず行った。そこにはいつも誰かしらいてね。俺はいつも
Nihilist、Treblinka、Dismember らのバイスリーギャン周辺のメンバーとつる
んでいたんだ。俺達は参加できるパーティーを常に物色していたんだけど、結局最
後は外で飲むというのがお決まりのパターンだった。あるとき Treblinka のユック
の家に行ったんだけど、彼は不在だった。仕方ないから生ぬるいビールを飲みなが
らふきっさらしの中を何時間も外で待っていたよ。当時はそんなことよくあったことだ
なあ。」* （オルヴァー・セーフストルム Nirvana 2002）

　*「1988、89 年辺りに俺がバイスリーギャンに参加したときには、もうその名
称が使われていたんだ。Nihilist、Dismember、Crematory、Afflicted
Convulsion のメンバーらがバカ騒ぎの中心にいた。俺をバイスリーギャンに
誘ってくれたのは、俺の幼なじみのグラント・マックウィリアムスだった。彼は
丁度 General Surgery を始動させたばかりだった。」* （アンデシュ・シュルツ
Unleashed）

「記憶が正しければ、バイスリーギャンは毎週金曜と土曜の夜に、ストックホルム中央駅の乗車券発売所前にあった1、2階をつなぐ階段付近で落ち合っていたんだ。そこには"ザ・マップ"があってね。俺達はよく行ってたんだけど、Afflicted Convulsion のメンバーらは参加者の中でも静かな方だったよ。当時はバイスリーギャンの他に"ザ・ブレーデン・マフィア"っていうカッコいい名前も使われていたんだ。ブレーデン・マフィアの構成員は Nihilist と Dismember のメンバーだった。」（イェスペル・トゥーション Afflicted）

「ギグが企画されるようになると、バイスリーギャンも拡大していった。タービー出身の Treblinka や Expulsion、ウプランズ・ヴァースビー出身の Therion の奴らにも会ったな。気の置けない奴らと出会うことができて幸せだった。当時はエクストリーム・メタルにはまっているのはクールなことではなかったんだよ。誰にも相手になんかされなかった。まして女の子なんて寄ってくるわけもない。だから同士を見つけるために街に繰り出したんだ。俺達はいろんなところに行って、シーンに通じる奴らとつながっていったんだ。」（アンデシュ・シュルツ Unleashed）

「バイスリーギャンの奴らはビール片手に偏狭なティーンエージャーのメタル談義に耽っていたんだ。ブルータルなデスメタルしか認めなくてね。エクストリーム・スラッシュ・バンドの Slayer でさえバカにしていた奴もいたよ。俺達はテクニカル・スラッシュに嫌悪感を覚えていて、"あんなテクニカル・スラッシュなんてクソくらえ、思いっ

ストックホルム郊外で悪ふざけしている Entombed、Carnage などのメンバー。

1989 年の Exodus と
Nuclear Assault の
ストックホルム公演前に
"ザ・マップ"に集結し
た Treblinka とニッケ・
アンダソン。ニッケが
被っている女性ものの
帽子に注目してほしい
──彼がどこかの排水
溝から拾い上げて長い
間使っていた！

ニッケ・アンダソン（Entombed）
とステーファン・ハルヴィック
（Crematory）──1989 年
の大晦日ニッケのアパートでへ
べれけに酔っぱらっていた。

ヨニー・ヘードルンド
（Unleashed）のアパートで正
気を失っているアンデシュ・シュ
ルツ（Unleashed）とマッツ・
ノードラップ（Crematory）。

きりチューニング下げて、奴らをギャフンと言わせてやろうぜ！"なんて啖呵切って
いたもんだったよ。」（イェスペル・トゥーション　Afflicted）

「毎週金曜、土曜夜７時半に"ザ・マップ"に人が集まるようになったんだ。10
人のときもあったし、40人のときもあった。冬場は地下鉄駅構内とか電車の中で
呑んでいて、夏場はどこでも呑んでいたよ。森の中、公園、墓地とかでもな。
ヤーデルの公園で行なわれたパーティーでヨニー・ヘードルンドと出会ってさ、
すぐにでも Unleashed を始動させようと思ったんだ。」（アンデシュ・シュルツ
Unleashed）

「バイスリーギャンの中心人物は Carbonized 周辺だったから、俺達はちょっとそ
の外側にいたんだ。だけど活動には割とよく参加していたよ。俺達は年齢が達して
いなかったから、どこにも入れなかったんだ。だから、屋外で会うしかなかったん
だ。夏はタービーで会って、公園とか森の中にビールとラジカセを持って行ってつ
るんでいた。冬場は地下鉄や電車に乗って、一日中車内で呑んだくれてエクスト
リーム・バンドを聴いていた。特別な時間だったなぁ。」（ヨーハン・エードルンド
Treblinka/Tiamat）

「バイスリーギャン結成当初、俺達は未成年だったから酒を手にいれるのに苦労し
た。よく飲んでいたのは Folköl（18歳でも入手できるアルコール度数が3．5%
未満のスウェーデン産ビール）だったけど、それを手にいれる年齢にも達していな
かったんだ。でも偽造身分証明書とか、何かしらの方法でいつも手に入れていた
けどね。成人に達してる奴が１人でもいれば、そいつがみんなのために大量の酒
を手にいれていたからね。ヨニー・ヘードルンドだけが酒を購入できる年齢に達し
ていたけど、奴はあまりバイスリーギャンに関わっていなかった。だけど、Filthy
Christians が国営テレビ局の番組に出演したときは、奴は高アルコール濃度
のビールを皆に振る舞ったよ。みんなイッちゃってたな！」（アンデシュ・シュルツ
Unleashed）

「次第にバイスリーギャンはストックホルム以外の奴らも巻き込むようになったんだ。
クレイジーな Merciless の奴らと負けず劣らず、彼らのクレイジーな仲間の存在も
初期のバイスリーギャンには不可欠だった。Merciless は音楽性で一目置かれて
いたんだけど、それ以上に彼らはキチガイじみた呑みっぷりでもリスペクトされてい
たんだ！」（アンデシュ・シュルツ Unleashed）

　バイスリーギャンのメンバーは"ザ・マップ"の他に、ストックホルム駅の２階部
分が円周状に大きくくり抜かれた、１階部分を見渡せる場所によく集結していた。そ
こはビョーグリンゲン、通称"ゲイ・サークル"と呼ばれ、古くはゲイ達のハッテン場

ストックホルムへ向かう車中は混沌として
いた。写っているのはパトリック" クロニ
ス" クロンバリ（Treblinka のシャツを
着用）と悪名高きオンケル(" ザ・シット・
マン" としてよく知られている)。その夜
中に Grotesque のトマス・リンドバリは
飲みすぎて病院に担ぎ込まれた。

クレイジーなイェスペル・トゥー
ション（Afflicted)。彼のト
レードマークの Iron Maiden
の T シャツに注目してほしい。

ニューヨークに向かう途中のアンデ
シュ・シュルツとチェルシー・クルー
ク（のちに Expulsion に加入)。バ
イスリーギャンが海外に進出。

壮麗に飾りつけされたベッドルーム
でまったりしているロス・ドーラン
（Immolation)、シャロン・バスコフ
スキ（Derkéta)、ウィル・ラーマー
（Mortician)とヨニー・ヘードルン
ド（Unleashed)。

として有名で、友人と待ち合わせるには格好の場所だった。

「俺にとって、毎週金曜の夜にストックホルム中央駅の悪名高き"ビョーグリンゲン"で、バイスリーギャンのメンバーと落ち合うのは重要なことだったな。エシルストゥーナの奴らは毎週末地下鉄駅構内でたむろして、ビールを飲むためにそこに行っていた。そういえば、チーマーみたいな奴らが俺達に焼きを入れるために、血眼になって探しているっていうウワサは絶えなかったよ。マジやばかった!」（マティアス・ケネード Macrodex/House of Usher）

「1989年に Exodus と Nuclear Assault のギグの前にバイスリーギャンが集結したのを忘れられないよ。Nihilist、Treblinka、それに Nirvana 2002 の奴らはいつものように"ザ・マップ"の周辺でビールをあおっていたら、ユーテボリの奴らが到着してね、奴らは本当にクレイジーだったよ。Grotesque のトンパは飲みすぎたもんだから前後不覚になったんだ。仕方ないから酔いが醒めるまでトンパをコインロッカーの中に閉じ込めた。その夜、彼は急性アル中になって病院に担ぎこまれて胃洗浄の処置が施されたんだ。でもそんなことよくある光景だった。」（オルヴァー・セーフストルム Nirvana 2002）

「時間があればストックホルムに行っていた。特にギグがあったときにはな。俺達は酔っぱらっていたから、ギグに入れないこともあったけど、重要だったのはクールな奴らと会って、パーティーすることだったんだ!」（ダン・スワノ Edge of Sanity/Unisound ＜スタジオ＞）

「ストックホルム以外の奴らがバイスリーギャンに加わると、バイスリーギャンのメンバーも彼らの地元に行くようになった。Merciless の奴らと会うためにストレングネースへ行ったときは結構凄かった。奴らはパーティーの天才だったな! ファーガシュタでギグが企画されるようになると、時間があればファーガシュタに行くようになった。ギグを観れなくてもよかった。重要なのはパーティーすることと乱痴気騒ぎすること。ある夜俺達は終電を逃して、コンロとか冷蔵庫の格納庫のようなところに侵入したんだ。酔っ払ったデスメタラー達が新品でピカピカの機器に突っ伏して寝ている光景は見ものだったな。」（アンデシュ・シュルツ Unleashed）

「正直言って、バイスリーギャンに参加したことをほとんど覚えていない。俺はバイスリーギャンに属していなかった。俺は1人で家に居て、手紙や曲を書いていたんだよ。あいつら自分達がパーティーをやっているときに俺に面倒臭いことさせやがって!」（ニッケ・アンダソン Nihilist/Entombed）

「今でも鮮明に記憶に残っているバイスリーギャンの思い出は、1989年にニューヨークから Immolation と Mortician の奴らがスウェーデンまでやって来たとき

のことだった。彼らは Nihilist の奴らに会いに来たんだけど、すぐにバイスリーギャンに呑み込まれていったよ。その夜バイスリーギャンらは、ストックホルム近郊のミッドソマルクランセン駅で、ベロンベロンに酔っぱらって、ラジカセからデスメタルを大音量で流していたんだ。やりたい放題の俺達に彼らは相当カルチャーショックを受けたみたいだった。でもおまわりにパクられたり、ボコられたりしないで済んだんだ。想像してくれよ、酔い潰れて騒いでいる 40 人のティーンエージャーの前で、恐怖に慄いている乗客達の姿をな!」

「1991 年にはバイスリーギャンのおふざけは悪名高く有名となり、フォトグラファーは俺達の行動に密着していた。そのフォトグラファーはのちに大型文化施設 Kulturhuset で個展も開いた。凄いよなぁ——酔っ払ったデスメタル・ティーンエージャーがアートになったんだよ!」（アンデシュ・シュルツ Unleashed）

　酔っ払いのデスメタルキッズがアートになるなんて、変わっているし、素晴らしいことだと思う、そうだろ？　バイスリーギャンの狂乱の日々が世界中の展覧会で披露されるべきだと思う。このように青春を思い切り謳歌していたバイスリーギャンのメンバーが年齢を重ねていくと、ストリートから消えていった。90 年代初頭、"ザ・マップ"があった場所にコインロッカーが設置され、ストックホルム中央駅から撤去されてしまった。しかし、バイスリーギャンが消滅した後も、ビョーグリンゲンはいまだにそこに存在している。

「バイスリーギャンはパブに潜入しようとしたけど、俺達の大半は未成年で入れなかった。だけど、俺達を入れてくれる怪しげなところもあった。最初に見つけたのは聖エリクス通りにあった Kloster Pub と Pinocchio だった。その後、リングヴェーゲンにあった Snövit も入れてくれた。俺達が 18 歳になったとき、ドロットニン通りの Cityhallen でつるむようになった。Snövit は俺達の行きつけの店になって、店の地下ではデスメタルのギグが行なわれるようになった。」

「バイスリーギャンは 1992 年まで結束していたけど、俺達がパブに入れるような年齢になったら空中分解したんだ。多くのバンドはツアーやレコーディングで忙しくなっていったから、俺達は卒業したんだよ。自分のアパートを借りて、仕事に就いて、彼女ができたりすると背負うものができるだろ。それまでは一緒につるんで、バカ騒ぎすることしかできないただのガキだった。バイスリーギャンの一味であったことは人生の中で思い出深いなぁ。超過激で、エネルギーとか、創造性に満ち溢れていたんだ。もうそんな体験できないだろうなぁ。」

「考えてみると、俺はデスメタルにはまって幸せだった。シーンに入っていなかったら、しみったれた田舎から抜け出す術なんてわからなかったかもしれない。デスメタ

ルは現状を打破して、クールな奴らと出会うきっかけを与えてくれた。もし、デスメ
タルに出会わなかったら、地元のパブに入り浸って、同級生と同じような惨めな人
生を歩んでいたかもしれない。ちょっと脳にダメージを受けたかもしれないが、デス
メタルは俺の人生を救ってくれたんだ!」（アンデシュ・シュルツ Unleashed）

スウェーデン国内に波及したムーヴメント

　Morbid、Nihilist、Treblinka、Dismember らによって、スウェディッシュ・デ
スメタル・ムーヴメントが起きた。特に革新的な Nihilist の音源は全スウェディッシュ・
シーンに侵食し、間もなく多くのバンドがデモテープを作り始めた。しかし、ストック
ホルム以外のスウェーデンの地方都市では、デスメタラーはほとんど存在せず、孤
独で隔絶されていた。

「ストックホルム以外の都市では、デスメタル・シーンの規模は極めて小さかった。
サンヴィーケンには Sorcery、ストレングネースには Merciless、ゴットランド島に
は Grave、ヴェクファには Carnage、エシルストゥーナには Macrodex、ユーテ
ボリには Grotesque がいたぐらいだった。地元に自分以外にエクストリーム音楽
が好きな奴がいたらラッキーだったよ。」（トマス・リンドバリ Grotesque/At the
Gates/Disfear）

　既にデスメタルをプレイしていたバンドといえば、ヴィスビーの猛者 Grave であ
ろう。1989 年初頭に Graveyard Studio でレコーディングされたデモテープ
『Sexual Mutilation』はこの 3 人組にとって大きな一歩だった。そこには、凄まじ
くドゥーミーなリフ、野太いグロウル・スタイルのヴォーカル、そして真正デスメタルの
雰囲気が充満していた。『Sexual Mutilation』は上出来だったものの、Nihilist
が持つ驚愕するようなクオリティーを誇っていたわけではなかった――彼らに足りな
かったものはいったい何だろうか？ リフや楽曲のアレンジは少なからずスラッシュ然と
していたが、重厚感たっぷりだったのは明らかだった。

「俺達はもっとエクストリームさを取り入れようとしたけど、自分達がどういう方向性
を目指していたかなんてわからなかった。膝を突き合わせて"デスメタル・バンドを
やろう"なんて話し合ったこともなかった。自然の流れだった。俺達のデモテープ
の中で、『Sexual Mutilation』はいまだに好きだなぁ。ちょっと個性的だからな。」
（オーラ・リンドグレーン Grave）

　Grave は同年、デモテープ『Anatomia Corporis Humani』でバンドとしての
成長を見せた。超ブルータルで、楽曲には独特なスウェディッシュ・デスメタルの感
触が表現されていた。ストックホルム・スタイルが Grave のサウンドにも影響をもた

らし、楽曲の完成度が高まった。分厚くグルーヴィーなリフ、タイトなサウンド、巧みなアレンジは驚嘆に値する。

「最後のデモテープはかなり大胆だった。極限までダウン・チューニングされて、超ブルータルで、ヴォーカルにはエフェクターがかけられていた。俺達は Carcass の『Symphonies of Sickness』に凄くはまっていたから、"Carcass 時代"を通っていたんだと思う。」（オーラ・リンドグレーン Grave）

　この時期に登場したもののアンダーグラウンド・シーンから世に知られずに終わってしまったバンドとして、エシルストゥーナ出身の Macrodex が挙げられる。エシルストゥーナは No Security を代表としたクラスト・パンク・シーンで有名である。そんなエシルストゥーナで Macrodex も 1988 年に超強力なデモテープである『Who Cares?』をリリースし、Cruelty というクロスオーヴァー・バンドとして始動した。

「Macrodex はもともと 1988 年にブルータルなハードコア・バンドとして始まったけど、バンド名を改名するとメタルに近づいていったんだ。最初は Slayer や Bathory とか既に確固たる地位のあったバンドに影響を受けていたんだけど、テープ・トレーディングを始めるようになったら、Immolation や Morbid Angel によって新しい世界が開かれたんだ。俺達はデスメタル要素を取り込んで、スラッシュ要素を浄化していった。」（マティアス・ケネード Macrodex/House of Usher）

　Macrodex はバンドとして高いポテンシャルを示した。彼らのデビュー・デモテープ『Disgorged to Carrion』は 1989 年初頭に地元のスタジオでレコーディングされ、激しく猛烈なデスメタルが展開されていた。多くのバンドのように、スラッシュ要素が垣間見られ、音像は明瞭で、重いベースラインが唸っていた。Macrodex の強烈なメタルは Dark Angel のそれに近く、ドラマーは攻撃的で果敢なスタイルを誇っていた。本当に素晴らしいデモテープだった！ その後、6 月 22、23 日に Skyline Studio でレコーディングが行なわれたデモテープ『Infernal Excess』はこれまでと同様のスタイルを踏襲し、Macrodex はエクストリーム・メタル界で将来が約束されたバンドの一つと評価されることとなった。しかし、クオリティーは高かったものの、彼らの存在は闇に葬られていたも同然だった。

「デモテープの仕上がりは本当に良かった。当時もっと注目されるべきだったバンドを挙げるならば、Macrodex だろうな。」（マッティ・カルキ Carnage/ Dismember）

　1988 年 2 月に結成されたファーガシュタ出身の Suffer も 1989 年当時攻撃性溢れるスラッシュをプレイしていた。約 2 年に及ぶリハーサルの後、彼らは 1989 年 12 月 9、10 日に Fragg Studio に入り、デモテープ『Cemetery

Side I

Intro:"The Desolation"
Granulate Sorcery
Intense Brainconvulsions

Side II
Cemetery Inhabitants
Reduced From Life

Recorded in StudioFragg 9-10 of
december 1989.

Thanx to Jukka Hietala, Coolman,
J.O., and Pontus. E.

Cover layout by Ronny Eide and
Suffer.

Death Is An Art

SUFFER:CEMETERY INHABITANTS

SUFFER:
Attn. JOAKIM OHMAN
SKOGSVAGEN 8 A
773 00 FAGERSTA
SWEDEN

CEMETERY INHABITANS

時計回りに左上から：
・Macrodex のデモテープ。
・Grave の『Sexual
Mutilation』。
・Suffer の『Cemetery
Inhabitants』——不吉なテー
プ。
・デスメタル・シーンにいた
ころのマティアス・ケネード
（Macrodex）。

Nirvana 2002。

Inhabitants』をレコーディング。このデモテープで聴かれるサウンドは Exodus や
Kreator 影響下の混沌としたスラッシュメタルだったが、デスメタル・シーンとリンク
するには十分な激しさがあった。その後、2 枚のシングルと 1994 年には CD をリ
リースしたが、当時のシーンでは極限のブルータルさが求められるようになっていた
ため、彼らよりもエクストリームなバンド群の陰に隠れることになった。彼らはいいバ
ンドだったし、1990 年のギグは印象的だった思い出がある。

　1988 年、北部の街イェーツビン出身の 3 名の若者、オルヴァー・セーフストルム、
エリック・クヴィック、ラーシュ・ヘンリクソンはエクストリーム・メタルにはまり、バン
ドを始動させた。当初、セーフストルムとクヴィックはファンジン『Hang'em High』
を出版していたが、そのうちに自分たちの思い描くサウンドを再現したくて、テープに
レコーディングすることを思い立った。当初のバンド名は Prophet 2002 だった。
「*エリックと俺はファンジンと同時期にバンドも始めた。1988 年に Fryshuset で
行なわれた Slayer のコンサートでいろんな奴らと出会ったから、その 8 月からす
べてが始まったんだ。*」（オルヴァー・セーフストルム Nirvana 2002）（訳者註：
Fryshuset での Slayer のコンサートは実際には 1988 年 9 月 8 日に行なわれた模様。https://
www.setlist.fm/ 参照）
「*地元で俺達 3 人以外にデスメタルにはまっている奴は、あと 1 人いただけだった。
そいつっていうのが、のちにウステルスンドに引っ越しして Celeborn を結成する、
ローベット・エリクソンだった（彼はその後、ドラマーとして The Hellacopters
に加入した）。スウェーデンの小さな町でメタルにはまっている奴は多くいたけど、*

スラッシュ以上に過激な音楽性を求めていたのは俺達ぐらいだった。」（オルヴァー・セーフストルム Nirvana 2002）

　彼らはバンド名を Nirvana に改名するが、著作権問題に発展するのを回避するため、以前使っていたバンド名最後の部分の "2002" を加え、1989 年にNirvana 2002 と変更した（Entombed『Left Hand Path』のサンクス・リストには、Nirvana の名がクレジットされているが、もちろんこちらの Nirvana 2002 のことを指している）。彼らはまだ発展途上ながらも音源のレコーディングを始めた。まず「Truth & Beauty」と「Brutality」の 2 曲を 4 チャンネルのポータブルミキサーで録音した。超粗削りながら、Nirvana 2002 はブルータルさを武器に地元のバンドと一線を画すようになった。この最初のレコーディングの後、きちんとしたレコーディング機材を使用し、「Watch the River Flow」と「Excursion」の 2 曲を録った。

「デスメタルが俺達の人生のすべてだった。ファンジンを出版し、リハーサル音源をレコーディングし、気の合う奴らとつるむために暇さえあればストックホルムまでヒッチハイクしていた。クソ真面目にやっていたわけではなくて、気の赴くままやっていたにすぎなかった。」 （オルヴァー・セーフストルム Nirvana 2002）

　一方、シーンに影響力をもたらしたバンドはユーテボリ出身の Grotesque である（彼らについては本書の他の箇所も参照のこと）。1989 年にドラマーのヨーハン・ラーゲルとベーシストのダーヴィド・ハルテンが脱退したため、バンド内はごたごたしていたが、クリスティアン・ヴォーリーンとトマス・リンドバリは、何人かのヘルプを雇い、2 人のプロジェクトとしてバンドを存続させた。その直向きな 2 名の若者は人知れずリハーサル・テープを録音した。その音源の中には、トマスがドラマーを務め、「Incantation」の原型となった楽曲「Ascension of the Dead」や『4/7-89』という名で知られているデモテープもあった。Grotesque が次にレコーディングしたデモテープは、のちに『The Black Gate Is Closed』として知られる傑作『Blood Run from the Altar』である。音楽的な成長を見せ、彼らの強烈なブルータルさはユーテボリ周辺エリアのどのバンドよりも一歩抜きん出ていた。収録曲は少なかったものの Grotesque の名をシーンに知らしめるには十分だった。

「多くの奴らがそのテープ（『Blood Run from the Altar』）を持っていた。その音源はテープ・トレーディング用だったからオフィシャルのインデックス・カードは作らなかった。沢山ダビングして、インデックスが欲しい奴だけには送っていたんだ。俺達は自分達が満足できればそれで十分だった。」 （トマス・リンドバリ Grotesque/At the Gates/Disfear）

　コンスタントに発表したリハーサル音源の中には、「Blood Run from the

左から：
・Grotesque『The Black Gate Is Closed』の貴重なテープインデックス。
・Grotesque ポーズ（俺が持っている超レアな Grotesque のミニアルバムからの写真——このレコードは一度しかプレイしていない！）

Altar」のレコーディング前後に録音したものであると明らかだった「Fallen to Decay」も含まれていた。また例の如く、テープのインデックス・カードも何種類か作られただけだった。同時期に、ミニアルバムのオファーを受けた彼らは、1989年11月に Pagan Studio に入りそれらの楽曲をきちんとした形でレコーディングした（これらの音源は『In the Embrace of Evil』に収録されている）。

「*当時はミニアルバムを作るなんて話は出てなかったんだ。その中の2曲は『Incantation』に収録されることになった。だいぶあとになってすべての曲をCDに収録して、曲順を正して、イントロも加えたんだ。*」（トマス・リンドバリ Grotesque/At the Gates/Disfear）

　Grotesque の活動は活発ではなかったものの、スウェーデン国内での地位を確立した。Grotesque は他のバンドと一線を画す粗暴で、生々しく、限界まで極めた独自の残虐スタイルを追求していた。リフはテクニカルであるものの直球スタイルで、音楽性も独特の雰囲気を持っていた。加えて、エモーショナルなトマス・リンドバリの咆哮と悪魔主義的歌詞によって彼らは唯一無二の存在となっていた。

「*他の奴らがどんな風に考えているかなんて俺達は全く関心もなかった。俺はカッコいいと思ったリフを書き、トンパは自分がクールだと思ったヴォーカルと歌詞を生み出したまでだ。俺達は必然性に駆られて作っていたんだ。正式なデモテープと言えないかもしれないが、それらの音源をレコーディングする必要があったんだ。*

左から：
・Carnage のデモテープ。
・当時のスラッシュメタル・ギグのフライヤー。しかし、スラッシュ・バンドは絶滅危惧種になりつつあった。

レーベルに送り付けたこともなかったし、アルバムを作ろうと思ったこともなかった。」（クリスティアン "ネクロロード" ヴォーリーン Grotesque/Liers in Wait/Decollation）

　しばらくすると Grotesque は活動を休止し、Nihilist のライバルではなくなった。代わりに台頭したのはヴェクファ出身の Carnage だった。彼らはデスメタルの真髄を心得ていた。Carnage は 1988 年にパンク・バンド Disaccord を脱退した才気溢れるギタリスト、マイケル・アモットによって結成された。彼の父親はイギリス出身のため、80 年代中期はイギリスを訪れる機会が多く、エクストリーム・パンク・シーンに触発されるようになっていった。

　彼は Napalm Death のビル・スティアーと知り合いとなり、スティアーの音楽的方向性に共感を覚えるようになっていった。Carnage のデビュー・デモテープ『The Day Man Lost』では、スティアーの所属していたバンド Carcass の音楽性と相通じるものだったのは驚くべきことではないだろう。実際、この音源では、サウンド、リフ、ヴォーカル・スタイルに Carcass の影がそこかしこにちらついている。

「ビル・スティアーは多くの奴らやバンドに絶大な影響をもたらした。今やエクストリー ム・メタルでよく使われている 2 音半下げチューニングをやったのは彼が最初なん だ。彼は印税を受け取るべきだよな! もちろん彼は Carnage に影響を与えたよ。」 （マイケル・アモット Carnage/Carcass/Arch Enemy）

　この時期、アモットは Napalm Death と Carcass への加入をオファーされてい た。1 枚目の Carcass のサウンドにはえげつなさが極限まで凝縮されていたが、 彼らを凌駕できると感じたアモットは自身のバンド Carnage で続けていくことを選択 した。1 本目のデモテープにおいてオリジナリティーはほとんどみられなかったが、 次作『Infestation of Evil』ではより個性的となった。この 2 本目のデモテープは Carcass の混沌さと、Nihilist によって確立されたスウェディッシュ・デスメタル・ サウンドが融合されていた。この時期には、演奏技術が追い付かなかったイェッペ・ ラーションに代わり、解散した Dismember からフレッド・エストビーが加入し、バン ド内のラインナップは落ち着いていた。Carnage にはさらに元 Dismember のメン バーも加入することになった。Dismember から Carnage に加入したエストビーは 当時相当カルチャーショックを味わっていた。

「なにもかも揃っていなくてね。俺は彼らのバンドに加入するために、ヴェクファに 少しの間住んでいたんだ。でもストックホルムよりも環境が良くないってすぐわかっ た。Dismember ではバンド活動するための環境が整っていて、きちんとしたリハー サル場所も借りていたんだ。だけど、彼らは惨めなくらい酷いユースセンターでリハー サルをしていた。大音量でプレイできなかったから、本当に上手くいかなかったよ。 だから Carnage と作ったデモテープは、ヴェクファにある彼らの友人の家でレコー ディングした。俺はドラムマシーンを使ってレコーディングをしなければならなかった んだ。マイケル・アモットと Carnage は当時はきちんと活動できていなかったんだ よ。」（フレッド・エストビー Dismember/Carnage）

　多くのバンドが加わり、デスメタルがスウェーデン全土を掌握していった。 特に 1989 年、ウステルユートランド地方で多くのエクストリームなデモテー プ が 産 み 落 と さ れ た 。 ム ー タ ラ か ら は Metroz の『Brain Explosion』と Toxaemia の『Kaleidoscopic Lunacy』、リンシューピングからは Orchriste の 『Necronomicon』、ソーデルシューピングからは Allegiance の『Sick World』 が世に発表された。これらのバンドは注目されることはなかったが、アンダーグラウ ンド・シーンは広がりを見せていたのである。

ストックホルム・シーンの制圧

　ストックホルムでは劇的なことが起こりつつあった——しかし、Carnage にとっては、起こるべくして起きたことといえた。1989 年末、彼らがストックホルムに活動拠点を移すとすぐに、レコード契約を手にしたのである。レコード契約に至るにはまだ未熟なものの、将来を約束されたバンド Afflicted Convulsion も 1988 年、遊び盛りのティーンエージャーによって結成された。

　「俺達はストックホルム南部アービー／エルブシェで暇していたキッズだったんだ。バンドには入っていたけど、エルブシェベーデにある地元市民プールでステージダイブしたり、友人の部屋で Kreator をオカズにしてノリノリにモッシュしていた程度だったんだ。最初は Reptile、次に Defiance というバンド名で活動していた。1988 年に俺達はスラッシュメタルよりも激しいやつを知って、Afflicted Convulsion として始めた。1989 年にヨアキム・カールソンとヤーシン・ヒルバリが加わってから活動に本腰を入れるようになった。」（イェスペル・トゥーション Afflicted）

　1989 年、Afflicted Convulsion は積極的にリハーサルを行い、『Toxic Existence』や『Psychedelic Grindcore』などをレコーディングした（リハーサルの模様を収録したもの）。粗末なウォークマンで録音したものだったが、バンドのポテンシャルは高かった。彼らは "サイケデリック" なグラインドコアを目指し、「Batman」テーマ曲をブラストビート・ヴァージョンで演奏するといった一風変わったセンスも持っていた。1989 年 12 月に『Psychedelic Grindcore』をレコーディングするころには、Afflicted Convulsion はデスメタル界の Voïvod と言われるまでに進化していた。

　「俺達はバンド活動には真面目に取り組んでいて、少なくとも週 3 回はリハーサルをしていたよ。最初はティーレーソー地区で Crematory とリハーサル室をシェアしていたんだ。ネッカ地区のアルファイデーンという場所に拠点を移すと、Dismember と Entombed とリハーサル室をシェアするようになった。俺達の最後のリハーサル室はテレフォンプランという場所にあって、Grave とシェアしていたよ。」（イェスペル・トゥーション Afflicted）

　ストックホルム出身の Therion も 80 年代後期に音楽性が変化したバンドである。バンドの中心メンバーである、クリストフェル・ヨンソンは 1987 年にスラッシュメタル・バンドをスタートさせた。

　「1987 年に Blitzkrieg という名で活動を始めたんだ。当時は 3 人組で俺はベース担当だった。俺達はド素人で、目指していたのは初期の Metallica、

PSYCHEDELIC
GRINDCORE
OFFICIAL REHEARSAL -89-

時計回りに左上から：

・古き良き時代のフライヤー。

・Afflicted Convulsion の混沌とした 1 本目のデモテープ。

・『Psychedelic Grindcore』——"サイケデリック"であることをよく表している。

・1988 年頃の Afflicted Convulsion。つるむだけのためにいつもどこかに侵入していた。

Motörhead、それに Venom だった。1 年後、バンド名を Megatherion と少しの間だけ名乗った後に、Therion と改名した。俺がギターを担当することになると、Slayer からの影響が強いデスメタル・バンドに変化した。」（クリストフェル・ヨンソン　Therion）

　1989 年 3 月と 4 月 Therion は Sveasträng Studio でデビュー・デモテープ『Paroxysmal Holocaust』のレコーディングに取り掛かった。Therion の 1 本目のデモテープは、Nihilist や Carnage の音源と比べるとオリジナリティーやデスメタルっぽさはそれほど感じられなかったが、凄まじい破壊力とアイディアで満載だった。

　「『Paroxysmal Holocaust』を学校の地下核シェルター内部にあった無料の Sveasträng Studio でレコーディングしたんだ。Afflicted Convulsion もそこでレコーディングしていたと思う。でもそのスタジオにいた奴は、音作りとかよくわかっていなかったな。それ以上に俺達は何も分からなかったから、残念な結果に終わってしまった。4 曲録ったけど、そのうちの 1 曲「Animal Mutilation」の出来は悲惨だったから、デモテープに入れなかった。レコーディングとミックス作業は半日で仕上げたんだ。」（クリストフェル・ヨンソン　Therion）

　このような不自由さ極まりない状況下にあったにもかかわらず、『Paroxysmal Holocaust』の素晴らしいクオリティーには驚愕するしかない。この音源に参加して

"Beyond the Darkest Veils of Inner Wickedness"

New Studio Demo Out Now. Available for $4.00 in Europe

and $5.00 outside of Europe (both prices include postage).

Write NOW to THERION

Vårbergsvägen 143

S-127-41 Skärholmen

SWEDEN

Therion の昔のロゴ。　　　シンプルな Therion の 2 本目のデモテープのフライヤー。

いたのはその後 Dismember にヴォーカリストとして加わったマッティ・カルキだった。
また、これは彼の初レコーディング作品だった。

「俺の友人が Therion に最初に参加したんだけど、クリストフェル・ヨンソンと折り合いが悪くてね。そいつが自分の代わりに Therion に参加したらどうかって、俺に勧めたんだ。俺は歌ったこともないって言ったんだけど、そいつは Therion では歌うのではなくて絶叫するだけだったって言い張るんだ。それで曲を覚えるために何度かリハーサルに参加したら、俺のスタイルを彼らは気に入ったみたいだった。それでバンドに入ったわけさ。それ以来、俺はデスメタル・ヴォーカリストなんだ。俺がヨンソンに愛想を尽かしてバンドを脱退するまで、Therion とデモテープを 1 本作成した。奴は変わり者なんだよ。マジで。」（マッティ・カルキ Carnage/Dismember）

　Therion の次作では、クリストフェル自身も全く想定外のヴォーカルを担当することになった。

「実際俺の歌はダメだったし、やりたくはなかった。マッティの代わりのヴォーカリストを探していたんだけど、見つからなかったから、自分で試しに歌ってみたんだ。ヴォーカルをこれからレコーディングするっていうその夜に俺は酷い頭痛になった——だから贅沢なことに 2 日間もスタジオを使うことになったよ。俺が低音で歌っているのは、高音で歌うと頭が割れんばかりに痛かったからだよ！俺達は金がなくて、それ以上スタジオに留まるわけにはいかなかった。他のメンバーはあまり満足していなかったから、ヴォーカルを引き続き担当するためには彼らに認めてもらわないといけなかったよ。」（クリストフェル・ヨンソン Therion）

　他のメンバーが何故クリストフェルのヴォーカルにダメ出しをしたのか理解できない——クリストフェルのヴォーカルは凄く良かったと俺は思っている。多分クリストフェルのヴォーカルはリヴァーヴを通して超低音で唸っていた感じだったため、当時としては過激すぎたのかもしれない。とにかく『Beyond the Darkest Veils of Inner Wickedness』では、臨場感たっぷりのソロと卓越した楽曲構成がブルータルに絡み合い、バンドとしての成長を如実に顕わしていた。ヘヴィーなパートは特に Hellhammer の方法論を踏襲し、圧巻だったといえる。このデモテープは聴き手に不思議な感情を想起させた。Therion の 1 本目のデモテープと同様、神憑り的に突出したクオリティーだった。

「ボロボロで酷いスタジオで録音したんだけど、エンジニアの奴は仕事もしないでずうっと電話をかけていて凄く興味なさそうに振舞っていた。彼はアドバイスなんて一切くれなかった。それもそのはずで、当時のスウェーデンでは Thunderload と

Sunlight Studio 以外で、デスメタルを知っている奴なんていなかったからな。1
本目のデモテープと同じく、4 曲レコーディングしたんだけど、そのうちの 1 曲の出
来栄えは酷かった。」（クリストフェル・ヨンソン Therion）（「Genocide Raids」
は 2 年後 1 枚目のアルバム・リリース時に収録された）。

「楽曲に関していうと、シーンに挑戦状を叩きつけたようなものだった。俺達は常
にチャレンジを恐れないでやってきたし、今日まで Therion が存続しているのはそ
の姿勢を忘れないからなんだ。バックグラウンドにはクリーンなコードを使ったメロ
ディックなギター中心のアウトロをレコーディングしたし、「Megalomania」の最
初のパートで聴かれるようないくつかの変則的なことも試したんだ。」（クリストフェ
ル・ヨンソン Therion）

　Therion の他に、ストックホルム出身で、オリジナリティーを持つバンドは
Carbonized が挙げられる。ラーシュ・ローセンバリ（のちに Entombed や
Therion にも参加する）によって結成されこのバンドは長い間彼を中心に活動してい
た。Carbonized はメンバーチェンジが激しかったにもかかわらず、ローセンバリが
常にバンドの方向性を定めていたので、ブレることはなかった。

　1989 年 9 月、Carbonized は多くのスウェディッシュ・デスメタル・バンドが贔
屓にしていた、スタジオ使用料無料の Sveasträng Studio でデビュー・デモテー
プ『Au-To-Dafe』をレコーディングした。Carnage や Nihilist と比べると、録音
状態に粗っぽさが残っていたし、プリミティヴでもあった。しかし、彼らの熱意はひし
ひしと伝わり、楽曲には超絶グラインド・パートも存在した。また、初期スウェディッ
シュ・デスメタル・シーンで名が通っていたマッティ・カルキのヴォーカルの効果も絶
大だった。

「Therion を辞めた後すぐ Carbonized に参加したんだ。俺達はバンド活動に熱
心だったけど、俺にとっては Carbonized はデスメタル・バンドではなかった。まあ、
Morbid Angel のファースト・アルバムには影響を受けていたけどな。」（マッティ・
カルキ Carnage/Dismember）

　1989 年最後にデモテープをレコーディングしたスウェディッシュ・デスメタル・バ
ンドは Crematory だった。彼らは過小評価されていたものの、超強力なバンドであっ
た。彼らは 80 年代が終わる数日前に、Grottan Studio で『The Exordium』
をレコーディングし、リリースした。Grottan Studio は Sunlight が Nihilist や
Entombed で有名となる前にスウェディッシュ・デスメタル・バンド御用達のスタ
ジオだった。デモテープ『The Exordium』はスウェディッシュ・デスメタル史上
最もブルータルな作品に数えられると俺は思っている。確かに彼らには Nihilist や

Dismember のあの独特なギターサウンドが見当たらず、楽曲も典型的なデスメタルとは言い難い。しかし、Crematory には多くのスウェディッシュ・デスメタル・バンドが体現できなかった生々しい重厚感に溢れていた。楽曲には一捻りも二捻りあって、ヴォーカルは喉の底から絞り出すような轟音で、ドス黒い雰囲気を醸し出していた。当時、俺は彼らのデモテープにはまっていて、彼らは将来のシーンを担う存在になると確信していたが、実際そうはならなかった。

　それでは、1989 年のデモテープ・シーンの総括を、Entombed の金字塔的デモテープである『But Life Goes On』で締めくくることにしよう。この傑作は 9 月 23、24 日 Sunlight Studio でレコーディングされた。

「*Sunlight に戻ったのは Treblinka のシングルがそこでレコーディングされたからだよ。そのサウンドは強烈でね。スコックスバリにもう一度チャンスを与えたんだ。*」
（ニッケ・アンダソン　Nihilist/Entombed）

　エンジニアのトマス・スコックスバリは、再編成され生まれ変わった Entombed が何を求めているのかをわかっていた。そして、Entombed はスウェディッシュ・デスメタル史上最高のデモテープを作り上げたのである。

「*『But Life Goes On』は Nihilist が解散してからすぐにレコーディングされたんだ。アレックスは当時勉強で忙しかったから、俺とウッフェとラーシュですべてを*

再結成した Carbonized のメンバーがライブハウス Ultrahuset で暫しの休息

The Exordium

ENTOMBED
»But Life Goes On«

時計回りに左上から：

・Carbonized の素晴らしいデモテープ。

・Crematory──スウェディッシュ・デスメタル
で最も過小評価されているバンド。

・Entombed のデビュー・デモテープ。

・Entombed 結成直後に撮られた写真のうち
の１枚。

・コンピレーション・テープ……懐かしいよな？

作った。ウッフェと俺はすべてのギター
とベースのパートをプレイしているん
だ。」（ニッケ・アンダソン Nihilist/
Entombed）

「Nihilist が解散したあと、ニッケと
俺は新しいバンドの構想を練ってい
た。Entombed の第 1 期メンバーは
俺とニッケだけだったし、他の奴らを
入れるなんてまだ考えていなかった。
俺達はリハーサルを一度やって、3 曲
書いて、レコーディング費用を捻出す
るために俺は 1 か月間働いた。俺と
ニッケの 2 人でスタジオに入ったんだ
けど、1 週間後にラーシュに連絡をし
て、ヴォーカルに興味があるかどうか
聞いてみた。最初はラーシュにベース
を弾いてもらうことを考えていたから、

プロデューサーのトマス・スコックスバリ。

Entombed は当初 3 人組だったん
だ。」（ウッフェ・セーダルンド Morbid/Nihilist/Entombed/Disfear）

『But Life Goes On』のジャケットにはアレックスとダーヴィドの名前の記載がある
ものの、2 人は Entombed のメンバーではなかった。『But Life Goes On』のサ
ウンドは超ブルータルだったが、クリアーで綿密に計算されていた。Entombed のト
レードマークとなるギターサウンドはより強靭となり、高速ビート、バックビート、D ビー
ト、ブレイク、スローパートなどを駆使し、多様性に富んだ楽曲がそこにあった。完
璧といえるほどだったギターソロパートは楽曲のクオリティーを向上させた。それ以上
に、ラーシュのヴォーカルは、このデモテープで最高のパフォーマンスを発揮してい
る。低音のグロウル・スタイルのヴォーカルに、天性ともいえるべき断末魔の咆哮を
あげている。もう Entombed の快進撃を食い止める者はいなかった——Earache
との契約に至ったのはそれからわずか数週間後だった。

「スコックスバリと Sunlight Studio には何かが起こったに違いなかった。という
のも、それまでレコーディングしたどの作品と比べても凄く良くなっていたからな。
多分彼はデスメタルの本質を理解し始めていたんだと思うし、すべてのことが上手く
進んだんだ。」（ニッケ・アンダソン Nihilist/Entombed）

スウェディッシュ・デスメタルは海外でも認知され始め、Entombed は全世界の
デスメタル・ムーヴメントにおいて最も称賛された、オリジナリティーを有するバンドと
して時代の寵児となった。バンドのラインナップには元 Nihilist のメンバーで友人の
アレックス・ヘリッドと、解散した Dismember のダーヴィド・ブロムクヴィストが加わっ
た。彼らの将来は約束されたようなものだった。

**「俺は Entombed を Nihilist と同じぐらい心底好きだったし、それに多くのストッ
クホルム出身のバンドも好きだった。ストックホルムはスウェーデンのデスメタル・
シーンを牽引し、ここから出てくるバンドはすべて素晴らしかった。その頂点に君
臨していたのが Entombed だった。」**（トマス・ニークヴィスト 『Putrefaction
Mag』誌 /No Fashion <レーベル> /Iron Fist Productions <レーベル>）

スラッシュメタルの最期

　ブームとなったデスメタル・シーンでは山のようにデモテープが制作され、多くの
ストーリーが展開されていたが、若いミュージシャンの間ではスラッシュメタルへの興
味が失われたわけではなかった。デスメタル・ブームがオールドスクールのスラッシュ
メタル・バンド群を全滅させるまでには 1 年の猶予があった。それではデスメタル・ブー
ムの中にあっても、果敢に突き進んでいたいくつかのスラッシュメタル・バンドについ
てみていこう。1989 年にスウェーデンでレコーディングされた最初のスラッシュメタル
のデモテープは、1 月 7、8 日に Svängrummet Studio で録られた Mezzrow
の『The Cross of Tormention』である。Testament や Exodus などの正統
派スラッシュメタルを目指していたが、歌詞を比較的明瞭に発声するヴォーカルに
Anthrax 風のバッキングヴォーカルというスタイルのため、この類のサウンドは時す
でに時代遅れと捉えられていた。

　それから 1 年後の 12 月 29、30 日、ファールンのスタジオ Musikstugan でレ
コーディングされた Tribulation の『Void of Compassion』はより新鮮味のある
スラッシュを目指したものだった。Tribulation は消滅しつつあったスラッシュメタル
のジャンルに復興の狼煙を上げるべく、息を呑むようなテンポ・チェンジや変わった
ハーモニー、粗っぽくヤケクソなヴォーカル・スタイルを融合させようと懸命だった。
Tribulation は、Carcass や Entombed とライブで対バンするなど、スウェーデン
のシーンにおいては不可欠な存在だった。しかし、彼らの音楽性は怒涛のように押し
寄せるデスメタル・ブームには太刀打ちできなかった。

　Tribulation のレコーディングが終わってから 1 週間後、Hatred が Tribulation
と同じスタジオで『The Forthcoming Fall』のレコーディングをし始めた。

時計回りに上から：

・Mezzrow──スラッシュメタルに固執していた。

・Harvey Wallbanger のデモテープ。

・Thrash Bash 6 のフライヤー。

・Tribulation──クロスオーヴァーの"王者"。

Tribulation はスラッシュというジャンルを伸展させようとしたが Hatred は伝統的な様式にこだわった。激烈なスラッシュメタルで攻撃を仕掛けることに成功したが、あと数年早ければ、世界中から注目されたかもしれないと思うと残念でならない。リフは明確でキャッチー、クオリティーが高かったことは言うまでもない。しかし、いかにHatred のクオリティーが高くても、スラッシュの時代は終わっていたのだ。ヴォーカルのトマス・ルンディンは Hexenhaus に参加したことでスラッシュメタル・バンドでの活動を継続させたが、状況は変わらなかった。他のメンバーはデスメタル・ブームの波に乗った――ヨーハン・ヤンソンとソニー・スヴエードルンドは Interment を結成し、ケネト・ヴィクルンドは Centinex に参加した。大半のスウェディッシュ・スラッシュメタル・バンドはデモテープを発表しただけにとどまったが、80 年代後期には少数であったもののいくつかのバンドはレコード契約を勝ち取ることができた。スウェーデンからは多大な影響をもたらすスラッシュメタル・アルバムは産出されなかったが、何枚かのアルバムは注目に値する。

　80 年代にリリースされたスウェディッシュ・スラッシュメタル・アルバムの中でも傑作だったのは、1987 年 9 月 Silence Studio でレコーディングされた Agony の『The First Defiance』だった。1988 年 Under One Flag レーベルによってリリースされたこのアルバムでは高いポテンシャルと演奏能力が証明されていた。プロダクションは絶品で、リフのクオリティーは期待以上だった。唯一足りなかったものといえば、攻撃性だった。メタルに鞍替えする以前のパンク寄りのアプローチを保っていたならば、素晴らしいバンドになっていたに違いない。しかしそれでも、アルバム最後の収録曲の「Deadly Legacy」で聴かれるように、Agony が発表したこの唯一のアルバムは、かなり良い出来栄えだった。

　ウップサーラ出身の Damien も将来性のあるバンドだった。1988 年、自主レーベルの Gothic Records からリリースした唯一のシングルである『Requiem for the Dead』で彼らが目指したのは、キャッチーなリフと絶叫型ヴォーカルを武器としたパワフルで印象的なスラッシュメタルだった。作曲能力は他のスラッシュメタル・バンドと一線を画していた。実際、1988 年において、他のどのスウェーデン出身バンドと比較しても最強に邪悪なサウンドだったし、デスメタルの時代が到来しても生き残るであろうと思われた。しかし、時代は彼らの味方にはならず、注目されることはなかった。デスメタル・ブームに Damien は翻弄され、消滅したのだ。

　攻撃性に溢れる Maninnya Blade のデビュー作『Merchants in Metal』は、1986 年 Killerwatt からリリースされた。正直なところ、彼らの音楽性はスラッシュメタルというよりもパンキッシュなヘヴィ・メタルだった。メンバーの数名はスウェディッ

シュ・スラッシュメタル・バンドで最も成功を収めた Hexenhaus に 1987 年に加入した。その Hexenhaus は Agony のデビュー作と同年の 1988 年に Active Records からデビュー作『A Tribute to Insanity』をリリースした。Hexenhaus は Agony と同じくベイエリアのバンドに影響されていたが、Hexenhaus の方がクオリティーは低かった。特にギターのサウンドは酷く、プロダクションは説得力に欠けていた。更にこのレコードで退屈な点は、インスピレーションのかけらもない楽曲構成や基準も満たさないヴォーカルだった。リフは良かったものの、時代遅れだったし、オリジナリティーも欠如していた。Active は引き続き Hexenhaus の『The Edge of Eternity』『Awakening』の 2 作をリリースするが、どちらも印象のかけらもなかった。しかし、Hexenhaus は長きにわたってスウェーデンを代表するスラッシュメタル・バンドとしてその名を馳せていた――彼らは最高峰のバンド Hatred や Damien からメンバーを"強奪"していたのである。

　Active Records はスウェディッシュ・スラッシュメタルに忠誠を誓い、80 年代後期には Mezzrow そして、Kazjurol と契約を交わした。1990 年にリリースされた Mezzrow の唯一のアルバム『Then Came the Killing』はモッシュパートで満たされた良質のミディアムテンポ・スラッシュが展開され、Hexenhaus のどの作品よりも優れていた。しかし、この類のサウンドは既に極めて時代遅れだったことは否めない。ここで興味深い話を一つしよう――Mezzrow がアルバムをリリースした後、イギリスとヨーロッパで制作された『MTV Headbangers Ball』にほんの少しだけ出演したことがあった。撮影はレコード店の Heavy Sound で行なわれ、番組 VJ のヴァネッサ・ウェーウィックが Mezzrow のメンバーにメタルについて意見を求めた時だった。メンバーが「スラッシュメタルは最もエキサイティングな音楽だよ」などと口ごもりながら答えていると、背後でレコード箱を漁りながらインタビューに聞き耳を立てていた若者が突如顔をあげ、「いや、違うだろ！ デスメタルだって！」と発するシーンがあった。番組に乱入した不届きなこの若者は何を隠そう、Entombed のラーシュ＝ユーラン・ペトロフだったのである。

　1990 年にリリースされたスウェディッシュ・スラッシュメタル作品のうち、最も時代錯誤だったのは Kazjurol の『Dance Tarantella』だった。テクニカル・スラッシュに傾倒した彼らのサウンドからは初期のクロスオーヴァー・スタイルが影を潜めていた。彼らにテクニカル・スラッシュを演るほどの表現力があったとは到底思えない。新曲にはセンスが微塵も感じられなかったし、説得力も乏しかった。古い楽曲もアルバムには収録されていたが、以前に収録されたヴァージョンのほうがよっぽどましだった。ヴォーカルは貧弱で、サウンドも深みが感じられなかった。

『Dance Tarantella』のジャケットには多くのスペルミスがあるし、「T-ban the Fastest」などのお遊び曲は全く意味が分からない。すべてが時代遅れで退屈極まりない。同時期に頭角をあらわそうとしていたデスメタルと比較してみるといい。なぜスラッシュメタルが跡形もなく消えてしまったのかがよくわかるだろう。スラッシュメタルを擁護していた Active Records もやっと現状を把握するようになり、デスメタルに理解を示すようになった。スウェディッシュ・スラッシュメタル・バンドは当時かなりもてはやされていたが、彼らの作品はその後のメタル・シーンにおいてインパクトを与えることは全くなかった。スウェディッシュ・スラッシュメタルは 80 年代において一世風靡することはなかった。そもそも、1990 年に Kazjurol がまだこのようなスラッシュを演っていたこと自体、遅すぎたのである。

「スウェディッシュ・スラッシュメタル・シーンというものは存在しなかった。スウェーデンのスラッシュメタル・バンドに共通していたのは、クオリティーがそれほど高くなかったという点だ。彼らのアルバムには 1、2 曲良い曲があっただけだった。でもデスメタルが流行り始めて、その状況は変わった。スウェーデンのデスメタル・バンドは曲作りが上手かったんだ。」（ロバン・ベシロヴィッチ 『Close-Up』誌）

「俺達がデスメタルにはまったとき、どれが許されてどれが許されないのかっていう厳しい基準を定め始めたんだ。スラッシュメタルは既にエキサイティングではなくなっていてね。Hexenhaus の奴らは俺達が作り出す騒音を鼻で笑っていたんだけど、俺達は奴らのことをヘタレで、ポーザーで、ダサいって見下していた。デスメタルが勢力を拡大しようとしていたときには既にスウェディッシュ・スラッシュメタルはカッコいいものではなくなっていたんだ。俺達はロバン・ベシロヴィッチなどの奴らの背後で思いっきり毒を吐いていたよ。超デスメタルオタクだった自分の姿を思い出すだけで失笑もんだけどな。」（ニッケ・アンダソン Nihilist/Entombed）

スラッシュメタルが存亡の機に陥ることを拒み、90 年代に突入してもスラッシュメタルの様式にこだわるバンドもいた。1990 年にリリースされたスラッシュメタルのデモテープで Harvey Wallbanger の『Abomination of the Universe』と Mortality の『The Prophecy』は高いクオリティーを誇っていた。しかし、彼らのサウンドは既に時代遅れだった。90 年代初期まで生き残ったスラッシュ・バンドもいたが、デスメタルがアンダーグラウンド・シーンから台頭すると、スラッシュメタルは滅亡宣告を突き付けられた。

ブラッド、ファイヤー……デス!

　1988年に発表された疾風迅雷
のような勢いの一作によって、スウェ
ディッシュ・メタルの展望は開かれた。
あの伝説的なBathoryによる衝撃作
『Blood Fire Death』が血路を開い
たのである。過去3作品とは全く違う
作風の本作はスラッシュメタル影響下
でありながら大作志向のブラックメタ
ル地獄絵図が繰り広げられていた。こ
れは1年後、スウェディッシュ・デス
メタルが取り込んだ方法論でもあった。
『Blood Fire Death』のサウンドは
それまでの作品と比べてもスケールが

Bathoryの『Blood Fire Death』。

大きかった。プリミティヴで無骨な感触があったものの、ギターは分厚く、ベースは
ミックスのおかげで明瞭で聴きやすかった。ドラムのタムとバスドラは重量感があり、
耳障りなほど音が大きかった。アルバム全体の印象は、Bathoryの過去のどの作
品と比較しても、より重量感に満たされたものだった。特筆すべき点は、スラッシュ
メタルの2ビートが取り入れられていたことである——それはスウェディッシュ・デス
メタルの発展においてよく見られた手法だった。のちにデスメタルで広く取り入れられ
るようになったテンポ・チェンジと効果的なシンバルやドラムのブレイクが多くあった
のも特徴だった。『Blood Fire Death』は最高傑作としていまだに高い評価を受
けている。しかし、リリース当時は革新的な作品だったが、現在の基準ではデスメタ
ルにはカテゴライズできないかもしれない。ブラックメタルとスラッシュメタルの残虐的
融合は完成前夜だった。そして、1990年にはデスメタル・ブームがついに白日の
下にさらされることになる。若いミュージシャン達の直向きな努力が報われるときが訪
れ、アンダーグラウンド・シーンが暴発したのである。

シーンの立役者達——概要

「多くの奴らは自分勝手に初期のデスメタル・シーンを解釈してしまう傾向があるん
だ。実際は14歳から18歳までのキッズ達がやっていた音楽だった。当時は誰に
も相手にされなくてね。天賦の才はあったけど、あんなでっかいムーヴメントになっ
たのは"不慮の事故"みたいなもんだった。」（ウッフェ・セーダルンド Morbid/

Nihilist/Entombed/Disfear）

　それではスウェディッシュ・デスメタルのデモテープが多くリリースされたこの時期を、シーンの立役者達に着目してまとめてみることにしよう。シーンの草創期を探ってみると、ほんのわずかな人物しか関わっていないことに驚愕する。中心となっていたのは一握りのバンド、数冊のファンジン、それに20人ちょっとの人物だけであった。多くのメタルマニア達はデスメタルというものが何たるかを理解もしておらず、我々の多くはまだスラッシュメタル的価値観に翻弄されていた。確かにPossessedやDeathのファースト・アルバムはリリースされていたが、彼らはスラッシュメタルの異端児としてとらえられていた節があった。“エクストリーム・スラッシュ”と呼ばれ、スラッシュメタルの範疇で語られていたのである。

　しかし、ここまで見てきたように、新風を吹き込むようなことが沸き起こったのである。無我夢中で年端もいかないテープ・トレーダーやミュージシャン達がスウェディッシュ・メタルの様相を一変させてしまった。スウェディッシュ・デスメタルを形作ったすべての人物は若かったということは注目に値する——20歳以上の人物は全く関わっていなかった。クラストパンクやハードコアなど他のジャンルも若者達が牽引していたが、それらのジャンルよりも明らかにデスメタルの曲構成は複雑だった。スピード、変則的なチューニングやリフ、多くのテンポ・チェンジやブレイクを採り入れ、かなり高度だったいえる。繰り返すが、これらはすべてティーンエージャー達によって成し遂げられていたのだ。

「俺は2つの理由でデスメタル・シーンにはまっていたんだ。まず、サウンドには偽りがなく、破壊的攻撃性があったこと。でもそれ以上にはまっていた理由は、発想力豊かなティーンエージャーのバイタリティに煽られて、どこからともなくそれが発生したっていうことだ。利益なんて二の次で、何かを作り出したいっていう衝動が根本にあったんだ。計算尽くだったり、仕組まれたものではなくて、自然に沸き起こったものだった。彼らは自分達の力で創り上げたんだよ。それが全世界からリスペクトを集めた理由だよ。」（フレードリック・ホルムグレーン CBR Records＜レーベル＞）

　この中核をなしていた若者達をさらに絞っていくと、一握りのバンドと10人程度の中心人物にたどり着く。人目に触れずどのシーンにも属していなかったObscurityやMefistoを除けば、重要なバンドとして真っ先に挙げられるのがMercilessだった。ストレングネースという小さな街出身だったにもかかわらず、彼らはデモテープをレコーディングし、彼らの名前とサウンドが世に知られるようになった。それまでのエクストリーム・スウェディッシュ・メタル・バンドとは異なり、Mercilessのメンバーはデモテープを至るところに送り、手紙を書き、彼らの音楽性を理解してくれる

同士を見つけるために国内中を旅してまわった。その点で彼らはムーヴメントの一端を担った最初のスウェディッシュ・アンダーグラウンド・バンドなのである。実際、Merciless の伝説的なラインナップ——エリック・ヴァリーン、フレードリック・カーレーン、ステーファン・カールソン、ロッガ・ペッタションの生き様、音楽性、そして忠誠心はこのシーンの黎明期において重要な役割を果たしていたのである。

　Merciless の熱意は他のスウェーデンのバンドにも伝播した。ストックホルムでは、Morbid と Nihilist という密接にリンクしていた 2 バンドが斬新なサウンドを作り始めた。間もなく Dismember、Therion、Afflicted Convulsion、Treblinka らも追従し、ストックホルムは個性的なエクストリーム・スウェディッシュ・メタルが発生する震源地としてその名を轟かせるようになった。同時に国内では彼らの心意気に賛同したバンドも発生した。例えば、ゴットランド島の Grave、ヴェクファの Carnage、ユーテボリの Grotesque である。これらのバンドは超ブルータルでエキサイティングなサウンドを産みだし、スウェディッシュ・デスメタルの形成に貢献した。

　数名の火付け役の献身的な支えがなければ、このアンダーグラウンド・ムーヴメントはここまで大きくはならなかったであろう。最も重要な人物はニッケ・アンダソンだった。彼は Nihilist のほとんどの楽曲を創り上げていただけではなく、テープ・トレーディング・シーンでもリーダー的存在で、発行されなかったもののファンジン『Chickenshit』の出版も構想していた。溢れんばかりの才能を持ったニッケの姿勢に多くの友人達が感化され始め、Nihilist のアレックス・ヘリッド、Morbid と Nihilist のウッフェ・セーダルンド、Treblinka のヨーハン・エードルンドとステーファン・ラーゲルグレーンはファンジンの制作に着手したのである。一号も発行しなかったが、ウッフェ・セーダルンドは激渋なファンジン・タイトル名合戦でトップに君臨した。そのタイトルとは『Fucking Rotten Occult Zombie Death!（クソ腐った怪奇的ゾンビの死）』だった！

　ニッケ・アンダソンと同様に、スウェディッシュ・デスメタルの勃興に貢献した 4 人の人物がいる。1 人目のユーテボリのトマス・リンドバリと 2 人目のヨーハン・ウステルバリはファンジン『Cascade』を発行し、テープ・トレーディングに没頭していた。リンドバリは Grotesque において重要な役割を担っていた。3 人目のテープ・トレーディング狂のパトリック・クロンバリは画期的なファンジン『To the Death』を発行し、エクストリーム・メタルを取り上げる多くのファンジンの発刊にインスピレーションを与えた。4 人目の最も悪名高いテープ・トレーダーで、奇想天外なクロスオーヴァー・バンド Tribulation のドラマーである、マグナス・フォーシュバリも忘れてはいけないだろう。

「今ではマグナス・フォーシュバリが誰なのか知らない奴は多いと思うけど、彼は初期のスウェディッシュ・デスメタル・シーンに計り知れない影響を与えたんだ。彼のテープ・トレーディング活動は極めて重要で、忘れてはならないな。ニッケもまた重要な役割を担っていた。彼に1本テープを送ると、翌週には50名がその音源を耳にしていたんだ。」（オルヴァー・セーフストルム Nirvana 2002）

　これらの人物が中心となってシーンは構成されていった。このような若者やバンドがスウェディッシュ・デスメタルの真のオリジネーター達である。これに加え、レコードを売り、初期のギグを企画し、ムーヴメントを盛り上げたフレッダ・ホルムグレーンについても言及する必要があるだろう。ノルウェー発のファンジン『Slayer Mag』のヨン "メタリオン" クリスチャンセン、『Morbid Mag』のロニー・エイデといった人物も海外と多くのテープのやり取りしていたので、影響をもたらしたといえる。創造力とオリジナリティーの中心を支えた上位5つのバンド、テープ・トレーダー、ファンジン編集者、ミュージシャンを次のようにまとめることができる。

バンド： Merciless、Nihilist、Carnage、Grotesque、Treblinka

テープ・トレーダー： マグナス・フォーシュバリ、ニッケ・アンダソン、パトリック・クロンバリ、ヨーハン・ウステルバリ、トマス・リンドバリ

ファンジン編集者： パトリック・クロンバリ、ヨーハン・ウステルバリ／トマス・リンドバリ、ヨーハン・エードルンド／ステーファン・ラーゲルグレーン、オルヴァー・セーフストルム／エリック・クヴィック

ミュージシャン： ニッケ・アンダソン、エリック・ヴァリーン、クリスティアン・ヴォーリーン、マイケル・アモット、ウッフェ・セーダルンド

　彼らの存在が多くのバンドやアレックス・ヘリッド、トマス・ニークヴィスト、ヨン・ノトヴェイトといったファンジン編集者を触発したのである。これらのオリジネーター達がレコード契約までたどり着くと、スウェディッシュ・デスメタルは世界に波及していった。次章では各バンドのファースト・アルバムがリリースされた年にスウェディッシュ・デスメタル・シーンがどのように台頭したのかを見ていくことにしよう。

ニッケ・アンダソン──スウェディッシュ・デスメタル・シーンの牽引者。

第5章：
アンダーグラウンド・
シーンの台頭

STEP ONE / MUSIK MED MENING PRESENTERAR
InHUMAN TOUR OF THE WORLD

DEATH
PESTILENCE
LOUDBLAST   Murphfs

FRYSHUSET – STOCKHOLM 18/2 19.00
160:- + FÖRKÖP

Förköp Uppsala 018-212108, Expert 018-111180
Stockholm – Megarock 08-6411023
Stockholm – House of Kicks 08-7918989
Stockholm – Heavy Sound 08-104535
Stockholm – Far Out 08-7850575
Göteborg – Dolores 031-150418
Örebro – Folk & Rock 019-101130
Gävle – Roc-Rec 026-141310
Fagersta – Peter Ahlqvist 0223-15575
FURBOWL SLÄPPER NY LP/CD MARS/APRIL PÅ STEP ONE RECS!

PARADISE LOST
+
AUTOPSY

VALVET, Göteborg
LÖRDAG 28 SEPTEMBER 20.00

FÖRKÖP: DOLORES (031-150818)
BENGANS (031-242400)
INFO; 031-119448

時計回りに左から：

・クールなポスター。

・必要最低限の情報が載っているポスター。

・CBR の通販カタログ。

・CBR のコンピレーション・シングル。

"EVILUTION" LP/CD
CBR 108/CBRCD 108
$10/$16

"HJÄLTERSKELTER" MLP
CBR 107
$8

"A KRIXMAS KAROL" 7"EP
CBR 116
$3

CBR 108 AND CBR 107
ARE ALSO AVAIBLE
EXCLUSIVE FROM US
ON COL. VINYL. THE
SAME PRICE AS BLACK
VINYL.

"ABSOLUT ANTI-CIMEX
COUNTRY OF SWEDEN" LP/CD/VIDEO
CBR 121/CBRCD 121/CBRVID 901
$10/$16/$25

ABSOLUT
Country of Sweden
ANTI CIMEX

MORE ANTI-CIMEX BACK-
CATALOGUE IS TO BE RE-
PRESSED IN THE NEAR
FUTURE.

T-SHIRTS

OMNITRON
DESIGN A

Logo printed white
on black shirt
$14

DESIGN B

Front as design A
Backmotive are
"MASTER PEACE"
printed white on
black shirt
$15

ANTI-CIMEX
DESIGN A

LP cover printed
white on black
shirt
$14

DESIGN B

Front are second 7"
cover
Back are LP cover
printed white on
black shirt
$15

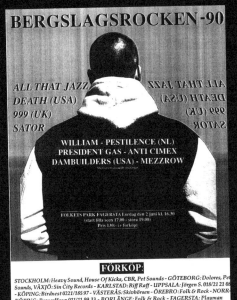

時計回りに左上から：

・1990 年に開催されたフェス、
Bergslagsrocken のポスター。
ヘッドライナーは Morbid Angel ではな
く Death。

・ファーガシュタで多く企画されたスラッ
シュメタル・コンサート・フライヤーの１
枚。

・ファーガシュタに向かう途中の " スティ
ペン"（Merciless）、リーキャル・カベッ
ザ（Unanimated/Dismember）、ビョ
ルン・グラメル（Damnation）。

時計回りに左上から：

・ファーガシュタで企画されたスラッシュメタル・ギグのフライヤー。

・ファーガシュタで企画された Napalm Death のギグ・ポスター（お分かりの通り、Morbid Angel がトリを務めるはずだった）。

・ファーガシュタに向かう車中ではラジカセのヴォリュームをフルテンにして聴くのがお決まりだった。このネルシャツ地獄を見てくれ！

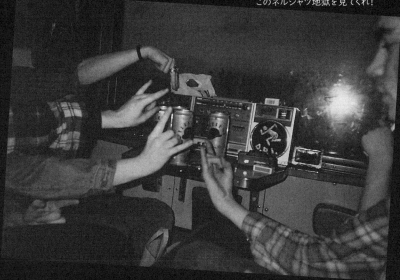

90 年代が目前に迫り、スウェディッシュ・デスメタル・シーンはスウェーデン国内にも拡散しつつあったが、もっぱらストックホルムを拠点とする熱心なメタルマニア達で構成されていた。ムーヴメントは始まったばかりで、アルバムのレコーディングやツアーを思い描いている者は少数派だった。しかし、デスメタルの勢力は見過ごすことができないほど拡大し、レコード・レーベルやディストリビューターがデスメタルの音楽性の質の高さとその可能性にようやく気づき始めたのである。ストックホルムのレコーディング・スタジオ、とりわけ Sunlight がデスメタルを専門に請け負うようになった。

1989 年、デスメタルが話題となり、音源が入手可能になると、続々とアルバムがリリースされるようになった。テープ・トレーディング・シーン界隈のみで話題となっていたサウンドが突如、多くのオーディエンスの面前に登場した。

「*1989 年、デスメタル・シーンは爆発的に広がった。多くのエクストリーム・バンド、例えば、Obituary、Autopsy、Morbid Angel、Pestilence らがリリースしたアルバムはスウェーデンでも入手可能になったんだ。それ以前は Possessed や Death など数枚の作品しかなかったから、このジャンルが確立されたのは 1989 年になってからだな。*」（アンデシュ・ビョーラー At the Gates/The Haunted）

「*Morbid Angel の『Altars of Madness』というたった 1 枚のアルバムが、すべてを変えてしまったんだ。一般のメタルマニアの間では、デスメタル、スピードメタル、スラッシュメタルには明確な線引きはなくてね。"ブルータル・メタル"って呼んでいただけだった。だけど、『Altars of Madness』はまさに目からウロコで、新しいものが生まれたって感じたよ。誰もかれもがそのアルバムを手に入れた。本当に全員だよ。それでスラッシュメタルは抹殺されてしまった——スラッシュメタルは姿かたちもなくなってしまったよ。*」（ロバン・ベシロヴィッチ 『Close-Up』誌）

「*当時、デスメタル・アルバムはよくパーティーの BGM で流されていた。俺達は若かったから、パーティーを墓地とか雑木林の中でよくやっていた。俺の親は家を空けることが多かったから、家でもよくパーティーをしていたんだ。ブルータルなアルバムがリリースされたときは、パーティーも超盛り上がったな。*」（クリスティアン"ネクロロード"ヴォーリーン Grotesque/Liers in Wait/Decollation）

「*スウェーデンにデスメタルを持ち込んだ張本人は紛れもなく Chickenbrain Records(CBR) のオーナーだったフレッダ・ホルムグレーンだった。彼はアンダーグラウンドでエキサイティングなことが起こりつつあったことを一早く察知し、Earache に目をつけ、彼らのリリース作品をスウェーデンに送り込んだんだ。*」（ロ

バン・ベシロヴィッチ『Close-Up』誌)

「*フレッダ・ホルムグレーンがスウェーデンに輸入した Earache の作品は俺達に大きな影響をもたらしたな。Chronic Decay のミッケ・フェストランドの家でやったフレードリック・カーレーンの 18 歳の誕生パーティーをよく覚えているよ。マッティ・カルキとリーキャル・カベッザは CBR から入手した Morbid Angel の『Altars of Madness』と Carcass の『Symphonies of Sickness』のテスト・プレス盤を持ってきて、週末ひっきりなしに流していた。デスメタル・フェスティバルのようだった!*」(マティアス・ケネード Macrodex/House of Usher)

フレードリック・ホルムグレーンの果たした役割は大きい。1983 年、彼はパンクファンジン『Asocial』を発行し、翌年 CBR を立ち上げた。ホルムグレーンはレコード専門にディストリビューションすることから始め、海外からインディーレーベルの音源をスウェーデンに持ち込んだ先駆けだったといえる。1985 年にはシングル盤を自身のレーベルでリリースすることを始め、初期は Ingron Hutlös や Raped Teenagers らパンク・バンドの再発盤を手掛けていた。

「*俺はパンク畑出身で、誰もが何かしらシーンに貢献したいと思っていた。それで俺はファンジンをスタートさせて、レコードのディストロを立ち上げて、自分のレーベルから音源をリリースした。本当に地道な活動でさ、他人がリリースしたシングル盤を自分のシングル盤とトレードしていたんだ。昔は金なんて発生しなかったよ。*」(フレードリック・ホルムグレーン CBR Records <レーベル>)

1987 年、CBR はレーベル初の音源だったパンク・バンド、Puke のアルバムをリリースすると、インディーレーベルやアンダーグラウンド音源を扱うスウェーデン最大のディストロとして急速に勢力を拡大した。デスメタル・シーンに多大な貢献をしたフレードリックは Earache を初期から支持し、スウェーデンに音源を持ち込んだ。

「*まず手始めに Heresy のソノシートを仕入れて、その次に 1987 年 Napalm Death を見つけたんだ。当時はトレードをしていただけだったけど、それから Nuclear Blast、Peaceville、その他多くのレーベルと取引をするようになったんだ。ニッケ・アンダソンやヨニー・ヘードルンドから沢山刺激を受けたな。彼らはエクストリームなアルバムが入荷したかどうかいつも俺のことをせっついていたんだよ。80 年代後期にはスウェーデンのディストロはエクストリームな音源をどこも扱っていなかったから、俺はここぞとばかりにすべて流通させたんだ。*」(フレードリック・ホルムグレーン CBR Records <レーベル>)

CBR はスウェーデンのアンダーグラウンド音源を世に広めようと目論み、Dismember や Nihilist などのデモテープを間もなく取り扱い始めた。

「Dismember や Nihilist は俺から沢山の音源を手に入れていったから、知り合いになったんだ。彼らがデモテープをリリースし始めると、彼らの音源を流通させるのは自然な流れだった。初期のデスメタル・シーンはいまにも爆発しそうなエネルギーで満ちていたから俺は凄く好きだった。トレードをしてネットワークを広げて、自分達ですべてを創り上げていた。サウンドも素晴らしくて、攻撃的だった。あと良く売れたんだよな——Nihilist のデモテープはそれぞれ 3,000 本くらい売れたかな。考えてみると凄いことだよ。」（フレードリック・ホルムグレーン CBR Records＜レーベル＞）

　1988 年後期から、海外のエクストリーム・バンドのライブがスウェーデンで企画され始めた。影響を与えた数々のコンサートのうちで、先陣を切ったのは 1988 年 11 月 17 日から 27 日に行なわれた Napalm Death のスカンジナヴィア・ツアーだった。このツアーを実現させたのはいうまでもなく CBR のフレードリック・ホルムグレーンだった——この出来事一つとっても彼が他の一歩先を見据えていたことがわかるだろう。彼はエクストリーム・メタル・シーンを理解し、活性化させようと懸命だったのである。俺は Napalm Death のライブ会場のあったファーガシュタ近郊に住んでいたので、家の玄関先まで Napalm Death を連れてきてくれたようなものだった。スウェーデンに Napalm Death が訪れたことは衝撃的な出来事だった。ライブハウス Rockborgen でのギグを観るために乗ったファーガシュタ行きの列車の中で、15、6 だった俺達はビールを浴びるほど飲みながら Napalm Death を熱く語ったことは忘れられない。

　Napalm Death が世界最速のスピードメタル・バンドということは知っていたが、彼らの速さについていくには心の準備が必要だった。シーンでの悪名高い有名人の“ザ・ボルト”という奴は、Napalm Death を“世界で超有名なバンド”と評し、彼らに“Nappe Död”というニックネームを与えた。Napalm Death の超絶に速くブルータルな演奏に誰もが圧倒された——ライブハウスの音響スタッフは慌てふためいていた。この時点で、Napalm Death は世界最速かつ最もエクストリームなバンドとして、その名をほしいままにし、俺達すべてにインスピレーションを与えたのである。そこには限界など存在せず、スウェディッシュ・デスメタル・ブームへの足掛かりが出来てきた。「Napalm Death のツアーは、スカンジナヴィアで最初の“デスメタル事変”だったのかもしれないな。この精力的なツアーでは多くのギグが組まれたんだ。ライブの先々でオーディエンスは言葉を失うほど衝撃を受けていた——特に音響スタッフは超ド肝を抜かれていたよ！ その次には Carcass をスカンジナヴィアに呼んだんだけど、同じような反応があったな。」（フレードリック・ホルムグレー

ファーガシュタで行なわれた伝説的な Napalm Death のギグ告知ポスター。

ン CBR Records <レーベル>）

「*1988 年の Napalm Death ギグは初期のシーンで最も重要だったな。*」（フレッ
ド・エストビー Dismember/Carnage）

「*最初に Napalm Death。次に Morbid Angel と Carcass に圧倒されたんだ。*」
（アンデシュ・ビョーラー At the Gates/The Haunted）

　この Napalm Death のツアーがあるバンドの将来をも左右させた。Napalm
Death のスカンジナヴィア・ツアー全日程の前座を務めることになったのは Filthy
Christians だったが、各ライブハウスでの演奏のときには地元バンドも一つだけ前
座を務めることができた。ファーガシュタ公演では新鮮味に欠けた Kazjurol に決まっ
ていたが、ストックホルム公演では新人バンドの Nihilist がどうしても自分たちが前
座を務めたいとプロモーターを説得するのである。

「*Napalm Death が地元に来るって聞いたから、絶対前座で出たいと思ったん
だ。フレッダ・ホルムグレーンに電話をかけまくったんだけど、最初は真剣に取り合っ
てくれなかったよ。俺がクソダサいって思っていた Kazjurol がストックホルムでも
前座を務めるって彼は言うんだよ。まぁ、彼は結局折れて、俺達を前座にしてくれ
たんだけど。*」（ニッケ・アンダソン Nihilist/Entombed）

　Earache Records のディグビー・ピアソンは Napalm Death のツアーに帯同し、

スウェーデン最高峰のデスメタル・バンドのライブを目の当たりにした。

「初めてスウェディッシュ・デスメタル・シーンのことを知ったのはその *Napalm Death* ツアーのときだったかな。ストックホルムのギグでは前座が *Nihilist* だった。彼らに頭をガツンとやられたよ！ 振り返ってみると、彼らは才能に溢れていたんだ。演奏は超タイトで、きちんとリハーサルをしていて、それに超エクストリームだったんだ。絶対俺の *Earache* と契約させたかったんだけど、問題は彼らがまだ18歳にも満たなくて、経験不足だったことだった。だから彼らがある程度の年齢に達するまで待ったんだ。」（ディグビー・ピアソン Earache Records ＜レーベル＞）

　実際 Earache は、スウェディッシュ・デスメタル・バンドと契約した初の海外レーベルだった。Earache は Napalm Death、Carcass、Morbid Angel を擁し、デスメタル界では飛ぶ鳥を落とす如く勢いがあった——スウェーデン出身のグラインドコア・バンド、Filthy Christians と契約したのち、Earache のオフィスの机上にはスウェーデンのバンドのデモテープが山積みされることになった。しかし、Entombed 以外のバンドは契約に至ることはなかった。

「*Entombed* が売れたから、ほとんどすべてのスウェーデンのバンドと契約できたかもしれなかった。だけど、*Entombed* に勝るものはなくて、*Dismember*、*Unleashed*、*Grave* などのバンドは見送った。」（ディグビー・ピアソン Earache Records ＜レーベル＞）

　Nihilist のバンド活動の中でターニングポイントとなったのは、Napalm Death とのあの一夜のギグだった。スウェディッシュ・シーン全体を通し、80年代後期、エクストリームなバンドのギグが多く行なわれていた場所は言うまでもなく、ストックホルム北西125マイルにある小さな町ファーガシュタだった。エクストリーム音楽にはまっていた奴らがギグを観るために、全土からこぞってこの町に集まった。当時はみんな献身的だった！ ファーガシュタにメタルが根付いたのは、80年代後期に怒涛のようにギグを企画し続けたペータル・アールクヴィストのおかげだった。彼は地元の音楽協会 Tid Är Musik の経営を引き継ぎ、1988年に映画館だった場所を手に入れた。彼は場所を意のままにできたため、のちに語り草となるライブハウス Rockborgen を立ち上げることが可能だった。

「俺のライブハウスはギグを企画するには理想的な場所だった。当時話題になっていたバンドを可能な限りすべて呼んだんだよ。1988年に *Rockborgen* を立ち上げたときに最初に呼んだのが *Napalm Death* で、そのあと数年間順調にいったな。」（ペータル・アールクヴィスト 『Uproar』誌 /Tid Är Musik ＜音楽協会＞ / Burning Heart ＜レーベル＞）

BERGSLAGSROCKEN 90
FOLKETS PARK FAGERSTA Lör 2/6
Arr: TID ÄR MUSIK
Pris: 130:-

TID ÄR MUSIK Arr:

BERGSLAGSROCKEN 90

SATOR
999 (UK)
DEATH (USA)
ALL THAT JAZZ
WILLIAM
PESTILENCE (NL)
PRESIDENT GAS
ANTI CIMEX
DAMBUILDERS (USA)
MEZZROW

ROCKBORGEN
Fagersta

Walk Together
Rock Together

Pris. 130:- + förköp
FOLKETS PARK FAGERSTA Lör 2/6
Förköp & Info:
TID ÄR MUSIK tel. 0223-163 00/193 75/102 31

CARCASS

SYMPHONIES OF SICKNESS
ROCKBORGEN FAGERSTA
Lörd. 10/2 Kl. 20.00

Förköp: Babs 0223-155 75. **Stockholm** Heavy Sound, CBR,
House of Kicks. **Västerås** Skivbörsen. **Norrköping** Robban 011-
11 99 33. **Uppsala** Jörgen Sigfridsson. **Fagersta** Playman.
Arr: TID ÄR MUSIK/FAGERSTA GORE CORE CREW   75:—/65:— (Medl.)

時計回りに上から：
・ファーガシュタ行バス車中のパーティーで
の一コマ。手前で呑んでいるのはフレード
リック・リンドグレーン（Unleashed）。彼
の隣にいるのは悲劇的な自死を遂げた
"バートン・マッテ"。安らかに。
・伝説的なギグのフライヤー（そのギグで俺
は Entombed を初めて観た）。
・ファーガシュタのギグ告知ポスターと
Bergslagsrocken 1990 のチケット。

Napalm Death のギグの後、ペータルは、のちに伝説的といわれるギグを数多く企画し、Rockborgen はスウェーデンのエクストリーム音楽シーンで随一のライブハウスにのし上がった。毎週、毎週、Kreator、Sodom、Sepultura、Pestilence、Obituary、Benediction、Atheist、Death Angel、Carcass、Forbidden といったトップクラスのバンドがこの辺鄙で、小さい町にやってきた。これらのギグはシーンにとって重要な役割を果たし、Rockborgen はデスメタル・ムーヴメントの中心地となったのである。そして、この最高の場所で演奏するチャンスが Merciless や Entombed などのバンドにも突然巡ってきた。

「*デスメタル・ムーヴメントはハードコア・ムーヴメントに通じるところがあったから、超ブルータルなギグを企画し始めたころは、童心に帰ったようだった。シーンの雰囲気はかなり健全で、俺自身もとても楽しかった。1989 年の Sodom、Sepultura、Merciless のギグは、今まで企画したギグの中でも最高の部類に入るな。Sepultura はアンダーグラウンドで名が通っていたし、Sodom への信頼性もまだ失われていなかったし、Merciless も全盛期だったから絶好のタイミングだった。そんな夜なんて一生忘れるもんか!*」（ペータル・アールクヴィスト『Uproar』誌 /Tid Är Musik ＜音楽協会＞ /Burning Heart ＜レーベル＞）

　ライブ企画が大成功し、多くの若者がこぞって集まるようになると、ペータル・アールクヴィストは Bergslagsrocken という名を冠した、年一度開催のフェスを立ち上げた。1989 年の第 1 回目のフェスにはポップ、パンク、メタル・バンドを出演させ、ラインナップはバラエティに富んでいた。その第 1 回目のフェスにはドイツのスピードメタル界の大物である Kreator を配し、ブルータルさが十分に溢れるフェスだったが、翌年にはスウェーデン中のデスメタラーを戦慄させるようなバンドが名を連ねた。オランダの至宝 Pestilence に加え、ラインナップのトリを飾ったのは泣く子も黙る Morbid Angel だった。

「*俺が企画した中で一番重要だったのは、紛れもなく Morbid Angel のギグだな。彼らは当時のシーンで最もエキサイティングなバンドだったから、絶対に呼び寄せたかった。彼らの自宅の電話番号を入手して、連絡を取り合ったんだ。そうしたら彼らはヨーロッパでのライブに興奮していた様子だった。それで彼らに航空券のチケット代を送金した。ライブは大成功して、シーン中の全員が集結したよ。そのギグはシーンの奴らを一致団結させたんだ。でもそんなことは以降起こらなかったな。*」（ペータル・アールクヴィスト 『Uproar』誌 /Tid Är Musik ＜音楽協会＞ / Burning Heart ＜レーベル＞）

　余り知られていないことだが、第 1 回目 Bergslagsrocken フェスのトリを、当

初は Death が務めることになっていた。しかし、結局はお流れとなってしまった。そこで、皆を納得させるために、Morbid Angel に白羽の矢が立った。当時、俺もギグに参加した、興奮したキッズのうちの 1 人だった。会場は只ならぬ雰囲気に包まれていたことを覚えている。ファーガシュタで行なわれたギグの中で、トリのバンドを見逃すまいと観客の奴らがシラフでいたのは、これを含めて数少ないことだろう。音響が酷く、Kazjurol メンバーの T-ban がステージダイブするたびに、Morbid Angel ギタリストのリチャード・ブルーネルのディストーションペダルを踏みつけ、ディストーションが切れてしまってもライブは台無しにはならなかった。

「すべてのギグの中で最も忘れられないのは *Morbid Angel* が出演した *1990 年* の *Bergslagsrocken* だな。あのギグがすべてを未知の領域へと引き上げたんだよ。この直後、ブームが爆発したんだ。」（イェスペル・トゥーション Afflicted）

「スウェーデン初の *Napalm Death* のギグは重要だったけど、*Morbid Angel* のそれとは比べ物にはならなかった。まさに歴史的に重大な出来事だった。ギグの数か月前からみんな首を長くして待っていたんだ。そのギグはデスメタルのすべてに対して新しい基準を打ち立てたんだ。スウェーデンでデスメタルがブレイクした瞬間だったよ。狂気に満ち溢れていたな。」（フレードリック・ホルムグレーン CBR Records ＜レーベル＞）

「何年もの間、ファーガシュタのフェス *Bergslagsrocken* は毎年のハイライトだった。思い出すだけで、ちょっと感傷的になってしまうんだよな。そこにはよく列車で行っていたんだけど、車内には酔っ払ったキチガイみたいなスラッシャー達で満員だった。いい時代だったよ! ラジカセから炸裂するエクストリーム音楽とむせ返るようなアルコールの匂い。ファーガシュタに行く列車がメタルマニアで 100％占領されていたこともあった。酒でハメを外して、ファーガシュタに着いたら警察に出頭して、ギグを逃した奴もいたよ!」（フレードリック・カーレーン Merciless）

「ファーガシュタのライブハウス *Rockborgen* はスウェディッシュ・デスメタルの中心地だった。すべての奴らが集い、鬼の様に飲んで、素晴らしい時間を過ごしたんだ。酔い潰れて、全部見逃したなんてこともあったけど、そんなの問題じゃなかった。大切だったのは人と会うことだった。誰もが友好的でクールでね、自分のバンドと同じくらい、他の奴らのバンドも気に入っていた。ファーガシュタでのあの時間は何ものにも代えられないな。」（ダン・スワノ Edge of Sanity/Unisound ＜スタジオ＞）

「*1988 年*から *1992 年*にかけて、ファーガシュタで行なわれたエクストリーム・メタル・ギグは紛れもなく、最も活気があって、重要だったな。雰囲気も凄く良く

て、すべての奴らと知り合いになれる超デカいパーティーのようだった。ギグも凄く良かったし、満員御礼で、滅茶苦茶なステージダイブもあって、過激だった。それ以来あんなに激しいギグはお目にかかったこともない。そこに集まったすべての奴らはハードコアなファンで、情熱っていうものがあったんだよ。ファーガシュタがあったおかげでシーンが永らえたんだと思う。」（ロバン・ベシロヴィッチ 『Close-Up』誌）

「ファーガシュタは理想的な場所だったよ。クールな奴ら、最高のギグ、素晴らしい雰囲気。コネクションができて、シーンが急激に発展したんだ。俺達はストックホルムの地下鉄駅構内から飛び出して、小さな町の出身の奴らは隔絶された地獄のような場所から解き放たれたんだ。俺達が団結すると、溢れんばかりの熱量になったよ。」（アンデシュ・シュルツ Unleashed）

　海外のデスメタル大御所らのライブ以外にも、スウェディッシュ・バンドのギグが頻繁に企画されるようになっていった。コンサートには人が集まり、地元以外で演奏する機会も多くなっていった。ギグが至るところで行なわれるようになると、さらにデスメタル・シーンに活気が漲ってきた。

「結成後3本目のギグが初めてきちんと企画されたものだった。1989年夏、2本目のデモテープをリリースした後に行なわれてね。そのギグはストレムスタードで行なわれたんだけど、当時、スラッシュ・バンドの Rabbit's Carrot に在籍していた Dissection のヨンによって企画されたものだった。俺達はヨンのバンド、それに Grotesque と対バンしたんだ。そのライブのことは忘れられないな！『Slayer Mag』のメタリオンもいたし、ビデオ撮影されたギグを観ると、オンケル（悪名高き"シット・マン"［クソ野郎］の名でも知られている）がオーディエンスに混じってヘッドバンギングしているのを確認できるんだ。本物のデスメタル・コンサートが何たるかをそのライブで分かったよ！」（クリストフェル・ヨンソン Therion）

「俺達 Afflicted Convulsion は、アクセスバリのユースセンターで Unleashed、General Surgery、それに Crematory とのギグを企画したんだ。300人以上動員して、カオス状態になった。一番印象に残っているのは、デンマークのエスビャウでの Invocator とのギグだな。俺達はデモテープしかリリースしていなかったけど、客はクレイジーで、曲をすべて知っていたんだ。俺達のデモテープは何千本も売れたんだ――その数は現在スウェーデンで売れる大半のメタル・アルバムの販売枚数よりも多いかもしれないな！」（イェスペル・トゥーション Afflicted）

「Treblinka の初めてのギグは、Hunddagis というライブハウスで、Morbid、Nihilist それに Dismember と演った。そこには俺達の知り合いじゃない奴も多

くいた。奴らは俺達の音楽性に共感してたみたいだった。それがいつだったか思い出せないんだけど、Morbid解散前のギグだったと思う。最後に俺達がユースセンターRunanで企画したギグは記録的な動員となった。Disharmonic OrchestraとPungent Stenchとの対バンだったんだけど、狂気に満ち溢れていたよ。収容人数150人だったところに350人は入っていたんじゃないかと思う。」（ヨーハン・エードルンド Treblinka/Tiamat）

General SurgeryとUnanimated——ストックホルム・デスメタルのダブル攻撃。

「1989年11月4日に初めて大規模なデスメタルのギグがリンケビーで行なわれたんだ。出演したバンドはCarnage、Therion、Sorcerer、Crematory、Count Ravenなどすべてスウェーデン出身で、Entombedは改名後初のギグだった。俺達Nirvana 2002も出演する予定だったけど、実現しなかったんだ。ギグの後、会場の外で俺達のことを気に食わないチーマーみたいな奴らが2,000人くらい待ち構えていて、シーンの奴らが大勢袋叩きにあってしまった。ニッケと俺はタクシーを捕まえて、彼のアパートまで一目散に逃げたんだ。」（オルヴァー・セーフストルム Nirvana 2002）

1989年、ノーシューピング出身のロバン・ベシロヴィッチも自身でThrash Bashを企画し、ラジオ番組も持っていた。ファーガシュタで演った多くのバンドはノーシューピングのThrash Bash企画にも出演したが、ファーガシュタのようには客を動員できなかった。ファーガシュタ出身のペータル・アールクヴィストはエクストリーム音楽シーンに永きにわたって携わった経験もあり、商業的な成功も見据えていた企画であった。一方、ロバン・ベシロヴィッチは音楽好きな一介のファンにすぎなかった。

「ペータル・アールクヴィストは何をすべきか分かっていたんだ。彼が企画したギ

グはアレンジが完璧だった。俺のどうしようもないお遊び程度の企画と比べると、*Rockborgen* でのギグとか、*Bergslagsrocken* 企画は凄かった。」（ロバン・ベシロヴィッチ『Close-Up』誌）

　スウェディッシュ・デスメタル・シーンは 1989 年に勢いが増してきた。傑作デモテープが多くレコーディングされ、頻繁にギグが企画され、新人バンドやファンジンが絶え間なく登場した。スウェディッシュ・デスメタルの作品群が 1989 年にレコーディングされ、翌年の 1990 年にリリースを迎え、デスメタルは爆発的にブレイクしたのである。1989 年にもシングル数枚がリリースされていたが、いずれも小さいレーベルからリリースされたマイナーなものでしかなかった。しかし、それでも、スウェディッシュ・デスメタルをレコードのフォーマットに収めた最初の作品であった。シングル盤をリリースするためには、デモテープをレコードにプレスしてくれるレーベルを見つけるのが一番の手っ取り早い方法だった。Nihilist のデモテープ『Drowned』は Bloody Rude Defect Records で、Carnage のデモテープ『Torn Apart』は Distorted Harmony で、といったマイナーなレーベルからリリースされた。この Nihilist のシングル盤は、ニッケ・アンダソンと CBR のフレッダ・ホルムグレーンが作ったブートレッグだった。

「*そのシングルは完全にブートレッグだよ。ちょっと小銭を稼ぐためにね。俺達の音源がレコード盤でリリースされたのを目の当たりにして凄く興奮したね。*」（ニッケ・アンダソン　Nihilist/Entombed）

　1989 年には数作品がレコード盤としてリリースされた。注目すべきリリースは、Treblinka のシングル『Severe Abomination』である。これは Treblinka が自らの音源を発表するためだけに立ち上げたレーベル Mould in Hell Records から発売された。ヨーハン・エードルンド（ヴォーカル／ギター）は、自身のレーベルで他の作品もディストロで流通させ、ステーファン・ラーゲルグレーン（ギター）もファンジン『Poserkill』を発行していた――エードルンドは当時 DIY 精神の塊だったのである！ このシングルは粗削りのサウンドに、生々しいリフ、それに地獄からの悍ましいヴォーカルを武器に、デモテープでのスタイルを踏襲していた。

「*俺が 18 の誕生日を迎えると、親が 10,000 クローナ（約 1,200 ドル）入りの銀行口座をプレゼントしてくれたんだ。俺はその金を 666 枚のシングルのプレスのために全部使ったんだ。最初、俺のやったことに対して、親は気にくわなかったようだったけど、数日間、いや何時間かでソールドアウトになって、それで親は心変わりしたみたい。いやぁ、凄かったなぁ。後から考えてみると、俺の人生の中で一番の出来事だったかもしれない。利益が出たし、新しいギターも手に入ることがで*

海外のバンドもユースセンターでプレイするようになり、
ギグもきちんと企画されるようになった。

Thrash Bash 後期の告知フライヤー。
ご覧のとおり、デスメタル・バンドが大半を占めている。

アンダーグラウンド・シーンの台頭　183

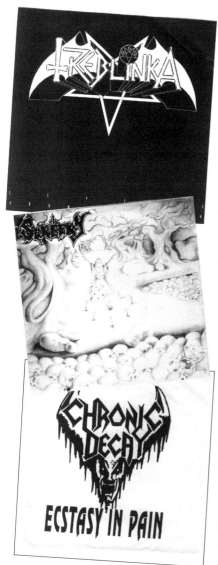

上から：
・Treblinka のシングル。
・Sorcery の『Rivers of the Dead』。
・Chronic Decay のシングル。

きた。それで、そのシングルがきっかけでレコード契約もしたんだから。週末には頻繁にパーティーができるようになったしな！」（ヨーハン・エードルンド Treblinka/Tiamat）

「自分でディストロを始めたのは、自分達のシングル 200 枚と Nuclear Blast のレコードをトレードしたことが始まりだった。トレードで仕入れたレコードを売らないといけなかったからな。すべて売った後、Mould in Hell を畳んだんだ。でも、続けたらよかったと今更ながら思っている。レーベルをやることでつながりができたし、本当に面白かったからな！」（ヨーハン・エードルンド Treblinka/Tiamat）

　このシングルのレコーディング終了後、ヨーハン・エードルンドはバンドの方向性を固めることに着手した。ヨーハンは、Treblinka のバンド名はきわどすぎると感じ、バンドの構想と相容れないことを悟った。その結果、1989 年秋、Tiamat へとバンド名を変え、生まれ変わった。バンド内にも動きがあった。ステーファン・ラーゲルグレーンとアンデシュ・ホルムバリはバンドを脱退し、Expulsion に加入した。不安定な体制であったにもかかわらず、Tiamat は逆に強靭となった。

　1989 年に強烈なシングル『Ecstasy in Pain』をリリースしたのは、エシルストゥーナの Chronic Decay だった。彼らはデスメタルというよりも、ブルータルなスラッシュメタルに粗削りなハードコア影響下のヴォーカルが蠢いている音楽性だった。シーンがよりエクストリームに変容していく上で、ここでこの作品を取り上げるには十分価値があると考える。

1990 年には、フランスのレーベル Thrash がスウェディッシュ・デスメタルにも触手を伸ばし、Carbonized のシングル『No Canonisation』、Sorcery のシングル『Rivers of the Dead』をリリースした。この当時、きちんとしたレコード契約するのは至難の業であった。多くのバンドが存在していたが、アルバムのリリースまでたどり着けたのはほんのひと握りだった。1990 年にようやく日の目を見たリリース群は、スウェディッシュ・デスメタルのブレイクのきっかけを作り、今日に至るまで傑作として崇められている。

Mayhem の有名な車。見てのとおり、実際は Audi の車だった。

『The Awakening』
(Merciless のファースト・アルバム) におけるエピソード

スウェディッシュ・デスメタル・シーン史において、最初に制作されたフルレングス・アルバムは Merciless の怒涛の如きデビュー作『The Awakening』だった。1989 年夏にレコーディングが行なわれたものの、1990 年の 3 月になってようやくリリースの運びとなった——当時はスムーズにことが進むことは稀だったのである。2 本目のデモテープの出来が素晴らしかったため、彼らは再びエシルストゥーナの Tuna Studio をレコーディング場所として選んだ。この Merciless のデビューアルバムはオイスタイン・オーセットの Deathlike Silence Productions 初リリース作であり、多くの点で伝説的であるといわれている。ベーシストのフレードリック・カーレーンによると、レコーディング作業は壮絶だったという。

「確かレコーディングを1週間程度で終わらせたと思う。デモテープの『Realm of the Dark』と同様に、エシルストゥーナのスタジオを使うことにした。Mayhem のメンバーも駆けつけてくれて、レコーディング最中にスタジオで猛烈にヘッドバンギングしていた。俺達は彼らと直接会ったことがなかったから凄く楽しかった。写真でMayhem のメンバーを見ただけだったから、身長2メートルくらいのマッチョで、酒に強くて、武器をぶら下げているような奴らが来ると想像していたんだけど、実際は全く違っていたんだ!」（フレードリック・カーレーン Merciless）

「足が長くて、ブロンドの長髪を垂らしたペール［デッド］が最初にやってきて、人見知りで黒髪の小さな2人が彼の後ろでもじもじしていたんだ。なんか『The Lord of the Rings（ロード・オブ・ザ・リング）』の小さなホビットを従えているガンダルフのようだった! ペールはノルウェーの彼の小さな小屋で体験した気色悪いことをずっと話していて、オイスタインはひっきりなしにコーラを飲み続けていた。オイスタインは Merciless の東欧ツアーの計画も話してくれた。ネクロブッチャーはウィスキーが好みでクールな奴だったな。」（フレードリック・カーレーン Merciless）

「俺は糞を焼却できる機械を作り上げたっていう大ぼらを吹いたんだけど、彼らは本当に信じていたみたいだった! 俺のアパートに着くと彼らは隈なく部屋の中を探して、その機械を見せろってわめき散らすんだ。でも何も見つけられなかったから凄く残念がってた。Mayhem はとてもいい奴らだったんだ、当時はね。彼らは『The Awakening』のマスターテープをノルウェーに持ち帰れて、とっても喜んでいたよ。黄色の中古 Volvo のトランクの中に入れて帰ったんだけど、バックミラーからサイコロが垂れ下がっていた。マジなんだって! ああ、ペールよ、懐かしいな! いつか会おうぜ!」（フレードリック・カーレーン Merciless）

　キチガイじみたレコーディング作業で幕を閉じた『The Awakening』の評判はどうだったのであろうか? アルバムはデモテープを踏襲した超アグレッシブなスピードメタルを基本として、1曲目の「Pure Hate」はダブル・バスドラムと激烈なギターのイントロで始まり、デスメタルの楽曲構成に接近していた。プロダクションは生々しく、粗削りで、デモテープで聴かれる音像からは大きな変化はみられなかったが、サウンドは彼らのプリミティヴな音楽性に完璧にマッチし、ロッガの怒りに任せた咆哮は文句なしの出来だった。ちょうど彼らは脂が乗り、アンダーグラウンド・シーンの帝王としての名をほしいままにしていた時期でもあった。Mayhem は商業的に失敗に終わったツアーで、Deathlike Silence Productions のすべての金を火薬や血糊などステージの特殊効果に使い果たしてしまったおかげで、不幸にも Merciless の

MERCILESS

8
T
R
A
C
K
L
P

FAST AND BRUTAL DEATHRASH

MERCILESS:THE AWAKENING!!

DEBUT
LP OUT
NOW

SKANDINAVIA- 70 KR
EUROPE   - USD 10(surface)
          - USD 13(air mail)

OUTSIDE EUROPE-USD 10(surface)
             -USD 16(air mail)

WRITE FOR WHOLESALE PRICES!

SEND TO
D.S.P.
BOX 75
1405 LANGHUS
NORWAY

FANZINE WRITE TO.
MERCILESS ELMAVAGEN 31
645 92 STRANGNAS SWEDEN

FAN CLUB
ONLY DARK
PIASTOWSKA 13B-33
15-207 BIALYSTOK 24
POLAND

Merciless のデビューアルバムのフライヤー

東欧ツアーは実現しなかった。しかし、スウェーデンでは頻繁にステージには立っていた——俺は狂ったようにヘッドバンギングしていたのを覚えている。

「俺達はしばらく毎週ライブを演っていて、他のバンドのギグも観ていたんだ。1989年にファーガシュタで演ったSodomとSepulturaとのライブはよく覚えている。スウェットパンツを履いたトム・エンジェルリッパーを楽屋で見かけて"うわぁ、マジかよ!"って思わず叫んじゃったよ。彼に突進して"ハロー、リッパーサン。ボ、ボクタチハ、アナタノオンガクガ、ダ、ダイスキデス"と緊張して口走ってた。で、我に返ったら俺のナニは半勃起状態だったなぁ。Sepulturaも凄くいい奴らで、超クールで気さくだった。当時は彼らを崇拝していたんだ。それから6、7年経ってから再びマックスに会ったんだけど、彼はストックホルムでツアーバスから飛び降りてきた。俺が"マックス、元気か?俺のこと覚えているか?"って聞いたら、マックスは"もちろんだよ、お前はMercilessのベースだよな"って即答するんだ。ブッ飛んだよ。マックス、お前ってすげえよ!」（フレードリック・カーレーン Merciless）

『The Awakening』は大ヒットしたわけではなかった——初回プレスは1,000枚だった。アンダーグラウンド・メタル・シーンで崇められていたMercilessだったが、アンダーグラウンド以上の成功を収めることはなかった。彼らはより広範なリスナーに受け入れられるために若干粗削りだったし、彼らのジャーマン・スラッシュ影響下のスタイルは、時代遅れとも捉えられていた。当時人気を博していたのはEntombedの分厚いサウンド、それにMorbid Angelの複雑な曲構成だった。しかし、それ以上にMercilessが商業的に成功しなかったのは、彼らのアルバムが流通最悪のアンダーグラウンド・レーベルからリリースされていたからだと思う。オイスタイン・オーセットはアルバムのプロモーションができなかったし、彼はブラックメタルの構想計画で頭が一杯だったのだろう。彼らに代わってストックホルム出身のバンドが、技術的にも商業的にもスウェディッシュ・デスメタルを次の段階に押し上げた。もちろんそのバンドとはEntombedである。

『Left Hand Path』

（Entombedのファースト・アルバム）におけるエピソード

　Entombedの中心となっていたのはNihilistの元メンバーだった。Nihilistのころからシーンにかなりのインパクトを与えていたため、彼らの音源を耳にしたり、ギグを体験した奴らは、遅かれ早かれEntombedがブレイクするであろうと予測していた。NihilistがEntombedとして生まれ変わると、すぐさまバンドが軌道に乗り

始めた。Earache Records
のディグビー・ピアソンは
Nihilist と契約するために、ニッ
ケ・アンダソンの電話番号を入
手し、スウェーデンまで国際電
話をかけたというのに、手に入
れた情報といえばバンドは既に
解散しているということだけだっ
た。しかし、ディグビーは代わ
りにニッケが新しく結成したバ
ンド、Entombed とためらいも
なく契約することに決めた。

『Left Hand Path』このアルバムでスウェディッシュ・デス
メタルがついに世界的に知られるようになった。

「*俺は彼らがバンド名を変更
したと聞いてちょっと安心した
んだ。さもないとアメリカに
Nihilist という同名バンドがいたから、厄介なことにもなっていたからな。ヨニー
が脱退したとしても大した問題ではなかったよ。重要なのはニッケが関わっていると
いうことだった。彼には天賦の才があるし、バンドの原動力で、リーダーでもあっ
たからな。*」（ディグビー・ピアソン Earache Records ＜レーベル＞）

　一方、ニッケ・アンダソンは当時のことをこう覚えていた。

「*Entombed のデモテープをリリースした後、Earache が連絡をとってきた。
Morbid Angel のデイヴィッド・ヴィンセントが Earache のオフィスから電話して
きて、俺達のサウンドに心酔しているって言うんだ。それで、ディグビーに電話が
代わって契約をオファーしてきた。Nuclear Blast からもオファーの話をもらってい
たけど、当時は Earache と契約する以外考えられなかったな。Nuclear Blast
には B 級バンドしかいなかったし、レコードのレイアウトもダサくて、ドイツのあの独
特な田舎臭さがプンプンしていてね。まあ、当時は Earache がデスメタルには最
適なレーベルだった。*」（ニッケ・アンダソン Nihilist/Entombed）

　念願の Earache との契約を手にした Entombed は、その後、スウェディッシュ・
デスメタルを世界中に浸透させることに一役買うことになる。

「*レコードがリリースされたあとに契約書を交わしたんじゃないかなぁ。まあ、お分
かりのとおり酷い契約だったけど。だけど、俺達は当時何もわかっていなかったん
だ。Earache からレコードを出せれば、それでよかったからな。俺達は、ガキで、*

世間知らずで、ボッたくられた。まあ、そんなところだよ。」（ニッケ・アンダソン Nihilist/Entombed）

　成功への階段を上ることになった Entombed は、1989 年 11 月 4 日リンケビーで初のライブを行ない、大勢の観客を動員した。1 か月後、革新的かつ衝撃的であるといまだに高く評価されているアルバムの制作のためにスタジオ入りした。同時期に、ダーヴィド・ブロムクヴィストはバンドを脱退することに決めた。

「俺が脱退した理由は、俺は元々ギタリストで、ベースを演奏することがしっくりいかなかったからだ。『Left Hand Path（邦題：顛落への道）』収録のすべての楽曲をリハーサルしたけど、レコーディングが始まる前に脱退することで筋を通した。ウッフェやアレックス、それとニッケは俺と同じくらい、または俺以上上手くベースを演奏できたから、俺が抜けても大丈夫だと思ったんだ。だから俺は Entombed を脱退して、すぐに Carnage に入った。ニッケとプレイしたのはたったの数か月だけど、フレッド（Carnage/Dismember）とはそれまでずっと一緒だったから、別のドラマーとプレイするのは違和感もあったしな。」（ダーヴィド・ブロムクヴィスト Dismember/Carnage/Entombed）

　ブロムクヴィストが脱退した後の 1989 年 12 月、やがてすぐにその名が知れ渡ることになる Sunlight Studio で、トマス・スコックスバリのプロデュースの下、

森の中で休息中の Entombed。

『Left Hand Path』のレコーディ
ングが開始された。数か月後、
Earache は意表を突くかのように
このアルバムを世に解き放った。
「俺達は新曲を 3 曲書いて、それ
からは毎週末にスタジオに篭もっ
て、3、4 週ほどしてからレコーディ
ングを終えたんだ。レコーディング
前夜に俺がボコボコに殴られたっ
て以外は作業は速く、スムーズに
進んだな。俺は当時、酔い潰れる
まで飲んではトラブルを起こしてい
たんだ。」（ウッフェ・セーダルン
ド Morbid/Nihilist/Entombed/
Disfear）

塀の中の Entombed。

　彼らのアルバムはハリケーンの
如く、メタル・シーンを急襲し、
Entombed はスウェーデン国外でも熱狂的に支持を受けるようになった。多くのリ
スナーにとって、このアルバムで聴かれるサウンドは斬新でエキサイティングだった。
究極にクランチが利き、極限まで下げられたチューニングのギターサウンドはこの世
で最も重厚であるにもかかわらず、初期のスウェディッシュ・デスメタルのデモテー
プにはなかったようなクリアーなサウンドが表現されていた。スタジオ名にちなんで、
"サンライト・サウンド" と呼称されるこのギターサウンドを代表する作品として、こ
の Entombed のデビューアルバムは後世に伝わることとなる。究極の生々しさと攻
撃性は、Entombed 自身の想像をも凌駕していたのだと思う。このギターサウンド
は肉体をズタズタに切り刻むチェインソーノイズとも表現された。
「極限のギターサウンドにはトマス・スコックスバリの功績が大きい。分厚いサウン
ドを創り出したのは彼のプロダクションのおかげだよ。俺は Ibanez のおんぼろギ
ター、Peavy のコンボアンプ、それに Boss の Heavy Metal ディストーションペ
ダルを使っただけだ。左右のスピーカーそれぞれに Boss の Heavy Metal ディ
ストーションペダル、中央には DS-1 ディストーションペダルで歪ませたギターを
セッティングした。俺がすべてのリズムトラックをレコーディングしたから、演奏は
タイトだった。そのやり方をアルバム『To Ride, Shoot Straight and Speak

the Truth』まで続けたんだ。」（ウッフェ・セーダルンド Morbid/Nihilist/Entombed/Disfear）

　しかし、『Left Hand Path』が驚異的であったのはギターサウンドだけではない。他の多くのデスメタル・バンドと一線を画すのは、当時弱冠17歳だったニッケ・アンダソンの精彩を放つドラム捌きだった。シーンにはドラムマシーンの如く、正確にプレイするドラマーもいるが、アンダソンはフィーリングやニュアンスを大切にしていた。彼のスタイルは完成していなかったものの、スウェーデンではまだ誰もやっていなかった手法を取り入れたのだ。さらにラーシュ＝ユーラン・ペトロフのヴォーカルも非の打ちどころがなく、彼の咆哮は典型的なデスメタルのヴォーカル・スタイルであったと同時に独特でユニークだった。ヴォーカルは単調に唸るだけではなく、聴きやすくクリアーだった。ペトロフは他の多くのデスメタル・ヴォーカリストと比べ、多様なスタイルを提示し、目を見張る様な絶叫スタイルを表現していたのである。

　このように Entombed はサウンドやテクニック面において卓越していた。同時に、楽曲の質も高かった。これは、ほとんどのリフやアレンジを手掛けたニッケ・アンダソンによる貢献が大きい。彼はキャッチーで耳に残る楽曲を創り出すことで、スウェディッシュ・デスメタルを最良の方法で広めたのである。それぞれの楽曲は粒ぞろいで、単調にならないように様々な仕掛けがあった。センスあるフィル・インやハッとするようなブレイクは、King Crimson などのプログレ・バンドの手法から影響を受けている。しかし、ニッケは当時 King Crimson やプログレをまだ聴いたことはなかったという——それほど彼らが素晴らしかったという証であろう。デモテープにも収録されていた「But Life Goes On」などの楽曲では新たな局面が打ち出され、アルバムのタイトル・トラックを始めとする新曲は崇高な域まで達していた。アルバムは息をつかせる間もなく、完全無欠な作品だったため、俺達は平伏すしかなかった。もちろん Nihilist の方が良かったという奴もいるだろうが、"1枚目のアルバムは最高傑作であること" に異論を唱える者はいないだろう。

「*Nihilist のギグを何回か観たことがあって、良かったけど最高とまではいかなかった。彼らは若くて、経験不足だったからな。Entombed になってから演奏が格段に良くなったんだけど、俺は Nihilist の方が好きだった——マジで衝撃を受けたからな。*」（マイケル・アモット Carnage/Carcass/Arch Enemy）

　それでも我々は Entombed がいたからこそ、その恩恵を受けたというのを忘れてはならない——『Left Hand Path』を模倣しようとしたスウェーデンの Dismember や Grave を始め、デスメタルに敵意を示した Mayhem や Burzum に至るまでである。それほどこのアルバムは北欧諸国に激震をもたらしたのである。

この時点まではまだ、スウェディッシュ・デスメタルはだだのアンダーグラウンド現象としか捉えられておらず、海外ではスウェーデンのバンド群についてはあまり知られていなかった。ところが、『Left Hand Path』がそれを根本から変えてしまったのである。Entombed がスウェディッシュ・デスメタルを完成させ、世界のシーンに衝撃を与えた。

「アルバムのレヴューは高評価で、かなり売れて、凄く嬉しかった。最初のミニ・ツアーはヨーロッパ中を列車で回ったんだ! ツアーのやり方なんて知らなかったから、他のバンドも列車を使っているんだろうと思っていたよ。疲労困憊で大変だったけど、やりがいはあったな。俺達みたいな普通の奴らが、ツアーをやったんだよ。俺達にとっては、達成感があったな。」（ニッケ・アンダソン Nihilist/Entombed）

『Left Hand Path』以降、怒涛のようなスウェディッシュ・デスメタルのリリースラッシュが続いた。しかし、『Left Hand Path』の破壊的なクオリティーに勝るレコードはなかった。スウェディッシュ・デスメタルの究極の手本を示したこのアルバムは、その後数年間、最も影響力を持つアルバムとなった。衝撃的なサウンドや息を呑むようなダン・シーグレイヴのアルバム・ジャケットに至るまでこのアルバムは一級品だった。Entombed の快進撃は止むことがなく、「Left Hand Path」のビデオ・クリップが制作されることになった――それはスウェディッシュ・デスメタル・バンドとして初の試みだった。ビデオ・クリップはアングラ的手法で行なわれた。独立系映画会社 ILEX の悪名高き狂人キム・ハンセンが、サンヴィーケンでのライブとストックホルム郊外の共同墓地 Skogskyrkogården で撮影を行なった――この"森の墓地"と呼ばれる場所はスウェーデンの建築家グンナール・アスプルンドによって設計されたものである。（訳者註：世界遺産にも登録されている Skogskyrkogården は、巨大な十字架のモニュメントがあることで有名。当施設のホームページによると"この十字架は信仰のシンボルというよりはむしろ「生 - 死 - 生」という生命循環のシンボルとして考えられている"とのことである。ここ Skogskyrkogården で『Left Hand Path』のリリース時のメンバー写真が撮影された。因みに 2018 年 9 月、あるストックホルムのホテルで、早めのチェックインをしようとして拒否された中国人旅行者がチェックインの時間までロビーで休もうとしたところ、ホテル側に拒否され、しかしそれでもホテルに居座り続けたため、警察に乱暴に引っ張り出され、墓場に連れていかれて放置されたという外交問題に発展した事件があった。彼らが放置された墓場というのが、ここ Skogskyrkogården）

「冗談半分でビデオを作ったから、テレビで放送されるなんて思ってもみなかった。でもそれは大きな間違いだったね! 出来はお粗末だったけど、それでもあの酷かっ

た「*Stranger Aeons*」のビデオ・クリップよりも気に入ってるよ。」（ウッフェ・セーダルンド Morbid/Nihilist/Entombed/Disfear）

　必要最低限の機材を使用し、ビデオカメラは市役所から借りたものだった。また、安っぽいフィルター効果を多用したため、粗削りな出来となった。MTV がEntombed にビデオ・クリップの使用依頼があったので、キム・ハンセンは低品質のビデオを 1 インチVTRに変換しなくてはならなかった。もちろんクオリティーは酷かったが、アングラ畑の血が騒ぎ、こともあろうにビデオを意図的にそのような品質に仕上げたとキムは MTV に信じ込ませた。彼はのちに金属切削工具などを取り扱うエンジニアリンググループ、Sandvik AB の会計監査官になり、先進経済分野で活躍するもっともクレイジーな人材となった。

「*MTV が連絡をしてきて、画質が悪いから放送で流せないって言うんだ。俺は、嘘八百を並べ、それは意図的なんだと主張した。交渉の末、元々ビデオはそのような意図で作られたと納得させたんだ。彼らはデスメタルのことなんてちっとも分かっていなかったから、俺の言ったことを丸のみしたんだよ。まあ、その権利をたった数百ドルで売ったから、彼らは万々歳だったんじゃないかな。すると Entombed は凄く売れて、そのビデオは頻繁にオンエアされるようになったんだ。*」（キム・ハンセン ILEX）

　Entombed は疑いもなくスウェディッシュ・デスメタルのリーダーとしての地位を確立した。彼らを模倣するバンドも多くいたが、自己のアイデンティティーを確立するために、あえて Entombed の音楽性から距離を置くようになったバンドもいた（後者は、嫉妬からくるものだったと容易に判断できる）。世界的なデスメタルの活性化を促したのが Morbid Angel の『Altars of Madness』、一方スウェディッシュ・デスメタルに貢献したのが Entombed の『Left Hand Path』なのである。

「*Entombed はレコード契約をして、それからデビュー作は大ヒットして、スウェーデン・シーンの起爆剤となった。だけど、ジェラシーを感じる奴らもいた。当時は公言しなかったけど、そりゃあ正直俺もちょっとうらやましいと思ったよ。彼らの 2ビートのデスメタルは俺の好みではなかったけど、演奏はかなりしっかりしていたから彼らのことは認めていたよ。ニッケのメロディックでハードコアに影響されたリフは Nihilist のころから凄くいいと思っていたんだ。*」（クリストフェル・ヨンソン Therion）

「*Entombed のデビューアルバムはスウェディッシュ・デスメタルの発展において最も重大な出来事だったかもしれないなぁ——それは Entombed の音楽性、サンライト・サウンド、トマス・スコックスバリのプロダクションによるところが大きかった*

と思う。」（イェスペル・トゥーション　Afflicted）

「俺はヴォーカル無しのミックスダウン前の『*Left Hand Path*』のテープをいまだ持っているよ。史上で最も生々しくて、ブルータルだったな。」（ディグビー・ピアソン　Earache Records＜レーベル＞）

『Mean』

（Filthy Christians のファースト・アルバム）におけるエピソード

『Left Hand Path』が当時、いかに斬新でブルータルだったかを理解するために、Earache 所属のスウェーデン出身バンド Filthy Christians が 1990 年にリリースした『Mean（邦題：下劣）』と比較してみることにする。Filthy Christians はデスメタルにはカテゴライズされていないが、80 年代後半にはアンダーグラウンド・シーンで重要な役割を担い、残虐性溢れるスウェーデンのサウンドに貢献したことは間違いない。『Mean』は彼らの地元ファールンにあったスタジオ Musikstugan で 1989 年 4 月 7 日から 11 日にかけてレコーディングされた。正直言って、当時でさえ彼らの音楽性は既に少々時代遅れだった。一年後に作品がリリースされたときには、Filthy Christians のバンドとしてのピークは既に過ぎていたのである。彼らは速くて短い楽曲にドスの利いたヴォーカルが乗る、正統派グラインドコア／クロスオーヴァー・スタイルを目指していたが、サウンドは薄っぺらで、ギターはチューニングが少々狂っているようにも感じられた。さらに、どこかで聴いたことのあるようなリフやありきたりなアレンジはいささか退屈だった。率直に言って彼らの初期の音源の方が面白かったかもしれない。それ以上に失敗だったのは、アルバムのオープニング曲を Donna Summer の 1979 年のディスコ・ヒット曲「Hot Stuff」で始めるという、ドン引きするようなことをやらかしたのだ。シリアスさが重宝された初期デスメタル・シーンでは“悪ノリ”はご法度だったため、これは完全に的外れだった。彼らの歌詞には政治的なメッセージが込められてはいたが、そのおちゃらけたイメージを払拭することはできなかった。80 年代中期にアルバムがリリースされて

下劣なグラインドコア。

いたら良かったかもしれないが、90年代初頭にはデスメタル・ブームがシーンを掌握しようとしていた。

「『Mean』はメタルっぽくもなくて、過激さも物足りなかった。彼らはオールドスクールのハードコア・サウンドにルーツを持っていたからな。いい作品だったとは思うけど、俺はEaracheが産み落とした次世代のエクストリーム音楽の方に気をとられてしまっていたんだ。実際、デスメタル・シーンの台頭によって、Filthy Christiansのようなハードコア／メタルコア・バンドは抹殺されてしまったんだよ。彼らの歌詞にあったあのユーモア感覚で自らの首を絞めてしまったよな。」（ディグビー・ピアソン Earache Records ＜レーベル＞）

『Dark Recollections』
（Carnageのファースト・アルバム）におけるエピソード

Entombedがデビュー作のレコーディングを行なっている間、若きギタリスト、マイケル・アモットは自身のバンドCarnageとレコード契約を望むレーベルを物色していた。この時期には、Dismemberの元メンバーのフレッド・エストビーとマッティ・カルキが加入し、バンドのラインナップは固まっており、状態は最高だった。Entombedを脱退した元Dismemberのギタリスト、ダーヴィド・ブロムクヴィストが加わり、Carnageの勢いはとどまるところを知らなかった。やがてアモットはイギリスの友人がオーナーのレーベルNecrosis（このレーベルは、アメリカ・ミシガン州

『Dark Recollections』のジャケット。

出身のRepulsionとノルウェー出身のCadaverと既に契約していた）からのオファーを受け取ることになる。（訳者註：そのイギリスの友人というのはCarcassのジェフ・ウォーカーとビル・スティアー）

この若きバンドはオファーを快諾した。1990年2月にCarnageはSunlight Studioに入り、真正スウェディッシュ・デスメタル・バンドとしては2作目となるアルバムのレコーディングを行なった。

「レコーディングはこれ以上ないってくらい上手くいったんだよ！ アルバムを発表する段階には程遠かったけど、やり遂げたんだ！」（マイケル・アモット Carnage/Carcass/Arch Enemy）

「マイケルはストックホルムに引っ越してきたけど、ヨーハン（訳者註：その後、Arch Enemy にヴォーカリストとして加入）は躊躇った。だからマッティが代わりに加入したんだ。その後、ダーヴィドが加入すると、バンドに追い風が吹いた。それで急いでスタジオを予約して、持ち曲すべてをレコーディングしたんだ。」（フレッド・エストビー Dismember/Carnage）

Carnage の『Dark Recollections』は、数か月前に Entombed がシーンに解き放ったスタイルを踏襲した佳作だった。トマス・スコックスバリによって確立された"サンライト・サウンド"は Entombed のアルバムよりも重厚感に溢れていたが、ギターサウンドの面においては激しさやクリアーさが足りなかった。しかし、ベース音も良く聴こえ、アルバム全体の雰囲気は破壊力に満ち溢れていた。リフは Entombed と肩を並べるほどのクオリティーであった――歌詞はゴア志向だったものの、Carnage のデモテープで聴かれたような露骨な Carcass の影響はほとんど姿を消していた。

マッティ・カルキとフレッド・エストビーが Entombed から拝借したと思われるマイナス点もいくつかあった。それは、クオリティーの低い Entombed のペトロフとアンダソンの模倣にも聴こえた。しかし、マッティとフレッドは巧みにこなしていたため、嫌悪感を示す者などいなかった。この Carnage のアルバムは、ある意味『Left Hand Path』の二番煎じともいえる。Carnage の名誉のために言っておくが、彼らの楽曲アレンジ能力は唯一無二だった。Entombed は２ビートを多用していた一方で、エストビーはパンクから影響を受けた D ビートを好み、グラインド・パートも少なからず入れていた。Entombed のデビューアルバムと同じく、『Dark Recollections』はアルバム・ジャケットにダン・シーグレイヴのアートワークを採用していた。

Dismember の楽曲の何曲かは古いデモテープに収録されていたヴァージョンよりも貧弱に聴こえたので違和感があった。サウンド自体は紛れもなく良かったが、アルバムにはオーラが感じられなかった。デモテープのヴァージョンの方がアルバムよりも良かったということが、他の多くのスウェディッシュ・デスメタルのアルバムにも見受けられるのは残念なことだった。そのためシーンの中で、"１作目のデモテープが最高傑作"という先入観がどのバンドに対してもあるのは否めない事実である。昔を思い出してみると、それはよく使われた表現ではあったが、多くの場合実際当てはまっていた――そして、Carnage も例外ではなかった。

Carnage のポテンシャルは高かったが、マイケル・アモットが Carcass への加入をオファーされ、これを受け入れたため、Carnage はこの 1 枚のアルバムをもって解散した。Carcass が最高傑作『Symphonies of Sickness』をリリースした後に、加入オファーを断る者などどこにいようか。当惑した Carnage の残党を尻目に、アモットはイギリスへと旅立ったのだ。

「Carnage は俺が創り出したバンドだったけど、常にメンバーチェンジを繰り返してきたから、たった数年前から活動を始めたなんてことも忘れていたんだ。フレッド・エストビーが加わってから物事が順調に進むようになって、凄く良くなった。だけど、その過程で何かを失ってしまったとも感じていた。俺はアルバムのレコーディングに満足していなかったし、期待どおりに行かなかったんだ。俺の演奏を含めてね。そうこうしていると Carcass から誘われて、一大決心をした。俺にとってはまたとないチャンスだったから、ここぞとばかりに手に入れたんだ。それで俺の人生は変わった。」（マイケル・アモット Carnage/Carcass/Arch Enemy）

「解散についてはそんなにがっかりしなかったけど、解せなかったなぁ。俺達は Entombed のデビュー作のすぐあとにアルバムを出した最初のバンドだったけど、すぐ消滅してしまった。本当に異常だったよ。」（フレッド・エストビー Dismember/Carnage）

　Carnage の解散とは裏腹に、マッティ・カルキ、ダーヴィド・ブロムクヴィスト、フレッド・エストビーの結束は強くなっていた。彼らは圧倒的な力を身につけ Dismember を再結成させた。その後数年にわたり、彼らはブルータルなスウェディッシュ・デスメタルを創り上げるのである。しかし、新体制による出陣までの準備期間だった 1990 年は他のバンドにたすきを譲ることになる。

『Sumerian Cry』
（Tiamat のファースト・アルバム）におけるエピソード

　当時シーンを牽引していたバンドといえば Treblinka の延長線上にあった Tiamat だった。彼らはイギリスのレーベル C.M.F.T. と契約し、『Sumerian Cry』を発表した。この革新的なデビュー作は 1989 年 10 月から 11 月に録音されたので、Entombed と Carnage の強力な 2 枚のアルバムよりも前にレコーディングされたことになる。また、Sunlight Studio でレコーディングされた最初のアルバム音源でもある。しかし、発売当初の 1990 年の 4 月には、あまり話題に上らなかった。

「俺達はレコーディングの費用を自分達で賄った。Treblinka のシングルを多くの

レーベルに送ったこともなかったしな。だけど、俺達の名前が知られるようになると、いくつかのレーベルが興味を示してくれたんだ。当時は、凄い楽曲を創り出すことよりも、シーンにおけるバンド評価の方が重要だった気がする。俺達のバンドは信頼度絶大だったから、いつの間にかいとも簡単に契約ができたって感じだった。レーベルはレコードをプレスして、売るだけだったから俺達は相当ボッたくられた。だけど、バンドの名を知らしめるにはいい方法だったと思う。」（ヨーハン・エードルンド Treblinka/Tiamat）

　彼らのアルバムの方向性は他のバンドとは一線を画していたし、Entombed、Carnage、Merciless とも全く異なっていたのである。Tiamat はプリミティヴなコープス・ペイントを施し、"ヘルスローター（地獄の殺戮者）" などというステージネームを使用し、Treblinka から陰鬱で神秘的な歌詞のテーマを引き継いでいた。Tiamat はわずかな期間だけだが、自分たちをブラックメタルとカテゴライズしていた。ブラックメタルは 80 年代後半にはまだジャンルとして確立していたわけではなく、歌詞にサタニックな要素のあるバンドに対する呼称にすぎなかったことを知っておくべきだろう。Damien、Merciless、Morbid、Third Storm、Grotesque の例を見るまでもなく、コープス・ペイントの使用はスウェディッシュ・メタル・シーンにとっ

Sumerian Cry

Tiamat『Sumerian Cry』のインナースリーヴ。

て目新しいものでもなく、珍しいことでもなかった。スウェディッシュ・デスメタル・シーンでコープス・ペイントがとっくに飽きられたころ、後れをとって、ノルウェイジャン・ブラックメタル・シーンではコープス・ペイントがブームになった。

「ヨルゲンと俺はブラックメタルに相当はまっていた。俺達はステージ用の小道具を作るためにホームセンターに行っては、釘とかブラックレザー色のペンキを買い込んでね。他の２人はブラックメタルにはまっていなかったから、奴らが脱退して清々したよ。」（ヨーハン・エードルンド Treblinka/Tiamat）

　Tiamat の重厚なサウンドとエードルンドのドスの利いたグロウル・ヴォーカルは間違いなくデスメタルだった。演奏力のつたないバンドが醸し出す怪しい雰囲気は、の

ちに登場するブラックメタルの美学にリンクすると主張する奴がいるほどである。しか
し、その雰囲気はブルージーなパート、アルバム最後に登場する酷いアニメのサンプ
リングによって見事に台無しになってしまうのである。当時はメタルというものは、お
ふざけ以外何物でもなかったのだ。（訳者註："ブルージーなパート"と"アニメのサンプ
リング"というのは「Evilized」におけるその間奏部分であろう。因みに"アニメのサンプリ
ング"はディズニー映画『ジャングル・ブック』〈スウェーデン語ヴァージョン〉から抜粋さ
れたと言われている）

*「デビュー作はプリミティヴだったけど、俺達が成し遂げようとしていたこと、つまり、
徹底したブラックメタルのイメージを表現することが、上手く成し遂げられたと思う。
新しいバンド名を気に入っていたし、アルバム全体のコンセプトにもムラがなかった
からな。」*（ヨーハン・エードルンド Treblinka/Tiamat）

　率直に言うと、そのプリミティヴな演奏はバンドの才能の限界をも露わにしていた。
彼らの演奏能力は限定的だったといえる。楽曲構成はツメが甘く、アマチュアの域を
脱していないアルバムだった。今となっては彼らの音楽性は没個性的かもしれない。
しかし、俺達は Tiamat のサウンドに魅了されていたし、彼らはシーンから絶大なる
リスペクトを受けていたのも確かである。彼らのデビュー作を聴くと、今でも背筋が
ゾクッとするのは事実である。マイナス面はあるものの、『Sumerian Cry』は現在
の多くのアルバムに欠如している"精神性"というものを体現している。『Sumerian
Cry』のジャケットカバーを描き、のちにアーティストとして成功した Grotesque のク
リスティアン"ネクロロード"ヴォーリーンとヨーハン・エードルンドは当時のことを次
のように回想する。

*「クリスティアンがジャケットを描いたきっかけは本当に偶然だった。俺達はレコー
ディングを終えてから、彼とたまたま会ったんだ。クリスティアンとトンパ・リンドバ
リがノルウェーに旅行の途中だった。彼らにテープを聴かせたんだ。すると、クリス
ティアンが油絵とエアブラシを始めたから、アルバム用に何かを描きたいって言って
きたんだ。」*（ヨーハン・エードルンド Treblinka/Tiamat）（訳者註：ノルウェー到
着後、1989 年大晦日に行なわれたパーティーで、彼らはのちにブラックメタル・ムーヴメン
トを構成するメンバーと遭遇するのである）

*「昔は良質なレコーディング・スタジオもなかったし、アルバムのジャケットを描く
アーティストも多くはなかったんだ。Tiamat の奴らは俺が絵をちょっと描いているっ
て知っていたみたいだったから、俺にアルバムのジャケットを描いてみないかって聞
いてきた。アクリル絵の具を使ったんだけど、確かそれはカラーで仕上げた初めて
のジャケットだったと思う。実際に印刷されて出来上がったクオリティーは酷かった*

けど、実物のアートワークはもっと良かったんだ。Tiamat のジャケットを描いてか
ら、Therion とも仕事ができるようになった。その後、定期的にアートワークの仕
事のオファーが舞い込んできたんだ。」（クリスティアン "ネクロロード" ヴォーリーン
Grotesque/Liers in Wait/Decollation）

　Grotesque のメンバーによって描かれたアートワークを採用した Tiamat——ス
ウェディッシュ・シーンでこれ以上邪悪な組み合わせはなかったであろう。その後間
もなくして、Tiamat はスウェーデンのバンドで最も成功したバンドの一つとなり、
ヴォーリーンはスウェーデンで最も著名なジャケットデザインのアーティストとしてその
名を馳せた。ゆえに、『Sumerian Cry』はスウェディッシュ・デスメタルに歴史的
な意味をもつ作品なのである。最後に、アルバムには参加していないが、ステーファ
ン・ラーゲルグレーンについても言及する必要があるだろう。楽曲の大半を書いてい
るため、このアルバムは彼の功績によるところが大きい。この事実を知る者は多くは
ないが、彼のような才能のあるミュージシャンが世の中から忘れ去られた存在になっ
てしまったことは残念でならない。

『Time Shall Tell』
（Therion のファースト・アルバム）におけるエピソード

　この時期にリリースされたデスメタル然とした作品に、Therion のミニアルバム
『Time Shall Tell』も挙げられる。このアルバムは、エクストリーム・メタルを中心
に取り扱い始めたレコード店 House of Kicks のスタッフによってリリースされたもの
だった。デスメタルがシーンの話題をさらっていたため、彼らもレコードの配給を始
め、同レーベルから作品をリリースしたので
ある。Therion のレコード契約に至った経緯
をみるだけで、80 年代後期の状況もわかっ
てくるだろう。

「彼らの店にデモテープを置いてもらった
ら、いたく気に入ってくれたみたいで、ミニ
アルバムのオファーをしてきたんだ。」（クリ
ストフェル・ヨンソン Therion）

　このように話がトントン拍子に上手くまとま
ることもあった。レコーディングは Sunlight
Studio で行なわれ、サウンドは真正スウェ
ディッシュ・デスメタルだった。強烈なドラム

Therion のミニアルバム。

と覚えやすい曲構成で、当時のスウェディッシュ・シーンを代表していたともいえる。身の毛がよだつようなヴォーカルは絶品で、戦慄を覚えるほどだった。しかし、録音はクリアーではなかったため、『Time Shall Tell』は Therion のデモテープの音像に近かった。

「1989 年の晩秋頃、俺達は Sunlight でたった 2 日間でレコーディングを終わらせちゃったんじゃないかなぁ。トマス・スコックスバリは何をすべきかを分かっていて、デモテープをレコーディングするかのように作業がスムーズに進んだんだ。ヴォーカルが上手くいったから、ヴォーカリストを改めて探すという話はなくなったんだ。レコードが発売されるまで 6 か月くらいかかったから、その間俺達はマスター音源から 10 数本カセットテープを作った。1,000 枚プレスという契約だったけど、俺達には一銭も入ってこなかったよ。色んなレーベルにレコードを送っていたら、きっときちんとした契約を獲得できるんじゃないかって思って、自分達に言い聞かせたんだ。」

「House of Kicks はさらに 1,000 枚プレスしたけど、それが元で Deaf/Peaceville と契約したときにちょっとしたいざこざがあった。売れても俺達には一銭も入ってこないもんだから、いっそう『Time Shall Tell』を売って欲しくなかった。"再プレスの 1,000 枚分の印税を払わないと訴えるぞ!"って奴らを脅したら、俺達のアルバムの発売とプロモーションしないって逆に脅してきた。House of Kicks は Peaceville のディストリビューターだったからな。俺は夜も眠れないくらい悔しかったけど、奴らの要求に従うしかなかった。今では、『Time Shall Tell』は俺達の 3 本目のデモテープとして捉えている。」(クリストフェル・ヨンソン Therion)

『For the Security』

(Carbonized のファースト・アルバム) におけるエピソード

1990 年、Carbonized はフランスのレーベル Thrash Records の目に留まりレコード契約に至った。Carbonized はシンプルに『Re-Carbonized』とタイトルされた新作デモテープを年頭にリリースした。音楽性は彼らの 1 本目の作品を踏襲していたが、マッティ・カルキが脱退していたため、ヴォーカルには迫力が足りなかった。

「良いバンドではあると思ったけど、Carnage から加入のオファーをもらっていたからな。Carbonized のバンド内はごたごたしていたし、あるメンバーと折り合いが悪かったから、辞めてやったのさ。それで Carnage に加入したって訳だよ。Carnage はレコーディングとか色々順調に行きそうだったからな。」(マッティ・カ

ルキ Carnage/Dismember）

　カルキが脱退した Carbonized は、Entombed のラーシュ・ローセンバリ（ヴォーカル／ベース）、Therion のクリストフェル・ヨンソン（ギター／ヴォーカル）、ピョートル・ウォズニウック（ドラム）を配したトリオ編成となった（その 3 人はのちにTherion にも加入することとなる）。1991 年 1 月、『For the Security』のレコーディングのために Sunlight Studio に入った。グラインド・パートが多用され、重厚なサウンドが特徴のこの作品では、超激烈なデスメタルを体感することができる。演奏はタイトで、ヴォーカルはカッコ良く、攻撃的だった。楽曲の質はそれほど高くはなかったが、アルバムの激しさは十分に伝わってきた。しかし残念なことに、Carbonizedが所属するフランスの弱小レーベルは彼らを十分に売り出すことができず、メンバーは Entombed と Therion にも加入していたため、Carbonized の活動時間が思うようにとれなかったのである。けれども、『For the Security』は、人々の記憶に残る作品であることは間違いないし、グラインド・パートはいまだ新鮮に聴こえる。Carbonized は更なるメンバーチェンジの憂き目にさらされ、その後バンドは崩壊した。

『Incantation』
　　（Grotesque のファースト・ミニアルバム）におけるエピソード
　1990 年にリリースされた傑作の 1 枚は、ユーテボリ出身の Grotesque によってもたらされた。1990 年初頭、トマス・リンドバリとクリスティアン・ヴォーリーンは、セカンド・ギタリストのアルフ・スヴェンソンをバンドに加入させた。セッションドラマーのトマス・エリクソンのヘルプのもと、強靭となった Grotesque は 1990 年 8 月Sunlight Studio に入り、新曲 3 曲のレコーディングを行なった。
「*かつてはきちんとしたスタジオを見つけるのが大変だった。ユースセンターで酷い機材を使ってレコーディングするか、設備の整ったスタジオに入ってレコーディングするかのどちらかしかなかった。だけど、後者のようなスタジオは費用がかかったから手が出なかったし、スタジオ・スタッフもデスメタルをどのように扱っていいかわかっていなかったからな——At the Gates のデビュー作を聴いてみろよ。ありゃ酷いよなぁ。だから、Sunlight を選んでよかったよ。金額もリーズナブルで、トマス・スコックスバリはエクストリーム・メタルの扱い方を少しずつわかってきたからな。*」（クリスティアン "ネクロロード" ヴォーリーン Grotesque/Liers in Wait/Decollation）
　出来上がった作品は、スウェディッシュ・アンダーグラウンドで起こった最高の出

Grotesque『Incantation』に使用されたクリスティアン・ヴォーリーンの見事なアートワーク。

来事に入るであろう。Grotesque は粗削りのプロダクションであったにもかかわらず、テクニカルな要素を取り入れたことで、無骨なデスメタルを好むファンと洗練されたデスメタルを好むファンの双方を納得させることに成功した。しかし残念ながら、バンド内で問題が起きた。

「*俺達はガキだったから、音楽性に関してお互い譲れないところがあった。最初は俺がバンドの音楽性の全権を担っていたけど、アルフ・スヴェンソンがギタリストとして加入すると状況が変わってきた。俺は Possessed とか Morbid Angel の要素が失われつつあると思ったんだ。俺達は "普通の" デスメタル・バンドに成り下がってしまったんだ。別にアルフが嫌いというわけではないけれど、俺のバンドではなくなってしまったような感じがした。トンパと俺は同じような意見を持っていたから、もう 1 人クリエイティヴな人物が入る余地がなかったんだ。状況は悪くなっていくばかりだったから、バンドを解散するしか方法がなかった。*」（クリスティアン "ネクロロード" ヴォーリーン Grotesque/Liers in Wait/Decollation）

「*俺達は Atheist とか個性的なバンドに影響を受けるようになっていたから、俺達のアイディアも一風変わったものになったんだと思う。楽曲も Grotesque らしくなくなっていたし、解散することで自分達に正直にいられると思ったんだよ。俺が Infestation でヴォーカルをとり始めていたことを、クリスティアンは快く思っていなかったみたいだったからな。でも、お互いに納得して Grotesque を解散することにした。*」（トマス・リンドバリ Grotesque/At the Gates/Disfear）（訳者註：アメリカ・フロリダ出身の Atheist〈改名前は R.A.V.A.G.E. として知られる〉は、シーンに革命をもたらしたテクニカル・デスメタル・バンド。デビューアルバム『Piece of Time』は 1988 年に Morrisound でレコーディングされ、翌年には Mean Machine から発売されるはずだった。しかし、レーベルの倒産によってリリースが頓挫し、実際 Active Records からリリースされたのは 1990 年になってからだった。その後の数作品によって、Cynic、後期 Death、

後期 Pestilence と並びテクニカル・デスメタルの代表格となった）

　Grotesque はバンド崩壊後、衆望を集めるようになったというのは運命というべきであろうか。解散後、地元のレーベル／レコード店の Dolores が彼らの音源のリリースに乗り出したが、異を唱える者など誰もいなかった。

「俺達は Dolores でレコードをよく買っていたから、スタッフとは知り合いだった。その店はストックホルムの Heavy Sound のように、ユーテボリ・シーンの中心だった。そこで友人と落ち合ったり、出会ったりする場所でもあった。もちろん彼らが望んでいたから、俺達の作品をリリースできたんだよ。」（クリスティアン "ネクロロード"ヴォーリーン Grotesque/Liers in Wait/Decollation）

　ミニアルバム『Incantation』には、彼らの最後のデモテープから3曲、それに1989年の未発表のデモテープ『In the Embrace of Evil』から2曲収録されていた。スウェディッシュ・デスメタル史上最も複雑で荘厳な雰囲気のあるタイトル曲の「Incantation」をはじめ、新たにレコーディングされた楽曲は強力だった。多くのテンポ・チェンジ、ブレイク、そして独創性溢れるリフによって Grotesque は絶対的な存在となった。

　彼らは冒涜的歌詞とイメージを惜しげもなく前面にさらけ出していたという点で、当時の多くのスウェディッシュ・デスメタル・バンドとは異なっていたといえる。彼らの音楽性はデスメタルにカテゴライズされていたが、地下で蠢くブラックメタル・ムーヴメントに影響を与えたのである。バンドによると、トマス・リンドバリとクリスティアン・ヴォーリーンは痛快なステージネーム "ヴァージン・テイカー（処女強奪者）" を取り合ったというのである。しかし、それ以上揉めごとになるのを避け、"ゴート・スペル（山羊の呪文）" と "ネクロロード（死の支配者）" に落ち着いた。（20年後、本書の初版発売記念ライブで Grotesque が再結成した際に、オリジナル・ベーシストのペール・ノルドグレーンは自身を "ヴァージン・テイカー" と名乗ったのである！）

「俺達は常にバンドのイメージにこだわっていた。特にブラジルのバンドから凄く触発されたんだ。俺が逆さ十字にバンドのロゴをデザインして、ステージネームは結成当初に採用した。最初は "ヴォミットロード（吐瀉物王）" と名乗っていたけど、しばらくして "ネクロロード" に落ち着いた。ギグでは俺達はコープス・ペイントを施して、トマスは巨大な逆さ十字を持ちながらステージ上をうろつき回っていたよ。」

　（訳者註："ブラジルのバンド" とは初期 Sarcófago、Sepultura、Vulcano、Holocausto などを指していると思われる）

「俺達のフォトセッションにも逸話があってね。俺達のイメージに合う墓地が必要だったんだけど、ここユーテボリに雰囲気が最高の墓地を見つけたんだ。入口に

デモテープ『Beyond Redemption』。

デモテープ『Wrath from the Unknown』
——スウェディッシュ・バンドによる最高傑作
の１本。

"死を想え"って書いてある巨大な看板があってね。友人からは、当時探すのも難
しかった革のパンツやコートなどのクールな衣装を借りた。レコード用にフォトセッ
ションをしていたら、おまわりがやってきて、俺達のことを墓荒らしだと勘違いしたよ
うだった。写真の１枚を見てみると、背景にパトカーが写っているのがわかるんだ
よな!」（クリスティアン "ネクロロード" ヴォーリーン Grotesque/Liers in Wait/
Decollation）

「あのむさ苦しい革のコートだよなぁ……。ちょっとの間、カッコいいと思ったから、
当時それを着て写真を撮ったんだよ。俺は自己顕示欲の強いただのガキでさぁ、
自分がダサく見えるなんて思いもしなかったよ。ニッケ・アンダソンと俺は先が尖がっ
ている靴にはまっていたから、Entombed と Grotesque のバンド写真でそれを
穿いているのを確認できるよ。それはそれは、アホっぽくみえるだろ。」（トマス・リ
ンドバリ Grotesque/At the Gates/Disfear）

　その後、革コートはシーンで流行ることとなった。流布された Grotesque の写真
に倣い、大勢のキッズが同じようなコートをまとって街を闊歩する姿が見られた。本
書の執筆中、俺がデスメタル・コレクションを探すために友人の洋服ダンスを隈なく
漁っているときに、トマス・リンドバリが着用したあの伝説的なコートを入手したこと

を報告しておこう。

　プロダクションに関していうと、Grotesque は他のバンドとは異なったアプローチをとった。その手法は後のブラックメタル・ムーヴメントで注目されるのである。Sunlight Studio でレコーディングしたバンドの多くはギターの "音の壁" を創り出すことに躍起になっていたが、Grotesque はデモテープ時代の生々しい感覚を再現することに徹した。プリミティヴで残忍な彼らのサウンドは楽曲とマッチし、リフの鮮明さが失われることはなかった。さらに特筆すべきは、トマス・リンドバリの卓越したヴォーカルパフォーマンスであった。彼の声質には聴くたびに背筋がゾクッとするような感情と魂が内包されていると感じられる。ある意味、Morbid Angel のデイヴィッド・ヴィンセントの冷徹なブルータルさと Bathory のクォーソンのもがき苦しむかのような咆哮が絶妙に融合されているようだった。『Incantation』はいまだに俺が好んで聴くレコードの 1 枚で、現在でも異彩を放ち、気迫溢れる作品であることに変わりはない。

「俺にとって、スウェディッシュ・シーンで一番のバンドといえば Nihilist だった。もう一つ選ぶとしたら Grotesque だろう。彼らは個性的だった。」（ディグビー・ピアソン Earache Records ＜レーベル＞）

　Grotesque が活動を続けなかったのは残念だった。言うまでもなく彼らは、スウェディッシュ・デスメタル・シーンにおいて最高のバンドで、存続していれば成功していたに違いない。しかし、幸いなことに、Grotesque が解散してから、Liers in Wait と At the Gates という 2 つの素晴らしいバンドに派生し、後者は最も革新的で、極上のスウェディッシュ・デスメタル・バンドへと変貌した。このように 1990 年は Entombed、Merciless、Carnage、それに Tiamat といった面々がレコードを次々とリリースした年であった。これは、スウェディッシュ・デスメタルがブレイクする前兆であることを証明したのである。その後の 2 年間、鮮烈なアルバム・リリースやコンサート企画が絶え間なく続き、俺のようなエネルギッシュな 10 代のガキがシーンと共に生き、最高のときを過ごした。毎週どこかでバンドがプレイし、我を忘れてデスメタルに没頭していたのである。

　1990 年の 1 年間、アンダーグラウンド・シーンで数多くの独創性に溢れたデモテープがリリースされた。実際は、ここまで述べてきたことよりももっと多くのことが起こっていたのだ。

ストックホルムにおけるデモテープのブーム

　上記に既述した重要な作品がリリースされるにつれて、新しいバンドが至るところ

『The Odious Reflection』

Dismember の再臨。

で結成され始めた。一方、レコード契約に至っていなかった既存のバンドは衝撃的なデモテープを発表し続けた。多くの活動的なティーンエージャーは、全身全霊をデスメタルに傾け、シーンの空気は創造性や活気に満ち溢れていたのである。1990年に強烈なデモテープを創り上げていたのはストックホルム出身のバンドだったのは言うまでもない。

　それまでのブルータルなスタイルを踏襲していた Crematory は、1990 年秋に『Wrath from the Unknown』のレコーディングのために Grottan Studio に入った（彼らはスタジオを Sunlight に変更しなかった数少ないストックホルム出身のバンドだった）。新作はデビュー・デモテープと同様、破壊力満点だった。Crematory のサウンドは壮絶なリフ、的確なギターソロ、ヘヴィーで歪んだベース、それに最高のグロウル・ヴォーカルが特徴的だったので、彼らはスウェディッシュ・デスメタル・バンドの中でも最もオリジナリティーを持ち、エクストリームであることは間違いなかった。ゆえに『Wrath from the Unknown』は、暴虐性に溢れた暗黒デスメタルの最高傑作であった。

　オリジナリティー溢れるストックホルム出身のバンドとして、Afflicted Convulsion も挙げられる。Crematory が Grottan でレコーディングする数か月前、Afflicted

Convulsion は『Beyond Redemption』のレコーディングのために同スタジオ
に入った。本作品は攻撃的なサウンドで数多くのブラスト・ビートを取り入れ、
Crematory と引けを取らないほどブルータルだった。他のストックホルム出身バンド
と比較すると、Afflicted Convulsion のサウンドは混沌としていたのである。

*「俺達が初めてレコーディングしたデモテープ『Beyond Redemption』には、ま
だちょっと素人臭さが残っていた。でも、この音源によって俺達は音楽的方向性を
固め始めたんだ。」*（イェスペル・トゥーション Afflicted）

　次のデモテープ『The Odious Reflection』のレコーディング前には、素人っぽ
さはかなり洗練されていた。1990 年秋にバンド名を Afflicted と短縮し、新ヴォー
カリスト、ヨアキム・ブリョームスが加わった。さらに、彼らは有名な Sunlight
Studio を選択したことで、サウンドはプロフェッショナルに変化した。グロウル・ヴォー
カルやブラスト・ビートを多用し、音楽性がブルータルだったのは変わらなかったが、
パンキッシュな D ビートや多彩なスタイルを追求していった。新ヴォーカリストはその
後の作品で頭角を現すこととなったが、ポテンシャルの高さを本作において既に示し
ていた。

*「このデモテープには俺達はあまり満足していなかったんだよ。俺達は同時進行で
デビューシングルにも取り掛かっていたし、レコーディング作業自体に神経を使って
いたんだ。多くのことをやりすぎていた感があったけど、俺達の小遣いをはたいて
レコーディングをしたし、学校を卒業する時期だったから仕方ないことだったのかも
しれない。『The Odious Reflection』で良かったのはヨアキム・ブリョームスの
ヴォーカル・パートだな。」*

*「ヨアキム・ブリョームスが加わってから試しにリハーサルのつもりでレコーディ
ングをやってみたんだ。そうしたら、そのレコーディングはデモテープやシングル
と比較にならないほど良かったんだよ。リハーサル・レコーディングで収録した
「Consumed in Flames」と「In Years to Come」はシングルとしてリリースさ
れるはずだったんだけど、結局計画はポシャってしまったんだよ。」*（ヨアシム・カー
ルソン General Surgery/Afflicted/Face Down）

　1990 年は Dismember が見事な復活を果たした年でもあった。Carnage の残
党で構成された彼らの再結成は一瞬で決定された。

*「Carnage の解散直後、リンケビーのある DJ から Carnage についてラジオ・
インタヴューを受けたんだ。スタジオに着くと、フレッドが俺達（マッティ・カルキとダー
ヴィド・ブロムクヴィスト）にバンドに入らないかって誘ってきたから、俺達は二つ
返事で OK したよ。それで、Carnage は解散して、Dismember が再結成する*

ことをインタビューで明らかにしたんだ。だから再結成はインタビュー直前、スタジオ・ブースの外で決めたんだよ。その後は、新曲の制作にすぐに取り掛かったよ。」（マッティ・カルキ　Carnage/Dismember）

　Sunlight Studio で、トマス・スコックスバリの指揮の下、レコーディングされた Dismember の復帰作『Reborn in Blasphemy』は、驚愕するほどの出来栄えだった。楽曲はパワフルで、サウンドは超強力だった。ヴォーカルのマッティ・カルキは自身のベスト・パフォーマンスを披露し、この最高傑作で全体の雰囲気づくりに貢献した。Dismember は Entombed のサウンドに酷似しすぎているという意見を聞くが、Dismember は比類ないものを持っている。Dismember の狂気に満ちた激しさは、Entombed には欠けていた部分だった。この復帰作がリリースされた後、Dismember はスウェディッシュ・シーンを牽引する存在になったことは疑いない。

「最初の 2 本のデモテープと比べると、全く違っていたよ。トマス・スコックスバリと本当に上手くやれたしな。トマスはメタルマニアでもなかったけれど、当時の他のエンジニアと違って、サウンドを理解し、改善させようと努力してくれたんだ。彼はプロフェッショナルで、良いものを作り出そうと手を差し伸べてくれたんだよ。」（フレッド・エストビー　Dismember/Carnage）

　間もなくスウェディッシュ・デスメタルのビッグ・ネームに名を連ねることになるのは Unleashed である。Unleashed は、ヨニー・ヘードルンドが Nihilist の他のメンバーと袂を分かち、元 Dismember のヴォーカリスト、ローベット・セネベックと出会ったことで、1989 年後半に結成された。Unleashed はスウェーデンにおいて、デスメタル第 1 世代後期、または第 2 世代初期のバンドとして位置づけされている。

「俺達はこの世で最も邪悪で、ドス黒いサウンドを追求したいと思っている奴らの集まりだったんだよ。すぐにデモテープを作ろうと思ったから、懸命にプレイした。そうやって始まったんだよ。アンデシュ、フレードリック、ロバン、それに俺でね。」（ヨニー・ヘードルンド　Nihilist/Unleashed）

　Kuben Studios で 3 月 17、18 日にレコーディングされたデビュー・デモテープ『The Utter Dark』は、素晴らしい!の一言に尽きる。Crematory や Therion に優劣つけ難い Unleashed のヘヴィーなサウンドは独自の世界観を醸し出していた。彼らの特筆すべき点というのは、ローベット・セネベックが Dismember 在籍時に編み出したヴォーカル・スタイルであろう。デビュー・デモテープにおける彼らの直球スタイルのデスメタルは、攻撃性の点において手本とされるべきである。サウンドは若干シャープさが足りなかったものの、Unleashed にはクールさが宿っていた。

「Nihilist と比べると、俺達のスタジオでの作業は全く違っていた。俺達は一丸と

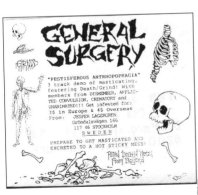

時計回りに左から：

・Unleashed の強烈なデビュー・デモテープ。

・『…Revenge』。

・Exhumed の『Obscurity』。

・General Surgery の１本目のデモテープのフライヤー。

FROM BEYOND

時計回りに上から：

・Desultory の『From Beyond』。

・Desultory の 2 本目のデモテープの
フライヤー。

・Excruciate のデモテープ。

・Lobotomy の『When Death
Draws Near』。

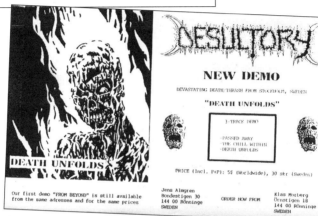

なって作業を進めて、すべてのメンバーに決定権があったんだ。それは*Nihilist*にはなかったことだよ。バンド内部を民主的にすることは重要なことで、それぞれのメンバーにバンドの将来を担っているということを自覚させてくれるんだ。」（ヨニー・ヘードルンド Nihilist/Unleashed）

　Unleashedは1990年9月の最後の2日間に、再びKuben Studiosに入った。激速スタイルを踏襲したデモテープ『…Revenge』は、1本目のデモテープと同様の破壊力を持っていたが、同スタジオでレコーディングした前作よりもサウンドはクリアーになっていた。楽曲は猛烈な2ビートのリズムで構成され、クールなドゥーミー・パートが織り交ぜられていた。Unleashedは他のスウェディッシュ・デスメタル・バンドとは一線を画した音楽性を持ち、バンドの将来は安泰だった。間もなくCentury Mediaとの契約が交わされたが、これはスウェディッシュ・デスメタルが世間から注目されていたという証明でもあった。

「*まずCentury Mediaが連絡をしてきて、次にレーベル所属バンドの作品を郵送してくれたんだ。まあ、彼らが俺達に何ができるかを見せたかったんだと思う。他にも3つのレーベルからオファーがあったんだが、Century Mediaに落ち着いたんだ。*」（ヨニー・ヘードルンド Nihilist/Unleashed）

　2本のデモテープの後、ヴォーカリストのローベット・セネベックはDismemberにギタリストとして加入するためにUnleashedを脱退した。Unleashedは絶好の機会に恵まれていたため、ヨニー・ヘードルンドがヴォーカルを担当し、迅速にその状況を乗り越えた。

　創造性豊かなスウェディッシュ・デスメタル・バンドが多くいたこの時期に、殺傷力抜群だったのはGeneral Surgeryだった。彼らはストックホルム出身のメンバーで構成され、サイド・プロジェクトとして捉えられていたが、そのサウンドは期待以上の出来だった。1990年4月24日にレコーディングされたデビュー・デモテープ『Pestisferous Anthropophagia』はCarcass影響下の猛烈変態ゴア・グラインドを目指していた。バンド結成当初、CarnageとDismemberのヴォーカリストでも名を馳せていたマッティ・カルキがベースを担当していた。General Surgeryはスウェディッシュ・デスメタル史を語る上で正直憚れるかもしれないが、それを凌駕するような音楽性を持っていた。彼らは全く異なるラインナップで現在も活動中である。

「*Carcassを心底好きでGeneral Surgeryを結成したんだ。俺達はCarcassを100パーセントコピーするために結成された。バンド名はCarcassがファースト・アルバムに使用したグロテスクな写真が掲載されていた本のタイトルから拝借し*

たんだ。俺達はトリビュート・バンドで、Carcass のようにプレイしたいだけだった。」
（マッティ・カルキ　Carnage/Dismember）

　General Surgery がシーンに登場したころ、スウェーデン首都ではデスメタル第2世代のバンドが孵化し始めていた。ストックホルムを拠点とするバンドの中で最初に挙げられるのは、1990 年 10 月 23 日にデモテープ『Obscurity』をレコーディングした Exhumed だった。彼らは Crematory と Carbonized の手法を踏襲し、ガテラルでディレイを強く利かした最高にクールなヴォーカルが特徴だった！ 彼らはこの時点で非常にプリミティヴで、特に激速パートでは演奏が不安定だった。彼らの楽曲にはミディアム・テンポのパートが多かったが、それが多少煩わしくもあった。しかし、Exhumed にはキラリと光るものがあったし、のちに Morpheus に変化してからそれが開花するのである。

　ストックホルム出身の刺激的なバンドとして、1990 年にかなりクオリティーの高いデモテープ『Slow Asphyxiation』をリリースした Necrophobic も挙げられる。容赦ない 2 ビートで打ち付けるドラムとグロウル・ヴォーカルで構成された、かなり直球スタイルのデスメタルだった。曲構成は Nihilist や Dismember に影響され、ビー・スウォーム（ハチがうじゃうじゃ舞っているかのような）リフがオープンコードで奏でられていた。ギタリストのダーヴィド・パルランドの才能は、ソウルフルなメロディーを通してそこかしこに片鱗を見せていたが、まだ正当に評価されていなかった。その後、彼は"ブラックムーン"というステージネームを用いて Dark Funeral を結成すると、自身のギターテクニックよりも過激な発言でメディアから注目を受けることになる。強烈なパワーで満ちていた Necrophobic のアルバムだったが、いま一つ物足りなかった。けれども、彼らはスウェディッシュ・デスメタル・シーンにおいて将来有株であることには変わりはなかった。

　ストックホルム北部郊外にあるローニンゲ出身の Desultory は 1989 年にバンド活動をスタートさせた。彼らは 1990 年 6 月 3、4 日に Sunlight Studio でデビュー・デモテープ『From Beyond』のレコーディングを行なった。Sunlight Studio でレコーディングをしたと聞いて、十把一絡げの分厚いデスメタルのプロダクションと勝手に目論む者もいるかもしれないが、Desultory はよりクリエイティヴなものを目指していた。Entombed や Dismember というよりはベイエリア・スラッシュから影響を受けたサウンドが、ささくれ立ったヴォーカルと絶妙に絡み合っていた。レギュラー・チューニングのギターとスラッシーなダウンピッキングのリフを特徴としていた Desultory は他のスウェディッシュ・デスメタル・バンドとは似ても似つかぬ存在となった。その結果、彼らはそれまで Sunlight でレコーディングされたどのバンドよりもク

リアーなサウンドを創り上げることに成功したのである。

　Desultory は 1990 年の 1 年間は精力的に活動し、8 月 8 日から 10 日にかけて再びレコーディングのために Sunlight Studio に入った。デモテープ『Death Unfolds』のギターサウンドはデスメタル寄りになっていたが、デビュー作でのスタイルを維持していた。スラッシュメタルの楽曲構成であることは間違いなかったが、リフに欠点はあった。彼らの音楽性は多少新鮮味があったが、ごく普通で魅力に欠けていた。1995 年に At the Gates が『Slaughter of the Soul』で成し遂げたものと比較してみるとその意味がわかるだろう。それでも、1990 年という年には、Desultory がシーンに新たな風を吹き込む存在として迎え入れられたのは事実だ。

　伝統的なスウェディッシュ・デスメタルのスタイルに倣った Lobotomy は 1990 年に Nihilist のアレックス・ヘリッドやレイフ・クズネルを生み出したシースタ地区で結成された。バンドを結成したダニエル・ストラシャルは、ヘリッド、クズネル、ニッケ・アンダソンも在籍していた Nihilist の前身バンド Brainwarp のメンバーでもあった。11 月 24、25 日に Sunlight Studio でレコーディングされた Lobotomy のデビュー・デモテープ『When Death Draws Near』では、典型的な重厚でクリアーなストックホルム・デスメタル・サウンドを聴くことができる。このデモテープを聴くとサンライト・サウンドが、いかに類型化し、必要以上にクリアーとなり、本質を失っているのかわかるであろう。しかし、Lobotomy に足りなかったものはバンドとしてのオリジナリティーだった。リフやアレンジは Unleashed の亜流だったし、魂が込められていないとも感じられた。ラーシュ・イェレリッドの野太いヴォーカルは良かったにもかかわらず、このデモテープを聴くだけで、ストックホルム・デスメタル・シーンのクオリティーが停滞していたことを伺い知ることができる。『When Death Draws Near』は、平均的なクオリティーのデモテープだったことは事実であるが、それ以上のものではなかった。

　この項の最後に登場するのは、1990 年にウプランズ・ヴァースビーで結成された Excruciate である。彼らはストックホルム・デスメタル・シーンで欠かせない存在となり、そして 1990 年 4 月デモテープをレコーディングすることとなった。Excruciate はそれまでの慣習であった Sunlight Studio でレコーディングすることを敢えて選択せずに、ドイツのリューベックにある You Are Studio まで足を伸ばし、『Mutilation of the Past』の制作に取り掛かった。このデモテープは、クールなリフやテンポ・チェンジが多用され、セッション・ヴォーカリストのクリストフェル・ヨンソン（Therion）の独特な野太いグロウル・スタイルのヴォーカルのおかげで、激烈でタイトに仕上がった。しかし、彼らに足りなかったものは良質の楽曲とオリジ

ナリティーだった。大御所のバンドと比べると彼らのサウンドには深みがなかった。Excruciate は間もなく他のバンドとの競争に敗れるが、少なくとも 90 年代初期にはその名が知られる存在だった。

スウェーデン国内におけるデモテープのブーム

1990 年、ストックホルム以外でも多くの創造性豊かなバンドが出現した。デビュー・デモテープ『...Dawn』を MAPS Studio で収録したフィンスポング出身の Pan-Thy-Monium は、幻想的な雰囲気かつ陰鬱なデスメタルが、妖気漂うガテラル・ヴォーカルと絡み合う音楽性を持ち合わせていた。彼らは間もなく、フランスのレーベル Osmose Productions の目に留まることとなる。Pan-Thy-Monium について興味深い点は、ダン・スワノをギタリストとして、ベニー・ラーションをドラムとしてメンバーに擁していることだった。のちにスウェーデン最高峰バンド Edge of Sanity を構成することとなる 2 人でもある。

「*Edge of Sanity は 1989 年 11 月に週末だけの一過性のプロジェクトとして、フィンスポングでスタートしたんだ。俺達の最初のリハーサル・テープは Euthanasia というバンド名でレコーディングしたんだよ。他のバンドメンバーはパンク畑出身で、俺はメタルマニアだった。俺達全員に共通していたのは、デスメタルをプレイすることに魅力を感じていたことだよ。*」（ダン・スワノ Edge of Sanity/Unisound ＜スタジオ＞）

スワノはリハーサル・テープの 1 本をイギリスの大手メタル雑誌『Kerrang!』に送った。そのテープのレヴューが雑誌に掲載されると、世界中から手紙が矢継ぎ早に舞い込んできた。けれども、Edge of Sanity はバンドとしての体制が整っていたわけではなかった——彼らは週末にビールを煽っていただけのキッズにしかすぎなかった。

「*沢山手紙が送られてきてから、Edge of Sanity を真剣に始動したほうがいいんじゃないかって思い始めた。でも俺達はそれぞれに所属しているバンドがあって、それぞれのバンドを中心に活動していたから、最初は厄介だったよ。それで膝を突き合わせて、自分たちが目指す方向性についてのガイドラインを作ったんだ。自分たちの方向性とは、スラッシュメタルに陥ることなく、メロディックで、多少複雑な曲構成を目指すことだった。こうして、俺達は突如バンドとしての活動を始めたんだ。*」（ダン・スワノ Edge of Sanity/Unisound ＜スタジオ＞）

1990 年夏、Edge of Sanity はオフィシャル・デモテープ『Kur-Nu-Gi-A』を作成した。バンドの音楽性は数年間のうちに変化したものの、強力なヴォーカル、斬新なリフ、安定したドラムは変わらず健在だった。楽曲はよく練られ、きちんとした

プロデュースを初期段階から目指し、意識して作られたことは明らかだった。あっという間に Black Mark との契約にたどり着いたので、結果的には『Kur-Nu-Gi-A』が彼らの唯一のオフィシャル・デモテープとなった。

「*俺達はちゃんと印刷したカラーのインデックスを封入して、デモテープを出来る限りプロフェッショナルに仕上げようとしたんだ。それに、プロモーションするために、デモテープやフライヤーを配りまくった。そのおかげで凄い反応があって、テープが沢山売れたんだよ。それに他のバンドとも連絡を取るようになった。Black Mark のボルイェ・フォーシュバリが俺に電話をしてきて、契約に至ったんだ。*」（ダン・スワノ Edge of Sanity/Unisound ＜スタジオ＞）

　たった数か月のうちに Edge of Sanity はスウェディッシュ・デスメタル第 2 世代を牽引することになった。第 2 世代を牽引していたもう一つのバンドといえば、Nirvana 2002 であろう。1990 年、イェーツビン出身の血気盛んな 2 人組が Sunlight Studio に入ると、すぐさまオフィシャル・デモテープである『Mourning』をレコーディングした。レコーディング費用は、地方自治体による若者を支援する目的としたプログラム Studiefrämjandet によって賄われていた。1989 年から 1991 年までは、デスメタルのレコーディングに予算の多くが使われていたのかもしれない！

「*『Mourning』にはデスメタルにとっての必要不可欠な要素はすべて含まれていたんだ。Sunlight でレコーディングされたし、ニッケとウッフェによるプロデュースだったしな。それに、ギターとアンプもウッフェのを使ったんだよ。費用はすべて Studiefrämjandet に払わせたんだけどな！*」（オルヴァー・セーフストルム Nirvana 2002）（訳者註：この『Mourning』というデモテープは一曲収録。同タイトルの曲「Mourning」はコンピレーション『Projections of a Stained Mind』にも収録された）

　音源を聴くとわかるのだが、Nirvana 2002 は、Entombed が『Left Hand Path』をレコーディングした時に使用した機材を使い、セッティングも全く同じだった。「Mourning」でのこの超ブルータルなサウンドは、Entombed でさえも『Left Hand Path』の後に二度と再現することが出来なかったものだった。スウェディッシュ・デスメタルにはいまだに人々に知られていない名曲は数多くあるが、「Mourning」はまさしく珠玉の名曲といえるものである。その後、Nirvana 2002 は最初のリフをダブル・バスドラでスタートしない別ヴァージョンの「The Awakening of...」を最小限の機材でレコーディングした。名曲「Mourning」をレコーディングした後、Nirvana 2002 はデモテープ『Disembodied Spirits』に取り掛かった。レコーディングは Studio Edsbyn で行なわれ、エンジニアのヤッセ・

カルスボが担当した。『Disembodied Spirits』は、オルヴァー・セーフストルム
の耳に残りやすいリフと貫禄あるヴォーカルよって、極上のデスメタルに仕上げられ
た。しかし、それでも、Entombed や Dismember の軌跡をたどっていたのは言う
までもない。『Disembodied Spirits』は、唯一テープインデックスが封入された
デモテープだったため、Nirvana 2002 の作品の中でも最も知名度のあるデモテー
プであった。事実、俺自身も頻繁にこのデモテープを聴いている。デモテープ最後
の楽曲「The Awakening of...」は、ヨルゲン・ジグフリードソンのコンピレーション・
シングル『Is This Heavy or What? II』にも収録されている。

「Studio Edsbyn のレコーディングは、Sunlight で行なったものよりも、かなり
機材が限られていた。機材はおんぼろだったし、音を部分的に差し替える"パンチ・
イン"もできなかったしな。多少問題があったにせよ、でも結果は上出来だったんじゃ
ないかな。」（オルヴァー・セーフストルム Nirvana 2002）

　この後、Nirvana 2002 は Sunlight Studio で CBR がリリースする予定のシン
グル盤・ボックスセット用の 2 曲をレコーディングしたが、リリースは実現しなかった。
ドラマーのエリック・クヴィックが、ドラムを勉強するためにウップサーラに移住したた
め、ライブ活動を行う前にバンド活動は休止したからである。現在、クヴィックはア
イスランドのレイキャビクで名の通ったドラム講師として活躍している——彼はスウェ
ディッシュ・デスメタル・シーンにおいて最も卓越したテクニックのあるミュージシャン
であろう。Nirvana 2002 はスウェディッシュ・デスメタル・ムーヴメントおける最高
峰のバンドだったが、成功に至らかったのは残念でならない。唯一、オルヴァー・
セーフストルムは Entombed にセッション・ヴォーカリストとして加入したことで、一
時の名声を得た。しかし、彼はその後、映画評論家としての人生を送っている。最
近までスウェーデンのテレビ番組で映画番組の司会者として活躍していた。（カンヌ
やヴェニスの映画祭に参加して、長髪で大きなもみあげを蓄えた奴がいたら、彼か
もしれない！）

「バンドは 1991 年に失速して、いきなり消滅したんだよ。俺達は Necrosis など、
いくつかのレーベルと契約の話もしていたんだけど、具体化はしなかった。後から
考えてみるとそれで良かったのかもしれない。Nuclear Blast などと 7 枚のアル
バム契約なんてしていたら、エライことになっていたかもな！」（オルヴァー・セーフ
ストルム Nirvana 2002）（訳者註：Necrosis は Carcass のジェフとビルが運営していた
Earache 傘下レーベル。Carnage『Dark Recollections』、Cadaver『Hallucinating Anxiety』、
Repulsion『Horrified』をリリースした）

　1991 年までリリースされたこのデスメタル・デモテープの"不完全"な概説の

終わりに、Obscene の『Grotesque Experience』と Suffer の『Manifestion of God』を挙げるのみとする（訳者註："Manifestion" という単語は英語に存在しないので、"Manifestation（顕現）" が正しいつづりだと思われる。しかし、Encyclopaedia Metallum をでチェックすると "Manifestion" と記載してあるのと、動画サイトで音源を聴いてみると、サビ部分で "Manifestion" と歌っているのでバンド側がスペルミスした模様。動画サイトでは "Suffer Manifestation of God" で検索してほしい）。スウェディッシュ・デスメタル・シーンには、良いデモテープが多すぎて完璧に網羅することは不可能である。デモテープの話をここまでにして、次に CBR のフレードリック・ホルムグレーンがどのようにデスメタルのシングル盤をリリースするに至ったのか見ていくこととする。

シングルス・オヴ・デス——死のシングル盤

1990 年には、CBR のフレードリック・ホルムグレーンはスウェーデンのレコード・レーベルを牽引する存在になっていた。パンク作品をリリースした後、最初に着手したメタル作品は、クロスオーヴァー・バンドの The Krixhjälters だった。The Krixhjälters は 1989 年にスラッシュ・バンドの Omnitron として再始動する前に、アルバムを 2 枚リリースした。翌年リリースされた Omnitron のデビューアルバムは、これから起こる快進撃の前触れにすぎなかった。

CBR はまた、1990 年に Tiamat の『A Winter Shadow』と Unleashed の『...Revenge』の 2 枚の真正デスメタルのシングルをリリースした。Unleashed の作品は彼らのデモテープをシングル盤に起こしたものにすぎなかったが、CBR の方向性は示された。しかし、ホルムグレーンは自身のレーベルに Unleashed を留めておくことはできず、程なくして、彼らは Century Media に移籍し、シングル『And the Laughter Has Died...』を発表した。

「*デスメタルのアルバムをリリースしようと思ったことはないんだよ。俺は基本的にハードコアが好きだったからな。シングル盤を出したのは、バンドがリリースを望んでいたからだった。俺はディストロを運営していたから、喜んで彼らの手助けをしたんだ。*」（フレードリック・ホルムグレーン CBR Records ＜レーベル＞）

フレードリック・ホルムグレーンは、商業的な成功に固執することをせず常に斬新さを求め、情報網を張り巡らしている人物でもあったのだ。Lollipop というとんでもない名を冠したレコード店を立ち上げたが、事業は失敗に終わった。ホルムグレーンが事業に失敗している間に、絶好の機会を狙っている者がいた。CBR がスウェーデンのエクストリーム・メタル界一のディストロとしての立場を失うと、その座を 1986 年にディストロ House of Kicks を設立したカル・フォン・シェイヴンに明け渡した。

当初、カル・フォン・シェイヴンはエクストリーム・メタルについて理解していなかったが、CBR がしくじったあとを引き継ぐ形となった。

「*House of Kicks の奴らは、俺がディストロをしていたレコードを売っていたんだけど、しばらくすると彼らに乗っ取られてしまった。俺はただのパンクスだったけど、彼らは経験があって、頭も切れて、商売に長けていたんだよ。彼らの店は俺の店より比べものにならないくらい凄かった。彼らが Sound Pollution と名称を変えたときには、俺は彼らに手腕を買われて、ディストロ部門で働くことになったんだ。*」（フレードリック・ホルムグレーン CBR Records ＜レーベル＞）

　ホルムグレーンとは異なり、カル・フォン・シェイヴンのレコード店は大盛況だった。しばらくすると House of Kicks は、ストックホルム随一のレコード店 Heavy Sound の立場も脅かし、彼らをも手中に収めてしまった。House of Kicks はストックホルムでデスメタル好きの若者が落ち合う場所となったのである。CBR と同様に、House of Kicks は 1990 年に Therion の『Time Shall Tell』をリリースし、レーベルを始動させた。彼らにはスウェーデン No.1 のエクストリーム・メタルのディストロとして追い風が吹いていたのである。しかし、忘れてはならないのは彼らは商業的な理由でシーンに関わっていただけで、彼らはバンドを見つけたり、率先してシーンに貢献したことはなかった。ディストリビューション網を持ち、金儲けをしていただけだ。のちに、彼らはいかがわしい手段で No Fashion Records にも手を出したのである。

　1991 年、スウェディッシュ・デスメタル・シーンは飛ぶ鳥を落とす勢いだった。そしてその勢いは 1993 年まで続いた。その 2 年間で、スウェーデンではデスメタルは世間の目にも触れるようになり、ブームが巻き起こった。10 代を終えたその 2 年間、俺は壮絶な環境の中で青春時代を送ることが出来てこの上なく幸せだった。

MAILORDER

NIHILIST
"DROWNED" 7"
$5

UNLEASHED
"..REVENGE" 7"/DEMO
(LTD AS 7")
$5/$4

ENTOMBED
"DROWNED" DEMO
$4

DISMEMBER
"REBORN IN
BLASPHEMY" DEMO
$4

POSTAGE: 1$ EACH ITEM

CBR RECORDS
BOX 6038
126 06 HÄGERSTEN
SWEDEN

時計回りに左上から：
・CBR がリリースした有名な作品群。
・House of Kicks の広告。
・『A Winter Shadow』シングルのカバー。
・『A Winter Shadow』デモテープのインデックス。

時計回りに上から：

・Pan-Thy-Monium のデモテープ。

・Edge of Sanity の『Immortal Rehearsals』のフライヤー。

・『Disembodied Spirits』インデックスが唯一あった Nirvana 2002 のデモテープ。

次ページ、時計回りに上から：

・『Is This Heavy or What? II』コンピレーション・シングル （Nirvana 2002 収録）。

・Suffer のデモテープ。

・Obscene のデモテープ。

-GROTESQUE EXPERIENCE-

第6章：
スウェディッシュ・デスメタルの統治時代

「強大な力を宿し
俺は崇高な存在となる。
俺に抗する者などいない。
俺は絶対君主なのだ。」
──Liers in Wait「Overlord」

上から：
・Entombed のライブ。
・ツアーバスでのドンチャン
騒ぎの中 Entombed のメン
バーに囲まれた Unleashed
のアンデシュ・シュルツ。
・冷酷で邪悪ないで立ちの
Entombed。

時計回りに左上から：

・『Close-Up』誌 第1号 ナイスな見出しである（「狂人が自分の妻を生きたまま喰らう。あの行為の最中に！」）。

・Bergslagsrocken 1993 のポスター。

・ファーガシュタで行なわれた Sacred Reich のギグのサイン入りポスター。

・トップクラスのスウェディッシュ・デスメタル・バンドと共演した Carcass。

スウェディッシュ・デスメタルの黄金時代は1991年から1993年の間だった。最高水準のアルバムが定期的にリリースされ、膨大な数の新人バンドがデモテープを作成し、ファンジンの数も爆発的に増加した。海外ツアーに乗り出すバンドも現れ、スウェーデン国内でライブが行なわれる機会も劇的に増えていた。ニキビだらけのいたいけなティーンエージャーが先陣を切って始めたムーヴメントが、最もエキサイティングで影響力のある音楽ジャンルとして突如旋風を巻き起こすようになったのである。レコードが飛ぶように売れると、商業的な成功にもつながった。かくしてスウェディッシュ・デスメタルは全盛期を迎えていた。

「*シーンが年々大きくなって、それが1993年のブラックメタル第2世代がブレイクするまで続いた。ギグでデモテープをトレードして、大勢と知り合いになって、新しいバンドも発見できたから、シーンを好意的に受け入れていた奴らも増えたんだと思う。1991年にはバンドで活動して、ファンジンを発行して、ギグの企画をして、積極的にシーンに携わっている奴らは軽く見積もっても何百人もいたな。*」（イェスペル・トゥーション Afflicted）

　1991年、ファンジンの編集者達は寝る間も惜しんでファンジンの編集作業に明け暮れていた。『Putrefaction Mag』『Expository Mag』『Hymen』『Mould Mag』『Fenzine』『Hypnosia』『Slimy Scum』『Never Believe』『Suffozine』など多くのファンジンが至るところで発行され始めた。シーンに関わっていた全員が自身のファンジンを発行しているという印象もあったが、その多くは稚拙な作りだった。個人的にはどんな雑誌でも好きだったが、あまり歓迎しない者もいたようだ。

「*発行されていたすべてのファンジンにうんざりすることもあった。スペルをちゃんと綴れないし、文章は支離滅裂だし、インタビューの質問もありきたりだし、レイアウトも酷かった。だから俺は奴らに手本を示そうと思ったんだ。俺が愛してやまない音楽をラジオ番組やコンサート企画よりももっと多くのオーディエンスに届けることができると思ったしな。そうやって友人のクリスティアン・カールクイストと共に『Close-Up』を立ち上げたんだ。*」（ロバン・ベシロヴィッチ 『Close-Up』誌）

『Close-Up』を創刊したのは1989年にダン・スワノと共に『Inzinerator』という名のファンジンを発行していたカールクイストだった。カールクイストとベシロヴィッチが目指していたのは、カラー印刷とプロフェッショナルなレイアウトを施して『Slayer Mag』に匹敵するようなファンジンをスウェーデン国内でも作ることだった。多くのファンジンと同様に、『Inzinerator』は1号で廃刊となってしまったが、ベシロヴィッチのファンジンに傾ける情熱とエネルギーは醒めることなどなかった。

「兵役に就いていたときに作った『Close-Up』の第 1 号はほとんど手書きで下書きをした。幸い父親が印刷所で働いている友人がいたから、週末にそこに篭もってコンピューターに打ち込んだんだ。スウェーデンで初めてコンピューターを駆使したファンジンだったと思う。まあ、コンピューターの使い方はよくわからなかったけど。各記事を別々にプリントアウトして、手作業でページにペタペタ貼りつけただけのものだった。」（ロバン・ベシロヴィッチ 『Close-Up』誌）

『Close-Up』が発行されると、瞬間に、高品質でプロフェッショナルなスウェーデン発のファンジンとして注目を集めることになった。やがてすべてのバンドがこのファンジンへの掲載を望むようになり、新しくエキサイティングなことがあれば、まずここで話題に上っていた。Mayhem と Burzum を取り上げた記事は全スウェディッシュ・シーンを一変させたことはよく知られている。1991 年以降、『Close-Up』は着実に発行部数を伸ばし、『Megalomaniac/Candour』のマルティン・カールソン、『Profitblaskan』のミカエル・ソリン、『To the Death』のパトリック・クロンバリ、『Metal Wire』のヨーナス・グランヴィークなど他のファンジンからも名うてのライターを採用するようになっていた。様々なファンジンが発行されては廃刊となる一方、『Close-Up』は定期刊行されるようになっていった。

　1991 年の間、デスメタルはテレビでも放送され、一般の雑誌にも登場するようになった。特に Entombed は大々的に取り上げられ、メディアはセンセーショナルにこのクレイジーな新しいジャンルの音楽を紹介した。スウェーデンの大規模なロックフェス Hultsfred は流行に乗り、Entombed などのエクストリーム・バンドをラインナップに加えた。けれども、1991 年にデスメタルを中心にコンサートを企画していたプロモーターはペータル・アールクヴィストであった。前年までのフェス、Bergslagsrocken では、インディーポップからゴアグラインドまですべてのマイナージャンルからバンドをラインナップに連ねていたが、1991 年はデスメタル、スラッシュメタル、クラスト・バンドのみをフェスに登場させた。

「それまでは俺達は音楽協会 Tid Är Musik のメンバーの意向にしたがって、もっとメインストリームなバンドをラインナップに加えていたけど、実際はエクストリームなバンドの方が観客の受けが良かったんだ。だから彼らはしばらく俺達の好きなとおりにさせてくれたんだ。1991 年の Bergslagsrocken にはエクストリームなバンドだけを呼んだ。デスメタルがついに話題や流行になったんだよ。Entombed は特に注目されて、一般の音楽評論家やメインストリームのメディアでも評価されるようになった。」（ペータル・アールクヴィスト 『Uproar』誌 /Tid Är Musik ＜音楽協会＞ /Burning Heart ＜レーベル＞）

シーンの活性化をアピールするために、CBR Records はコンピレーション・アルバム『Projections of a Stained Mind』をリリースした。フレードリック・ホルムグレーンはデスメタル・シーンへの貢献度を高めていったが、最も高い貢献は将来性のあるスウェディッシュ・バンドの音源をレコード化させたことだった。この音源を聴くだけでシーンのクオリティーやパワーを一瞥することができたのである。収録されていたのは、Entombed、Merciless、Therion、Grotesque など既に確立されていたバンドの他、Dismember や Unleashed などの新人バンド、さらに Nirvana 2002、House of Usher、Skull、Chronic Decay といったアンダーグラウンドのバンドだった。悪名高きノルウェイジャン・ブラックメタル・バンドの Mayhem についてはここで言及するまでもないだろう。（訳者註：『Projections of a Stained Mind』LP の収録バンドと楽曲は次のとおり。Entombed「Forsaken」、Mayhem「Carnage」、Grotesque「Spawn of Azathoth」、Therion「Future Conscience」、House of Usher「Battle of Spectrum」、Merciless「Nuclear Attack」、Unleashed「The Dark One」、Nirvana 2002「Mourning」、Chronic Decay「1st of September」、Dismember「Sickening Art」Skull「On a Mission in Blood」。また、CD には次のバンドと楽曲も収録されている。Mayhem「The Freezing Moon」、Merciless「The Book of Lies」、Macrodex「Cremation」、Traumatic「A Putrid Reek of Mangled Remains」、Tiamat「Ancient Entity」）

「レコードをコンパイルしたのはイェンス・ノースストルム（元 Morbid、Skull）で、俺はただ音源をリリースしただけだった。そのとき俺はもう既にデスメタルから興味を失っていたんだ。」（フレードリック・ホルムグレーン CBR Records ＜レーベル＞）

『Projections of a Stained Mind』は目玉となる Entombed の「Forsaken」で幕を開ける。この Entombed による珠玉の一曲がもっと良い録音環境の下でレコーディングされなかったのが残念でならない。泥濘に浸かり混沌としたサウンドだったが、それでも圧巻だった。Therion、Grotesque、Merciless らのパフォーマンスも神懸かり的だった。当時、Therion がいかにブルータルだったのか今では想像もできないだろう。アルバム未発のバンドではあったものの、Unleashed、Nirvana 2002、それに Dismember の存在感は抜群だった。実際、壮大なサンライト・サウンドを再現したのは Dismember の「Sickening Art」と Nirvana 2002 の「Mourning」の２曲のみで、他の収録曲はデモテープ並みの音質だった。

　エシルストゥーナ出身の House of Ishtar と Chronic Decay は比較にもならなかったほど、出来は良くなかった。門外漢の Mayhem、特に Skull はここに収録されたのは場違いだった。Mayhem の楽曲は素晴らしく、オリーンのヴォーカルは非の打ちどころがなかったが、Grotesque には水をあけられている感じがした。

Grotesque は Mayhem よりも邪悪で生々しかったのである。一方、Skull はスラッシュ、デス、パンクが融合された一風変わったスタイルで違和感があった。その後も Skull はシーンにインパクトを与えることなく、過去の遺産として捉えられた。しかし、イェンス・ノースストルムは Morbid の元ベーシストだったため、彼らがシーンでリスペクトを受けていたのは確かのようだった。『Projections of a Stained Mind』は、スウェディッシュ・デスメタルのトップクラスのバンドを多数収録していたが、あの重厚なサンライト・サウンドを体現していたわけではなかった。既に述べたように、デモテープのような篭ったサウンドではなかったのは Dismember と Nirvana 2002 のみだったので、生々しさを伝えるという点においては成功していたといえるかもしれない。ただ、スウェディッシュ・デスメタルの特徴を上手く捉えていたのは 1991 年にリリースされた他の作品だったようにも感じる。

Entombed & Earache

　1990 年終盤、Entombed は国内に留まらず海外でも認められたメタル・バンドとして、スター街道まっしぐらに突き進んでいた。彼らのデビュー作はバカ売れし、初のツアーも行っていた。次作への期待も高まっていた Entombed は、EPのレコーディングと 1991 年初頭に敢行される予定のツアーの準備に取り掛かっていた。ラーシュ・ローセンバリという技巧派ベーシストも加入させて、準備は万端だった。ところが、思いがけないことが起きたのである。大晦日のパーティーでヴォーカルのラーシュ＝ユーラン・ペトロフに腹を立てたニッケ・アンダソンは翌朝ペトロフに電話して、解雇を言い渡したのである。

「ラーシュは俺の当時の彼女にちょっかいを出していたからクビにした。俺は衝動的にやってしまったけど、凄くムカついて"お前なめんじゃねえよ"って吐き捨て、奴をお払い箱にしたのさ。」（ニッケ・アンダソン　Nihilist/Entombed）

「日曜の夕方にラーシュがべそをかきながら俺に電話をしてきたんだ。彼は"バンドを辞めさせられた"ってぶちまけた。俺は訳が分からなくて、ニッケに電話して、ことの顛末を聞いたけど、彼は"これは仕方ないことだ"って言うばかりだった。そのひと悶着に納得しなかったら、他の奴らもバンドを去れば良かったのかもしれないな。これは彼らの個人的な話だから、実際に何が起きたのかなんて、誰もわからないよ。これはニッケのバンドで彼が下した決断だったけど、大人げなかったな。」
（ウッフェ・セーダルンド　Morbid/Nihilist/Entombed/Disfear）

　1991 年になっても Entombed のヴォーカリストの座は空いたままだった。スタジオのレコーディングとツアーはブッキングされていたので、彼らは早急に後釜を見つ

ける必要があった。友人で Nirvana 2002 のメンバーであるオルヴァー・セーフス
トルムに打診をすると、彼は一時的なメンバーとして役目を果たすことに承諾した。

**「ウッフェがある日突然電話してきて、"EPのレコーディングと春にヨーロッパツアー
の予定が入っている"って切羽詰まった口調でまくし立てたんだ。それで、俺にヴォー
カルとして入ってくれないかってオファーしてきた。Entombed は当時世界で最も
クールなバンドだったから、断ることなんてできなかったよ。で、俺は半年間メンバー
として加わったんだ。」** (オルヴァー・セーフストルム　Nirvana 2002)

　オルヴァーはストックホルムに赴き、Entombed とのリハーサルを開始した。そし
て 2 月、この窮地に立ったバンドは『Crawl』のレコーディングのために Sunlight
Studio に入った。この音源は、新ベーシストのラーシュ・ローセンバリにとっても、
バンドとの初レコーディング作品だった。

**「レコーディングは酷かったよ。ニッケは超二日酔いだったし、俺はどうやって歌っ
ていいかもわからなかった。ニッケは俺の隣に立って、歌う箇所で合図を出してく
れたんだよ。悲惨だった。」** (オルヴァー・セーフストルム　Nirvana 2002)

　この EP はデモテープのような粗削りなサウンドで、『Left Hand Path』にあっ
たマジックは失われていたが、臨場感たっぷりでブルータルだったのが救いだった。
オルヴァー・セーフストルムがリハーサルを十分にしていないのは明らかだったが、
彼の歌唱法は凄くソウルフルだった。当時を振り返ると、『Crawl』には 1991 年

世界を標的とした Entombed。

のスウェディッシュ・デスメタル・シーンが集約されていたといえるのかもしれない。「Forsaken」は Entombed の十八番という感じで、『Left Hand Path』に収録されていたとしてもおかしくはなかった。『Crawl』のレコーディング終了後、Entombed はオランダの Asphyx をオープニングアクトに従え、2 週間のヨーロッパツアーを敢行した。

「レコーディングと違って、このツアーでは貴重な経験ができた。どこに行ってもソールドアウトで、オーディエンスは熱狂していた。俺達は東ドイツで一番初めにプレイしたデスメタル・バンドの一つだったし、彼らの熱量は凄かった。夏にはフェスに出演後、Nirvana 2002 に戻った……。でもすぐバンドは崩壊してしまったんだけど。」（オルヴァー・セーフストルム Nirvana 2002）

　間もなく Entombed は Carnage の元ベーシストだったヨニー・ドルデヴィッチを新ヴォーカリストとして迎え入れた。1991 年夏、シーンの王者が待望のセカンド・アルバム『Clandestine（邦題：密葬）』のレコーディングのためにスタジオに入った。もちろんそのスタジオとは Sunlight である。このアルバムではブルータルかつクリアーなサウンドの構築を目標としていたが、仕上がりは完璧とまではいかなかった。豪快で、分厚く、クリーンなプロダクションだったことがプラス面だった。すべてのギターの中音域のつまみをフルテンに上げたため音の輪郭がクリアーとなり、リフを際立たせることが出来た。しかし、その中音域からは攻撃性が明らかに失われてしまったのである。誤解しないでほしいが、アルバムは傑作だったがブルータルさが足りなかったというだけである。不完全なヴォーカルもアルバムのマイナス要因だった。ヨニー・ドルデヴィッチはヴォーカリストとして使いものにならなかったため、ニッケが自身の咆哮を披露しているのである——バンドはこの事実を当時ひた隠しにしており、ドルデヴィッチが歌っていると主張していた。これは賢明な判断ではなかったし、そのためアルバムに哀愁が漂ってたのかもしれない。（しかしながら、ドルデヴィッチは、『Clandestine』において一ヶ所だけヴォーカルを披露している——お分かりになるだろうか？）

「俺達の友人というだけで、ヨニーをバンドに加入させた。彼が実際歌えるのかどうか事前にチェックすればよかったと思っている。っていうか、ラーシュを解雇しなければよかったんだ。俺はガキで、後先考えずにやってしまったからな。俺が言えるのはそれだけかな。」（ニッケ・アンダソン Nihilist/Entombed）

　しかし、楽曲の質は申し分なかった。思わずヘッドバンギングをしたくなるような複雑な楽曲構成の中に劇的なリフがブレンドされていた。曲のアレンジには素晴らしいブレイクやストップが随所に見られ、センス抜群かつ効果的だった。『Clandestine』

で特筆すべきなのは、ニッケ・アンダソンの見事なドラム・パフォーマンスだった。彼の編み出すフィル・インやパターンは驚愕に値する。デスメタル界には彼のようにサウンドを構築できる者など存在しなかった。このアルバムがもう少しブルータルなサウンドで、ラーシュ=ユーラン・ペトロフのヴォーカルでレコーディングされていたならば、スウェディッシュ・デスメタルのベストアルバムの1枚になっていたであろう。しかしながら、実際は違っていた——それでも、世の中のほとんどすべてのデスメタル作品よりも傑作というのは事実である！

「俺が思うに『Clandestine』でお粗末だったのは、俺の酷いヴォーカルではなくて、楽曲構成だったと思う。当時、俺達は Atheist に凄く影響を受けていて、彼らの様に複雑でテクニカルな曲を書きたいと思っていた。でも正直言って、俺達はそういう複雑な曲を演奏出来っこなかった。Entombed が発表した全作品中、このアルバムと『Same Difference（邦題：セイム・ディファレンス）』が失敗作だったかな。違うヴォーカリストで、ちょっと曲のテンポを遅くして、いくつかのリフを使わなければ、もっと良くなっていたかもしれない。」（ニッケ・アンダソン Nihilist/Entombed）

「『Clandestine』のレコーディングはあまり楽しくなかった。ニッケは既にデスメタルに嫌気がさしていたし、彼は自己満足のためにアルバムを必要以上に複雑で一風変わった作品に仕上げてしまった。クールな部分もあるけど、Entombed という感じではなかった。ヴォーカルもダメだったし。」（ウッフェ・セーダルンド Morbid/Nihilist/Entombed/Disfear）

『Clandestine』にはこうしたマイナス面もあったが、Entombed は作品毎にスウェディッシュ・デスメタル・シーンに対して新たな道しるべを提示していたといっても過言ではない。彼らはシーンにおいて、すべてのバンドよりも頭一つ抜きんでていた存在だったのだ。

　Entombed は『Clandestine』をレコーディングした後、ヨニー・ドルデヴィッチをヴォーカリストとして迎え、初のライブを大規模なロックフェス Hultsfred で行なった。Hultsfred のライブによって Entombed は名実共にメジャーバンドの仲間入りをすることになる。彼らはアンダーグラウンドでは名の知られた存在だったが、大衆向けのメディアでも寵児となったのである。皆が突然この驚愕するような強烈なバンドに飛びつき、しばらくスウェーデンのメディアでも大々的にフィーチャーされていた。1991 年、Entombed のツアーがスウェーデンでも企画されるようになった——スウェーデンで自生したデスメタル・バンドが初めて自国で行なったツアーだった。このツアーをペータル・アールクヴィストが実現させたのである。

「Entombed がバンドとして大きくなっていくときだったから、彼らと一緒に仕事をすることができたのはとても有意義だった。エーンヒェルツヴィークのギグを除いては、大勢来たんだよ（エーンヒェルツヴィークは退屈でなにもないスウェーデン北部の街で、アイスホッケー選手のペータル・フォーシュバリの出身地として知られている）。スウェディッシュ・デスメタルがまさにブレイクしているって感じだった。Entombed は一世風靡していたからな。」（ペータル・アールクヴィスト 『Uproar』誌 /Tid Är Musik ＜音楽協会＞ /Burning Heart ＜レーベル＞）

「Entombed はスウェディッシュ・シーンで最も重要なバンドとなっていた。彼らは大きなインパクトを与えたよ。でも真似する奴とか嫉妬に駆られている奴も大勢いたな。」（フレードリック・ホルムグレーン CBR Records ＜レーベル＞）

「『Clandestine』は俺達の商業的成功のピークだったけど、バンド内部はいつもごたごたしていた。正式なヴォーカリストもいなかったから、ツアーでは俺が歌わないといけないこともあった。不思議だったのは、それを誰も気に留めていない様子だったってことかな。」（ウッフェ・セーダルンド Morbid/Nihilist/Entombed/Disfear）

Dismember と Nuclear Blast

　この時点で Earache には Morbid Angel、Napalm Death、Carcass、Bolt Thrower といったバンドが在籍し、全世界のデスメタル・シーンを牽引するレーベルとしてその名を轟かせた。Entombed のデビュー作『Left Hand Path』のリリース後、Earache はシーンのどのバンドとも契約できたはずであった。しかし、既に述べているが、90 年代初期 Earache はどのスウェーデン出身バンドとも契約をしなかったのである。

　Earache が躊躇している間に、多くのレーベルが市場に参入したのである。新たにデスメタル市場に乗り込んできたのは、1987 年にマルクス・シュタイガーによって設立されたドイツ・ドンツドルフ発の Nuclear Blast だった。しかし、レーベル発足当初は、売れる見込みもないハードコア・パンク・バンドしか在籍していなかった。彼らは永きにわたって、Earache の足元にも及ばなかったが、次第に世界で最も成功したメタル・レーベルの一つとして名声を勝ち取っていくこととなる。初期在籍していたバンドは、オーストリアの Pungent Stench、アメリカ・ラスヴェガスの Righteous Pigs、それにスウェーデンの若き Dismember だった。Dismember のデビュー作『Like an Ever Flowing Stream』は 1991 年において、最も重要なスウェディッシュ・デスメタル・アルバムだったといえよう。

「*Dismember* の１枚目を聴いて狂喜した。本当に良くて、驚愕するようなデスメタルをフレッド達が創り続けていることを目の当たりにして、ホッとしたんだよ。俺が聴いた限りでは、*Carnage* からの影響も薄くなっていて、良かったと思う。」（マイケル・アモット Carnage/Carcass/Arch Enemy）

Dismember がレコード契約に至るまでの逸話を探ってみると、Nuclear Blast が喉から手が出るほど欲しがっていたことがわかる。

「*ちょっと面白くてさぁ。俺達はデモテープの『Reborn in Blasphemy』のレコーディングが終わったばかりだったから、まだカセットテープのインデックスも作っていなかったんだ。でも同じ時期にサーラでギグがあったから、デモテープを何本か持っていったんだ。そこにはスペインから来ていたデイヴ・ロットンという奴がいて、テープを１本を買っていたんだ。*（訳者註：デイヴ・ロットンは現在 Xtreem Music のオーナー。Drowned Productions や Repulse Records の元オーナーでもある）*彼は丁度ヨーロッパを旅行中で、ライブ終了後数日たってから、彼は Nuclear Blast のマルクス・シュタイガーに俺たちのデモテープを聴かせたんだ。レーベル・スタッフは腰を抜かすほど衝撃を受けたそうだった。彼らが電話してきたとき、俺はちょっと困惑してしまった。Entombed のウッフェは彼らにフレッドの電話番号を教えたと思ったようだけど、それは俺の番号だったんだ。*」（マッティ・カルキ Carnage/Dismember）

「*面白いのはさぁ、デモテープをレコーディングする前に Peaceville、Roadrunner、Earache といったレーベルに手紙を出していたんだ。俺達は"Carnage から派生したバンドで、デモテープを送ることもできる"って連絡したけど、なしのつぶてだった。彼らはデモテープを聴きたくなかったのかもしれない！*」（フレッド・エストビー Dismember/Carnage）

Entombed に近似していた Dismember のサウンドがやっと正当評価されるようになった。Entombed に入れ込んでいた奴らは Dismember にも飛びついたのである。Dismember には Entombed が『Left Hand Path』をリリースした後に失なわれていたユニークかつ極限の攻撃性があったし、パンクに近い直球スタイルを信条とする楽曲には究極のブルータルさも残っていた。ギターサウンドは Entombed の様に激しく、プロダクションはサンライト・サウンドの好例といえるだろう。このため、Dismember のデビュー作は、スウェディッシュ・デスメタル史上最もブルータルなアルバムと評価されている。マッティ・カルキのヴォーカルは Dismember のデモテープで聴かれたスタイルではないことに不満を覚えたり、Entombed のラーシュ寄りの雰囲気に変わってしまったことに失望する者もいたが、我々は諸手をもってこのレコードを受け入れたのだ。まさに"グレイト"の一言しか見つからなかった。

左から：
・鮮血を被っている Dismember。
・Dismember の鮮烈なデビュー作。

「リーキャルとロバンが加わり、ラインナップが固まると、俺達は週に5日間リハーサルに励んだ。1991年3月にスタジオ入りしたときには準備万端だったから、12日間のレコーディング期間中はスムーズに物事が進んだ。結果も素晴らしくて、Nuclear Blast も俺達と同様に興奮した様子だった。アルバム発売後、爆発的にヒットしたよ。」（フレッド・エストビー Dismember/Carnage）

『Like an Ever Flowing Stream』の歌詞の内容は非常に不快感を与えるものだったため、Dismember はメディアから想定外の注目を浴びることになった。イギリスの税関が Nuclear Blast の荷物を開封し、猥褻な Dismember のアルバムが同封されていたことからその話は始まった。税関職員達は「Soon to be Dead」や「Dismembered」といった楽曲タイトルにショックを受け、鮮血を被ったバンドメンバーが写っているアルバムの裏ジャケットを見ると半狂乱状態となった。職員らはこれを見逃すことが出来ず、レコードの検閲に踏み切った。「Skin Her Alive」の歌詞の一節を読んだ検閲官らは彼らの手に負えない事案であることを悟り、バンドに対し

法的措置を講じることを決定した。それではここにマッティ・カルキの猥雑な歌詞描写を、イギリスでの発禁が免れるギリギリの範囲までお見せしよう。

地獄でのた打ち回るという想いに憑りつかれる
殺るときはためらいもない
断末魔の叫びが辺りにこだますると
俺はガマンできなくなる
あのあばずれを葬ったことを1人ほくそ笑む
生きたままそいつの皮を剥いでやる！

スリルのためにやったと
ようやくぶちまけれられる
殺めることがなんと素晴らしいことか
思いもしなかった
時間の感覚が麻痺し
鮮血で頭が一杯になる
あいつの息の根を止めるのは俺の欲求を満たすため
生きたままクソ女の皮を剥いでやる！

　読んでみるとわかるが、歌詞は心神喪失者が起こした一連の殺人事件を描写した、血なまぐさく身の毛よだつような話である。内容はマッティ・カルキの自宅近辺で起こった殺人事件をもとにしたノンフィクションにすぎない。
「別に殺人を正当化したものではないんだ——決してそんなことではなくて、ただの描写だよ。実際の出来事を忠実に再現した歌詞でもある。俺の近所の奴が彼の妻を殺害した。それで殺人者の視点からその歌詞を書いたまでだ。真実に基づいたものであるし、真実は検閲なんてできないだろ。」（マッティ・カルキ Carnage/ Dismember）
　とにかく真実であったにせよ、歌詞の内容はお堅いイギリスの役人達にとって過激すぎた。
　1992年の7月29日、バンドはグレート・ヤーマス（訳者註：イギリス東部地域ノーフォーク州にある海岸沿いの町）の法廷に出頭した。彼らは猥褻物を流布したとして嫌疑がかけられ、デスメタルの歌詞の将来と言論の自由が脅かされることになった。しかし、検察庁の真の狙いは同様の歌詞を発禁処分にすることにあった。

Den svenska death-metalgruppen Dismember åtalades i Storbritannien för spridande av obscen konst. Därför fick de spela sin låt i domstolen.

Britter åtalar svensk grupp

Av NILS HANSSON

Det blir allt svårare att provocera, det är något som inte minst dagens rockband får erfara. Det svenska death metal-bandet Dismember har dock lyckats.

När en sändning av bandets singel "Skin her alive" skickades till England nappade den brittiska tullen och beslagtog paketet, vilket ledde till en bannlysning av gruppens skivor och konserter i väntan på domstolsutslag.

I går stod gruppen och dess skivdistributör inför en domstol i London, åtalade för spridandet av obscen konst, vilket är olagligt i Storbritannien.

De fem medlemmarna spelade upp "Skin her alive" inför domstolsjuryn för att ge den möjlighet att avgöra musikens eventuella obscenitet.

Vid en eventuell fällande dom lär även de prejudicerande effekterna bli betydande.

Bandet beräknas dock vara tillbaka i Sverige i tid för sitt framträdande vid årets Hultsfredsfestival. □

Dismember の裁判記事。

Dismember はデスメタルの名のもとに法廷で体を張ってくれたのだ。

「当初は、面白おかしく受け取っていた。俺達は注目されて、イギリスにもタダで行くこともできた。少し経ったら疲れ果てて、恐ろしくもなってきた。"一体全体どうなっているんだ?"ってね。」（マッティ・カルキ Carnage/Dismember）

法廷では、困惑した裁判官の面前で Dismember のアルバム全曲が流された。多分彼らは信じられないほどの衝撃を受けたが、歌詞が全く聞き取れないとそこでわかったのかもしれない。今となってはバカげていて信じられないかもしれないが、これは歴史的事実なのである。幸い、判事らはこの事件の滑稽さに気づき、Dismember は告訴を免れることになった。彼らのアルバムはイギリスでの発売が許可されたが、女王陛下のお膝元では流血のタブー描写が含まれるこの曲のプロモーション・ビデオの放映は禁止された。（訳者註：この事件についての記事は https://www.independent.co.uk/news/uk/death-metal-music-does-not-deprave-court-rules-1536391.html 参照のこと。記事によると、ことの発端は 1991 年 10 月、係員が違法薬物の検査のためにイギリスのディストリビューター、Plastic Head Music Distribution 宛の荷物を開封したところ Dismember のアルバム 800 枚が発見されたということである）

　結果的に、Dismember は無料で宣伝されるという機会を得て、世界で最も論議を醸しだしたバンドとしてその名を轟かせることになった。もっと端的に言えば、彼らは壮絶で、粗々しく、超ブルータルなオールドスクール・スウェディッシュ・デスメタルの代表格となったのである。『Like an Ever Flowing Stream』は、全人類が必ず聴いておかなければならないアルバムとでもいっておこう。『Left Hand Path』が Sunlight で制作された最高峰のデスメタル・アルバムであることには変わりがないが、Dismember のデビュー作は最もアグレッシブで激烈な作品である。Dismember はその後、成功の波に乗り、Obituary と Napalm Death とのツアー

を行なった。彼らの全盛期だった 1991 年から 1992 年はスウェディッシュ・デスメタル・シーンのピークでもあった。ムーヴメントは至るところに広がり、高品質のアルバムが立て続けにリリースされるようになったのである。

Therion ℰ Deaf

　Therion は結果的に Nuclear Blast に落ち着いたが、この時期、彼らは移籍レーベル先を探すのに苦慮していた。露骨なほど House of Kicks に反旗を翻していた彼らは、Peaceville が新しく立ち上げた傘下レーベル Deaf へ移籍することが決まった。1987 年にポール "ハミー" ハルムショーによってカセット・レーベルとして始まった Peaceville は、Earache の成功を追って Doom や Electro Hippies などのグラインドやパンク・バンドのリリースを手掛けるようになった。80 年代後期にはデスメタルの領域にも足を踏み入れ、レーベルのラインナップには Autopsy や Darkthrone など凄まじいバンドが加わっていく。1990 年 9 月……いや、冬にレコーディングされた Therion のフルレングス・デビュー作『Of Darkness...』は、1991 年になってようやくリリースされた。この時期になるとレコーディング作業自体は多少改善されていたという。

「（レコーディング作業は）前と比べると良くなっていたけど、きちんとしたレコードを作るためにはまだ限界があった。約 700 ドルをレーベルからもらって、さらに 700 ドルを自分達で賄った。俺達は 1990 年冬の 6 日間で Sunlight でレコーディングとミックス作業を終わらせた。ミックスに満足しなかったから、余った時間を使って最初からやり直した。時間も限られていたこともあって、「Dark Eternity」と 「Time Shall Tell」は満足がいく結果とはならなかったので、ミニアルバムからのヴァージョンを採用したんだ。不思議なことにそれに気づいた奴はあまりいなかったな。」（クリストフェル・ヨンソン Therion）

　『Of Darkness...』は傑作として知られているが、Therion はデスメタルのルーツからは次第に遠のいていったのである。Sunlight Studio でレコーディングされたにもかかわらず、真正デスメタル・サウンドはそこにはなかった。さらに、

Therion のフルレングス・デビュー作。

キーボードを採用したため変則的だった。

「このアルバムでは、ペータルが2曲でキーボードを使用するというアイディアを持ってきた。「The Return」のエフェクトとして、それに「Genocidal Raids」の最後のメロディーにな。デスメタル・バンドの中でキーボードを使っていたのはNocturnus だけだった。」（クリストフェル・ヨンソン Therion）

　個人的には、彼らのデスメタルからの間遠はそのリフにあったのではないかと思う。ビー・スウォーム（ハチがうじゃうじゃ舞っているかのような）やギシギシ軋むようなグルーヴの代わりに、Therion は正統派ヘヴィメタルのダウンピッキングを使っていた。加えて、楽曲構成が少々ありきたりだったため、アルバムには躍動感が足りなかった。それにもかかわらず、戦慄を覚えるような陰鬱な雰囲気が醸し出されていたのは事実である。いずれにせよ貫禄あるクリストフェルのヴォーカルや時折登場するブラスト・ビートによって、良質なデスメタル・アルバムと呼ぶに相応しい作品となった。

Century Media の攻勢

　Deaf は一作で Therion を手放してしまう一方で、1988 年に設立された Century Media は所属アーティストとの永きにわたる蜜月関係を築いていた。Century Media は、ドイツ産スラッシュ・バンド Despair でヴォーカリストだったローベルト・カンプ（レーベル・オーナー）が、Despair の音源をリリースするために立ち上げたレーベルだった。レーベル発足当初、Nuclear Blast のオーナーで友人のマルクス・シュタイガーの手を借りていたが、Century Media がデスメタル・バンドと契約し始めると、Nuclear Blast や Earache Records としのぎを削るようになった。

　カンプは 90 年代初頭、ゴットランド島出身の Grave を始め、多くのスウェディッシュ・バンドに魅了されていたと思われる。カンプとの契約に至った際、Grave は既にスプリット・アルバム『Grave/Devolution』とミニアルバム『Anatomia Corporis Humani』（Prophecy Records から発売された 1989 年のデモテープ音源のレコード化）をリリースしていた。

「俺達は出来る限り多くのレーベルに3本目のデモテープを送った。Earache やPeaceville とか、他のレーベルも接触してきたんだけど、Century Media とはトントン拍子に話が進んだから、あまり深く考えずに彼らと契約したんだ。俺達はガキで、契約の内容なんてこれっぽっちも理解していなかった。アルバムのレコーディングをしたかっただけなんだ。」（オーラ・リンドグレーン Grave）

Century Media との契約が決まると、Grave はシングル『Tremendous Pain』を発表したが、彼らのポテンシャルの高さを如実に示したのは、強烈なフルレングス・アルバムだった。1991 年 6 月 17 日、Grave はそれまでの彼らの作品を忘却の彼方に葬るような重量級アルバム『Into the Grave』のレコーディングのために Sunlight Studio に入った。それはかなり特異だった——というのも、デビュー前のデモテープの方がより攻撃性に溢れていたバンドが大半だったからである。

「*Century Media がシングルのレコーディングのためにドイツまで俺達を呼び寄せてくれたすぐあとに契約の話が出た。海外に行けるなんて凄く特別な感じがしたし、そのようなやり方で彼らは俺達のことを引っ張ったんだと思う。だけど、それは上手くいったんだよ。*」（オーラ・リンドグレーン Grave）

『Into the Grave』は、90 年代初期の真正スウェディッシュ・デスメタル・サウンドを代表する作品である。壮絶なギターサウンドの壁によって、プロダクションは滴り落ちる肉汁のようなドロッとした感触があり、Entombed、Carnage、Dismember のアルバムと比べると初期衝動がふんだんに詰め込まれていた。しかし、Grave の楽曲のほうが荒々しく、シンプルではあるが印象的なリフが炸裂していた。これを"怒り狂ったハチの大群が今にも総攻撃を仕掛けてくるような様相だった"と形容してもいいだろう。さらに、ヨルゲン・サンドストルムのヴォーカルは当時最も暗黒に満ちた濁声を得意としており、音楽性と完璧に合致していた。楽曲のアレンジについていうと、ドラム・パターンは Autopsy に見られるような 2 ビートのスタイルだった。アルバム全体を通してみると、Sunlight で制作された作品の中では、極めて直球スタイルであることがわかる。そう、手加減なしの真正デスメタルがここにはあるのだ。各楽曲の構成が似通っているためアルバムは起伏に富んでいないが、素晴らしい作品であるのは間違いない。これが正真正銘のデスメタルなのである。

「*きちんとしたスタジオで作業したのは初めてだったから、俺達でプロデュースしたデモテープとは比べものにならないくらい良かった。Sunlight をレコーディング場所として選ぶしかなかったが、俺達は Entombed や Dismember とは全く異なるサウンドを創り出したかった。その点では上手くいったと思う。レコーディングに入るときには、凄く完成度の高い新曲も出来上がっていてプラスに働いたんだ。古いデモテープ曲の寄せ集めという感じではなく、破壊力があって超ブルータルだったんだよな。*」（オーラ・リンドグレーン Grave）

Grave の凄まじいサウンドがやっと正当に評価されるときが訪れた。彼らは世界中で絶賛されると、初のツアーが敢行された。

「*アルバム発表後、ヨーロッパとアメリカを回ったんだけど、乱痴気騒ぎのようだっ*

たよ。*夢のような人生を若い奴らに送らせたら、トラブルを起こしてくださいって言っ
ているようなもんだよな！ 毎晩音が酷くても気にしなかった。だって当時はデスメタ
ルの音創りなんて誰もわかっちゃいなかったし、メンバーもいつもヘベレケに酔っぱ
らっていて、演奏なんてグチャグチャだったしな——凄く楽しかったよ！ 当時のこと
は何ものにも代えられないよ。*」（オーラ・リンドグレーン Grave）

　Century Media が獲得したもう一つのスウェーデン産バンド Unleashed は、ア
ルバムのレコーディングには準備万端だった。これまでのスウェディッシュ・バンドと
違い、Unleashed は 1991 年 4 月に『Where No Life Dwells』のレコーディン
グをドイツ・ドルトムントにある Woodhouse Studio で行なった。

*「俺達はちょっとサウンドに変化をつけたかった。まぁ、Entombed サウンドに
なってしまうのを恐れていたのかもしれない。それまでと違うスタジオにすること
で方向性が見えてきたのかもしれないな。Sunlight はダメというわけではなく
て、俺達は何か別のものを求めていたんだ。*」（ヨニー・ヘードルンド Nihilist/
Unleashed）

　その結果、より鮮明なサウンドと明確に分離された楽器音によって、彼らが
Sunlight Studio で行なったレコーディングとは異なったサウンドが生みだされた。
録音状態は素晴らしく、重厚で生々しいスウェディッシュ・スタイルを貫いていた。
楽曲構成は多くのスウェディッシュ・バンドと比較すると、Unleashed はより本質的
なアプローチをとっていたことも特徴であろう。シンプルで耳に残りやすいリフ、無駄
な要素を剥ぎ取った楽曲のアレンジ、極めて分かりやすいブレイクがそこにはあった。
このアルバムは Entombed、Dismember、Grave らの作品と比べると重量感こそ
はなかったものの、彼らに肉薄する勢いであったと言い切れる。個人的な見解では
あるが、Unleashed の最大の弱点はヨニー・ヘードルンドのヴォーカルにあったと
思う。

　彼は良い仕事をしていたかもしれないが、ラーシュ＝ユーラン・ペトロフのように力
量がなかったし、Unleashed のデモテープ時代にヴォーカルだったローベット・セ
ネベックのヴォーカルのほうがはるかに力強かった。しかしながら、このアルバムは
驚嘆に値するアルバムであったため、Unleashed は間もなく至高のスウェディッシュ・
デスメタル・バンドとして押しも押されぬ人気を誇るようになった。

*「ファースト・アルバムはリリースされてからは何もかもが目まぐるしい速さで進ん
だ。ツアーにすぐに出たから、夢が叶ったんだ。ツアーでは文通していた奴らと
会うことが出来たからな。1991 年の Morbid Angel とのヨーロッパツアーでは、
マーチャンダイズが大量に売れたし、アメリカ・ツアーでも同じだった。俺達はまだ*

GRAVE · INTO THE GRAVE

COMECON

MEGATRENDS IN BRUTALITY

UNLEASHED

上から：

・『Into the Grave』

・『Megatrends in Brutality』

——でもそれほどブルータルではなかった。

・Unleashed の『Where No Life

Dwells』。

Woodhouse Studio でミキサー卓に並んだ Unleashed。

Unleashed の最初のツアーでの寝床はそれほど立派ではなかった。

ほとんど無名だったけど、すべてのキッズは *Unleashed* に惚れ込んでいたよ。凄く良かったなぁ。」（ヨニー・ヘードルンド Nihilist/Unleashed）

　90年初頭、Century Media に在籍していたバンドで実力があったのは Unleashed と Grave だったが、レーベルに富をもたらし、今日の繁栄の礎を築いたのは Tiamat だった。しかし、当初レーベルは Tiamat の将来を信じていたわけではなかった。

「*Unleashed のヨニーが契約に漕ぎ着けてくれたようなものだった。Century Media のローベルト・カンプは俺達に懐疑的で、ヨニー・ヘードルンドとフレードリック・リンドグレーンがしつこいくらいに俺達と契約をするようにけしかけたんだよ。彼らは結局根負けして、契約を提示してきたんだ。だから実際、その2人がほとんど無理やり Century Media に契約させた、といってもいいくらいだ。*」（ヨーハン・エードルンド Treblinka/Tiamat）

　Tiamat の『Sumerian Cry』は高評価を得ていたため、次作『The Astral Sleep』への期待も高まっていた。バンドの中心人物であるヨーハン・エードルンドは、新しいヴィジョンを既に描いていたようである。可能性を広げるため、スウェーデンをあとにし、Unleashed も使用した Woodhouse Studio で2作目のレコーディングを行なうことにした。『The Astral Sleep』によって、Tiamat は古くからのファンを失うことになったが、新たなファンを獲得することにつながった。

　『Sumerian Cry』と比べてみると、『The Astral Sleep』は別バンドと思えるくらい異質だった。バンドの大半の曲を書いていたステーファン・ラーゲルグレーンがとっくに脱退していたので、それも納得できる。初期のバンド構想から残っていたものは、ロゴと陰鬱な歌詞だけだった。デビュー作で聴かれた、暗く重量感のあるデスメタルから離れ、

　新しい2つのタイプの楽曲に取って代わられた。1つ目は、ダウンピッキングや安定した2ビートで構成されたスラッシュメタルのような2曲に表れていた。しかし、これらの楽曲はアマチュアの域を脱しておらず、説得力に欠けていた。2つ目は、アコースティック・ギターとキーボードがアクセントとなっているスローな楽曲。これらの楽曲をアルバムに配したことで、Tiamat の新たな方向性が示された。このようなドゥーミーなアプローチは功を奏し、Paradise Lost や Celtic Frost などのバンドを彷彿させていたのである。粗いながらもソウルフルなエードルンドのヴォーカルはバンドの最大の長所となっていた。しかし、長尺の楽曲が増えたが、彼らの演奏能力はまだ追いついていなかった。それに今となっては、彼らの音楽性は古臭く聴こえるかもしれないが、彼らのアルバムは当時高評価を得たのである。これは Tiamat がメタル

に別れを告げるほんの序章にしかすぎなかった。

「新メンバーのトマスとニクラスが新しいアイディアをもたらしてくれたので、音楽性に変化が生じた。彼らは俺達よりもテクニックがあったからな。あと、個人的にFields of the Nephilimなどのゴシックバンドにもはまっていたから、その影響が音楽性に反映されたんだと思う。だけど『The Astral Sleep』ではデビュー作の陰鬱な雰囲気を保つことは出来たと思う。」（ヨーハン・エードルンド Treblinka/Tiamat）

　1991年、Century MediaはEntombedの元ヴォーカリストのラーシュを擁していたComeconも獲得した。Comeconはスラッシュ／クロスオーヴァー・バンドのThe KrixhjältersとOmnitronから派生したバンドで、新しくエキサイティングなデスメタル・シーンに食い込もうと躍起になっていた。バンドのデビュー作『Megatrends in Brutality』は、1991年5、6月頃にSunlightでレコーディングされたが、残念ながら良作とは言えなかった。

　アルバムは面白味もないクラストパンクが、ブラスト・ビートとギターメロディーで彩られていた。彼らはデスメタルのムーヴメントに便乗しようとしていただけだったが、メンバーはパンクやスラッシュをルーツとしていたことは明らかだった。ドラムマシーンを使用したことで柔軟性が損なわれ、退屈さが全面に押し出されて、迫力に欠けるアルバムとなってしまった。このアルバムで人間のドラマーが使われたといまだに主張している者がいる。もしそれが事実だとしたら、そのドラマーは全デスメタル・シーンで最も機械的で、退屈なドラマーであるに違いない。

　Comeconは1970年代以前に誕生した者がスウェディッシュ・デスメタルをきちんと体現できないということを証明した。良い点といえばラーシュのヴォーカルだったが、彼のパフォーマンスもかなり酷かったといえる。しかしながら全体的にみるとCentury Mediaには素晴らしいバンドが在籍していた。Grave、Unleashed、Tiamatは凄まじいほどの売り上げを記録し、レーベルはシーンでの立ち位置を強固にした。

Doloresとユーテボリ・バンド群

　ストックホルムを中心としてスウェディッシュ・デスメタルが発展したが、スウェーデン国内の至るところにもムーヴメントは拡散していた。特にユーテボリ地域のシーンは1991年から発生した。Grotesqueは解散後、新たにAt the GatesとLiers in Waitという2つのバンドに派生した。地元のレーベルDoloresはGrotesqueのクオリティーがその新しい2つのバンドに継承されると見込み、彼らにミニアルバム

のオファーを Grotesque と同じように提示した。確かに彼らは凄まじいクオリティーを誇っていたといえる。

　2 月に Sunlight Studio でレコーディングされた At the Gates のデビュー作『Gardens of Grief』は、1991 年発売された作品の中で最も将来性のある作品だった。Grotesque のトマスとアルフ、それに元 Infestation のアンデシュとヨーナス・ビョーラーを擁したバンドは極上のケミストリーを発していたのである。

「1990 年の夏、Grotesque が解散した後にすべてが始まったんだ。クリスティアン、トマス、アルフそれに俺で新プロジェクトを立ち上げようと考えてね。俺はトマスとは旧知の仲だったから、ベースを弾かないかって誘われて、それで入ったんだ。同時期に、ハンスという奴がドラマーとして加わった。その時点ではまだバンド名はなかったから、皆で At the Gates や Liers in Wait という名前にしないかって話し合っていた。俺達は最初、クリスティアンとアルフと活動していたんだけど、しばらくするとクリスティアンがドラマーと共にバンドを去ってしまった。それで俺はギタリストに転向して、弟のヨーナスがドラマーとして加わったんだ。」（アンデシュ・ビョーラー　At the Gates/The Haunted）

「そういえば、バンド名は初めの頃 Liers in Wait だったと思う。俺がヴォーカルで、アンデシュがベース、クリスティアンとアルフがギター、ハンスがドラムだった。しばらくするとクリスティアンとハンスが脱退して、バンド名も持っていかれてしまっ

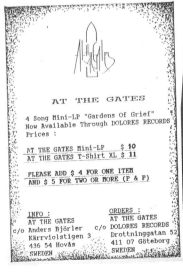

左から：
・At the Gates のミニアルバムのフライヤー。
・Liers in Wait——超絶にブルータルな作品。

た。At the Gates よりも響きがいいと思っていたから、俺はちょっとムカついたよ。」
（トマス・リンドバリ Grotesque/At the Gates/Disfear）

「ヨーナスがベースに転向してから1か月後、トンパがヴェルバリ出身の奴（アードリアン・エルランドソン）を連れてきた。見た目が普通の短髪で、分厚い医学書をいつもカバンに忍ばせているような奴だった。彼は全然メタラーっぽくなかったけど、彼のプレイにド度肝を抜かれたよ。それで俺達はやっと、バンドとして体制が整ったと感じたんだ。俺はギターを始めて6ヶ月しか経ってなかったけど、1990年6月に At the Gates は正式に始動して、そのころからリハーサルを懸命に始めたよ。」（アンデシュ・ビョーラー At the Gates/The Haunted）

　このバンドが素晴らしいと誰も感じ取っていた。At the Gates は、印象的なリフや止めどなく続くテンポ・チェンジを武器に、かなり複雑な楽曲構成を基本としたユニークなスタイルを特徴としていた。当初は印象が薄かったが、それぞれのリフは覚えやすく陶酔してしまうほどだった。

「結成当初 Atheist などのバンドに影響を受け、楽曲の多くはアルフによって作られていたから、At the Gates の風変わりなスタイルは彼に依るところが大きい。彼は今でも素晴らしいミュージシャンであることには変わりないよ。」（アンデシュ・ビョーラー At the Gates/The Haunted）

　At the Gates の最初のレコーディング作品はデモテープ用に録られたものだったが、Dolores は Grotesque のミニアルバムをリリースした関係で、トマスとアルフに興味を示し、早急に何かをリリースしたいと望んでいた。

「俺達はラッキーだったんだよ。Grotesque のミニアルバムの出来は凄く良かったから、デモテープのレコーディング後、Dolores がリリースのオファーをしてきた。デモテープ用に録った音源だったけど、申し出に、バンド内で反対意見なんてなかった。そのあと色んなことが順調に運んだ。タイミングと幸運が重なって努力が報われたんだよ。」（アンデシュ・ビョーラー At the Gates/The Haunted）

　At the Gates の初音源を聴くと彼らの懸命さが伝わってくる。楽曲はよく練られているし、アンデシュがその1年前までギターを触ったこともなかったと考えると驚異的なことである。俺がこのミニアルバムで唯一の不満な点はといえば、ヴォーカルである。どういうわけかリンドバリは彼の十八番である絶叫スタイルを封印し、野太いヴォーカルを披露したが、出来は Grotesque の作品を凌駕するほどではなかった。

「Grotesque はブラックメタル寄りだったから、絶叫しないといけなかった。俺はもっと色々な歌唱法を試してみたかったから、At the Gates がスタートしたとき、Infestation で試していたグロウル・スタイルでやってみた。直感にしたがって

やったまでだったけど、ミニアルバム制作後、*At the Gates* には絶叫スタイルの
ヴォーカルの方がフィットしていると感じたんだ。」（トマス・リンドバリ Grotesque/
At the Gates/Disfear）

　その後、トマスは以前の絶叫スタイルに戻り、At the Gates は最も影響力があり、
唯一無二のスウェディッシュ・デスメタル・バンドとして人気を博すようになった。

「*プロダクションに関してアルフが実権を握っていた。彼は激しく陰鬱に歌うようにト
マスをけしかけ、いくつかのヴォーカル・パートの速度を上げたりもした。楽曲はほ
とんどすべてアルフの作品だったといっても過言ではなかったな。彼はスウェーデン
の陰気臭さとクラシックの雰囲気をミックスさせたんだ。壮大なサウンドトラック・ア
ルバムのようでもあったと思う。オリジナリティーを生み出さないといけなかったとは
言わないが、俺達のスタイルを見い出すことができたんじゃないかな。このようなス
タイルを達成できた理由は、俺達の音楽的バックグラウンドが異なっていて、それ
ぞれのメンバーは音楽的技量があると示したかったからだと思う。だけど、何故結
果的にそのような音楽性になったかという本当の理由はいまだわからない。フォー
ク・ミュージック、デスメタル、クラシック音楽の融合だよ。*」（アンデシュ・ビョーラー
At the Gates/The Haunted）

　At the Gates が海外で成功する前に、クリスティアンとハンス・ニルソンは俘虜
期の At the Gates を離れ、Liers in Wait を結成した。

「*俺達はアンデシュ、トマス、アルフと共にリハーサルをやっただけだった。その時
点ではバンドという感じではなかったんだよ。俺達は一緒につるんで、ジャムった
だけなんだよ。At the Gates とか Liers in Wait っていうバンド名の話はあった
けど、まだ何かを具体化していたわけじゃない。*」（クリスティアン "ネクロロード"
ヴォーリーン Grotesque/Liers in Wait/Decollation）

　1991 年、ギタリストのクリスティアンとドラマーのハンス・ニルソン、そして、
ベーシストのマティアス・グスタフソンによって、Liers in Wait の狂暴さは増して
いく。1991 年 10 月、初音源のレコーディングのために Sunlight Studio に入
ることになったが、ヴォーカリストが不在だったため、Therion のクリストフェル・ヨ
ンソンがヴォーカリストとして志願した。At the Gates と同じく、Liers in Wait は
Grotesque の恩恵にあずかり、Dolores Records との契約を手にし、『Spiritually
Uncontrolled Art』の早急なリリースとつながっていくのである。

「*Grotesque のように、俺達の最初のレコーディング作品はデモテープではない
と思っている。必要に駆られてやったものにしかすぎない。けれども Dolores のス
タッフがその音源を聴いて、リリースしたいとオファーしてきたんだよ。契約書とかそ*

んなものはなかったな。起こるべきして起こったものかもしれない。」（クリスティアン"ネクロロード"ヴォーリーン Grotesque/Liers in Wait/Decollation）

　　Liers in Wait はスウェーデン産のバンドの音源の中で最もブルータルであるかもしれない。このアルバムは、暴発寸前の怒りに満ち溢れ、かなり複雑で邪悪なサウンドを体現していた。ドラムパートは攻撃的なバックビートやリズム感のあるブラストが炸裂していた。それ以上に Therion でもヴォーカルを担当していたクリストフェル・ヨンソンは自身のベストパフォーマンスを披露していた。この融合が五感を刺激し、攻撃力は倍増したのである。さらに、随所に垣間見られるキーボードも邪悪な雰囲気を醸し出し、絶妙に組み合わさっていた。唯一残念な点といえば、サウンドには厚みが感じられなかったことだった。それらを別としても、この作品は傑作といえる。At the Gates 以上に Grotesque の音楽性を継承していたのはこの Liers in Wait だった——どちらのバンドの楽曲もクリスティアン・ヴォーリーンが創作していたため、それも当然である。

「俺は Liers in Wait の主導権を握っていたし、この時期、俺は怒りに満ち溢れていたから、レコードは狂ったようにエクストリームになったんだと思う。それに俺は楽曲に多くの捻りを入れて、作業が進むにつれ、原曲以上にスピードが激速した。俺は怒りを抱え、ブルータルで病的なものを作り上げたいと思っていたんだ。Necrovore が倍速になった感じさ。」（クリスティアン"ネクロロード"ヴォーリーン Grotesque/Liers in Wait/Decollation）（訳者註：Necrovore は 80 年代にデモテープ 2 本をリリースしたのちに解散したアメリカ・テキサス出身のデスメタル・バンド。結局アルバム・デビューはしなかったが、いまだにカルト的人気を誇っている）

　　Liers in Wait は明らかに別格だった。そして、多くのレーベルからオファーの話が舞い込んだのである。しかし、Grotesque と同様に、クリスティアンはバンド結成当時の初期衝動が損なわれたと感じるようになる。全力で活動に邁進することを諦め、活動が順調に進み始めた途端、解散を決意した。

「最初の音源をレコーディングするためにリハーサルを始めたころ、何かが明らかに変わったと感じたんだ。怒りというものがなくなっていたし、Liers in Wait というよりも Grotesque に近い音楽性になっていた。音が疲弊しているようにも感じられたから、バンド活動に興味を失ってしまっていた。怒りというものがなくなってしまったことが俺には大きかったのかもしれない。絵を描くことに集中したかったから、音楽が二の次になってしまったんだ。唯一の心残りは初期に音源を残さなかったことかもしれない。たくさんのアイディアがあったけど、メンバーチェンジとか色々なことに翻弄され、何もかも停滞してしまったからな。Grotesque では、俺とトンパ、

それにトマス・エリクソンの3人でリハーサルをよくやっていたけど、もっと音源を残しておけばよかったと思っている。」（クリスティアン "ネクロロード" ヴォーリーン Grotesque/Liers in Wait/Decollation）

「*Liers in Wait* はタイミングが悪すぎたと思う。彼らのレコードは *At the Gates* の少しあとに発売されたし、*Liers in Wait* というよりは *Grotesque* の後継者としてみられていたからな。俺にとっては彼らは *Grotesque* の真の継承者だと思っている。彼らのアルバムは超ブルータルで複雑で、エジプト風の雰囲気もあって、時代の先端を行っていたのかもしれない。10年後に Nile がやったことを Liers in Wait がそのとき既にやっていたんだよ。『Spiritually Uncontrolled Art』はスウェディッシュ・デスメタルの隠れた名盤だと思う。俺達は運がよかったけど、彼らは本当についてなかった。やるせないけど、残酷なもんだよ。」（トマス・リンドバリ Grotesque/At the Gates/Disfear）

　Liers in Wait と At the Gates はエクストリーム・メタルを発展させたことで際立つ存在だった。直球スタイルのデスメタルが人気を博しているのは今でも変わらないのである。

暗黒の烙印の徴しの下に
——アンダー・ザ・サイン・オヴ・ザ・ブラック・マーク

　90年代初頭、スウェーデンのレーベル Black Mark がデスメタルのマーケットで主導権を握ろうと必死だった。元々 Tyfon から派生したこのレーベルは Bathory のレコードをリリースし、プロモーションをするために立ち上げられた。デスメタルの魅力に憑りつかれていたレーベルのボスであるボルイェ・フォーシュバリは、Edge of Sanity を手始めに多くのバンドとの契約に着手した。

「再始動した *Black Mark* にデモテープを送った次の日、ボルイェ・フォーシュバリから電話で契約のオファーを受けた。数日のうちに *Bathory* 以来、レーベルと契約した初めてのバンドになったんだ。」（ダン・スワノ Edge of Sanity/Unisound ＜スタジオ＞）

　1991年1月に Montezuma Studio でレコーディングされた Edge of Sanity の『Nothing but Death Remains（邦題：ナッシング・バット・デス・リメインズ）』はその年初めて制作されたスウェディッシュ・デスメタル作品である。このアルバムで聴かれるサウンドは、2ビートとグルーヴィーなスローパートで味付けされデスメタル然としていた。ダン・スワノは野太く、力強い、広がりのある、圧倒するようなヴォーカルを披露していたが、リフや楽曲には説得力が足りなかった。バンドは未完成であっ

Edge of Sanity のデビュー作。

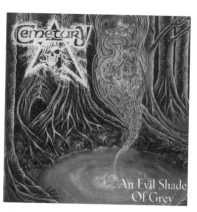

『An Evil Shade of Grey』——クリスティアン・
ヴォーリーンによる最高のアートワークとは言い難
い。

『Unorthodox』——オールドスクール・デスメ
タルの最高傑作。

Seance のブルータルなデビュー作。

たし、独自のスタイルを模索している段階だったのだろう。しかし、彼ら自身のスタイ
ルが確立すると、驚異的なバンドとなった。

「『*Nothing but Death Remains*』での音は最低だったよ。レコーディングを担
当した奴は何もわかっていなかった。俺には少なからずレコーディングの知識があっ
たから、ひょっとするともっと良くなっていたかもしれない。」（ダン・スワノ Edge
of Sanity/Unisound ＜スタジオ＞）

　Black Mark は 1992 年にはボロース出身の Cemetary にも触手を伸ばし、そ
の後、彼らの同郷でサウンドも同系統の Lake of Tears とも契約をした。マティア
ス・ロードマルム（ギター＆ヴォーカル）によって結成された Cemetary は、活動が

進むにつれて、徐々にバンドの方向性が変化していくが、バンド結成当初は正統派デスメタル・バンドだった。1992 年 2 〜 3 月に行なわれたデビューアルバムのレコーディングには Sunlight、アルバム・ジャケットにはクリスティアン・ヴォーリーンのアートワークが選ばれた。

　Cemetary のデビュー作『An Evil Shade of Grey』は重厚なサンライト・サウンドを土台とした正統派デスメタルだった。彼らの楽曲と曲構成は、2 ビートが多用され、スローなグラインド、絶叫系グロウル・スタイルのヴォーカル、ギシギシと軋むリフ、多くのブレイクやストップを特徴とする正統派のスタイルに則っていた。しかし、Cemetary には変則的なアイディアが満載だった。多くのデスメタル・バンドと違い、キーボードやメジャーコードのメロディーにも果敢に挑んだ。アルバムの多くの楽曲は他のスウェディッシュ・デスメタル・バンドと比べても比較的スローテンポだった。現在、Therion や Edge of Sanity をよくスウェディッシュ・バンドの代表格として、多くのバンドと比較対象されるが、Cemetary は彼らよりもさらにオリジナリティー溢れるアトモスフェリックなドゥームメタルに昇華した。

　このように Cemetary はメロウな方向に向かって活動を展開していったが、正反対を目指していたバンドもいた。90 年代初頭、スウェディッシュ・デスメタル・バンドで群を抜いて残虐性が溢れていたのはリンシューピングの Seance だった。1991 年のデモテープ『Levitised Spirit』においてスウェーデンでは希少だった US スタイルのブルータルサウンドを提示した彼らは、間もなく Black Mark との契約を締結することになる。

「*Seance は Total Death と Orchriste の元メンバーで構成されていて、過激なデスメタル・サウンドに傾倒していた。俺達はデモテープを出来る限りプロフェッショナルに仕上げようと思っていたから金はかかった。俺達は Saab の工場で働いていたからそれが可能だったんだ。幸い、多くのレーベルが興味を示してくれて、最終的に Nuclear Blast か Black Mark のどちらかにしようと決めた。でもボルイェ・フォーシュバリが"Seance は既に Black Mark と契約している"って Nuclear Blast にガセネタを吹き込んだもんだから俺達は Black Mark と契約する羽目になった。あの嘘つきジジイめ！*」（パトリック・ヤンセン Orchriste/Seance/The Haunted）

　こんなやり方をしていたのが Black Mark だった。契約が交わされた後、Seance はマルメーにある Berno Studio に入り、デビュー作のレコーディングにとりかかった。『Forever Laid to Rest』は当時最もブルータルなスウェディッシュ・デスメタルの作品として評された。Liers in Wait の様に、Seance は他のスウェディッシュ・

バンドからインスピレーションを受けるのではなく、Deicide などアメリカ産バンドから
の影響が大きかった。楽曲、リフ、ヴォーカルを含め、すべてにわたり Deicide 臭
が立ち込めていたが、タイトな演奏を武器としていたため、影響は微塵にも感じさせ
なかった。リフは楽曲にマッチし、ドラムは無慈悲に打ち付けられていた。多くのテン
ポ・チェンジやブレイクは最後まで飽きさせることはなかったし、ヴォーカルはグレン・
ベントン（Deicide）の魂が乗り移ったかのように獰猛だった。そして、このアルバム
は無名だった Berno Studio の名をエクストリーム・メタル界に浸透させることにも
一役買ったのである。『Forever Laid to Rest』のすべての歌詞と大半の楽曲を
書いたギタリスト、パトリック・ヤンセンの努力が結実し、スウェーデンでも高品質な
US スタイルのデスメタルが生み出せることが証明されたのである。

　Seance のデビュー作はスウェディッシュ・デスメタル史上最もエクストリームな作
品の 1 枚ではあるが、Black Mark 所属アーティストで最も成功した作品は Edge
of Sanity のセカンド・アルバム『Unorthodox（邦題：アンオーソドックス）』であ
る。デビュー作と同様、スタジオは Montezuma Studio が選ばれ、レコーディング
は 1992 年 1 月から始まった。前作でかなりスタジオに不満があったにもかかわら
ず、同じスタジオを使ったのは、Black Mark に強要されたといっても過言ではなかっ
た。ダン・スワノが曰く、"Black Mark は Montezuma Studio で割引料金でレコー
ディングすることができたので、スタジオ代を浮かせるために多くのバンドが同スタジ
オの使用を強いられていた" とのことである。また、ダンによると、ボルイェ・フォーシュ
バリは Sunlight の名を聞いたことがないと言っていたようである。そのような悪条件
にもかかわらず、今回のレコーディングは素晴らしい出来だった。重厚なスウェディッ
シュ・サウンドが Sunlight Studio 以外でも実現可能になったことを、このクリアー
で攻撃的なプロダクションが示したのである。

「『Unorthodox』でのサウンドが俺達のデビュー作と比べて優れていたのは、
俺が最初からプロダクションに携わっていたからだよ。俺はこのスタジオで満足で
きるサウンドを創り出すことが可能だって信じていたからな。自分の機材を持ち込
んで、ミックス作業では俺が積極的にかかわったんだ。」（ダン・スワノ Edge of
Sanity/Unisound ＜スタジオ＞）

　リフや楽曲はデビュー作よりはるかに上質で、彼らを特徴づけるギターメロディー
は飛躍的に進化していた。アルバムの大部分は驚くことに一発録りであったことを鑑
みると凄まじいタイトさだった。とりわけダン・スワノのヴォーカルと、ベニー・ラーショ
ンのドラムは際立っていた。今日、両者はデスメタル界では重鎮と崇められるほどで
ある。確かリリース当初、ダン・スワノがクリーン・ヴォーカルを数カ所で披露して

いたのをかなり驚いた覚えがある。真正デスメタル・アルバムにもかかわらず、それ
は斬新で未知の手法であった。しかし、陰鬱なメロディーと残虐性の完璧な融合が
表現されていたこの素晴らしい『Unorthodox』にもマイナス点はあった。

「このアルバムは俺が求めていたものそのものだった。サウンドは超強力で、歌詞
にも満足していたし、それぞれのリフは殺傷能力抜群だった。いわばデスメタルで
やりたかったことを達成させた感があった。しかしこれは、Edge of Sanity にとっ
て終焉の始まりだったのかもしれない。俺達がやっていることに違和感を覚えるよ
うになって、次第にバンドに興味を失い始めてしまった。それで自分が立ち上げた
スタジオで他のプロジェクトに打ち込むようになっていったんだよ。」（ダン・スワノ
Edge of Sanity/Unisound ＜スタジオ＞）

　　Black Mark は新人バンドの発掘には長けていたが、バンドをブレイクさせる術は
なかった。彼らはツアーサポートをしなかったし、プロモーションもほとんど行なわな
かった。当時を振り返ってみると、Black Mark と契約したすべてのバンドは失意に
陥っていたのである。

「Black Mark に所属していて、音楽業界がいかに汚いものか痛いほど思い知ら
されたよ。バンドに起こるであろう悪夢をすべて体験できたんだ。大ケガしちゃった
よな。」（ダン・スワノ Edge of Sanity/Unisound ＜スタジオ＞）

「やらかしたんだよな……俺自身は Bathory の超ファンだったから、Black
Mark にデモテープを送り付けただけなんだ。ウップサーラで Immolation、
Massacre、At the Gates と共演したギグにボルイェ・フォーシュバリがやってき
て、中古車営業マンのように俺達を口車に乗せて、いつの間にか契約にもっていっ
たんだ。レーベルは全くダメだって気づいたときには後の祭りだった。良いところな
んて一つもありゃしなかったよ。Nuclear Blast と契約していたら、全く違ってい
たかもしれないな。」（パトリック・ヤンセン Orchriste/Seance/The Haunted）

At the Gates ＆ Peaceville

　　At the Gates が注目を集めるようになったのは 1991 年になってからだった。彼
らのミニアルバムはアンダーグラウンド・シーンで話題となり、フルレングス・アルバ
ムへの期待は高まるばかりだった。興味を示した多くのレーベルの中には Therion
と契約を交わしていた Peaceville 傘下の Deaf もあった。

「俺達は Peaceville のハミーにミニアルバムを送ると、彼が興味を示してくれた。
他のレーベルも連絡を取ってきたけど、俺達は Peaceville に好意的だった。当
時所属のバンドは Autopsy やどうしようもないブラックメタルに弱体化する前の

Darkthrone とかもいて凄かった。契約書を交わす前に俺達はユーテボリの ART Studio に入ったんだ。」（アンデシュ・ビョーラー　At the Gates/The Haunted）

　貪欲な新人バンド At the Gates と新興レーベル Deaf のパートナーシップは価値があると思えた。しかし、Therion と異なり、At the Gates は Peaceville の傘下レーベル Deaf が閉鎖されると Peaceville への所属に格上げされた。1991年 11 月にユーテボリの 5 人組 At the Gates は ART Studio に入り、『Red in the Sky is Ours（邦題：ザ・レッド・イン・ザ・スカイ・イズ・アワーズ）』のレコーディングを開始した。彼らは Sunlight Studio を使用しないことで一目置かれ、そして彼らのアルバム『Red in the Sky is Ours』は他のデスメタル・アルバムよりもクリーンなサウンドであった。残念ながらここでいう"クリーンな"というのは迫力が足りなかったという意味である――ギターサウンドは目も当てられないほど酷かった。

「*こんな音になってしまった顛末にはちょっと訳があった。ハンス・ハルというボンクラ野郎によってレコーディングされたことが大きいな。そいつは電気アレルギーで、コントロール・ルームでは白手袋を常にはめていた。ハンスは全く役不足で、メタルのことなんてこれっぽっちもわかってなかった。スタジ*

ハンス・ハルが台無しにしたアルバム。

オには俺達のアンプを搬入すればよかったけど、運搬する予算もなかったんだよ。代わりに使い古しの Mesa Boogie のコンボアンプにオレンジのディストーションペダルを使うしかなかった。ギターサウンドの仕上がりは良くなくてね。『Kerrang!』誌は"ギターサウンドはキュウリの浅漬けのような音がしている"って痛快に表現していたよ。だけど、レコーディング費用は目が飛び出るくらい高かったみたいだった。1997 年にレーベル・オーナーのハミーと話す機会があったんだけど、彼は"『Red in the Sky is Ours』のレコーディング費用はレーベル史上最も高額だった"って嘆いていた。変な話だよな。」（アンデシュ・ビョーラー　At the Gates/The Haunted）

　ハンス・ハルという低能でも At the Gates のユニークで複雑なスタイルを完璧に覆い隠すことはできなかった。アンデシュ・ビョーラーとアルフ・スヴェンソンの社

絶な融合は目を見張るばかりだったし、バンドメンバーが醸し出す雰囲気も最高だっ
た。幸いリンドバリはデスメタル・スタイルの歌唱法から脱却し、彼の咆哮は痛烈な
フィーリングに満ちていた。

「このアルバムは俺達の黒歴史のうちの一つかな。楽曲は良かったけどすべてあの
忌まわしいプロダクションのせいで滅茶苦茶になった。レコーディング作業は凄く憂
鬱で、一刻も早くスタジオから脱出したいと思っていたよ。これまで俺は一度もアル
バムを聴いたことがないなぁ。」（トマス・リンドバリ Grotesque/At the Gates/
Disfear）

　そのようなサウンドであったにもかかわらず『Red in the Sky is Ours』は叙情
的で勇壮なデスメタルの最高傑作だった。楽曲自体についてはマイナス点など見当
たらず、At the Gates がスウェディッシュ・デスメタルの将来を担う存在になるの
は明白だったのである。

Active———スラッシュからデスメタルまで

　Earache と Peaceville がイギリスのデスメタル・レーベルを牽引していたが、
そこに名を連ねるようなった 3 つ目のレーベルは、90 年代初期シーンに参入した
Active Records だった。Active Records はまず Atheist の傑作『Piece of
Time（邦題：時の断片）』をリリースした後は、スウェーデン産バンドを発掘し始
めた。レーベル創始者のデイヴ・コンステーブルは長きにわたりスウェーデンに在住
し、レーベルをスウェーデン人のレナ・グラーフと共に取り仕切っていた。コンステー
ブルとグラーフは『Metal Forces』誌に寄稿していたため、Active というレーベル
名はまさにうってつけであろう。レーベル発足当初は Hexenhaus や Mezzrow な
どのスウェディッシュ・スラッシュメタル・バンドと契約をしていたが、その後 Deaf
Records を離れた Therion などのデスメタル・バンドに関心を持つようになっていっ
た。

　1991 年 12 月 Therion の 2 枚 目『Beyond Sanctorum』 は、Edge of
Sanity が Montezuma Studio に入る直前にレコーディングされた。新年が近づく
ころには、Therion が全世界を席巻する術は全て整えられた。個人的な意見だが、
『Beyond Sanctorum』はデビュー作よりも良好なプロダクションであり、また、クー
ルなパートがより多くちりばめられていると感じている。サウンドはかなり攻撃性に溢
れているが、強烈な Sunlight プロダクションには到底及ばなかった。デスメタルと
いうよりもスラッシュメタル・サウンドが時折顔を覗かせていたのである。興味深いこ
とに、クリストフェル・ヨンソンは、プロデューサーであるレックス・ギールセンに対す

バックステージでリラックスしている At the Gates。トマス・リンドバリが見当たらないが、多分彼は
酔いつぶれていたのであろう。

るダン・スワノの意見に真っ向から反対していた。

「プロデューサーのレックス・ギールセンは 80 年代、女の子達にキャーキャー言わ
れるようなスウェーデン産メロディアス・ハードロックバンド Shanghai のキーボー
ド・プレイヤーだったんだ! ピンと来ないかもしれないけど、デスメタルの楽曲構成
については彼が一番熟知していたんだ。スコックスバリは最高のサウンドを表現で
きたけど、どこでギターを挿入するのかをよく分かっていなかった。逆にレックスは
即座にそれを理解していたんだ。でも彼のサウンドにはちょっと満足できなかった。
俺達はサンライト・サウンドから離れようとしていたけど、そのサウンドでも良かった
んじゃないかと後から思ったよ。」(クリストフェル・ヨンソン Therion)

　Therion のセカンド・アルバムは、狂気のブラストやメランコリックな儚さが押し出
され、幅広い音楽性が表現されていた。だが、欠点も見受けられた——楽曲同士
がうまく絡み合っていなかったのである。仰々しいほどの楽曲構成は革新的というよ
りも混乱を招くばかりだった。それに加え、いくつかのリフは平凡で、普通のロックっ
ぽい曲に落ちぶれたようでもあった。それでも、絶叫型グロウル・スタイルのヴォー
カルによって、完璧にデスメタルのアルバムに仕上がった。そして、ご存知のとおり、
Therion はその後一風変わった音楽的領域に方向転換していくのである。

「俺達はかなり頻繁にキーボードを使うようになった——ペータルと俺はキーボード

を使うことに免疫があったからな。俺達は変わったドラム・パターンやギター・ス
ケールを使って、ちょっとした実験的なこともした。のちにバンドの象徴となる音は
このアルバムで早くも見え隠れしていたんだ。この時期にオランダとベルギーを回る
初のツアーを敢行してね。俺達はミニバンをレンタルして、シート部分を折りたたん
で機材をぎゅうぎゅうに詰め込んだんだ。車内は全員入るのがやっとで、マジですし
詰め状態だったよ。良いことも大変なこともあったな。」（クリストフェル・ヨンソン
Therion）

　1991 年、Active はさらに伝説的なバンド Merciless とも契約した。レーベルと
して全く機能しなかった Deathlike Silence Productions との契約後、Merciless
は相応しいレーベルを懸命に探していたのである。彼らは怒涛のように押し寄せる
デスメタル・シーンの波に死にもの狂いで食らいついていた。1991 年 6 月、セカ
ンド・アルバムのレコーディングに Sunlight Studio を選んだ。しかし、この『The
Treasures Within』は、1992 年後半になってようやく日の目をみることになる。
楽曲は以前と変わらず攻撃的でシンプルだったが、新しいアプローチが示されてい
た。クランチの効いたギターと容赦なくヒットするドラムは典型的なデスメタル・スタ
イルを模倣していたため、Merciless の音楽性にあまりマッチしていなかった。彼
らのデビュー作の方がより邪悪な印象だったのかもしれない。『The Treasures

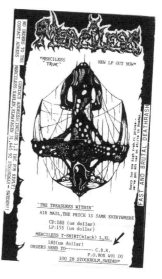

左から：
・Therion の『Beyond Sanctorum』。
・Merciless のセカンド・アルバムのフライヤー。

Within』は確かに良いアルバムではあるが、『The Awakening』のようにはいかなかった。Merciless から新鮮味や攻撃性が薄れてしまっていたのである。

「俺達は本当にうまくいっていなかった。元凶はレコード・レーベルから十分なプッシュを受けられなかったことにあった。あと、俺達にはきちんとしたプロモーターが付いていなかったことも問題だった。俺達は当時はそんな仕組みなんて分かっていなかったからな。『The Awakening』を Kreator の所属レーベルなどからリリースしていたならば、俺達はもっと売れていたかもしれない。当時、ドイツ人の奴らは俺達をこき下ろしていたよな。だけど、もう過去には戻れないしクソ食らえって感じさ。Merciless はこれからもアンダーグラウンド・バンドとして生きていくんだよ。フラッグ・オヴ・ヘイト！ 憎悪の旗を掲げようぜ！」（フレードリック・カーレーン Merciless）（訳者註：Kreator の代表曲「Flag of Hate」とかけている）

Century Media の攻勢は續く

90 年初頭、Century Media はスウェディッシュ・デスメタル・バンドが多く所属するレーベルとしてその名を馳せるようになった。他のレーベルとは異なり、彼らはアーティストをレーベルに引き留めておくことに成功し、傑作アルバムを次から次へと出していった。1992 年、Grave は『You'll Never See...』において、猛々しいアプローチを推し進めた。容赦ないデスメタルが惜しげもなく表現されていたこのアルバムよって、Grave はスウェーデン・シーンの牽引者の立場を確立したのである。Grave のセカンド・アルバムはデビュー作よりもクリーンなサウンドでレコーディングされたが、残虐さは損なわれていなかった。ギターは超肉厚で、ヨルゲンのヴォーカルは驚くほどディープでパワフルだった。当時のシーンでは最も強力なヴォーカリストのうちの 1 人だったといっても差し支えないだろう。ただ、楽曲構成はスローパートが増え若干ブルータルさが薄れていた。アルバム全体を通してみると、良質なアルバムだったが、暴虐性溢れるデビュー作と比較すると足元にも及ばなかった。

「『Into the Grave』のツアーの直後から曲を書き始めた。俺達はデスメタル人生を全うしていたから、スタジオでレコーディングするには十分な曲がすぐに溜まったんだ。俺達は成熟期を迎えていたから、楽曲はよく練られていたよ。俺達のセカンド・アルバムはデビュー作の獰猛なデスメタルと 3 枚目『Soulless』の中間にいるようなものだった。まあ自然な流れだよな。レコーディングの後はすぐさまツアーに戻った。最高だったな！」（オーラ・リンドグレーン Grave）

Grave と同じく、Unleashed も最盛期を迎えていた。デビュー作がレコーディングされてから丁度 1 年後の 1992 年の 4 月、Unleashed は Woodhouse

時計回りに左から：

・『Clouds』──デスメタルと Dokken の融合。

・Unleashed 『Shadows in the Deep』

・Bolt Thrower とツアーを行なった Unleashed。

Studio において『Shadows in the Deep』のレコーディングを始めた。

「俺達は最高の時間を過ごしていたな。アルバムを制作して、*Bolt Thrower*、*Morbid Angel*、*Paradise Lost* とのツアーに出て、幾らかの金も手にできたしな。俺はまだ両親と暮らしていたティーンエージャーでさぁ。ディズニーランドで遊びながら、金を手にできたガキみたいだった! 新しいテレビを買うことがきたし、酒も浴びるほど飲んだ。それでスタジオに戻った。凄かったなぁ!」(アンデシュ・シュルツ Unleashed)

　本作は基本的にはデビュー作の手法を踏襲していた。まず、プロダクションはあまり良いとはいえず、サウンドもドライでパワー不足だったが、デスメタル然としていた。マイナス点は、説得性に欠くリフや曲にうまく噛み合っていないスローテンポな曲調が多かったため、楽曲が紋切り型に陥ってしまったことである。ヘードルンドの咆哮は絶好調だったし、しゃがれ具合も抜群だった。けれども俺はすぐ聴き飽きてしまったし、ヴォーカルにパワフルさが足りなかったのは否めない事実である。デビュー作と比べると存在感が薄かったが良質なアルバムだった。

「俺達もスタジオのスタッフも英語が完璧ではなかったから、意思の疎通を図るのが大変だった。フラストレーションやストレスが溜まってしまったよ。俺達は当時初期2枚のサウンドが好きではなかったけど、今は凄く気に入っている。2作目のレコーディング作業で思い出深いのは飲み会だな。俺達は『Rock Hard』誌のフランク・アルブレヒトの家に滞在したんだけど、家の中を滅茶苦茶にしてしまったよ。」(アンデシュ・シュルツ Unleashed)

　この時期、世界中で人気が爆発した Tiamat が Century Media の屋台骨を支えるようになっていた。劇的に音楽性が変化しつつあった彼らはデスメタルの範疇を超えようとしていたのである。Century Media 所属の他のバンドと同様、Tiamat はレーベル所有の Woodhouse Studio に入り、『Clouds（邦題：クラウズ）』のレコーディングを開始した。Tiamat の3作目は、スローでメロウな楽曲が大半を占めていたため、前作『The Astral Sleep』の方法論を踏襲しているかのようだった。『The Astral Sleep』を注意深く聴いてみると、80年代の正統派ヘヴィメタルの影響が垣間見えていた。ギターリフ中心の楽曲は歌詞やエードルンドのヴォーカルに必ずしも上手く噛み合っていなかった。ギターソロも完全に浮いていたのである。

「個人的にはこのアルバムは駄作と思っている。それぞれのメンバーが別々のことをやっているような感じだったからな。まるで沢山のシェフが一杯のスープを調理しているようだった。俺は *Celtic Frost* のような方向性を目指したかったけど、2名のメンバーはくだらない *Dokken* とか *Dio* のようなものをやりたがっていた。プロ

デューサーも俺達に不信感を抱いていたし、アルバムを仕上げるのが大変だった。」
（ヨーハン・エードルンド Treblinka/Tiamat）

　良かった点といえば、サウンドは壮大でクリアーになったことだった。Celtic Frost
影響下のギターサウンドは絶妙な雰囲気があったし、スローでアトモスフェリックな
パートは Tiamat がのちに『Wildhoney（邦題：ワイルドハニー）』で完成させるス
タイルを予見していた。しかし、このアルバムの最大の問題点は、バンドがいまだエ
クストリーム・メタル・シーンに未練を残していたため、中途半端な印象を与えたこ
とだった。時折現れる2ビートのドラム・パターンは全くしっくりいっていなかったし、
エードルンドの直向きなヴォーカルは悲惨なほど空回りしていた。Tiamat がエクスト
リームサウンドに二度と手を出さないことは明白であったし、メタルとの決別を告げる
ものでもあった。しかし、彼らの音楽性がメロウになるにしたがって、良質なサウン
ドに変化していったのである。Tiamat の方向性はブルータルでないことは確かだっ
た。アルバム全体から見ると、『Clouds』は整合感がなく妥協に満ちた欠点だらけ
の作品であった。しかし、Tiamat の知名度を確実に押し上げ、次作で爆発的なブ
レイクをもたらすことに貢献したのである。

「ある意味、このアルバムは問題だらけだったから、何か特別なものを感じるのか
もしれない。当時のことを振り返ってこのアルバムを聴いてみると、“トラブル”とい
う言葉しか思い出せないんだ。サウンドだけではそれがわからないかもしれないけ
ど、俺が思い描いたようなアルバムに仕上がらなかった。その後、バンドは空中分
解して、次作では『Clouds』で成し遂げたかったことが再現出来たんだ。」（ヨー
ハン・エードルンド Treblinka/Tiamat）

主導権を握る Nuclear Blast

　Century Media がスウェディッシュ・デスメタル・シーンと蜜月関係を築いてい
る間、Nuclear Blast は大物の獲得を狙い始めていた。Nuclear Blast 所属でス
ウェーデン代表格の Dismember は 1992 年にはミニアルバムをリリースしたのみ
だった。しかし、このミニアルバム『Pieces』で、彼らがスウェディッシュ・デスメタル・
バンド群で最も安定感があることを示した。彼らは超分厚いギター、バシバシと連打
するドラム、ビー・スウォーム（蜂がうじゃうじゃ舞うかのような）リフ、ドスの効いた
咆哮といった確立された手法を推し進め、ブレがなかった。スウェディッシュ・デス
メタル史上最も生々しい音源の一つであったこの作品は、攻撃性や暴虐性に満ちた
理想的な真正スウェディッシュ・デスメタルの形を具現化したのである。

「俺達はツアー・オファーを沢山受けていたからセカンド・アルバムをレコーディン

グする暇なんてなかったよ。でも俺達は常にシーンで関心を集める必然性があったから、Sunlight に二晩篭ってミニアルバムをレコーディングしたんだ。アルバムと比べるときちんとできなかったけど、生々しさという点では上手く表現できたと思う。ギターサウンドは超イカれてるよな！」（フレッド・エストビー Dismember/Carnage）

　Nuclear Blast は Afflicted とも契約を交わした。ストックホルム出身の彼らは 1992 年、ファースト・アルバムのレコーディングのために Sunlight 入りすることになった。デビュー作『Prodigal Sun』は、彼らの初期のスタイルからはかなりかけ離れていた。この時期の彼らは風変わりなハーモニーとテンポ・チェンジを多用した前衛的なデスメタルを特徴としていた。このため、カナダの Voïvod と比較するといいかもしれない。スウェーデンのバンド群の中で彼らと最もサウンド面で近かったのは、変則的なメロディーを特徴としていた At the Gates である。『Prodigal Sun』には初期のグラインド要素も健在だったが、しかしどちらかというとまとまりがなく、かなり変わったアルバムに仕上がってしまった。

「レコーディング作業で疲れ果ててしまった。バンド内の意見はバラバラで、俺達は互いに一歩も譲らなかったから、デモテープ『Wanderland』よりもサウンド面で劣るものを作ってしまった。俺達は実験的なアルバムを作りすぎてしまったし、オリジナリティーを出すことに頭が一杯だったんだ。まあ上手くいくときもあるけど、失敗してしまうこともあるんだ。」（ヨアシム・カールソン General Surgery/Afflicted/Face Down）

　個人的には予測不能で混沌とした彼らの方向性は気に入っていたが、サウンドは好きではなかった。『Prodigal Sun』は Sunlight でレコーディングされたが、あの特徴的な分厚いヘヴィネスは皆無だったといえる。その代わりアルバムは非常に薄っぺらなサウンドの上、全体に漂っていたのは耳障りな高音だった。加えて、ヨアキム・ブリョームスのヴォーカルにはかなりムラがあったといえる。楽曲にピッタリとはまっていた箇所もあったが、彼の咆哮スタイルはデスメタルというよりもハードコアに近いものだった。デビューアルバムとしては合格点だったが、表現力や商業的な面からいうと、同年リリースされた他の作品とは比較にならない。

「かなりユニークな作品であるといえるけど、もっと良くできたはずだった。あとから気づいたけど、デモテープでのヴァージョンの方が気に入っていたんだよ。いずれにせよ、当時見渡しても俺達のような音楽性のバンドはいなかったなぁ。」（ヨアシム・カールソン General Surgery/Afflicted/Face Down）

　同じ時期、Nuclear Blast は Hypocrisy とも契約を結んだ。デスメタルの魅力

『Pieces』   Hypocrisy のデビュー作。

に憑りつかれたバンドの創始者、ペータル・テクレンは 90 年代初期をアメリカで過ごし、Malevolent Creation や Meltdown に加入しようと試みた。スウェーデンに帰国すると、彼はソロ・プロジェクトとして Hypocrisy を始動させた。友人をすぐにメンバーに加えると、作成したデモテープ『Rest in Pain』が瞬く間に Nuclear Blast との契約へとつながった。キレ者のテクレンは爆発的なブームとなってるデスメタル市場に参入し、できる限り早くアルバムをリリースする必然性を理解していた。そして、彼らはファースト・アルバム『Penetralia』のレコーディングのためにStudio Rockshop に駆け込んだ。

　Hypocrisy のデビュー作は、極端にトリガーを効かせたドラムに切れ味抜群のギター、そして驚くほどクリアーなサウンドが特徴だった。そのクリアーさが『Penetralia』における一番の問題点であった。超ブルータルではなく、人工的で厚みの感じられないサウンドだった。さらにリフと楽曲構成はあまりにもシンプルだった。彼らの音楽性はスウェーデン産の Unleashed と US スタイル・デスメタルの折衷であった。アルバム全体が醸し出す雰囲気は無機質ですらあった。性急に作成されたことは明白であったし、もう少しレコーディングまでの時間に余裕をもたせるべきだったといえる。しかし、Hypocrisy が賢明だったのは作品を早急にリリースする術を心得えていたことである。早急にリリースすることで彼らは注目され、ブーム終焉の前に波に乗ることができたのである。彼らの名は浸透し、のちの作品によって人気に火がついたのだった。

House of Kicks

　ストックホルムのレーベル House of Kicks もシーンに深く参入しようと必死だっ

た。シーンには金脈があることを嗅ぎつけ、独占しようと意気込んでいたカル・フォン・シェイヴンは新人バンドとの契約を狙っていた。レーベル発足当初、契約したローニンゲ出身の Desultory は、デスメタルの様式に新風を巻き起こそうとしていた。Therion と同様、House of Kicks からミニアルバムをリリースした彼らの作品はデモテープ音源で構成されていた。スラッシーなスタイルを主眼に置いたこの作品では、他の多くのバンドよりもクリーンなサウンドが露わだった。

　Desultory のこのデビュー作は演奏がタイトで、プロフェッショナルな仕上がりだったが、デスメタル・バンドとしては今ひとつ迫力に欠けていた。リフはシンプルすぎて没個性的だったし、多用されたメロディーは楽曲とうまく絡み合っていなかった。クラス・モルバリのブルータル・ヴォーカルは平均点以上だったが、楽曲は退屈でインパクトを与えるほどのものではなかった。デスメタルとスラッシュメタルの絶妙な融合は数年後、At the Gates によってもたらされることになる。

Entombed とその他のバンド

　1992 年 Entombed には何が起きていたのであろうか？ この年彼らがリリースした唯一の作品はEP『Stranger Aeons』だった。予定されていた Carcass らとの Gods of Grind ツアーのためにレコーディングされたこの EP には、タイトル曲と短時間で録音された 2 曲（新曲の「Dusk」とデモテープ収録曲「Shreds of Flesh」の再録ヴァージョン）が収録されていた。『Stranger Aeons』のクオリティーは高かったものの、Entombed の基準からすると平凡な作品だった。

「1991 年 11 月の金曜夜にレコーディングをしたんだよ。スタジオにはニッケと俺だけしかいなかったけど、結果には満足している。」（ウッフェ・セーダルンド Morbid/Nihilist/Entombed/Disfear）

　Entombed にとってこの時期はターニングポイントであったといえる。彼らにはヴォーカリストが不在だったが、バンドの才能の源泉を担い、中心人物でもあったニッケとウッフェが屋台骨を支えていた。しばらくするとラーシュがバンドに復帰するのではないかという噂が駆け巡った。幸いその噂は真実で、1992 年春に行なわれた Gods of Grind ツアーでは彼は古巣に戻ったのである。

「結局ヨニー（ドルデヴィッチ）とは上手くいかなくて、ある日アレックスがラーシュをまた呼び寄せてみないかって提案したんだ。それで彼は再び加入して、Carcass とのツアーを敢行した。俺達はそのツアーにおいて、初めて自分達のライブの音に満足したんだ。その前までは俺達のライブは酷くて、俺達の求めるサウンドを表現出来なかった。それにラーシュがバンドを脱退している間に、適任を見つけること

が出来なかったしな。」（ウッフェ・セーダルンド Morbid/Nihilist/Entombed/Disfear）

　Entombed は元のさやに戻ったが、彼らがデスメタルをプレイすることを辞め、次作では 70 年代ハードロックに鞍替えするのではないかという噂が立った。しかし、そんなことあり得るのであろうか?

　ストックホルム出身の Katatonia はデスメタルの概念に斬新な手法を取り入れようとしていた。何年もの間リハーサル室で活動をした後、彼らは『Jhva Elohim Meth...』のレコーディングのために、ダン・スワノが 1992 年 6 月に新たに立ち上げた Unisound Studio に入った。彼らはオランダの新興レーベル Vic Records との契約を結び、デモテープは『Jhva Elohim Meth...The Revival』としてリリースされることになった。Paradise Lost 影響下のスローでメランコリックなリフは当時傑出していた。ヨーナス・レーンクスの断末魔のヴォーカルと陰鬱な歌詞はその雰囲気やムードと絶妙にマッチしていたし、キーボードやアコースティック・ギターは臨場感たっぷりだった。

　Katatonia はペンタグラムをロゴに採用することで、ふつふつと巻き起こっていたブラックメタル・ムーヴメントへ賛同の意思表示をしていたし、彼らは短期間コープス・ペイントも施していたのである。今日では馬鹿げたことかもしれないが、当時は重大なことだったのある。Katatonia のデビュー作は稚拙で粗っぽい部分もあったが、雰囲気は抜群だった。

　1992 年にリリースされた重要作品として、他に、Pan-Thy-Monium の『Dawn of Dreams』(Osmose Productions)、Centinex の『Subconscious Lobotomy』(Underground Records)、Authorize の『The Source of Domination』(Putrefaction) などがあるが、どの作品もインパクトを与えるまでは至らなかった。90 年代初期、スウェーデン各地で勃発したシーンが強大なデスメタル・ムーヴメントの原動力となり、1992 年にスウェディッシュ・デスメタルが最盛期を迎えたのである。

世界規模の成功への階段を上る
Entombed。

「風が吹き荒れ木々が咽び泣く
静寂に満ちた空は血走った眼球の如く
……無数の墓標が俺の視界を遮る」
——Unanimated「Wind of a Dismal Past」

第7章：
デスメタルの暴発

EUCHARIST has now their "DEMO 1 -92"
available. It contains three songs
with good sound and quality copied
cassettes. Get this masterpiece of
brutality for just 30 sek (6 us $).
Order from:

EUCHARIST   EUCHARIST
c/o Thomas Einarsson c/o Daniel Erlandsson
Ejdervägen 4   Bräckestigen 2D
430 20 VEDDIGE   430 20 VEDDIGE
SWEDEN   SWEDEN

            NO RIP OFFS!!!!!!

"TRAIL OF LIFE DECAYED"
DEMO-91

"TRAIL OF LIFE DECAYED"
DEMO-91

時計回りに左から：

・Eucharist のフライヤー。

・Dark Tranquillity のフライヤー。

・デモテープ『Trail of Life
Decayed』。

上から：
- ・Inverted のフライヤー。
- ・Infanticide のフライヤー。
- ・地元のギグ・ポスター。

MARTINE.: VOCALS   MARTIN A.: GUITAR   JOCKE: DRUMS

時計回りに左上から：

・Total Death と Orchriste が Carcass
と共演。

・Edge of Sanity のリハーサルデモ
『Immortal Rehearsals』。

・Thrash Bash 10 のフライヤー。

・Darkified のデモテープのインデックス内
側。

1990 年までスウェディッシュ・デスメタルはもっぱらストックホルム地域を中心として発展し、その他の地域には数バンドが点在していただけにすぎなかった。このジャンルがファンジンやギグを介し、口コミで伝播し始めるとファンの心を鷲掴みにした。1990 年から 1993 年まで刺激的でバイタリティ溢れた多くのバンドが現れ、スウェーデン国内の至るところにデスメタル・シーンが形成されていった——そして、意外な場所からも発生したのである。

ユーテボリ地域

永きにわたり、ユーテボリのシーンはストックホルムと比べると立ち遅れていた。ユーテボリは 80 年代中期、スラッシュ・バンドの Intoxicate、Pagandom、Ice Age などの活動拠点だったが、Conquest が Grotesque に変異する 1988 年末までメタル・シーンの存在はこれまで確認されていない。その意味で Grotesque がユーテボリ・シーンに与えた影響は計り知れないといえる。彼らは極上のスウェディッシュ・デスメタルを創り上げただけではなく、メンバーはバンド活動以外でも精力的にシーンに携わっていた。ヴォーカルのトマス・リンドバリは伝説的なファンジン『Cascade』を発行し、ギタリストのクリスティアン・ヴォーリーンはのちに自らのアルバム・アートワークで名声を得ることになった。

Grotesque が休止間近のころ、リンドバリは双子兄弟のアンデシュとヨーナス・ビョーラーと Infestation で活動を共にし、1990 年にはデモテープ『When Sanity Ends』をリリースしたが注目されなかった。Grotesque の解散後、リンドバリとビョーラー兄弟、そして Grotesque のギタリストのアルフ・スヴェンソンが結託し、結成された At the Gates の抒情的かつメランコリックなデスメタルは、ユーテボリ地域のバンドに多大なインスピレーションを与える。異彩を放つこのバンドの存在が、ユーテボリのメタルミュージシャンらに唯一無二のスタイルを編み出すことを促し、多くのバンドが At the Gates の精神を引き継いだ。

1989 年に結成されたユーテボリ出身の Eucharist は At the Gates の方法論を取り入れ、1992 年にデビュー・デモテープをリリースした。実際彼らは At the Gates と互角に張り合えるほど精彩を放っていたが、成功することはなかった。斬新なメロディック・スタイルを追求していたヘヴィメタル・バンドの Desecrator も、Ceremonial Oath と改名されると音楽性がブルータルに変化。1991 年にデモテープをリリースすると、翌年にはシングル『Lost Name of God』と立て続けにリリースした。Ceremonial Oath のギタリストであるアンデシュ・イヴァースは同時期に In Flames も始動させたが、当時はそれほど際立った音楽性ではなく、注目もされ

ていなかった。しかし彼らは次第にスウェーデン発のメタル・バンドとして大成功を収めるようになるが、この話はまた別の機会にしよう。

　Grotesque の中心人物、クリスティアン・ヴォーリーンは、Grotesque に匹敵する攻撃力を備え、暴虐性溢れる Liers in Wait に在籍し、活動を続けたが、残念ながら彼らのスタイルは他のユーテボリのバンドから支持を受けることはなかった。しかし、Ceremonial Oath のトマス・ヨーハンソンは Liers in Wait のクリスティアン・ヴォーリーンと共に Decollation を立ち上げ、1992 年に Listenable からシングル『Cursed Lands』を発表した。さらに、Septic Broiler は 1990 年スラッシュ影響下のデモテープ『Enfeebled Earth』をリリース。その後、彼らは Dark Tranquillity という若干凡庸なバンド名に変更し、壮絶なスラッシュメタルを体感できるデモテープ『Trail of Life Decayed』をリリースした（このデモテープはシングル・レコード化もされた）。At the Gates にインスパイアされた彼らは、抒情的で耽美な音楽性を前面に押し出すようになったが、初期のデモテープはかなりブルータルだったのは確かである。

「ユーテボリのデスメタル第 2 世代は、Dark Tranquillity と Ceremonial Oath が牽引していたと思う。彼らはアンダーグラウンド・シーンから発生し、ユーテボリのギグでも常連だった。Dissection もユーテボリ・シーンの一翼を担っていて、よく彼らとは一緒につるんでお互い刺激しあっていたんだ。それとは別に、アンゲレード出身のフィンランド系の飲んだくれグラインド・マニアック達もいた。そいつらとはウマが合って、よくつるんでいたな。彼らは、Eucharist や In Flames といったバンドよりも 90 年代初期のシーンの一部を担っていたと思う。」（トマス・リンドバリ Grotesque/At the Gates/Disfear）

　飲んだくれフィンランド系異端児達はアンゲレード周辺で多くのバンドを結成した。1990 〜 91 年には、Evoked Curse、Exempt、Sacretomia、Monkey Mush といったバンドがデモテープを作成した。同時期に Satanized、Segregation、Runemagick もユーテボリ地域でデモテープをレコーディングした。このようにユーテボリはデスメタル・タウン化していたのである。

　ユーテボリ・シーンは周辺地方にも刺激を与えた。ユーテボリ北のアリングソースからは、Mutilator や Inverted、南のハルムスタードからは Autopsy Torment や Pagan Rites が現れた。ユーテボリ北 30 マイルのストレムスタードのシーンも活性化しつつあった。シーンの中心人物は紛れもなくスラッシュ・バンド Rabbit's Carrot のヨン・ノトヴェイトだった。Satanized、そしてさらに有名となる Dissection とバンド名が変更された後、彼はよりブルータルな方向性に舵を切っ

た。ヨンは今では語り草となっているファンジン『Mega Mag』の発行にも携わり、90年代初期には様々なギグを企画し、後世に影響を与え続けることになる。

「*初期のユーテボリ・シーンは結構ブルータルなバンドばかりだった。後からメロディックなバンドが出てきたから、At the Gates は戦犯といってもいいかもしれない。*」（トマス・リンドバリ Grotesque/At the Gates/Disfear）

ゴシックタウン・ボロース

　ユーテボリ東40マイルの小さな町ボロースには、ドゥーム／ゴス・シーンが席巻していた。1989年、たった1人で独自のデスメタルを醸成させていたマティアス・リョードマルムという人物がいた。彼は Cemetary を結成し、1992年 Black Mark からリリースされた『An Evil Shade of Grey』で注目を集めるようになっていく。このアルバムは正統派デスメタルの流れを汲んでいたが、キーボードやメロディー、そして超絶スローパートも組み込まれていた。Cemetary は耽美的要素をさらに追求し、地元のキッズに同系統のバンドを結成するきっかけを与えた。

　Cemetary が影響を与え、1990年に結成された Forsaken Grief、Morbid Death、Carnal Eruption らが解散して間もなくすると、1992年にソフト路線で成功を手にすることになる Lake of Tears へと発展した。デモテープを1本制作すると、Lake of Tears は Black Mark と契約し、90年代には多くのアルバムをリリースした。本書執筆時点（訳者註：2006〜7年頃？）では、Black Mark において Lake of Tears は Bathory に次いで最もブレイクしたバンドとしてその名を馳せている。1992年には、のちに数多くのアルバムを発表したゴシックメタル・バンド Beseech が誕生した。

　ブルータル・デスメタル・バンドの Sickness もボロース出身である。2本のデモテープ制作後、彼らはグルーヴ感のある Benighted へと変化していく。バンドのドラマー、クリスティアン・エンクヴィストは地元のシーンで有名で、ファンジン『Undead』も発行した。ボロースには Cemetary、Lake of Tears、Beseech、さらに Benighted がいたため、"耽美的ゴシックメタルの産出地"として異名をとることになったのである。一方で、ボロースは90年代初期、才能溢れる正統派デスメタル・バンド、あの偉大な Evocation をも産出した。メンバーは、マイナーなデスメタル・バンドである Decomposed（ヴェサ＆ヤンネ・ケンタクンプ兄弟）や Morbid Death（トマス・ヨセフソン、マルコ・ヴァッカーパルメン、それとグラインドコア・バンド Harrasmentation のメンバーで構成）に在籍したことのある面々であった。1992年、Evocation はデビュー・デモテープ『The Ancient

Lake of Tears のデ
ビュー・デモテープ。

Evocation のフライ
ヤー。

Gate』を Sunlight Studio でレコーディングした——驚異的で分厚く、楽曲構成
が確かな極限のデスメタルがそこにはあった。2 本のデモテープの後、バンドのライ
ンナップは Cemetary のクリスティアン・サーリネンをベースに配したことで固まった。
Evocation は良質のデモテープ『Promo 92』をリリースした後、Dismember や
Master といったバンドと数回プレイした。

　Evocation は伝統的な Sunlight のデスメタル・サウンドを再現した最高峰のバ
ンドだった。実際、プロデューサーのトマス・スコックスバリは彼が携わったバンドの
中でトップクラスで、極めてプロフェッショナルなバンドに数えられると評している。し
かし、残念ながら、1992 年にデモテープ・リリース群の中に埋没し、成功を果た
すことはできなかった。彼らの登場は少し遅すぎたのである。

デスメタル中心地フィンスポング

　ストックホルムの次にデスメタルの中心地となったのは、フィンスポングという小さ
な町だった。近郊の町ノーシューピング出身のロバン・ベシロヴィッチが 1988 年
からギグを企画していたため、80 年代後期にはシーンのようなものが形成されてい
た。近くにライブハウスがあったおかげで、若いバンドらは結束を深めることができ

たのである。これら若いミュージシャンで、最もシーンに尽力し、才能溢れていたダン・スワノは次第にフィンスポング・シーンを牽引する存在となった。彼は数多くのバンドを始動させ、スウェーデンでも有数のデスメタル量産所となる Gorysound/Unisound Studio を立ち上げた。

「フィンスポングはダン・スワノがいたおかげで、90年代初期エクストリーム・ミュージックのメッカとなったんだ。彼は自身のバンド、加えて彼のスタジオはデスメタルの活性化に貢献したと思う。ノーシューピングでは、Marduk を除いてはほとんど何もなかったんじゃないかなぁ。」（ローゲル・スヴェンソン Allegiance/Marduk）

　シーンには数多くのバンドが登場し、スワノは Pan-Thy-Monium、Incision、そしてかの有名な Edge of Sanity といったバンドを始動させた。Edge of Sanity の成功によって、彼自身のスタジオの名もシーンに浸透することになった。90年代初期、フィンスポングで活動していたバンドは、個性的なブラックメタル・バンド Abruptum や Ophthalamia、Darkified、Grimorium であった。これらすべてのバンドは個性豊かなデモテープを残し、この〝フィンスポング現象〟は国内でもちょっとした話題になった。これによりフィンスポングはスウェーデン国内で最も定評のあるデスメタル原産地として知れ渡ることになる。

「90年代初期は理想的な時代だった。15名くらいが Pan-Thy-Monium、Edge of Sanity、Ophthalamia、Abruptum といったバンドをお互い数多く結成していた。地元以外で初めて注目されたのは Edge of Sanity だったな。『Kerrang!』誌で俺達のデモテープがレヴューされたのが大きかったと思う。」（ダン・スワノ Edge of Sanity/Unisound ＜スタジオ＞）

　ウステルユートランドの他の地方からも魅力的なバンドはいくつか現れたが、シーンは全体的に立ち遅れていた。ノーシューピングにはブラックメタル界の大物 Marduk、ニューシューピングにはブルータルな Gorement、リンシューピングには Satanic Slaughter、Total Death、Orchriste といった既に名が通っていたバンドが数多く存在した。しかし、リンシューピングを更に有名にさせたのは、1992年の『Forever Laid to Rest』と1993年の『Saltrubbed Eyes』をリリースし、これらのアルバムによってスウェディッシュ・デスメタルの暴虐性を新たなレベルに引き上げた Seance であろう。

ミョールビーで起こった奇妙な出來事

　スウェディッシュ・デスメタルの歴史を紐解く際、最も謎めいた出来事のうちの一つは、僻地ミョールビーで沸き起こったデスメタル・シーンであろう。人里離れたこ

の地で、超暴力的なゴアグラインド・バンドが勃発し、町は彼らに侵食されていった。その発端となったのは、1990年にデス／スラッシュ・バンドの Crab Phobia の元メンバーで構成されていた Traumatic である。地元ミョールビーの Art Serv Studio でレコーディングされたデモテープ『The Process of Raping a Rancid Cadaver』における極悪非道なスタイルは一躍注目の的となった。そして、1991年に CBR からリリースされた『A Perfect Night to Masturbate』と Distorted Harmony からリリースされた『The Morbid Act of a Sadistic Rape Incision』の2枚の作品は地元のゴアグラインド・バンドを大いに触発した。「自家発電には最高の晩」とか「嗜虐的凌辱切開の鬼畜行為」といった最高なタイトルをよく思いついたと思う。

「実際、俺達が最初だったのかも思い出せない。当時いた色んなバンドの奴らに聞いてみても、みんな自分が先駆者だったって言うと思う。多くのことが同時に発生していたんだよ。ここでは Carcass が神のように崇拝されていたけど、彼らのことが好きじゃなかったのは俺くらいだったと思う!」（トッテ・マルティーニ Traumatic）

とにかく1990年リリースされたミョールビー出身の Salvation と Belsebub のデモテープは、この地域に激震をもたらしたのは確かだった。1991年から1992年 の 間 に は Funeral Feast、Mesentery、Nefarious、Midiam、Lucifer（Salvation が派生したバンド）、そして翌年1993年には Retaliation、Genetic Mutation、それにのちに Carcaroht と改名された Dominus が残虐性漲るデモテープを次々とリリースし、狂乱状態は続いた。彼らの多くは病理学から影響された、悍ましい歌詞を特徴とする猛烈なグラインドコアをぶちかましていた。

Cerberus と Dawn も1992年にミョールビーで発生したバンドである。Cerberus はヴァイキング・メタル・バンド、Mithotyn に改名してから6本のデモテープと3枚のアルバムを90年代後半にリリースし、僅かな成功を掴んだ。一方、3本のデモテープをリリースした後、Necropolis Records と契約した Dawn は、1995年から1998年の間にブラック／デスメタル影響下の3枚のアルバムをリリースし、高評価を受けた。ミョールビー・シーンの立役者だったヘンリック・フォッシュは Dawn、Funeral Feast、Retaliation、Nefarious といった数多くのバンドに在籍すると同時に、ファンジン『Brutal Mag』や『Dis-organ-ized』の発行にも携わった。のちに彼は伝説的なファンジン『Septic Zine』のスタッフとして編集にも関わった。さらに有名どころでは、Carcaroht のファースト・デモテープや In Flames のファースト・ミニアルバムでもヴォーカリストを務めたことでも知られている。

エシルストゥーナ・シーン

　昔からエシルストゥーナはブルータル音楽産出地として知られていた。伝説的なクラスト・バンド No Security の出身地であったし、カルト的ステイタスを確立したレーベル、Finn Records もこの地から生まれた。1985 年には Chronic Decay もいたし、強烈な Macrodex も 1988 年に結成されていた。両バンド共にスウェディッシュ・デスメタルのパイオニアとして評価されている。

　「地元自治体によって管理されていた Balsta Musikslott と TBV という 2 つの大きなリハーサル施設のおかげで、エシルストゥーナのシーンが発展したのだと思う。この場所でコミュニティーが形成されて、数多くのプロジェクトが生まれたんだ。長い間ライブが演奏できる場所はなかったけど、バンド結成当初に At the Gates が演ったライブハウスの Klubb Dolores（のちに Max 500 と改名）とか、初期の Unleashed もプレイしたこともある K13 がオープンしたんだ。」（マティアス・ケネード Macrodex/House of Usher）

　Chronic Decay と Macrodex の 2 つのバンドのうち、コンピレーション・アルバムへの参加を除き、前者のみが 1991 年にシングル『Ecstasy in Pain』を発表し、レコードのリリースまでたどり着いた。しかし、エシルストゥーナにデスメタル・ブームが訪れたのは、Chronic Decay よりも才能に溢れていた Macrodex の解散がきっかけだったといわれている。Macrodex が消滅したことにより、メンバーは Crypt of Kerberos、House of Usher、Infester という 3 つのバンドに派生していった。Crypt of Kerberos は最も活動に積極的で、2 本のデモテープとシングル『Visions Beyond Darkness』（1991 年）を発表した。Macrodex とは異なり、かなりスローでドゥーミーだった彼らは、Adipocere Records から 1992 年にシングル『Cyclone of Insanity』、1993 年にアルバム『World of Myths』をリリースした。

　そのほかに、Macrodex の残党から発生した House of Usher が 1991 年にリリースしたシングル『On the Very Verge』では、実験的で変則的パターンが表現されていた。彼らは独創的なアイディアに溢れていたものの、2 本のデモテープを残し、1993 年に解散という憂き目にあってしまう。しかし、才覚溢れるマルティン・ラーションは At the Gates からの加入オファーを受けることになる。

　「House of Usher は最も過小評価されているバンドの一つだと思う。俺達の音楽性は互いに似通っていたから、マルティンはまさに At the Gates が求めていた人材だったんだ。」（アンデシュ・ビョーラー At the Gates/The Haunted）

　Macrodex から産み落とされた Infester が解散するまでに発表した作品

時計回りに上から：
・Crab Phobia のデモテープ。
・Traumatic のデモテープ。
・Traumatic のシングル。

は 1992 年のデモテープ 1 本だった。エシルストゥーナのシーンが活性化すると、Ileus、Eternal Darkness、Exanthema、Obscene といったバンドも 1990 年から 1992 年の間にデモテープを次々と発表した。1992 年にシングル『Doomed』、1993 年にはアルバム『Twilight in the Wilderness』をリリースした Eternal Darkness はその中でも成功したバンドであろう。同年に Exanthema/Chronic Decay のスプリット・アルバムがリリースされ、エシルストゥーナのシーンは繁栄の道をたどった。

アーヴェスタとバリスラーゲン・シーン

　重苦しい雰囲気漂う工業地帯のバリスラーゲン地方からはエクストリーム・ミュージックが常に産出されていた。デスメタル・ムーヴメントが拡大すると、鉄鋼業で有名なアーヴェスタはとりわけ良質のバンドを量産した。エクストリーム音楽のルーツは、革新的クラストパンク・バンドの Asocial と Svart Parad の出身地でもある近郊地域のヘーデモラにあったと言われている。Asocial メンバー数名で結成されたスウェーデン最高峰のスラッシュメタル・バンド、Hatred はヨーハン・ヤンソン在籍時の 80 年代後期、アーヴェスタでリハーサルを行っていた。

　精力的に活動していたヨーハン・ヤンソンが 1988 年に Beyond を始動させたおかげでアーヴェスタ・シーンのレベルが上がったといわれている。Celtic Frost に触発された Beyond の音楽性は、メンバーが Death や Possessed に影響を受けるにつれて、より殺傷能力のある Interment に変化した。当時話題になったすべてのブルータルバンドのギグを観ることのできたアーヴェスタの若者達は、20 マイル離れたファーガシュタ・シーンにも刺激を受けていた。幸いアーヴェスタには音楽に特化したユースセンターがオープンしたので、ユースセンターは地元発のコンピレーション・テープ『Avesta Mangel』へも出資するようになった。

　1991 年 6 月に Studio Fragg でレコーディングされた、このアーヴェスタのコンピレーション・アルバムにはパンクの大御所 Asocial、クラスト／グラインドバンド Uncurbed、Interment それに新興のデスメタル・バンド Entrails が収録されていた。ここに挙げた最初の 3 バンドにヨーハン・ヤンソンが在籍していたという事実からして、いかにシーンの規模が小さかったことは明らかだろう！ 地元のシーンが活気づいた 1991 年から 1992 年の間に Fulmination、Uncanny、Sadistic Gang Rape、Regurgitate、Headless といったエクストリーム・バンドが数多く産声をあげた。若者らは "ルンゴング" と呼ばれたコミュニティーを作り、ギグを企画し、Merciless、Suffer、Dismember を地元に呼び寄せたのである。

　アーヴェスタのすべてのバンドがデモテープを世に解き放ち始めた。その中でも 1991 年の Interment の『Where Death Will Increase』（1991 年）、『Forward to the Unknown』（1992 年）、Uncanny の『Nyktalgia』（1992 年）、それに Fulmination の『Through Fire』（1993 年）は傑作だった。これとは別に、何本かのコンピレーション・テープがシーンを盛り上げた。不思議なことに、1993 年 Uncanny が Ancient Rites とのスプリット・アルバム、そして 1994 年フルアルバム『Splenium for Nyktophobia』をリリースするまで、レコードデビューを果たすバンドはいなかった。なお、1993 年にはクラスト・バンド

の Uncurbed もドイツのレーベル Lost and Found からデビューアルバム『The Strike of Mankind』をリリースした。これらほとんどのアルバムはダン・スワノの Gorysound/Unisound Studio でレコーディングされた。

「アーヴェスタのユースセンターの奴らはしばらくは俺のスタジオを贔屓にしてくれた。彼らはみんなクールな奴らばかりで、レコーディング作業は楽しかったよ。」（ダン・スワノ Edge of Sanity/Unisound ＜スタジオ＞）

　地元で初めてアルバムをリリースしたバンドはヘーデモラ出身の Centinex だった。1991 年デモテープ『End of Life』を発表した後、精力的に活動していたリーダーのマルティン・シュールマンは、マイナーレーベル Underground と契約を交わし、翌年バンドは『Subconscious Lobotomy』でデビューした。近郊の町、サーラ出身の Wombbath は、1992 年にシングル『Several Shapes』を Thrash Records からリリースし、翌年には『Internal Caustic Torments』を世に送り出した。こうして、アーヴェスタは最高のバンドが揃い、勢いのあるシーンが形成されたのである。

　アーヴェスタには最高のバンドが揃っていたものの、デスメタル界において最も成功した人物は 45 マイル北のルードヴィカに住んでいた。この地でペータル・テクレンは 1992 年 Hypocrisy をスタートさせ、ドイツ発新興レーベルの Nuclear Blast とレコード契約を取り交わした。それから数年のうちに Hypocrisy はスウェーデンを代表するメタル・バンドへと成長した。音楽活動に加えて、テクレンは 90 年代初期、自身の Abyss Studio を立ち上げ、スウェーデン・デスメタル界における名うてのプロデューサーとして、ダン・スワノやトマス・スコックスバリの立場さえも脅かす存在となった。

「最初に Abyss Studio が立ち上げられた場所は、核シェルター跡地だった。巨大な鉄の扉を閉めると、空気の流れが遮断され、明かりを消すと真っ暗闇になった。そこはバカでかいコンクリートの塊のようだったよ。で、俺は"奈落の底（アビス）に落ちて、もがき苦しんでいる感じだよなぁ――じゃあ、この場所にはぴったりの名前だな"って呟いていた。この隔絶された場所で、俺は Fostex の 16 トラックのミキサーを使った。安い中古品を買ったから、1 トラック目と 16 トラック目が壊れて使えなかった。修理に出すと購入した金額以上かかるから、14 チャンネル仕様の 1／4 テープを使ったスタジオだったんだ。リヴァーヴが 1 つ、エコーも 1 つ、コンプレッサーはいくつかあった。コンプレッサーを追加しようとしても、実際なかったんだ！ 当時はそんな感じだったけど、スタジオでは常にベストを尽くしたよ。持っている機材だけで如何に上手く仕上げるかを学んだなぁ。デモテープとかをレコー

時計回りに左から：

・Unleashed と共演した No Security。

・Cruelty の数少ないギグのうちの一つ。

・Beyond の超絶にレアなリハーサル・テープ。

・Crypt of Kerberos のデモテープ。

時計回りに左上から：

・『Avesta Mangel』コンピレーション・テープ。
・『Avesta Mangel II』。
・Interment のデモテープ。
・Uncanny のデモテープ。

ディングしていたら、*Nuclear Blast*との契約が舞い込んできたんだ。」（ペータル・
テクレン Hypocrisy/Pain/Bloodbath/Abyss Studio）

「*ある日、俺のスタジオでレコーディングしていたバンドがAbyss で録音したテー
プを持ってきたんだ。彼らは"こんな感じの音を求めている"って言っていたから聴
いてみると、度肝を抜かれたよ。だって、ブッ飛ぶほど素晴らしいサウンドだったか
らな。まぁ俺の時代が終わったなとも感じた。"こんなに見事なサウンドを俺には作
れない"って畏怖の念を覚えたよ。*」（ダン・スワノ Edge of Sanity/Unisound
<スタジオ>）

ウップサーラ流血地獄

　エクストリーム・メタルに関してはウップサーラは近隣の首都ストックホルムに水を
あけられてはいたが、当然ながら音楽シーンは存在していた。実際、Damien、
Tradoore、Vivaldi's Disciples、Midas Touch を輩出していたため、ウップサー
ラはスラッシュメタルの中心地として認知されていた。多くのバンドがレコードを発表
したことで、ウップサーラのキッズ達に音楽によって新しい世界を切り開く手段を提示
したのである。

　小さなレコード店ではあるものの、Expert もウップサーラのエクストリーム・メタル・
シーンの発展に大いに寄与したのである。ストックホルムの Heavy Sound と同様、
80 年代中期の Expert も、他の店が手を出さないようなあらゆる種類の過激なレ
コードを輸入し、Sodom、Destruction、Bathory、Possessed、Death といっ
たバンドで商品棚は埋め尽くされた。

　シーン最初期にウップサーラで結成されたエクストリーム・バンドは知る人ぞ知る
ブラックメタル・バンドの Third Storm だった。1986 年に悪名高きメタルマニアの
ヘワル・ボザルスワンによって結成された彼らの目的はこの世で最も極悪なバンドを
作ることだった。彼らのブルータルな姿勢は他のウップサーラのバンドの一歩先を行っ
ていた。極悪度はBathory を凌駕していたかもしれない――ただ、楽曲の質は酷く、
演奏も杜撰だった。しかし、ボザルスワンのヴォーカルは常軌を逸していたといえる。
Third Storm のデビューギグは 1986 年 12 月に行なわれた。顔にコープス・ペ
イントを施し、「Thrash and Black」や「Sacrifice to Evil」などの曲はオーディ
エンスを恐怖のどん底に陥れたのである。

「*Bathory、Sodom、Hellhammer のような冒涜的なメタルを目指していた。
数回ギグを演って、リハーサルデモを作ったけど、バンドを継続していくのは大変だっ
た。メンバーの 1 人が軟弱な"ゲイ"メタルをやりたいっていうからそいつをクビに*

した。1988 年後半にはバンドに俺しか残っていなくて、結局解散することにした
のさ。」（ヘワル・ボザルスワン Third Storm/Sarcasm）

　ボザルスワンが目指した計画は実現しなかったが、彼はウップサーラにおいてエク
ストリーム・メタルの方途を示すことに貢献したのである。Third Storm の足跡を追っ
たのは、Necrotism、Convulsion、Codex Gigas、Crematorium、そして傑作
ノイズプロジェクト Eternal Tormentor である。デモテープ『E.T. Is Not a Nice
Guy』を 1988 年にリリースした Eternal Tormentor は、デスメタルではなかった
が、ブルータルな音楽が存在していたという証拠である。

　1990 年 3 月には、Necrotism が Embalmed へと改名し、ウップサーラ初の
100% 真正デスメタル音源と評される『Decomposed Desires』をリリースした。
Eternal Tormentor と Embalmed のヴォーカリストであるステーファン・ペッタショ
ンは、精力的に活動し、地元のデスメタル・シーンの火付け役となった。

　ウップサーラのユースセンター Ungdomens Hus では、定期的にブルータルな
メタルコンサートが企画されていたので、他の地域からも様々なバンドがライブのた
めに訪れた。これがシーンを存続させる原動力となった。しかし、地元のバンドで
レコード契約に至ったのは皆無だった。昔、俺が在籍していたパンク・バンド Roof
Rats は結成当初の 1988 年に、Black Uniforms と Refuse と共にライブハウス
の Ungdomens Hus でギグを行なった。Ungdomens Hus にはスキンヘッズやパ
ンクスで溢れかえっていたが、俺達は酔っぱらってバカ騒ぎをするだけだった。本当
に狂気の沙汰だった。1992 年 GWAR がプレイするまで Ungdomens Hus には規
制はほとんどなかったが、その後、市はこの場所の使用制限を始めたのである。（訳
者註：GWAR は 1984 年に結成された特撮系マスクとコスチュームでカルト的人気を誇る、
アメリカ産モンスターメタル・バンド。血糊が飛び散る彼らのステージは、血糊を浴びたいファ
ンによる最前列の争奪戦が繰り広げられることで有名である。察するに血糊で会場を汚してし
まったため、彼らのコンサート以降、使用制限がかかったのだと思われる）

　初期のコンサートの多くは、ヨルゲン・ジグフリードソンによって企画されていた。
彼は Opinionate!（当初の名称は Is This Heavy or What?）と呼ばれる小さ
なレコード・レーベルと Step One Records を経営していた。Third Storm で短
期間ドラマーも務め、顔の広かったジグフリードソンは、ステーファン・ペッタショ
ン（当時 Eternal Tormentor、Embalmed、続いて Diskonto、Sportlov、
Uncurbed に在籍）と共にブッキング・エージェンシーの Musik Med Mening を
立ち上げた。可能な限り多くのデスメタル・バンドをウップサーラに呼び寄せるこ
とを目指していた彼らは、Immolation、Massacre、Seance、Entombed、

時計回りに左上から：

・おいおい……。
・Third Storm の超極悪なロゴ。
・Musik Med Mening のインフォシート。
・『Heavy Rock』に掲載された超プリミティヴな広告。

Grab 'em by the balls - MIDAS TOUCH

Master、Invocator、Merciless らを続々と呼び寄せ、プレイをさせることに成功したのである。やがてウップサーラには 2 組の偉大なエクストリーム・バンドが産まれた。1 つ目は、1990 年後期に Third Storm のヘワル・ボザルスワンと Embalmed のフレードリック・ヴァレンバリによって結成された Sarcasm である。結成当初、彼らはプリミティヴな Autopsy スタイルのデスメタルを炸裂させていたが、1992 年のデモテープの『In Hate』、1993 年の『Dark』、1994 年の『A Touch of the Burning Red Sunset』とリリースするにしたがって Dissection 直系の抒情的な作風に変化していった。1992 年に彼らのライブを目の当たりにしたことがあるが、素晴らしかった思い出がある。残念ながら彼らはアルバム制作には至らず、ヴァレンバリがユーテボリに拠点を移し、トマス・リンドバリと At the Gates のアードリアン・エルランドソンがクラスト・バンド Skitsystem を始動させた後、解散の道をたどった。

　2 つ目は、才気溢れるギタリストのラーシュ・レヴェーンによって 1991 年に結成された Defleshed である。Defleshed は幸運に恵まれていた。オーソドックスなデスメタル・スタイルのデモテープを何本かリリースした後、彼らの音楽性は一切妥協を許すことのない破壊的威力抜群のスラッシュ／グラインド・スタイルに変化していった。1993 年 Defleshed は Miscarriage レーベルからシングル『Obsculum Obscenum』を発表した直後、Invasion から契約のオファーを受けた。2005 年に、彼らの地元で伝説的なメタルパブである Fellini で最後のギグを行うまで、計 7 枚の強烈な作品を残した。

飽和状態のストックホルム・シーン

　スウェーデン国内でデスメタルが爆発的に流行していく中でも、ストックホルムが活動の中心地であることには変わりなかった。Entombed、Dismember、Therion、Unleashed、Tiamat などのベテラン勢は良質のアルバムを制作し、世界的な規模でその名を馳せるまでに成長し、Katatonia、Afflicted、Necrophobic、Lobotomy、Hypocrite、Desultory などの第 2 世代も自らの足場を固めていた。この時期に新たに結成された無数のバンドも次から次へとデモテープをレコーディングした。ストックホルムでデモテープの制作が飛躍的に増えた背景には Sunlight Studio の存在が大きかった。あの独特なデスメタル・サウンドを地元の Sunlight Studio でいとも簡単に手に入れることが可能になり、途方もない数のバンドがあのサウンドを追い求めたのである——そして、ストックホルム以外のバンドにもそれが可能になった。

左から：
・コンピレーション・シングル『Is This Heavy or What?』のフライヤー。
・コンピレーション・シングル『Is This Heavy or What?』のジャケット。

　1991 年には Unanimated や Dark Abbey として知られている Epitaph、Mastication らも 1 本目のデモテープを制作した。翌年の 1992 年も、Incardine、Proboscis、Excretion、Unpure、Votary、Dispatched、Obscurity (Vicious Art と知られたバンド。マルメーの Obscurity とは同名異バンド)、そしてのちに Amon Amarth となる Scum らがデモテープをリリースし、デスメタルの爆発的ブームは続いた。バンドも至るところから出現し、彼らの多くは Sunlight Studio でのレコーディングを選択した。

　しかし、同じようなサウンドが乱発されると新たな問題も生じた。デモテープに収録された多くの楽曲は劣悪なクオリティーだったため、サンライト・サウンドに対する関心が薄くなり、かつて高品質を保証していたこのサウンドに "創造性の欠如" というレッテルが貼られるようになってしまったのである。

　しかし中にはクオリティーを保っていたバンドもある。ストックホルム・デスメタル第 2 世代バンドの Unanimated がそうである。Unanimated はのちに、Merciless、Face Down、Murder Squad、Entombed、Nifelheim に も 加入することとなる若きドラマー、ペータル・ファンヴィンドを擁していたバンドである。将来を期待されていた Unanimated はスウェーデン発新興レーベルの No Fashion と契約を交わし、1993 年には強靭なデビュー作『In the Forest of the Dreaming Red』をリリースした。(訳者註：彼らは 1995 年のセカンド・アルバム

『Ancient God of Evil（邦題：エイシェント・ゴッド・オブ・イーヴル）』で日本デビューも果たしている）

　一方、若き Necrophobic も Black Mark からオファーを受け、1993 年にデビュー作『The Nocturnal Silence』を発表した。このアルバムでは Necrophobic のギタリスト、ダーヴィド・パルランドが卓越したプレイと作曲能力をいかんなく発揮した。しかし、彼がブラックメタル・バンド Dark Funeral に集中するためにバンドを脱退すると、その代償が大きかったことをバンドは悟った。1993 年にリリースされた、取り上げるべきもう一作品は Morpheus の『Son of Hypnos』である。上記で挙げた３バンドとも世界的な支持を受けることはなかった。

　初期シーン後、最も成功したストックホルム出身のバンドは、1992 年に Scum から生まれた Amon Amarth である。彼らは 1998 年に Metal Blade と契約を交わすまで、デモテープ、シングル、ミニアルバムをレコーディングし、壮大でキャッチーなデスメタルを徐々に構築していった。地元スウェーデンでの人気と温度差が感じられるほど、彼らは世界でも名だたるバンドに成長した。全体的に見ても 90 年代初頭に登場した新興のバンドは、初期シーンのバンドとは肩を並べるほどにはならなかった。そして、十把一絡げのデスメタル・バンドは衰退の道をたどったのである。

北部・南部地方

　90 年代初頭の怒涛のようなデスメタル・ブームの渦中においても、スウェーデン北部や南部ではデスメタルは流行らなかった。特にスウェーデン南部のマルメーは、エクストリーム・メタル・バンドの Obscurity を輩出し、『At Dawn They Read』『NOT』『To the Death』などスウェーデン初のエクストリーム・メタル専門ファンジンが発行されていたので、大きなシーンが起こっても不思議ではなかった。しかしそれでも、90 年代初期の南部では大きなシーンは起こらず、唯一特筆すべきバンドは Deranged であった――デスメタル的解釈を取り入れた無慈悲なゴアグラインド・スタイルを特徴としていた彼らはシーンで圧倒的な存在感を示していた。

　南部と同じように、90 年代初頭のスウェーデン北部の主要都市にはそれぞれ 1、2 バンドしか存在しなかった。ピーテオには Morgh、スンツヴァルには Left Hand Solution、ボールネスには Fantasmagoria、ノードマーリングには Mephitic と、それぞれの地方にはその地方出身のバンドはいたものの、シーンのようなものがあったのは Nocturnal Rites、Moral Decay、Disgorge の産出地であるウーメオのみであった。これらはスウェーデン南部出身のバンドと比較すると、どれもクオリティー

は低かった。ウーメオは革新的スラッシュの覇者、Meshuggah を産み、海外でも
インパクトを与えたが、彼らはデスメタル・ムーヴメントの一翼を担った訳ではなかっ
た。

　デスメタルはストックホルム、ユーテボリ、バリスラーゲン、ウステルユートランド
地方から徐々に浸食していったのである。しかし、これらの場所から離れて住んで
いたのであれば、ブームを肌で感じることはなかったであろう。ウーメオは大規模な
ハードコア・シーンによって覆いつくされていたため、デスメタル・シーンは活性化
されなかったのである。過激で政治的メッセージ性の強かったハードコア・バンド、
Refused の名は世界でも轟き、スリルを求めるキッズはデスメタルよりも彼らを支持
していたといえる。ブラックメタル・ムーヴメントがスウェーデン全土に広まるようになっ
てから初めて、ウーメオでは Naglfar のようなエクストリーム・バンドが認知された
のである。

　以上、デスメタル・ブームがいかにスウェーデン国内を席巻し、90 年代初頭に
ローカル・シーンを形成していったのかをかいつまんで述べた。デスメタル・バンド
の数が膨大になると、クオリティーが全体的に低下していった。デスメタルにインスパ
イアされたキッズはバンドを始動させたり、デモテープをレコーディングしたりするに
は、まだ十分な能力が備わっていなかったのである。ハードコアやパンクと違い、デ
スメタルはたった数週間で会得などできない複雑な楽曲構成だったのがその理由だ
ろう。そして間もなくすると、デスメタルにキレがなくなり、大衆化し、そして相対するムー
ヴメントに食い尽くされてしまったのである。そのムーヴメントとは、そうブラックメタル
である。

時計回りに左上から：

・Unanimated のデモテープ。

・当時よくあった手書きのギグ・ポスター。

・Morpheus が Cancer と共演。

・Deranged のフライヤー。

第8章：
初期デスメタル・
シーンの終焉
―ブラックメタル
の侵攻

「闇の世界でカオスが蠢く
お前は過去に憑りつかれている
死は始まったばかりだ」
――Marduk「Still Fucking Dead」

時計回りに左上から：

・お遊びのバンド Septic Cunts に在籍していたユーロニモスとマニアック。ユーロニモスが被っているガンダルフのような帽子に注目してくれ。

・捨てられたレンジの上に立ちチェーンソーを持つマニアック（Mayhem）。80 年代、メタルは楽しければそれで良かったんだ！

・コープス・ペイントを施したユーロニモス。

・コープス・ペイントを施したデッド——もうお遊びじゃなくなった！

1992 年、スウェディッシュ・デスメタルは栄華を極めていたが、同時に不協和音も生じ始めた。この時期に公演予定だった 2 つの大きなコンサートが予想を裏切る結果となり、シーンには不穏な空気が漂った。1 つ目には、1991 年 12 月 1 日に行なわれる予定だった Morbid Angel の公演がキャンセルされた（前座は Entombed と Unleashed）ことだった。真相は交通事故のために機材運送が遅れ、開演時間までに会場に到着しなかったことが原因のようだ。前座を務めたスウェーデン産バンドはベストを尽くしたが、当夜を心待ちにしていたオーディエンスの焦燥感が負の連鎖を暗示していたといっても過言ではない。

2 つ目には、数か月後に予定されていた Pestilence、Sepultura、Cancer、Fudge Tunnel の公演もキャンセルになったことである。これによって、デスメタラーは失望感で打ちのめされた。そしてさらに 3 つ目には、追い打ちをかけるかのように、1992 年狂信的な支持を受けていたフロリダのバンド、Deicide の初スウェーデン公演がキャンセルされたことである。これによって、デスメタラーは最大の絶望感を味わったのである。公演を待ち侘びていたシーンは興奮の坩堝と化した——Deicide は最高峰のバンドであったゆえに、世界中で物議を醸し出した。過度に誇張された悪魔主義的イメージによって、彼らはカルト的な地位を手にしたが、Deicide の悪しき首謀者グレン・ベントンの衝撃的な発言の数々によって、メディアで格好の標的となった。"動物を虐待している" や "イエス・キリストを冒涜するために 33 歳になったら自殺を計画している" といった彼の戯言は有名である。（訳者註：キリストは 33 歳で処刑されたという伝説がある。グレン・ベントンは 2020 年 3 月現在、52 歳である）

11 月 25 日、俺達はその年で最も壮絶というべきコンサートの目撃者になるべく、ストックホルムのライブハウス Fryshuset に集結していた。そこでは最強のラインナップが待ち構えていた。Deicide 以外には、衆望を集めていたドラマー、エド・ウォービーが在籍するオランダの Gorefest、狂暴なドイツの Atrocity、スウェーデンから Therion と Furbowl も参戦予定だった。しかし、当日夜になって、Deicide が多くの前座起用に首を縦に振らなかった。このため、Furbowl の出演が認められず、現場には重苦しい雰囲気が漂った。Therion がまずステージに登場したが、印象には残ることはなかった。音響は最悪で、楽屋の張り詰めた空気のせいで憔悴しきっているようにも見えた。フードを纏い、マスクをした男が燭台を手にしてステージに登場するという演出も空しく感じられた。

一方、圧巻の Gorefest の演奏中盤、会場全体に爆発音が鳴り響いた。Gorefest の出番は滞りなく終わったため、その爆発音は演出の一部であると観客の誰もが思っていたのである。しかし、これは不幸な夜の始まりにすぎなかった。

Gorefest の出演が終わって、かなり時間が経ってから、噂が飛び交い始めた。すると、Atrocity のヴォーカリストがステージ上に登場し、"爆弾が爆発し、壁一面が崩れた!" と言い放ったのである。

「*その夜は本当に最悪だった。Deicide はあの悪魔主義的なイメージとグレン・ベントンの動物殺し発言でメディアの格好の餌食となってしまった。Lili & Sussie（有名なスウェーデンの女性ポップグループで動物愛護運動家）から、"何が正しいのか言い聞かせてやるから、ベントンを電話口に出しなさい!" って朝からずっと電話がかかってきた。でも俺は拒否したよ。そんな電話に激昂したグレンが、俺の手から受話器を強奪すると、Lili & Sussie の2人のブロンド達に "俺のサタニッ*

時計回りに上から：
・キャンセルになった Morbid Angel のギグ・フライヤー。
・不運だった Deicide のストックホルム公演のコンサート告知ポスター。
・ギグのフライヤー。

クな肉棒をお前らのタイトなケツの穴にブチ込んでやる"とかそんな類のことを罵っていた。Lili & Sussie はもうヒステリー状態になってしまったようだったけど、グレンはほくそ笑みながら電話を一方的に切ってしまったよ。」

「その電話の後、あるテレビ番組が電話をかけてきた。Deicide のメンバーとスタジオの生放送で討論したいということだった。彼らは出演を拒否したから、俺はTherion のクリストフェル・ヨンソンに出演してくれないかと頼んだけど、上手くいかなかった。ピョートル・ウォズニウック（Therion のドラマー）に出演をしてもらう話がまとまった途端、爆発が起きて、最悪の事態となってしまったんだ。そんな最中、テレビ局から俺にじゃんじゃん電話がかかってきた。そりゃあ、Deicide が演りたくないってことはわかってはいたけど、それでも俺はプレイしてくれるように拝み倒したんだ。もっとやりたくないのはセキュリティーの奴らだってわかっていたけど、なんとか仕事をしてもらうよう説得したんだよ。もし Deicide が演奏しなかったら、俺は俺の持ち金以上の金が出ていくところだったからな！ そうこうしていると、またあの Lili & Sussie の女の子達が電話をよこしてきた！」（ヨルゲン・ジグフリードソン 『Heavy Rock』誌 /Musik Med Mening <ブッキング・エージェンシー> / Step One Records <レーベル>）

　結局 Deicide はステージに登場して、暴動を避けるためにセキュリティーがステージ脇を陣取り、バンドは威勢よく「Sacrificial Suicide」を演奏し始めた。しかし、その途端、フロアのライトが灯ってメンバーはステージから退去するように命じられた。それでも彼らは 2、3 曲演奏を続けたが、突然 PA の音がシャットダウンされた。皆ボッタクられたと感じたはずである。

　爆発物を設置した犯人は誰なのか、さまざまな憶測が飛び交った。その一つには、ノルウェーのサタニスト達が、彼らの目には軟弱と映っていた Therion やGorefest、はたまたライバルの Deicide を急襲したのではないかというものだった。しかし、これは到底考えられないことだった。というのは、ブラックメタル・シーンの構成員らは、事実無根の犯罪をあたかも起こしたように見せかけることで悪名高かったからである。動物虐待に関するグレン・ベントンの発言に憤った過激思想の動物愛護活動家らによって爆発が実行されたと考えるほうが無難である。しかし、事件の真相は未だに闇に葬られたままである。いずれにせよ、一連の出来事によって、このギグに参加したキッズ達はフラストレーションと同時に失望感を味わったのである。こんな不甲斐ないデスメタル・シーンに、もはや皆諦めの境地を感じてしまったのである。さらに最悪なことに、その夜以降、スウェーデンのライブハウスはエクストリーム・バンドのライブのブッキングを躊躇うようになったことである。ある意味、こ

の出来事は"スウェディッシュ・デスメタル版オルタモントの悲劇"だったのである（訳者註：1969年12月6日、カリフォルニア州にあるAltamont Speedwayで開催されたThe Rolling Stones主催のコンサートにおいて、演奏中に観客が殺害された事件。"オルタモントの悲劇"といわれる）

「*その夜はスウェーデンにおける初期デスメタル・シーンの終焉だった。その後しばらくはコンサートは開催されず、次第に消滅していくようだった。1987年のCandlemassギグのあの雰囲気は無くなっていた。俺がシーンから距離を置くようになったのはその後すぐだった。もう何もかも終わったのさ。*」（ヨルゲン・ジグフリードソン『Heavy Rock』誌/Musik Med Mening＜ブッキング・エージェンシー＞/Step One Records＜レーベル＞）

　前年までは最高のアルバムが量産されていたにもかかわらず、翌年の1992年には初期ムーヴメントが終焉の始まりをたどってしまうのである。終焉が始まっていても、新人バンドが結成され、デモテープが発表されることは健全にシーンが活性化していることを示していたが、現実には平均的な楽曲の質が低下していた。同時期に、称賛に値するデモテープは発表されたが、飽和状態の市場で埋没され、逆にクオリティーの低いバンドが注目を集めるという皮肉な現象も起きた。Crematory、Interment、Evocationといった素晴らしいバンドはデスメタルの渦の中に巻き込まれ、消え失せてしまった。人々はそんなシーンの状況に嫌気が差し、才能あるバンドもワンパターンに陥った。

　シーンに関わっているほとんどすべての者がバンドに在籍しているという状況がギグにも影響を与えていた。バンド同士の熾烈な争いの中で、自分のバンドに集中し、他人の音楽に関心を寄せる余裕がなくなり、ライブ会場に足を運ばないという現象が起きた。それまでは普通にステージダイブが巻き起こっていたが、オーディエンスは棒立ちのまま腕を組みステージを凝視するようなことも起きていた。ギグの数が減少すると、観客も寄り付かなくなった。初期デスメタル・シーンのあの情熱が次第に失われていくのを肌で感じるようになったのである。率直に言うと、デスメタルがそれまでもたらしたあの"高揚感"が、1992年末にはすでにどこかに消えてしまっていたのだ。

　デスメタルはメディアで取り上げられ、大手の雑誌でも目にすることが多くなり、アンダーグラウンドのファンジンもかなり増殖した。デスメタルのファンらは、贔屓のバンドの情報を容易に得ることができるようになったので、さらにスリルを求めるファン達がそんな状況に辟易するのも時間の問題だった。デスメタルは至るところで取り上げられ、大衆化し、衝撃が薄れたのである。そして、自己のアイデンティティーを形

成する手段としてデスメタルを聴いていた者がゾッとする光景を目の当たりにするのである。それは、一般のキッズでもデスメタルを聴くことはトレンドとされたのである。

「**多くのバンドが、同じようなサウンドと歌詞で、同じような楽曲を繰り返し演奏するようになった。Entombed が提灯雑誌やバカバカしいテレビ番組に出ているのを見ると、速攻でテレビのスイッチを切ったよ。だから何か新しいものが必要だったというのは理解できるんだ。**」（ダン・スワノ Edge of Sanity/Unisound ＜スタジオ＞）

「**Entombed がビデオ・クリップにラ・カミラ（Army of Lovers に在籍したディスコの女王）のようなメインストリームの有名人を出演させ、Dismember がタブロイド新聞で派手に弄ばれているのを見ると、デスメタルは絶望的となった。デスメタルはヤバいものではなくなって、何か別のものがその隙をついたんだよ。**」（クリストフェル・ヨンソン Therion）

　デスメタルがスウェーデンで社会的に受け入れられつつあったとき、アンダーグラウンド・シーンでは異なった方向性にシフトしていた。スウェディッシュ・デスメタルの成功が、特に隣国のノルウェーで相対するムーヴメントを生み出した。一夜のうちにメディアや好奇心旺盛なメタルキッズ達は、それまでエキサイティングに感じられたデスメタル・シーンに背を向け、"目新しいもの"に飛びついたのである。それが"ブラックメタル"だった。

ブラックメタルの誕生と発展

　1979 年秋、イギリス、ニューカッスル出身の 3 人組、Venom の登場によって、ブラックメタルが誕生したことはよく知られている。彼らは悪魔主義的イメージを創り上げ、クロノス、マンタス、アバドンというステージネームを採り入れた。1981 年、伝説的なデビュー作『Welcome to Hell』を Neat Records からリリースした彼らは、サタニックなイメージとブラックメタル的歌詞の流儀を示威したが、演奏はまだ稚拙で楽曲も独創性に溢れていたというわけではなかった。しかし、Venom が目指した粗暴でプリミティヴな Motörhead 影響下のハードロックは、メタルキッズには極悪非道と映ったに違いない。

　Venom は 1982 年のセカンド・アルバムの『Black Metal』において、"ブラックメタル"という用語を確立させた。楽曲は進化を遂げ、翌年にサンフランシスコから勃発するスラッシュメタル・シーンを予見していたのである。メディアはこぞってブラックメタルという用語を取り上げ、論議を醸し出すようなバンド群から新たなジャンルを作り出そうと躍起になっていた。しかし、多くのバンドがこのジャンルの一部を構成す

るには至らなかったため、バンドの音楽
性そのものよりも "イメージ" によってブ
ラックメタルと判別されていた。

　ブラックメタルの代表格として呼ば
れたデンマークの Mercyful Fate
は、カリスマ的ヴォーカリスト、King
Diamond によって率いられたバンドで
ある。彼らが編み出す複雑で優美なヘ
ヴィメタルは、Venom のそれよりも洗練
されていた。そして、衝撃的なほどの悪
魔主義的な歌詞と、フードを纏った一団
に火炙りにされている女が描かれている 1982 年のミニアルバム『Nuns Have No
Fun』は親にショックを与え、キッズ達を狂喜乱舞にした。King Diamond は 90
年代のブラックメタルのイメージを象徴する悪魔的メイクも導入した。

　ブラックメタル・シーン黎明期にリンクするもう一つのバンドは、のちに Celtic
Frost として進化するスイスの Hellhammer である。コープス・ペイントを施した 3
人組の Hellhammer は悪魔主義的歌詞と完璧に符合する実に生々しくブルータル
なサウンドを創り上げた。彼らのシンプルかつ効果的なリフと分厚いギターサウンドは
革新的であり、のちの初期スウェディッシュ・デスメタルの特徴を見通していたので
ある。彼らが Celtic Frost として変容すると、楽曲は大仰で実験的要素が強くなっ
ていく。歌詞は個人的情動や神秘的寓話を題材としたことで、より内省的となった。
数年たらずの間で、Celtic Frost は世界でも有数のオリジナリティー溢れるエクスト
リーム・バンドとして、その名をほしいままにした。これらのことから、90 年代中期
のブラックメタル・シーンにもたらした彼らの影響力は計り知れないといえるだろう。

　しかし、80 年代において正真正銘のブラックメタル・バンドであったのは、スウェー
デンの Bathory であることは疑いの余地もない。既に述べたことではあるが、歌
詞や音楽性において、彼らほど気高く、完璧に極悪非道さを追求したバンドはいな
かった、といっても過言ではない。Bathory の 3 作目『Under the Sign of the
Black Mark』は来るべきブラックメタルの将来像をすべて体現していたのである。
楽曲にはブラックメタルに必須な要素がすべて含まれていた——疾走感、陰鬱さ、
プリミティヴな音像、シンプルなリフ、拷問に耐え忍ぶような絶叫ヴォーカルである。
このように振り返ってみると、ブラックメタルを創り上げたのが Bathory だったといえ
る。

Mercyful Fate のミニアルバム『Nuns Have No Fun』。

ブラックメタルの範疇外ではあるが、関連性が頻繁にとりだたされた 80 年代のバンドも存在する。ドイツのスピードメタラー、Sodom、Destruction、Vectom、それにカリフォルニアのスラッシャー Possessed と Slayer、カナダの滑稽なジョークバンド Piledriver、イギリスのスラッシャー Onslaught はブラックメタルの領域で語られていたこともある。いくつかの雑誌記事では、Accept、Grave Digger、Anvil、Exciter、Angel Witch といった正統派メタル・バンドもブラックメタルとしてカテゴライズされたことがあった。このようにカテゴライズされたのは、彼らは結成初期、悪魔主義的歌詞をいたずらに採用していたことが要因であろう。

　この激動の時代に、オイスタイン "ユーロニモス" オーセットが、ノルウェーのオスロで Mayhem を結成した。彼らの音楽的インスピレーションは Venom や Bathory、それにドイツのスピードメタル——それと、推測でしかないが、Discharge や Disorder などのエクストリーム・パンクから得られたのであろう。超プリミティヴで暴力的なサウンドを身上とするこの若きノルウェー出身のバンド Mayhem は、1985 年のデビュー・デモテープ『Pure Fucking Armageddon』によってアンダーグラウンドでカルト的な人気を集めるようになる。そして、1987 年には、自主レーベルの Posercorpse より悪名高いミニアルバム『Deathcrush』をリリースし、これによって、超ブルータルなアンダーグラウンド・バンドとして名声を獲得した。Posercorpse はのちに Deathlike Silence Productions に改名された。この時点ではブラックメタルのことなど一切触れていなかったが、その代わりに、Mayhem は自身のサウンドを "トータル・デスメタル（Total Death Metal＝究極のデスメタル）" と称していた。オーセットは自身が常にブラックメタルをプレイしていたとのちに宣言していたが、新たな歴史的解釈を加えることがこのジャンルの常套手段であることはおわかりだろう。彼らの悪魔主義的イメージはのちに付随されたものである。

加えて、オーセットは世界中の暴力的で異端的なアンダーグラウンドメタルに取り憑かれていたように思われる。彼はブラジルの Sarcófago、日本の Sigh、ハンガリーの Tormentor、イタリアの Monumentum、ブルータルなスウェーデンの Merciless などのグループを崇拝していた。その中の多くは、のちに彼のレーベル Deathlike Silence Productions からリリースされることが予定されていた。開放的な空気に満ち、テープ・トレーディングを介してコネクションが作られていたため、のちに蔓延る偏狭で、排外的で、国粋主義的な空気など生まれる余地などどこにもなかったのである。しかし、良質なサウンドがノルウェーでは生み出されないことをオーセットが悟ったとき、状況は一変した。

　この胎動期において、既にオーセットの存在は重要だったといっても過言ではない。スウェディッシュ・デスメタル・シーンは自然発生的に生まれたのに対して、ノルウェイジャン・ブラックメタル・シーンはオイスタイン・オーセットというたった 1 人の人物によって計画され、実行に移されたものだった。つまり、意図的に創られたものだったといえる。彼は人々を手懐ける術に長け、彼が創り上げたエクストリーム音楽の道に盲従させた。オイスタインは自らが作り出したスタイルをブラックメタルとは当初呼んでいなかったが、彼がこのブームの首謀者だったのである。

　ノルウェイジャン・ブラックメタルに初めて訪れた大きな転機は、Mayhem がスウェーデン出身のヴォーカリストで元 Morbid のペール "デッド" オリーンをメンバーに加入させたことであろう。ステージ・パフォーマンスに関して意見が通じていたオリーンとオーセットは、後のジャンルのフォロワーらに模倣される "理想的ブラックメタル像" を提唱した。相当危険な自傷行為や鳥の死体入りの袋の臭いを吸い込むオリーンの病的なステージ・パフォーマンスはよく知られているが、このキチガイじみた行為の話を始めたらキリがなくなってしまう。変わったところでは、ステージ衣装を地下に埋めることで死体の雰囲気を出したり、新聞から死亡記事を切り取りジャケットに貼り付けることも彼は行なっていた。

　2 人のヴィジョンはさらに闇へと深化し、1990 年にジャンルにとって不可欠な悪魔主義的要素が取り入れられたのである。それ以前からオーセットは多くの 10 代のキッズと同じく、死やオカルトにはまっていたが、このようなサウンドが初めて "ブラックメタル" と呼称され、悪魔の狂騒が幕を開けた瞬間でもあった。

　オーセット、そしてある意味オリーンが作り上げたブラックメタルは、デスメタルの成功によって相対するムーヴメントとなった。オーセットは、クリアーで分厚いデスメタル・バンドのプロダクションに反旗を翻し、代わりに Bathory、Venom、Hellhammer などの生々しいサウンドを提唱したのである。オーセットは彼らよりもさ

Entombed に対する殺害予告について
書かれたタブロイド紙の記事。

Svenska hårdrock-bandet tvingas ställa in konsert

Hårdrockarna i Entombed tar avstånd från djävulsdyrkar. Därför står de på de norska satanisternas dödslista.
Foto: JENS ASSUI

De står på djävuls-dyrkarnas dödslista

Av ANDERS FALLENIUS

Det kända svenska hårdrockbandet Entombed har tvingats ställa in sin konsert i Oslo. Orsaken är att norska satanister hotar mörda gruppens medlemmar.
– Vi bedömer hotet som mycket allvarligt, säger Calle Schewen på gruppens skivbolag.

Entombed är Sveriges mest kända hårdrockband inom genren "death metal". Gruppen har genomfört framgångsrika turnéer utomlands och har dessutom fått ta emot flera utmärkelser. De utsågs bland annat till "årets bästa metal-grupp" 1991. Senaste skivan, "Left Hand Path", har sålt i mer än 400 000 exemplar, varav 350 000 utomlands.

Död och mystik

I "death metal" handlar texterna ofta om död, mystik och satanism.
– Men det finns ingen satansdyrkan i Entombeds texter. Gruppen tar avstånd från allt som har med det att göra, säger Calle Schewen på skivbolaget House of Kicks Records.
Detta retar olika satanist-grupper, framför allt i Norge.
– Entombed hyllar inte döden. De spelar lite metal, har den kände norske satanisten Euronymous förklarat.

Den största satanistörelsen i Norge, som också har förgreningar till Sverige, leds av en man som kallar sig Count Grishnackh. Han är även känd som "Greven" och leder själv en rockgrupp.
Deras senaste skiva heter "Aska" och på omslaget finns en nedbränd kyrka. Den som köper skivan får också en tändare, säger Calle Schewen.

Brände kyrkor

"Greven" har nyligen avtjänat ett längre fängelsestraff för att han under rituella former tänt eld på åtta kyrkor.
Tillsammans med sina anhängare har han dessutom upprättat en dödslista över olika fiender. På listan finns Entombeds medlemmar Lars-Göran Petrov, Ulf Cederlund, Nicke Andersson, Lars Rosengren och Axel Hellid.
Hoten utreds nu av kriminalpolisen i Norge.

"De ska dödas"

Ems-Telstar, som sköter Entombeds turné, har ställt in den planerade spelningen i Oslo den 15 maj.
– De norska satanisterna har förklarat att Entombeds medlemmar ska dödas så fort de visar sig i Norge. Därför ställer vi in konserten, säger Calle Schewen.
Anhängarna runt "Greven" drar sig inte för att göra verklighet av sina hot.
Nyligen dömdes en ung kvinnlig svensk satanist till fängelse för mordbrand.
På order av norska djävulsdyrkare hade hon tänt eld på ett hus där en av medlemmarna i svenska "death metal"-bandet Therion bodde.
Orsaken var att Therion ansågs "ha ställt sig på det goda sidan".

らにプリミティヴなバンドを好んでいたと思われるが、更なる構想があった。

　オーセットは元々デスメタルやグラインドコアにはまっていたことや、商業的な成功を望んでいないことが文献で確認できる。デスメタルやグラインドコアに圧倒されたオーセットは、Mayhem は成功を得られないと思ったに違いない。そう考えた彼はEntombed や Morbid Angel に太刀打ちできるように、未踏の地を掌握するために異論を唱えざるを得なかったのである。しかし、彼は反デスメタルや反ベイエリア・スラッシュメタル的立場を明言するのではなく、絶対的なブラックメタルのイメージを作り上げることに傾注したのである。まさにやり手の商売人のようでもあった彼は綿密に計画を立て、トレンドを作り上げたのである。偶発的に進化を遂げた初期のデスメタル・シーンと異なり、ブラックメタルはオーセットの計画の下、作品が思い描かれ、世界征服が初期段階から行なわれていたといえるであろう。

　この新たに勃発したブラックメタルには、まず第１に、歌詞が悪魔主義的かつ厭

世的であるべきだという戒律があった。そして、社会的な歌詞は完全に禁止されていた。そして第2に、Bathory の伝統を継承し、サウンドは生々しくプリミティヴであるべきとされた。高音質のサウンドはアトモスフェリックなノイズに置き換えられた。さらに、ブラックメタルは拷問に耐え忍ぶような絶叫を特徴とすることで、低く唸るヴォーカル・スタイルのデスメタルから分化された。また、オーセットは比較的シンプルなリフや楽曲構成を提唱し、ギターのチューニングも極限まで下げることをしなかった。このようにサウンドに厚みがなくなったことで、ブラックメタルのデスメタルからの差別化が図られることになった。

その他に、ブラックメタルにおける重要な戒律には着装法というものがあった。黒の着衣のみが許され、オーセットは、ドイツのスピードメタル・バンドの例に倣い、スパイクやガンベルトを好んでいた。そしてブラックメタルにおける最後の戒律は顔面にメイクを施すことだった。彼は King Diamond、Hellhammer、Sarcófago のアイディアを拝借し、このジャンルのトレードマークを発展させた。この "コープス・ペイント" とよく言われる死体メイクは、何百ものバンドによって採用されることになり、90年代中期には猫も杓子もこれらのイメージを取り入れた。1997年にコープス・ペイントを施していたどのバンドもアルバムを少なくとも1万枚以上は売ることができたと Osmose Productions オーナーのエルヴェ・エルボーから聞いたことがある。

このように現代版のブラックメタルが誕生したのであるが、オーセットは多くの人々を引き込むことに苦慮していた。しかし、予想だにしない出来事によって、彼に白羽の矢が立ち、衝撃度が高まり、メディアでも取り上げられるという彼の望みは叶えられた――しかしながら、その過程でヴォーカリストを失くしたのである。変わり者で、鬱病気味だったスウェーデン出身のヴォーカリスト、ペール・イングヴェ・オリーンが1991年4月8日に自死を遂げた。不可思議なことに、オーセットは彼の死に対して冷酷なまでに無感情を装い、その死を彼のバンドや自身のレーベルのプロモーションのために利用した。刺激を求めるキッズ達はオーセットに心酔していった。そして、ペールの自殺から数か月のうちに、オーセットはオスロにレコード店 Helvete をオープンした――そこは若いフォロワー達を取り込み Mayhem を売り出す拠点となった。バンドにヴォーカリストが不在だったことは、彼にとっては重要なことではなかったのである。

オーセットは当初ノルウェーのキッズ達を魅了していただけだったが、次第にスウェーデンのキッズ達も賛同し始めた。たった数か月のうちに、多くの若いミュージシャン達がオーセットと彼の構想に懐柔され、多くのノルウェーのデスメタル・バンドがブラックメタル・バンドに鞍替えしたのである。Amputation が Immortal に、Thou

Shalt Suffer が Emperor に、そして、Darkthrone がスウェーデン影響下のデスメタルからプリミティヴなブラックメタルへと変容したのはよく知られていることである。さらに、Old Funeral のギタリスト、クリスティアン・ヴィーケネスがバンドを脱退し、彼自身のバンド Burzum を結成したことは悪名高き出来事だった。

　オーセット自身は、自分の構想に賛同した過激な若者をコントロールできなくなるとは考えてもいなかった。フォロワー達はオーセットが思い描く以上に暴走し、彼らの行動は歯止めが利かなくなってしまった。墓荒らし、放火、殺人予告などを行い、虚勢を張ることがシーンでは当たり前となっていた。オーセットの創造物が無慈悲に牙を剥いたのである。

　1993 年 8 月 10 日、オイスタイン・オーセットは、彼の元直弟子であるヴィーケネスによって刺殺され、ブラックメタル・ムーヴメントは突然 2 人目の逸材を失う。ヴィーケネスは自らの策略を持ち、ブラックメタルのことなど眼中になかったのは明らかだった。彼は同時期に、Earache との契約も視野に入れ、ブラックメタル・シーンとの決別を公に示していたのである。さらに、オーセット配下に対するヴィーケネスの影響力も消え失せていた。

　真のブラックメタル・シーンがこれを機に消滅し、以降起きたすべてのことは初期のコンセプトを体現していないと主張する者もいる。しかし、暴力的で病的な一連の行動が、ジャンルの人気に火をつけたことは確かである。メディアはこの陰惨な行為をセンセーショナルに騒ぎ立て、ブラックメタルは至るところで話題となった。スリルを求める世界中のティーンエージャーはノルウェイジャン・ブラックメタルに陶酔した。その後、数年間にわたって、オーセットが発展させたブラックメタルのコンセプトは広く伝播していった。エクストリーム・メタル界においてブラックメタルは完全に飽和状態に陥っていたのである。多くのブラックメタル・バンドの質は劣っていたものの、デスメタル・バンドに向けられるべき注目をすべて奪い取り、ここスウェーデンでもデスメタルは時代遅れで、古臭いものとなっていた。

スウェーデンの夜空を貫く閃光
——ブレイズ・イン・ザ・スウェディッシュ・スカイ

　古参デスメタラーの多くは、ブラックメタルへの突然の転換に戸惑いを隠せなかった。

「俺はブラックメタルが何だったのか理解もできなかった——なぜ皆突然怒りに満ちて"クソ真面目"になったんだろうなぁ。」（ニッケ・アンダソン Nihilist/ Entombed）

「あの 90 年代初期のブラックメタルは、勃発したときはかなり胡散臭かった。Darkthrone がファースト・アルバムのレコーディングでスウェーデンにやって来たとき、Entombed のウッフェは奴らのために色々面倒見たっていうのにさぁ。バーベキュー・パーティーもやったんだよ。俺達は普段どおりに振舞って、ビール飲んで、バカ騒ぎしていた。でもノルウェーの奴らは変わっていたよ。特にギルヴ［ナゲル、フェンリッツとして知られている］はダサいカウボーイ・ハットを被って、"ハンク・アマリロ" って自分のことを名乗っていたんだよ。数か月後、そいつがフェンリッツという新しい名前と新しいイメージを掲げ、俺達のことをボロクソに言ってんだよ。お前らいい加減にしろって思ったね。」（アンデシュ・シュルツ Unleashed）（訳者註：Darkthrone のファースト・アルバム『Soulside Journey』が録音されたのは Sunlight Studio。トマス・スコックスバリはプロデューサー、Entombed のウッフェはギターサウンドの共同プロデューサーとしてクレジットされている。また、アルバム・ジャケットではフェンリッツの名は "ハンク・アマリロ" と以前は記載されていたが、近年の再発盤には "フェンリッツ" と記載されるようになっている）

「ギルヴとは前からの知り合いで、彼と Darkthrone とは関係は凄く良好だったんだよ。ファースト・アルバムのレコーディングのときには俺の家に泊まったしな。でもノルウェーの奴らが突然、俺達に背を向けたんだ。それ以降彼らとは一言もしゃべっていない。何だか変だったよ。」（ウッフェ・セーダルンド Morbid/Nihilist/Entombed/Disfear）

「ブラックメタルが流行り始めたころ、エクストリーム・メタルから身を引いた。ギグもしないし、憎悪剥き出しだったから、ちっとも面白くなかった。もうどうでもいいやって思ったんだよ。」（フレードリック・ホルムグレーン CBR Records ＜レーベル＞）

このブームに惑いを見せる者もいたが、オーセットの策略とノルウェーにおける一連の出来事は確実にスウェーデンのシーンにも浸食していった。とりわけロバン・ベシロヴィッチが Mayhem のリーダー、ユーロニモスに行なったインタビューは想定外のインパクトを与えた。

「ある意味で、スウェーデンでのブラックメタルの流行は俺が引き金なのかもしれない。あの Mayhem とのインタビューですべてが塗り替えられてしまったんだ。ブラックメタルは、デスメタル・シーンに存在していた "互助精神" みたいのものをぶち壊してしまってね。悪魔主義、人種差別、ファシズムとか、しょうもないことを掲げて、突如皆が超極悪に振舞うようになったんだよ。ユーロニモスのスローガンとか謀略は、虚勢を張ったキッズ達によって、何度もしつこいほど乱用されていたよ。」（ロバン・ベシロヴィッチ 『Close-Up』誌）

皮肉なことに、ロバンのラジオ番組『Power Hour』は、ブラックメタルが流行り始めたころに打ち切りとなってしまった。彼はスタジオの外に放り出され、その枠は普通のポップスを流す番組に変更された。デスメタルは以前のようにメディアからもてはやされることがなくなったのである。代わりにメディアはブラックメタルに衝撃性を求めるようになっていた。

このような変化がスウェディッシュ・シーンにも徐々に浸透するようになった。Bathory に続くスウェディッシュ・ブラックメタル第 2 世代は、Marduk、Abruptum、Dissection の 3 バンドが代表格とされている。Treblinka や Grotesque、さらにこれらのバンドよりも前に存在していた Obscurity や Mefisto もブラックメタルであると唱える者も確かにいるが、しかし俺はどちらかというと、彼らはプリミティヴ・ブラックメタルをプレイしていたと感じている。この 3 バンドがシーンを極限状態まで塗り替え、比類なきサウンドを創り上げたといえる。

No Fashion

ブラックメタルが波及する中、トマス・ニークヴィストという人物が小さな町ストレングネースで No Fashion レーベルを立ち上げた。ニークヴィストは絶大な支持を受けていた『Putrefaction Mag』の編集者として、シーンに深く関わっていた。多くのファンジンとは異なり、『Putrefaction Mag』は定期刊行されていたため、この精力的な若きニークヴィストが自身の活動の幅を広げたと聞いても驚くことはないだろう。

「『Putrefaction Mag』がすべての始まりだった。多くのコネクションを得ていたし、ちょっと懐具合もよかったからな。小さなインディーレーベルを作りたいと思っていた矢先、オランダの Bestial Summoning の途方もなくブルータルなデモテープを手に入れたんだ。それで彼らにアルバムをリリースしていいかどうかをオファーしたら、幸い彼らが受け入れてくれた。デスメタル・シーンがコマーシャルになっていたから、俺はそれに抵抗するという意味を込めて、自分のレーベルを No Fashion とすぐさま決めたんだ。俺はレコードのリリース方法なんてちっともわからなかった。アドレナリンで満たされたただのガキだったよ。」（トマス・ニークヴィスト『Putrefaction Mag』誌 /No Fashion ＜レーベル＞ /Iron Fist Productions ＜レーベル＞）

レーベルの初リリース作はかなり杜撰な仕上がりだったが、運営を継続するためには十分な売り上げをニークヴィストにもたらした。ノルウェイジャン・ブラックメタル・ブーム前夜にリリースされたレーベル 2 作目である、ノルウェー出身の Fester によ

る『Winter of Sin』はかなり売れ、ニークヴィストはレーベル運営が軌道に乗り始めたのを実感するようになった。彼はレーベルに相応しいバンドをさらに物色し始めた。多くのレーベル経営者と異なり、彼は良いバンドを吟味する術に長けていた。彼のレーベルには最高峰のアーティストが集結するようになった。小さなレーベルであるにも関わらず、ニークヴィストのコネクションと音楽に対する造詣の深さによって、彼のレーベルはスウェーデンで最も話題に上るようになったのである。

No Fashion の広告。

「*Fester のリリースの後、Marduk、Unanimated、Dissection、Katatonia と矢継ぎ早に契約をしていったんだ。当時彼らはデスメタルをプレイしていると思っていたけど、その後起こるブラックメタルのムーヴメントにリンクしていたんだ。俺のレーベルに対する評価は Marduk の『Dark Endless』のリリース後にうなぎ上りになった。その後、Dissection の『The Somberlain』を出すと、驚天動地となった。本当に信じられなかった。俺の小さなアンダーグラウンド・プロジェクトが突如巨大となり、レコードが万単位で売れるようになったんだ!*」（トマス・ニークヴィスト 『Putrefaction Mag』誌 /No Fashion <レーベル> /Iron Fist Productions <レーベル>）

「*だけど物事が早く進みすぎて、俺の手から見る見るうちに滑り落ちたんだ。レーベル運営方法を知っておけばよかったんだよ。俺は猪突猛進に多くのバンドと契約をしすぎてしまって、資金が底をついてしまったんだ。それで、House of Kicks がアルバムをプレスして、ディストリビューションを取り仕切ることをオファーしてきたんだ。俺は 19 歳で、彼らの言うことを鵜呑みにしてしまった挙句、奴らに容赦なく身ぐるみ剥がされてしまった。奴らは無情にも俺のレーベルを乗っ取った。これが奴らのやったことだよ。俺は自分のリリースした作品も手にすることができなかったし、俺には一銭も入ってこなかった。*」（トマス・ニークヴィスト 『Putrefaction Mag』誌 /No Fashion <レーベル> /Iron Fist Productions <レーベル>）

　ニークヴィストが No Fashion を去ると、レーベルの存在価値が稀薄となった。

House of Kicks のスタッフはレーベルの運営には長けていたが、シーンに対する見識が伴っていなかったのである。レーベルの筆頭株、Marduk と Dissection はレーベルを去り、契約に至る寸前だった Satyricon もニークヴィストから事の顛末を聞き、レーベルとの契約を拒否した。のちにレーベルが契約したバンドの中で、Dark Funeral のみが音楽的、商業的にインパクトをもたらした。

　トマス・ニークヴィストは自身が創り上げたものを喪失してから永い間、失意の淵に立たされていた。しかしその間も、ニークヴィストは Merciless のロッガ・ペッタションと『Putrefaction Mag』を存続させた。2000 年代、ニークヴィストは新しいレーベル Iron Fist Productions を立ち上げ、同レーベルには Axis Powers、Skitsystem、Flesh、Deceiver が所属している。トマス・ニークヴィストの伝説は No Fashion と『Putrefaction Mag』から垣間見ることができる。ニークヴィストが初期スウェディッシュ・ブラックメタル・シーンに多大な貢献を与えたことに、感謝の意を示すべきであろう。

Dissection

　スウェディッシュ・ブラックメタル第 2 世代の筆頭株は、ストレムスタード出身の Dissection であろう。彼らはブラックメタルとデスメタルの過渡期において、橋渡し的な存在であった。ヨン・ノトヴェイトがスラッシュメタル・バンド Rabbit's Carrot を去り、より激しい音楽性を求め、1990 年 2 月に Dissection を結成した。彼が元 Rabbit's Carrot のドラマー、オーレ・ウーマンと友人のペータル・パルムダールを誘ったことで、バンドの体制が整った。彼らはすぐリハーサル・テープを作成し、1990 年にデモテープ『The Grief Prophecy』を発表した。これらのことから、彼らが生半可な気持ちで活動していないことは明らかであった。

　Dissection 初のレコード作品は、1991 年に超マイナーレーベルの Corpsegrinder からリリースされたシングル『Into Infinite Obscurity』であった。本作品の音質はデモテープのようだったが、のちに Dissection が本領を発揮する手法が暗示されていた。メンバーの演奏力には隙がなく、ヴォーカルには魂が込められ、楽曲の流れは絶妙だった。まだ独自のスタイルを完成させるまでには至らなかったが、彼らを特徴づけるマイナーコードのメロディーはここで姿を現していた。こうして、Dissection は将来を約束された Grotesque 直系のデスメタル・バンドとなったのである。その後数年にわたり、比類なきエクストリーム・メタルのスタイルを完成させるまで、Dissection はリハーサル・テープやデモテープをリリースし、急速に進化を遂げた。そして彼らはスウェーデンで最も将来性のあるバンドとして、

左から：
・Dissection のデモテープ。
・スウェディッシュ・デスメタルの最高傑作『The Somberlain』。

その地位を不動なものとした。1993 年までに Dissection は No Fashion との契約を締結したのである。

　1993 年 3 月、Dissection は『The Somberlain（邦題：サンバーレイン）』をレコーディングするために Unisound Studio に入った。『The Somberlain』はのちにスウェディッシュ・メタル史上最も崇高で威厳のあるデビュー作品の 1 枚と称された。壮絶なリフと革新的な楽曲構成で満たされたこのアルバムは、度重なるテンポ・チェンジがあるにもかかわらず、楽曲の流れは圧巻だった。この時点で Dissection は陰鬱なメロディーと印象深い楽曲パターンが特徴的な、唯一無二のスタイルを確立したのである。マイナーコードを多用する他のバンドと違い、Dissection はコード進行に頼るのではなく、独特なムードを醸し出すために一音一音弾奏していた。加えて、壮大でクリアーだったダン・スワノのプロダクションは、彼らの音楽性と巧みに融合していたといえる。

「俺が担当したレコーディングの中で、Dissection の 1 作目は俺が最も自負できる作品だろうな。ヨンはこのジャンルにおいて天賦の才があって、これは彼の最高傑作だよ。俺にとっては、この作品は紛れもなくデスメタルだと思う。ブラックメタルと呼ばれる要素は微塵にもないと思う。」（ダン・スワノ Edge of Sanity/Unisound ＜スタジオ＞）

「『The Somberlain』は No Fashion で俺がリリースした作品の中で最上級のものだと思う。この革新的なクオリティーは今日でも燦然と輝いているんだ。不朽の名作だよ。」（トマス・ニークヴィスト 『Putrefaction Mag』誌 /No Fashion

左から：
・Dissection のシングル盤のジャケット。
・Dissection のフライヤー。

<レーベル> /Iron Fist Productions <レーベル>）

　当時、Dissection と類似したサウンドを特徴とするバンドはどこにも見当たらなかった。強いて言うならば、ヨンのヴォーカル・スタイルは At the Gates のトンパを想起させた。King Diamond 影響下の異彩放つヘヴィメタル・スクリーム、クリアーなコーラス、アコースティック・ギターは、彼らを異色の存在にさせた。加えて、Dissection の手によって斬新にアレンジされたスウェーデンのフォーク音楽からの影響も明白だった。『The Somberlain』は革新的で、多くのバンドに手本を示したのである。

　Dissection は画一的なブラックメタルでなかったことは間違いない──実際、彼らは自身をブラックメタル・バンドと呼ぶことは決してなかった。間もなくして、彼らは Nuclear Blast と契約し、格上げされた。1995 年の『Storm of the Lights Bane（邦題：ストーム・オブ・ザ・ライツ・ベイン）』では、デビュー作のサウンドを踏襲していたが、ブラックメタル志向も見受けられた。勇猛なドラムに大仰なマイナーコードのギターリフは特に Mayhem のようなノルウェイジャン・バンドの方法論に近似していたが、「Where Dead Angels Lie」や「Night's Blood」では Dissection の独自性が打ち出されていた。彼らにはコープス・ペイントなどという古めかしいブラックメタルのイメージなど必要なかったといっておこう。この時点で Dissection はブラックメタルに肉薄したデスメタルだったといえる。そして、彼らは比類なき存在だった。

「デスメタルの発展において、Dissection は At the Gates と同様に重要だっ
た。圧巻のメロディーと究極の陰鬱さが彼らにはあった。1996 年に俺達は
Dissection と Morbid Angel とアメリカ・ツアーをした後、数えきれないほどの
バンドがこの"新種"のスウェディッシュ・サウンドにインスピレーションを受けたん
だよ。」（アンデシュ・ビョーラー At the Gates/The Haunted）

Marduk

　ブラックメタルの美学に徹頭徹尾傾倒したバンドは、ノーシューピングの Marduk
だった。バンドの中心人物、モルガン・ホーカンソンは初期からシーンに関わりを持っ
ていた。1990 年、彼は自身のパンク・バンド Moses に見切りをつけ、暗黒世界
に身を投じ始めた。Dissection とは異なり、Marduk はコープス・ペイントを施し、
地獄のムードを醸し出すようになった。結成当初のメンバーには、Edge of Sanity
でギターを担当していたヴォーカリストのアンドレアス・アクセルソンが在籍していた。
「Marduk には妥協という文字はなかった。俺達は音楽性やイメージなどすべての
点において最も過激なバンドを目指した。俺達はすべてのことを試した——コープ
ス・ペイントを施し、自傷行為をして、豚の血も飲んだりした。俺達は当時、スウェ
ディッシュ・バンドの中で最も暴力的なことをやっていた。」（ローゲル・スヴェンソ
ン Allegiance/Marduk）
　1991 年、Marduk は十分な楽曲が溜まったことで、デモテープ『Fuck Me
Jesus』をダン・スワノの Unisound Studio（当時は Gorysound という名称）で
レコーディングを開始した。この作品はヘヴィーで分厚く、典型的なデスメタル・サ
ウンドが表現されていた。楽曲構成はヘヴィーなリフと打ち付けるような 2 ビートで、
デスメタルの手法に則っていた。異なっていたのは、時折導入されたグラインド・パー
ト、メロディックなギター、それに言うまでもなく、アンドレアスの地獄からの咆哮だっ
た。全体的にみると、この作品は破壊力に満ち、瞬く間に Marduk はシーンで衆望
を集めたのである——しかし、デスメタル・シーンの範疇で語られていたにすぎなかっ
た。Marduk は高いポテンシャルを誇っていたのは明らかで、間もなく No Fashion
との契約を交わすことになった。
「レコーディングの間、ブラックメタルはあまりに話題に上っていなかったと思う。そ
の代わりに、初期 Master（訳者註：ポール・スペックマン率いるアメリカ・シカゴ出身
のデスメタルの元祖的バンド）の音源の雰囲気と Unleashed や Grave の要素を融
合させることに重点が置かれた。悪魔主義的要素はそれに付随するものでしかな
かったんだ。」（ダン・スワノ Edge of Sanity/Unisound ＜スタジオ＞）

1992 年、Marduk はダン・スワノのスタジオに入り、デビュー作『Dark
Endless』のレコーディングを開始した。超極悪ではあったが、ブラックメタルに不
可欠な叙情性はなく、既発のデモテープと同様の雰囲気を醸し出していた。コープ
ス・ペイント、悪魔主義的歌詞、そして逆十字が描写されてはいたが、音楽性はデ
スメタルであることを隠蔽できなかった。実際、ダン・スワノのスタジオでレコーディ
ングされていたため、Edge of Sanity のサウンドに若干接近していたことは驚くべ
きことではない。Marduk は自己のスタイルをまだ模索中であったし、後の作品と比
較すると本作は独創性に欠けていたのである。

「このアルバムは*純然たるデスメタルにしか聴こえないのは俺達は Autopsy な
どのバンドにかなりインスパイアされていたからだよ。*」（ローゲル・スヴェンソン
Allegiance/Marduk）

『Dark Endless』は、ブラックメタルへの野望が伺える 90 年代最初のスウェーデ
ン産作品であろう。確かに Tiamat にもその傾向があったが、Marduk のようにブラッ
クメタルの要素を取り入れてはいなかった。ブラックメタル的雰囲気を醸し出していた
最初の Marduk の作品は、1993 年の『Those of the Unlight』である。この
とき既に Marduk は Immortal や Enslaved と同じく Osmose Productions に所
属する極悪ブラックメタル群に名を連ねていた。

「*エルヴェ[エルボー、Osmose Productions のオーナー]がある日電話してき*

Marduk——メイクを施し突撃準備完了。

て、契約に興味があるかと聞いてきたから、もちろんあると答えた。全く機能してい
なかった *No Fashion* からの大躍進だった。*Osmose* は俺達に力を尽くしてくれ
たし、良いツアーを組んでくれたし、プロモーションもかなりやってくれた。エルヴェ
がいなかったら、*Marduk* はここまで成功していなかったかもしれない。」（ローゲ
ル・スヴェンソン Allegiance/Marduk）

　Marduk の次作『Those of the Unlight』はより劇的なサウンドで、臨場感
たっぷりだった。リフはシンプルでグラインド・パートでは特に衝撃度が倍増した。そ
れらが、スローな部分で頻出するスウェーデンのフォーク音楽影響下のメロディーと
融合していた。ヴォーカルはより凶暴さが増し、拷問に耐え忍ぶ絶叫のようでもあっ
た。この『Those of the Unlight』は、Marduk の作品群の中でも極めて伝統
的ブラックメタルの手法を踏襲した作品であるし、個人的に最も好きな作品である。
Marduk のファースト・アルバムはかなりデスメタル要素が強かったため、本作品は
Bathory の『Under the Sign of the Black Mark』以降初めて、完膚なきまで
にブラックメタルを体現していたといえる。

「*Marduk の 1 枚目とは違い、『Those of the Unlight』は真正ブラックメタル・
アルバムだった。いまだに好きな作品であるし、当時は超絶にエクストリームだった
な。*」（ローゲル・スヴェンソン Allegiance/Marduk）

『Those of the Unlight』のリリース後、Marduk は激速ドラマー、フレードリック・
アンダソンを加入させ、彼らの音楽性はさらにブルータルに変化した。1994 年の
『Opus Nocturne』で、Marduk はブラックメタル界に対して楽曲の速さに対する
新たな指針を提示した形となり、フレードリックが在籍している間は速さに重点が置
かれた。しかしながら、Marduk の徹底した残忍さを見せつけた最高傑作は、ブラ
スト・ビートの楽曲で構成されていた 1999 年の『Panzer Division Marduk』で
あろう（その後の彼らの作品も良かったが、若干落ち着いてしまった）。彼らは曲作
りが安直すぎたり、偏狭であるとよく批判されていたが、超スピード感のある直球ス
タイルのブラックメタルを俺は気に入っている。

Abruptum

　Marduk の中心人物、モルガン・ホーカンソンはスウェディッシュ・ブラックメタル・
バンド第 2 世代で 3 番目に数えられるバンド、Abruptum にも深く関与していた。
正直言うと、Abruptum の音楽性はかなり奇妙奇天烈であったため、カテゴライズ
するのは至難の業だったし、彼らのイメージは超極悪で極めて摩訶不思議だった。
バンドの構想はトーニ "イット" シャルッカがこの世で最も極悪なバンドの結成を思い

立った 1987 年にまで遡る。Abruptum が具体化するのはトーニがイェム "オール"
バリエと意気投合した 1990 年であった。この 2 人はすぐさま、鬼気迫る『Hextum
Galæm Zelog』と『The Satanist Tunes』の 2 本のデモテープを作成した（1
本目のデモテープはベーシストの "イグジット" を擁していたが、バンドに在籍した
のは短期間だった）。

　Abruptum の初期のデモテープがノルウェーのオイスタイン・オーセットの目に留
まり、この悪辣な首謀者達は頻繁に連絡を取り合った。1991 年、Abruptum は、
第 2 世代のスウェディッシュ・ブラックメタル・バンドとして、初めてのシングル『Evil』
を Psychoslaughter レーベルからリリースした。このデモテープやシングルにおけ
るサウンドは非常にプリミティヴでスロー、また混沌とした究極なロック・テイストで、
ドライブ感に溢れていた。実際、メタル・バンドというよりは Butthole Surfers の
ようなバンドを連想するサウンドが、不快なガテラル・ヴォーカルと絡み合っていた。
作品が醸し出す狂人的な雰囲気はブラックメタル・ムーヴメントに影響力を示すには
十分だった。

　このシングル・リリース後、イェム "オール" バリエはバンドを去り、代わりにモ
ルガン "イーヴル" ホーカンソンが加入した。トーニとモルガンは初期のレコーディン
グに触発され、デモテープ『Orchestra of the Dark』の制作にすぐさまに取り掛
かった。デモテープに衝撃を受けたオイスタイン・オーセットは、自身のレーベルで
ある Deathlike Silence で Abruptum と契約するに至った。Abruptum がデビュー
アルバムを制作する段階になると、彼らの構想はさらに暗黒の世界へと誘われた。

　1993 年に『Obscuritatem Advoco Amplectère Me』がリリースされると、
他のエクストリーム・メタルのアルバムではまず聴くことのできないサウンドが表現さ

ABRUPTUM är ett av de äkta satanist band som finns. Jag vet att det är sant för jag
känner folk som känner dom i bandet och dom är äkta! ABRUPTUM är latin och betyder
"avgrund". Alla texter är på latin och musiken är någon slags brutal doom-death-metal
med undantag för en grind del. Musiken är improviserad rätt in i studion men det låter
trots det inte så illa. Lite för högt pris kanske, 25 kr + porto. Nu är det så att dom
har gjort en ny demo som jag inte hört men den ska tydligen vara mer annorlunda. Dom
vill också att äkta satanister skriver och berättar om sina erfarenheter, visioner m.m
och även dom som vill fråga något om satanism kan skriva till dom på adress: Tony Sär-
kää, Profilvägen 8 A, 612 35 FINSPÅNG.

Abruptum のフライヤー。

Abruptum の邪悪な 2 作目のデモテープ。

れていた。耳障りなディストーションを利かせたギターサウンド、狂人的で拷問に苦
しむこの世のものとは思えない絶叫、ホラーフィルムのサウンドトラックのようなキー
ボードをベースにしたこの作品は、それぞれ 25 分の楽曲が 2 曲で構成されていた。
アルバムの全体が作品として成り立っているのは、随所に登場するスローでヘヴィー
なドラムサウンドのおかげであろう。端的に言うと、ドラム、絶叫、それにノイズの塊、
でしかなかった。Butthole Surfers や Lydia Lunch の壮絶なまでの禍々しさと比
較するといいだろう。Abruptum は音楽と呼べるものではなく、ムード、暗黒、狂
気という言葉に集約されるものである。

　彼らはユーロニモスによって "真正ブラックメタルの究極形" と盛んにもてはやさ
れたが、そこには冗談も含まれていたことは明らかであろう。伝えられるところによれ
ば、彼らはトーニ・シャルッカをソファーの下に押し込め、ヴォーカル録りをした——
そして、トーニを上からメンバーが押し潰し、苦痛に耐え忍ぶ状況をマイクに収めた
というのである！ 意図的なのかどうかは定かではないが、Spinal Tap のあの悲惨
な黒一色のアルバム・アートワークが使用された『Smell the Glove』をオマージュ
することでこの諧謔性は完璧となった。

　1994 年発表の次作、『In Umbra Malitiae Ambulabo, In Aeternum in
Triumpho Tenebraum』ではトーニ・シャルッカとモルガン・ホーカンソンは、
Abruptum のコンセプトをさらに深化させた。当のアルバムが普通の音楽と異なる
のは、1 時間もの間 "ジャム・セッション" があったことであった。確かにバシバシ
炸裂するようなスローなドラムは残ってはいたものの、サウンドと絶叫は以前よりも実
体性がなく、Bathory、Burzum、Samael の音楽でさえが子供騙しと感じさせる

ほどの音響地獄だった。彼らの音楽は既にメタルとは呼べなかった。Abruptum は
ホラーフォルムの恐怖世界、または、倒錯的な前衛音楽の領域に完全に入り込んで
しまったのである。ノイズの中には聴き手を誘う音楽的要素もなければ、Abruptum
のデモテープが普通のロックに聴こえてしまうほどであった。これは完全に気が触れ
ていた。

　2 枚の狂人的なアルバムをリリースした後、シャルッカとホーカンソンは 1996 年
に、以前の作品を踏襲した『Vi Sonus Veris Nigrae Malitiaes』を発表する。
その後、シャルッカはすべてに辟易し、バンドを脱退した。Abruptum にはホーカン
ソンが残り、彼が主に活動する Marduk に、Abruptum は付随するソロ・プロジェ
クトとして存続している。Abruptum はブラックメタルとカテゴライズされる音楽性で
はなかったが、彼らはどのバンドよりもブラックメタル・ムーヴメント第 2 世代の雰囲
気を的確に顕していたのである。

ブラックメタルからの脱出

　1993 年以降、無数のスウェーデンの若者がブラックメタルに魅了された。そし
て、何百ものバンドがノルウェーの先駆者や、Marduk、Dissection、Abruptum
のサウンド、歌詞、イメージを模倣した（Abruptum のあのイメージもである！）。
Ophthalamia、Nifelheim、Throne of Ahaz、Mörk Gryning、The Abyss、
そして抜群の知名度を誇る Dark Funeral が、数年間のうちにアルバムをリリースし
た。Nifelheim はシーンの中でも最高峰だった。デモテープを制作した多くのバンド
もブラックメタルの暗黒世界に耽溺し、デスメタルには予測どおり拒否反応を示した
のである。こうした流れの中で、ブラックメタルの強烈なイメージがティーンエージャー
を惹きつけたのは当然のことであった。デスメタル・シーンよりもブラックメタル・シー
ンが受け入れられ、音楽性よりも“見た目”に重点が置かれるようになっていた。こ
れは自然な流れかもしれないと俺自身さえ感じたこともあった。ブラックメタルは悪魔
主義的なイメージと歪んだギターに覆われた通常の楽曲パターンが多く使われていた
ため、デスメタルよりも受容されやすいというのが特徴だった。楽曲は比較的シンプ
ルだったので、わかり易かったのである。また、絶叫スタイルのヴォーカルは、野太
いグロウル・スタイルのヴォーカルよりも身構える必要がなかったし、特定のイメージ
があったおかげで売り出すのは容易だった。ブラックメタルはよりコマーシャルなジャ
ンルであったといえるだろう。

　2000 年代に突入し、生存競争に打ち勝ったバンドはほんの一握りだった。
Marduk と Dissection を除けば、Dark Funeral と Nifelheim だけが求心力や

人気を保っていた。新興バンドの中では、Watain のみが広範な支持を獲得したと思われる。昨今のムーヴメントで、当初のブラックメタルのコンセプトを全く気にも留めない奴らが大半であるというのに、Shining や Silencer を代表格とするスーサイド・ブラックメタルは、その逆に、過剰にコンセプトに捉われ過ぎて、若干やりすぎのようにも感じられる。加えて、ブラックメタルとクラストパンクにおいて、お互いが刺激しあうという滑稽な現象も起きている。Darkthrone と Satyricon のメンバーはパンクに熱中していると公言する一方、クラスティーズの間ではブラックメタルがトレンドとなっている。事実、最近のクラストパンク・バンドの Skitsystem の作品はブラックメタル寄りであるし、ブラックメタル・バンド Darkthrone の最新作（訳者註：Darkthrone の 2000 年代中期以降に発表された『F.O.A.D.』や『Circle The Wagons』などの作品）は極めてパンクっぽい作品であった！ 90 年代初期には想像もできなかったことである。

「*ブラックメタル・シーンは本当にくだらない思想があった。それに必要もない決まりごとが横行していたんだよなぁ。"ブラックメタルを聴いていたらデスメタルを聴いてはいけない"というルールは最もバカげていたな。Marduk は Deicide、Obituary、Cannibal Corpse らと一緒にツアーをしていたら、相当世間に叩かれたよ。フザけんなって。Deicide らは最高のバンドだよ！ 精神年齢の低いガキのように喧嘩するんじゃなくて、俺達は団結しないといけないんだ。そんなルールなんてクソくらえだよ。俺は、ブラックメタル、デスメタル、クラストパンクをそれぞれ同等に好きだし、リスペクトしているんだよ。邪悪になるためにそんなルールに従うっていうのかい？ ホントバカだよ。ブラックメタル・シーンの大半の奴らは弱っちくて、子供じみていたよ。*」（ローゲル・スヴェンソン Allegiance/Marduk）

永い間にわたり、デスメタル・シーンはブラックメタルによって覆いつくされたが、しかし今日でもデスメタルは存在する。デスメタルは一つのジャンルとして生き残り、以前と同様、極めて重要な存在であることには変わりはない。スウェディッシュ・シーンは普及する一方で、ジャンルが細分化されていったのである。それでは、見ていくことにしよう。

THRASH BASH 17

GORGUTS
(Kanada)

BLASPHEMY
(Kanada)

MARDUK

Ons. 31 mars Kl. 19.30

Kammaren, Tunnbindaregatan 37, Norrköping

Entré: 90:-

Arr: Power Hour

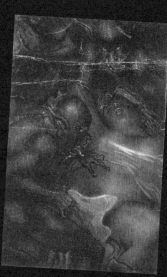

時計回りに左から：
・Marduk 初期のロゴ（ダン・スワノによって
デザインされたものだと思う）。
・デモテープ『Fuck Me Jesus』
・『Dark Endless』
・Thrash Bash 17——ブラックメタル・バン
ドが多くなった！

「落ち込んだときにハイになる
眼光ギラギラ、人間崩壊
地獄へ一直線──無間地獄へ堕とされる」
──Entombed「Full of Hell」

第9章：
死者は
生き續ける……

· Furbowl のフライヤー。
· Nasum——スウェディッシュ・グラインドコア
の王者。
· Deranged のフライヤー。

HAPPYS WEEKEND PRESENTERAR:
RELEASEPARTY FÖR FURBOWL "Those Shredded Dreams"

THERION
FURBOWL
MORPHEUS

LIVE PÅ TRE BACKAR - Fredag 13 November 20.00.
(Tegnérgatan 12-14.) - Lördag 14 November 20.00.
Entré: 50:-/60:-

NASUM

HUMAN 2.0

WITH THE DEMO "CONFESSIONS OF A NECROPHILE" DERANGED BRING
YOU FOUR SLICES OF INTENSE GRINDING DEATH-METAL WITH UNFO-
RGETTABLE VOCALS WHICH WILL BLOW YOUR MIND IN PIECES. THE
DEMO COMES WITH A COLOURED COVER, PRINTED CASSETTE   AND A
LYRIC SHEET CONTAINING THE WORST PORNO-GORE LYRIX EVER MA-
DE. ALL THIS COULD BE YOURS IF YOU ONLY PULLED YOUR FIST
OUT OF YOUR ARSEHOLE, ORDER THE TAPE NOW FOR EITHER 5 $
OR 20 KRONOR, WRITE TO:

RIKARD WERMEN   PER GYLLENBÄCK
ÅHGAVÄGEN 2   LÄRKVÄGEN 118
245 62 HJÄRUP   245 62 HJÄRUP
SWEDEN   SWEDEN

"...BUT REMEMBER, STAY BIZARRE"

WE ARE
GOING TO
EAT YOU!

それでは、これまで手短に紹介してきたスウェディッシュ・デスメタルの歴史をここで切り上げることにする。デスメタルは 1993 年までに一つのジャンルとして、驚くほどに定着し、シーンで起きた出来事はファンジンや雑誌などでも大々的に取り上げられるようになった。言うまでもなくデスメタルは死に絶えることなどなかった――重鎮達は相変わらず精彩を放ち、才能溢れる新人バンドも次々に現れた。デスメタルはブラックメタル・ムーヴメントの中でも生き永らえることができたのである。偏狭なパターンにすぐに陥ってしまったハードコアとは違い、デスメタルは（その複雑な構成から）多岐にわたる斬新な表現方法に変容可能だったからである。90 年代中期から、特にスウェーデンでは、デスメタルは数多くのスタイルやサブジャンルに枝分かれした。ここでは最も顕著な例を個人的嗜好も交えていくつか記すこととしよう。

グラインド

　最速で最も原始的な手法を則るグラインドコアは、エクストリーム・パンクにそのルーツがある。スウェーデンにおいては、Asocial が 1982 年にリリースしたシングル『How Could Hardcore Be Any Worse?』ですべてが始まったといえる。このスタイルは G-Anx によって開拓された後、ファールン出身の Filthy Christians によってメタルに接近していった。1989 年、彼らが Earache と契約したことで、スウェー

G-Anx

デン出身のグラインドコア・バンドにも一筋の光がもたらされた――しかし、Filthy Christians 自身は成功の恩恵にあずかることはなかった。パンクの影響下で発展したグラインドコアの特徴は、激速でプレイされる短尺の楽曲、シンプルなリフがレギュラー・チューニングされたギターの上に駆け巡るサウンド、政治的歌詞が絶叫ヴォーカルと絡み合うことを基本とするものである。

　Filthy Christians による政治色の強いグラインドコアは Arsedestroyer などのバンドに継承されたが、スウェディッシュ・グラインドコアの覇者の座はウレブルー出身の Nasum によって獲得された。Nasum は、Necrony の中心人物、アンデシュ・ヤコブソンのサイド・プロジェクトとして 1992 年に結成された。スプラッター志向の歌詞だった Necrony と違い、Nasum の歌詞は政治色が強かった。ヴォーカル／ギターのミエシュコ・タラールツィクが 1993 年にバンドに加入すると、強烈なシングルを連発し、アメリカのメタル・レーベル Relapse との契約へと導かれた。『Inhale/Exhale』（1998 年）、『Human 2.0（邦題：Human 2.0）』（2000 年）、『Helvete（邦題：ヘルベテ）』（2002 年）、それに『Shift（邦題：シフト）』（2004 年）のリリースによって、Nasum は着実にファン層を広げた。2004 年末、Nasum は世界で最も支持を受けたグラインドコア・バンドの一つとして、その名を馳せ、彼らの活動は終止符が打たれた。タイで休暇を過ごしていたミエシュコがスマトラ島沖地震の影響による津波に巻き込まれ、非業な最期を遂げたのである。Nasum はその後も圧倒的存在感を残していたが、現在スウェーデンにおけるグラインド王の座にはイェヴレの Gadget が君臨している。Nasum と同じく Relapse と契約した彼らは今後まともなプロモーション活動が行なわれることだろう。彼らの音楽性は Nasum と肩を並べるほど猛烈なのである。

　パンクを由来とするグラインドコアとは別に、スウェーデンは Carcass 直系のゴアグラインド・バンドを多く輩出している。パンク・グラインドとは違い、このサブジャンルではダウン・チューニングのギター、多少複雑な曲構成、それにガテラル・ヴォーカルを特色とする傾向がある。そして当然のことながら、歌詞は政治的ではなく、スプラッター的な内容である。スウェーデンにおけるこのスタイルの先駆者は General Surgery だったが、このジャンルが認知されるようになったのは、90 年代初期、Traumatic、Monkey Mush、Nefarious、Necrony、そして、あの偉大な Crematory のメンバーによって結成された Regurgitate の登場以降である。Necrony は最も偏執的で、スプラッター趣味を曝け出したバンドであったが、バンドの中心人物であるアンデシュ・ヤコブソンが Nasum の活動に傾注したため、バンドは空中分解してしまう。もう一方の代表的なバンドである Regurgitate は、粘

り強く活動を続け、General Surgery と同様に、デスメタル臭漂うグラインドを特徴とし、今日もなお活躍している。（訳者註：しかし、Regurgitate は 2009 年に解散した模様）。

　スウェーデンのゴアグラインド・バンドで最も成功し、オリジナリティー溢れるバンドは、マルメー出身の Deranged である。特にリフやギターソロにおける彼らのグラインド・スタイルは、デスメタルに相通じるものがある。1990 年以降、ヨーハン・アクセルソン（ギター）とリーキャル・ヴェルメーン（ドラム）のプロジェクトとして活動している Deranged は、度重なるメンバーチェンジを繰り返しながらも、アルバムを多く発表し、無慈悲なデス・グラインドを弛まず生み出している。彼らは従来のスタイルを貫き、期待どおりの残虐性を披露している。

「グルーヴ感のあるスウェディッシュ・デスメタル・サウンドをやっちゃいけないのかい？　別にいいじゃないか、好みの問題なんだから。」（リーキャル・ヴェルメーン　Deranged）

　俺にとって、Deranged の最高傑作は、1999 年にリリースされた、スウェーデン史上最も破壊的なアルバムと評される、超ブルータルな『High on Blood』だと思う。Deranged は孤高に、ひたすらとデス／グラインドを追求し、彼らの熱意は日本などの離れた場所にも届いている。現在、アクセルソンは Berno Studio での仕事で手一杯だが、それでも Deranged は散発的に高品質のアルバムを発表し続けている。

デス・ロール（＝デスメタルとロックの融合）

　Deranged がグラインドに心血注いでいる中、デスメタルを広義に解釈するバンドも多く現れた。

　90 年代中期、スウェディッシュ・デスメタルにおいて "デス・ロール（＝デスメタルとロックの融合）" というスタイルが注目を集めた。このスタイルの代表格となったのは Entombed あるが、このアイディアを最初に具現化したバンドは Furbowl だった。

　Furbowl は 1991 年、ヴェクファで、元 Carnage のメンバー、ヨーハン・リーヴァによって立ち上げられた（Deranged のヨーハン・アクセルソンとは別人）。（訳者註：ヨーハン・リーヴァはその後、Arch Enemy にヴォーカリストとして加入。2000 年に Arch Enemy を脱退したが、2016 年には初期 Arch Enemy 時代〈『Burning Bridges』期〉を再現したプロジェクト、Black Earth に加入。Black Earth は 2019 年 5 月に 3 度目の来日公演を行なった）彼らの 1992 年のデビュー作である『Those Shredded Dreams』は、獰猛なデスメタル・サウンドと正統派ロックのリフと楽曲構成が絡み合い、デスメタ

ルの新たな方向性を示した。1994
年にリリースされた2作目の『The
Autumn Years』では、このスタイ
ルをさらに進化させ、一段とロック的
要素が強くなった。しかし、Furbowl
の先駆的サウンドが脚光を浴びたり、
彼らが成功を果たすことはなかった。
彼らの代わりに、Entombed がデス
ン・ロールの代表格として広く認知さ
れることとなったのである。

Furbowl の革新的なファースト・アルバム。

　Entombed は3作目『Wolverine
Blues（邦題：ウルヴァリン・ブルー
ス）』で、我々の度肝を抜くことを成し遂げた。初期の真正デスメタル・スタイルか
ら離れ、Entombed はキャッチーでグルーヴ感のある楽曲に心魂傾けていたのであ
る。Furbowl と違い、彼らからはデスメタル的フィーリングが掻き消されることはなかっ
た。サウンドにただ感服するしかなかった。クリーンで、ド迫力で、ブルータルな音
像が猛攻撃を仕掛けてくるのである。アップテンポの「Eyemaster」、強烈なバック
ビートの「Out of Hand」、グルーヴ感一杯の「Wolverine Blues」、それに重厚
感溢れる「Demon」によっても明らかなように、各楽曲には魂が宿っているようであっ
た。

*「俺にとって『Wolverine Blues』は『Left Hand Path』後の自然な流れだっ
た。ルールでがんじがらめだったデスメタル・シーンの状況下では、僅かな変化で
も革新的であると捉えられた節があったんだ。俺達は、まだ完全にデスメタルだっ
たよ。」*（ニッケ・アンダソン Nihilist/Entombed）

*「この時点で、ニッケは Entombed の主導権を俺達にも委ねるようになっていた。
それに、彼は真正デスメタル・バンドに求められる長い黒髪や"理想的なイメージ"
へのこだわりを捨てたんだ。肩の荷が下りた気分になったけど、俺は相変わらず
いつもへべれけに酔っぱらっていた。」*（ウッフェ・セーダルンド Morbid/Nihilist/
Entombed/Disfear）

『Wolverine Blues』は『Left Hand Path』に負けず劣らず Entombed のバ
ンド史上、最高傑作である。Entombed のロック志向は、1997年の『To Ride,
Shoot Straight and Speak the Truth（邦題：スピーク・ザ・トゥルース！）』ま
で加速していった。その後、ニッケ・アンダソンの突然の脱退によって、バンドは一

左から：
・Dark Tranquillity の最初期のロゴ。
・Eucharist のデビューアルバム。

時活動休止状態に陥るのである。1998 年に発表された次作『Same Difference（邦題：セイム・ディファレンス）』は初期の作品にあったクオリティーを失っていた──しかし『Uprising（邦題：アップ・ライジング）』（2000 年）、それと秀作『Morning Star（邦題：モーニングスター）』（2001 年）で彼らは息を吹き返した。

「ちょっと変に聞こえるかもしれないけれど、Entombed はすべてのスウェディッシュ・デスメタル・バンドの中で最も過小評価されているんじゃないかなあ。ヨーロッパでもっとビッグになる筈だったし、アメリカでも同じことがいえる。もっとレコードが売れるべきだった。『Wolverine Blues』のリリースのあとは、超大物になって当然だったよ。」（イェスペル・トゥーション Afflicted）

『Wolverine Blues』は、短命に終わった Earache Records と Sony/Columbia の協定によって恩恵を受けた。Entombed は、Napalm Death や Carcass などと共に、僅かな間大手レーベル所属バンドとなったのである。しかし、アメリカ市場では New Kids on the Block（訳者註：当時人気のあった男性アイドルグループ）を担当していた会社にプロモーションを任せていたため、上手く行くわけがなかった。デスメタル、そして Entombed の斬新なグルーヴ感たっぷりのサウンドは、売れ線狙いのアイドル達と一緒くたに売り出すことは不可能だったのである。

　他のスウェディッシュ・デスメタル・バンドはこのデスン・ロールをどのように捉えていたのであろうか？驚くべきことに、この強力な Entombed スタイルを踏襲したバンドは皆無に等しかった。90 年代中期、ブラックメタル旋風が猛威を振るっていた中で、最も人気を博していたデスメタル・スタイルはメロディックなものだった。そ

れはあたかも 1990 年に回帰したようだった——Entombed を凌駕することができないと悟ったバンドは新たな方向性に舵を切ったのである。

このデスン・ロールの方法論を試みたバンドはわずかだがいた。この方法論を試みたバンドで最も成功したのは、1994 年に結成されたリンシューピングの Nine であろう。彼らは Entombed 風のデスロック（デスメタルとロック融合型）だったため、たちまちレコード契約を勝ち取り、それ以降同様のサウンドを続けている。ただ、古参のデスメタル・バンド Vermin の様に、デスンロール・スタイルに転換したことで失敗に終わったケースもあった。Vermin が 1998 年にリリースした『Millennium』には、Entombed の『To Ride, Shoot Straight and Speak the Truth』の楽曲をそのまま模倣したかのような曲さえあった。

その他にもデスン・ロールを試みたバンドは俺が以前在籍した、アーヴェスタ出身の Dellamorte である。Entombed にかなりインスピレーションを受けていた俺達は、1995 年にバンドを結成し、『Everything You Hate』（1996 年）、『Uglier and More Disgusting』（1997 年）、『Home Sweet Hell』（1999 年）のアルバムを 3 枚立て続けに発表した。Dellamorte は Entombed のサウンドにかなり似てはいたが、俺達は Motörhead や Discharge に、Entombed は Black Sabbath や Kiss に影響を受けていたのである。

Dellamorte はクラストパンクを目指していたが、Entombed のサウンドを融合させようとしたパンク・バンドもいた。ニューシューピングの Disfear は、Sunlight Studio を使用し、アルバム『Soul Scars』（1995 年）と『Everyday Slaughter』（1997 年）ではデスメタル・サウンドを取り入れた。この時期、デスメタル・サウンドをクラスト・スタイルに当てはめたバンドは Skitsystem、Driller Killer、それに Uncurbed であった。Osmose Productions が Disfear、Loud Pipes、Dellamorte、Driller Killer らの作品をリリースする目的で、傘下レーベル Kron-H を始動させたことがきっかけで、クラストパンクとデスメタルのハイブリッド・スタイルに対する人気が確立された。

ユーテボリ・サウンド

デスン・ロールは結局のところ、幅広い支持を得るまでには至らなかった——商業的に成功したのは Entombed に限られていたのある。デスン・ロールに代わり、新たな流行はスウェーデン西部のユーテボリ（英語ではゴーセンバーグ）から勃発した。ユーテボリという土地がのちに "ユーテボリ・サウンド" と呼称される新しいスタイルの中心地となった。この呼称は今まで幾度となく使われてきたが、これはストッ

クホルムのシーンとの違いを明らかにするために考案されたものである。

「ストックホルム・シーンは俺達よりも数年くらい前に始まってね。俺が*Dark Tranquillity*に加入していたころ、つまり、1989年のころからシーンは活性化された。"ユーテボリ・サウンド"というのはこの音楽性に対する反応だったんだよ。ストックホルムのサウンドはもっと泥臭くて、"これぞデスメタル"っていう雰囲気だったけど、俺達はもっと*Iron Maiden*やドイツのスピードメタルに影響を受けていたんだ。デスメタルに*Judas Priest*とか、*Saxon*のような*NWOBHM*を融合させようとしていたんだ。」（アンデシュ・フリデーン Dark Tranquillity/In Flames）

ストックホルムのサウンドは、分厚いギター、グロウル・スタイルのヴォーカル、極悪非道なプロダクション、それに重低音を利かせたベースが特徴だったが、ユーテボリ・サウンドは真逆だった。スウェーデンのメタルファンジンでユーテボリ・サウンドを次のように定義している。

・潤沢なメロディー、それに楽曲は正統派のサビ・コーラスで構成されている。
・サウンドの輪郭は明瞭であるが、ブルータルさはさほど重視されていない。ストックホルムには Sunlight Studio があったように、ここでは Fredman Studio が中心的存在である。ギターで音の壁を構築せず、ドラム・パターンにもオカズがそれほど多くはない。
・ヴォーカルは喉の奥から絞り出すような"デス・ヴォイス"ではなく、絶叫型である。

ユーテボリ・サウンドの生みの親は Intoxicate、Ceremonial Oath、それに Eucharist である。しかし、彼らが脚光を浴びることはなかった。代わりに、Dissection と At the Gates が"強力なメロディーと暴虐サウンドの融合"を世に知らしめたのである。Dissection は唯一無二の暗黒のデスメタル世界を構築し、At the Gates は他のユーテボリ出身のメロディック・デスメタル・バンドへ道を照らした。At the Gates は初期の2作品において、臨場感溢れるハーモニーと複雑なギターワークによって、デスメタルに斬新な発想を持ち込んだ。アンデシュ・ビョーラーとアルフ・スヴェンソンのコンビネーションはまさに驚異的だった。1993年の『With Fear I Kiss the Burning Darkness（邦題：ウィズ・フィアー・アイ・キッス・ザ・バーニング・ダークネス）』と1994年の『Terminal Spirit Disease（邦題：ターミナル・スピリット・ディズィーズ）』は、何百ものバンドに影響をもたらしたという点で未来を予見した作品であった。また、トマス・リンドバリの精魂籠った咆哮によって彼らの独自性が現れていた――彼のヴォーカルに勝る者はいないのである。

「1994年までの時点で、俺達はかなり個性的なスタイルを持っていたけど、Dissection と In Flames はもっとメロディックに傾倒していった。In Flames は躍動的なフォーク・ミュージックに影響を受けていた一方で、Dissection は Thin Lizzy や Iron Maiden に代表されるような正統派のヘヴィメタルに突き進んでいった。お互い友人のバンドを聴いて、良い意味で刺激を受けていたんだよ。創造性溢れる環境の中で、"他の奴らになんか負けてたまるか"っていう競争心が芽生えたな。」（アンデシュ・ビョーラー At the Gates/The Haunted）

1993年、Eucharist はメンバーが固まり、『A Velvet Creation』をリリースした。当作品では最高のユーテボリ・デスメタルを堪能できたが、関心を集めることはできなかった。原因は酷い無機質なプロダクションにあるのではないかと思われる。さらに、バンドはこの時期に解散したことも原因であろう。彼らの空いたポジションの隙を突き、At the Gates の方法論を取り入れたユーテボリ出身の2組は商業的成功を掴むことができた。そのバンドとは、Dark Tranquillity と In Flames である。

「すべては小さなライブハウスから始まったんだ。ステージに立っていないときは、機材を準備したり、チケットのもぎりをしたり、ステージからキッズを追い出したり、ビールを売っていたり、飲んでいるか何かやっていた。超クールでさぁ。150とか200人くらい集まったこともあった。それが事の始まりだよ。At the Gates はそんな感じに始まったけど、彼らはまだAt the Gates ではなくて、Grotesque だったな。Dark Tranquillity、Ceremonial Oath、それに音楽性がクールに変化していったいくつかのスラッシュ・バンドもいた。ユーテボリ出身でよく知られているスウェーデンのバンドはそんな場所から始まったんだ。俺達はお互い気の合う仲間だったんだよ。」（アンデシュ・フリデーン Dark Tranquillity/In Flames）

1989年に真正デスメタル・バンドとして始まった Dark Tranquillity は、1993年には At the Gates に影響を受けたメロディック・デスメタルをプレイするようになった。彼らのリフにはありきたりな部分もあったが、1993年の『Skydancer（邦題：スカイダンサー）』と1997年の『The Mind's I（邦題：ザ・マインズ・アイ）』で成功を掴んだ。彼らはその後、ユーテボリ・サウンドからの脱却を図り、エレクトリック・アンビエントに影響された音楽性に傾倒していった。

Dark Tranquillity の成功は同胞 In Flames の人気ぶりとは比較にならなかった。初期 In Flames は Dark Tranquillity の音楽性よりも素晴らしく、1994年の『Lunar Strain（邦題：ルナーストレイン）』と1996年の『The Jester Race（邦題：ザ・ジェスター・レース）』で数多くのファンを獲得していった。しかし、そ

の後彼らは初期の超絶メロディック・デスメタル・スタイルから遠ざかってしまった。そして、Nuclear Blast と契約を交わし、次第にメインストリームな領域へと移行していった。2002 年の『Reroute to Remain（邦題：リルート・トゥ・リメイン）』リリース時には、スウェーデン産のすべてのバンドの中で最も成功を成し遂げたバンドとなった。In Flames は既にエクストリーム・メタルから脱却していたが、アメリカのビルボード・チャートにはランクインするようになっていた。In Flames はまた、2006 年にはスウェーデンの経済発展に貢献したとして、政府から"スウェーデン・エクスポート・アワード"を受賞した初のメタル・バンドでもあった——もともとデスメタル・バンドだった彼らが受賞するとは何だか不思議な感じもした。

「*国がメタル・バンドを認めたことはいいことなんじゃないかな。スウェーデンから海外に輸出されている音楽はメタル以外にはないかもしれないからな。*」（ビョルン・イエロッテ In Flames）

　In Flames の商業的成功によって、驚くことなかれ、スウェーデン国内で Ablaze My Sorrow、Sonic Syndicate、Avatar、そして最も重要な Soilwork などのフォロワーをも生み出した。こうしたユーテボリ・メロディック・デスメタル・サウンドの蔓延が、アメリカにおける 2000 年中期のメタル・コア・シーンに危機的な状況を招いた。

「*俺達が、メタル、ハードコアとか他ジャンルの様々なバンドとツアーしたときに奇妙な感じがしたんだ。というのは、バンドの奴らは俺達に影響を受けたって言ってくれて、俺達のバックグラウンドもよく知ってくれていたんだ。だけど、彼らのファン達は俺達が誰なのか見当もつかないようだった。"スウェーデンって国を聞いたことがないの？ 俺達がどこから来たのかもわからないのかい？"って聞いたりして、呆れちゃったよ。*」（アンデシュ・フリデーン Dark Tranquillity/In Flames）

「*At the Gates は解散するまでは、人気なんてそんなになかったんだよ。In Flames や Dark Tranquillity は自分達のスタイルを模索し、Gardenian や Soilwork に代表されるような第 2 世代が台頭していたんだ。"ユーテボリ・サウンド"というのは、このサウンドが受け入れられるようになった 1990 年後半になって、初めて確立した用語だったと思う。*」（アンデシュ・ビョーラー At the Gates/The Haunted）

「*俺が In Flames の成功にやっかんでいるんじゃないかって思う奴もいるかもしれないけど、そんなことはない。彼らはデスメタルから新しいものを生み出したし、成功するために血が滲むほどの努力をしてきたんだよ。彼らは幸運に恵まれていたし、成功したのは当然の結果だと思う。*」（トマス・リンドバリ Grotesque/At the Gates/Disfear）

『Slaughter of the Soul』——
レトロ・スラッシュの最高傑作。

レトロ・スラッシュ (懐古主義的スラッシュ)

(訳者註:New Wave of Old School Thrash Metal と呼ばれることもある)

At the Gates がすべてのユーテボリ・サウンドの起爆剤の役割を担ったが、彼らはアルバム『Slaughter of the Soul (邦題:スローター・オヴ・ザ・ソウル)』によってエクストリーム・スウェディッシュ・メタルの新しい潮流への道も開いたのである。1995 年にリリースされたこのアルバムはスウェディッシュ・シーンの台風の目となり、世界でも旋風を巻き起こした。

「複雑な楽曲構成を考えるのはいつもアルフで、リフやメロディーにフィーリングを常に求めていたのはアンデシュだった。アルフがバンドを脱退した後、アンデシュはとんでもなく凶暴なリフを思いついて、それが『Slaughter of the Soul』になったんだ。」 (トマス・リンドバリ Grotesque/At the Gates/Disfear)

At the Gates が登場したことによって、Slayer の『Reign in Blood』以降で初めて大胆かつ無慈悲なスラッシュ攻撃を聴くことができたといっても良いだろう。楽曲構成は基本的にスラッシュメタルであったが、デスメタル・サウンドとトマスの咆哮は斬新かつ新鮮だった。

「アルフが去ったあと、ヨーナス、トンパ、それに俺達がもっと正統派の楽曲構成を

意識したのは自然な流れだったと思う。俺達はスラッシュメタル畑出身だったしな。スラッシュメタルの影響はそれ以前の作品でも聴くことができたけど、『Slaughter of the Soul』のプロダクションではそれが顕著だったんだよ。」（アンデシュ・ビョーラー At the Gates/The Haunted）

　At the Gates のリフは狂暴性に溢れていたが、シンプルでキャッチー、そして息もつかせぬほどのタイトさがあった。彼らの過去作品とは違い、ドラム・パターンはかなりシンプルで、ダブル・バスドラムによるバックビートが安定感のある2ビートのリズムと絡み合っていた。当時は分からなかったが、At the Gates はエクストリーム・メタルのサブジャンルを再び創り上げたのである。それをあえて俺は〝レトロ・スラッシュ〟と呼ぶことにしよう。

『Slaughter of the Soul』で、At the Gates はバンドとしてのピークを迎えた。しかし、彼らは Napalm Death とのアメリカ・ツアーの直後に解散を発表した。かなり衝撃的な出来事だった。バンド内に不協和音が生じたことで解散したことは明らかで、メンバー各自それぞれ違った道を歩むことを選択したのである。

「音楽的相違が解散理由の一つだったけど、若くてガキじゃなかったら解決できた問題だったんだよ。俺達は妥協を知らなくて、ずっと続いたツアーで燃え尽きてしまった。アンデシュは『Slaughter of the Soul』に匹敵するようなリフを考え付かないといけないというプレッシャーも感じていたしな。それで結局続けられなくなってしまった。俺達は活動期間中、人気なんてちっともなかったんだよ。俺達のツアーは過酷だったし、すべてのデスメタル・シーンは悪循環に陥っていたんだ。『Slaughter of the Soul』が傑作と言われ始めたのは俺達が解散してからだったよ。」（トマス・リンドバリ Grotesque/At the Gates/Disfear）

　その後、ビョーラー兄弟とドラマーのアードリアン・エルランドソンが元 Seance のギタリストのパトリック・ヤンセンとハードコア・バンド、元 Mary Beats Jane のペータル・ドールヴィングと結託し、At the Gates のスラッシーな側面を追求し始めた。この新しく結成されたバンドは The Haunted であった。彼らは At the Gates の軌跡をたどりレトロ・スラッシュを昇華させたのである。

　1998 年リリースの彼らのデビュー作では、デスメタルのサウンドと楽曲構成はほとんど跡形もなくなっていた一方で、切れ味抜群で猛烈なスラッシュメタルが極限まで展開されていた。その後、The Haunted は極上のレトロ・スラッシュを生み出し続け、これまでのスウェディッシュ・バンドがほとんど成し得なかった音楽で、身を立てるまで成功したのである。In Flames を除いて、デスメタル界出身者で Entombed のニッケ・アンダソンと Tiamat のヨーハン・エードルンドのみが音楽で

食べていけている。

「ヤンセンのアイディアを具現化させたものが The Haunted だった。バンド結成当初、かなり曲が溜まっていたから、ヨーナスと俺でリフをさらに洗練させたんだよ。」（アンデシュ・ビョーラー At the Gates/The Haunted）

　第一次解散前の At the Gates と The Haunted の音楽性を模倣したバンドは星の数ほど存在していた。その多くはオリジナリティーのかけらもなく、退屈だった。フォロワーの中でも成功に至ったのは、リンシューピング出身の Corporation 187、アリングソース出身の Arise、それにストックホルム出身の Construcdead だった。しかし、At the Gates/The Haunted クローンの中でも群を抜いていたのはサーラ出身の Carnal Forge だった。彼らは At the Gates に影響を受けた In Thy Dreams の延長線上にあるバンドで、Dellamorte のヴォーカリスト、ヨーナス・シェールグレンを擁していた。Carnal Forge は高い演奏能力、常軌を逸したスピード、そしてシェールグレンの壮絶なヴォーカルで他のバンドを圧倒した。彼らは成功するに値するバンドであるし、他のバンドに刺激を与える存在でもあるだろう。

エクストリーム・デスメタル

（訳者註：Technical/Brutal Death Metal と呼ばれることもある）

　レトロ・スラッシュ、それにユーテボリ・スタイルに対抗するムーヴメントが巻き起こったのは、かつて攻撃性や暴虐性に溢れていたこのジャンルに対して、キャッチーさや抒情性など求めていない者が多くいたからである。そして、Morbid Angel、Suffocation、Deicide、Cannibal Corpse などのアメリカ仕込みのブルータルさを手本にするバンドもいくつか結成され始めた。彼らのリフや楽曲構成は、Entombed や Dismember よりも技巧的で複雑だった。スウェーデン産バンドでは、Liers in Wait、Seance やカールスタードの暴虐性溢れる Vomitory を除いて、このようにブルータルさを追求したバンドはいなかった。

　1990 年代後半に勃発したブルータル・スウェディッシュ・デスメタル・ブームの渦中にいたのは、ヴェステルオースの Throneaeon である。メンバーは 1991 年にバンドを結成していたが、自身のスタイルを確立し、バンド名を決定したのは 1995 年になってからだった。1996 年のデモ『Carnage』では、Deicide 影響下の技巧的ブルータリティーを惜しげもなく披露していたが、残念ながら Throneaeon はアンダーグラウンド・シーンから這い上がることはできなかった。それは、キーボード主体のブラックメタルやメロディック・デスメタルが全盛の時代にエクストリーム・デスメタルで勝負していたためである。不発に終わった 2 枚のアルバムのリリースの後、

彼らは 2004 年に Godhate と改名し、ブルータルな音楽性に突き進んだ。（訳者註：
Godhate は既に解散している模様）

　1999 年にはそのハイレベルな演奏能力で "猛烈なデスメタル・マシーン" の異
名をとった Soils of Fate が結成された。2001 年にアルバム『Sandstorm』をリ
リースした彼らのサウンドは、それまでスウェーデン産のバンドにはなかった超ガテラ
ル・ヴォーカル、キレキレのリフ、そしてマシンガン・ドラミングを特徴としていた。し
かしバンド内で意見の対立が生じ、活動が軌道に乗ることはなかった。

　多少なりとも注目を集めた若きスウェディッシュ・デスメタル・バンドといえば、
1999 年に俺自身もメンバーとして加入した、ストックホルム出身の Insision だった。
Suffocation スタイルのデスメタルが売りだった Insision がなんと、2001 年に伝
説的なレーベルである Earache と契約を交わすという驚愕する出来事が起きたの
だ。まもなくすると、シーン内部では流行の変化が起こり、再び暴虐性に注目が集
まるようになったのである。2002 年の『Beneath the Folds of Flesh』と 2004
年の『Revealed and Worshipped』は、タイやオーストラリアなどの遠隔地でも
ツアーが敢行されるほど結果を残す作品となった。その他のバンドで暴虐性を前面
に打ち出したのは、秀逸な Immersed in Blood、Imperious、Stabwound、
Strangulation、それに Deviant だった。これらのバンドは主にアンダーグラウンド・
シーンでくすぶっていたが、中でも Stabwound と Immersed in Blood はアメリカ・
ツアーを遂行した。

　デスメタルをより高次元に昇華させたバンドはカルマル出身の Spawn of
Possession だった。彼らが身上としていたのは、断続的に延々と続く複雑なコー
ドの上を、この世で最も複雑で、卓越したテクニックが這いまわるというデスメタ
ル・スタイルだった。世界の超絶技巧派デスメタルの頂点に君臨する Spawn of
Possession のようなバンドがスウェーデンから誕生したのは驚くべきことだった。
「俺がデスメタルにはまったのは、Morbid Angel を初めて聴き始めた 1991 年
頃だった。それから、俺は Grave、Dismember、Entombed、Hypocrisy
などのスウェディッシュ・バンドも聴くようになったんだ。当初はスウェディッ
シュ・デスメタルに凄く入れ込んでいたけど、次第に Suffocation、Death、
Monstrosity などのアメリカ産バンドの虜になっていった。俺達のスタイルを構築
する過程で、自分達のスキルを誇示することも必要だと感じたんだ。」（デニス・レー
ンダム Spawn of Possession）

　Spawn of Possession が 2003 年にリリースしたアルバム『Cabinet』では、
究極のデスメタル様式が惜しげなく表現されていたため、その後、多くのツアーが

組まれたのも当然の流れだった。ドラマーのデニス・レーンダムとベーシストのニクラス・デヴァルードは、のちに Spawn of Possession と同じぐらい影響力があるバンドで、しかもサウンドスタイルも近い Visceral Bleeding でもメンバーとしてプレイしていた。デニス・レーンダムは新世代スウェディッシュ・デスメタル・シーンの活性化に希望を持っていたと思われる。

「多分俺達の世代は、ブラックメタルとか、メロディック・デスメタルとか、90年代中期の流行には興味はないのかもしれない。でも Aeon、Insision、Imperious、Immersed in Blood、Visceral Bleeding、Godhate などのバンドとはかなり親和性を持っていた。彼らは結成当初から独自のスタイルを築こうとしていたから、シーンで衆望を集めていると思う。」（デニス・レーンダム Spawn of Possession）

レトロ・デス

（訳者註：New Wave of Old School Death Metal と呼ばれることもある）

メロディーやテクニックに主眼が置かれたモダン・アプローチのデスメタルがもてはやされ、ブラックメタルがデスメタルよりも一層トレンド化し、弱体化し、形骸化していた 90 年代後期には何が起こっていたのであろうか。自らの足跡をたどり、インスピレーションを受ける者が出てきたのも至極当然だった。Edge of Sanity のダン・スワノや Opeth のミカエル・オーケルフェルトなどデスメタル界の大物によって結成されたプロジェクト Bloodbath は、オールドスクール・スウェディッシュ・デスメタルに傾注していた。1999 年以来、彼らは Paganizer、Deceiver、Facebreaker、Flesh、それに Ribspreader ら類似スタイルのバンドやプロジェクトと共に、伝統的手法を固守すべく活動を続けている。

古き良き時代への郷愁が新世代にも浸食していった。初期シーン当時、まだ幼かったメタルマニア達がデスメタルの本質を具現化したバンドを結成したのである。現在のシーンに蔓延る鼻につくほど“どぎつい”メロディーやゲップが出るほどのリフに異を唱えた彼らは、インスピレーションをオールドスクールのバンドに求めたのである。しかし、このレトロ・ムーヴメントは、初期デスメタル・シーンの対極に位置するものであったのは皮肉な話だった。大胆不敵で向こう見ずな点が初期ムーヴメントの売りであったが、新興のバンドはそつないプレイや確立したパターンに身を委ねたのである。当時 Nihilist や Grotesque のメンバー達が同じような精神構造を持っていたら、Grand Funk Railroad のような味気ないサウンドに留まってしまっていたかもしれない。しかし、このオールドスクールに狙いを定めたムーヴメントは、新たな息

吹をもたらしたのである。俺が個人的に好きなのは紛れもなくストックホルム出身の Repugnant である。1998 年に始動した彼らは、レトロ・デスメタル・バンド群の第一波に属していた。

「俺がガキだった *1992 ～ 93 年頃、デスメタルは既にブームになっていたから、もっと激しいものを聴きたくて、レアなブラックメタル・アルバムを漁ったんだ。Marduk とか Mayhem は、ルックスもサウンドも雰囲気もアングラ臭たっぷりで危険な香りがしたから、もちろん夢中になったよ。だけど、1996 年頃になるとブラックメタル・バンドはデスメタル・バンドよりも色んなところで持てはやされるようになって、もはやエキサイティングな存在ではなくなっていたんだ。1997 年にはエクストリーム・メタル・シーンは、最悪な状況に陥ってしまったし、どのバンドも酷いと感じていたんだ。そのころから、俺はストックホルムの初期デスメタル・バンドしか聴かなくなっていたんだ。だから翌年 Repugnant を始動させたときに、オールドスクール・スタイルを目指したのはいうまでもなく自然なことだったよ。*」(トゥビアス "メアリー・グーア" フォルゲ *Repugnant*)（訳者註：現在は Ghost の主要メンバー、ヴォーカリストとしてつとに有名である）

　彼らの驚異的なオールドスクール・サウンドのデスメタルは一聴の価値がある。曲構成、リフ、ヴォーカル、それにアートワークに至るすべての点まで伝統を継承している。そう、80 年代後期のあの雰囲気とサウンドがここにあるのだ。

　Repugnant が 1999 年にリリースしたシングル『Hecatomb』は、ため息が出るほど素晴らしい作品であった。新人バンドに刺激を与えたのは明らかだった。

「*正直言うと、オールドスクールのアプローチを始めたのは計算尽くだったんだ。1998 年には誰もやっていなかったから、枠がポッカリ空いていたんだよ。躍動感あふれる楽曲構成にキャッチーな曲を書いたんだけど、リフはこの世で最も邪悪なものを使った。*」(トゥビアス "メアリー・グーア" フォルゲ Repugnant)

　Repugnant の活動は不安定で、オランダとベルギーで数回行なわれた Macabre とのギグと常に酩酊状態だった Centinex とのフィンランド・ツアーの後、活動に終止符が打たれた。彼らの唯一のアルバムはバンド崩壊から 4 年も経った 2006 年に日の目を見ることになった。しばらく 3 人のメンバーはポップ／ロックバンドの Subvision で活動したが、ドラマーのトゥビアス・ドゥンはのちに Dismember に加入し、デスメタル復権の狼煙に貢献している。

「*解散は必然的だったんだ。俺が好きだったエクストリーム・メタル・アルバムはメンバーが 10 代のころに作られていたものが多かった。青臭い初期衝動と情熱が必要なんだよ。下品で、下劣で、下衆くできないんだったら、もう卒業したほう*

がいい。で、俺は熱意を感じなくなってしまった。俺は *20* を過ぎていたから、新たな音楽の表現方法を模索し始めていたんだ。だから漫然と *Repugnant* をやるよりも、絶頂期に解散することにした。」（トゥビアス "メアリー・グーア" フォルゲ Repugnant）

　彼の気持ちは痛いほどよくわかる。しかし、レトロ・デスメタルの領域にいたのは彼らだけではなかった。1998 年、あの屈強なストックホルム出身の Kaamos は、初期 Repugnant を脱退したドラマーのクリストフェル・バルケンフェが電撃的に加入し、始動した。Repugnant が次第に消滅していくと、Kaamos がスウェディッシュ・オールドスクール・デスメタルの王者の座に就いた。Candlelight レーベルからリリースされた『Kaamos』と『Lucifer Rising』の 2 作品では、古き良き時代の壮絶で、武骨なデスメタル・サウンドが展開されていた。しかし、残念ながらスタジオでは凄みを表現することができなかった。彼らのライブ・パフォーマンスは最高だったが、スタジオ作品には Repugnant にあったような邪悪な雰囲気が欠落していたのである。Repugnant のトゥビアス・フォルゲと Kaamos のカール・エンヴァルはオールドスクール的雰囲気を模したファンジン『Outshitten Cunt Mag』を編集していたため、この 2 バンドは固い絆で結ばれていたのである。Kaamos が解散の道を選

左から：
・『Hecatomb』──レトロ・デスメタルの最高傑作。
・Katalysator──新世代がプレイしているオールドスクール・デスメタル。

んでしまったのは残念でならない。

　このレトロ・デスメタル・ブームは、ストックホルム在住の数人による内輪のムーヴメントではなかった。スウェーデン国内中で、新世代が2000年代からデスメタルをオールドスクールの手法でプレイし始めたのである——代表格は、イェーヴェレード出身のNecrovation、ヒューノー出身のMorbid Insulter、アールヴィカ出身のTribulation（スウェーデンの伝説的スラッシュメタル・バンドとは同名異バンド）である。俺が個人的に気に入っているバンドは、完璧なまでにオールドスクールを再現しているウップサーラ出身のKatalysatorである。Katalysatorの1本目のデモテープ『Zombie Destruction』は、驚くほど"Grotesqueサウンド"に酷似していた。2005年に観たライブでは、Nihilistが現在に蘇ったかのようなオーラを醸し出していた。ヴォーカリストのペッル・オーマンが粗削りな作りのファンジン『Torment Mag』を編集していたことから、80年代後期シーンとのつながりが深かったといえる。

　Katalysatorによってオールドスクール・デスメタルのブームは完結した。そして時代は、若きNihilistがグループ結成された1987年へと回帰したのである。すると案の定、ニッケ・アンダソンはミシガン出身のカリスマバンドであるRepulsionのスコット・カールソンとDeath Breathという真正オールドスクール・デスメタル・プロジェクトを流動的なラインナップながら始動させたのだった。初期のあのシーンが戻ってきたのである。

　本書の初版が出版されたことによって、Grotesque、Nirvana 2002、Interment、Treblinka、Obscurity、Uncannyといったバンドが再始動したことは嬉しい限りだ。本書が出版されるにあたって、毎年1月にKafe 44で、本書の出版記念パーティーとしてデスメタル・イベントが開催することになったのである（Kafe 44はストックホルムで唯一初期から稼働しているライブハウス）。Obscurityは当時はライブを行なっていなかったにもかかわらず、再始動後は活動を続けている。

　なお、スウェーデン最大のエクストリーム・メタル・ショップであるSound Pollution（元House of Kicks）はいまだスウェーデンにおける最大のエクストリーム・メタル・ショップであり、そして最大のメタル系ディストリビューターでもある。近年唯一Sound Pollutionの立場を脅かしているのは、超ブルータルなサウンドのみを専門に扱うクールなRepulsive Recordsである。Sound Pollutionはメインストリームのメタル、パンク、インディーポップ系を扱う店舗に変わってしまったが、Repulsiveは新興のスウェディッシュ・エクストリーム・メタル・シーンにまさに求められているショップで、Heavy Soundや後期House of Kicksの精神を受け継い

でいるショップである。（訳者註：現在 Repulsive Records は閉店していると思われる）そ
れに、Katalysator/Invidious のヴォーカルのペッレは、学校で必要なインターンシッ
プの単位を Repulsive で就業体験を行なうことで満たしたのである！ まるで 80 年
代後期に再び舞い戻ったようである。Katalysator/Invidious はこれからシーンを
牽引する存在になるであろう。俺のような古参の人間は、どっしり腰を据え、これか
らどのように展開するのか期待するのみである。

　冷静になってみると、近年起こったスウェディッシュ・デスメタル・ブームは過去を
繰り返していることに気づくのである。80 年代後期、Europe など軟弱なスウェー
デン出身バンドと停滞したスラッシュメタル・シーンにキッズらは辟易したように、
2000 年代のキッズらは In Flames などのメロディック・スウェディッシュ・メタルや
低迷しているブラックメタル・シーンに嫌気がさしていたのである。1986 年のオロフ・
パルメ首相暗殺事件が残酷さ、それに創造性の土壌を生み出したように、2003 年
のアンナ・リンド外相暗殺事件はそれに匹敵する衝撃をキッズらに与えたのである。

　スウェディッシュ・デスメタルの起源や発展についての記述はここで終わりにした
ほうがいいかもしれない。スウェディッシュ・デスメタルは、過去 20 年間における
メタルの流行の中で発展し、培養され、生き残った。未来への遺産は、Spawn
of Possession、Godhate、Visceral Bleeding、また Bloodbath や Death
Breath などのプロジェクトによって安泰が約束された。Interment や Evocation
など、いくつかの古株のバンドは近年に再結成され、これまで以上にブルータルな
サウンドが提示され、彼らは才腕を発揮している。

　幸いなことに、スウェディッシュ・デスメタル・シーンにおけるフォロワー達の多く
はしぶとく生き残り、手加減などしていないことである。そして印象的なのは、スウェ
ディッシュ・シーンの立役者である Dismember、Entombed、Unleashed、それ
に Grave の 4 バンドが 2006 年の暮に結集し、ヨーロッパで Masters of Death
と名打ったツアーにおいて、デスメタルの気炎を上げていたことである。Tiamat
や Therion は新しい音楽的領域に貪欲に挑んでいるし、Merciless、General
Surgery、Necrophobic らは時折生存の兆候を示している。2000 年代の全メロ
ディック・メタルコア・ブームの活性剤の役割を担った At the Gates は 2008 年
夏に再結成され、ワールドツアーを行なった。さらに特筆すべきことは、スウェディッ
シュ・デスメタル・シーンにルーツを持つバンドの多くは世界で名が轟く大御所となっ
たことである――Hypocrisy、In Flames、Dark Tranquillity、Arch Enemy、
Soilwork、Meshuggah、Amon Amarth、Opeth、The Haunted と挙げれば
きりがない。

この期に及んでまだわからない奴などいないだろうが、つまりは、デスメタルの勢いは一向に衰える気配を見せていないということである。そう、"顧落への道"の精神は脈々と永遠に受け継がれていくのである……。

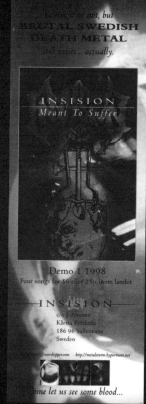

時計回りに左から：

・Vomitory のフライヤー。

・Nifelheim とポーズしている Death
Breath。

・Insision のデビュー・デモテープのレアな
フライヤー。

・Insision の 2000 年発表のデモテープ。

・Immersed in Blood のフライヤー。

スウェディッシュ・デスメタル・バンド一覧

TOTALBRUTAL MANGLARFEST
med:

Fredagen den 30 mars
Axelsbergs Ungdomsgård, T-bana Axelsberg
Insläpp kl.18.30   Entré 30 kr
OBS! DROGFRITT-ALKOTEST
Arr: Axelsbergsgården/Hövdingagården
+ovanstående band

NEW DEMO OUT NOW
FOREVER TO BE VANISHED THERE IN....
3 TRAX OF DEVASTATING DEATH
FOR 4$ OR 20 Swk + IRC

FOR INFO, WRITE TO;
JORGEN KRISTIANSEN
KLOCKANTORPSG, 24B
72344 VASTERAS SWEDEN
OR
THOMAS KRZYZOWSKI
RABYKORSET 45
72469 VASTERAS SWEDEN

Abhoth のフライヤー。

will fuck you up for life

The debut demo, Lord of Chaos, is finally released! Six songs of vile
Necro Cyber Metal, which combines old-style Death with some more
modem influences, such as the inhuman sickness of a drum
machine...
Trades are cool with us. Zines, please write for review copies.
Distributors, write, fax, or email for more information on wholesale
prices.

$4.00 (USA) or $5.00 (World)
Send hidden cash, or make
checks/money orders out to: Ray Miller

ADVERSARY
P.O. Box 302
Elkhart, IN 46515-0302
USA

fax: 219 295-1501   email: miller2@suni.iusb.indiana.edu

Adversary のフライヤー。

CHANTING FOR...

Achromasia のデモテープ
『 Chanting for...』。

Afflicted のデモテープ『 Wanderland』。

RISING TO THE SUN

Afflicted のシングル『 Rising to the Sun』
（ 1992 年 1,000 枚限定）。

ALLEGIANCE
C/O ROGER SVENSSON
HAMNGATAN 7
614 34 SÖDERKÖPING
SWEDEN
(Include 1 I.R.C for a sure reply)

Allegiance

A Mind Confused のシングル
『Out of Chaos Spawn』。

Altar のフライヤー。

Atrocity のデモテープ
『To Be... or Not to Be』。

At the Gates のシングル
『Gardens of Grief』。

At the Gates/Suffer/Lubricant の
ギグ・ポスター。

Azatoth のデモテープ『The Dawn』。

World Domination Tour のポスター。

Brejn Dedd のデモテープ『Born Ugly』。

Butchery のデモテープ『The Coming』。

Carbonized のアートワーク。

CBR のコンピレーション・シングル
（322 枚限定）。

Centinex のフライヤー。

CENTINEX IS A NEW GRIND/DEATH-CORE
BAND FROM SWEDEN. THEIR NEW DEMO
"END OF LIFE" IS OUT NOW. IT
INCLUDES 4 TRACKS WITH 2 VOCALISTS.

TO GET YOUR COPY SEND
25 SKR/5 $ (EUROPE) OR
6 $ (OVERSEAS)

ZINES,COMPILATION TAPES, RADIO-
STATIONS ETC SHOULD SEND BLANK
TAPE AND 2 I.R.C.'s.

        CENTINEX
    M.SCHULMAN
    WINQVIST GATAN 6
    77600 HEDEMORA
        SWEDEN

Centinex のフライヤー。

Centinex『Live Devastation』
（ 500 枚限定）。

Debut demo is out now "THE HIEROPHANT"
Ponderous THRASH/DEATH from JÖNKÖPING
Price: 25 kr or 5 $

        Write to:

Juha Sulosolmi   Andreas Risberg   Robert Eriksson
Gångloten 6 A   Nedre Kvarngatan 5 Huluting 1 C
553 07 JÖNKÖPING 554 46 JÖNKÖPING   556 29 JÖNKÖPING

Choronzon のフライヤー。

Crematory のデモテープ
『Netherworlds of the Mind』。

DEBUT DEMO OUT NOW !!
20 min of BRUTAL Death Metal
Highquality sound & professionally
printed cassettes.
Recorded at EKO-Studio (16-ch)
Price:20 SEK+Postage
Overseas:4$
Contact: Marko Tervonen
         Soldatgatan 17
         461 62 Trollhättan
         SWEDEN

"Forever Heaven Gone"

Crown of Thorns のフライヤー。

Damnation のデモテープ
『Divine Darkness』。

Damnation のデモテープ
『Insulter of Jesus Christ!』。

Darkane/Hypnosia のギグ・ポスター。

Dark Tranquillity のフライヤー。

Darkified のデモテープ『Dark』。

Desultory のフライヤー。

Dawn of Decay のフライヤー。

Hellfest '97。

Disorge のフライヤー。

Dispatched のフライヤー。

Edge of Sanity/Dellamorte/In Thy
Dreams のギグ・ポスター。

Entombed/Possessed スプリット・シングル。

Entombed/Sewer Grooves の
ギグ・ポスター。

Epitaph のフライヤー。

Epitaph (Dark Abbey) のデモテープ
『Blasphemy』。

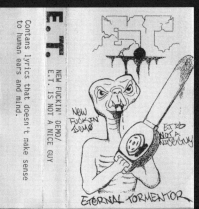

Eternal Tormentor のデモテープ
『E.T. Is not a Nice Guy』。

Exempt のフライヤー。

Exhumed のロゴ。

Fallen Angel のフライヤー。

Fantasmagoria のデモテープ『 Inconceivable Future』。

Formicide のデモテープ『 Comatose』。

Fulmination のデモテープ『 Through Fire』。

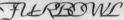

Furbowl のバイオグラフィー。

Gardens of Obscurity のフライヤー。

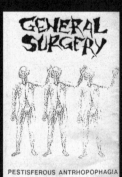

General Surgery のデモテープ
『 Pestisferous Anthrophophagia』。

General Surgery のフライヤー。

God B.C.

Gorement のデモテープ『Human Relic』。

Gorement のフライヤー。

Gravity のデモテープ『Magic Doom』。

Guidance of Sin のフライヤー。

Guillotine

Harmageddon のデモテープ『 Rather be Dead』。

Harvey Wallbanger の超プリミティヴなフライヤー。

Hasty Death のデモテープ
『 Subterranean Corrosion』。

Hasty Death のフライヤー。

Hexenhaus/Mezzrow/Rosicrucian/
Tribulation のギグ・ポスター。

Ileus のデモテープ『Demo '91』。

Ice Age のデモテープ『Demo '88』。

Immersed in Blood のマーチャンダイズ・シート。

Impious のフライヤー。

Incardine のデモテープ
『Moment of Connection』。

Infernal Gates のデモテープ
『In Sadness...』。

Infester のフライヤー。

Insision のリリース・パーティーのポスター。

Interment のデモテープ
『Where Death Will Increase』。

Interment のデモテープ
『Forward to the Unknown』。

Internal Decay のフライヤー。

Intoxicate のデモテープ『Monomania』。

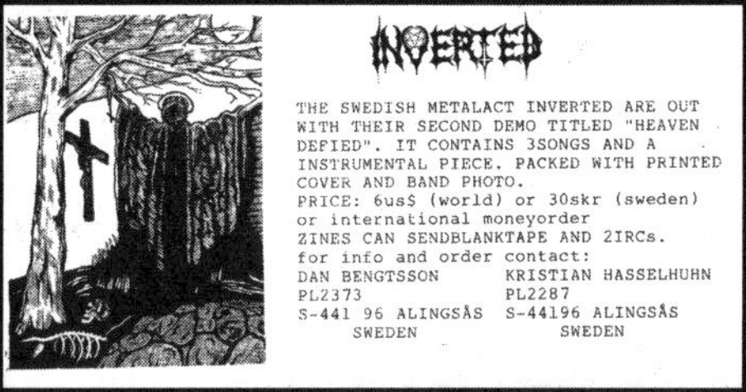
INVERTED
THE SWEDISH METALACT INVERTED ARE OUT WITH THEIR SECOND DEMO TITLED "HEAVEN DEFIED". IT CONTAINS 3SONGS AND A INSTRUMENTAL PIECE. PACKED WITH PRINTED COVER AND BAND PHOTO.
PRICE: 6us$ (world) or 30skr (sweden) or international moneyorder
ZINES CAN SENDBLANKTAPE AND 2IRCs.
for info and order contact:
DAN BENGTSSON
PL2373
S-441 96 ALINGSÅS
SWEDEN
KRISTIAN HASSELHUHN
PL2287
S-44196 ALINGSÅS
SWEDEN
Inverted のフライヤー。

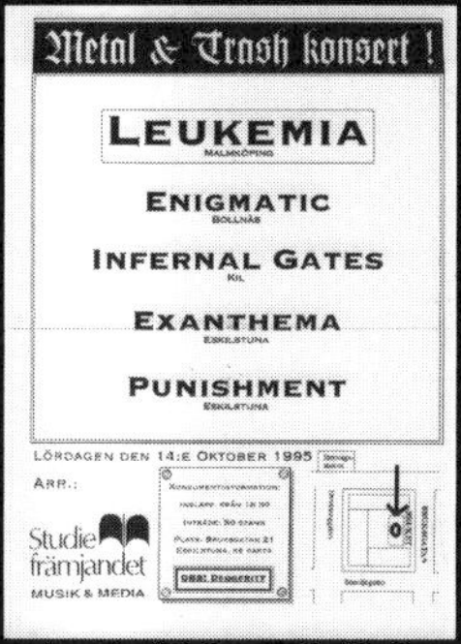
Metal & Trash konsert !
LEUKEMIA
ENIGMATIC
INFERNAL GATES
EXANTHEMA
PUNISHMENT
LÖRDAGEN DEN 14:E OKTOBER 1995
ARR.:
Studie främjandet
MUSIK & MEDIA
Leukemia/Enigmatic/Infernal Gates/Exanthema/Punishment のギグ・ポスター。

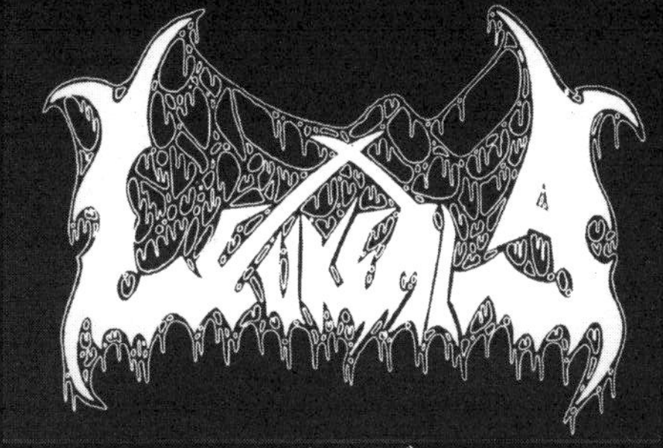
Leukemia のロゴ。

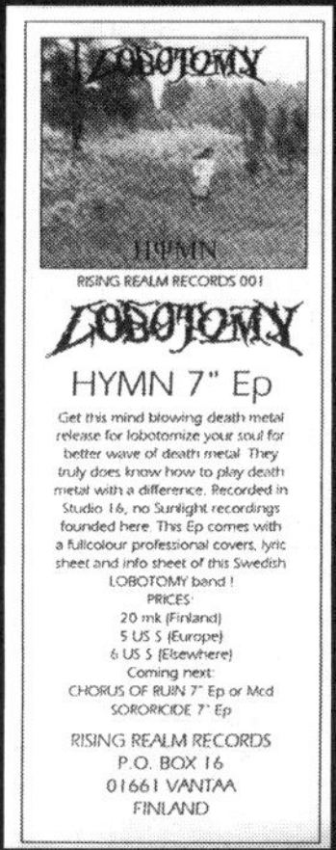
LOBOTOMY
HYMN
RISING REALM RECORDS 001
LOBOTOMY
HYMN 7" Ep
Get this mind blowing death metal release for lobotomize your soul for better wave of death metal. They truly does know how to play death metal with a difference. Recorded in Studio 16, no Sunlight recordings founded here. This Ep comes with a fullcolour professional covers, lyric sheet and info sheet of this Swedish LOBOTOMY band !
PRICES:
20 mk (Finland)
5 US $ (Europe)
6 US $ (Elsewhere)
Coming next:
CHORUS OF RUIN 7" Ep or Mcd
SORORICIDE 7" Ep
RISING REALM RECORDS
P.O. BOX 16
01661 VANTAA
FINLAND
Lobotomy のフライヤー。

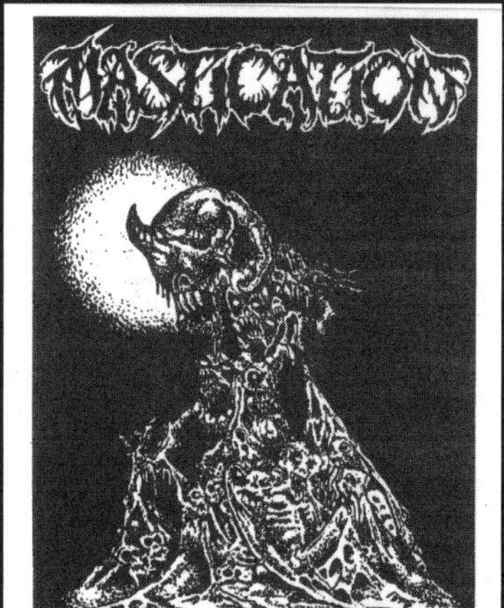
MASTICATION
MASTICATION
For contact
C/O Lofthagen. herrgårds.v 35 S-194 35 Upplands väsby SWEDEN
DEMO 5 DOLLARS
Mastication のデモテープ。

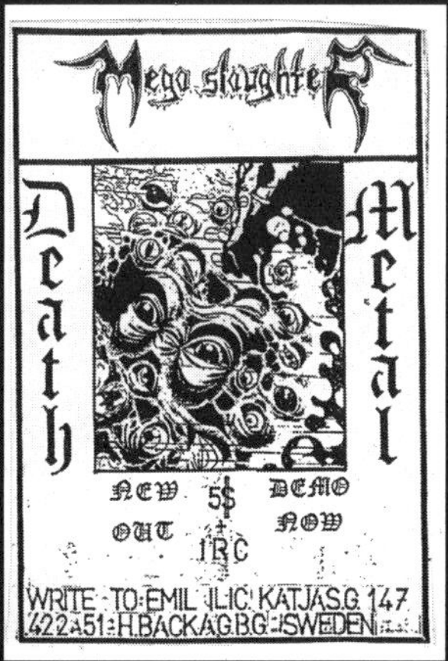
Megaslaughter
Death
Metal
NEW OUT
5$ + IRC
DEMO NOW
WRITE TO: EMIL ILIC KATJAS G 147
422 51 H.BACKA G.BG SWEDEN
Megaslaughter のフライヤー。

Melissa のシングル『A Flight to Insanity』。

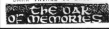

Memorium のフライヤー。

Merciless/Entombed のギグ・フライヤー。

Mezzrow のアートワーク。

伝説的なギグのポスター。

Midas Touch のフライヤー。

MOONDARK - Demo #1

Kenneth Englund
Kolgärdsgatan 8A
773 34 AVESTA
SWEDEN

FOR CONTACT:
Mattias Normam
Sälutugvägen 16
774 35 AVESTA

SHADOWS PATH
INSIDE THE CRYPT
THE DAWN FOR OUR RACE
DIMENSION OF DARKNESS
TRESPASSING INTO...
...THE ABYSS
CONCEALING THE DAYLIGHT
WORLD DEVASTATOR

KENNETH.E.............GUITAR
MATTIAS.N.............GUITAR
MATS.B...............BASS/VOX
JOHAN.J..............DRUMS

PRODUCED & MIXED BY PER
SAMUELSSON AND MOONDARK
IN STUDIO SOUNDLINE 27-29
AUG, 2 SEP 1993. ALL MUSIC BY
MOONDARK. LYRICS BY MATS
& JOHAN.

ETERNAL GREETINGS TO:

Moondark のデモテープ『Demo #1』。

Morbid Fear のデモテープ
『Darkest Age』。

MORPHEUS

BIOGRAPHY

MORPHEUS was formed in the dawn of January 1991 by
David Brink (Vocals), Sebastian Ramstedt (Lead Guitar)
and Johan Bergebäck (bass), and we must not forget
Markus Rüden (Drums), who actually was the main
reason for the bands existence.
In March they went into a studio in Stockholm, to
record the first half of their demo.
But due to circumstances it never got finished.
Later they got an offer to do a 12" on Opinionate! Records,
so in July they went into the studio to record four songs
for their debut vinyl "In The Arms Of..."
Just after recording of their vinyl, they were joined by
Janne Rudberg (Rhytm Guitar), who in the past had
played with some of them in another band.
The line-up became then as present:

David Brink - Vocals
Sebastian Ramstedt - Lead guitar
Janne Rudberg - Rhytm Guitar
Johan Bergebäck - Bass
Markus Rüden - Drums

They perform a fusionized way of technical and straight Death Metal.

For Contact: MORPHEUS   OPINIONATE!
c/o David Brink   Box 3019
Skarpnäcks Allé 27   750 03 UPPSALA
122 53 ENSKEDE   SWEDEN
SWEDEN

(Please include 2 IRC´s for reply)

Morpheus のバイオグラフィー。

Mortality のデモテープ『The Prophecy』。

Mourning Sign のデモテープ
『Last Chamber』。

Mucky Pup/Merciless/Filthy
Christians のフライヤー。

RICKARD ALRIKSSON DAN WALL ANDERS JAKOBSSON
DRUMS AND VOCALS   GUITAR   BASS AND (VOCALS)

Necrony のデモテープ・インデックス内側。

Necrony のシングル
『 Mucu-Purulent Miscarriage』。

Do you wanna listen to some head-
eating death-metal? Then you must
order the brutal 6 track debut demo
"Severe Malignant Pustule" from this
new grinding swedish band - NECRONY.
Send 25 sek/5 us dollars to:

NECRONY/ANDERS JAKOBSON/SKOGALUNDSVAGEN 2/S-702 21 ÖREBRO/SWEDEN

Necrony のフライヤー。

Necrophobic/Sorg/Vinterkrig の
ギグ・ポスター。

Nihilist のコンピレーション CD。

No Remorse のデモテープ
『 Wake Up or Die』。

"In agony"

Obscura のデモテープ『In Agony』。

Asphyx と共演した初期 Opeth の
ギグ・ポスター。

Ophthalamia のフライヤー。

Pagan Rites のフライヤー。

Pexilated のデモテープ『A New
Beginning of Unfaithful Life』。

Misery のフライヤー。

Regurgitate（アーヴェスタ）の
デモテープ『 Trials of Life』。

Regurgitate（ストックホルム）
/Dead のフライヤー。

Covetous Divinity

COVETOUS DIVINITY
5 tracks of brutal
DE4TH
20skr+porte O4 45+21+C

REPUGNANCE c/o
KICKE
Stenbackav. 10
77204 Saxdalen
SWEDEN

35

Repugnance のフライヤー。

Repugnance のデモテープ
『 Covetous Divinity』。

INITIATION INTO NOTHINGNESS

FROM NOW ON THE
SUN ARE NO LONGER
IN THE SKY

ROSICRUCIAN

1. DEFY THE OPPRESSION
2. AUTOCRATIC FAITH
3. BACK IN THE HABIT

ROSICRUCIAN ARE:

GLYN GRIMM ADF-VOCALS
MAGNUS SÖDERMAN-LEAD GUITAR
LARS LINDEN-RHYTM GUITAR
PATRIK MARCHENTE-DRUMS AND PIANO
FREDRIK JACOBSEN-BASS

ALL MUSIC BY M.S. EXCEPT AUTOCRATIC BY M.S. AND
P.M. LYRICS BY G.G. AND M.S. ALL ARRANGEMENT BY
ROSICRUCIAN. THANKS TO MEZZ ROW FOR LOGGING
AND TO EVERYONE ELSE WHO HAS HELPED US.

RECORDED IN SVÄNGRUMMET MARCH 90
FOR INFORMATION PLEASE WRITE TO:

MAGNUS SÖDERMAN
AXELOXENSTIERNASGATA 34
724 78 VÄSTERÅS
SWEDEN

Rosicrucian のデモテープ
『 Initiation into Nothingness』。

Sacrium のデモテープ
『 Somnus es Morti Similis』。

Sadistic Gang Rape のデモテープ
『Massdevastation』。

Thrash Bash 11

Halloween Night 2 のポスター。

Scurvy のデモテープ。

Serpent Obscene のデモテープ
『Massacre』。

最高なフライヤー。

Slow Death のデモテープ
『 Mystery of Tales』。

MORE DEAD THAN ALIVE

Society Gang Rape のデモテープ
『 More Dead Than Alive』。

Soils of Fate のフライヤー。

Suffer のフライヤー。

DEATH METAL FESTIVAL
SUFFER
KAZJUROL
DERANGED
24/4 21.00
ENTRÉ: MEDL. 40:- / ÖVR. 70:-

MUSIKFÖRENINGEN
33-45
DAMMFRIVÄGEN 61

PROGRAM INFO:
040-193808

Suffer/Kazjurol/Deranged の
ギグ・ポスター。

Finally! The demo "Hypnoparatized" is
out! It contains 3 trax with printed
cover and lyrics included.
So don´t hesitate, get your copy now!
Just send 5$ (worldwide) to the
following adress:

TEMPERANCE   Or: SKULLTHRASHER
C/o Ernerot   PROMOTION
Riddaregatan 51   Amerstraat 112
352 36 VÄXJÖ, Sweden   3200 Aarschot, Belgium

Temperance のフライヤー。

- ANOTHER FIERCE ATTACK IS LAUNCHED UPON MANKIND!

THE DARKSEND
"The Luciferian Whisper" 7"EP
(X-TR EP 001/ NEKRO 001)

-OUT NOW!!!

-It includes the title track, a fierce composition, with lyrics based on the satanic aspects of the Hammer films classic "The Satanic Rites Of Dracula"!
- No romanticized vampire nonsense here!
-Plus a re-recorded version of the demo track "A Flaming Red Dawn"!
-These songs won't be available elsewhere!

-Comes in a great RED/ BLACK cover, limited to 500 handnumbered copies!

PRICE: 40 KR(SVERIGE)!
8 US$(WORLD)!

order from:

X-TREME RECORDS
P.O.BOX 11238
S-404 25 GOTHENBURG
SWEDEN

NEKROLOGIUM PRODUCTIONS
P.O.BOX 9048
S-250 09 HELSINGBORG
SWEDEN

-KEEP THE CULT ALIVE! SUPPORT VINYL!

The Darksend のフライヤー。

伝説的なコンサート " Mosh Not Pop"。

Therion のロゴ。

Tiamat のバイオグラフィー。

Tiamat のシングル『 A Winter Shadow』
のインサート。

Toxaemia のシングル。

"THE PROCESS OF RAPING A RANCID CADAVER"

4 trax Debut Demo out now!
BRUTAL SICK DEATHMETAL

Trade the tape:	
J.Larsson Industrig.11 NB 595 00 MJÖLBY SWEDEN Tele.0142/10161	Totte Martini Edlundsg.8E 595 00 MJÖLBY SWEDEN Tele.0142/11729

Lyric sheet included!
5 $US or 20 Skr (everywhere)
For Info IRC=answer

Traumatic のフライヤー。

Tribulation のデモテープ
『Void of Compassion』。

out now on: no fashion records

unanimated

debut album out now!

"in the forest of the dreaming dead"
11 tracks of dark and misty
swedish black/death metal.

cd: 18 $ sek:100.
lp: 15$ sek:90.

send order to:

no fashion records
P.o. box 217
strängnäs 645 23
sweden

Unanimated のフライヤー。

Uncanny のデモテープ
『Transportation to the Uncanny』。

Uncurbed のデモテープ
『The Strike of Mankind』。

DISCHANGE
TIMES SQUARE
PREACHERS
UNCURBED
+ Ev. Gäster

D-TAKTS MANGEL I
AVESTA FOLKETS HUS
LÖRDAGEN 15/5
KLOCKAN 20:00
INTRÄDE 40 Kr/MEDL.30 Kr

Dischange/Uncurbed/TSP のポス

Demo 92 Out Now
Containing 7 tracks of Grind/Death
Price: 30 s kr or 6 $

Order From

Mathias Adamsson
Dalgatan 2 A
570 23 Anneberg
Sweden

or

Moses Shtieh
Smedjegatan 1
570 23 Anneberg
Sweden

Vermin のフライヤー。

Virgin Sin のシングル
『Make'em Die Slowly』。

Wombbath のシングル
『Several Shapes』。

- MERCHANDISE -

Design A   Design B

Both shirts come w/ Abnormally-looking
back prints! * Printed on high quality
DARK shirts!

QUANTITY	DESCRIPTION	SIZE	L	XL	EACH	TOTAL
	T-Shirt A				$15.00	
	T-Shirt B				$15.00	
	Button with logo				$ 1.00	
	"But Life Goes On" tape				$ 5.00	
					TOTAL	

All prices include P & P.
Mail Cash or I.M.O.'s to:

CBR RECORDS
BOX 8076
126 08 HÄGERSTEN
SWEDEN
TEL: + 46 8 708 95 00
FAX: + 46 8 708 90 60

Sorry for the high t-shirt prices -
we've got 40% tax on shirts in Sweden.

Entombed のマーチャンダイズ・シート。

＊バンドの経歴、ラインナップ、作品などは2008年
出版の本書アメリカ版に基づいている。
＊同名バンドは左括弧内に出身地を記載している。
例：　ASMODEUS（エシルストゥーナ）

21 LUCIFERS
2002年にファールンでWithout Griefの元メンバーで
あるニクラス・リンド、トゥビアス・オルス、オーラ・
バリが結成した殺傷能力の高いグラインドコア・バン
ド。超ブルータルでかなり良いバンドだ！
ラインナップ
*Erik Skoglund: Vocals, Nicklas Lindh: Guitar/
Vocals, Tobias Ols: Guitar, Ola Berg: Bass, Björn
Åström: Drums*
デスコグラフィー
*Retaliation, Demo (2002)
Hope Fades, Demo (2004)
In the Name of..., CD (JMT Music, 2005)*

9TH PLAGUE
2000年にヘルシングボリで結成された反キリスト・
デスメタル・バンド。メンバーにはNominonと
Obscene（ヨンシューピング）のトゥビアス・ヘルマ
ンとDarksendの元ヴォーカリスト、トーニ・リクター
がいた（トーニは『Nekrologium 'zine』も発行）。
ラインナップ
*Tony Richter: Vocals, Johan Lindberg: Guitar,
Kristofer Örstadius: Guitar, Rafael Andersson:
Drums, Tobias Hellman: Bass*
過去のメンバー
Stefan Stigert: Guitar
デスコグラフィー
*Spreading the Satanic Gospel, EP (2002)
United in Real Brutality, Split (2003)
Age of Satanic Enlightenment, Demo (2004)*

A-BOMB
2004年にホーレシールで結成されたインダストリア
ル・デスメタル・バンド。
ラインナップ
*Erik Gärdefors: Vocals/Guitar, Daniel Blomberg:
Bass/Vocals, Simon Blomberg: Drums, Ulf
Blomberg: Samples*
デスコグラフィー
In a Moment of Aberration, Demo (2004)

A CANOROUS QUINTET
1991年にA Canorous Quartet名義で結成され
た。彼らはいくつかのメンバーチェンジを経て、A
Canorous Quintetに落ち着いた。音楽性はメロディッ
ク要素のあるメインストリームのデスメタル。特筆す
べきは平凡なドラマーが他のメンバーに必死に追いつ
こうとしていることである。ドラマーに同じような問
題があったBathoryの『Blood Fire Death』を聴いて
いるような感覚に襲われるのである！　メンバーのラ
イナスは『Spellbound Mag』の編集者。A Canorous
Quintetは1991年に解散したが、再結成したという
噂もある。
ラインナップ
*Mårten Hansen: Vocals (1993-), Linus Nibrant:
Guitar, Leo Pignon: Guitar, Jesper Löfgren: Bass,
Fredrik Andersson: Drums*
デスコグラフィー

*The Time of Autumn, Demo (1994)
As Tears, MCD (Chaos, 1995)
Silence of the World Beyond, CD (No Fashion, 1996)
The Only Pure Hate, CD (No Fashion, 1998)*

A MIND CONFUSED
1993年にハーニンゲで結成されたA Mind Confused
はユーテボリの覇者DissectionとAt the Gatesにか
なりインスパイアされていたが（ヴォーカルの声質は
トマス・リンドバリに凄くよく似ている）、その2つ
のバンドほどのパワーやオリジナリティーはなかっ
た。普通のレベルのバンドではある。もう少し曲調が
速く、メロディーを抑えていたならば俺の好みだっ
た。1998年に解散してから、ヨーハン、トマス、コ
ンスタンティンはKaamosというクオリティーの高
いバンドを結成した。ヨーハンはSerpent Obscene
でもプレイしていた。
ラインナップ
*Johan Thörngren: Vocals (1995-), Richard Wyöni:
Guitar, Konstantin Papavassiliou: Guitar, Thomas:
Drums* (初期はヴォーカルも担当)
過去のメンバー
*Anders: Bass (1995), Mattias Forsmark: Drums
(1993), José: Bass* (ゲスト参加)
デスコグラフィー
*Demo (1995)
Poems of a Darker Soul, Demo (1996)
Out of Chaos Spawn, 7" (Near Dark, 1996)
Anarchos, CD (Near dark, 1997)*

ABEMAL
オートヴィーダバリ出身の、90年代にごまんとあっ
たスウェディッシュ・デスメタル・プロジェクトの
一つ。メンバーは元Algaion、Pain、Nephenzy、
Hypocrisy、The Abyss……と挙げればきりがない！
ラインナップ
*Mathias Kamijo: Guitar, Mårten Björkman: Vocals,
Yngve Liljebäck: Guitar, Martin Gärdeman: Drums,
Kenneth Johansson: Bass*
デスコグラフィー
Demo 1994, Demo (1994)

ABHOTH
1989年にヴェステルオースで結成されたのち、
Morbid Salvation Armyとして知られていたバンド。
もともとAbhothはグラインドコアをプレイしてい
たが、次第に彼らのスタイルはメロディーを押し出
すようになった。ドゥーミーなアプローチの『The
Tide』というたった1枚のシングルを出しただけで短
命に終わった。1999年にはChimeraにバンド名を変
更し、デモテープをリリースし、活動を続けた。オリ
ジナル・ヴォーカリスト、ヨアキム・ブリョームスの
高音ヴォーカルは、初期スウェディッシュ・デスメタ
ル・シーンでは"軟弱"と揶揄されていた――しかし、
彼が脱退したからといって、バンドはブレイクするこ
ともなかった。ブリョームスがあの偉大なAfflicted
に加入した後に低音ヴォーカルで歌い始めた。そし
て、ギタリストのクリスチャンセンとドラマーのブリ
カートはSufferに参加した。
ラインナップ
*Jörgen Kristensen: Guitar, Anfinn Skulevold:
Guitar, Thomas Krzyzowski: Vocals (1991-), Jens
Klövegård: Drums (1993-), Claes Ramberg: Bass*

(1993-)
過去のメンバー
Anders Ekman: Vocals (1990-91), Joakim
Bröms: Vocals (1989-90), Mats Blyckert: Drums
(1989-93), Dag Nesbö: Bass (1989-93), Carl-Åke
Johansson:Drums…… その他大勢。
デスコグラフィー
A Matter of Splatter, Demo (1990)
Instrumental Rehearsal, Demo (1990)
Forever to be Vanished There in, Demo (1991)
The Tide, 7" (Corpsegrinder, 1993)
Divine Orphan, Demo (1994)

ABLAZE MY SORROW
1993 年にファルケンバリで始動した、スラッシュ影
響下の凡庸なメロディック・デスメタル・バンド。
At the Gates や In Flames にかなり影響を受けて
いた。初期のメンバー写真を見ると、ブラックメタ
ル・バンドを目指していたことが分かる。Ablaze My
Sorrow はプロフェッショナルではあったが、彼らの
一番の課題は、楽曲に自らのインスピレーションを十
分生かしきれなかったことだった。しかしながら、メ
ロディック・デスメタル好きであればチェックする価
値はある。
ラインナップ
Fredrik Arnesson: Vocals, Magnus Carlsson: Guitar,
Anders Brorsson: Bass/Vocals, Alex Bengtsson:
Drums (1994-), Dennis Linden: Guitar/Vocals
(1996-), Kristian Lönnsjö: Vocals
過去のメンバー
Fredrik Arnesson: Vocals , Martin Qvist: Vocals,
Fredrik Wenzel: Drums (1993-94), Roger Johansson:
Guitar (1993-96), Anders Lundin: Guitar
デスコグラフィー
For Bereavement We Cried, Demo (1994)
Demo 95, Demo (1995)
If Emotions Still Burn, CD (No Fashion, 1996)
The Plague, CD (No Fashion, 1998)
Anger, Hate and Fury, CD (No Fashion, 2002)

ABNORMITY
1990 年代初期に人知れず活動していたデスメタル・
バンド。デモテープの音源でしか彼らの存在を確認で
きなかった。のちにヴォーデーンは Expulsion に参加
した。
ラインナップ
Linus Johansson: Drums/Vocals, Christopher
Vowdén: Guitar, Per Wannerheim: Bass
デスコグラフィー
Demo 1991, Demo (1991)

ABOMINATE
2000 年代にストレムスタードで結成されたゴア・グ
ラインド・バンド。特質すべき点はあまりないが、レ
トロ・スラッシュが流行りの今日では新鮮に聴こえる
であろう。もっとデスメタル寄りになっても良かった
のかもしれない。
デスコグラフィー
Abominate, Demo (2003)

ABOMINATION—Tiamat 参照。

ABRANIA

1999 年にヴェステルオースで結成されたメロディッ
ク・デスメタル・バンド。現在は活動を休止している。
ラインナップ
Jho Abrai: Vocals, Peter Strömberg: Guitar, Jerry
Engström: Guitar, Andreas Silfver: Bass, Martin
Lindqvist: Drums
過去のメンバー
Niklas: Guitar, Maria Forsberg: Vocals, Daniel
Andersson: Guitar, Daniel Rejment: Bass, Linn
de Wilde: Vocals, Daniel Forssten: Drums, Simon:
Drums
デスコグラフィー
Calling My Name, Demo (2001)
Dyin' Screams, Demo (2005)

ABRUPTUM
Abruptum はデスメタル・バンドというよりも、むし
ろ独創性溢れる奇々怪々なブラックメタル・グループ
である。事実、得体の知れない彼らの存在以上に、彼
らの音楽性をカテゴライズするのは不可能——スロー
で、ドゥーミーで、そして我々の想像を絶するほどの
臨場感に満ちている。彼らが徹頭徹尾貫いているのは
悪魔主義的イメージであることは言うまでもない。
Abruptum は 1990 年の 1 作目のデモテープから冷酷
なまでに"悪の権化"を体現し続けブラックメタル・
シーンで崇められている。好き嫌い分かれるだろう
が、彼らが禍々しいまでの恐怖を与える病的な楽曲を
創り上げた。1990 年代後期には"イット"と"オー
ル"はシーンから消え、モルガンがたった 1 人でプロ
ジェクトを存続させた。2005 年には活動が完全に封
印されたため、現在モルガンは主に Marduk で活動
している。『Evil Genius』はコンピレーション CD で、
『Meleficent』 は「Calibus Frontem Tumeo Acidus
Abcessus」未収録の『Evil Genius』CD の再発盤である。
ラインナップ
Morgan "Evil" Håkansson: Guitar/Sounds/Piano/
Darkness
過去のメンバー
Tony "It" Särkkä: Cries/Screams/Guitar/Violin/
Drums/Torture, Jim "All" Berger: Vocals, "Ext":
Bass (1 本目のデモテープのみ参加)
デスコグラフィー
Hextum Galæm Zelog, Demo (1990)
The Satanist Tunes, Demo (1990)
Evil, 7" (Psychoslaughter, 1991)
Orchestra of Dark, Demo (1991)
Obscuritatem Advoco Amplectère Me, CD (Deathlike
Silence, 1993)
In Umbra Malitiae Ambulabo, in Aeternum in
Triumpho Tenebraum, CD (Deathlike Silence, 1994)
Evil Genius, CD (Hellspawn, 1995)
Vi Sonas Veris Nigrae Maliteaes, CD (Head Not
Found, 1997)
De Profundis Mors Vas Cousumet, EP (Blooddawn
Productions, 2000)
Casus Luciferi, CD (Blooddawn Productions, 2004)
Maleficent, CD (Blooddawn, 2005)

ABSINTH
Absinth は 90 年代中期のデスメタル・バンド。俺も
詳細は分からない。誰か知っているか？
デスコグラフィー
The Requiem, Demo (1994)

ABSORPTION

1990 年に結成されたモーラ出身のバンド。同年には解散してしまった。それ以来、情報は途絶えたままである。たぶん彼らはのちに Disenterment を結成した頭のイカれた連中だと思う。

デスコグラフィー
Invocations to Eternal Darkness, Demo (1990)

ABSURD

90 年代初期に結成され、すぐ解散したバンド。ブルータルな音である。クリストフェル・ヴォーディーンは同時期に Abnormity にも参加しており、のちに Expulsion での活動で少しばかり有名になった。

ラインナップ
Daniel: Bass, Christopher Vowdén: Guitar/Vocals, Micke: Guitar, Mårten: Drums

デスコグラフィー
Storm of Malevolence, Demo (1991)
Drained of Body Chemicals, 7" (Seraphic Decay, 1991)

ABSURDEITY

2002 年に結成されたフルツフレード出身のスラッシーなデスメタル・バンド。最もばかげているのは彼らのバンド名であるが、クールな英単語が全部使われたから仕方ないよな？

ラインナップ
Johan Andersson: Vocals, Robert Johansson: Guitar, Lars Broddesson: Drums

過去のメンバー
Marcus Fahleryd: Bass/Vocals, Benny Åkesson: Bass/Vocals, Gabriel Jensen: Guitar

デスコグラフィー
Onslaught of the Undead, Demo (2002)
Enter Necrosis, Demo (2003)
Absurdeity, Demo (2005)

ABSURDUM

スタッファンストルプ発のブルータル・デスメタル・バンド。1993 年に結成されたが、シーンにインパクトを与えずに終わった。

ラインナップ
Stefan Larsson: Guitar

デスコグラフィー
The Erotic Eclipse, Demo (1996)

ABYSSAL CHAOS—Dead Awaken 参照。

ABYSSOS

スウェーデン北部スンツヴァル出身のデスメタル寄りのメロディック・ブラックメタル・バンド。1996 年結成の Abyssos は、ヴァンパイア、オカルト、悪魔主義の流布に努めていた。

ラインナップ
Rehn: Vocals/Guitar, Meidal: Bass, Andreas Söderlund: Drums

デスコグラフィー
Wherever Witches Fly, Demo (1996)
Together We Summon the Dark, CD (Cacophonous, 1997)
Finsthanian Nightbreed, CD (Cacophonous, 1999)

ACHROMASIA

1990 年にファールホルメンで始動。彼らはデスメタル・シーンの一翼を担いたかったようだが、唯一のデモテープは紋切型で、退屈なスラッシュメタルにすぎなかった。バンド・ロゴに描かれている逆さ十字やペンタグラムは空しかった。

ラインナップ
Artur Pacheco: Guitar/Vocals, Sonny Falk: Guitar, Danne Cummerow: Bass, Andreas Palmkvist: Drums

デスコグラフィー
Chanting for Immortal Race, Demo (1991)

ADVERSARY

良質で真正なるサンヴィーケン出身のデスメタル・バンド。1990 年結成の彼らは素晴らしい作品を残した。しかし残念ながら、その名が浸透する前に消滅してしまった。90 年代初期にいた多くの高品質スウェディッシュ・デスメタル・バンドと同様、彼らは今日では忘れ去られた存在となっている。2 本目のデモテープではマッティ・カルキ（ご存知の通り、Dismember、Carnage、Carbonized、General Surgery、Therion などで有名……これだけでも凄いよな！）がヴォーカルを披露している。ブラックメタルが流行り始めると、ダーヴィドは Adversary を去り、デモテープだけで終わってしまった低級バンド Behemoth を結成した。幸いにもダーヴィドのスキルが向上したため、そのバンドを In Aeternum へと変容させることができた。

ラインナップ
David Larsson: Bass, Jörgen: Vocals, Per: Guitar/Keyboards, Jocke: Guitar, Henka: Drums

デスコグラフィー
Beyond Death, Demo (1991)
Human Reality, Demo (1992)
Remains of an Art Forgotten, Demo (1992)

AEON

1999 年にウステルスンドにて結成された Aeon は、Defaced Creation からの発展形であった。彼らの演奏技術は高く、反キリスト・デスメタルを特徴としていた。バンドはかなり成功し、Unique Leader の悪辣なレーベル・ラインナップにもその名を連ねている。

ラインナップ
Tommy Dahlström: Vocals, Daniel Dlimi: Guitar, Zeb Nilsson: Guitar, Johan Hjelm: Bass, Nils Fjellström: Drums

過去のメンバー
Morgan Nordbakk: Guitar (1999-2001), Arttu Malkki: Drums (1999-2002)

デスコグラフィー
Demo #1, Demo (1999)
Dark Order, EP (Necropolis, 2001)
Bleeding the False, CD (Unique Leader, 2005)

AEONIC

推測するに、Aeonic というバンド名は、彼らが結成された 2004 年には既に他のバンドが Aeon という名義を使っていたので、それでフルツフレード出身の彼らは Aeonic という名に落ち着いたのであろう。彼らはデスメタルの雰囲気を醸し出しているスラッシュメタル・バンドである。それ以外の言葉は見つからない。

ラインナップ
Gabriel Jensen: Guitar, Rickard Olausson: Drums, Anders Håkansson: Bass, Mattias Svensson: Vocals

デスコグラフィー

Hollow Masquerade, Demo (2005)

AFFLICTED

1988 年に 10 代のビール飲んだくれ少年達によって
この重量級のバンドは結成された。初期、Afflicted
Convulsion という名義だったが、1990 年に元 Abhoth
のヨアキム・ブリョームスが加入すると、バンド名を
Afflicted に短縮した。彼らの音楽性はグラインドとデ
スメタルが激烈かつ面妖に融合したものであったが、
次第に 80 年代風のヘヴィメタルに変容した。彼らの
後期作品は獰猛な Iron Maiden と言っても差し支えな
い。Afflicted はまさに最もオリジナリティー溢れるス
ウェーディッシュ・デスメタル・バンドで、世界中から
リスペクトを受けている。

ラインナップ
*Jesper Thorsson: Guitar, Joacim Carlsson: Guitar
(1989-1994), Yasin Hillborg: Drums (1989), Michael
van de Graaf: Vocals (1992-), Philip von Segebaden:
Bass (1991-)*

過去のメンバー
*Fredrik Ling: Bass (1988-1991), Joakim Bröms:
Vocals (1990-1992), Martin Holm: Vocals (1988-
1990), Mats Nordrup: Drums, Mikael Lindvall:
Guitar*

デスコグラフィー
*Toxic Existence, Demo (1989—Afflicted Convulsion
名義)*
Rehearsal (1989— Afflicted Convulsion 名義)
*Psychedelic grindcore, Demo (1989— Afflicted
Convulsion 名義)*
*Beyond Redemption, Demo (1990— Afflicted
Convulsion 名義)*
The Odious Reflection, Demo (1990)
In Years to Come, EP (Relapse, 1990)
Wanderland, Demo (1991)
Ingrained, 7" (Thrash, 1991)
Astray, 7" (Relapse, 1992)
Rising to the Sun, 7" (Nuclear Blast, 1992)
Prodigal Sun, LP/CD (Nuclear Blast, 1992)
Demo 1993, Demo (1993)
Dawn of Glory, CD (Massacre, 1995)

AFFLICTED CONVULSION—Afflicted 参照。

AGONI—Agony 参照。

AGONY

1984 年 8 月にストックホルム（実際はソルナ）で結
成されたバンド。もともとは正統派クラストパンク・
バンド Agoni だった。ドラマーのモルバリとギタリ
ストのフェリンが加入してから、次第にスラッシュメ
タルへと移行していった。そうしてスラッシュへ並行
している最中にも、バンドはしばらくパンクに忠誠を
示し、1986 年にはスウェーデン・クラスト界の猛者
Anti Cimex との UK ツアーにも敢行した。しかし、ツ
アーののち、彼らは完全にスラッシュに移行した。2
本目のデモテープをリリースした 1987 年には Music
for Nations との契約を手にした。デビュー・アルバ
ムの『The First Defiance』は 2 人のギタリストで録
音されたが、そのうちの 1 人であるペッレ・ストルム
は 1987 年のクリスマス前に解雇された。彼はのちに
The Krixjälters、Omnitron、Comecon に加入した。
Agony 解散後、モルバリは Rubbermen に参加した。

Agony のピーク時の音楽性には、あの偉大な Slayer
から多大な影響を受けていた。Agony は違いなくス
ウェーデンのスラッシュメタル・バンドで最高の部類
に入るだろう。

ラインナップ
*Peter Lundström: Vocals, Magnus Sjölin: Guitar,
Nappe Benchemsi: Bass, Tommy Moberg: Drums*

過去のメンバー
Conny Wigström: Guitar, Pelle Ström: Guitar

デスコグラフィー
Stockholmsmangel, Comp-Tape (1985—Agoni 名義)
The Future is Ours, Demo (1985—Agoni 名義)
Execution of Mankind, Demo (1986)
The First Defiance, LP (Music for Nations, 1988)

AGRETATOR

1990 年にヘルシングボリで Demise として結成され
たバンド。2 年後 Agretator に改名し、音楽性が進化
していった。取り立て書くことはないが、より成功を
収めた Darkane を結成するためにバンドはまもなく
消滅した。

ラインナップ
*Pierre Richter: Vocals/Guitar, Christopher
Malmström: Guitar, Jörgen Löfberg: Bass, Peter
Wildoer: Drums*

過去のメンバー
Tony Richter: Vocals, Jesper Granath: Bass

デスコグラフィー
Delusions, LP (Crypta Rec, 1994)
Distorted Logic, EP (1996)

AGROTH

スウェーデン北部ルーレオ出身の 90 年代初期のデス
メタル・バンド。結構良いバンドではあったが、音
楽性が Carbonized にあまりに似すぎているきらいが
あった。しかし、Carbonized の足元にも及ばない、
悪気はないんだけどな。サンドーフは Gates of Ishtar
と The Duskfall でもプレイしている。

ラインナップ
Anders Ekström, Mikael Sandorf: Vocals/Guitar

デスコグラフィー
Travel, Demo (1993)
Vaginal Travel, Demo (1993)
Demo 1993, Demo (1993)

ALLEGIANCE

1989 年結成時はオールドスクール・スラッシュメタ
ルだったソーデルシューピング出身のバンド。ライン
ナップが劇的に変わったあと、音楽性がブルータルに
なった。90 年代中期までに彼らは、ノルウェーの偉
大な Enslaved やいくつかのバンドとともに、"ヴァ
イキング・ウォー・メタル"と呼ばれるジャンルを
創り上げた。彼らはブラックメタル界の覇者である
Marduk の悪魔主義的要素を薄めたような音楽性だっ
た。ローゲル・スヴェンソンとフレードリック・アン
ダソンは全盛期の Marduk でもプレイしていたので、
それは驚くに至らないのかもしれない。

ラインナップ
*Roger "Bogge" Svensson: Vocals/Guitar, Fredrik
Andersson: Drums, Pär Thornell: Guitar, Mikael
Almgren: Bass, Magnus "Devo" Andersson: Vocals*

デスコグラフィー
Sick World, Demo (1989)

Eternal Hate, Demo (1990)
The Beginning Was the End, Demo (1991)
Odin Åge Er Alle, Demo (1993)
Höfdingadrapa, Demo (1994)
Hymn Till Hangagud, CD (No Fashion, 1996)
Blodörnsoffer, CD (No Fashion, 1997)
Vrede, CD (No Fashion, 1998)

ALTAR

1988 年に小さな町クムラで Epidemic として結成され
たが、翌年 Wartox に改名した。1990 年 9 月に Altar
に落ち着いた。初期はスラッシュメタルをプレイして
いたが、ブルータルなデスメタルに発展した。彼らは
かなりいい線をいっていたが、成功はしなかった。結
成時のドラマー、カールソンはのちに Suffer に加入
した。活動後期にはブーロウがギター、Nasum のミ
エシュコ・タラールツイクがヴォーカルで参加した。
Altar は呪われたバンドだったのかもしれない。バン
ド結成時のベーシスト、マグナスはバンド脱退後にバ
イク事故で死亡し、ミエシュコは 2004 年にタイで津
波被害に巻き込まれ亡くなった。安らかに。
ラインナップ
Magnus Carlsson: Bass/Vocals, Jimmy Lundmark:
Guitar, Fredrik Johansson: Drums (1990-)
過去のメンバー
Johan Bülow: Guitar (1993), Mieszko Talarczyk:
Vocals (1993-), Mattias O: Guitar (1988-1991), Per
Karlsson: Drums (1989-1990), Magnus E: Bass
(1988-1989), Dan Swanö: Keyboards/Vocals（ゲスト
参加）
デスコグラフィー
The Unknown, Demo (1989—Wortox 名義)
No Flesh Shall be Spared, Demo (1991)
Ex Oblivione, Altar/Cartilage Split LP (Drowned
Products, 1993)
Promodemo 93, Demo (1993)

ALVSVART

2001 年、ユーテボリの古参バンド Decay がリハーサ
ルを開始したのちカムバックを果たした。バンド名か
ら分かるように（Alvsvart はスウェーデン語で『Lord
of the Rings（ロード・オブ・ザ・リング）』に出てく
るようなゴブリン［小鬼］を意味する）ブラックメタ
ル界で最も怪物っぽい名を持つバンドである。
ラインナップ
Peter Wigeborn, Sebastian Petersson, Dennis
Nilsson, Peter Merdén: Vocals
過去のメンバー
Kristoffer Åberg: Vocals, Oskar Fredén: Guitar
デスコグラフィー
When Damnation Takes its Course, Demo (2003)

AMARAN

2000 年にカリ（元 Mourning Sign）とロビン（元
Gorement）によって結成されたバンド。初期は破
壊的なスタイルだったが、すぐにパワーメタルに変
容した。バンドに在籍したメンバーで有名なのは、
Siebenbürgen のニクラス・サンディン、Centinex の
ロニー・バリエスタールである。
ラインナップ
Ronnie Backlund: Guitar, Gunnar Hammar: Guitar,
Niklas "Nille" Sandin: Bass, Robin Bergh: Drums
過去のメンバー

Kari Kainulainen: Guitar, Mikael Andersson: Bass,
Ronnie Bergerståhl: Bass, Johanna Depierre: Vocals,
Pär Hjulström: Drums
デスコグラフィー
Promo 2001, Demo (2001)
A World Depraved, CD (Listenable, 2002)
Pristine in Bondage, CD (Listenable, 2004)

AMARATH

Paradise Lost に触発された Hypocrite の 2 人のメン
バーによって結成。プロフェッショナルではあるが、
オリジナリティーのない、退屈そのもののバンドだっ
た。
ラインナップ
Henrik Hedborg: Guitar
デスコグラフィー
Demo 98, Demo (1998)

AMAROK—Omnius Deathcult 参照。

AMENOPHIS

1989 年にノーシューピングでペッタション、エリク
ソン、ハイレンが結成したバンド。2 本のデモテー
プと数本のギグ（最初のギグは Marduk が前座だっ
た！）のち、バンドは解散した。少し経ってから、
ペッタションはグスタフソンと Darkified でプレイし
たが、やがて Darkified も解散した。
ラインナップ
Tim Pettersson: Guitar/Vocals, Esa Sorsa: Guitar,
Robert Hylen: Bass, Mikael Eriksson: Drums,
Martin Gustafsson: Vocals (1992-)
デスコグラフィー
Amenophis, Demo (1991)
The Twelth Hour, Demo (1992)

AMENTIA

ヘーデモラ出身の 90 年代初期デス／スラッシュ・バ
ンド。Amentia はそれほど良作とは言えない 1 本の
デモテープを残しただけで短命に終わった。ありがち
な音楽性、時代遅れのスラッシュにデスメタルっ
ぽいヴォーカルによって味付けされている。だが、か
なりタイトで、演奏はしっかりしている。しかし、同
郷の先駆者 Hatred と比較するとまったく説得力がな
い。
ラインナップ
Matte Kärvemo: Vocals/Keyboards, Nestor
Hallengren: Guitar, Magnus Myrzell: Guitar, Micke
Numelin: Bass, Johnny Eriksson: Drums
デスコグラフィー
Demo 1, Demo (1992)

AMON AMARTH

メロディーを重視した典型的なミディアム・テンポ
のデスメタル・バンド。"ヴァイキング"のイメージ
を惜しげもなく曝け出している。1988 年に Scum と
してストックホルム郊外の小さな町である トゥムバ
（それに退屈な町でもある――デスメタルが唯一の娯
楽だったのかもしれない！）で結成された。1992 年に
Amon Amarth と改名して以降、国外での大規模なツ
アーやアルバムの高セールスで彼らの大成功につな
がった。デスメタル界の Manowar と言っても過言で
はない。
ラインナップ

Fredrik Andersson: Drums, Johan Hägg: Vocals,
Ted Lundström: Bass, Olavi Mikkonen: Guitar,
Johan Söderberg: Guitar
過去のメンバー
Martin Lopez: Drums, Anders Hansson: Guitar,
Nico Kaukinen: Drums, Ted Lundström: Bass
デスコグラフィー
Demo 1, Demo (1992—Scum 名義)
Thor's Rise, Demo (1993)
The Arrival of Fimbul Winter, Demo (1993)
The Arrival of the Fimbul Winter, EP (Pulverized,
1994)
Sorrow throughout the Nine Worlds, MCD
(Pulverized, 1996)
Once Sent from the Golden Hall, CD (Metal Blade,
1998)
The Avenger, CD (Metal Blade, 2000)
The Crusher, CD (Metal Blade, 2001)
Versus the World, CD (Metal Blade, 2002)
Fate of Norns Release Show, Split (Metal Blade,
2004)
Fate of Norns, CD (Metal Blade, 2004)

AMSVARTNER
1994 年にウーメオで結成されたブラックメタル・バ
ンド。流行に押され、メロディックなユーテボリ・ス
タイルのデスメタルに鞍替えした。読者の君はオリジ
ナリティーや良質なサウンドを期待しているかもしれ
ない。君がどう考えているか知る由もないが、『The
Trollish Mirror』だなんて超オタクっぽいタイトルだ
よな、少なくとも俺はそう思うぜ。
ラインナップ
Jonathan Holmgren: Guitar, Albin Johansson:
Bass, Alfred Johansson: Drums, Marcus Johansson:
Vocals, Daniel Nygaard: Guitar
デスコグラフィー
Demo 1, Demo (1995)
Underneath the Thousand Years Gate, Demo (1996)
Towards the Skullthrone of Satan/The Trollish
Mirror, Enthroned/Amsvartner-Split (Blackend,
1997)
The Trollish Mirror, EP (Blackend, 1997)
Dreams, CD (Blackend, 1999)
Theatrical Lunacy, Demo (2002)

ANACHRONAEON
2003 年にヴェステルオースで Human Failure として
結成されたメロディック・デスメタル・バンド。
ラインナップ
Andreas Åkerlind: Drums, Patrik Carlsson: Guitar/
Vocals, Carl Ullbrandt: Bass, Marcus Wadstein:
Guitar/Keyboards
デスコグラフィー
As the Last Human Spot in Me Dies, Demo (2004)

ANAEMIA
1994 年に始動したドゥーミーなバンド。シーンにイ
ンパクトを与えることなかった。
ラインナップ
Kim Stranne: Vocals, Tobias Ogenblad: Drums,
Krister Sundqvist: Guitar, Martin Svensson: Bass
デスコグラフィー
The Second Incarnation, CD (Endtime Productions,

2001)

ANATA
1993 年に小さな町であるヴェルバリでフレードリッ
ク・ショーリンによって結成。初期の Anata はクロ
スオーヴァー/スラッシュだったが、すぐ破壊的なサ
ウンドに変化した。バンドのクオリティーは保証で
きる。2003 年には世界一有名なデスメタル・レーベ
ル Earache との契約を交わした。ただ、彼らはスラッ
シュやデス、ブラック、はたまたその他の要素を楽曲
に盛り込みすぎている感がある。俺の損傷を受けた耳
には、良作というより中途半端に聴こえてしまった。
もちろん彼らはスキルの高いミュージシャンであるこ
とに変わりない。結成時ドラマー、ペッタションは
『Fearless Mag』を発行していた。現在 Anata に在
籍している全メンバーはサイド・プロジェクトとして
Rotinjected に加入している。
ラインナップ
Fredrik Schälin: Guitar/Vocals, Andreas Allenmark:
Guitar (1997-), Henrik Drake: Bass (1996-), Conny
Petersson: Drums (2001-)
過去のメンバー
Robert Petersson: Drums (1993-2001), Matthias
Svensson: Guitar (1993-1996), Martin Sjöstrand:
Bass (1993-1996)
デスコグラフィー
Burn Forever the Garden of Lie, Demo (1996)
Vast Lands of My Infernal Dominion, Demo (1997)
The Infernal Depths of Hatred, CD (Seasons of Mist,
1998)
War Volume III: Anata vs. Bethzaida, MCD (Seasons
of Mist, 1999)
Dreams of Death and Dismay, CD (Seasons of Mist,
2001)
Under a Stone With no Inscription, CD (Earache/
Wicked World, 2004)

ANATHEMA—Eructation 参照。

ANCIENT
ウーメオ発のマイナー・メタル・バンドが多くいた中、
彼らは 1992 年 9 月に始動したので古株なほうだろう。
彼らは Tiamat のようなスローなデス/ゴシックメタ
ルをプレイしていたが、騒ぐほどの作品をリリースで
きなかった。ノルマンはのちに Bewitched を結成した。
ラインナップ
Marcus Norman: Guitar/Vocals, Anders Nilsson:
Drums, Fredrik: Bass (1993-)
過去のメンバー
Ulf: Bass (1992-1993)
デスコグラフィー
In the Eye of the Serpent, Demo (1993)

ANCIENT WINDS
90 年代中期にありがちだったヴィスビー出身のメ
ロディック・ブラック/デスメタル・バンド。唯
一のメンバー、スヴェイグフェーは Thyrfing と
Construcdead にも参加した。俺の記憶が正しければ
Ancient Winds は Wind of Ancient と呼ばれていたと
思うが……間違いであってほしい。
ラインナップ
Henrik Svegsjö: すべてのパート担当。
デスコグラフィー

Reach My Journey's End, Demo (1995)

ANCIENT WISDOM

90年代初期にウーメオで Ancient 名義でスタートし
たバンド。1993年にバンド名の Ancient に Wisdom
を加え、メロディック・デスメタルを追求した。シー
ンでは彼らのことを Bewitched（ノルマンが在籍）と
Naglfar（ニルソンとリデーンが在籍）のサイド・プ
ロジェクトとしてみなされていたようである。ベース
のヤコブソンは加入前、Throne of Ahaz に在籍して
いた。Bewitched のように、Ancient Wisdom はライ
ブでは Nocturnal Rites のドラマーであるウルフ・ア
ンダソンを使っていた。作品タイトルを見ると、ふざ
けて作られたのだろうと思ってしまうほど馬鹿げてい
る——きっとマルクス・ノルマンのおふざけに違いな
い、彼が残っている唯一のメンバーのようだから。
ラインナップ
Marcus Norman: Vocals/Guitar
過去のメンバー
Andreas Nilsson: Guitar, Fredrik Jacobsson:Bass,
Jens Rydén: Keyboards（ゲスト参加）
デスコグラフィー
In the Eye of the Serpent, Demo (1993—Ancient 名義)
Through Rivers of the Eternal Blackness, Demo
(1994)
For the Snow Covered the Northland, CD
(Avantgarde, 1996)
The Calling, CD (Avantgarde, 1997)
And the Physical Shape of Light Bled, CD
(Avantgarde, 2000)
Cometh Doom Cometh Death, CD (Avantgarde, 2004)

THE ANCIENTS REBIRTH

1992年7月に結成されたファルケンバリ出身のブラッ
ク／デスメタル・バンド。当初は Desert Ritual と
いう名義だった。若かった彼らがバンド名の意味を
知った途端、Infernus Ritual に変更し、その後 The
Ancients Rebirth に落ち着いた。彼らは重量感たっぷ
りのデスメタルからプリミティヴなブラックメタルへ
と流行は移行していた時期のバンドだった。コープ
ス・ペイントを施し、ギグを演らず（いや、極悪にな
る前の1992年に2回ほどギグを演ったんだった！）、
悪魔を崇拝し、"ゴートネクロ（ヤギの死体）" や "ナ
ンコープス（尼の死体）" といった仮称を持っていた
——そんなバンドをあえて聴きたいと思うかい？ 彼
らのラインナップ変化が激しかったのは、邪悪なバン
ドだったからであろう。マルティン・クヴィストとア
ンデシュ・ブルーションはのちに Ablaze My Sorrow
に加入することになった。
ラインナップ
Henrik Bengtsson: Guitar, Oskar Frankki: Drums,
Dennis Widén: Vocals/Guitar
過去のメンバー
Patrik Bergström: Drums, Anders Brorsson: Bass,
Martin Qvist: Bass, Thomas Hedlund: Drums,
Anders Dahnberg: Bass, Fredrik: Drums, Henke:
Guitar, Jesper Larsson: Drums 90年代半ばにファル
ケンバリ在住のティーンエージャーだったら一度はこ
のバンドでプレイしたかもしれない……。
デスコグラフィー
Twisted Tales of the Crucified, Demo (1992)
Culte del Diablos, Rehearsal (1993)
Below the Nocturnal Skies, Demo (1994)

Of Wrath, Demo (1994)
Drain the Portal in Blood, CD (Necromantic Gallery,
1996)
Damnation Hell's Arrival, CD (Necropolis, 1998)

ANGEL GOAT

1990年に人知れず活動していた、アンゲレード出身
のオカルト志向のデスメタル・バンド。正式なヴォー
カリストがいたかどうか、またはオフィシャル音
源をリリースしたかどうかはわからないが、「Black
Mass」や「Damnation」といった曲のタイトルを覚
えている。コルホネンは Monkey Mush に加入し、
『Slimy Scum zine』の編集に携わった。
ラインナップ
Tommy Korhonen: Bass, Miika Salmela: Guitar,
Juvonen: Drums, A Juurika: Guitar/Vocals

ANGELS OF FALL

デモテープ以外はリリースしなかったマイナーなメロ
ディックメタル・バンド。
ラインナップ
Jessica Andersson-Skäär: Vocals, Johannes
Ohlsson: Drums, Daniel Augustsson: Bass, Martin
Bryngelsson: Guitar, Mikael Carlsson: Guitar
過去のメンバー
Leonard Johnels: Vocals, Tomas Blomstrand: Bass
デスコグラフィー
Cry Out, Demo (1999)
Nocturnal Tears, Demo (1999)
As Raindrops Fled Demo, (2005)

ANNIHILATION

彼らの出身地、キルナは "超" のつく北（北極圏の北部）
に位置する、何もない場所である（パブは2つ、永遠
の冬、そして何もすることがない）。この短命に終わっ
たデス／スラッシュ・プロジェクトは、地獄のような
場所から這い出してきた数少ないエクストリーム・バ
ンドであろう。バンドは1999年に結成され、メンバー
2人とも現在は Deadlock に在籍している。メンバー
の Das Übergay（訳者註：ダス・ウーバーゲイ＝超
ゲイっぽい奴）なんて素晴らしいニックネームじゃな
いか。彼の本名かもしれないが、本当だとしたら狂っ
てるな！
ラインナップ
Phan: Bass/Vocals, Das Übergay: Guitar
デスコグラフィー
Murder Industry, Demo (2000)
Analsex66, Demo (2003)

ANTI BOFORS—Disfear 参照。

APATHY

90年代中期に結成されたウーメオ出身のキャッチー
なデスメタル・バンド。Tiamat に似ているが、オリ
ジナリティーは皆無である。
ラインナップ
Johan Eklund
デスコグラフィー
Dark Shattered Death, Demo (1994)

APOLLGON

90年代初期にカールスクローナで結成されたデス／
ブラックメタル・バンド。過去のメンバーから推測す

ると、バンド内がギクシャクしていたか、誰もバンドに残る気がなかったかがわかる。中心メンバーの2人は過去に Midvinter に在籍していた。

ラインナップ
Damien Midwinter: All instrumental arrangements, Vlad Morbius: Vocals
過去のメンバー
Jag: Bass, Mikel: Vocals, Sogatha: Guitar, Mankik: Guitar, Maniek: Guitar, Korona: Drums, Krol: Drums, Hans: Vocals
デスコグラフィー
End, Demo (1994)

ARCH ENEMY
1995 年に "オールスター" プロジェクトのような形で始動。メンバーには、元 Carnage/Furbowl のヨーハン・リーヴァ、元 Carnage/Carcass のマイケル・アモット、元 Eucharist/In Flames のダニエル・エルランドソン、アモットの弟であるクリストファー（Armageddon も結成）が在籍。その後、Mercyful Fate のシャーリー・ダンジェロも加わった……何と凄いラインナップだろう！ スラッシュ影響下の頑健でメロディックなデスメタルと評される。Arch Enemy はやがて人気を博し、ツアーで世界中を飛び回った。2000 年から、Arch Enemy は女性ヴォーカリストのメンバーがいるデスメタル界では数少ないバンドとなった。

ラインナップ
Angela Nathalie Gossow: Vocals (2000), Michael Amott: Guitar, Sharlee D'Angelo (Charles Peter Andreason): Bass (1998-), Daniel Erlandsson: Drums, Fredrik Åkesson: Guitar (2005)
過去のメンバー
Johan Liiva: Vocals/Bass (1995-2000), Martin Bengtsson: Bass (1997-1998), Peter Wildoer: Drums, Christopher Amott: Guitar (1995-2005), Gus G: Guitar（ゲスト参加）
デスコグラフィー
Demo, Demo (1996)
Black Earth, CD (Wrong Again, 1996)
Stigmata, CD (Century Media, 1998)
Burning Bridges, CD (Century Media, 1999)
Burning Japan Live 1999, CD (Toys Factory, 2000)
Wages of Sin, CD, (Century Media, 2001)
Burning Angel, Single (Century Media, 2002)
Anthems of Rebellion, CD (Century Media, 2003)
Dead Eyes See No Future, EP (Century Media, 2004)
Doomsday Machine, CD (Century Media, 2005)

ARISE
1994 年にアリングソースで結成されたレトロ・スラッシュ・バンド。彼らはある程度の成功を収めた。俺の耳にはありきたりな音にしか聴こえないが。

ラインナップ
Erik Ljungqvist: Vocals/Guitar, Daniel Bugno: Drums, L-G Jonasson: Guitar, Patrik Skoglöw: Bass
過去のメンバー
Jörgen Sjölander: Vocals (1994-1995), Björn Andvik: Vocals (1995-1996)
デスコグラフィー
Abducted Intelligence, Demo (1997)
Arise, Demo (1998)
Statues, Demo (1999)

Resurrection, Demo (1999)
Hell's Retribution, Demo (2000)
Abducted Intelligence, Demo (2000)
The Godly Work of Art, CD (Spinefarm, 2001)
Kings of a Cloned Generation, CD (Spinefarm, 2003)
The Beautiful New World, CD (Spinefarm, 2005)

ARMAGEDDON
1997 年にハルムスタードで結成されたかなりパワフルなデスメタル・プロジェクト。Arch Enemy、Darkane、In Thy Dreams のメンバーが在籍。上記に挙げたバンドがもっと気合を入れたらこのようなサウンドになるのかもしれない。退屈なメロディーやゾッとするようなパワーメタルが顔を出すので心の準備をしておけ。

ラインナップ
Christopher Amott: Guitar/Vocals (1997-), Tobias Gustafsson: Bass (2001-), Daniel Erlandsson: Drums (1997/2000-)
過去のメンバー
Rickard Bengtsson: Vocals (2000-2001), Jonas Nyrén: Vocals (1997), Michael Amott: Guitar, Kari Lönn: Keyboards, Dick Lövgren: Bass (2000-2001), Martin Bengtsson: Bass (1997-2000), Peter Wildoer: Drums (1997-2000)
デスコグラフィー
Crossing the Rubicon, CD (War Music, 1997)
Embrace the Mystery, CD (Toy's Factory, 2000)
Three, CD (Toy's Factory, 2002)

ARSEDESTROYER
ストックホルムを拠点に活動していた、スウェディッシュ・グラインドコア・バンド史上、最も圧倒的で最高にカッコいいバンドの一つ。1991 年の冬に結成してから、まったく衰える気配を見せない。90 年代の多くのスウェディッシュ・グラインドコア・バンドと異なり、Arsedestroyer は注目を集めた。まぁ彼らのあとから出てきた Nasum ほどまではウケなかったが。ラインナップは流動的なので今は誰がメンバーなのかもわからなければ、活動しているのかもわからない。バンドのリーダー、テルィェ（Regurgitate でもプレイしていた）は、インタヴューに超短く返答することで有名。"イエス"、"ノー"、"そんなこと知らねぇ"しか言わなかった。爆笑もんだろ！

ラインナップ
Terje Andersson: Vocals/Guitar, Thorbjörn Gräslund: Guitar, Peter Hirseland: Bass, Kenneth Andersson: Drums
過去のメンバー
Linus, Brandt その他大勢。
デスコグラフィー
Arsedestroyer/Noise Slaughter, Split 7" (Psychomania, 1994)
Arsedestroyer/Confusion, Split 7" (Distortion, 1994)
Mother of All Chaotic Noisecore, CD (Distortion, 1995)
Live Aboard the M.S. Stubnitz (split with Abstain), LP (In League Wit' Satan, 1998)
Arsedestroyer/Gore Beyond Necropsy, Split 7" (Devour, 2000)
Teenass Revolt, LP/CD (Devour, 2001)

ASHES

落ち着いて聞けよ、またフィンスポング発のプロジェクトだ！　彼らは 1996 年にデス／ブラックメタル・バンドとして始動した。ミーケルとヨーナスは Facebreaker にも在籍している。アンドレアスは Pan-Thy-Monium、Marduk、Edge of Sanity の元メンバー。

ラインナップ
Andreas: Guitar, Jonas: Bass/Vocals, Mourning: Guitar, Mikael: Drums, Timo H: Drums
デスコグラフィー
Death has Made its Call, CD (Necropolis, 1998)
And the Angels Wept, EP (Necropolis, 2000)

ASMODEUS（エシルストゥーナ）

1987 年 7 月に Death Ripper の残党によって結成されたバンド。楽曲を主に創っていたのはトッロ。彼らは良質のブルータル・デスメタル・バンドだったが、アンダーグラウンドの奥底から這い上がることはできなかった。彼らは何本かのリハーサル・テープを残し、そして 1991 年にたった一度だけの、Merciless のフレードリック・カーレーンの 20 歳の誕生日パーティーで演奏しただけで、1994 年 5 月に解散してしまった。考えてみると伝説的なメタル狂である SOD ヨッケとグレニングが同じバンドに在籍していただけでも驚きものなのに、さらに Merciless のフレードリック・カーレーン、Interment のヨン・フォーシュバリ、Macrodex のマティアス・ケネードもセッション・メンバーとして参加していたんだからな！　オールドスクールっていうのは最高なんだよ。CD にはいくつかのリハーサル音源が寄せ集められている。

ラインナップ
Ntarogan (Cleas Glenning): Drums, Torro: Guitar, SOD Jocke: Vocals
過去のメンバー
Fredrik Karlén: Bass（ゲスト参加）*, John Forsberg*（ゲスト参加）*: Guitar, Gamen: Guitar, Mattias Kennhed: Guitar*（ゲスト参加）*, Stefan Källarsson: Bass*（ゲスト参加）
デスコグラフィー
Brought Forth from the Depths, CD

ASMODEUS（ヘルシングボリ）—Gardens of Obscurity 参照。

ASMODEUS（ローニンゲ）

メロディックで陰鬱なデスメタルを特徴とする 90 年代中期のローニンゲ産バンド。なぜキーボードを入れたのか理解に苦しむ。Gardens of Obscurity に変容した Asmodeus とは混同しないでほしい。イェーンヴァールは Kaamos での活動で有名である。

ラインナップ
Kalle Envall: Bass, Eric Hellman: Guitar/Vocals, Jonny Mogren: Guitar, Björn Ahlström: Guitar, Fredrik Sundqvist: Drums, Kristian Martti: Keyboards
デスコグラフィー
Demo (1996)

ASPHYXIATION

1997 年にファールンで始動したが、デモテープ以上の活動はしなかった。意図的ではないと思うが、Asphyxiation はもともと Ceremonial Death の全メンバーが在籍したバンド、だから基本的には同じバンドなのだろう。メンバーは Shock Wave や Waxwork、Dementia 13 といったバンドにも参加していたことからもお分かりかもしれないが、ファールンっていうのは退屈な町なんだ。

ラインナップ
Daniel Silfver: Vocals, Niklas Olsson: Guitar/Vocals, Gene Zeder: Drums
過去のメンバー
Andreas Nyman: Guitar（ゲスト参加, 2002-2004）*, Fredrik Sundfors: Bass*（ゲスト参加, 2004-, Magnus Rosén: Drums/Guitar, Per Rosén: Bass*
デスコグラフィー
Moving Target, Demo (1997)
Towards Death, Demo (1999)
Lifeless Through Suffocation, Demo (2002)
Shades of Infinity, Demo (2004)

ASTRAL CARNEVAL

2001 年にエシルストゥーナで結成。モダン・アプローチのスラッシュ／デスメタル・アクトのうちの一つ。
ラインナップ
Per Humbla: Vocals, Kenneth Nielsen: Guitar, Magnus Vitén: Guitar, Ivan Jovanovix: Bass, Jane: Drums
過去のメンバー
Göte: Drums
デスコグラフィー
Astral Carneval, Demo (2003)
Chaos, Demo (2006)

ASTRAY—Mindcollapse 参照。

ASYLUM

2000 年代のデス／スラッシュ・バンド。俺が知っているのはこれだけ。
ラインナップ
Andreas Runfors: Vocals, Fredrik Lundell: Guitar/Vocals
Michael Nasenius: Guitar, Mikaela Åkesson: Bass, Joel Axelsson: Drums
デスコグラフィー
Asylum, Demo (2004)

AT THE GATES

At the Gates はアードリアン・エルランドソン（ドラム）と双子兄弟のアンデシュ（ギター）、ヨーナス・ビョーラー（ベース）がカルトバンド Grotesque の残党と結託し、1990 年に結成したバンド。アルフ・スヴェンソンがバンドの中心人物であったが、彼の脱退後、才能豊かなビョーラー兄弟が主導権を握った。音楽性はムードとフィーリングに満ち溢れたスラッシュとデスメタルの暴虐的な融合スタイルに変化していった。At the Gates は素晴らしいの一言に尽きる。極上のメタル・バンドであると俺は思う。彼らは多くのバンドに模倣されたが、そのどれも At the Gates のクオリティーには及ばない。彼らのすべてのアルバムは最高傑作なのである。1996 年の解散後、アンデシュとヨーナスはレトロ・スラッシュ・バンドの The Haunted で活動を続けている。

ラインナップ
Tomas Lindberg: Vocals (1990-), Anders Björler: Guitar (1990-), Bass (1990), Jonas Björler: Bass

(1990-1992, 1992-1996), Drums (1990), Adrian Erlandsson: Drums (1990-), Martin Larsson: Guitar (1993-)
過去のメンバー
Alf Svensson, Guitar (1990-1993), Tony Andersson: Bass (1992), Hans Nilsson: Drums (1990), Kristian Wåhlin: Guitar (1990)
デスコグラフィー
Gardens of Grief, Demo (1991, この作品がデモテープとしてリリースされたかどうかもわからない)
Gardens of Grief, EP (Dolores, 1991)
The Red in the Sky is Ours, CD/LP (Peaceville, 1992)
With Fear I Kiss the Burning Darkness, CD/LP (Peaceville, 1993)
Terminal Spirit Disease, CD/LP (Peaceville, 1994)
Gardens of Grief, 7" (Peaceville, 1994)
Slaughter of the Soul, CD/LP (Earache, 1995)

ATHELA
1999年にストックホルムで始動したプログレッシヴなデス／ドゥーム・バンド。数年だけの活動にも拘らずメンバーの数は膨大である（Raise Hell に在籍するデニス・エクダールは有名であろう）。
ラインナップ
Pär Hjulström: Drums, Alexander Nordquist: Guitar, Jacob Alm: Vocals/Guitar, Elin Lavonen: Bass
過去のメンバー
Tomas Bjernedahl: Drums, Patrik Andersson: Bass, Patrik Pira: Guitar, Adam Hobr: Drums, Per Wenström: Guitar, Patrik Karlsson: Guitar, Johan Andrén: Guitar, Dennis Ekdahl: Drums
デスコグラフィー
Unspoken Wish, Demo (2000)
Spectral, Demo (2002)
Reliance, Demo (2003)

ATOM & EVIL
2002年に始動したデス／スラッシュ・バンド。
ラインナップ
Jimmy Larsén: Vocals/Guitar, Benny Andersson: Drums, Robert Hylén: Bass, Devo Andersson: Guitar
過去のメンバー
Varg Stening: Guitar
デスコグラフィー
Atom & Evil, Demo (2002)
Neutralize Me, Demo (2003)
Fist Through You, Demo (2004)
Nemesis, Demo (2005)

ATROCIOUS REEK—Repugnance 参照。

ATROCITY
ヴェステルオース出身の80年代後期スラッシュメタル・バンド——サーラで始動したがのちにヴェステルオースに拠点を移した。Testament や Heathen からインスピレーションを受け、エクストリームになろうとしていたのは分かったが、いかんせんヘヴィメタルの影響が大きすぎた。俺が在籍していたパンク・バンド（Roof Rats、念のため）が1988年に彼らの前座を務めたので、今でもこのバンドのことを記憶している。俺にとっては彼らはロックスターのような感じだった――一介のスウェディッシュ・スラッシュメタ

ル・バンドにすぎなかったがかなり衝撃的だった。ご存知の通り、状況が変わって2年もしないうちにスラッシュメタルのジャンルは一掃された。Atrocity は1989年に解散し、Rosicrucian に変容した。
ラインナップ
Glyn Grimwade: Vocals/Guitar, Magnus Söderman: Guitar, Fredrik Jacobsen: Bass, Johan: Drums (1988-)
過去のメンバー
Ronny Bengtsson: Vocals (-1989), Fredrik Andersson: Drums (-1988)
デスコグラフィー
Atrocious Destruction, Demo (1988)
Atrocity/Damien/Gravity/Tribulation Split 7"(Is This Heavy or What Records, 1988)
To Be...or Not To Be, Demo (1989)

ATROX
スピードメタルとブラックメタルの融合を試みたが失敗し、世に知られることなく終わったバンド。初期のラインナップ・チェンジがバンドを弱体化させたのであろう。
ラインナップ
Stephan Hermansson: Bass, Isti: Drums, Nicke Eriksson: Vocals (1992-), Johan Gärdestedt: Guitar (1992-), Johan Dahlström: Guitar (1992-)
過去のメンバー
Tobbe Johansson: Vocals/Guitar (-1992), Johan Larsson: Guitar (-1992), Pelle Nilsson: Guitar (-1992)
デスコグラフィー
Land of Silence, 7" (PLC, 1992)
Plague of Nature, Demo (1993)

AUBERON
1988年にウーメオで Oberon 名義のスクール・プロジェクトとして結成されたバンド。90年代中期 Black Mark との契約を手にした際、既に Oberon が使われていたため Auberon に変更された。音楽性はデスメタル影響下のメロディックでスラッシーなメタル。小さな町の出身バンドにありがちなことだが、メンバーの出入りが激しく、Bewitched （デーゲーストルム）や Naglfar（デーゲーストルムとリーイェ）、Nocturnal Rites （ノルバリ）、Amsvartner（ホルムグレーン）といった同系統の音楽性のバンドでも活躍していた。フレードリック・デーゲーストルムは『Arqtique Zine』を発行していた。
ラインナップ
Jonathan Holmgren: Guitar (2000), Christer Bergqvist: Guitar (2003-), Andreas Nilsson: Bass (2004), Morgan Lie: Drums (1993-)
過去のメンバー
Fredrik Degerström: Vocals/Guitar, Richard Nilsson Jokela: Bass (2003-2004), Johan Asplund: Guitar, Magnus Lindblom: Guitar, Johan Westerlund: Guitar, Pekka "Power" Kiviaho: Bass, Andreas: Guitar, Jon Andersson: Guitar, Nils Norberg: Guitar, Andreas Johansson: Guitar
デスコグラフィー
Follow the Blind, Demo (1994—Oberon 名義)
Insane, Demo (1995—Oberon 名義)
The Tale of Black, CD (Black Mark Production 1998)

Crossworld, CD (Black Mark Production, 2001)
Scum of the Earth, Demo (2003)

AUTHOR OF PAIN
90年代中期の凡庸なデスメタル・バンド。最近ブラックメタルをプレイし始めたそうである。ストレムスタード出身のため、彼らの実際の名前を推測するのはそれほど難しくない。2本目のデモテープのタイトルをみると、傑作ジョーク・プロジェクトであることがわかる。
ラインナップ
Satanas: Vocals, Corpse: Guitar, The Baron: Guitar, Butcher: Bass, Helltor: Drums
デスコグラフィー
Suicidal Thoughts, Demo (1996)
1998/3=666, Demo (1998)

AUTHORIZE
1988年に Morbid Fear 名義で始動したソーデルハムン出身のデス／スラッシュ・バンド。もともとスラッシュ色の強いバンドだったが、結成後数年もしないうちに暴虐的なスタイルを取り入れた。演奏技術は高く、強烈である。当時、俺はこのバンドをかなり気に入っていた。
ラインナップ
Micke Swed: Drums, Jörgen Paulsson: Guitar, Lars Johansson: Guitar/Vocals, Patrik Leander: Bass, Tomas Ek: Vocals (1990-)
デスコグラフィー
Darkest Age, Demo (1990—Morbid Fear 名義)
The Source of Dominion, CD (Putrefaction, 1992)

AUTOPSY TORMENT
1989年にウッデヴァラで結成された悪名高きアンダーグラウンド・バンド。もともとは狂人トマス・カールソンのソロ・プロジェクト。初期はグラインドコアだったが、次第にデスメタルに移行した。トマス・カールソンとカール・ヴィンセントはその後 Pagan Rites を結成。カールソンはのちに Tristitia のヴォーカリストになった。Autopsy Torment は10年間の沈黙の後、2002年には3作品を突如発表した。そうだ！腐らず野垂れ死にするな！ 初期のラインナップには、極悪非道のバイスマネン（"オンケル"として知られる "シット・マン" ［クソ野郎］）がギターでプレイしていた。スウェーデンのゲス野郎として知られる彼は長年にわたって衆望を集めた。バンドは血、ゴア、逆さ十字を武器に究極なまでのバカバカしさを曝け出した。実際のところ何本のデモテープが存在するのかは定かではないが、俺が把握している以上の数の作品をリリースしているかもしれない。
ラインナップ
Daniel Nilssen: Guitar, The Demon: Bass, Thomas Hedlund: Drums, Thomas Karlsson (Unholy Pope): Vocals
過去のメンバー
Karl Vincent (Sexual Goat Licker): Drums, Onkel: Guitar, Harri: Guitar (1989-1994)
デスコグラフィー
Jason Lives, Rehearsal (1989)
Splattered, Rehearsal (1989)
Satanic Sadist, Demo (1991)
Darkest Rituals, Demo (1991)
Adv. tape, Demo (1992)

Nocturnal Blasphemy, Demo (1992)
7th Soul of Hell, Demo (1992)
Moon Fog, EP (Slaughter Records, 1992)
Orgy With the Dead, EP (Miriquidi/City of the Dead, 2002)
Darkest Ritual, 7" picture disc (Miriquidi, 2002)
Tormentorium, CD (Painkiller, 2002)
Premature Torture, Split (2003)
Graveyard Creatures, CD (Painkiller, 2005)

AUTUMN DWELLER
1998年にヴェステルオースでヨアキム・ヤンソン（Dust、The Mist of Avalon、Mornaland、Skyfire、Skinfected）のソロ・プロジェクトとして始動したバンド。スラッシュとデスメタルが絶妙にブレンドされたような音楽性である。
ラインナップ
Joakim Jonsson: All instruments, Henrik Wenngren: Vocals, Andreas Johansson: Lyrics
過去のメンバー
John Grahn: Vocals/Lyrics, Tommy Öberg: Lyrics
デスコグラフィー
A Level Beyond, EP (Riddle Records, 1998)

AVATAR
2001年にユーテボリにて結成。分かっているよな！ In Flames クローンよりもさらにメロディックだ！
ラインナップ
Johannes Eckerström: Vocals, John Alfredsson: Drums, Jonas Jarlsby: Guitar/Vocals, Henrik Sandelin: Bass, Simon Andersson: Guitar
過去のメンバー
Christian Rimmi: Vocals, Albin Dahlquist: Bass, Kim Egerbo: Guitar
デスコグラフィー
Personal Observations, Demo (2003)
4 Reasons to Die, Demo (2004)
My Shining Star, Single (Blood Stained Art, 2005)
And I Bid You Farewell, Single (Blood Stained Art, 2005)
Thoughts of No Tomorrow, CD (GAIN Music Entertainment, 2006)

AXIS POWERS
1998年にユーテボリ地域（ウッデヴァラ）で結成。バンド名から察すると、メロディック／デスメタル・バンドであると思うかもしれない――しかし、驚くことにオールドスクール・デスメタル・バンドなのだ！斬新なサウンドである。多くのメンバーは、ブラック／スラッシュ・バンドの Suicidal Winds でもプレイしている（音楽性はそれぞれまったく違う）。
ラインナップ
Mathias Johansson: Vocals, Peter Haglund: Guitar, Karl Nilsson: Guitar, Fredrik Andersson: Bass, Christoffer Larsson: Drums
過去のメンバー
Karl Nilsson: Guitar
デスコグラフィー
Evil Warriors, EP (2000)
Born for War, EP (2002)
Fresh Human Flesh, Axis Powers/Ill-Natured- Split (Deathstrike Records, 2004)
Tribute to I-17, Axis Powers/Bestial Mockery-Split

(Agonia Records, 2005)
Pure Slaughter, CD (Iron Fist, 2005)

AZATOTH
1992年に陰鬱なストックホルム郊外の町であるテンスタ／ヒュルスタを拠点に、元 Ophedia のカール・ビラートと元 Sonic Slayer のラザ・アンヤムが結成したクールなデスメタル・バンド。1993年後半にはラインナップを固め、リハーサルを開始し、翌年にはデモテープ『The Dawn』をリリースした。ストックホルム西部で数多くのギグをこなし、1995年に2本目のデモテープを発表したのち、1996年の終わりに解散した。カール・ビラートは1999年にInsision に加入し、よりブルータルなデスメタルを追求した。
ラインナップ
Carl Birath: Vocals, Raza Anjam: Guitar, Andreas Holking: Guitar, Vladik Lindström: Drums, Daniel Rhör: Bass
デスコグラフィー
The Dawn, Demo (1994)
Through the Halls of Hatred, Demo (1995)

AZEAZERON
1996年にウッデヴァラ／ユングシーレで結成されたデス／ブラックメタル・バンド。Azeazeron はしばらく活動休止状態だったが、目下新メンバーを募集しており、再始動を画策している。
ラインナップ
Harold: Vocals, Nojjman: Guitar, Emil: Guitar, Torbjörn: Bass, Jonas: Drums, Johan: Keyboards
デスコグラフィー
Funeral of Samirith, Demo (1996)
Diabolical Angels (Destruction Of Eden), CD (Loud N' Proud, 2000)

AZHUBHAM HAANI—Dysentery 参照。

AZURE
リンデスバリを拠点に活動していた典型的な90年代中期（1995年結成）のメロディック・ブラック／デスメタル・バンド。メロディーがあるものの、パワー不足。彼らのことは忘れてもいい。Relentless のメンバー、ローベット・カントを中心としたプロジェクトだったと思う。Azure よりも Relentless を聴いてくれ。
ラインナップ
Robert Kanto: Guitar/Bass/Vocals, Mattias Holmgren: Drums/Keyboards/Vocals
過去のメンバー
Velvet: Drums (1995-1998), Enormous: Bass (1995-1998)
デスコグラフィー
Dark & Mysterious, Demo (1996)
Demo 1 '96, Demo (1996)
Demo 2 '96, Demo (1996)
The Erotican, Demo (1997)
A Vicious Age Lasting..., MCD (Pentheselia Records, 1998)
Moonlight Legend, CD (Solistitium Records, 1998)
Shadows in Midark, Demo (2000)
King of Stars—Bearer of Dark, Demo (2004)
King of Stars—Bearer of Dark, CD (Solistitium Records, 2005)

BACON WARRIORS—Dethronement 参照。

BAROPHOBIA
1990年頃にスウェーデン北部ドンフェを拠点に活動していた、短命に終わったバンド。どのリフもタイトでクリアーで Testament を彷彿させた。確かにリフは王道スラッシュを踏襲している！　ただこの類のサウンドは1990年には時代遅れになっていたので、彼らは成功することはなかった。1990年にハーケ、1994年にハグストルムは Meshuggah に加入した。それ以来、彼らは世界中を席巻している。
ラインナップ
Mårten Hagström: Guitar/Vocals, Niclas Nordin: Bass, Håkan Östman: Drums
過去のメンバー
Tomas Haake: Drums
デスコグラフィー
Demo, Demo (1990)
Labyrinth of the Mind, Demo (1990)

BATHORY
ミステリアスなクォーソン（トマス・フォーシュバリ）のワンマン・プロジェクト。彼らは全メタル・バンドの中で、最も伝説的な存在の一つである。1983年にストックホルムで始動した Bathory は、史上最強のエクストリームなバンドとなった。悪魔主義の歌詞やアルバムでメンバー写真を公表しないことで、バンドの悪名を轟かせた。彼らはスタイルが確立する前の数回のライブを除き、演奏しないことに徹していた。これによってバンドの神秘的雰囲気をさらに肥大させることになった。80年代中期の数年間にわたって、Bathory は、Mercyful Fate、Venom、Celtic Frost とともに、ブラックメタルのジャンルを牽引した。彼らの重要性は計り知れない。これだけでなく、彼らの存在なしには90年代のブラックメタル・シーンは始まっていなかったかもしれない。バンドの初期作品は、史上最も生々しく、オリジナリティー溢れるブラックメタルとして燦然と輝いている。クォーソンが雇ったミュージシャンのうち、ドラマーのヨーナス・オーケルンドは、世界最高峰のミュージック・ビデオ・ディレクターとして今日崇められている。彼の作品で有名なのは Madonna、Metallica、Prodigy（数多くの不快なシーンや裸体が描写されている、ケバケバしくきわどいビデオ）の映像である。クォーソンは残念ながら2004年7月6日に心不全により早すぎる死を迎えた。彼の伝説は永遠に語り継がれるであろう。
ラインナップ
Quorthon: Vocals/Guitar/Bass/Drums/Programming
過去のメンバー
Vvornth (Pålle): Drums, Kothaar: Bass, Rickard Bergman: Bass, Stefan Larsson: Drums, Jonas Åkerlund: Drums, Fredrick: Bass ...... いう、そして、数多くの匿名メンバー。複数のメンバーが "Kothaar" を名乗っていると思われる。
デスコグラフィー
Bathory, LP/CD (Tyfon/Black Mark, 1984)
The Return, LP/CD (Tyfon/Black Mark, 1985)
Under the Sign of the Black Mark, LP (Under One Flag/Black Mark, 1986)
Blood Fire Death, LP/CD (Under One Flag/Black Mark, 1988)
The Sword, Promo EP (Black Mark, 1988)
Hammerheart, LP/CD (Noise, 1990)

Twilight of the Gods, LP/CD (Black Mark, 1991)
Twilight of the Gods, Promo EP (Black Mark, 1991)
Jubileum Volume 1, CD (Black Mark, 1992)
Jubileum Volume 2, CD (Black Mark, 1993)
Requiem, CD (Black Mark, 1994)
Octagon, CD (Black Mark, 1995)
Blood on Ice, CD (Black Mark, 1996)
Destroyer of Worlds, CD (Black Mark, 2001)
Nordland 1, CD (Black Mark, 2002)
Nordland 2, CD (Black Mark, 2003)
In Memory of Quorthon, Box-Set (Black Mark, 2006)

BATTLELUST
1996 年に Necronomicon のメンバー、ヘンリック・オーバリのサイド・プロジェクトとして始動した。初期にはバンド名を Ondska（スウェーデン語で"悪"）と名乗っていたが、その後は Battlestorm、そして最終的に Battlelust となった。オーバリは Gates of Ishtar に短期間在籍したのちに Necronomicon を脱退し、Battlelust に全力を注いだ。何度かのラインナップ変更ののち、Satariel のヴォーカル、ミッケ・グランクヴィストと Darkest Season のギタリスト、マルカス・テッラマキが加入した。彼らの音楽性？　クオリティーは保証しないが、ファスト・ブラック／デスメタルである。
ラインナップ
Henrik Åberg: Guitar/Bass/Drums, Micke Grankvist: Vocals, Markus Terramäki: Guitar
過去のメンバー
Patrick Törnkvist
デスコグラフィー
The Eclipse of the Dying Sun, Demo (1996)
Of Battle and Ancient Warcraft, CD (Hammerheart, 1997)

BATTLESTORM—Battlelust 参照。

BEHEMOTH—In Aeternum 参照。

BELSEBUB
シングル盤リリース後に消滅したリンシューピング／ミョールビー発、90 年代初期のデスメタル・バンド。2 人のリード・ヴォーカルの使い方が見事だった。オリジナリティーに溢れていたし、効果的だった！
ラインナップ
Mika Savimäki: Vocals/Bass, Peter Blomman: Guitar, Johnny Fagerström: Vocals/Drums
デスコグラフィー
Lord of Locust, Demo#1, Demo (1990)
Disembowelled, Demo#2, Demo (1991)
Elohim, Single (1992)
Chemical Warfare, EP (Drowned, 1992)

BENIGHTED（フォーシュラム）
1991 年 11 月にフォーシュラムで Sickenss として結成された、90 年代初期のバンド。2 本のデモテープを発表したのち、Benighted と改名したが、さほど注目を集められなかった。初期は平均レベルの超ブルータルなデス／グラインドだったが、やがて当たり障りのないメロディックなデス／スラッシュに落ち着いてしまった。エンクヴィストはファンジン『Undead Mag』の編集に携わった。
ラインナップ

Kristian Enqvist: Drums, Martin Edwertz: Guitar, Stefan Englund: Bass/Vocals, Sven Karlsson Guitar (1993-), Mats Nordborg: Vocals
過去のメンバー
Johan Edwertz: Vocals (1992)
デスコグラフィー
Demo 92, Demo (1992—Sickness 名義)
Eternal Horizon, Demo (1993—Sickness 名義)
The Master of Darkness, Demo (1993)
We Don't Care, Demo (1997)

BENIGHTED（リンシューピング）—Spiteful 参照。

THE BEREAVED
1998 年に始動したオースプロ出身のメロディック・デスメタル・バンド。Clone として知られていたが、その後、改名した。
ラインナップ
Mikael Nilsson: Bass, Tobhias Ljung: Drums, Henrik Tranemyr: Guitar, Jonny Westerback: Vocals/ Guitar, Tony Thorén: Keyboards
過去のメンバー
Jimmy Johansson: Vocals
デスコグラフィー
Inverted Icons, Demo (2002)
Darkened Silhouette, CD (Black Lotus Records, 2004)

BERSERK
1993 年にストックホルムで結成され、短命に終わったデスメタル・プロジェクト。デモテープを発表したのは確かだが、俺は見たことがない。注目すべきメンバーは、現 Dismember、元 Mörk Gryning、Sins of Omission、Thyrfing のマルティン・バージョンである。
ラインナップ
Martin Persson: Guitar/Vocals, Pelle Söderberg: Bass, Markel Månson: Drums
デスコグラフィー
Demo (?)

BESEECH
ボロース出身のメロディック・ゴス／ヘヴィ／デスメタル・バンド。同郷出身の数多くのバンドのように、彼らの音楽性は多様なスタイルをミックスしている。音楽的にあまり説得力を感じられないが、プロフェッショナルなことは確かである。度重なるメンバーチェンジによってバンド活動は停滞していたが、1992 年から復活し、生き残っている。
ラインナップ
Erik Molarin: Vocals, Lotta Höglin: Vocals, Robert Vintervind: Guitar/Programming, Daniel Elofsson: Bass, Mikael Back: Keyboards, Jonas Strömberg: Drums, Manne Engström: Guitar
過去のメンバー
Morgan Gredåker: Drums (1994-1998), Andreas Wiik: Bass (1994-1998), Anna Andersson: Vocals（ゲスト参加, 1998), Jörgen Sjöberg: Vocals (1994-2001), Klas Bohlin: Guitar/Vocals (1994 -2003)
デスコグラフィー
A Lesser Kind of Evil, Demo (1993)
Last Chapter, Demo (1994)
Tears, Demo (1995)
From a Bleeding Heart, CD (Metal Blade, 1998)

Black emotions, CD (Pavement Music, 2000)
Beyond the Skies, Demo (2001)
Souls Highway, CD (Napalm, 2002)
Drama, CD (Napalm, 2004)
Sunless Days, CD (Napalm, 2005)

BESTIAL MOCKERY

1995 年にウッデヴァラで結成された、バカバカしいほどブルータルなブラック／スピードメタル・アクト。彼らは異常なまでにオールドスクール・スタイルにこだわりを見せている！ 歌詞やイメージは痛烈なので、多くの奴らは一瞬で彼らのファンになるだろう。けれども、ベーシストにかなり問題があったこともここに記しておこう。メンバーは、Sons of Satan、Sadistic Grimness、Zyclone System、Psychomantum、Kill、そして、Bestial Destructive Blasphemy というスゴい名前をつけたバンドでもプレイしている。
ラインナップ
C. Warslaughter: Drums, Master Motorsåg: Vocals, Micke Doomfanger: Guitar, Ted Bundy: Guitar, Devil Pig: Bass
過去のメンバー
Sir Torment: Bass, Fjant Sodomizer: Bass, Anti-Fred-Rik: Bass, Jocke Christcrusher: Bass
デスコグラフィー
Battle Promo, Demo (1996)
Christcrushing Hammerchainsaw, Demo (1997)
Chainsaw Demons Return, Demo (1998)
Live for Violence, Bestial Mockery/Lust-split (Impaler of Trendies, 1999)
Nuclear Goat/Joyful Dying, Bestial Mockery/Social Winds-split (2000)
War: The Final Solution, Demo (2000)
Chainsaw Execution, CD (Sombre, 2001)
A Sign of Satanic Victory, EP (Warlord Records, 2002)
Christcrushing Hammerchainsaw, CD (Metal Blood Music, 2002)
Evoke the Desecrator, CD (Osmose Productions, 2003)
Tribute to I-17, Bestial Mockery/Axis Powers-split (Agoni Recordings, 2004)
Outbreak of Evil, Bestial Mockery/Nocturnal/Vomitor/Toxic Holocaust-split (Witching Metal Reckords, 2004)
Eve of the Bestial Massacre, Bestial Mockery/Unholy Massacre-split (Deathstrike Records, 2005)
Gospel of the Insane, CD (Osmose Productions, 2006)

BEYOND（アーヴェスタ）

アーヴェスタの小さな町から偉大なデスメタル・バンドが数多く生まれたが、彼らは最初期に結成された才気溢れる４人組だった。バンドは1988年に、ヨーハン・ヤンソンがそれまで在籍していた最高のスラッシュメタル・グループ Hatred よりもさらに暴力的スタイルを望んだことから結成された。彼らは『Birth of the Dead』というかなりレアなデモテープの１本だけ発表した。これは "獰猛な初期衝動に煽られた暴発した音像をリハーサル室で凝縮した姿" といえるだろう。残忍な雰囲気、粗削りのサウンド、見事にはまっているヴォーカルに平れ伏してしまうほどである。ギターサウンドはまるで Hellhammer である！ その後、

Beyond はあの素晴らしい Interment に変容した。
ラインナップ
Johan Jansson: Guitar/Vocals (たまにドラムも担当した), John Forsberg: Guitar, Micke Gunnarsson: Bass (1989-), Sonny Svedlund: Drums
過去のメンバー
Dan Larsson: Vocals (1988-1990), Tomas Änstgård: Bass (1988-1989)
デスコグラフィー
Birth of the Dead, Demo (1990)

BEYOND（ホルムスンド）—Embracing 参照。

BIRDFLESH

1992年にヴェクファで結成されたグラインドゴア集団。政治的な歌詞を曝け出しているグラインド系バンドとは異なり、彼らはユーモア・センスに溢れていて傑作だ。「Burgers of the Fucking Dead（極上死体ハンバーガー）」などの楽曲タイトルでも彼らのセンスが窺える。S.O.D. のタイトルみたいだろ？ 近年 Birdflesh はかなり成功し、日本などの遠隔地でもツアーを敢行した。結成時のベース・プレイヤーはこの獰猛なバンドを去り、80年代スタイルのポップ・バンド Melody Club に加入したこともここに記しておこう！
ラインナップ
Alex: Vocals/Guitar, Magnus: Vocals/Bass, Andreas: Vocals/Drums
デスコグラフィー
The Butcherbitchtape, Demo (1994)
Demo of Hell, Demo (1995)
Fishfucked, Demo (1997)
We Were 7 Who 8 Our Neighbours on a Plate, Demo (1998)
The Hungry Vagina, 7" (Burning Death, 1998)
Birdflesh/Carcass grinder, split 7" (Underground Warder Productions, 1999)
Morbid Jesus/Wo-man, Birdflesh/Squash Bowels-split (Fudgeworthy Records, 1999)
Trip to the Grave, EP (Nuclear Barbecue Party Records, 1999)
Birdflesh/The Dead, Split (Nocturnal Music, 2001)
Alive Autopsy, CD (Leather Rebel, 2001)
Carnage on the Fields of Rice, EP (Nuclear Barbecue Records, 2002)
Live in Japan, Live album (2002)
Night of the Ultimate Mosh, CD (Razorback Records, 2002)
Birdflesh/The Kill Split EP, Split (Regurgitated Semen Records, 2003)
Killing Rosenkeller, Demo (2004)
My Flesh Creeps at Insects/Death Metal Karaoke, Birdflesh/Embalming Theatre-split (From Life, 2004)
Time to Face Extinction, Birdflesh/Catheter-split (Civilisation Rec, 2004)
Live @ Giants of Grind, Live album (Power It Up Records, 2005)

THE BLACK

1991年に極悪サウンドを追求する３名の若者によって結成されたクールなブラックメタル・プロジェクト。その３人とはヨン・ノトヴェイト（Dissection）、

マルクス・ペダーセン（Crypt of Kerberos）、マルクス・
ペソネン（Eternal Darkness）である。楽曲はかなり
生々しく、メンバー写真は最高である！ Tyrant ／
元 Vinterland のブラグマンとヨンソンが加入して新
体制が整った。
ラインナップ
Daniel Bragman: Vocals/Strings, Adde Jonsson:
Guitar, Markus Pesonen (別名 The Black): Drums/
Keyboards
過去のメンバー
Jon Nödtveidt (別名 Rietas): Vocals/Guitar/
Keyboards, Marcus Pedersen (別名 Leviathan): Bass
デスコグラフィー
Black Blood, Demo (1992)
The Priest of Satan, CD (Necropolis, 1994)
Alongside Death (Hell's Cargo, 2008)

BLACK SATAN
1988 年にストックホルムで始動した、極悪ノイズを
突き詰めた最高にいかすバンド。異なるラインナッ
プで活動していたという報告もある。1991 年に解散
するまで、彼らは「Return of Satan」や「Rape the
Kids」という楽曲でメッセージを流布していた（ま
あ、流布とまで言わないかもしれないが）。ペトロフ
についてはおそらく、Entombed での活動の方がもっ
と有名であろう。
ラインナップ
Tommy Gurell: Vocals/Guitar, Lars-Göran Petrov:
Drums, Rikard: Bass
デスコグラフィー
Rehearsal (1990)

BLACKLIGHT
1996 年にメリョーサ（そんな場所あったっけ？）で
結成されたデスメタル・バンド。シングル盤 1 枚で解
散した。
ラインナップ
Richard Karlsson: Vocals, Jan Iso-Aho: Guitar,
Patric Hedberg: Guitar, Kaj Ukura: Bass, Patrick
Nygren: Drums
デスコグラフィー
Blacklight, EP (1997)

BLAZING SKIES
1994 年にボールネスで Defective Decay 名義で結成
されたデスメタル・バンド。彼らのスタイルは次第に
メロディックになっていった。音楽性がメロウになっ
ていくと、Blazing Skies に改名される。At the Gates
を模倣した平凡なバンドだったが、軟弱なレトロ・ス
ラッシュ・バンド Arise や Ablaze My Sorrow の足元
にも及ばなかった。Blazing Skies は 2 枚のフルレン
グス・アルバムをレコーディングするが、どちらも所
属レーベルの Loud N' Proud と Plasmatica とのいざ
こざでお蔵入りになってしまった。
ラインナップ
Henke Westin: Vocals, Tomas Hedlund: Guitar, Lars
Larsson: Guitar, Rickard Harryson: Bass, Krille
Nyman: Drums
過去のメンバー
Krille Hed: Bass, Niklas Brodd: Guitar, Johan
Wadelius: Bass/Vocals, Damian: Bass, Antonio Fix:
Drums, Peter Andersson: Drums
デスコグラフィー

The Thriving Thorns of November, Demo (1997)
Debris, Demo (1998)
Neo-Delusional, EP (2003)

BLESSED
Blessed は 1996 年にユーテボリでテクニカル・デス
メタル・バンドとして始動した。彼らのスタイルは
次第にもっとメロディックでシンプルになっていっ
た。そして、バンド名を Openwide に改名（それま
でみんなは彼らをキリスト教信者だと思っていたに違
いない！）した 2004 年に、彼らはドゥームメタルに
近いスタイルに大転換した。ヨーハン・オルソンは
Inverted でもプレイしていた。
ラインナップ
Mikael Ungell: Guitar, Magnus Ohlsson: Drums,
Johan Ohlsson: Guitar
過去のメンバー
Joakim Unger: Drums
デスコグラフィー
Promo 1999, Demo (1999)
Consume 3000, Demo (2000)
Last Breath Before the Flesh, EP (2002)
Openwide, EP (2005—Openwide 名義)

BLINDED COLONY
2000 年に Stigmata 名義でメロディックなサウンドを
志したバンド。2 年後に彼らは Blinded Colony に改名
するが、音楽性は相変わらずメロディックな凡作にし
かすぎなかった。
ラインナップ
Roy Erlandsson: Bass, Staffan Franzen: Drums,
Tobias Olsson: Guitar, Johan Blomström: Guitar,
Johan Schuster: Vocals
過去のメンバー
Niklas Svensson: Vocals, Christoffer: Bass
デスコグラフィー
Painreceiver, Demo (2000—Stigmata 名義)
Tribute to Chaos, Demo (2002—Stigmata 名義)
Blinded Colony—Tribute to Chaos, Demo (2002)
Divine, CD (Scarlet, 2003)
Promo 2005, Demo (2005)

BLITZKRIEG—Therion 参照。

BLOODBATH
1999 年、ダン・スワノ（Edge of Sanity）、ミカエ
ル・オーケルフェルト（Opeth）、アンデシュ・ニー
ストルム（Katatonia）、そしてヨーナス・レーンクス
（Katatonia）によって始動したデスメタル "オール
スター" プロジェクト。彼らの音楽性は素晴らしいの
一言に尽きる！ 初期は Entombed 風の真正オール
ドスクール・ヴァイオレント・デスメタル・サウンド
で、耳から流血してしまうほどである。他のバンドを
脱退して Bloodbath に心血専念してほしいくらいだ。
2003 年にオーケルフェルトが抜け、ペータル・テク
レン（Hypocrisy など）に変わった。スワノがドラム
からギターをプレイすることになったため、ドラマー
のマルティン・アクセンロット（Witchery、Satanic
Slaughter）が加入した。彼らはいまだにオールス
ター・バンドの風格を保っている。ただ、2008 年にオー
ケルフェルトが再加入するまで、彼を失った穴を少な
からず感じられたのは事実である。
ラインナップ

Dan Swanö: Guitar (2003-), Drums (1999-2003),
Anders Nyström: Guitar, Jonas Renkse: Bass,
Martin Axenrot: Drums (2003-)
過去のメンバー
Peter Tägtgren: Vocals (2003-2005), Mikael
Åkerfeldt: Vocals (1999-2003)
デスコグラフィー
Breeding Death, EP (Century Media, 2000)
Resurrection Through Carnage, CD (Century Media,
2002)
Nightmares Made Flesh, CD (Century Media, 2004)
Unblessing the Purity, EP (Peaceville, 2008)

BLOODLUST
スウェーデン南部北寄りのフィエルキンゲ出身のオー
ルドスクール・デス／スラッシュメタル・バンド──
その場所は何もないところだ！　俺は彼らのデモテー
プを1本しか見たことがない。
ラインナップ
C Lindell
デスコグラフィー
Demo 1, Demo (2004)

BLOODSHED
ストックホルム出身の Bloodshed は、1997 年以来ファ
ストかつ暴虐的なブラックメタルを生み出している。
マシーンのように正確な楽曲のおかげで、デスメタル
に聴こえることもある。近年、Insision のドラマー、
マルクス・ヨンソンが加入し、破壊力はさらに増大し
た。
ラインナップ
Tommy: Guitar/Vocals, Robin: Bass/Vocals, Wall:
Vocals, Mats Nehl: Guitar
過去のメンバー
Markus Jonsson: Drums（ゲスト参加）, Stange:
Vocals, Joel: Guitar, Mikael: Drums, Glenn: Vocals,
Johannes Pedro: Guitar
デスコグラフィー
Laughter of Destruction, Demo (1999)
Skullcrusher, EP (Ledo Takas Records, 2001)
Inhabitants of Dis, CD (Code 666, 2002)
Blade Eleventh, Demo (2004)
Blade Eleventh, EP (Cursed Division, 2005)

BLOODSTONE
1991 年にストックホルムで結成された非道なデスメ
タル・グループ。5年後にはすべての活動が終わった
のだが、なんと充実した5年間だったのだろう！　サ
ミュエルソンは Cauterizer と Bifrost で活動している
（後者はヴィクバリも参加）。
ラインナップ
Damien Hess: Vocals, Michael Samuelsson: Guitar,
Svante Friberg: Bass, Mats Wikberg: Drums
デスコグラフィー
Branded at the Threshold of the Damned, Demo
(1994)
Hour of the Gate, CD (Burn Records, 1996)

BLOT MINE
1995 年にスンツヴァルで、Setherial に在籍していた
3人のメンバーが結成したプロジェクト。デスメタル
影響下のブラックメタルは以前のようには受け入れら
れなくなっているにもかかわらず、彼らがまだ現役と

して活動しているということが奇跡のように感じられ
る。彼らのリフは他のバンドで使わなかった没リフで
はないかと疑ってしまうほど──なぜならスウェーデ
ン北部では誰もが少なくとも3つ以上のバンドでプレ
イしているからな。
ラインナップ
Athel W: Guitar, Steril Vwreede: Vocals, Thunaraz:
Guitar, Thorn: Bass, Zathanel: Drums
デスコグラフィー
Kill for Inner Peace, Demo (1996)
Porphyrogenesis, CD (Near Dark, 1998)
Ashcloud, CD (Near Dark, 2005)

BLOTSERAPH
90 年代後期のフディクスヴァル出身のバンド。デス
メタル・ヴォーカルにブラックメタル要素のある音楽
性。オリジナリティーがあまりないし、質も高くない。
デスコグラフィー
Terminal Autumn, Demo (1999)
Beheaded Screams, Demo (2000)

BODY CORE
1997 年にヘスレホルムで結成されたデスメタル集
団。インスト部分にコンガとフルートが使用されてい
るので、ジョークバンドの印象を受ける。
ラインナップ
Dan Hejman: Vocals/Congas, Markus Wallén:
Guitar, Nicklas Wallén: Bass/Flute, Håkan
Johansson: Drums/Percussion, Jakob G Löfdahl:
Guitar
過去のメンバー
Daniel Larsson: Guitar, William Ekeberg: Guitar
デスコグラフィー
I Kill You in My Dreams, Demo (2000)
Welcome to our Dying World, Demo (2002)
Idle Mind Amputation, Demo (2003)
Blunt Force Trauma, CD (2004)
Rancid Cerebral Lobotomy, Demo (2005)

BONESAW—Murder Squad 参照。

BORN OF FIRE
2001 年に Entombed、Unleashed、Dismember に在
籍しているメンバーがスラッシュ／デスメタルっぽい
音を目指して結成した。再びプレイするかどうかわか
らないが、なんて凄いラインナップだろう！
ラインナップ
Mr. Dim: Vocals/Guitar, Fredrik Lindgren: Guitar,
Richard Cabeza: Bass, Peter Stjärnvind: Drums
デスコグラフィー
Chosen by the Gods, EP (Primitive Art, 2001)

BORN OF SIN
2001 年にトロールヘッタンで結成されたバンド。
ラインナップ
Jerker Backelin: Vocals, Kristoffer Hjelm: Guitar,
Robert Green: Guitar, Blaad: Bass, Henning Nielsen:
Drums
デスコグラフィー
The Beheader, Demo (2002)
Hell Will Walk the Earth, Demo (2004)

BRAIN CANCER—Leukemia 参照。

BREJN DEDD
1988 年から 1990 年まで、フィンスポングの町を不
安に陥れた、抱腹絶倒クロスオーヴァー・バンド。
ラインナップはダン・スワノ（Edge of Sanity、
Bloodbath）とトーニ・シャルッカ（Abruptum、
War）などの 10 代の反逆児たち。Brejn Dedd の 4 本
のデモテープはデスメタル界では歴史的資料価値のあ
るものとして捉えられているが、実際のところ、彼
らの音楽性はオリジナリティーに溢れているわけで
もなければエキサイティングでもない。10 代の滅茶
苦茶な衝動サウンドを聴きたければ彼らが在籍した
Incision もチェックすると良いだろう。
ラインナップ
Dan Swanö: Drums/Vocals, Michael Bohlin: Guitar/
Bass, Tony Särkkä: Vocals, Christer Bröms: Bass
過去のメンバー
Anders Måreby
デスコグラフィー
The First Demo, Demo (1988)
Ugly Tape, Demo (1988)
Born Ugly, Demo (1989)
The Ugly Family, Demo (1990)

BRIMSTONE—Havoc 参照。

BULLET PROOF—Disowned 参照。

BUTCHERY
人里離れたカールスクーガ出身の超ブルータルで肉
厚なデスメタル・バンド。1999 年後半に始動した彼
らには、史上最強のブルータル・バンドになるとい
う、たった一つの目標があった。実際のところ、彼ら
は本当にブルータルだった。彼らのサウンドは少量
であったとしても君にショックを与えるだろう。大
量に摂取すると最初のインパクトが薄れてしまうの
で、過剰摂取はしないほうがいい。のちにバンドは
Strangulation（別項目参照）に変容した。
ラインナップ
Christer Elgh: Vocals, Robert Lundgren: Bass,
Tobias Israelsson: Drums, Martin Jansson: Guitar
過去のメンバー
Juha Helttunen: Guitar, Jonathan Gonzales: Guitar
デスコグラフィー
The Coming, Demo (2000)
Repulsive Christ Curse, Demo (2002)

CABAL
メンダール出身の 90 年代初期のありきたりなデスメ
タル・バンド。スローで極悪であるが、大したことは
ない。ムネオースはのちに "真正" ブラックメタル・
バンド Thornium を結成。
ラインナップ
Daniel Munoz: Vocals, Mikael Uimonen: Drums,
Pascov: Guitar, Malle: Bass
デスコグラフィー
Midian, Live-Demo (1991)
Satanic Rites, Demo (1991)
Incantations from Beyond, Demo (1992)

CAEDES
ユーテボリ発の 90 年代初期の平凡なデスメタル・バ
ンド。
デスコグラフィー

Demo (199?)
Unworthy Existence, Demo (1992)

CANDLEMASS
1984 年にストックホルムで始動してから、
Candlemass は世界で名を馳せるドゥームメタル・バ
ンドとなった。俺の個人的な意見にすぎないが。実際、
彼らは Black Sabbath の革新的リフスタイルから一つ
の音楽のジャンルを創り上げたと言っても過言ではな
い。彼らの成功がスウェディッシュ・デスメタル・ムー
ヴメントの起爆剤となった。歴史的名盤である彼らの
デビュー・アルバムを聴いて俺はギターを習得しよう
としたのだ。世界でも名だたるバンドのうちの一つ。
それ以上の言葉は見つからない。
ラインナップ
Messiah Marcolin: Vocals, Lars Johansson: Guitar,
Mappe Björkman: Guitar, Leif Edling: Bass（初期は
ヴォーカルも担当）, Jan Lindh: Drums
過去のメンバー
Johan Langquist: Vocals (1986), Thomas Vikström:
Vocals (1991-1992), Björn Flodkvist: Vocals (1997-
1999), Christian Weberyd: Guitar (1984-1985), Klas
Bergwall: Guitar (1986), Mike Wead: Guitar (1987),
Patrik Instedt: Guitar (1997-1998), Michael Amott:
Guitar (1997-1998), Mats Ståhl: Guitar (1998-1999),
Matz Ekström: Drums (1984-1986), Jejo Perkovic:
Drums (1997-1999), Carl Westholm: Keyboards
(1998)
デスコグラフィー
Witchcraft, Demo (1984)
Second 1984 Demo, Demo (1984)
Epicus Doomicus Metallicus, LP/CD (Black Dragon,
1986)
Demo with Marcolin, Demo (1987)
Nightfall, LP/CD (Active Records, 1987)
Samarithan, Single (Axis Records, 1988)
At the Gallows End, EP (MFN, 1988)
Ancient Dreams, LP/CD (Active Records, 1988)
Tales of Creation Demo, Demo (1988)
Tales of Creation, LP/CD (Music for Nations, 1989)
Candlemass—Live, Live album (Metal Blade, 1990)
Chapter VI, LP/CD (Music for Nations, 1992)
Sjunger Sigge Fürst, EP (Megarock, 1993)
The Best Of Candlemass: As it is, As it was, CD
(Music for Nations, 1994)
Dactylis Glomerata, CD (Music for Nations, 1998)
From the 13th Sun, CD (Music for Nations, 1999)
Nimis, Single (Trust Noone Recordings, 2001)
The Black Heart of Candlemass/Leif Edling Demos
& Outtakes '83-99, CD (Powerline, 2002)
Doomed for Live, Live CD (Powerline Records/GMR,
2003)
Diamonds of Doom, CD (GMR, 2003)
Essential Doom, CD (Powerline/GMR, 2004)
Solitude/Crystal ball, Single (Vinyl Maniacs, 2005)
At the Gallows End/Samarithan, Single (Vinyl
Maniacs, 2005)
Mirror, Mirror/Bells of Acheron, Single
(Vinyl Maniacs, 2005)
Dark Reflections/Into the Unfathomed Tower, Single
(Vinyl Maniacs, 2005)
Candlemass, CD (Nuclear Blast, 2005)

CANOPY

2001年にソーデルテリエで始動したメロディック・
デスメタル・バンド。最も注目すべきはダン・スワノ
が彼らの作品に参加していることである。

ラインナップ
Fredrik Huldtgren: Vocals, Jonatan Hedlin: Guitar,
Daniel Ahlm: Bass, Erik Björkman: Guitar, Peter
Lindqvist: Drums

デスコグラフィー
During Day One, EP (2004)
Will and Perception, EP (2005)

CAPTOR

カトリーネホルム発の良質な古参スラッシュメタル・
バンド。彼らの結成は1987年まで遡るが、それ以前
の中心メンバーは1985年にSlayer/Possessedのカ
バーバンドを結成していた。激しいメンバーチェンジ
のあと、1991年になってから、1本目のデモテープで
ある『Memento Mori』がリリースされたのである。
数多くのスラッシュメタル・バンドと同じく、Captor
はデスメタル・ムーヴメントによって消滅してしま
う。ブラックメタルが登場してからも、彼らは政治的
な歌詞を採り入れていたため、成功から遠のいてし
まった。彼らはいまだにバンド活動を続けている。リ
スペクトの言葉しか見当たらない。

ラインナップ
Fredrik Olofsson: Guitar (1990-), Angelo Mikai:
Drums (1991-), Magnus Faust: Vocals (1995-),
Christoffer Andersson: Bass (1995-), Jonnie
Carlsson: Guitar

過去のメンバー
Jacob Nordangård: Vocals/Bass (1987-1995), Tommy
Strömberg: Drums, Petri Airaksinen: Drums, Lars-
Ingvar Eriksson: Drums, Robert Gren: Guitar, Juha
Mäyre: Bass, Christer Johansson: Drums/Guitar,
Niklas Kullström: Guitar

デスコグラフィー
Memento Mori, Demo (1991)
Domination, Demo (1992)
Refused to Die, EP (Dolphin Productions, 1995)
Lay it to Rest, CD (Euro, 1995)
Drowned, CD (Progress, 1996)
Dogface, CD (Die Hard, 1998)
Alien Six, CD (Die Hard, 2001)

CARBONIZED

このブルータルなバンドはスウェディッシュ・デス
メタルの先駆者的存在であるといえる（デスメタル
とは正確には言えないかもしれないが）。Carbonized
は1988年11月にスポンガで、のちにEntombedや
Therionに加入したラーシュ・ローセンバリによって
結成されたバンド。結成当初は数多くのメンバーチェ
ンジが繰り返された。脱退者にはマッティ・カルキ
（のちにCarnageやDismemberに加入）、ステーファ
ン・エクストルム、マルクス・リューデーン（ともに
Morpheusに加入）がいた。1991年にローセンバリが
Entombedに加入し、そしてその翌年にピョートル・
ウォズニウックがTherionへ加入するためにバンド
を脱退したときにトラブルがしばしば勃発した。し
かし、問題はあったものの、彼らは90年代中期まで
に、2枚アルバムをリリースすることができた。やが
てCarbonizedは自然消滅したようである。彼らの音
楽性はオリジナリティー溢れるデスメタルにいくつも

の変わった要素を融合させたサウンドだった（Voïvod
かなぁ、わかる奴いるか？）。彼らが存続しなかった
のは残念だ。

ラインナップ
Jonas Derouche: Vocals/Guitar, Lars Rosenberg:
Bass/Vocals, Piotr Wawrzeniuk: Drums

過去のメンバー
Matti Kärki: Vocals, Richard Cabeza: Bass, Markus
Rüdén: Drums, Christoffer Johnsson: Guitar/Vocals,
Stefan Ekström: Guitar, Per Ax: Drums, Henrik
"Hempa" Brynolfsson: Guitar ストックホルムの奴ら
はほとんど全員このバンドを出たり入ったりしていた
のかも……まぁ、別にいいか。

デスコグラフィー
Au-To-Dafe, Demo (1989)
No Canonization, 7" (Thrash, 1990)
Recarbonized, Demo (1990)
For the Security, LP (Thrash, 1991)
Chronology of Death, Split (Black Out/Thrash Your
Brain, 1991)
Disharmonisation, LP/CD (Foundations 2000, 1993)
Screaming Machines, LP/CD (Foundations 2000,
1996)

CARBUNCLE—Deranged 参照。

CARCAROHT

90年代中期、もともとDominusと呼ばれていたミョー
ルビー出身のバンド。Deicideのグレン・ベントンに
似た猛獣のようなヴォーカルを特徴とするファストな
デス／グラインド・バンド。注目すべきは、90年代
中期、シーンがブラックメタルで覆いつくされても、
彼らはデスメタルのルーツに固執したことである。メ
ンバーは、TraumaticやFuneral Feastなど地元バン
ドで有名な奴らばかりである。

ラインナップ
Micke Andersson: Guitar, Jocke Pettersson: Drums,
Andreas Karlsson: Vocals (1994-), Jonas Albrektsson:
Bass (1994-)

過去のメンバー
Lars Thorsén: Bass/Vocals, Henke Forss: Vocals（ゲ
スト参加、Dominus期）

デスコグラフィー
Demo (1993— Dominus 名義）
Dragons Dawn, Demo (1994)
Promo 94, Demo (1994)

CARDINAL SIN

1995年にユーテボリで結成されたオールスター・
プロジェクト。すべてのメンバーがMarduk、
Darkified、Decameron、Dissectionなどに加入してい
ることで知られている。音楽スタイルは90年代中期
のデス／スラッシュ。

ラインナップ
Magnus "Devo" Andersson: Guitar, Jocke Göthberg:
Drums, Alex Losbäck: Bass, Dan-Ola Persson:
Vocals, John Zwetsloot: Guitar

デスコグラフィー
Spiteful Intents, EP (Wrong Again, 1996)

CARNAGE

Carnageは短命に終わったが、かなり興味深いバンド
である。1988年に小さな町のヴェクファから這い出

してきた彼らはもともと Global Carnage と呼ばれ、
グラインドコアをプレイしていた。デモテープを1本
リリースしたあと、瀕死状態の Dismember からフレッ
ド・エストビーが、さらにもう1本デモテープを制作
したのちに、Dismember のギタリスト、ダーヴィド・
ブロムクヴィストが加入した。その間、Carnage はマッ
ティ・カルキ（元 Therion のちに Dismember）を加
えた。1989 年、Carnage は Merciless や Entombed
に続き、レコード契約したスウェディッシュ・デスメ
タル・バンドだった（Necrosis と契約）。しかし彼らは、
1枚のアルバムと3回のギグの後に解散した。すぐに
Dismember を再結成したメンバーもいたし、Carcass
（マイケル・アモット）や Entombed（ヨニー・ドル
デヴィッチ）に参加したメンバーもいた。Carnage 結
成時のギタリスト、リーヴァは Furbowl を結成した。
Carnage は、Dismember（当然だが）や Entombed
に近似した、真正で良質のオールドスクール・デスメ
タルを威風堂々とプレイしていた。最高水準のバンド
だった。
ラインナップ
*Matti Kärki: Vocals (1990-), Mike Amott: Guitar,
Fred Estby: Drums, Johnny Dordevic: Bass（もとも
とギター）, David Blomqvist: Guitar (1990)*
過去のメンバー
*Johan Liiva: Vocals/Guitar (1988-1990), Ramon:
Bass (1989-1990), Jeppe Larsson: Drums*
デスコグラフィー
*The Day Man Lost, Demo (1989)
Infestation of Evil, Demo (1989)
Live EP, 7" (Distorted Harmony, 1989)
Torn Apart, 7" (Distorted Harmony, 1989)
Dark Recollections, LP (Necrosis, 1990)*

CARNAL FORGE
クーシスト（In Thy Dreams）のテクニカルなリフと
シェールグレン（Dellamorte）の雄渾なヴォーカルに
よって構築された激速モダン・スラッシュメタル・
バンド。1997 年の結成以来、彼らの勢いはとどまる
ことを知らない。Carnal Forge の唯一の欠点といえ
ば、At the Gates ／ The Haunted のカバーバンドに
聴こえること。問題が生じたのは 2004 年にシェール
グレンが脱退したとき。モルテンセンがバンドに
フィットしているか否かは時のみぞ知る。
ラインナップ
*Jari Kuusisto: Guitar, Stefan Westberg: Drums,
Petri Kuusisto: Guitar, Lars Linden: Bass, Jens C.
Mortensen: Vocals*
過去のメンバー
*Jonas Kjellgren: Vocals, Johan Magnusson: Guitar
(1997-2001), Dennis Vestman: Bass (1997-1998)*
デスコグラフィー
*Who's Gonna Burn?, CD (Wrong Again, 1998)
Firedemon, CD (Century Media, 2000)
Please... Die!, CD (Century Media, 2001)
Deathblow, Single (Century Media, 2003)
The More You Suffer, CD (Century Media, 2003)
Aren't You Dead Yet?, CD (Century Media, 2004)*

CARNAL GRIEF
1997 年、メロディック・デスメタルがスウェーデン
で席巻していたとき、アルボーガ出身のこの少年達も
流行に飛びついた。彼らはデモテープを何本か制作し
たのち、2004 年に CD をリリースした。

ラインナップ
*Per Magnus Andersson: Guitar, Aaron Henrik
Brander: Drums, Per Jonas Carlsson: Vocals, David,
Johan Olsen: Bass, Bernhard Johan Lindgren:
Guitar*
過去のメンバー
Johan Larsson: Guitar
デスコグラフィー
*Embraced by the Light, Demo (1997)
Cradlesongs, Demo (1998)
Wastelands, Demo (1999)
Out of Crippled Seeds, CD (Trinity Records, 2004)*

CARNEOUS
スウェーデンの北部、イェリヴァレ出身の新興デスメ
タル・バンド。2004 年の結成以来、彼らは2本のデ
モテープを制作。シーンにインパクトをもたらすかど
うか、時がたてばわかるだろう。
ラインナップ
*Tobias: Guitar/Vocals, Henke: Guitar, Simon: Bass,
Mr. Vanha: Drums*
デスコグラフィー
*Wave of Sickness, Demo (2005)
Promo 2005, Demo (2005)*

CARNEUS
イェリヴァレ出身で彼らと似たようなバンド名を冠す
る Carneous と同様、彼らも新興デスメタル・バンド
である。彼らはオスビー出身で、2003 年に結成され
た。バンド名から推測すると、このようなスウェディッ
シュ・デスメタル・バンドはバンド名の名づけに煮詰
まっていたのがわかる……。
ラインナップ
*Jonas: Vocals/Bass, Viktor: Guitar, Mange: Guitar,
Arvid: Drums*
デスコグラフィー
*Heaven is Painted in Gore, Demo (2004)
Hate Incarnated, Demo (2005)*

CARRION CARNAGE
2001 年にリンシューピングで始動したブルータルな
バンド。短期間に幾人ものメンバーが替わったことか
ら判断すると、リハーサル室はかなり荒れていたに違
いない。
ラインナップ
*Matthias Fiebig: Drums, Rogga Johansson: Vocals/
Guitar, Emil Koverot: Guitar, C. Nyhlén
Bass*
過去のメンバー
Oskar Nilsson: Bass
デスコグラフィー
*Hunters Rise from Turmoil, Demo (2001)
Promo 2002, Demo (2002)
Stillborn Revelations, CD (Black Hole Prod, 2002)
Revel in Human Filth, CD (Black Hole Prod, 2004)*

CARVE
2001 年末に Paganizer の残党から結成された（新名
称の同バンドかも？）ガムレビー（そんな場所聞いた
ことある？）出身のバンド。直球スタイルのデスメタ
ル・サウンドは Vader のようで、カバーバンドだと
思ってしまう。けれども、クオリティーは凄く高い！
2本のデモテープと CD をリリースしたのち、Carve

の活動は終了した。
ラインナップ
Matthias Fiebig: Drums, Rogga Johansson: Vocals/
Guitar, Emil Koverot: Guitar, C. Nyhlén
Bass
過去のメンバー
Oskar Nilsson: Bass
デスコグラフィー
Hunters Rise from Turmoil, Demo (2001)
Promo 2002, Demo (2002)
Stillborn Revelations, CD (Black Hole Prod, 2002)
Revel in Human Filth, CD (Black Hole Prod,2004)

CAULDRAN
2001年にスンツヴァルで結成され、デモテープをリ
リースしたが、すぐに消滅したバンド。
ラインナップ
Krille: Vocals, Simon: Guitar, Nicklas: Guitar,
Jacob: Bass, Fredrik: Drums
デスコグラフィー
Chaos, Demo (2002)

CAUTERIZER
ステーンハムラ／ファーレンチューナ出身の90年代
初期のデスメタル・バンド。1989年にお遊びバン
ド Living Guts として始動したが、徐々に本格的に
活動を始めた。う～ん、でも本格的とも言えないか
も？　もともとは他の90年代初期のバンドと同様、
ハードコアやグラインドを演奏していたが、デスメタ
ルのパワーに魅了されるようになった。良質な低音
ヴォーカルに、カッコいいサウンド。1996年に解散
したのはもったいなかった。ペッレ・エケグレーン
は Grave や Coercion でもプレイした。フリスクはか
つて『Formless Klump Mag』（のちの『Necropolitan
Zine』）の編集者だった。
ラインナップ
Jesper Bood: Guitar（初期はドラム）*, PG Berglind:*
Vocals, Andreas Frisk: Bass, Mikael Samuelsson:
Guitar (1991-), Pelle Ekegren: Drums (1991-)
過去のメンバー
Iman: Drums（ゲスト参加）
デスコグラフィー
The Summer Rehearsal, Rehearsal (1991)
...And Then the Snow Fell, Demo (1992)

CAVEVOMIT
2001年に結成されたスンツヴァル出身のモダンなイ
ンダストリアル・グラインド／デスメタル・バンド。
Diabolical と My Own Grave メンバーによるサイド・
プロジェクトであろう。
ラインナップ
Mikael Aronsson: Vocals, Jonny Petterson: Guitar/
SFX/Drum programming, Magnus Ödling: Bass
過去のメンバー
Joel Viklund: Drums, Toffe: Vocals
デスコグラフィー
Never Trust A P.I.G, Demo (2002)
Shitstorms, Demo (2003)

CELEBORN
1989年に北部の町ウステルスンドで2組のデスメタ
ル・バンド、Harassed と Celeborn が結成された。
Harassed はフェリーに乗船しなければならない場

所にリハーサル室を構えていた一方で、Celeborn
のリハーサル室は町の中心街にあった。このため
Celeborn は元 Harassed の腕利きドラマー、ロー
ベット・エリクソンをバンドに誘うことに成功した
のだ。だからニクラス・ギドルンドは空席になった
Harassed のドラマーになるしかなかったのだ――あ
あ、なんてこった！　音楽性？　彼らのクオリティー
は平均的で、どちらかというと中途半端でスローなデ
スメタル。Yngwie Malmsteen 風の変わったギター、
ロや女性ヴォーカルを入れていたが、効果なし。3本
のデモテープをリリースしたのち、Celeborn は解散
した。エリクソンは、Entombed のニッケ・アンダソ
ンと The Hellacopters を結成し、マグナス・ソール
グレンは Tiamat とプレイしたのち、Dismember に
加入した。ギタリストのクリングバリはポップ・グルー
プの Whale や Docenterna で成功を手にした。彼はか
なり有名なロック・ジャーナリストとしても知られ、
イカ・ヨハンネソンとスウェディッシュ・メタルの本
を執筆している。
ラインナップ
Magnus Sahlgren: Guitar, Jörgen Bylander: Bass/
Vocals, Robert Eriksson: Drums (1990-)
過去のメンバー
Jon J Klingberg: Guitar (1992), Niklas Gidlund:
Drums (1989-1990)
デスコグラフィー
Demo 90, Demo (1990)
Etherial, Demo (1992)
Fall, Demo (1993)

CELEPHAIS
90年代中期、ウットランで結成されたデスメタル・
バンド。フロリダのバンドに影響されており、かなり
良質。是非チェックしてみてくれ！
ラインナップ
Joni Mäensivu
デスコグラフィー
Human Failure, Demo (1994)

CELESTIAL PAIN
90年代中期に結成された殺傷能力抜群のスピード／
ヘヴィメタル・バンド。Sodom、Kreator、Tankard
を彷彿とさせる。2本のデモテープをリリースして
から解散したが、これらの音源は2004年に発表した
500枚限定の CD に再収録された。ミッケ・ヤンソン
は元 Unanimated。
ラインナップ
Benkr (Benke Borgwall): Bass, Mike Metalhead
(Micke Jansson): Drums/Vocals, John Blackwar
(Johan Sandberg): Guitar/Vocals, Vic Anders (Victor
Andersson): Guitar
デスコグラフィー
Hatred, Demo (1995)
Aggression, Demo (1996)
Aggression, CD (Sway Records, 2004)

CEMETARY
1989年にボロースで結成された、グルーヴィーな
ヴォーカルを配した重厚なデスメタル・バンド。ク
オリティーは悪くない。1997年にロードマルムが
Sundawn に専念するためにグループは解散した。
彼らは成功することがなかったため、ロードマルム
はのちに自らの手で Cemetary を Cemetary 1213 と

して蘇生させた。ヨセフソンとサーリネンは偉大
な Evocation にも加入し、イヴァースは Tiamat、
Desecrator、In Flames、Ceremonial Oath にも参加
した。
ラインナップ
Anders Iwers: Guitar, Tomas Josefsson: Bass,
Mathias Lodmalm: Vocals/Guitar/Keyboards,
Markus Nordberg: Drums
過去のメンバー
Zriuko Culjak: Bass (1989-1993), Juha Sievers:
Drums (1989-1993), Morgan Gredåker: Drums
(1989), Christian Saarinen: Guitar (1989-1992),
Anton Hedberg: Guitar (1992-1993)
デスコグラフィー
Incarnation of Morbidity, Demo (1990)
Articulus Mortis, Demo (1991)
An Evil Shade of Grey, LP/CD (Black Mark, 1992)
Godless Beauty, LP/CD (Black Mark, 1993)
Black Vanity, CD (Black Mark, 1994)
Sundown, CD (Black Mark, 1996)
Last Confessions, CD (Black Mark, 1997)
Phantasma, CD (Black Mark, 2005)

CEMETARY 1213

マティアス・ロードマルムが単独で再結成した
Cemetary である。Cemetary よりプログレッシヴで
あるが、デスメタルの要素は少ない。2005 年、ロー
ドマルムは永久にシーンから去ったため、この先も彼
の作品を聴くことはないであろう。
ラインナップ
Mathias Lodmalm: Vocals/Guitar, Manne Engström:
Guitar/Vocals, Vesa K: Bass, Christian Silver:
Drums
デスコグラフィー
The Beast Devine, CD (Century Media, 2000)

CENTINEX

1990 年に小さな町であるヘーデモラで始動したバン
ド。もともと 2 人のヴォーカルを配したハードコア／
デスメタルだった（Uncurbed に似ているかも？）。
彼らのスタイルはすぐに真正デスメタルの領域に達
し、のちにスウェーデンとアメリカ風のサウンドに落
ち着いた。クオリティーは決して高くはなかったが、
Centinex は徐々に良い方向へ進化していった。1999
年に、ヨーハン（Dellamorte のヴォーカルとギター）、
ヨーナス（Dellamorte のギターとヴォーカル）とケ
ネト（ドラム）の 3 人を加入させたことはバンドに
とって大きな契機だった。バンドはレーベ
ルとのいざこざが絶えず、凡庸な作品をリリースした
ためシーンでも辛酸を舐めていたが、ラインナップの
変更によって更なる問題が生じた。長い間彼らは"カ
リマ"と命名されたドラムマシンを使用していた。
Centinex は成功するには至っていないが、絶え間ぬ
活動を続けたおかげで、次第に世界中にファンを増や
した。唯一のオリジナル・メンバーであるマルティン・
シュールマンについては、シーンの名の下において
孤軍奮闘してきたことに対し功績を認められるべき
である。本著の執筆中、シュールマンから Centinex
が解散したとの連絡があった。しかし、ヤンソン（現
在はギター担当）、シュールマン、バリエスタールは
Demonical で活動を続ける予定。個人的にはなぜ彼ら
が今になって改名したのかわからない――バンドを再
編成したときにはやらなかったのに！

Martin Schulman: Bass, Johan Jansson: Vocals
(1999-), Jonas Kjellgren: Guitar (1999-), Johan
Ahlberg: Guitar (2003-), Ronny Bergerståhl: Drums
(2003-)
過去のメンバー
Daniel Fagnefors: Guitar (1993), Kenneth Englund:
Drums (1999-2003), Kenneth Wiklund: Guitar (1990-
2001), Mattias Lamppu: Vocals (1990-1998), Andreas
Evaldsson: Guitar (1990-1998), Joakim Gustafsson:
Drums (1992-1993), Erik Lamppu: Vocals (1992),
Fred Estby: Drums（ゲスト参加）
デスコグラフィー
Demo (1990)
End of Life, Demo (1991)
Subconscious Lobotomy, LP (Underground, 1992)
Under the Blackened Sky, MC (Wild Rag, 1993)
Transcend the Dark Chaos, Demo (1994)
Transcend the Dark Chaos, EP (Sphinx, 1994)
Malleus Malefaction, CD (Wild Rags, 1995)
Sorrow of Burning Wasteland (split w/Inverted) 7"
(1996)
Reflections, CD (Die Hard, 1997)
Shadowland, Single (Oskorei Productions, 1998)
Reborn Through Flames, CD (Repulse, 1998)
Bloodhunt, CD (Repulse, 1999)
Apocalyptic Armageddon, 7" (DAP, 2000)
Hellbrigade, CD (Repulse, 2001)
Enchanted Land (split with Nunslaughter), 7"
(Painkiller, 2001)
Diabolical Desolation, CD (Candlelight, 2002)
Hail Germania, Split (Painkiller/Hell's
Headbangers, 2003)
Deathlike Recollections, Single (Sword and Sorcery
Records, 2003)
Decadence—Prophecies Of Cosmic Chaos, CD
(Candlelight, 2004)
Live Devastation, EP (Swedmetal, 2004)
World Declension, CD (Cold Records, 2005)

CERBERUS

1992 年にミョールビーで結成されたデス／ブラック
メタル・バンド。1 本目のデモテープ・リリース後、
ヴァイキング／フォークメタル・バンド Mithotyn（別
項目参照）として再編成された。
ラインナップ
Christian Schütz: Vocals/Bass/Drums/Keyboards,
Stefan Weinerhall: Guitar/Bass, Johan: Guitar
デスコグラフィー
Cursed Flesh, Demo (1992)

CEREBRAL DEATH

90 年代後期、退屈なストックホルム郊外の町で 10 代
のキッズ達が破壊的なヘヴィメタル・サウンドを作り
たいと言ったらどうなっただろう？　その答えが、彼
ら Cerebral Death である。
デスコグラフィー
To a Better World, Demo (1998)

CEREMONIAL EXECUTION

2001 年にミョールビーで結成された反宗教／流血礼
賛デスメタル・バンド。
ラインナップ

Robert "Gorebert" Kardell: Vocals, Mattias "Flesh" Frisk: Guitar/Vocals, Jimmy "Dollar" Johansson: Guitar, Björn Ahlqvist: Bass, David Andersson: Drums

過去のメンバー

Jonas Albrektsson: Bass, Tommy "Tomby Zombie": Bass

デスコグラフィー

Demo 2003, Demo (2003)
Ceremonial Execution/Borigor Split, Split (Erode Records, 2004)
Death Shall Set Us Free, CD (2005)

CEREMONIAL OATH

1989年にユーテボリでアンデシュ・イヴァース、ミカエル・アンダソン（元Forsaken）、イェスペル・ストロムブロート、オスカル・ドローニャック（元Crystal Age）によって結成されたバンド（当初はDesecratorの名を冠したヘヴィメタル・バンド）。彼らの音楽性はすぐにヘヴィメタルからスラッシュを媒介したメロディック・デスメタルへと劇的に変化を遂げた。それと同時にCeremonial Oathと改名したが、日の目を見ることはなかった。彼らはメンバーチェンジが激しかったためにバンド活動は停滞していたのである。一方で、バンドを離れた元メンバーたちはその後いずれも大きな成功を収めている。ドローニャックとストロムブロートはパワーメタル・グループHammerfallを結成し、ストロムブロートはIn Flamesで大成した。イヴァースはTiamatに在籍し、Cemetaryや短期間ではあるがIn Flamesでも成功を収めている。Ceremonial OathにはIn Flamesのヴォーカル、アンデシュ・フリデーンとGrotesque/At the Gatesのトマス・リンドバリも在籍していたことがあった。振りかえってみると、Ceremonial Oathはスウェディッシュ・ロックスターの量産工場だったのかもしれない。

ラインナップ

Anders Iwers: Guitar, Mikael Andersson: Guitar, Thomas Johansson: Bass (1991-), Markus Nordberg: Drums, Anders Fridén: Vocals (1991-)

過去のメンバー

Oscar Dronjak: Vocals/Guitar (1989-1991), Jesper Strömblad: Bass (1989-1991), Tomas Lindberg: Guitar

デスコグラフィー

Black Sermons, Demo (1990—Desecrator 名義)
Promo 1991, Demo (1991)
Lost Name of God, EP (CGR, 1992)
The Book of Truth, CD (Modern Primitive, 1993)
Carpet, CD (Black Sun, 1995)

CHAOSYS

2002年にソーデルテリエで結成された社会派デス／スラッシュメタル・バンド（ノルウェーのブラックメタル・バンド・シーンはそれを"ライフメタル"と呼んでいた）。

ラインナップ

Stefan: Vocals, Tomas: Guitar, Holger: Guitar, Johan: Bass, Tommy: Drums

デスコグラフィー

Demo 2003.02.23, Demo (2003)
The Imperfection is Yours, Demo (2004)
Development of the Human Mind, Demo (2005)

CHASTISEMENT

1993年にウステルスンドで結成されたメロディック・デスメタル・バンド。1999年までそんなバンドが存在していたのもわからなかった。メンバーの多くは同系統のバンドSouldrainerに在籍し、引っ張りだこのドラマー、シェールストルムはAeon、In Battle、Odhinn、Sanctificationなどに参加していた――他にもあるかもしれないが俺は把握していない。

ラインナップ

Johan Klitkou: Vocals, Marcus Edvardsson: Guitar, Tommy Larsson: Guitar, Nicklas Linnes: Bass, Nils Fjellström: Drums

過去のメンバー

Fredrik Magnusson: Guitar, Per Gabrielsson: Bass

デスコグラフィー

...But Lost We Are, CD (1999)
Alleviation of Pain, CD (2002)
Live at Gamla Tingshuset, Östersund, CD (2003)

CHILDREN OF WAR

2001年にヴェステルオースで結成された風変わりなバンド。音楽性？　ジャズ／フュージョン・デスメタルといってもよい。

ラインナップ

Andreas Helsing: Vocals, Nicklas Hovberg: Instruments

デスコグラフィー

La Nigiro, Demo (2005)

THE CHOIR OF VENGEANCE

1995年にミョールビーで結成されたデスメタル・バンド。Mithotyn、Dawn、もしくはFalconerのメンバーによるプロジェクトだと思われる。1996年にリリースされた彼らの唯一のシングルはさほど人々の印象に残らなかった。

ラインナップ

Karsten Larsson: Drums, Magnus Linhardt: Bass, Rickard Martinsson: Guitar/Vocals, Lars Tängmark: Guitar/Vocals

デスコグラフィー

The Choir of Vengeance, EP (1996)

CHOROZON

1990年にヨンシューピングで始動したデスメタル・バンド。1993年に解散するまで、スラッシーなデスメタルをプレイしていた。メンバーの何人かは驚異的バンド、Nominonを結成した。

ラインナップ

Juha Sulasami: Guitar, Andreas Risberg: Drums, Robert Ericsson: Bass, Marcus Tegnér: Guitar (1991-)

デスコグラフィー

The Hierophant, Demo (1991)
Demo (1992年録音。未発表)
Deamon 1, Demo (1993)
Deamon 2, Demo (1993)

CHRONIC DECAY

1985年に結成されたエシルストゥーナ出身のバンド。初期のChronic Decayはデモテープとスプリット・シングルを1作ずつリリースし、1991年に解散した――しかし、翌年再結成された。サウンドはスラッシュ影響下のデスメタルでかなり良質だった

が、成功には至らなかった。彼らの活動のピークは、Entombed、Mayhem、Grave、Unleashed、Dismember、Therion、Grotesque、Merciless らと参加した C.B.R. のコンピレーション・アルバム『Projections of a Stained Mind』の頃である。ヨッケ・ハンマルとミッケ・フェストランドはクラスト・バンドの Dischange に参加しているので有名であろう。のちにフェストランドは自殺を図り、Dischange は Meanwhile（彼らのもともとのバンド名）として活動を続けた。ミッケ・フェストランドは俺がスウェディッシュ・デスメタル界で会った最も感じが良くて素晴らしい奴だった。みんな彼がいなくなって寂しく思っている。安らかに。

ラインナップ
Jocke Hammar: Guitar/Vocals, Micke Sjöstrand: Drums (1992-), Guitar (1985-1991), Roger Petterson: Guitar

過去のメンバー
Gunnar Norgren: Bass/Vocals (1992-1993), Guitar/Bass (1985-1991), Micke Karlsson: Drums (1987-1991)

デスコグラフィー
Death Revenge, Demo (1986)
Ecstasy in Pain, EP (Studiofrämjandet, 1989)
Chronic Decay/Exanthema Split CD (Studiofrämjandet, 1993)

CHRONIC TORMENT—Sacretomia 参照。

CICAFRICATION—Uncanny 参照。

CIPHER SYSTEM

2000 年に Eternal Grief 名義で結成された彼らは、まもなく Cipher System へと改名した。音楽性はキーボードで味付けされた At the Gates 影響下のモダンなスラッシュ／デスメタル（キーボードは逆効果だったかも？）。演奏技術は高く、タイトではあるが、あくびが出るほどの亜流 Children of Bodom に甘んじている。

ラインナップ
Magnus Öhlander: Guitar, Johan Eskilsson: Guitar, Pontus Andersson: Drums, Peter Engström: Electronics

過去のメンバー
Daniel Schöldström: Vocals, Henric Carlsson: Bass

デスコグラフィー
Path of Delight, Demo (1998—Eternal Grief 名義)
Raped by Chaos, Demo (1999—Eternal Grief 名義)
Awakening of Shadows, Demo (2000—Eternal Grief 名義)
Eyecon, Demo (2002—Eternal Grief 名義)
Promo 2002, Demo (2002)
Promo 2003, Single (2003)
Split CD, Split (Lifeforce Records, 2004)
Central Tunnel 8, CD (Lifeforce Records, 2004)

CLONAEON

2002 年にユーテボリで結成されたが、驚くなかれ──かなりいい線いっているデスメタルだ！ 今のところデモテープ 1 本のみ発表しているが、彼らが存続してくれることを望んでいる。メンバーはブラックメタル志向のバンド、Slaughtercult にも参加している。

ラインナップ
Andreas Frizell: Guitar, Johan Huldtgren: Vocals,

Mattias Nilsson: Bass, Jonas Wickstrand: Drums

過去のメンバー
Mikael Härsjö: Drums, Anders Ahlbäck: Guitar

デスコグラフィー
Strike the Root, Demo (2004)

CLONE—Bereaved 参照。

COERCION

Entombed などの出身地として知られる、ストックホルム・ファールホルメン地区の究極のデスメタル土壌で結成されたバンド。シーンにインパクトを与えるまでに時間がかかったのは、数多くのラインナップ・チェンジと所属レーベルとの問題があったからだろう。バンドの体制が整うと、彼らは高品質のデスメタルを創り上げた。ブルータルで、病的で、印象的だった。精力的に活動はしていないが、たまにライブを行なっている。ペッレ・エケグレーンは Grave、Mastication、Cauterizer でプレイし、ダグ・ネスビョは Abhoth での活動で知られている。

ラインナップ
Pelle Ekegren: Drums, Dag Nesbö: Bass, Kenneth Nyman: Vocals/Guitar, Rickard Thulin: Guitar

過去のメンバー
Ola Eklöf: Bass, Pelle Liljenberg: Bass, Tor Frykholm: Drums, Gordon Johnston: Drums , Lasse "Malte" Ortega: Guitar, Stefan Persson: Guitar, Stefan Söderberg: Guitar

デスコグラフィー
Headway, Demo (1993)
Human Failure, Demo (1994)
Forever Dead, CD (Perverted Taste, 1997)
Delete, CD (Perverted Taste, 1999)
Lifework, EP (Animate Records, 2003)

COLD EXISTENCE

このユーテボリ出身のバンドはデスメタルをプレイしていると言い張っているが、写真を見るとそれはかなり疑わしい……。

ラインナップ
Jan Sallander: Guitar/Vocals, Jan Hellenberg: Guitar, Björn Eriksson: Drums, Peter Laustsen: Bass

過去のメンバー
Patrik Syk: Bass/Vocals

デスコグラフィー
Demo I, Demo (2002)
Second Demo, Demo (2003)
Beyond Comprehension, MCD (Khaosmaster Productions, 2005)

COMANDATORY

1992 年にヴェステルオースで始動して、デスメタルをプレイしていると誰かが教えてくれた。うーん、その娘の言っていることって本当に正しいのかなぁ？

デスコグラフィー
Comandatory, CD (Garden of Grief Prod., 1998)

COMECON

ハードコア・バンド The Krixhjälters が休止したあと、メタルコア・バンド Omnitron のメンバーとして活動していたペッレ・ストルムとラスマス・エクマンが 1989 年に始動したデスメタル・プロジェクト。彼

らは各作品で異なるヴォーカリストを使うことを構想していた。そのため1作目ではラーシュ＝ユーラン"L.G."ペトロフ（Entombed）、2作目ではマーティン・ヴァン・ドルネン（Asphyx）、3枚目ではマーク・グリーヴェ（Morgoth）がマイクを握った。平均的な作品だったが、やや中途半端だった。ドラマーとして名を連ねている奴は、写真撮影のためだけに雇われているんではないかと疑っている。俺の直感だが彼らは常にドラムマシンを使っていたと思っている——俺の思い違いかもしれないが。

ラインナップ
Pelle Ström: Guitar/Bass/Keyboards, Rasmus Ekman: Guitar/Bass/Keyboards

過去のメンバー
Marc Grewe: Vocals, Martin Van Drunen: Vocals (1993), L.G. Petrov: Vocals (1991), Fredrik Pålsson: Drums, Anders Green: Drums, Jonas Fredriksson: Drums

デスコグラフィー
Merciless/Comecon, Split (CBR, 1991)
Megatrends in Brutality, CD/LP (Century Media, 1991)
Converging Conspiracies, CD (Century Media, 1993)
Fable Frolic, CD (Century Media, 1995)

COMPOS MENTIS
何か彼らについて知っているなら教えてほしい！

CONCEALED
90年代中期にソーデルテリエで結成されたブラック／デスメタル・バンド。彼らのバンド・ロゴはクールだが読めなかった——その他のことは忘れてくれ。

ラインナップ
Holger Thorsin: Guitar, Johan: Bass/Vocals, Hugo: Drums

デスコグラフィー
Dance of Dying Dreams, Demo (1995)

CONCRETE SLEEP
1991年にヴァーリングビー（ストックホルム）で始動し、1992年にデモテープを制作し、やがて消滅したバンド。彼らはスラッシーなデスメタルをプレイしていた。

ラインナップ
Andreas Wahl: Bass/Vocals, Daniel Berglund: Guitar, Patrik: Guitar, Patrik: Drums

デスコグラフィー
As I Fly Away, Demo (1992)

CONDEMNED
1989年にスコッグハルで始動したスラッシュメタル・バンド。多くのスラッシュメタル・バンドと同様、デスメタルの台頭とともに消えてしまった。

ラインナップ
Arne Elmlund

デスコグラフィー
Demo 1, Demo (1992)

CONQUEST—Grotesque 参照。

CONSTRUCDEAD
2000年代にエーンフェーデ（ストックホルム）で結成されたバンド。メタルの最もブルータルな要素をす

べてミックスさせてはいたが、基本的にはレトロ・スラッシュをプレイしていた。彼らの作品は良作駄作が交じり合い、かなりムラがあった。バンドのリーダーであり、ギターの名手であるエリクソンはブルータル・デスメタル・バンド Insision の2004～5年のツアーに参加した。そのツアーが終わると、Construcdead はラインナップに問題を抱えるようになる。しかし、彼らは活動を続行した。尊敬に値する奴らだ。

ラインナップ
Christian Ericson: Guitar, Rickard Dahlberg: Guitar, Erik Thyselius: Drums, Jens Broman: Vocals（ゲスト参加）*, Viktor Hemgren: Bass*（ゲスト参加）

過去のメンバー
Henrik Svegsjö: Vocals, Jonas Sandberg: Vocals, Daniel Regefelt: Vocals, Joakim Harju: Bass, Johan Magnusson: Bass, Peter Tuthill: Vocals

デスコグラフィー
The New Constitution, Demo (1999)
Turn, Demo (2000)
A Time Bleeds, Demo (2000)
God After Me, Demo (2001)
God After Me, MCD (2001)
Repent, CD (Cold, 2002)
Violadead, CD (Black Lodge, 2004)
Woundead, EP (Black Lodge, 2005)
The Grand Machinery, CD (Black Lodge, 2005)

CONTRA
ストックホルム出身の Contra は、オリジナリティー溢れる80年代後期のスウェーデン発スラッシュ・バンドだった。Voivod にかなり影響されていた彼らのサウンドは、まあまあいい線をいっていた。良質だったものの、Hatred、Agony、Hasty Death などのクオリティーには足元にも及ばなかった。パトリックとグレンは、伝説的なバンド Morbid のイェンスと Skull（別項目参照）において短期間だが活動を共にした。

ラインナップ
Patrick Lindqvist: Vocals/Guitar, Jocke Strid: Guitar, Glenn Sundell: Drums

デスコグラフィー
Revolution, Demo (1989)
Contradiction, Demo (1989)

CORPORATION 187
1998年にリンシューピングで始動したかなり良質のデス／スラッシュ・バンド。若干注目を集めたおかげで、Earache 傘下レーベルの Wicked World と契約した。その後の活動は聞いていないが、まだ健在であると願っている。カールソンとエングは元 Satanic Slaughter だった。

ラインナップ
Filip Carlsson: Vocals, Olof Knutsson: Guitar, Magnus Pettersson: Guitar, Robert Eng: Drums, Viktor Klint: Bass

過去のメンバー
Pelle Severin: Vocals, Johan Ekström: Bass

デスコグラフィー
Subliminal Fear, CD (Wicked World, 2000)
Perfection in Pain, CD (Wicked World, 2002)

CORPSE—Grave 参照。

CORPSIFIED
Cannibal Corpse や Suffocation 影響下のブルータルな90年代中期のデスメタル・バンド。スウェディッシュ・シーンにもっとインパクトを与えられるはずだった。
デスコグラフィー
Demo 95, Demo (1995)

CORPUS CHRISTI—Seraph Profane 参照。

CORRUPT
2002年11月にCorruptedとして始動した、アールヴィカ出身の激烈オールドスクール・スタイルのスラッシュメタル・バンド。結成当初のメンバーはミッケとヨセフのみ。翌年メンバーが固まったが、同名バンドが存在していたため2004年に名称をCorruptと短縮（Corruptというバンドも2、3あるから彼らに言ってあげたほうがいいかな？）。スラッシュメタルの理想形を体現しているクールなバンド。巷の多くのデス／スラッシュ・バンドよりはブルータルだ。
ラインナップ
Joseph Toll: Guitar/Vocals, Mikael Wennbom: Drums, Olof Wikstrand: Guitar, Tobias Lindquist: Bass
デスコグラフィー
Lethal Anger, Demo (2003—Corrupted 名義)
Shotgun Death, Demo (2003—Corrupted 名義)
Destroyed Beyond Recognition, Demo (2003—Corrupted 名義)
Born of Greed, Demo (2004—Corrupted 名義)
Curse of the Subconscious, Corrupt/Necrovation Split CD (Blood Harvest, 2005)

CORRUPTED—Corrupt 参照。

CRAB PHOBIA—Traumatic 参照。

CRANIUM
1985年にフィリップとグスタフ・フォン・セゲバーデン兄弟が結成したバンド。1986年にLegionに改名したが、デモテープ1本を残し、解散した。10年後、フィリップはバンドを再結成し、Craniumと命名。Necropolisと契約したのでサウンドはある程度想像がつくだろう（アルバムのタイトルはすべて"Speed Metal"が入っている）。2001年にドラマーのヨーハン・ハルバリが自殺したためバンドは消滅した。スピードが彼とともにあらんことを。（訳者註：映画『スターウォーズ』の名セリフ"May the Force be with you"〈フォースがともにあらんことを〉のオマージュだと思われる）。フィリップはAfflictedやDawnでも活躍している。
ラインナップ
Philip von Segebaden: Vocals, Fredrik Söderberg: Guitar
過去のメンバー
Gustaf von Segebaden: Guitar, Johan Hallberg: Drums, Fredrik Engquist: Drums (1985-86), Jocke Pettersson: Drums (1996-98)
デスコグラフィー
The Dawn, Demo (1986—Legion 名義)
Speed Metal Satan, CD (Necropolis, 1997)
Speed Metal Slaughter, CD (Necropolis, 1998)
Speed Metal Sentence, CD (Necropolis, 1999)

CRAWL
俺がこのバンドについて知っていることといえば、彼らが1992年にデモテープを制作したことだけだ。バンド名から推測すると、Entombedに近いサウンドであるのは間違いない。
デスコグラフィー
After Grace, Demo (1992)

CREMATORY
1989年夏にストックホルム南部ハーニンゲで始動した逸材。彼らのゴア偏愛サウンドはグラインド／デスメタルを極限レベルまで引き上げた。それがヤバいほどはまっていた！ 1990年前後Crematoryは Entombed、Unleashed、Therion、Carnageと対バンした。しかし残念ながらそれらのバンドほど成功することはなかった。彼らが数年後に解散してしまったのが悔やまれる。1本目のデモテープではTherionのクリストフェル・ヨンソンがヴォーカルで参加していた。スウェディッシュ・デスメタル・バンド群の中でもCrematoryは傑出し、圧倒的な存在感を示していた。メンバーの多くはのちに、無慈悲なグラインドコア・バンドRegurgitateで活動を継続した。因みにウルバン・シュッキは解散直前のNasumに一時的に参加した。
ラインナップ
Stefan Harwik: Vocals (1989-), Urban Skytt: Guitar (1989-), Johan Hansson: Bass, Mats Nordrup: Drums
過去のメンバー
Mikael Lindevall: Guitar, Christoffer Johnsson: Vocals (1989)
デスコグラフィー
Mortal Torment, Demo (1989)
The Exordium, Demo (1990)
Wrath from the Unknown, Demo (1991)
Netherworlds of the Mind, Demo (1992)
Into Celephaes, EP (MBR, 1992)
Denial, EP (MBR, 1992)

CRESTFALLEN
90年代中期にヴェステルオース出身のトミー・カールソン（Succumb）が立ち上げたドゥームメタル・プロジェクト。陰鬱で荘厳だった。ヴォーカルが平凡なのがもったいない。
ラインナップ
Tommy Carlsson: Everything
デスコグラフィー
Sorrows, Demo (1993)

CRETORIA
2000年に結成されたデスメタル・バンド。今のところデモテープ1本しか制作していない。
ラインナップ
Kristian Laimaa: Vocals/Guitar, Peter Huss: Guitar, Kristoffer Andersson: Drums, Jimmy Karlsson: Bass
デスコグラフィー
Cretoria 2002, Demo (2002)

CRIPPLE
ウレブルー発の90年代初期のバンド。スラッシュメタル然としているが、デスメタルからかなりインスパイアされている。若干Sepulturaに似ているかもしれない。その後、Voïvod臭漂う、一風変わった音楽性

に変化した。かなりいい線いっていると思う！
ラインナップ
Anton Renborg: Guitar, Daniel Ruud: Guitar/Vocals,
Mattias "Lurgo" Fransson: Bass, Daniel Berg:
Drums
デスコグラフィー
No More Living, Demo (1990)
Independent Luminary, Demo (1991)
Green Pillow, LP (Inline Music, 1993)
Promo 94, Demo (1994)

CRITICAL STATE—Internal Decay 参照。

CROMB—Genocrush Ferox 参照。

CROMLECH
1994 年にヴァールバリで、Delirium として結成され
た Carcass 影響下のかなりブルータルなバンド。デモ
テープが 2001 年にミニ・アルバムとしてリリースさ
れたが、その後主だった活動はなかった。バンドは解
散し、Divine Souls に変容した。
ラインナップ
Fredrik Arnesson: Vocals, Jonas Eckerström: Guitar,
Henrik Meijner: Guitar, Dick Löfgren: Bass, Mattias
Back: Drums
過去のメンバー
Anders Lundin: Bass (1995-1999)
デスコグラフィー
And Darkness Fell, Demo (1996)
Promo 99 Demo, 1999
The Vulture Tones, Demo (2000)
The Vulture Tones, MCD (Beyond Productions,
2001)

CROWLEY
1991 年にタービーで結成されたバンド。デモテープ
を 1 本残し、消滅した。
デスコグラフィー
The Gate, Demo (1991)

THE CROWN
1997 年に Crown of Thorns と同名のアメリカの AOR
バンドが、訴訟を起こすと脅しをかけてきたため改
名した。多くのギグと Metal Blade との契約のおか
げで、バンドはかなり成功した。Crown of Thorns
と比べ、デスメタル色は薄れ、よりスラッシュっぽ
くなった。アルバム『Deathrace King』ではトマ
ス・リンドバリ（元 At the Gates）とミカ（Impaled
Nazarene）がゲスト・ヴォーカルで参加し、次作で
はリンドバリがヴォーカリストの座についた。精力的
に活動していたが、2004 年に解散した。
ラインナップ
Johan Lindstrand: Vocals, Marcus Sunesson:
Guitar, Marko Trevanen: Guitar, Magnus Osfelt:
Bass, Janne Saarenpaa: Drums
デスコグラフィー
Hell is Here, CD (Metal Blade, 1998)
Deathrace King, CD (Metal Blade, 2000)
Crowned in Terror, CD (Metal Blade, 2002)
Possessed 13, CD (Metal Blade, 2003)
Crowned Unholy, CD (Metal Blade, 2004)
14 Years of No Tomorrow, CD (Metal Blade, 2005)

CROWN OF THORNS
1991 年 10 月にトロールヘッタンでヴォーカルのヨー
ハン・リンドストランドが結成したバンド。デビュー・
デモテープで注目を受け、1993 年にフルツフレード
で開催されたスウェーデン最大のロック・フェスに出
演した。初期はスラッシュというよりもデスメタル寄
りだったが、ピュアなデス／スラッシュを最初にプレ
イしたバンドのうちの一つ。1997 年には The Crown
に改名後、かなり成功した。
ラインナップ
Johan Lindstrand: Vocals, Marcus Sunesson:
Guitar, Marko Trevonen: Guitar, Magnus Osfelt:
Bass, Janne Saarenpaa: Drums
過去のメンバー
Robert Österberg: Guitar (1991-93)
デスコグラフィー
Forever Heaven Gone, Demo (1993)
Forget the Light, Demo (1994)
The Burning, CD (Black Sun, 1995)
Eternal Death, CD (Black Sun, 1997)

CRYPT OF KERBEROS
1990 年、Macrodex の残党が立ち上げた偉大なるエシ
ルストゥーナのバンド。かなり陰惨でドゥーミーなデ
スメタルで、マイナーなスウェディッシュ・バンドの
中では俺のお気に入りだった。オリジナリティーに溢
れ、超クールだ！ ペッタション／ビヤルユーは衆望
を集めているエレクトリック・アクト Arcana を結成
し、クラスト・バンド Meanwhile でベースを担当し、
2006 年には Tyrant もスタートさせている。さらに、
このゲス野郎はポルノ映画の音楽も担当している。
2005 年に彼らの初期音源が CD でリリースされたの
で、是非ゲットしてくれ！
ラインナップ
Daniel Gildenlöw: Vocals, Peter Pettersson/ Bjärgö:
Guitar, Stefan Karlsson: Bass, Peter Jansson:
Keyboards (1993-), Johan Hallgren: Guitar (1993),
Mattias Borgh: Drums (1991-)
過去のメンバー
Christian Eriksson: Vocals, Marcus Pedersén: Bass,
Jessica Strandell: Keyboards (1992-1993), Jonas
Strandell: Guitar (1990-1993), Johan Lönnroth:
Guitar (1990-91), Mikael Sjöberg: Drums (1990-91)
デスコグラフィー
Demo 91, Demo (1991)
Promo 91, Demo (1991)
Visions Beyond Darkness, 7" (Sunabel, 1991)
Cyclone of Insanity, 7" (Adipocere, 1992)
World of Myths, CD (Adipocere, 1993)
The Macrodex of War, CD (Bleed Records, 2005)

CRYPTIC ART
1994 年 3 月にトゥリンゲ／ストックホルムで結成さ
れたバンド。デスメタルにゴシック要素が雑多に混ざ
り合い、ヴォーカリストはグロウルとクリーン・ヴォー
カルを巧みに操っている。彼らが解散した同時期に始
動したストックホルム発のピュア・ゴシック・バンド
Cryptic Art と混同しないように（だけどそれってい
い考えだよな。バンドが消滅して、そのバンド名とス
タイルを拝借する――そうすると、最初からファンを
獲得できるんだから！）。
ラインナップ
Tomas Hodosi: Guitar, Johan: Vocals, Dimman:

Drums
過去のメンバー
Gandhi Isaksson: Vocals/Guitar/Bass, Jonas
Alin: Guitar, Karin: Vocals, Dagna Plebaneck:
Vocals, Melissa Nordell: Bass, Danne: Vocals, Wire
McQuaid: Guitar, Jonas Kimbrell: Bass
デスコグラフィー
In the Fog of Frustration, Demo (1996)
Thorns of Passion, Demo (1998)

CRYSTAL AGE
ドリョーニャックとラーションのお遊びプロジェクト
だった Hammerfall が予想外の大成功を収めた後に消
滅した 90 年代中期のユーテボリのバンド。音楽性？
俺のオフクロなら "演奏はうまいけど……私は聴きた
くもないわねぇ" とかと言うかも。彼女はいつつも俺
のバンドに対してそうコメントする。多くのユーテボ
リ出身バンドのように、彼らはよくある At the Gates
や In Flames 風のメロディックでテクニカルなデスメ
タルを身上としている。彼らのように長髪ドラマーを
擁していたユーテボリ出身の古参バンドは数少なかっ
たと付け加えておこう。
ラインナップ
Oscar Dronjac: Vocals/Guitar, Jonathan Elfström:
Guitar, Fredrik Larsson: Bass, Hans Nilsson:
Drums
デスコグラフィー
Promo 94, Demo (1994)
Far Beyond Devine, CD (Vic, 1995)

CURRICULUM MORTIS
Amon Amarth のドラマー、フレードリック・アンダ
ソンが 2002 年に立ち上げたプロジェクト。マティア
ス・レイニッカ（Guidance of Sin、Sanguinary）とラ
イナス・ニルブラント（元 A Canorous Quintet）も
参加した、かなりの傑作。Amon Amarth がさらに良
くなった感じのバンドだ。
ラインナップ
Fredrik Andersson: Drums, Mattias Leinikka:
Vocals, Linus Nirbrandt: Guitar/Bass
デスコグラフィー
Into Death, Demo (2003)

CURSE
80 年代後期に 2 本のデモテープを制作するまでは活
動した 1986 年にスポンガで始動したバンド。音楽性
にはそれほど進歩がみられず、とりあえずバンド活動
をやっていたという感じだった。カールソン＝モード
とヨハンソンは Sorcery でもプレイしていた。
ラインナップ
Ishtar: Guitar/Vocals/Effects, Raffe (Magnus
Karlsson-Mård): Bass, Brajan (Patrik L. Johansson):
Drums
デスコグラフィー
Ad Futuron de Memoriam, Demo (1989)
Integumenton de Tenebrae, Demo (1989)

CYANIDE
At the Gates や Eucharist などスウェーデン西部のバ
ンドから影響を受けていた 2000 年代のストックホル
ム出身バンド。しかし、At the Gates や Eucharist に
は敵わない。
デスコグラフィー

Promo 2001, Demo (2001)

CYPHORIA
2003 年にウッデヴァラで結成された、メロディック・
デスメタル・バンド。
ラインナップ
Ali Horuz: Vocals/Guitar, Christian Bernhall:
Guitar, Fredrik Carlsson: Bass, Lena Hjalmarson:
Keyboards, Alexander Weding: Drums
過去のメンバー
Andreas Backlund: Guitar
デスコグラフィー
Contradiction Conundrum Deprived, Demo (2004)

DAEMONIC
Daemonic はヘヴィメタルと 90 年代中期のデスメタ
ルをミックスしたようなサウンドだった。しかし、独
創性に欠け、面白味もなかった。出身やラインナップ
なんて知らない。知りたくもない。
デスコグラフィー
Daemonic, Demo (1996)

DAMIEN
スウェーデン最初期のスラッシュメタル・バンドの
うちの一つ。1982 年から 1988 年までウップサーラの
街を席巻していた Damien のサウンドはかなり高品質
で、ブルータルだった。デスメタルが登場すると、彼
らは最期を迎えた。のちにアグリッパとバルムは、もっ
と知名度がある、しかし低レベルな Hexenhaus でプ
レイした。
ラインナップ
Tommie Agrippa: Vocals, Laurence West: Guitar,
Marre Martini: Bass, Mike Thorn: Drums
過去のメンバー
Andreas "Adde" Palm (Rick Meister): Guitar, Mick
Coren: Guitar
デスコグラフィー
Hammer of the Gods, Demo (1986)
Onslaught Without Mercy, Demo (1986)
Chapter I, Demo (1987)
Chapter II, Demo (1987)
Damien/Atrocity/Gravity/Tribulation Split 7"
(Is this Heavy or What Records, 1988)
Requiem for the Dead, EP (Gothic Rec, 1988)

DAMNATION
1989 年には始動していたストックホルムのブラッ
ク／デスメタル・バンド。メンバーが Dismember
（リーキャル）や Unanimated（ベータルとリーキャ
ル）に参加していたので、活動が本格化することは
なかった。作品は強力だっただけに残念。「Insulter
of Jesus Christ（キリスト蹂躙者）」以上の冒涜的
なタイトルを聞いたことがあるだろうか？（まあ、
Black Sabbath の「Disturbing the Priest（神父を攪
乱）」もあったよな？）最高だ！ ファンヴィンドは
Merciless（のちに Entombed）に参加したのち、作
品を多く発表するようになった。すべて手に入れてく
れ！ 生々しくてブルータルだ！
ラインナップ
Björn Gramell: Bass, Rikard Cabeza: Guitar, Peter
Stjärnvind: Drums
過去のメンバー
Micke Janson: Vocals (1989-1994)

デスコグラフィー
Divine Darkness, Demo (1995)
Divine Darkness, 7" (Iron Fist, 2004)
Insulter of Jesus Christ, 7" (Iron Fist, 2004)
Desctructo Evangelia, CD (Threeman Recording, 2004)

DAMNATIONS PRIDE
1988 年から 90 年までマルメーで活動していたバンド。解散した Obscurity のダニエル・ヴァラが参加していた。精力的に活動しなかったのは、彼がバンドの中心人物ではなかったからだろう。
ラインナップ
Micke: Vocals, Marcus Freij: Guitar, Daniel Vala: Bass, Peter: Drums
デスコグラフィー
Demo (1988)

DARK ABBEY—Epitaph（ソーレントゥーナ）参照。

DARK FUNERAL
ロード・アーリマンとブラックムーンが邪気を冒涜的サウンドに投影させた 1993 年、Dark Funeral はブラックメタル・ブームの渦中で信頼性を勝ち取った最後のバンドとして君臨した。Dark Funeral のクオリティーは保証済みだが、リフ・マスターのバルランド（ブラックムーン）が脱退すると、質は低下した。それでも、彼らは大成功を収めた。マッテ・モーディンのドラム捌きはヤバいくらい激速だった。ブラックムーンがバンドを去ってから、Dark Funeral はアーリマンとエンペラー・メーガス・カリギュラの 2 名が率いるバンドとなった。有名どころのバンドから数え切れないほど多くのミュージシャンが参加している。
ラインナップ
Emperor Magus Caligula (Masse Broberg): Vocals, Lord Ahriman (Micke Svanberg): Guitar, Chaq Mol: Guitar, Nils Fjällström: Drums, Gustaf Hielm: Bass
過去のメンバー
B-Force: Bass（ゲスト参加）*, Draugen: Drums (1993-1994), Equimanthorn (Peter): Drums (1994-1995), Alzazmon (Tomas Asklund): Drums (1996-1998), Gaahnfaust, Robert Lundin : Drums (1998-2000), Matte Modin: Drums (2001-2007) Themgoroth (Paul): Vocals (1993-1995), Blackmoon (David Parland): Guitar (1993-1996), Typhos (Henrik Ekeroth): Guitar (1996-1998) , Dominion (Matti Mäkelä): Guitar (1998-2002), Richard Cabeza: Bass*（ゲスト参加）*, Lord K (Kent Philipson): Bass*（ゲスト参加）
デスコグラフィー
Dark Funeral EP (Hellspawn, 1994)
The Secrets of the Black Arts, CD (No Fashion, 1996)
Vobiscum Satanas, CD (No Fashion, 1998)
Teach Children to Worship Satan, EP (No Fashion, 2000)
In the Sign..., EP (No Fashion, 2000)
Diabolis Interium, CD (No Fashion, 2001)
Under Wings of Hell, Split (Hammerheart, 2002)
Dark Funeral—Live In Sundsvall, CD (No Fashion, 2002)
De Profundis Clamavi ad te Domine, CD (Regain, 2004)
Devil Pigs, Split (The End Records, 2004)

Attera Totus Sanctus, CD (Regain, 2005)

DARK STONE
1999 年に結成された、戦争、中世ヨーロッパの暗黒時代、ファンタジーを題材としたバンド。デスメタルをプレイしていると彼らは公言していたが、母親の地下倉庫でロールプレイングゲーム『Dungeons and Dragons』に耽っているだけのような音楽性だった。
ラインナップ
Darkstone: Guitar, Redemptor: Bass, Revenant: Drums
デスコグラフィー
La Matanza, Demo (2001)
Blood Vengeance, Demo (2003)
Metalrelegion, Demo (2004)

DARK TERROR—Hypocrite 参照。

DARK TRANQUILLITY
1989 年、暴虐性溢れる Septic Broiler として始動した彼らは、すぐに Dark Tranquillity へと改名した。次第に Kreator 影響下の攻撃的サウンドから離れ（デモテープ『The Trail of Life Decayed』はいまだに彼らの最高傑作）、At the Gates 亜流の煮え切らないサウンドへと変化した。彼らのことをもはやメタルとカテゴライズできないかもしれない。大成功を果たしたスウェディッシュ・デスメタル・バンド群の中では彼らに揺さぶられるものを俺は感じない。ただ、最新アルバムが示すように、メタル畑以外ではウケているのかもしれない。スタンネとスンディンは、好みの分かれるパワーメタル・アクト、Hammerfall の結成に携わった。残念ながらスタンネは、Dark Tranquillity に専念するため Hammerfall の大成功を前にバンドを脱退した。脱退せずにいればもっと稼げたのにと彼は何度も後悔したに違いない。初期のヴォーカリスト、フリデーンは Ceremonial Oath を脱退し、やがて In Flames に加入した。
ラインナップ
Mikael Stanne: Vocals (1993-), Guitar (1989-1993), Anders Jivarp: Drums, Martin Henriksson: Guitar (1998-), Bass (1989-1998), Niklas Sundin: Guitar, Michael Nicklasson: Bass, Martin Brändström: Electronics
過去のメンバー
*Fredrik Johansson: Guitar (1993-1998), Anders Fridén: Vocals (1989-1993), Robin Engström: Drums (2001、*ゲスト参加*)*
デスコグラフィー
Enfeebled Earth, Demo (1990—Septic Broiler 名義)
Trail of Life Decayed, Demo (1991)
Rehearsal oct-92, Demo (1992)
Trail of Life Decayed, EP (Guttural, 1992)
A Moonclad Reflection, 7" (Slaughter Records, 1992)
Skydancer, CD (Spinefarm, 1993)
Of Chaos and Eternal Night, MCD (Spinefarm, 1995)
Enter Suicidal Angels, MCD (Osmose, 1995)
The Gallery, CD (Osmose, 1995)
Skydancer + Chaos and Eternal Light, CD (Spinefarm, 1996)
The Mind's I, CD (Osmose, 1997)
Projector, CD (Century Media, 1999)
Haven, CD (Century Media, 2000)

Damage Done, CD (Century Media, 2002)
Exposures—In Retrospect and Denial, CD (Century Media, 2004)
Lost to Apathy, EP (Century Media, 2004)
Character, CD (Century Media, 2005)

DARKANE
1998 年にヘルシングボリで結成された万人受けするデス／スラッシュ・バンド。俺があまり好きなサウンドではないが、モダンスラッシュ／デスメタル・バンド群の中では気に入っているほうだ。何人かのメンバーは元 Agretator だった。
ラインナップ
Klas Ideberg: Guitar, Jörgen Löfberg: Bass, Christofer Malmström: Guitar, Andreas Sydow: Vocals, Peter Wildoer: Drums
過去のメンバー
Lawrence Mackrory: Vocals, Björn "Speed" Strid: Vocals
デスコグラフィー
Rusted Angel, CD (War, 1998)
Insanity, CD (Nuclear Blast, 2001)
Expanding Senses, CD (Nuclear Blast, 2002)
Layers of Lies, CD (Nuclear Blast, 2005)

DARKEND
2000 年代のデス／スラッシュ・バンド。Darkane のカバーバンドか？
ラインナップ
Johan Bergqvist: Vocals/Guitar, Kim Lindstén: Guitar, Christian Johansson: Drums
デスコグラフィー
Together We Shall Rise, Demo (1999)
Death Inside, Demo (2000)
Vengeance, Demo (2001)

DARKIFIED
1991 年 2 月にフィンスポング／ソーダシューピングで結成されたブラック／デスメタル・バンド。獰猛で野太いガテラル・ヴォーカルが特徴。彼らはプロジェクト・バンドにしかすぎなかった。そして、グループ内のごたごたが原因で短命に終わった。Entombed がラーシュ＝ユーラン "L.G." ペトロフを解雇したとき、Darkified のデモテープに親和性を感じていた Entombed のメンバーが Darkified のヴォーカリスト（マルティン・グスタフソン）に白羽の矢を立て、グスタフソンをオーディションに迎えた。しかしオーディションに現れた彼があまりにも若かったため Entombed のメンバーは絶句した。若すぎるというその理由だけで、彼はヴォーカリスト候補から除外された――Entombed もティーンエージャーだったというのに！　結局 Entombed のメンバーはグスタフソンにひとつかみのキャンディーを持たせ、バス停まで見送っただけだった。ドラマーのユートバリは Marduk でプレイしたこともあったし、カールソンは Pan-Thy-Monium と Edge of Sanity でもヴォーカルを担当した。1993 年にアーフが解雇されたのち、バンドは解散した。アーフは Amenophis に加入し、ユートバリは Marduk に専念し、すぐに Marduk から解雇された。アーフはバンド活動と同時にファンジン『Abnormalcy zine』も発行していた。1995 年に Repulse から Darkified の音源集がリリースされた。
ラインナップ

Martin Gustafsson: Vocals, Joakim Göthberg: Drums, Robert Karlsson: Bass/Vocals
過去のメンバー
Martin Ahx: Guitar, Jonas Amundin: Acoustic Guitar, Tim Pettersson: Guitar, Alex Bathory: Vocals
デスコグラフィー
Dark, Demo (1991)
Sleep Forever, 7" (Drowned, 1992)
A Dance on the Grave, CD (Repulse, 1995)

THE DARKSEND
ヘルシングボリで 1991 年には既に結成されていた、破壊力満点のブラックメタル・バンド。The Darksend は 2 枚のアルバムをリリースしたが、注目されずに終わった。ラインナップ、特にドラマーに関しては安定しなかった。トーニ・リクターとステーファン・スティゲールは 9th Plague を結成し、トーニは『Nekrologium Zine』を発行(ネットではまだ生き残っている)。
ラインナップ
Mikael Bergman: Guitar, Anders Stigert: Bass, Stefan Stigert: Guitar, Tony Richter: Vocals
過去のメンバー
Per Christoffersson: Drums, Tau Jacobsen: Guitar, Mihalj Stefko: Bass, Martin Thorsén: Drums, Magnus Hoff: Drums, Christian Andersson: Drums
デスコグラフィー
Unsunned, CD (Head Not Found, 1996)
The Luciferian Whisper, EP (X-Treme Records, 1997)
Antichrist in Excelsis, CD (X-Treme Records, 2000)

DAS ÜBER ELVIS—Necrovation 参照。

DAWN
1991 年にミョールビーで、フルメステードとソーデルバリの 2 人のギタリストによって結成されたバンド。ブラックメタルのトレンドに影響されたことが原因で、彼らのサウンドにはオリジナリティーがまったくなく、退屈そのものだった――しかも、コーブス・ペイント・フォトセッションは失笑ものだった。ヘンリック・フォッシュに関しては、『Brutal Mag』と『Dis-organ-ized』の 2 つのファンジンを独自で発行したあと、あの伝説的なファンジンである『Septic Zine』を共同で発行した。その他に、彼はまた、In Flames のミニ・アルバムでヴォーカルを務めるなど、活躍した！　その他のメンバーは Dissection, Dark Funeral, Afflicted, Mithotyn, Regurgitate に参加したりした。ここスウェーデンでは様々なことが起こっていたのである！
ラインナップ
Tomas Asklund: Drums, Henke Forss: Vocals, Stefan Lundgren: Guitar, Fredrik Söderberg: Guitar, Philip Von Segebaden: Bass
過去のメンバー
Andreas Fullmestad: Guitar, Dennis Karlsson: Bass, Karsten Larsson: Drums, Jocke Pettersson: Drums, Lars Tängmark: Bass
デスコグラフィー
Demo 1, Demo (1992)
Apparition, Demo (1993)
Promo 93, Demo (1993)
The Eternal Forest EP (split with Pyphomgertum), 7"

(Bellphegot, 1993)
Naer Solen Gar Niber vor Evogher, CD (Necropolis, 1995)
Sorgh pa Svarte Vingar Flogh, EP (Necropolis, 1996)
Slaughtersun (Crown of the Triarchy), CD (Necropolis, 1998)

DAWN OF DECAY
1989年にフォシュハーガ出身の2名のティーンエージャーがPurgatoryを結成した。活動初期はスラッシュメタルをプレイしていたが、やがてデスメタルの洗礼を受け、バンド名と音楽性を変えた。フロリダ産バンドの要素とParadise Lost風のスローな楽曲に影響を受け、かなり進化した。楽曲のクオリティーは高かったものの、同郷バンドVomitoryの陰に隠れてしまった。ヨーハンとトマスはMoaning Windに在籍していた。
ラインナップ
Johan Carlsson: Bass/Vocals, Micke Birgersson: Drums, Tomas Bergstrand: Guitar (1993-)
過去のメンバー
Matthias Ekelund: Guitar (1995-1996), Rickard Löfgren: Vocals/Guitar (1992-1995)
デスコグラフィー
Grief, Demo (1992)
Promo 1993, Demo (1993)
Into the Realm of Dreams, EP (1994)
Hell Raising Hell, Demo (1996)
New Hell, CD (Voices of Death, 1998)

DCLXVI
2002年にストックホルムで結成されたバンド。デモテープ1本とシングル1枚を残して解散した。
ラインナップ
Seb: Vocals, Alle: Bass/Vocals, Billy: Guitar, Ossi: Guitar, Marcus: Drums, Jonas: Vocals
デスコグラフィー
10 Minutes to the End, Demo (2003)
Chainsaw, EP (2003)

DE INFERNALI
ヨン・ノトヴェイト（Dissection）のソロ・プロジェクト。デモテープの1曲でダン・スワノ（Edge of Sanity、Unisound Studioなど）がヴォーカルを披露している。よく考えてみると、ダン・スワノが参加していないプロジェクトなんてあるのだろうか？
ラインナップ
Jon Nödtveidt: 全パート担当。
デスコグラフィー
Symphonia de Infernali, CD (Nuclear Blast, 1997)

THE DEAD
2000年初期、ニルブラント（A Canorous Quintet、Guidance of Sin）、シルマン（Guidance of Sin, Vicious Art）とアンダソン（A Canorous Quintet, Amon Amarth, Guidance of Sin）の3人が立ち上げたグラインドを大胆に取り入れた真正デスメタル・プロジェクト。こんな感じのバンドをもっと聴きたい。
ラインナップ
Linus Nirbrandt（別名 Dr. Jones): Guitar, Tobbe Sillman (aka Necrobarber): Bass, Fredrik

Andersson: Drums
デスコグラフィー
The Dead/Birdflesh, Split CD (Nocturnal Music, 2001)
Real Zombies Never Die, EP (Nocturnal Music, 2003)

DEAD AWAKEN
SlayerやVaderに若干インスパイアされたメロディック・スラッシュ／デスメタル・バンド。彼らは2002年にヴェステルオースで結成され、近年Abyssal Chaosに変容した。
ラインナップ
Jörgen Kristensen: Guitar/Vocals, Andreas Backström: Guitar, Andreas Morén: Bass/Vocals, Joakim Edlund: Drums
デスコグラフィー
Death Before Dishonour, Demo (2002)
Instrument of War, Demo (2003)
..Tomorrow We Die.., Demo (2004)

DEAD END
1989年に結成されたデス／スラッシュ・バンド。何本かのデモテープを発表したのち消滅した。
デスコグラフィー
2 Minute Warning, Demo (1991)
Infinite, Demo (1992)

DEAD ON ARRIVAL
2002年に最北部の町であるイェリヴァレで結成されたバンド。
ラインナップ
Kristian Hjelm: Vocals, Tommy Norlin: Guitar, Christoffer Hansson: Guitar, Kjell Norman: Bass/Vocals, Mattias Johansson: Drums
過去のメンバー
Kristoffer Johansson: Vocals, Salomon Nutti: Vocals, Joakim Aukea: Guitar
デスコグラフィー
D.O.A., Demo (2004)

DEAD SILENT SLUMBER
Naglfarのイェンス・リデーンのソロ・プロジェクト。シンフォニックではあるが、エクストリームではない。
ラインナップ
Jens Rydén: 全パート担当。
デスコグラフィー
Entombed in the Midnight Hour, CD (Hammerheart, 1999)

DEATH BREATH
ニッケ・アンダソン（元 Nihilist/Entombed）がデスメタル界での約10年間の空白期間を経て、2005年に始動したプロジェクト。ローベット・バーション（Runemagick、Deathwitch、Masticator）、Deathの『Scream Bloody Gore』のような、史上最も醜く、病的なデスメタルを追求することを目的とした。上手くいくと思うが、プロジェクトが存続することを願いたい。アンダソンがドラムをプレイしているのは有難い。
ラインナップ
Nicke Andersson: Guitar/Drums, Robert Pehrsson: Guitar/Vocals, Mange Hedquist: Bass

過去のメンバー
Markus Karlsson: Vocals（ゲスト参加）, Jörgen
Sandström: Vocals（ゲスト参加）, Scott Carlson:
Vocals/Bass（ゲスト参加）
デスコグラフィー
Death Breath, 7" (Black Lodge, 2006)
Stinking Up the Night, CD (Black Lodge, 2006)

DEATH DESTRUCTION

2004 年にユーテボリで Evergray のヘンリックとヨー
ナスが始動したプロジェクト。彼らは Evergray より
エクストリームなものを求めていたのであろう。
ラインナップ
Henrik Danhage: Guitar, Jonas Ekdahl: Drums,
Fredrik Larsson: Bass, Jimmie Strimell: Vocals
デスコグラフィー
Demo, Demo (2004)

DEATH RIPPER

Death Ripper は、1985 年初頭から 1986 年後半までエ
シルストゥーナでノイズをまき散らしていたが、今や
完全に忘れ去られ、知る人ぞ知る存在になっている。
彼らはネクロ・ヴォーカルとコープス・ペイントで武
装し、エクストリーム・スラッシュ／ブラックメタル
をプレイしていた。実際、ハッとするようなアイディ
アはいくつかあったが、稚拙で演奏力が不足していた
ことは否めない。彼らのリハーサル模様を収録したビ
デオを観ると、80 年代中期の初期エクストリーム・
バンドがどうだったのか窺い知ることができる――短
髪で、変なポーズで、怪しいメイクをして、地獄から
運んできたようなおんぼろドラムでプレイしていた。
計 4 回のギグを演ったのちにバンドは消滅した。バン
ド解散後、ブライアン、ロン、ビリーは Oxygene を
結成し、伝説的メタル信者グレニングは Asmodeus
に参加した。
ラインナップ
Randy Natas (Cleas Glenning): Drums, Brian
Witchsword: Bass (初期はベースとヴォーカルも
担当), Horny Bloodsucker: Vocals, Ron Gambler:
Guitar, Bille: Guitar
過去のメンバー
Dennis: Drums (1985)
デスコグラフィー
Rehearsalroom Live at Balsta, Video (1985)
Deciples of Violence, Rehearsal (1986)

DEATHWITCH

1995 年にユーテボリで始動したオールドスクール・
デス／スラッシュ／ブラックメタルの融合体。中心人
物 は Runemagick、Sacramentum、Swordmaster の
ニクラス・ルドルフソン。彼らは Necropolis に何年
か所属したのち、2003 年には Earache の傘下 Wicked
World と契約した。クールでダーティーなメタル。
ラインナップ
Slade Doom: Guitar, Dan Slaughter: Drums, Niklas
"Terror" Rudolfsson: Vocals/Bass/Guitar
過去のメンバー
Peter "Carnivore" Palmdahl: Bass, Corpse: Drums,
Doomentor: Guitar, Reaper: Vocals, Fredrik "Af
Necrohell" Johnsson: Guitar, Emma "Lady Death"
Karlsson: Bass, Morbid Juttu: Drums
デスコグラフィー
Triumphant Devastation, CD (Necropolis, 1996)

Dawn of Armageddon, CD (Necropolis, 1997)
The Ultimate Death, CD (Necropolis, 1998)
Monumental Mutilations, CD (Necropolis, 1999)
Deathfuck Rituals, CD (Hellspawn, 2002)
Violence Blasphemy Sodomy, CD (Earache/Wicked
World, 2004)

DECADENCE

2003 年にストックホルムで結成されたメロディック・
デスメタル・バンド。メンバーのほとんどが入れ替わっ
てしまったので、今後どうなるか分からない。
ラインナップ
Kitty Saric: Vocals, Kenneth Lantz: Guitar, Daniel
Green: Guitar, Joakim Antman: Bass, Erik Röjås:
Drums
過去のメンバー
Peter Lindqvist: Drums, Niclas Rådberg: Guitar,
Christian Lindholm: Guitar, Roberto Vacchi
Segerlund: Bass, Mikael Sjölund: Guitar, Patrik
Frögéli: Drums
デスコグラフィー
Land of Despair, Demo (2004)
Decadence, CD (2005)

DECAMERON

1991 年にフンネボストランドで、アレックスとヨハ
ネス・ロースベック兄弟が中心となって壮絶な攻撃
を開始した。結成当初は、Nocrofobic の名を冠し、
コープス・ペイントを施していたのでブラックメタル
のメイクに夢中だったようだ。やがて斬新なアレン
ジとアイディアで満ちたクールでメロディックなデ
ス／ブラックメタルを創り上げるようになった。ラ
インナップが安定せず、ノルマンとシェールグレー
ンは脱退し、異彩を放つ Dissection に加入した。実
際 Decameron はかなり良質な技巧派バンドだったの
で、もっと注目を受けても良かった。
ラインナップ
Alex Losbäck: Vocals/Bass, Johannes Losbäck:
Guitar/Vocals, Johnny Lehto: Guitar, Peter
Gustavsson: Guitar, Magnus Werndell: Drums
過去のメンバー
Christoffer Hermansson: Guitar, Jonny Lehto:
Guitar, Tomas Backelin: Guitar, Johan Norman:
Guitar, Tobias Kellgren: Drums, Adrian Erlandsson:
Drums
デスコグラフィー
My Grave is Calling, Demo (1992)
Mockery of the Holy, 7" (Corpsegrinder, 1993)
My Shadow, CD (No Fashion, 1996)

DECAY—Alvsvart 参照。

DECHAINED

2002 年にイェリヴァレで結成されたデス／スラッ
シュ・バンド。最近その場所からバンドが多く出てい
るが、シーンがあるのかな？
ラインナップ
Kristian Hjelm: Vocals, Tommy Norlin: Guitar,
Christoffer Hansson: Guitar, Kjell Norman: Bass,
Mattias Johansson: Drums
デスコグラフィー
Demo 2004, Demo (2004)
The Dying Sun, Demo (2005)

DECOLLATION

クリスティアン・ヴォーリーン（Grotesque、Liers in Wait、のちに Diabolique）とヨーハン・ウステルバリ（現 Diabolique）が立ち上げた 90 年代初期のプロジェクト。バンドにはトマス・ヨハンソン（Ceremonial Oath、のちに Diabolique）もいた。

ラインナップ
Johan Österberg: Vocals/Guitar, "John Jeremiah": Guitar, "Nick Shields": Keyboards, Tomas Johansson: Bass, Kristian Wåhlin: Drums

過去のメンバー
Lars Johansson: Drums

デスコグラフィー
Cursed Lands, EP (Listenable, 1992)

DECORTICATION

1990 年にルーレオで、Torture 名義でスタートしたバンド。ほどなくしてバンド名が Gilgamosh に変わり、2 本のデモテープを制作し、最後に Decortication に落ち着いた。当初は Kreator スタイルのスラッシュメタルをプレイしていたが、次第に Morbid Angel や Deicide などのフロリダ・スタイルを取り入れた。初期の頃はコープス・ペイントで写真に納まっていたため、ブラックメタルにも魅了されていたことが分かる。正気を取り戻してからも絶叫ヴォーカルを続けたが、結局のところ上手くいかなかった。

ラインナップ
Pierre Törnkvist: Guitar/Vocals, Niklas Svensson: Bass, Oskar Karlsson: Drums

過去のメンバー
Mats Granström: Bass, Torbjörn Fält: Drums, Patrik Törnkvist: Guitar

デスコグラフィー
They Shall All be Sent To..., Demo (1991— Gilgamosh 名義)
Funeral Rites, Demo (1992—Gilgamosh 名義)
Lucichrist—The Third God, Demo (1993)
Promotape-94, Demo (1994)

DEFACED CREATION

1993 年にウステルスンドで Unorthodox として結成された直球スタイルのデスメタル・バンド。既に有名な同名バンドが存在していたため、バンド名を変更せざるを得なくなった。1994 年、当時のギタリストが放火と墓荒らしの罪で懲役刑を受け、さらに精神病棟に送られたため、バンドは再編成を余儀なくされた。Defaced Creation はかなり成功し、Dying Fetus や Deranged などの重鎮バンドとともにヨーロッパをツアーしたりもした。解散後、メンバーの多くは Aeon に加入した。

ラインナップ
Thomas Dahlström: Vocals, Jörgen Bylander: Guitar, Arrtu Malkku: Drums (1997-), Johan Hjelm: Bass (1998-), Zeb Nilsson: Bass

過去のメンバー
Stefan Dahlberg: Guitar (1993-1994), Jocke Wassberg: Bass (1997-1998)

デスコグラフィー
Santeria, Demo (1994)
Defaced Creation, Demo (1995)
Resurrection, EP (Paranoya Syndrome, 1996)
Fall (split w/Aeternum), EP (Paranoya Syndrome, 1997)

Infernal (split w/Standing Out), EP (Rockaway, 1998)
Serenity in Chaos, CD (Vod, 2000)

DEFECTIVE DECAY—Blazing Skies 参照。

DEFILER

南部の都市マルメーを拠点にし、戦争に関する歌詞をテーマとした 2000 年代のデスメタル・バンド。ブルータルで直球スタイルであるが、レベルはかなり普通。

デスコグラフィー
Random Detonation, Demo (2002)

DEFLESHED

もともとデスメタルをプレイしていたが、1991 年に殺傷能力抜群のスラッシュ集団として始動したバンド。1994 年、Gates of Ishtar に専念するためにカールソンが脱退し、後釜としてマッテ・モーディンが加入した。とてつもなく高速にプレイする狂人、モーディン（彼は 2000 年に Dark Funeral に加入）を擁した Defleshed は、世界でも名だたる激烈スラッシュ・バンドとして台頭した。彼らの解散ライブは 2005 年のクリスマスに敢行された――ライブの目撃者だった俺に言わせると、彼らの引き際は間違いなくカッコ良かった。

ラインナップ
Lars Löfven: Vocals/Guitar, Matte Modin: Drums (1995-), Gustaf Jorde: Bass/Vocals (1992-)

過去のメンバー
Kristoffer Griedl: Guitar (1991-1995), Oskar Karlsson: Drums (1991-1994), Johan Hedman: Vocals（ゲスト参加）, Robin Dolkh: Vocals (1991-1992)

デスコグラフィー
Defleshed, Demo (1992)
Abrah Kadavrah, Demo (1993)
Body Art, Demo (1993)
Obsculum Obscenum, 7" (Miscarriage, 1993)
Ma Belle Scalpelle, CD (Invasion, 1994)
Abrah Kadavrah, CD (Invasion, 1995)
Under the Blade, CD (Invasion, 1997)
Death...the High Cost of Living, CD (War Music, 1999)
Fast Forward, CD (War Music, 1999)
Royal Straight Flesh, CD (Regain, 2002)
Reclaim the Beat, CD (Regain, 2005)

DEFORMED（フローダ）

フローダ発、90 年代中期のバンド（彼らは "フローダ・デスメタル" のバンドかな？）。1 本目のデモテープは、Entombed や Grave 影響下の良質なオールドスクール・デスメタル・サウンドだった。やがてブラックメタル・サウンドに移り替えしたと聞いている。音沙汰がないのはそのためだろう。

ラインナップ
Micke Nordin

デスコグラフィー
Shades from a Missing Epoch, Demo (1995)

DEFORMED（ヴェクファ）

2000 年代に結成されたデス／ブラックメタル・バンド。フローダ出身の古参同名バンドと混同しないように。セゲルバックとニルソンは Mindcollapse にも在

籍。

ラインナップ
Rob: Bass/Vocals, Olle Segerback: Guitar, Mathias
"Matte" Nilsson: Guitar, Chrille: Drums
デスコグラフィー
Infuriate, Demo (2003)

DEFORMITY

この世で最も退屈な場所の一つであるマーシュタで
1991 年に結成したバンド。キーボード、クサいメロ
ディー、ヘタクソなヴォーカルを配した平凡なミディ
アム・テンポのデスメタル。ホントに酷いんだって。
でも批判ばかりもしていられない。実際 2、3 良いリ
フもある。ほんの 2、3 だけど。彼らは成功しなかっ
たので、ハリーとミッケは Vörgus を結成した。
ラインナップ
Tommie Jansson: Vocals/Guitar, Kenneth Nyholm:
Bass/Vocals, Micke Nyholm: Drums, Harry Virtanen:
Guitar
デスコグラフィー
Demo (1991)
Repulsions of War, Demo (1992)
Sickly Obsessed, Demo (1992)
Deformity, Demo (1994)

DEGIAL OF EMBOS

デスメタルがまだ青臭くて生々しかった時代に想い
を馳せているオールドスクール好きな若者によるグ
ループ。2004 年にウップサーラで結成された Degial
of Embos には頑張ってほしい。バンド写真が最高
で、1989 年に戻った感じだ！ エリクソンはウップ
サーラ出身の極めて若いオールドスクール・デスメタ
ル・バンド Katalysator にも在籍している。2006 年に
Degial of Embos はバンド名を Degial に短縮した。
ラインナップ
Hampus Eriksson: Guitar/Vocals, Rickard Höggren:
Guitar, Per Östergren: Bass, Emil Svensson: Drums
過去のメンバー
Johan Petterson: Bass, Johan Östman: Vocals
デスコグラフィー
Blood God, Demo (2004)
Death Will Arise, Demo (2005)
Live Demo, Demo (2005)
Awakening From Darkness, Demo (2006—Degial 名
義)

DEGRADE

2001 年にリンシューピングで結成された圧倒的でブ
ルータルなゴア／デスメタル・バンド。激しくて、速
くて、演奏能力が高い。将来性あり。
ラインナップ
Manne: Vocals, Victor: Guitar, Söder: Guitar,
Kristian: Bass, Berto: Drums
デスコグラフィー
Feasting on Bloody Chunks, Demo (2003)
Hanged and Disembowelled, EP (Permeated
Records, 2005)

DELIRIUM—Cromlech 参照。

DELLAMORTE

1994 年、Uncanny と Interment の残党から生まれた
Dellamorte は、アーヴェスタという小さな町で猟奇

的なミッションを始めた。音楽性は Entombed に近
いスタイルのデスメタルであるが（実際 Entombed
ソックリ）、若干パンクの影響も窺える。Dellamorte
は 2001 年から活動停止中だが、ヨーハンがもう 1
作品レコーディングすると言っているので、バンド
は正式に解散した訳ではない。メンバーは Insision
（ダニエル）、Centinex（ヨーハン、ケネト、ヨーナ
ス）、Carnal Forge（ヨーナス）、Katatonia（マティ
アス）などでも精力的に活動している。ヨーハンとダ
ニエル（って俺のことだけど）はクラスト・バンド
の Uncurbed と Diskonto にそれぞれ在籍し、精力的
に活動している。俺がこのバンドにいるのでクオリ
ティーについてはどうのこうの言えない。是非聴いて
自分で判断してくれ！
ラインナップ
Johan Jansson: Guitar/Vocals, Jonas Kjellgren:
Vocals（それに彼が担当できるものすべて）,
Daniel Ekeroth: Bass/Vocals, Mattias Norrman:
Guitar, Kenneth Englund: Drums (1994-1998, 2000-)
過去のメンバー
Sonny Svedlund: Drums (1998-2000)
デスコグラフィー
Drunk in the Abyss, Demo (1995)
Everything You Hate, CD (Finn Records, 1996)
Dirty, Dellamorte/Corned Beef Split 7" (Yellow Dog,
1996)
Uglier & More Disgusting, LP/CD (Osmose, 1997)
Home Sweet Hell, CD (Osmose, 1999)
Fuck Me Satan, 7" (Elderberry, 2000)

DELUSIVE

2000 年にストックホルムで結成されたメロディック・
デス／スラッシュ・バンド。
ラインナップ
Robin "Reaf" Niklasson: Vocals, Tommy Lindström:
Drums, Adam Olsen: Guitar, Robin Sandström:
Bass, Niclas Rådberg: Guitar
過去のメンバー
Ragain: Vocals
デスコグラフィー
The Dark Chronicle, Demo (2004)
Regret, EP (2005)

DELVE—Verminous 参照。

DEMENTIA 13

2004 年にニューシューピングで結成されたブルータ
ル・デスメタル・バンド。シルヴェルとオルソンは
Asphyxiation、Shock Wave、Ceremonial Death にも
参加している。多忙な奴らだ。
ラインナップ
Daniel Silfver: Vocals, Niklas Olsson: Guitar/Bass,
Emil Norlander: Drums
デスコグラフィー
In Blood We Drown, Demo (2004)

DEMISE—Agretator 参照。

DEMON SEED

2004 年にニューシューピングで結成されたプログ
レッシヴ・デスメタル・バンド。別称を見ると、ジョー
クだっていうことがよく分かる——"ギャンブロア"
はアニメ『Simpsons（シンプソンズ）』がネタ元だろ

う！
ラインナップ
Fredde (Slobo): Vocals, Håkan (Demonhead): Guitar,
Mattias (Gamblore): Guitar, Damien (Neid): Bass,
Andreas (Tappadifarstun): Drums
デスコグラフィー
[DEMO]N SEED, Demo (2005)

DEMONOID
2004 年に始動した Therion のサイド・プロジェク
ト。俺が思うに、彼らが実際にメタルをプレイして
いた頃の古き良き時代が懐かしかったんだと思う。
Demonoid の作品は Therion の最近のアルバムよりも
良いが、彼らの初期作品よりは劣る。
ラインナップ
Kristian Niemann: Guitar, Johan Niemann: Bass,
Christofer Johnsson: Vocals, Rickard Evensand:
Drums
デスコグラフィー
Riders of the Apocalypse, CD (Nuclear Blast, 2004)

DENATA
1998 年に Skullcrusher が解散した後、リンシューピ
ングでトマス・アンダソンが結成したデス／スラッ
シュ・バンド。注目を集めたが、アルバムを数枚残し
て解散した。
ラインナップ
Tomas Andersson: Vocals/Guitar, Åke Danielsson:
Drums, Roger Blomberg: Bass
過去のメンバー
Pontus Sjösten: Vocals/Drums
デスコグラフィー
Necro Erection, EP (Ghoul Records, 1999)
Departed to Hell, CD (Ghoul Records, 2000)
Deathtrain, CD (Arctic, 2002)
Art of the Insane, CD (Arctic, 2003)

DEPRAVED
2004 年に結成されたノルテリエ出身のデスメタル・
バンド。
ラインナップ
Robin Joelsson: Vocals, Jonatan Thunell: Guitar,
Anders Berndtsson: Guitar, Tobias Rydsheim: Bass,
Jonas Holmström: Drums
デスコグラフィー
Glimpse of Death, Demo (2004)
Pieces of You..., Demo (2004)

DEPRIVED
2004 年にブレーキンゲで結成されたメロディック・
デスメタル・バンド。
ラインナップ
Mattias Svensson: Vocals, Christian "Jacke"
Sonesson: Guitar, Joakim "Jocke" Pettersson:
Drums, Victor Dahlgren: Bass , Jonas Martinsson:
Guitar
過去のメンバー
Lennie Persson: Vocals, Henrik Olausson: Guitar
デスコグラフィー
A Deceptive Soul, Demo (2004)
Demo, Demo (2004)
This Last Hollow Dance, Demo (2005)

DERANGED
1989 年にマルメー南部（実際はヤールップ……って
どこだよそれ！）でスタートした超ブルータル・バ
ンド。初期は Carbuncle の名義で活動した。彼らの
目的はデスメタル界のすべてのバンドに不快感を与
えること。彼らはシンプルな楽曲構成とドロドロ流
血嗜好の歌詞を体現することに成功した。1991 年に
Deranged に改名し、翌年に 1 本目であるデモテープ
をレコーディングした。Deranged の無慈悲な残虐性
は、当時流行っていたブラックメタルのそれとは一線
を画した。彼らは猛烈なゴア・グラインドを武器に、
トレンドに真っ向から反旗を翻した。特に『High on
Blood』は、偏執的で下劣なデスメタルが極限なまで
に凝縮された最高傑作である。楽曲にバラエティーが
感じられないので、アルバム 1 枚を通して聴くと若干
きついかもしれない――しかし、ほんの少し聴いただ
けで神経がズタズタに切り裂かれてしまうほどだ！
アクセルソンは名高い Berno Studio で働いており、
Seance、The Haunted、Defleshed、Vomitory、
Insision、Kaamos のレコーディングに携わった。90
年代初期にはヴェルメーン（『Cerebral Zine』）とギレ
ンバック（『Helter Skelter』）はファンジンを発行を
した。バンドは度重なるメンバーチェンジに直面して
いるが、しぶとく活動している彼らにはリスペクト
だ！
ラインナップ
Johan Axelsson: Guitar (1990-), Rikard Wermén:
Drums, Calle Feldt: Bass/Vocals
過去のメンバー
Andreas Deblén: Vocals/Drums, Dan Bengtsson:
Bass, Per Gyllenbäck: Vocals, Fredrik Sandberg:
Vocals, Jean-Paul Asenov: Bass (1990-1995), Johan
Anderberg: Vocals/Bass, Mikael Bergman: Bass
(1995)
デスコグラフィー
Confessions of a Necrophile, Demo (1992)
...The Confession Continues, 7" (1993)
Orgy of Infanticide Exposed Corpses (Part II), 7"
(Obliteration, 1993)
Architects of Perversion, CD (Repulse, 1994)
Internal Vaginal Bleeding, EP (Repulse, 1995)
Rated X, CD (Repulse, 1995)
Sculpture of the Dead, EP (Repulse, 1996)
High on Blood, CD (Regain, 1999)
III, CD (Listenable, 1999)
Abscess/Deranged, Split (Listenable, 2001)
Deranged, CD (Listenable, 2001)
Plainfield Cemetery, CD (Listenable, 2002)

DESCENDING
2003 年にフィエルバッカで結成されたデス／ブラッ
クメタル・バンド。現在は活動休止中だと聞いている。
ラインナップ
Stefan Eliasson: Guitar, Carl Nordblom: Drums,
Kaj Palm: Bass/Vocals
デスコグラフィー
A World Shaped to Die, Demo (2004)

DESECRATED
2003 年にストックホルムで結成されたブルータル・
デスメタル・バンド。
ラインナップ
Billy: Guitar, Enar: Bass, Marcus: Drums, Totte:

Vocals
過去のメンバー
Sebb: Vocals
ディスコグラフィー
Awakened Fury Demo, Demo (2004)

DESECRATOR—Ceremonial Oath 参照。

DESERT RITUAL—Ancients Rebirth 参照。

DESTRUCTO
超クールな短くてゾッとする別称をもつ奴らのいるブ
ラック／デスメタル・バンド。
ラインナップ
E: Drums/Vocals, O: Guitar, W: Bass
ディスコグラフィー
Sanguis Draconis, Demo (2004)

DESULTORY
1989年にローニンゲ／ソーデルテリエで結成され、
スラッシュにインスパイアされたデスメタル・バン
ド。タンパというよりもベイエリアの影響が大きいの
で、デスメタル・ヴォーカルを擁したスラッシュメタ
ル・バンドともいえる。俺の琴線に触れたことはな
いが、90年代初期はかなり成功していた。『Forever
Gone』はデモテープ2本分を集めて作られた音源集
である。Desultoryが解散した後、最後のアルバムで
聴かれるスタイルに近いZebulonで活動を続けた。
ラインナップ
Klas Morberg: Guitar/Vocals, Thomas Johnson:
Drums, Håkan Morberg: Bass (1995-)
過去のメンバー
Stefan Pöge: Guitar (1989-1995), Jens Almgren:
Bass (1989-1992)
ディスコグラフィー
From Beyond, Demo (1990)
Death Unfolds, Demo (1991)
Visions, Demo (1991)
Forever Gone, LP (HOK, 1992)
Into Eternity, CD (Metal Blade, 1993)
Bitterness, CD (Metal Blade, 1994)
Swallow the Snake, CD (Metal Blade, 1996)

DETHRONEMENT
1993年にヴェクファでヨハンソンとユーンヘムに
よってBacon Warriorsという名義で結成された下
品なプロジェクト。1996年夏にはデスメタル・バン
ド Dethronementへと変容した。秀逸なBirdflesh、
General Surgery、Sayyadinaのメンバーだった悪名
高きグラインド・フリークのアンドレアス・ミトロウ
リスが在籍していたことも特筆すべきだろう。
ラインナップ
Johan Jonasson: Guitar, Andreas Mitroulis: Drums,
Jörgen Örnhem: Bass/Vocals, Robert Lilja: Guitar
過去のメンバー
Johan Orre: Guitar, Kristoffer Svensson: Vocals
ディスコグラフィー
Astral Serenity, Demo (1997)
Breeding the Demonseed, Demo (1998)
Survival of the Sickest, CD (Loud N' Proud, 1999)
World of Disgust, CD（未発表）(2000)
Steel Manufactured Death, CD (2003)

DEUS EX MACHINA
In Flames が驚異的な成功を手にしたのちに出現した
メロディック・デスメタル・バンド。
ラインナップ
Alex Holmstedt: Vocals, John Lidén: Guitar, Joseph
Astorga: Drums, Robin Strömberg: Bass, Vincent
Andrén: Guitar
ディスコグラフィー
Recreation, Demo (2004)

DEVASTATED
1995年にヴァーナムでスタートしたメロディック・
デスメタル・バンド。1996年にデモテープを制作し
たが、やがて消滅した。
ラインナップ
Kosta Christoforidis: Vocals/Guitar, Dado Hrnic:
Drums/Keyboard, Liz-Marie Johansson: Vocals,
Mattias Lilja: Bass, Pawel Budzisz: Guitar
ディスコグラフィー
Devastated, Demo (1996)

DEVIANT
2002年にウップサーラでヨーハンとマグナス（両方
ともギター担当）の双子兄弟が結成した激烈ゴア・グ
ラインド・バンド。彼らのサウンドはタイトで、次第
にパワフルさが増し、スタイルはブルータル・デス
メタルに大きく傾倒した。カッコいい楽曲構成のコ
ツをつかむと、彼らの勢いが止まらなくなった。EB
とフレードリックは元Inception。エリックはPenile
Suffocationにも在籍。
ラインナップ
Alex: Vocals, Johan: Guitar, Magnus: Guitar, EB:
Drums, Fredrik: Bass
過去のメンバー
Erik: Bass (2004)
ディスコグラフィー
Deviant, Demo (2003)
Tools of Termination, EP (Nuclear Winter, 2004)
Larvaeon, CD (Spew Records, 2005)

DEVOUR
1997年初夏、ティーンエージャーのフレードリック
とヤンがブルータル・デスメタル・バンドを結成し
たことで、Devourが誕生した。フレードリックは、
Enslavedのスウェーデンのファンクラブ"アーミー・
オヴ・ザ・ノーススター"の代表も務めている！
ラインナップ
Fredrik: Bass, Jari S: Vocals, Patrick: Guitar/Vocals
(2001-), Jimmy: Drums (2001-)

DEVOURED
1989年にストックホルム郊外のヘーガシュテーンで
始動したDevouredは様々なスタイルをデスメタルに
取り入れようとしたが、いずれも中途半端だった。ラ
インナップが安定していなかったこともバンドを停滞
させてしまった原因だったようだ。オフィシャル・デ
モテープを作ったかどうかはわからない。
ラインナップ
Victor: Drums, Matte: Vocals, Stefan: Guitar
(1992-), Micke: Bass (当初はギター担当)

DHRAUG
2003年にウップサーラで結成された、スラッシュ、

デス、ブラックメタルをミックスさせた音楽性のバンド。

ラインナップ
Dhraug: Vocals, Nerothos: Guitar, Morigmus: Bass, Sky: Drums
過去のメンバー
Lord Xzar: Guitar
デスコグラフィー
Early Morning Slaughter, Demo (2003)
Live at Genomfarten, Live CD (2004)

DIABOLICAL

1996年にスンツヴァルで始動したギターソロやメロディーに傾倒したデス／スラッシュ・バンド。Diabolical は数多くのメンバーチェンジを繰り返したが、それでも生き残った。彼らが生き残れたのは、おそらくどのような状況下であっても、ツアーを果敢に行う気概があったからだと思う。数々のツアーにはMörk Gryning のヨーナス・ベルントと Hectorite のローゲル・パリステンが帯同したこともある。カールソンはさらに有名な In Battle にも在籍していた。

ラインナップ
M. Ödling: Vocals, Carl Stjärnlöf: Drums, Vidar W: Guitar/Vocals, H. Carlsson: Guitar, Rickard Persson: Bass
過去のメンバー
H. Carlsson: Guitar, Kim Thalén: Drums, Fredrik Hast: Bass, Jens Blomdal: Bass, L. Söderberg: Drums, Henrik Ohlsson: Drums, Jonas Berndt: Bass（ゲスト参加, *2001-2002*），*Roger Bergsten: Bass*（ゲスト参加）
デスコグラフィー
Deserts of Desolation, EP (Cadla, 2000)
Synergy, CD (Scarlet, 2001)
A Thousand Deaths, CD (Scarlet, 2002)

DIABOLIQUE

1995年にユーテボリで、Grotesque と Liers in Wait の創始者である奇才クリスティアン・ヴォーリーンが始動したドゥーミーなバンド。ヴォーリーンはDecollation、ニルソンは Liers in Wait と Dimension Zero でもプレイしていた。カールソンは元 Seance、オリジナル・メンバーのスヴェンソンとエルランドソンは元 At the Gates／Eucharist のメンバーだった。ヴォーリーンは"ネクロロード"の名で、CDのジャケット・アートワークを制作していることで有名である。このような立派な経歴にもかかわらず、彼らの音楽性はまったくアグレッシヴではなかった。もちろんプロフェッショナルではあるが、でもメタルという感じではない。

ラインナップ
Kristian Wåhlin: Vocals/Guitar, Johan Österberg: Guitar, Bino Carlsson: Bass (1996-), Hans Nilsson: Drums (1996-)
過去のメンバー
Daniel Erlandsson: Drums (1995-1996), Alf Svensson: Guitar (1995-1996)
デスコグラフィー
The Diabolique, EP (Listenable, 1996)
Wedding the Grotesque, CD (Black Sun, 1997)
The Black Flower, CD (Black Sun, 1999)
Butterflies, EP (Necropolis, 2000)
The Green Goddess, CD (Necropolis, 2001)

DIMENSION ZERO

1995年にユーテボリの有名ミュージシャンたちが始動したお遊びバンド。創設メンバーにはヨッケ・ユートバリ（元 Marduk、Darkified、Cardinal Sin）、ハンス・ニルソン（元 Crystal Age、Diabolique、Luciferion、Liers in Wait）、イェスペル・ストロムブロート（元 In Flames、Hammerfall）、グレン・ユングストルム（元 In Flames、Hammerfall）がいた。In Flames よりはるかに良いが、Marduk よりはるかに劣る。でも十分チェックする価値はある。

ラインナップ
Jocke Göthberg: Vocals, Hans Nilsson: Drums, Jesper Strömblad: Bass, Daniel Antonsson: Guitar (2000-)
過去のメンバー
Fredrik Johansson: Guitar (1996-1998), Glenn Ljungström: Guitar (1996-2003)
デスコグラフィー
Screams from the Forest, Demo (1996)
Penetrations from the Lost World, EP (War, 1998)
Silent Night Fever, CD (Regain, 2002)
This is Hell, CD (Regain, 2003)

DIMNESS

90年代中期のイェルフェッラ出身のブラック／デスメタル・バンド。
ラインナップ
Linus Ekström
デスコグラフィー
The Seventh Gate to Infinity, Demo (1996)

DINLOYD—Megaslaughter 参照。

DION FORTUNE

1993年にヨンシューピングで結成されたドゥーム／デスメタル・バンド。推測するに、彼らは Tiamat が好きでたまらなかったようだ。デモテープを聴けば納得すると思う。彼らの特徴は平均的なクオリティーのスローで臨場感のあるサウンドだった。ホルステンソン、スラサルミ、ヘルマンは Nominon でもプレイしたことがある。

ラインナップ
Mattias Berger: Guitar, Niklas Holstenson: Vocals, Juha Sulasalmi: Guitar, Martin Perdin: Drums, Mattias Andreasson: Bass
過去のメンバー
Tobias Hellman: Bass
デスコグラフィー
Tales of Pain, Demo (1993)
Black Ode, Demo (1994)

DIRTY JIHAD

2001年にウレブルーでスタートしたデスメタル・バンドと伝わっている。彼らのメンバー写真やバンド名を見ると、彼らはデスメタルとは何たるかを分かっていないように感じる——もしくは、ただおちょくっているのか？

ラインナップ
Ludvig Martell: Drums, Master Taisto Blomerus: Guitar, Charlotta "Greven" Gredenborn: Bass, Andrej Wicklund: Vocals, Christian Schill: Guitar
デスコグラフィー
The War has Begun, Demo (2004)

Second Stage 2005, Demo (2005)

DISENTERMENT
モーラ出身の 90 年代初期のブラック／デスメタル・
バンド。この平凡なバンドは 1992 年に結成され、デ
モテープを 1 本制作し、ギグを数本演じたのちに解散
した。ヨーハン・ラーゲルはあの最高峰のバンドであ
る Grotesque に在籍し、のちに滑稽なほどにトロー
ル（怪物）に影響された Arckanum を結成した。サ
タロスもしばらくの間 Arckanum に在籍していた。
ラインナップ
Johan Lager (別名 Shamaatae): Drums, Sataros:
Bass/Vocals, Basse: Guitar
デスコグラフィー
Metapsychosis, Demo (1993)

DISFEAR
1989 年に Anti-Bofors の名義で結成されたクラストコ
ア・バンド。あの有名な Sunlight Studio を使用した
のち、彼らの音楽性はデスメタルに昇華した。重厚な
プロダクションによって、Disfear のサウンドは、プ
リミティヴ・デスメタルにも、綿密にプロデュース
されたパンクにも聴こえるように生まれ変わった。
Osmose Productions や Relapse が納得して彼らのア
ルバムをリリースするほど、彼らのサウンドはメタル
要素十分だった。そして現在のヴォーカリストである
トマス・リンドバリ（Grotesque、At the Gates）に
よって、彼らはデスメタルとの繋がりが一層強化され
た。2003 年、Entombed のウッフェ・セーダルンド
がセカンド・ギタリストとして、彼らと共に何本かギ
グでプレイした――のちに彼は Entombed を脱退し、
Disfear に加入した。
ラインナップ
Björn Pettersson: Guitar, Henke Frykman: Bass,
Tomas Lindberg: Vocals, Marcus Andersson: Drums,
Ulf Cederlund: Guitar (2003-)
過去のメンバー
Robin Wiberg: Drums, Jeppe: Vocals, Jallo Lehto:
Drums
デスコグラフィー
Anti Bofors, 7" (No Records, 1991—Anti Bofors 名義)
Disfear, 7" (No Records, 1992)
A Brutal Sight of War, CD (Lost and Found, 1993)
Disfear/Uncurbed, Split 7" (Lost N Found, 1995)
Soul Scars, CD (Distortion, 1995)
Everyday Slaughter, CD (Osmose, 1997)
Misanthropic Generation, CD (Relapse, 2002)

DISFIGURED VICTIMS
1998 年の結成以来、常にバンド内にいざこざが絶え
ず、デモテープしかリリースしていない、スンツヴァ
ル出身のデス／スラッシュ・バンド。メンバーのラン
ナップには 2 人のパーカッショニストと 1 人のディ
ジュリドゥ（！）奏者がいたので、当然といえば当然
な気もする。
ラインナップ
Jonny Pettersson: Guitar/Bass/Vocals, John
Henriksson: Drums, Olle Groth: Percussion David
Mårdstam: Percussion, Ayla Yavazalp: Didgeridoo
デスコグラフィー
Fist of Death, Demo (1999)
Theory of Death, Demo (2000)
Inhuman Celebration, Demo (2001)

Blood of the Gods, Demo (2002)
Human Damnation, Demo (2003)

DISGORGE
1992 年に始動したと思われる、オブスキュアなスウェ
ディッシュ・デスメタル・バンド。ブルータルなデモ
テープを 1 本制作したことは知っているが、それ以外
は分からない。
ラインナップ
Jonas Davidsson: Drums, Fredrik Lakss: Guitar,
Martin Petersson: Guitar, Florin Suhoschi: Vocals,
Anders Verter: Bass
デスコグラフィー
Epousal Bleeding, Demo (1994)

DISGRACE
1990 年に結成され、同年にデモテープを制作したが、
短命に終わったサーラ出身のバンド。サミュエルソン
はのちに、比較的長く生き残った Wombbath に加入
した。
ラインナップ
Daniel Samuelsson: Vocals, Thomas Mejstedt:
Guitar, Sammy Holm: Guitar, Mikael Alm: Bass/
Vocals, Thomas Hammarstedt: Drums
デスコグラフィー
The Last Sign of Existence, Demo (1990)

DISMEMBER
1988 年 5 月、ローベット・セネベック（ヴォーカ
ル／ベース）、ダーヴィド・ブロムクヴィスト（ギ
ター）、フレッド・エストビー（ドラム）が結成した
スウェディッシュ・デスメタルの代表格である最高
峰のバンド。Dismember の第 1 期メンバーは 1989 年
10 月までしか続かなかったが、伝説的なデモテープ
を 2 本残した。脱退後、エストビーとブロムクヴィス
ト（後者は Entombed に短期間在籍）はマイケル・
アモットの率いる Carnage に参加し、セネベックは
Unleashed で活動を開始した。しかし、Carnage はア
ルバムを 1 枚発表しただけで解散してしまったため、
1990 年 4 月にエストビー、カルキ、ブロムクヴィス
トは Dismember を再結成した。Unleashed を脱退し
たセネベックも復帰し、さらにベーシストのリーキャ
ル・カベッサ（Carbonized）が新規加入してから、不
朽の名作である『Like an Ever Flowing Stream』を
レコーディングした。デビュー・アルバム『Like an
Ever Flowing Stream』ほどのブルータルな衝撃性は
薄れてしまったが、彼らは妥協なしのオールドスクー
ル・デスメタルを長年にわたり生み出している。活動
が停滞し（数年前、俺のバンドが彼らとリハーサル室
をシェアしていたが、彼らをほとんど見かけなかっ
た）、メンバーのラインナップに問題があったものの、
彼らはいまだ気炎を上げている。Dismember は伝統
的オールドスクール・スウェディッシュ・デスメタル
の象徴的な存在である。それに彼らはオールドスクー
ルの雰囲気を保っている唯一のバンドである。Iron
Maiden 風のメロディーが近年サウンドに侵食してい
る中、Dismember とおそらく再生した Unleashed が
真正デスメタル・サウンドを標榜できる唯一の古参バ
ンドであろう。
ラインナップ
David Blomqvist: Guitar, Matti Kärki: Vocals,
Martin Persson: Guitar, Tobias Christiansson: Bass
(2005-), Tomas Daun, Drums (2007-)

過去のメンバー
Richard Cabeza: Bass, Sharlee D'Angelo: Bass,
Magnus Sahlgren: Guitar, Robert Sennebäck:
Vocals/Bass/Guitar, Erik Gustafsson: Bass, Johan
Bergebäck: Bass, Fred Estby: Drums (1988-2007)
デスコグラフィー
Dismembered, Demo (1988)
Last Blasphemies, Demo (1989)
Rehearsal Demo 1989, Demo (1989)
Reborn in Blasphemy, Demo (1990)
Like an Ever Flowing Stream, LP/CD (Nuclear
Blast, 1991)
Skin Her Alive, MCD (Nuclear Blast, 1991)
Pieces, 12"/MCD (Nuclear Blast, 1992)
Indecent and Obscene, CD (Nuclear Blast, 1993)
Massive Killing Capacity, CD (Nuclear Blast, 1995)
Casket Garden, MCD (Nuclear Blast, 1995)
Death Metal, CD (Nuclear Blast, 1997)
Misanthropic, MCD (Nuclear Blast, 1997)
Hate Campaign, CD (Nuclear Blast, 2000)
Where Ironcrosses Grow, CD (Karmageddon Media,
2004)
Complete Demos, CD (Regain, 2005)
The God that Never Was, CD (Regain, 2006)
Dismember, CD (Regain, 2008)

DISORGE
1992 年にウーメオで結成された、当たり障りのない
デスメタルにエロい歌詞をのせたバンド。バカっぽく
て、退屈。次第に地元で流行ったハードコアっぽいバ
ンドになった。
ラインナップ
Marcus Johansson: Vocals, Christer Bergqvist:
Guitar, Johan Moritz: Drums, Anders Nyberg:
Guitar/Keyboards, Fredrik Jakobsson: Bass/Vocals
デスコグラフィー
Demo 92, Demo (1992)
Sleeping Prophecies, Demo (1993)
Promo 94, Demo (1994)
Contemporary Oppression, CD (1997)

DISOWNED
90 年代後期にフォシュハーガで結成されたブラック
／デスメタル・バンド。最初は Bullet Proof、次に
Soulless、そして最後に Disowned（だったと思う）
と改名された。彼らは次第にピュア・スラッシュメ
タル・バンドに変容した。メンバーの多くは Into the
Unknown にも加入していた。度重なるバンドの改名
で、俺は彼らの作品を把握するのに混乱した――もし
かするととんでもない間違いをやらかしているかもし
れないから悪しからず。
ラインナップ
Eric Ekelund: Vocals, Markus Thimberg: Vocals,
Daniel Johanson: Guitar, Andreas Norlén: Guitar,
Markus Norlén: Drums, Thomas Öberg: Bass
過去のメンバー
Fredrik Sefton: Guitar (2000-2003)
デスコグラフィー
Sacrificed Souls, Demo (2000—Soulless 名義)
Neverending Sorrow, Demo (2002—Soulless 名義)
Spawn of Evil, Demo (2000)
Soulless, Demo (2002)
Progressive Death, Demo (2004)

DISPATCHED
1991 年末にストックホルム郊外の小さな町である
ニュースタで結成されたバンド。メンバーのライン
ナップが安定せず、1995 年に解散したが（一流バン
ドではなかったので致しかたなかったのかも）、翌年
に創設者のダニエル・ルンドバリによって再結成され
た。本稿執筆中、彼らが精力的かどうかを知る由もな
いが、彼らは活動を続けていることは間違いない。
Dispatched の 1 作目のデモテープは史上最低のデス
メタル・デモテープと言ってもいい。もの凄くウケる
から是非チェックしてみてくれ！　ところで、ルンド
バリとキンバリは 90 年代初期に『Nocuous Zine』を
発行した。
ラインナップ
Fredrik Karlsson: Vocals/Keyboards, Emil Larsson:
Guitar, Daniel Lundberg: Guitar/Keyboards, Mattias
Hellman: Bass, Dennis Nilsson: Drums
過去のメンバー
Krister: Vocals, Fredrik Larsson: Bass, Micke:
Guitar (1992), Jonas Kimberg: Bass, Fredrik: Drums
(1991-1992), Emanuel Åström: Drums (1992)
デスコグラフィー
Dispatched into External, Demo (1992)
Promo 93, Demo (1993)
Promo 2, Demo (1993)
Blue Fire, MCD (Exhumed, 1995)
Promo 1997, Demo (1997)
Motherwar, CD (MFN, 2000)
Terrorizer, CD (Khaosmaster, 2003)

DISPIRITED
1999 年にフォシュハーガで始動したデスメタル・バ
ンド。
ラインナップ
Peter Östlund: Guitar, Erik Gustafsson: Guitar,
Fredrik Thörnesson: Bass, Lowe Wikman-Åbom:
Drums
過去のメンバー
Pontus Nordqvist: Drums (1999), Mikael Sundin:
Bass (1999-2002), Henric Ivarsson: Vocals (1999-
2004), Roger Larsson: Drums
デスコグラフィー
Suicide Angel, Demo (2000)
Violent Forms of Hatred, Demo (2002)

DISRUPTION
1999 年にロンネビーで結成されたデスメタル・バン
ド。彼らのデモテープは俺の琴線に触れなかったが、
今はもっと良くなっているかもしれない。ヨーナスは
超技巧派バンドである Spawn of Possession にも在籍
している。
ラインナップ
Danny: Bass, Jonas: Vocals, Jonte: Drums, Mike:
Guitar, Pete: Guitar
過去のメンバー
Tom Persson: Guitar (1999-2001)
デスコグラフィー
A Soul Full of Hate, Demo (1999)
Bitch on the Cross, Demo (2000)
Behind the Trigger, Demo (2001)
Get Down-Reload-Attack, Demo (2002)
Promo, Demo (2003)
Face the Wall, CD (Copro, 2005)

DISSECTION

至高のスウェディッシュ・バンドである Dissection は 1990 年 2 月に、ストレムスタードでヨン・ノトヴェイト（Rabbit's Carrot、のちに Ophthalamia、The Black）とベータル・バルムダールによって結成された。結成後最初の楽曲である「Inhumanity Deformed」は Napalm Death 影響下のグラインドだったが、彼らはまもなく陰鬱で臨場感に満ちたデスメタルへと変化を遂げた。Dissection はスウェーデンで最もオリジナリティーに溢れるバンドの一つであった。彼らの唯一無二のスタイルは、90 年代中期のブラックメタルとデスメタルの双方のファンを魅了した。しかし、世界征服が目前だった 1997 年末、すべての活動の中断が余儀なくされる。ノトヴェイトが、殺人ほう助罪で起訴され、投獄されたのだ。彼と彼のバンドがシーンから消えたのは痛手だった。2003 年にノトヴェイトが釈放されると、彼は Dissection を再臨させた。精力的なヨーロッパツアーとニュー・アルバムをリリースした後、2006 年の夏にヨンはすべての予定を取り消した。その直後、彼は自宅アパートで自身の頭をピストルで撃ち抜き、Dissection の陰惨な歴史に衝撃的な終止符を打った。Dissection は極上のスウェディッシュ・バンドの一つだった。

ラインナップ
Jon Nödtveidt: Vocals/Guitar, Set Teitan: Guitar, Haakon Forwald: Bass, Tomas Asklund: Drums
過去のメンバー
Erik Danielsson: Bass（ゲスト参加）, Peter Palmdahl: Bass (1989-1997), Johan Norman: Guitar (1994-1997), John Zwetsloot: Guitar (1991-1994), Tobias Kjellgren: Drums (1995-1997), Ole Öhman: Drums (1990-1995), Mattias Johansson: Guitar（ゲスト参加 1990-1991), Emil Nödtveidt: Bass（ゲスト参加 1997), Brice Leclerc: Bass (2004-2005), Bård Eitun: Drums
デスコグラフィー
Rehearsal (1990)
The Grief Prophecy, Demo (1990)
Into Infinite Obscurity, 7" (Corpsegrinder, 1990)
The Somberlain, Promo (1992)
Promo 93, Demo (1993)
The Somberlain, CD (No Fashion, 1993)
Storm of the Light's Bane, CD (Nuclear Blast, 1995)
Where Dead Angels Lie, EP (Nuclear Blast, 1996)
The Past is Alive (The Early Mischief), CD (Necropolis, 1996)
Live Legacy, CD (Nuclear Blast, 2003)
Maha Kali, Single (Nuclear Blast, 2004)
Reinkaos, CD (Nuclear Blast, 2006)

DISSECTUM—The Shattered 参照。

DISSOLVED

イェリヴァレ出身のメロディック・デスメタル・バンド（でもあまりデスメタルっぽくないかも）。この 90 年代中期のバンドは失笑モノだった。デモテープのカバーを見ればその理由がわかる。
ラインナップ
Mats Ömalm
デスコグラフィー
Bä, Demo (1997)

DIVINE

2001 年にユーテボリで始動したブラック／デスメタル・バンド。
ラインナップ
Mikael Klaening: Bass, Edvard Höcke: Guitar, Patrik Berglund: Guitar, Christian Broneweicz: Keyboards, Fredrik Fällström: Drums, Emil Wallberg: Vocals
過去のメンバー
Thomas van Loo: Drums, Johan Harald: Drums, Jonathan Ängdahl: Guitar, Kasper Lörne: Guitar
デスコグラフィー
Divine, Demo (2005)

DIVINE SIN

1990 年にソーデルハムンで始動したスラッシュ／デスメタル・バンド。当初は生々しくテクニカルだったが、次第にメロウになり、パワーメタルに傾倒した。ヴォーカルは King Diamond を彷彿とさせるのでクール。ただ、King は 1 人で十分だ。ルンドバリは Lefay でも精力的に活動中。
ラインナップ
Fredrik Lundberg: Vocals, Micke Andersson: Guitar, Martin Unoson: Guitar, Martin Knutar: Drums, Bobby Goude: Bass
過去のメンバー
Peter Halvarsson: Guitar
デスコグラフィー
Dying to Live, Demo (1990)
Years of Sorrow, Demo (1991)
Resurrection (1993)
Winterland, CD (Black Mark, 1995)
Thirteen Souls, CD (Black Mark, 1997)

DIVINE SOULS

1997 年にクラムフォッシュで結成されたメロディック・デスメタル・バンド。何本かのデモテープと 2 枚の CD をリリースした後、2004 年に解散した。バンドのリーダーであるミカエル・リンドグレーンがやり尽くしたと感じたからのようだ。
ラインナップ
Stefan Högberg: Guitar, Mattias Lilja: Vocals, Daniel Sjölund: Drums
過去のメンバー
Daniel Lindgren: Bass, Mikael Lindgren: Guitar
デスコグラフィー
Demo 97, Demo (1997)
Astraea, Demo (1998)
Devil's Fortress, Demo (1999)
Perished, Demo (2000)
Erase the Burden, Demo (2000)
Embodiment, CD (Scarlet, 2001)
The Bitter Self Caged Man, CD (Scarlet, 2002)

DOG FACED GODS

1997 年に Ebony Tears のメンバーであるヴラーニングとヨンソンが結成したバンド。のちに Ebony Tears のメンバー全員がバンドに加入した。デスメタルというよりスラッシュメタルだった。演奏技術は高いが、大したことなかった。
ラインナップ
Conny Jonsson: Guitar, Peter Tuthill: Bass, Richard Evensand: Drums
過去のメンバー

Johnny Wranning: Vocals, Peter Kahm: Bass, Iman
Zolgharnian: Drums
デスコグラフィー
Demo 1997, Demo (1997)
Random Chaos Theory in Action, CD (GNW, 1998)
Demo 1999, Demo (1999)
Demo 2000, Demo (2000)

DOMINION CALIGULA
Vicious Art のバックアップのもと、Dark Funeral の
マッセ・ブロバリが立ち上げたプロジェクト。他のプ
ロジェクトにもいえることであるが、1998 年に始動
した彼らが CD1 枚以上リリースするかどうかも分か
らない。彼らのサウンドは悪くないが、驚くほどメロ
ディックでスロー。
ラインナップ
Lars Johansson: Guitar, Matti Mäkelä (Dominion):
Guitar, Joakim Widfeldt: Bass, Masse Broberg
(Emperor Magus Caligula): Vocals, Robert Lundin
(Gaahnfaust): Drums
デスコグラフィー
A New Era Rises, CD (No Fashion, 2000)

DOMINUS—Carcaroht 参照。

DORMITORY
1993 年にヘルシングボリで結成されたデスメタル・
バンド。インパクトに欠け、のちに Ripstich に改名
した。
ラインナップ
Stefan Asanin: Bass/Vocals, Jesper Leidbring:
Drums, Armin Pendek: Guitar/Vocals, Björn
Svensson: Guitar/Vocals
デスコグラフィー
Amend (Demo 3), Demo (1996)

DRACENA
1994 年にユーテボリで始動したメンバー全員が女性
のヘヴィ／デスメタル・バンド。殺傷力はあまりない
——でもメンバーが女性というだけで合格だ。
ラインナップ
Mia: Vocals, Lotta: Guitar, Åsa: Bass, Mojjo: Drums
過去のメンバー
Emma Karlsson: Guitar
デスコグラフィー
Demo 97, Demo (1997)
Demonic Women, Demo (1999)
Demonic Women, 7” (Bloodstone Entertainment,
1999)
Labyrinth of Darkness, Demo (2001)
Infernal Damnation, CD (Hellbound Recs., 2004)

DRACONIAN
1994 年にセフレで結成された、当初は Kerberos とい
う名義のメロディック・デス／ゴシック／ドゥーム・
バンド。結成数ヶ月後に Draconian に改名し、陰鬱
なサウンドに傾倒していった。My Dying Bride をさ
らに激しくした感じの良いバンドだった。
ラインナップ
Anders Jacobsson: Vocals, Lisa Johansson: Vocals,
Daniel Arvidsson: Guitar, Johan Ericson: Guitar/
Vocals（初期はドラム）, Jesper Stolpe: Bass/Vocals,
Andreas Karlsson: Keyboards, Jerry Torstensson:

Drums
過去のメンバー
Andy Hindenäs: Guitar (1994-2000), Susanne
Arvidsson: Vocals/Keyboards (1995-2000), Magnus
Bergström: Guitar
デスコグラフィー
Shades of a Lost Moon, Demo (1996)
In Glorious Victory, Demo (1997)
The Closed Eyes of Paradise, Demo (1999)
Frozen Features, EP (2000)
Dark Oceans We Cry, Demo (2002)
Where Lovers Mourn, CD (Napalm, 2003)
Arcane Rain Fell, CD (Napalm, 2005)

DRAIND OF EMPATHY
最近ファールンで結成されたデスメタル・バンド。ま
だ 1 本しかデモテープを出していない。
ラインナップ
Fredrik Råsäter, Samuel Ahnberg, David Janstaff,
Patrik Blomström
デスコグラフィー
Under a Blackened Sky, Demo (2004)

THE DUSKFALL
1999 年に極寒の地ルーレオで、Soulash の名義で始動
したバンド。1 本目のデモテープの後、The Duskfall
に改名した。メロディック・デスメタルをプレイし、
僅かな成功を手にした。万人受けするスタイルが
Nuclear Blast との契約に結びつく。ミカエル、オス
カル、ウルバンは元 Gates of Ishtar。
ラインナップ
Kai Jaakola: Vocals, Mikael Sandorf: Guitar, Oskar
Karlsson: Drums, Antti Lindholm: Guitar, Marco
Eronen: Bass
過去のメンバー
Joachim Lindbäck: Guitar, Glenn Svensson: Guitar,
Pär Johansson: Vocals, Jonny Ahlgren: Guitar,
Tommi Konu: Bass, Urban Carlsson: Drums, Kaj
Molin: Bass
デスコグラフィー
Tears are Soulash, Demo (2000—Soulash 名義)
Deliverance, Demo (2001)
Frailty, CD (Black Lotus, 2002)
Source, CD (Black Lotus, 2003)
Lifetime Supply of Guilt, CD (Nuclear Blast, 2005)

DYSENTERY
1989 年、ウップサーラ郊外のアールンダで、ライナス・
オーケルンドが結成した超プリミティヴでドゥーミー
なメタルを特徴とするワンマン・バンド。結成当初、
演奏がおぼつかず、楽曲はジョークのように感じられ
た。やがて流行に便乗し、ブラックメタルにコンバー
ト。新しいスタイルに合わせるかのようにバンド名を
Azhubham Haani に変更した。その後、唯一のメンバー
であるオーケルンドが 4 年間投獄されたため "残念な
がら" バンドは消滅した。フィンスポングでのどんちゃ
ん騒ぎのあと、Abruptum と Dissection のメンバー
が共謀し、被害者の喉を何度も刺したということであ
る（オーケルンドはしらふだったと言われている）。
ラインナップ
Linus Åkerlund: Everything
デスコグラフィー
Black Fucking Metal, Demo (1991)

Crawling in Blood, Demo (1991)
Rehearsal-92, Rehearsal (1992)
De Vermis Mysteriis/Azhubham Haani, Split (1992—
Azhubham Haani 名義)
On a Snowy Winternight, Demo (1992—Azhubham
Haani 名義)
Total Evil, Demo (1992—Azhubham Haani 名義)
Rehearsal 20/09/1992, Demo (1992—Azhubham
Haani 名義)

DYSPLASIA
2003 年にティーレーソーでスタートしたデス／
スラッシュ・バンド。クリストフェル・ヘルは
Sanctification にも参加している。
ラインナップ
Kristoffer Hell: Bass/Vocals, Fredrik Jansson:
Guitar, Andreas Kender: Drums
デスコグラフィー
Subconscious Voices of Anger, Demo (2004)

EBONY TEARS
1996 年にストックホルムで結成されたメロディック・
スラッシュ／デスメタル・バンド。アルバムを 3 枚リ
リースした後に解散したが、メンバーは Dog Faced
Gods で活動を続けた。
ラインナップ
Richard Evensand: Drums, Conny Jonsson: Guitar,
Peter Kahm: Bass, Johnny Wranning: Vocals
過去のメンバー
Thomas Thun: Bass, Iman Zolgharnian: Drums
デスコグラフィー
Demo, Demo (1996)
Tortura Insomniae, CD (Black Sun, 1997)
A Handful of Nothing, CD (Black Sun, 1999)
Evil as Hell, CD (Black Sun, 2001)

ECTOMIA
1997 年に結成し、2 本のデモテープを制作し、消滅し
た。
デスコグラフィー
Feasting on Human Skulls, Demo (1998)
Penetrating into Euphoria, Demo (2000)

EDGE OF SANITY
Edge of Sanity を指揮しているのは、スウェディッ
シュ・デスメタル・シーンで最も重要な人物の 1 人、
ダン・スワノである。彼は自身のスタジオである
Gorysound/Unisound を所有していることや、Pan-
Thy-Monium、Unicorn、Nightingale、Bloodbath など
のバンドで活躍していることでも名を馳せている。
Edge of Sanity は 1989 年 9 月にフィンスポングで始
動したバンド。やがてメランコリックで激しく、キャッ
チーなデスメタルであることでレーベルやファンの注
目を集めた。スワノの強力なヴォーカルとラーション
の超タイトなドラムの融合は圧巻である。1990 年に
Black Mark と契約したのち、1991 年から 1997 年ま
での 6 年間に 7 枚もの驚くべきアルバムをリリースし
た。『Unorthodox』で聴かれるような初期の伝統的な
デスメタル・スタイルは次第に変化を遂げ、スワノは
シンフォニックで一風変わったサウンドを構築した。
最も顕著なのはアルバムの『Crimson』であろう……
収録曲はたった 1 曲にもかかわらず 40 分以上の長さ
なのだ！ 1997 年にスワノが脱退すると、バンドは

すぐにフェードアウトした。もしも所属していたレー
ベルが彼らをもう少しだけバックアップしていたなら
ば、彼らは世界を一世風靡するバンドになっていたに
違いない。それに、スワノは他のプロジェクトを掛け
持つのではなく、もっと腰を据えるべきだったのかも
しれない——ギタリストのアクセルソン（ドレッド名
義）が Marduk のヴォーカルを脱退したときがそう
だったように。皮肉なことに Marduk は彼らよりも
もっと大成功を収めた。現在、Edge of Sanity はスワ
ノのソロ・プロジェクトとして存続している。まあ、
運命ってそんなもんだな……。
ラインナップ
Dan Swanö: Vocals (1989-1997), 全パート担当
(2003-)
過去のメンバー
Andreas Axelsson: Guitar (1989-2000), Sami
Norberg: Guitar (1989-2000), Benny Larsson: Drums
(1989-2000), Anders Lundberg: Bass (1989-2000),
Robert Karlsson: Vocals (1997-2000)
デスコグラフィー
Euthanasia, Demo (1989)
Immortal Souls, Rehearsal (1989)
Kur-Nu-Gi-A, Demo (1990)
The Dead, Demo (1990)
The Immortal Rehearsals, Demo (1990)
Nothing but Death Remains, CD (Black Mark, 1991)
Unorthodox, CD (Black Mark, 1992)
The Spectral Sorrows, CD (Black Mark, 1993)
Until Eternity Ends, MCD (Black Mark, 1994)
Sacrificed, Promo MCD (Black Mark, 1994)
Purgatory Afterglow, CD (Black Mark, 1994)
Crimson, CD (Black Mark, 1996)
Infernal, CD (Black Mark, 1996)
Cryptic, CD (Black Mark, 1997)
Evolution, CD (Black Mark, 2000)
Infernal Demos, Demo (2003)
Crimson II, CD (Black Mark, 2003)

EDICIUS
90 年代中期に精力的に活動していたソーデルテリエ
出身のバンド。俺が把握しているのは、4 トラックの
ポータブル・ミキサーでレコーディングされた、1994
年リリースのデモテープのみ。短命なバンドだった。
ラインナップ
Havila: Vocals, Björn Glasare: Guitar, Andreas
Sollen: Guitar, Johan Lag: Bass, Mattias Johansson:
Drums
デスコグラフィー
Pleasant Pain, Demo (1994)

EGREGORI
1993 ～ 94 年に活動していたスンツヴァル出身のブ
ラック／デスメタル・デュオ。彼らが Setherial に加
入するとともに、プロジェクトは破棄された。
ラインナップ
Kraath: Vocals, Thorn: Bass
デスコグラフィー
Angel of the Black Abyss, Demo (1994)

EIDOMANTUM
真正ブラックメタル・バンドである Lukemborg の残
党によって 1998 年にリンシューピングで結成された
ブラック／デスメタル・バンド。ヴォーカリストの別

称はまったくもってくだらない。Blasphemy の "エース・ゲシュタポ・ネクロスリーザー・アンド・ヴァジャイナル・コマンズ（Ace Gestapo Necrosleazer and Vaginal Commands)" に次いでくだらない。CD には過去発表した音源が収録されている。
ラインナップ
Sexual Death: Vocals, S:t Erben:
Guitar/Bass, Ace Tormenta: Drums/Guitar
ディスコグラフィー
From the Tomb of All Evil, Demo (2000)
The Death, EP (Sombre, 2001)
Old Blood, Demo (2003)
At War with Eidomantum, CD
(Witchammer Records, 2004)

ELOHIM
2001 年に結成されたごく普通のメロディックなユーテボリ・サウンドのデスメタル・バンド。彼らの音楽を聴いていると、真正ブルータル・デスメタルが聴きたくなる衝動に襲われる……。
ラインナップ
Joakim Karlsson: Vocals/Guitar, Martin Svensson:
Guitar, Johan Hermansson: Guitar, Henrik Green:
Bass, Tommy Magnusson: Drums, Kim Petersson:
Keyboards
ディスコグラフィー
Yet Unnamed, Demo (2002)
Modest Memoirs, Demo (2003)
Modest Epilogue, Demo (2003)

EMBALMED
1989 年の秋に Necrotism の名義で結成されたウップサーラ・シーン最初期のデスメタル・バンドの一つ。メンバーのラインナップの変更があってから、1990 年 3 月に Embalmed に改名した。彼らのスタイルは確かにブルータルだったが、注目されなかった。フレードリック・ヴァレンバリは Sarcasm で活躍したのち、クラストパンク・バンドの Skitsystem（At the Gates のヴォーカル、トマス・リンドバリが在籍）で才能が開花した。ステーファン・ペッタションは Diskonto や Uncurbed などどクラスト系のバンドに加わった。マッテ・モーディンはのちに Defleshed、Dark Funeral や Sportlov（ペッタションも在籍）に加入するが、Embalmed は彼にとって記念すべき最初のバンドである。
ラインナップ
Peter Åhke: Bass, Fredrik Wallenberg: Guitar,
Stefan Petterson: Vocals, Matte Modin: Drums
ディスコグラフィー
Decomposed Desires, Demo (1990)

EMBRACED
ありがちなブラック／デスメタル・バンド。ジュリアス・C はのちに、メロディック・ブラックメタル・バンドである Misteltein を結成した。ホーカンソンとカールソンはあの聴くに堪えない Evergray に加入したが、カールソンはすぐにより高品質な音楽を求め、Soilwork に加入した。『Amorous Anathema』はデモテープを CD 化したものだ。バンドは 2000 年に解散したが、2004 年に再始動したと伝えられている。
ラインナップ
Kalle Johansen: Vocals, Michael Håkansson: Vocals/
Bass, Davor Tepic: Guitar, Peter Mardklint: Guitar,

Julius Chmielewski: Keyboards, Tomas Lejon:
Drums
過去のメンバー
Andreas Albin: Drums, Daniel Lindberg: Drums,
Sven Karlsson: Keyboards (-2000)
ディスコグラフィー
A Journey into Melancholy, Demo (1997)
Within, CD (Regain, 2000)
Amorous Anathema, CD (Regain, 2000)

EMBRACING
90 年代中期にメロディック・デスメタルをプレイしていたホルムスンドのバンド。1993 年に Beyond の名義（のちに Mishrak）で始まった彼らは、最後には Embracing の名義に落ち着いた。初めの頃は真正デスメタルをプレイしていたが、やがてかなりメロウになっていった。普通のレベルであるが、スリリングの欠片もない。歌詞の題材は魔術やヒーローもの――疑っているなら聴いてくれ！ "ヒーロー・メタル" って言えばいいのかな？ 彼らは若かったから猪突猛進だった。ホルムグレーンは Naglfar の元メンバーだった。そしてヴェステルルンドは、Auberon に専念するため脱退した。メンバーが不安定なのは、アンダーグラウンドではよくある光景だった！ Embracing は 1990 年代後半にアルバムを 2 作発表した後、デモテープを中心にリリースした。
ラインナップ
Ronnie Björnström: Guitar, Matthias Holmgren:
Vocals/Drums/Keyboards, Mikael Widlöf: Bass, Ulph
Johansson: Guitar
過去のメンバー
Ola Andersson: Bass, Markus Lindström: Guitar/
Bass, Peter Lundberg: Bass, Rickard Magnusson:
Guitar, André Nylund: Guitar/Bass, Henrik
Nygren: Vocals, Johan Westerlund: Guitar, Nicklas
Holmgren: Drums
ディスコグラフィー
Of Beauty Found in Deep Caverns, Demo (1993—
Mishrak 名義）
Winterburn, Demo (1996)
I Bear the Burden of Time, CD (Invasion, 1996)
Dreams Left Behind, CD (Invasion, 1998)
Inside You, Demo (1998)
Rift, Demo (1999)
The Dragon Reborn, Demo (2003)

EMBRYO
1989 年ストレングネースで Tantalize の名義で始動したデスメタル・バンド。その酷い名はまもなく Embryo に変更された（訳者註：tantalize= "見せびらかすなどしてじらす" という意味)。音楽は非常に激しいが、ダサい。彼らのデモテープはどうかというと、初期スウェディッシュ・デスメタル・シーンにおいて最低作品のうちの 1 本と言っていいだろう。幸いなことに活動を停止した。解散後、マティアス・ボーグはあの至極の Crypt of Kerberos に加入し、オッドとペータルは Harmony（その後 Torment、さらに Maze of Torment に変更）を結成、そして、ヨッケは Xenophanes を始動させた。どのバンドも Embryo よりは傑出している。
ラインナップ
*Matthias Borgh: Drums, Peter: Bass, Odd: Vocals (*当初はベースも担当*), Jocke Hasth: Guitar*

過去のメンバー
Olle: Bass, Znorre: Vocals, Chrille: Vocals
デスコグラフィー
Damnatory Cacophony, Demo (1991)

ENCINED
バンド活動は 1990 年に始まり、1991 年に 2 本のデモ
テープを発表した。俺が知っているのはそれくらいし
かない！
デスコグラフィー
Funeral Rites, Demo (1991)
Midian, Demo (1991)

END
90 年代中期にルンドで結成されたデスメタル・
バンド。ヴェステッソンとアールグレーンが
Pandemonium を結成したため、バンドは 1997 年に
解散した。
ラインナップ
David Tanentzapf: Vocals, Jonas Helgertz: Drums,
Oskar Westesson: Guitar, Thomas Ahlgren: Guitar,
Ulf Nordström: Bass

THE END
1994 年にヴァルバリで結成されたアクト。シングル
を 1 枚リリースする程度の活動しかしていなかった。
メンバー全員が元 Eucharist なので、どんな音か想像
がつくよな。
ラインナップ
David Tanentzapf: Vocals, Jonas Helgertz: Drums,
Oskar Westesson: Guitar, Thomas Ahlgren: Guitar,
Ulf Nordström: Bass

ENEMY IS US
2000 年にウップサーラで結成され、The Haunted
の登場後にシーンに溢れんばかりのデス／スラッ
シュ・バンドの一つ。マックローリーは元 Darkane
で、Sportlov や F.K.Ü. でも活動していた。
ラインナップ
Ronnie Nyman: Vocals, Staffan Winroth: Guitar,
Peter Lindholm: Guitar, Lawrence Mackrory: Bass,
Magnus Ingels: Drums
デスコグラフィー
Ashes of the World, Demo (2003)
We Have Seen the Enemy... And the Enemy is Us,
CD (Rising Realm Records, 2004)

ENGRAVED
1994 年にデモテープを 2 本発表した 90 年代中期のデ
スメタル・バンド。
デスコグラフィー
Before the Tales, Demo (1994)
Promo '94, Demo (1994)

ENIGMATIC
初期は Limited Knowledge の名義で活動していた、
90 年代中期のデスメタル色の強いドゥームメタル・
バンド。彼らはボールネスの町を悪夢に陥れた。ボー
ルネスっていうのは小さくて何もないところ——君は
どう思う？
ラインナップ
Tommie Ericsson: Bass, Peter Jonsson: Guitar,
Stefan Karlsson: Vocals/Guitar, Magnus Lövgren:

Drums, Per Ryberg: Guitar
デスコグラフィー
Two Days of April, EP (LR, 1993)
Demo 94 (1994)
The Tranquilled Icy Water, MCD (LR, 1996)

ENSEMBLE NOCTURNE
ヘーデレッド出身のメロディック・デスメタル・バン
ド。1995 年にデモテープを 1 本制作してから解散した。
ラインナップ
Mats Lyborg: Vocals/Guitar, Edvard Gustafsson:
Guitar/Keyboards, Kristian Benia: Bass, Martin
Johansson: Drums/Percussion
デスコグラフィー
Crimson Sky, Demo (1995)

ENSHRINED
2002 年に結成されたマルメー出身のバンド。ノーク
レールは Misteltein、シレラは Ominous のメンバー
だった。
ラインナップ
Anders Nauclér: Bass/Vocals, Dejan Milenkovits:
Guitar/Vocals, Thomas Frisk: Guitar, Joël Cirera:
Drums
デスコグラフィー
Abyssimal, Demo (2003)
Spawn of Apathy, Demo (2005)

ENTANGLED—Regurgitate（アーヴェスタ）参照。

ENTHRALLED
1996 年にヴェーナシュポリで始動したバンド。1 本の
デモテープを除き、それ以外の作品をリリースしてい
ないが、US デスメタル影響下の良質なスラッシュだっ
た。ニールセンは Lord Belial に在籍。ペッタション
とノレーンは Impious の元メンバーだ。
ラインナップ
Robert Gréen: Vocals, Hjalmar Nielsen: Guitar/
Vocals, Hannes Berggren: Guitar, Erik Peterson:
Bass
過去のメンバー
Martin Restin: Drums (1996-1999), Mikael Norén:
Drums (2000-2003)
デスコグラフィー
First Chapter, Demo (1996)
Forever Gone, Demo (1997)
Accession, Demo (1998)
Death is Breeding, Demo (2001)
Anthropomorphous, Demo (2002)

ENTHRONE—Teatre 参照。

ENTITY
1991 年 4 月にファルケンバリでトマス・グスタフ
ソンによって結成されたバンド。陰鬱で悲愴感漂う
ドゥームメタルを創り上げたかったようだが、新メン
バーを探すことで頭が一杯だったのであろう。バンド
はシーンにインパクトを与えることはなかった。グ
スタフソンは『Falken Zine』を発行した。そうだ！
——このバンドはギターにディストーションを使って
いないって宣伝していたんだ！
ラインナップ
Danne Persson: Vocals (1993-), Jimmy Svensson:

Guitar (1992-), Tomas Gustafsson: Bass/Keyboards,
Tomas Hedlund: Drums (1993-), Ola Hugosson:
Keyboards (1993-), Bass (1992)
過去のメンバー
Chris Wallin: Vocals (1992), Jeppe: Drums (1992-
1993)
デスコグラフィー
The Sad Fate, Rehearsal (1993)
The, Demo (1993)
Demo #1 1994, Demo (1994)
The Lasting Scar, 7" (Megagrind, 1994)
The Payment, 7" (Megagrind, 1995)

ENTOMBED

Entombed についてこれ以上言うことはあるかな
……？　彼らはシーンに最も影響力を与えた重要なス
ウェディッシュ・デスメタル・バンドであると同時
に、スウェーデンが産み出した最高峰のバンドの一
つに数えられる。1989 年、ストックホルム・ファー
ルホルメン地区で Nihilist の残党によって結成された
Entombed は、Earache が Nihilist のために用意して
いた契約を引き継ぎ、Sunlight Studio に入り、見事
に期待に応えた。リリースされたデビュー作『Left
Hand Path』はデスメタルの新たな礎を築いた。息を
飲むようなギター、生々しいヴォーカル、覚えやすい
楽曲、驚愕するほどのドラム、これらが融合したサウ
ンドは衝撃的で、それまでにはなかったものだった
……（おそらくこれからもないだろう）。本当にぶっ
飛んだんだ！　最高傑作のデビュー・アルバムから
しばらくたつと、バンドはデスメタルからさらに伝
統的なロックに傾倒していった。創設者ニッケ・ア
ンダソンの脱退後にリリースされた問題作の『Same
Difference』は別として、彼らは常に斬新で極上なサ
ウンドを生み出し続けた。しかし、Entombed にも劇
的なメンバー交代劇があった。結成初期、ラーシュ＝
ユーラン "L.G." ペトロフはバンドと問題が解決した
のち、彼はヴォーカリストとしての立場を確立した。
その後、ラーシュ・ローセンバリが Therion に専念
するためにバンドを脱退し、ヨルゲン・サンドストル
ム（元 Grave）が加入した。さらに、サンドストルム
が脱退すると、Terra Firma のニコが後釜としてメン
バーに加わった。また、1997 年、バンド創設者であ
るメイン・ソングライターのニッケ・アンダソンがパ
ンク／ロック・グループに The Hellacopters に専念
するために脱退すると、バンドは最大の困難に直面し
た。このような状況下でも、ペータル・ファンヴィ
ンド（Merciless、Unanimated）は、バンドが失った
ニッケの穴を埋めるべくなんとか邁進してきた。近
年では、Entombed の創設メンバーであるウッフェ・
セーダルンドが脱退し、バンドは解散の危機に陥っ
た。2006 年 5 月、ファンヴィンドが脱退したことに
よって状況はさらに悪化したが、新ドラマーを加えた
4 人組でなんとか続行している。そして、1989 年から
1994 年までの間、Entombed は世界でも指折りのバ
ンドのうちの一つにのし上がった。
ラインナップ
Alex Hellid: Guitar, L.G. Petrov: Vocals (1989-1991,
1992-), Nico Elgstrand: Bass (2004-), Olle Dahlstedt:
Drums (2006-)
過去のメンバー
Peter Stjärnvind: Drums (1997-2006), Uffe
Cederlund: Guitar (1989-2005), Nicke Andersson:
Drums (1989-1997), Jörgen Sandström: Bass (1995-

2004), Lars Rosenberg: Bass (1990-1995), Orvar
Säfström: Vocals (1991, ゲスト参加), Johnny
Dordevic: Vocals (1991-1992), David Blomqvist:
Bass (1989)
デスコグラフィー
But Life Goes On, Demo (1989)
Left Hand Path, LP (Earache, 1990)
Crawl, 12" (Earache, 1991)
Clandestine, LP (Earache, 1991)
Stranger Aeons, 12" (Earache, 1992)
Hollowman, EP (Earache, 1993)
Wolverine Blues, LP/CD (Earache, 1993)
State of Emergency, Entombed/Teddybears/Doll
Squad Split 7" (King Kong, 1993)
Out of Hand, EP (Earache, 1994)
Night of the Vampire, Entombed/New Bomb Turks
Split 7" (Earache, 1995)
To Ride, Shoot Straight and Speak the Truth, LP/
CD (Music for Nations, 1997)
Wreckage, EP (Earache, 1997)
Same Difference, CD (1998)
Monkey Puss—Live in London, CD (Earache, 1999)
Black Juju EP, EP (Man's Ruin, 1999)
Uprising, CD (Metal Is, 2000)
Morning Star, CD (Music For Nations, 2001)
Inferno CD (Music For Nations, 2003)
Unreal Estate, Live CD (Plastic Head, 2005)

ENTRAILS

マイナーなデスメタルの中心地であるアーヴェスタ・
シーンの初期に結成されたバンド。デモテープを 1 本
発表し、数本の印象深いギグを演った（ヨーエルは
下手で、ハイテンションなドラマーだった。その
姿がいまだ脳裏に焼き付いている！）のちにマッペ
は Fulmination へ、ヘンカは Uncurbed に加入した。
ソールストルムは短期間だけ、極小のレーベルである
Sunable を運営し、Crypt of Kerberos のシングルを
リリースした。
ラインナップ
Joel: Drums, Mabbe: Bass, Henka: Vocals, Stefan
Sohlström: Guitar, Leif Forsell: Guitar
デスコグラフィー
Rehearsal, Demo (1991)

ENVILED

ボールネス発の 2000 年代のレトロ・デスメタル・バ
ンド。Crematory 初期に近いので、サウンドは保証
できる！　さらにパワフルになるには、もっとグライ
ンドを取り入れるべきだ。
ラインナップ
Anders Ljung
デスコグラフィー
Malevolent Execution, Demo (2002)

EPHEMERAL

90 年代中期にリンデスバリで結成されたメロディッ
ク・ブラック／デスメタル・バンド。興味そそる？
そそらないよなぁ。ローベット・カントは Ephemeral
よりもレベルの高いバンドである Relentless でも
プレイをしていた。
ラインナップ
Robert Kanto
デスコグラフィー

...As Life Ends, Demo (1996)
Awaiting the Winter Frost, Demo (1997)

EPIDEMIC—Altar 参照。

EPITAPH（ソーレントゥーナ）
1989年夏、3名の15歳のメタル狂によって結成された
ソーレントゥーナ発のデスメタル・バンド。初
期は Dark Abbey という名義だった。Disharmonic
Orchestra に似た、変わった音楽性だった。初期のギ
グでは Grave、Therion、Desultory など有名どころ
と対バンした。ヴェステルオース出身の酷いスラッ
シュ／ドゥーム・バンドと混同しないように。
ラインナップ
Manne Svensson: Guitar, Nicke Hagen: Guitar/Bass,
Johan Enochsson: Drums/Vocals
デスコグラフィー
Blasphemy, Demo (1990—Dark Abbey 名義)
Disorientation, Demo (1991)
Epitaph/Excruciate, Split LP (Infest, 1991)
Seeming Salvation, LP (Thrash, 1993)

EPITAPH（ヴェステルオース）
ヴェステルオース出身の90年代後期のバンド。ドゥー
ミーなメタルを必死にやろうとしていた。ヴォーカル
は下手。彼らの別称を見ると、いい加減な奴らだっ
てことがわかる。
ラインナップ
Magnus "The Oak": Vocals/Guitar, Carl "HYB":
Bass, Johan "Keso" Burman: Drums, Peter "Satan":
Guitar/Vocals
デスコグラフィー
Demo, Demo (1990)

ERODEAD
ノーシューピング発の新興でグルーヴィーなデスメタ
ル・バンド。バンドが存続するかどうかは時のみぞ知
る。
ラインナップ
Jake: Vocals, Jocke: Guitar, Vladi: Guitar, Rogga:
Bass, Gadde: Drums
デスコグラフィー
Demo #1, Demo (2005)

EROTTICA
1999年にユングビーで結成されたデスメタル・バン
ド。色っぽいバンド名じゃない？
ラインナップ
David Gabrielsson: Vocals, Torgny Johansson:
Guitar, Henrik Petersson: Drums, Torbjörn Skogh:
Bass
デスコグラフィー
Erottica, Demo (1999)
Inside a Blackened Heart, Demo (2001)
Erotticism, CD (Swedmetal Records, 2005)

ERUCTATION
1988年にアラフォッシュで結成されたスラッシュ／
デスメタル・アクト。Neon Death や Anathema など
様々なバンド名を冠していた。Morbid Angel に影響
を受けていたが、演奏は大したことはない。
ラインナップ
Tobias Sannerstig: Drums, Mattias Stenborg:

Guitar, Anders Melander: Vocals (1989-), Tobias
Karlsson: Bass (1990-)
過去のメンバー
Daniel: Bass (1988-1990)
デスコグラフィー
Day of Confusion, Demo (1992)
Demo (1993)

ERUPTION—Opeth 参照。

ETERNAL AUTUMN
1993年にテーレボーダ／マリエスタードで結成され
たメタリックなブラック／デスメタル・アクト。ギタ
リスト／ヴォーカリストであるヨンのソロ・プロジェ
クトだった。あまり印象に残らない。Manowar がブ
ラックメタルをプレイしていると思ってもらえれば、
どんな音か大体予測がつくだろう。2001年に解散し
た。
ラインナップ
John Carlson: Vocals/Guitar, Thomas Ahlgren:
Guitar, Sami Nieminen: Bass, Ola Sundström:
Drums
過去のメンバー
Daniel: Vocals, Tobias Vipeklev: Bass, Andreas
Tullson: Drums
デスコグラフィー
Demo 1, Demo (1994)
Promo 96, Demo (1996)
Moonscape, Demo (1996)
The Storm, CD (Black Diamond, 1998)
From the Eastern Forest, CD (Head Mechanic, 2000)

ETERNAL DARKNESS
バンドは1990年にエシルストゥーナで Necropsy の
名義で結成されたが、まもなく Eternal Darkness に
変更された。Eternal Darkness がプレイするのは、超
ブルータルなヴォーカルを擁した凶暴な Candlemass
のような、スローで劇的なデスメタル。結成当初、
Eternal Darkness は Impaled Nazarene とフィンラン
ドでギグを行うなど活動は順調かと思われた。しか
し、やがてバンドは消滅した。残念ながら、彼らのア
ルバムはリリースされなかったが、もっと注目に値す
るバンドだった。マルクスはのちに初期ブラックメ
タル・バンドである The Black をヨン・ノトヴェイ
ト（Dissection）と結成した。ヨーナスは異彩を放つ
Crypt of Kerberos でプレイした。ヤルモ・クーロー
ラは1995年に殺された――安らかに。
ラインナップ
Danne: Guitar, Manner: Guitar, Tero Viljanen:
Bass, Markus Pesonen: Drums, Janne: Vocals
過去のメンバー
Jarmo Kuurola: Guitar, Jonas Strandell: Guitar
デスコグラフィー
Demo 1, Demo (1991)
Suffering, Demo (1991)
Doomed, 7" (Distorted Harmony, 1992)
Twilight in the Wilderness (Unreleased CD, 1993)

ETERNAL GRIEF—Cipher System 参照。

ETERNAL LIES
1998年にヴァルバリで結成されたメロディック・デ
スメタル・バンド。音楽性は Eucharist に似ている。

オリジナル・メンバーのマルティンが Eucharist に在籍していたので当然な気もする。メンバーの多くは Trendkill でもプレイしていた。コニーは Anata にも参加した。

ラインナップ
Björn Johansson: Guitar, Conny Pettersson: Drums, Erik Månsson: Guitar, Marcus Wesslén: Bass
過去のメンバー
Tommy Grönberg: Vocals, Martin Karlsson: Bass
デスコグラフィー
Demo, Demo (2000)
Spiritual Deception, CD (Arctic Music Group, 2002)

ETERNAL MIND

ユーテボリで結成された 90 年代中期のデスメタル・バンド。ちょっと待ってくれよ、彼らは平凡でメロディックな At the Gates のコピーバンドじゃないんだ！ 実際のところ、彼らのアプローチはどちらかというと Paradise Lost 風のドゥーミー・パートを含んだオールドスクール寄りなんだ。
デスコグラフィー
Demo 1 (1995)
Season of the Frozen, Demo (1996)

ETERNAL OATH

1991 年にストックホルムで始動したシンフォニック・デスメタル・バンド。メロディックでキャッチーではあるが、でも印象に残らない。ベータル・ノージは Hypocrite や Mörk Gryning でもプレイしていた。テッド・ルンドストルムは現在 Amon Amarth に在籍中。
ラインナップ
Joni Mäensivu: Vocals, Peter Nagy: Guitar, Petri Tarvainen: Guitar, Stefan Norgren: Keyboard, Peter Wendin: Bass, Ted Jonsson: Drums
過去のメンバー
Pelle Almquist: Keyboard, Ted Lundström: Bass (1991-1993), Daniel Dziuba: Guitar (1991-1993), Martin Wiklander: Bass (1993-1996)
デスコグラフィー
Art of Darkness, Demo (1994)
So Silent, MCD (Wrapped Media, 1996)
Promo 97, Demo (1997)
Through the Eyes of Hatred, CD (Pulverised, 2000)
Righteous, CD (Greater Art, 2002)
Wither, CD (Black Lodge, 2005)

ETERNAL TORMENTOR

1988 年にウップサーラで結成された、傑作でお遊び満点のバンド。彼らの楽曲タイトルは、ストーリー仕立てになっている。例えば、「Il Sadico Dentistico（サディスティックな歯医者さん）」「Schweinehund（ぐうたらもん）」「Have a Nice Death（ポックリ逝ってみよう）」。彼らの住所の宛先は "ET 悪魔協会" となっていた。音楽性？ 聴いたことがないからわからない。だけど、彼らは "US スタイルのグラインドコア"、"ノイズ"、または単なるゴミと称されていたのだから、いいということなんじゃないのか！
ラインナップ
Stefan Pettersson: Vocals, Patric Nadalutti, Johan Olausson, Tobias Petterson
デスコグラフィー
E.T. Is Not a Nice Guy, Demo (1988)
Even Never and Definitely More Fucking Demo/E.T

Lost in the Land of Shadows & Extreme Distortion, Demo (1991)

ETHEREAL

2001 年結成のデスメタル・バンド。
ラインナップ
Mikael Åkerström: Vocals/Guitar, Simon Exner: Guitar, Alexander Persson: Bass, Martin Latvala: Drums
デスコグラフィー
Diseased Existence, Demo (2004)
Vol 2: Another Failure, Demo (2005)

ETHNOCIDE

フッディンゲ発の 90 年初期のデス・スラッシュ・バンド。悪くない。
ラインナップ
Staffan Skoglund
デスコグラフィー
Tearful, Demo (1993)

EUCHARIST

Eucharist はデスメタルとメロディーを融合した先駆者であり、"ユーテボリ・サウンド" 代表格の一つでもある。バンドは 1989 年の夏にユーテボリ近郊のヴェッディンゲでスタートしたが、結成後の何年かはメンバーの入れ替わりが激しかった。メンバーの年齢は 14 歳くらいだったので、お遊び程度に始めたバンドなのだろう。1992 年に 1 本目のデモテープをリリースしたが、メンバー間のトラブルにより 1 枚目のアルバムを制作中にバンドは解散した。数年後に再始動するものの、時既に遅しだった。ダニエル・エルランドソン（At the Gates/The Haunted/Cradle of Filth のドラマー、アードリアンの弟）はのちに成功を収めた Arch Enemy や In Flames、Liers in Wait、Diabolique に加入した。Eucharist はもっと正当に評価されても良かったと思う。"ユーテボリ・スタイル" のバンドで良質だったのは Dissection や At the Gates とともに、彼らぐらいだった。90 年代初期、アンダーグラウンドで崇められていたバンドはごまんといた。彼らは In Flames や Dark Tranquillity をも抜きんでて、音楽性は優れていた。このため、もし彼らが解散せずに活動し続けていたならば、きっと大御所になっていたに違いない。
ラインナップ
Daniel Erlandsson: Drums, Markus Johansson: Vocals/Guitar, Henrik Meijner: Guitar
過去のメンバー
Thomas Einarsson: Guitar, Tobias Gustafsson: Bass, Matti Almsenius: Guitar, Martin Karlsson: Bass, Niklas Gustafsson: Vocals/Bass
デスコグラフィー
Rehearsal (1991)
Demo 1, Demo (1992)
Greeting Immortality, 7" (Obscure Plasma, 1993)
A Velvet Creation, Demo (1993)
A Velvet Creation, CD (Wrong Again, 1993)
Mirror Worlds, CD (War, 1998)

EUPHORIA

ウップサーラ出身。俺が知っているのはそれだけ！
デスコグラフィー
Demo 1997, Demo (1997)

EVENTIDE
よくありがちなメロディック・デスメタル・バンド。
ラインナップ
Jacob Magnusson: Vocals/Guitar, Max Seppälä: Drums/Percussion, Jonas Sjölin: Guitar, Andreas Kronqvist: Keyboards, Niclas Linde: Bass
過去のメンバー
Åke Wallebom: Guitar
デスコグラフィー
Caress the Abstract, Demo (1999) Promo 2000, Demo (2000)
No Place Darker, Demo (2005)

THE EVERDAWN
Gates of Ishtar のオスカー・カールソンとニクラス・スヴェンソンが 1993 年にルーレオで結成したブラック／デスメタル・バンド。EP1 枚と CD1 枚をリリースしているがその後の活動はよくわからない。彼らは平凡なバンドだったので、解散したってどうってことはない。
ラインナップ
Pierre Törnkvist: Vocals/Guitar/Bass, Patrik Törnkvist: Guitar, Niklas Svensson: Bass, Oskar Karlsson: Drums
デスコグラフィー
Opera of the Damned EP, EP (Black Diamond, 1996)
Poems—Burn the Past, CD (Invasion, 1997)

EVOCATION
成功には至らなかったボロース出身のスウェディッシュ・デスメタル・バンド。バンドは 1991 年 9 月、Morbid Death、Harrasmentation、Forsaken Grief、Decomposed の残党メンバーによって始められた。結成当初から、バンドは骨の髄まで染み込む高品質なサンライト・デスメタルをプレイしていた！　当時はブラックメタルがシーンを席巻していたため、もしかすると彼らの伝統的なデスメタル・スタイルは少々時代遅れだったのかもしれない。しかし、それでも Evocation はほとんどのブラックメタル・バンドを圧倒していた！　かなり秀逸だった！　サーリネンとヨセフソンは Cemetary にも在籍し、1993 年にヴァッケルとカルヴォーラはクラストパンク・バンド Rajoitus を始動した。Evocation は近年再結成し、過去のデモテープ音源が CD でリリースされた。手に入れろ！
ラインナップ
Thomas Josefsson: Vocals (当初はベースも担当), Vesa Kenttäkumpu: Guitar, Janne Kenttäkumpu: Drums, Marko Wacker (now Palmén): Guitar, Christian Saarinen: Bass (1992-)
過去のメンバー
Jani Karvola: Vocals (1991)
デスコグラフィー
Ancient Gate, Demo (1992)
Promo 92, Demo (1992)
Evocation, CD (Breath of Night, 2004)

EVOKED CURSE
90 年代初期にデモテープを 1 本制作した、アンゲレード出身のワンマン・プロジェクト。グラインドコアとデスメタルをごっちゃ混ぜにした感じのオールドスクール・スタイルが彼らの音楽性。もし彼らのデモテープに出会ったら、是非聴いてくれ！　彼らは 90 年代

後期にフィンランドのラハティに移住し、デモテープを何本か発表したもののほとんど流通しなかった。
ラインナップ
Harri Juvonen
デスコグラフィー
Transmigration, Demo (1990)
Demo (?)

EXANTHEMA
1990 年にエシルストゥーナでバンド活動を開始したバンド。サウンドはかなり普通だったが、良いところもあった。クリストフェル・スヴェンソンの野太く、猛獣のようなヴォーカルが特徴。Exanthema の多くのメンバーは、Tears of Grief にも参加していた。
ラインナップ
Kristoffer Svensson: Vocals, Mattias Björklund: Guitar, Janne Röök: Guitar, Mattias Arreflod: Bass, Adam Grembowski: Drums
過去のメンバー
Jacek Kedzierski: Guitar, Oliver Mets: Bass/Vocals/Guitar, Ricardo Videla: Guitar, Adam Krembowski: Drums, Jörgen "Jögge" Persson: Bass, Fredrik Carlsson: Guitar, Tero Viljanen: Bass/Vocals
デスコグラフィー
The Dead Shall Rise, Demo (1992)
Follow the Path, Demo (1992)
Exanthema/Chronic Decay, Split CD (Studiefrämjandet, 1993)
Lunacy, Demo (1994)
Dream World, Demo (1995)

EXCRETION
1990 年春にローニンゲ／ストックホルムで結成されたバンド。彼らがプレイしていたのは、メロディーのある、ガテラル・ヴォーカルを武器としたブルータル・グラインディング・デスメタル。カッコいいが、レベルは割と普通。
ラインナップ
Thomas Wahlström: Vocals/Bass, Anders Hanser: Guitar, Christoffer Holm: Guitar, Seppo Santala: Drums
過去のメンバー
Tommy Ottemark: Drums
デスコグラフィー
The Dream of Blood, Demo (1992)
Suicide Silence, Demo (1993)
Exanthema/Chronic Decay Split CD (1993)
Voice of Harmony, CD (Wrong Again, 1996)

EXCRUCIATE
1989 年 9 月にウブランズ・ヴァースビーで、ギターのヘンパ・ブリノルフソンとヨーハン・メランデル、それにドラマーのペール・アックスの 3 人によって結成されたバンド。野太いグロウル・ヴォーカルが特徴の過激なデスメタルが彼らのスタイルだった。バンドはメンバーのラインナップに問題を抱え、1993 年にアルバム『Passages of Life』をリリースした直後に解散した。レヴィンとルドバリは Mastication でもプレイしていた。2001 年に一時的な再結成をし、デモテープをリリースした。その後は初期音源も CD 化され、再発された。
ラインナップ
Hempa Brynolfsson: Guitar, Per Ax: Drums, Fredrik

Isaksson: Bass (1990-), Janne Rudberg: Guitar (1992-), Lars Levin: Vocals (1991-)
過去のメンバー
Johan Melander: Guitar (1989-1992), Christian Carlsson: Vocals (1990-1991)
デスコグラフィー
Mutilation of the Past, Demo (1990)
Excruciate/Epitaph Split LP (Infest, 1991)
Hymns of Mortality, Demo (1991)
Passages of Life, CD (Thrash, 1993)
Excruciate, Demo (2001)
Beyond the Circle, CD (Konqueror, 2003)

EXECRATORY
1999 年に結成されたゴア／デスメタル・バンド——それしか知らない！　デモテープも聴いたことはないが、まだ活動中だということは知っている！
ラインナップ
Grinder: Drums, Zombieflesh: Vocals/Guitar, Evil D: Bass

EXEMPT
1990 年 10 月にアンゲレードで結成された良質のスラッシー なデスメタル・バンド。アンダソンは秀逸な Immersed in Blood を結成し、Inverted や Nominon にも参加した。彼は数多くの真正デスメタル・ギグを企画したので、世界中からリスペクトされるべきだ。
ラインナップ
Joel Andersson: Bass, Daniel Berlin: Guitar (1992-), Raimo Koskimies: Drums, Rune Foss: Guitar, Magnus Arvidsson: Vocals
過去のメンバー
Jani Pietäle: Guitar (1990-1992)
デスコグラフィー
Tomorrow's Exemption, Rehearsal (1990)
Wake Up, Demo (1991)
Ill Health, Demo (1992)

EXHALE
2004 年に結成されたデス／グラインド・バンド。バンド名から推測すると、Nasum にインスパイアされているのだろう。
ラインナップ
Johan F: Bass, Uffe: Vocals, Gurra: Drums, Johan Y: Guitar/Vocals
デスコグラフィー
Die Inside, Demo (2004)

EXHUMED
1989 年にストックホルムで結成されたブルータル・バンド。バンドは間もなく解散した。その後、ラムステッドとブリンクは、Carbonized のマルクス・リューデンとステーファン・エクストルムと Morpheus を結成した。
ラインナップ
David Brink: Vocals, Sebastian Ramstedt: Guitar, Johan Bergebäck: Bass, Janne Rudberg: Drums
デスコグラフィー
Obscurity, Demo (1990)

EXILE
1985 年頃に活動したファルケンバリ／ハルムスタード出身の知る人ぞ知るバンド。彼らは極悪な Celtic Frost な雰囲気をまとっているので、オブスキュア・スウェディッシュ・メタルのコレクターであれば探してみる価値はあるだろう。メンバーの 1 人であるパウロ・ステーヴァーはのちにレーベル、Primitive Art を立ち上げた。
デスコグラフィー
Rehearsal (1985)
Final Breath, Demo (1986)

EXPOSITORY
ヴェステルオース出身の若者、トミー・カールソンとイェンス・クローヴゴードによる 90 年代中期のバンド。1990 年にスラッシュ・バンドとして結成され、度重なるメンバー交代ののち、デスメタルに落ち着いた。彼らのメロディックで狂暴なデスメタルは Unanimated に近い。しかし結局のところ、アンダーグラウンドの奥底から這い上がることは出来なかった。
ラインナップ
Jens Klovegård: Guitar, Tommy Carlsson: Drums (1991-), Johan Åström: Guitar (1993-), Tony Sundqvist: Vocals (1992-)
デスコグラフィー
Rehearsal (1992)

EXPULSION
少し長くなってもいいか？　Expulsion は、1988 年にストックホルムで、ステーファン・ラーゲルグレーンとアンデシュ・ホルムバリが River's Edge という名義で結成したバンド。初期作品では、あのヨーハン・エードルンドがヴォーカルを披露している。ラーゲルグレーン、ホルムバリ、そしてエードルンドはやがて Treblinka を結成したため、River's Edge の活動はままならなくなった。しかし、ラーゲルグレーンとホルムバリは Treblinka と同時進行させる形で、River's Edge を Expulsion に名義を変更してバンドを存続させた。2 本の平均的なレベルの、Treblinka をスラッシュ風にしたようなデモテープを発表した後、ホルムバリが Tranquillity に加わったことで Expulsion は活動休止状態になった。1991 年、ラーゲルグレーンとフランソンが Treblinka/Tiamat を脱退すると、ヴォーカルのフレードリック・トーンクヴィストとベースのチェルシー・クルークが Expulsion を再結成した。デビュー・シングルが発表されたとき、ホルムバリがクルークに代わってバンドに復帰した。Tiamat のヨーハン・エードルンドは Expulsion のデビュー作ではゲストヴォーカルを担当した。要約すると、ストックホルム出身の River's Edge は 1988 年に Expulsion と Treblinka に分かれた。両バンドともステーファン・ラーゲルグレーンとアンデシュ・ホルムバリが在籍していて、サウンドはお互いに似通っているところがある。
ラインナップ
Stefan Lagergren: Guitar, Calle Fransson: Drums, Anders Holmberg: Vocals/Bass (1989-1990, 1992-), Christopher Vowdén: Guitar (1992-), Fredrik Thörnqvist: Vocals
過去のメンバー
Chelsea Krook: Bass (1991-1992), Magnus Krants: Guitar, Johan Edlund: Vocals（ゲスト参加）
デスコグラフィー
Mind the Edge, Demo (1988—River's Edge 名義)
Cerebral Cessation, Demo (1989)

Veiled in the Mist of Mystery, Demo (1989)
A Bitter Twist of Fate, 7" (Dödsmetallfirma
Expulsion, 1993)
Overflow, CD (Godhead, 1994)
Man Against, CD (Godhead, 1996)

EXPURGATE
1990 年に結成されたデスメタル・アクト。1991 年に
デモテープを発表し、やがて消滅した。そこら辺にい
る多くのバンドと同じようなヒストリーをたどってい
る……。
デスコグラフィー
Forbidden Ruler, Demo (1991)

EXTINCTION
2002 年にウッデヴァラで始動したデスメタル影響下
のスラッシュメタル・バンド。
ラインナップ
Andreas Karlsén: Guitar/Vocals, Niklas Hero:
Bass, Janne Rimmerfors: Drums
デスコグラフィー
Sworn to Extinction, Demo (2005)

EYECULT
2004 年にヴェステルオースで始動したメロディック・
ブラック／デスメタル・デュオ。頑張ってくれ。
ラインナップ
Patrik Carlsson: Vocals/Guitar/Bass/Synthesizer,
Andreas Åkerlind: Drums
デスコグラフィー
Eyecult, Demo (2004)

EYETRAP
2000 年にストックホルムで活動を開始したメロ
ディック・デスメタル・バンド。ヴァラニングは
元 Ebony Tears、Miscreant、Dog Faced Gods、
Månegarm のメンバーである。
ラインナップ
Johnny Wranning: Vocals, Joakim Rhodin: Bass,
Jan Karlsson: Drums, Fredrik Rhodin: Guitar
デスコグラフィー
Folkmagic, CD (Black Sun, 2003)

FACE DOWN
1993 年にヘーガシュテーンで、Afflicted/Proboscis/
General Surgery の元メンバーであるヨアキム・カー
ルソンによって作られたバンド。結成当初は Machine
God という名義だった。ブルータルなデス／スラッ
シュを身上とする彼らは Roadrunner や Nuclear
Blast に在籍し、かなり成功を収めた。ファンヴィン
ドが Entombed に、アロが The Haunted に参加する
まで、Face Down の活動は順調だったように思われ
た。しかし、やがて Face Down は崩壊状態となり、
1999 年に解散した。けれどもバンドは 2004 年にア
ロが The Haunted を脱退したことで再結成された。
Face Down の未来は突如明るくなってきたように感
じる。
ラインナップ
Marco Aro: Vocals, Joacim Carlsson: Guitar, Joakim
(Harju) Hedestedt: Bass, Erik Thyselius: Drums
過去のメンバー
Richard Bång: Drums (1993-95), Alex Linder:
Guitar (1993-94), Niklas Ekstrand: Guitar (1994-95),

Håkan Ericsson: Drums (1997-99), Peter Stjärnvind:
Drums (1995-97)
デスコグラフィー
Demo 1, Demo (1994)
Demo 2, Demo (1995)
Demo 3, Demo (1995)
Mindfield, CD (Roadrunner, 1995)
Demo 4, Demo (1996)
Demo 5, Demo (1998)
The Twisted Rule the Wicked, CD (Nuclear Blast,
1998)
Promo Demo 2004, Demo (2004)
The Will to Power, CD (Black Lodge, 2005)

FACEBREAKER
1999 年にフィンスポングで結成された、殺傷力の
ある良質なスラッシュメタル・バンド。ヨーナス
とミカエルは Ashes、ロバンは Edge of Sanity や
Darkified、Pan-Thy-Monium などの偉大なバンドに
も在籍している。
ラインナップ
Robban: Vocals, Janne: Guitar, Mika: Guitar/Vocals,
Jonas: Bass/Vocals, Mikael: Drums
デスコグラフィー
Use Your Fist, Demo (2000)
Hate & Anger, Single (Rage of Achilles, 2003)
Bloodred Hell, CD (Rage of Achilles, 2004)

FACING DEATH
Subcyde のオーラと Canopy のフレードリックが最近
立ち上げたプロジェクト。
ラインナップ
Fredrik "Reaper of Souls" Huldtgren: Vocals, Ola
"Collector of Bones" Englund: Guitar/Vocals, Jim
Kekonius: Bass, Fredrik Widigs: Drums
デスコグラフィー
Facing Death, Demo (2005)

FALLEN ANGEL
1984 年にウレブルーで始動した、スウェディッシュ・
スラッシュメタル初期の正統派バンド。Fallen Angel
という名義になったのは 1986 年からである（その後
は Fallen Angels という名義）。不安定なラインナッ
プだったが、90 年代に入っても彼らの精力的な活動
を妨げることはなかった。しかし、その後、デスメタ
ル・ムーヴメントの際に隠れてしまい、1993 年にバ
ンドは解散した。メンバーの何人かはミッケ・スヴェッ
ド（Authorize）とともに、Under the Sun を結成し
たが、成功には至らなかった。
ラインナップ
Johan Bülow: Vocals/Guitar (1987-), Joacim
Persson: Guitar/Vocals (1988-), Fredrik Lindén:
Drums, Matte Hedenborg: Bass (1990-)
過去のメンバー
Gustaf Ljungström: Bass/Vocals (1984-1990),
Fredrik Hahnel: Vocals/Guitar (1984-1989), Kent
Engström: Guitar (1988)
デスコグラフィー
Demo 1, Demo (1988)
Hang-Over, Demo (1989)
Fallen Angel/Nirvana 2002/Authorize/Appendix-
split, 7" (Opinionate!, 1990)
Fallen Angel, 7" (1990)

Fallen Angel, mini-LP (1991, UNI)
Faith Fails, LP (Massacre Records, 1992)

FALLEN ANGELS
ファルケンバリ出身のメロディックで超バカっぽい
ルックスのバンド。2000年の結成以来、彼らは3本
のデモテープを制作し、数えきれないほどのメンバー
チェンジを繰り返している。近年 Sonic Syndicate に
改名し、アルバム『Eden Fire』を発表した。『Eden
Fire』は仰々しくも3つのパートに分かれている。彼
らは現在 Nuclear Blast に在籍し、成功を手にしてい
るが、Fallen Angels 同様、酷いバンドだ。
ラインナップ
Richard Sjunnesson: Vocals, Roger Sjunnesson:
Guitar, Robin Sjunnesson: Guitar, Andreas
Mårtensson: Keyboards, Karin Axlesson: Bass,
Kristoffer Bäcklund: Drums
過去のメンバー
David Blennskog: Bass (2000), Fredrik Wellsfält:
Guitar/Vocals (2000-2001), Dan Land: Guitar
(2000-2001), Daniel Bengtsson: Bass/Vocals (2001),
Andreas Andersson: Guitar (2002), Jacob Strand:
Drums (2001-2002), Mikael Hauglund: Bass (2002),
Magnus Svensson: Bass (2002-2004)
デスコグラフィー
Fall from Heaven, Demo (2003)
Black Lotus, Demo (2003)
Extinction, Demo (2004)
Eden Fire, CD (Pivotal Rockordings, 2005—Sonic
Syndicate 名義)

FANTASMAGORIA
90年代初期のボールネス出身のバンド。初期は破壊
力十分だったが、次第に Pantera のコピーバンドに成
り下がった。メンバーの多くは Morgana Lefay でも
プレイしている。
ラインナップ
Peter Grehn: Guitar, Robin Engström: Drums,
Fredrik Lundberg: Bass/Vocals
過去のメンバー
Mikael "Micke" Åsentorp: Bass, Rickard Harrysson:
Guitar
デスコグラフィー
Inconceivable Future, Demo (1991)
Fantasmagoria, Demo (1997)
Fuck You All, CD (Trudani, 1998)

FATAL EMBRACE
1992年にヴァルバリで結成された、典型的な90年代
中期のデス／スラッシュメタル・バンド。絶叫ヴォー
カルが彼らの特徴。オリジナリティーは皆無で、平均
的なレベルにもかかわらず、Candlelight との契約を
獲得した。おい、サウンドはまるきし At the Gates じゃ
ねぇか！ 1998年にはアルバム『Hail Down Deep』
をレコーディングしたが、お蔵入りになったと聞い
ている。メンバーのヘルマン・イングストレムは
Beseech、Cemetary 1313、Sundown でもプレイして
いた。
ラインナップ
Tommy Grönberg: Vocals/Guitar, Herman
Engström: Vocals/Guitar, Henrik Serholt: Drums/
Vocals, Andreas Johansson: Guitar
過去のメンバー

Andreas Johansson: Keyboards/Flute
デスコグラフィー
Scars in Dismal Icons, Demo (1996)
Shadowsouls Garden, CD (Candlelight, 1997)

FEARED CREATION
壮大なサウンドを特徴とするデス／スラッシュ・
バンド。メンバーは Deranged（フェールド）、The
Forsaken（フェアホルム）、Misteltein（ギルバリ）な
ど地元の"セレブ"で構成されているので、マルメー
出身だと思う。最近結成されたばかりなので、シーン
にインパクトを与えられるかどうかは時が教えてくれ
るだろう。
ラインナップ
Anders Sjöholm: Vocals, Calle Fäldt: Guitar, John
Huldt: Guitar, Magnus Gillberg: Bass, Sebastian
Westberg: Drums
デスコグラフィー
Five Reasons to Hate, Demo (2004)

FEMICIDE
女性蔑視の歌詞を特徴とする2000年代のジョーク
バンド。超バカっぽいが、音楽性はかなりまともな
Obituary スタイルのデスメタル。
デスコグラフィー
Promo 2002, Demo (2002)

FENRIA
僻地ヘルノーサンド出身の新興バンド。音楽性をブ
ラック／スラッシュからデス／スラッシュに変えたと
聞いている。次は真正デスメタルでもやったらどうだ
い？
ラインナップ
Jonas Helander: Guitar/Vocals, Johan Jansson:
Vocals, Pelle Sjölander: Guitar, Claes Svedin: Bass,
Jesper Bodin: Drums
過去のメンバー
Pelle: Guitar
デスコグラフィー
Fleshless, Demo (2004)

FESTER PLAGUE
スンネ出身のテクニカル・スラッシュメタル・バン
ド。90年代初期（彼らは1988年結成）はデスメタ
ル全盛期だったので、彼らは不遇の時代を過ごし
た。1986年には Voodoo の名義で活動を始めていた
が、Metallica の影響を払拭出来なかった。伝説的な
Sunlight で制作されたデモテープは、スタジオの名前
にあやかれず、1992年1月2日になってからやっと
完成した。活動に終止符が打たれたのは1993年だっ
た。
ラインナップ
Rino E Rotevatn: Vocals, Kjell Elmlund: Drums, Ulf
Jansson: Bass, Jan Janson: Guitar/Vocals
過去のメンバー
Larsa: Drums (in Voodoo)
デスコグラフィー
Demo 91, Demo (1992)

FILTHY CHRISTIANS
1985年にファールンで結成された、狂気に満ちたグ
ラインドコア・バンド。彼らの歴史をたどってみると
なかなか興味深い。彼らは1986年にヨーロッパ中を

列車で巡るというクレイジーな旅を敢行した。道中のイギリスで Earache のボスであるディグビー・ピアソンと出会い、その後連絡を取り合う仲となった。翌年、彼らがイギリスでプレイしたときに、ディグビーは彼らに CBR 契約のオファーをした。ただし、次のデモテープが良かったらという条件で。彼らはディグビーに自分たちの 3 本目のデモテープを送り、ディグビーがそれを認めたため、瞬く間に彼らは Earache と契約したスウェーデン初のバンドとなった。どういう訳かわからないが、1989 年に Filthy Christians の演奏がスウェーデン国営放送でオンエアされたことがあった（推測するに、きっと CBR のフレッダ・ホルムグレーンのインタヴューと関係があったのだろう）。（訳者註：動画サイトで "Filthy Christians Svepet 1989" で検索してみよう。その模様を観ることができる。後半部分には、フレードリック・ホルムグレーンなどのインタヴューが収録されている）覚えているよ、普段は超退屈なライブ放送番組だった『Svepet』で彼らの姿を目の当たりにした時、嬉しくもあり、驚きでもあったなぁ。あの夜、Filthy Christians がグラインドをぶちかました瞬間、一般の視聴者はポテトチップスをのどに詰まらせただろうなぁ！　当時、彼らのことをすごく気に入っていたが、今聴いてみるとかなり時代遅れということがわかる。とはいうものの、彼らはスウェーデンが生み出した最もクールなグラインドコア・バンドの一つであることには変わりはない。現在、トゥーネルとハンマレはハードコア・バンドの Bruce Banner でプレイしている。

ラインナップ
Daniel Hammare: Guitar, Ola Strålin: Drums, Per Thunell: Vocals, Lasse Larsson: Guitar (1990-), Pelle Sörensen: Bass (1992-)
過去のメンバー
Greger Brennström: Bass (-1990), Patrick Forsberg: Bass/Guitar (-1992)
デスコグラフィー
Demo (1987)
Demo (1987)
Demo (1988)
Filthy Christians/G-Anx Split 7" (1989)
Mean, LP (Earache, 1990)
Demo 1992, Demo (1992)
Nailed, Single (We Bite, 1994)

FISSION
2002 年結成のメロディック・スラッシュ／デスメタル・デュオ。サウンドはどうかって？　まあ、普通だ。アンドレアス・ヘードルンドは Borknagar、Otyg、Havayoth にも在籍している。
ラインナップ
Vintersorg (Andreas Hedlund): Vocals/Keyboards, Benny Hägglund: Drums/Guitar/Bass
デスコグラフィー
Crater, CD (Napalm, 2004)

FLAGELLATION
1997 年に結成されたストックホルム出身のかなり良質なデスメタル・アクト。だが、彼らの活動期間は短かった。リンドストルムとカネルフェルトは In Grey に加入し、ブルネダルは Insision に参加した。2004 年にブルネダルが脱退し、同時にヨンソンも Insision に加わったことでバンドは消滅した。

ラインナップ
Per Lindström: Vocals/Bass, Daniel Cannerfelt: Guitar, Marcus Jonsson: Drums
過去のメンバー
Toob Brynedal: Guitar（ゲスト参加）
デスコグラフィー
Spineless Regression, Demo (1998)

FLEGMA
1987 年にマルメーで結成された、正統派ハードコア・アクト。彼らがスラッシュメタルに影響を受けると、クロスオーヴァーっぽくなった。1993 年に元 Obscurity のヨルゲン・リンデが加わったにもかかわらず、バンドはブルータルにならなかった。活動後期には、ゴシックメタルに触手を伸ばし、イタリアをツアーしたが、やがて解散した。1995 年、Flegma は Tenebre と Redrvm の 2 つのバンドに分裂したが、そのどちらもデスメタルではなかった。現在、カッレ・メッツは、大手ブッキング・エージェンシーである The Agency Group のスタッフである。
ラインナップ
Kalle Metz: Vocals, Olvar: Guitar, Richard Lion: Bass, Joel: Drums, Jörgen Lindhe: Guitar
過去のメンバー
Martin Olsson: Guitar, Ola Püschel: Guitar, Rother: Vocals, Martin Brorsson: Drums
デスコグラフィー
Hippiehardcore, Demo (1987)
Demo II, Demo (1988)
Eine Kleine Schlachtmusik, 7" (Insane, 1990)
Blind Acceptance, LP (Black Rose, 1992)
Flesh to Dust, CD (Black Rose, 1994)

FLESH
スウェーデンでオールドスクール・デスメタル・ブームが再燃しているなかで、Flesh は伝統的手法を踏襲している新興バンド。"バンド"といっても、実際のところ、ピート・フレッシュ（元 Maze of Torment、Deceiver）によるワンマン・プロジェクトである。
ラインナップ
Pete Flesh: Vocals/Guitar/Bass, Flingan: Drums（ゲスト参加）
デスコグラフィー
Dödsångest, CD (Iron Fist, 2005)

FORCE MAJUERE—Infanticide (ビーテオ) 参照。

FORESKIN FESTER
2002 年にカールスクローナでクレイジーな奴らが結成したバンド。性病ジョークを面白おかしくデスメタルのフォーミュラに当てはめた、というのが彼らの特徴。こういうバンドにありがちなことだが、次第にジョークを考えた張本人にしかウケなくなる。で、気づいたらひとりぼっち。
ラインナップ
Fjalar: Drums/Vocals
過去のメンバー
Necrowizard: Vocals（ゲスト参加）*, Onkel Herpes: Vocals*（ゲスト参加）*, Joel Broskfölje: Keyboards*（ゲスト参加）*, Max: Vocals/Bass (2002-2005), Wibbe: Guitar (2002-2005)*
デスコグラフィー

Rehearsing with Pung, Demo (2002)
Destruction of the Penis, Demo (2003)

FORLORN
1991 年にダニエル・プリンツ（Withered Beauty、Sorcery）によって結成されたイェヴレ出身のドゥームメタル・バンド。デモテープを連発したがいずれも不発に終わり、10 年後にバンドは解散した。しかし、なぜか Isole の名義でシーンに残った。ありがちなことだが、バンド解散後に過去のデモテープが CD でリリースされた。プリンツは Windwalker にも在籍していた。
ラインナップ
Daniel Bryntse: Vocals/Drums, Christer Olsson: Guitar, Henrik Lindenmo: Bass
過去のメンバー
Kim Molin: Drums (1991), Magnus Helin: Guitar (1991-92), Jan Larsson: Bass (1991-95), Magnus Björk: Guitar/Vocals (1992-96), Per Sandgren: Guitar
デスコグラフィー
Vivere non Necesse Est, Demo (1992)
Tired, Demo (1993)
Promo '95, Demo (1995)
Waves of Sorrow, Demo (1995)
Promo '96, Demo (1996)
Autumn Leaves, Demo (2001)
Autumn Promos, CD (2005)

FORMICIDE
ストックホルム北部の郊外を拠点とした、ベイエリアに影響を受けた 90 年代初期のスラッシュ・バンド。Sunlight Studio で、彼らは 2 本目のデモテープを破壊的なサウンドにしようとしたが、ヴォーカルがそれをすべて台無しにしてしまった。その後、アンドレアス・ヴァールは Concrete Sleep、Serpent、Therion に移り、さらにヘヴィな音を追求した。
ラインナップ
Fredrik Petersson: Vocals, Andreas Wahl: Bass, Magnus Barthelson: Guitar/Keyboards, Daniel Berglund: Guitar, Patrick: Drums
デスコグラフィー
Demented, Demo (1990)
Comatose, Demo (1991)

FORSAKEN
1991 年に結成、1992 年にデモテープを制作……そして、どこかに消えた。
デスコグラフィー
Departed Souls, Demo (1992)

THE FORSAKEN
1997 年にランズクローナで結成され、当初は Septic Breed という名義で活動していたが、まもなく The Forsaken に変更された。剛健なデス／スラッシュメタルが売りだった。彼らは良作を出していたし、かなりの成功も収めていた。しかし、初期メンバーであるホーカンソンがその後バンドを脱退し、Evergray と Embraced に専念した。90 年代初期のバンドの Forsaken と混同しないようにな。
ラインナップ
Anders Sjöholm: Vocals, Stefan Holm: Guitar, Patrik Persson: Guitar, Stefan Berg: Bass, Nicke

Grabowski: Drums
過去のメンバー
Roine Strandberg: Bass (1997-1999), Mikael Håkansson: Bass (1999-2001)
デスコグラフィー
Patterns of Delusive Design, Demo (1998)
Reaper-99, Demo (1999)
Manifest of Hate, CD (Century Media, 2001)
Arts of Desolation, CD (Century Media, 2002)
Traces of the Past, CD (Century Media, 2003)

FORSAKEN GRIEF
1990 年にボロースで結成され、デモテープを 1 本残したものの、短命に終わったバンド。のちに、オードレイスは Lake of Tears に、ヨセフソンは Evocation と Cemetary に加入した。
ラインナップ
Thomas Josefsson: Guitar/Vocals, Johan Oudhuis: Drums, Patrik Lundberg: Guitar, Tony Splatt: Bass
デスコグラフィー
Promo 92, Demo (1992)

FULMINATION
90 年代初期に Entrails の残党らによって組織された、アーヴェスタ出身の偉大なデスメタル・バンドの一つ。ブルータルでありながら、キャッチーかつグルーヴィーなデスメタルの理想形といえる。ある意味で Bolt Thrower に近い。ノルマンは Uncanny にも在籍し、現在は Katatonia の中心メンバーのひとりである。優れたアーヴェスタ出身のバンドはどれも日の目を見ずに終わったのは残念である。Interment、Uncanny、そして Fulmination、いずれももっと評価されるべきだった。
ラインナップ
Mats Berggren: Bass/Vocals, Mats Forsell: Guitar, Johan Jansson: Guitar (1994-), Christer Enström: Drums
過去のメンバー
Fredrik Norrman: Guitar (-1994)
デスコグラフィー
Demo 92, Demo (1992)
Through Fire, Demo (1992)
Promo 93, Demo (1993)

FUNERAL FEAST
1991 年にミョールビーで結成された 90 年代初期のデス／グラインド・バンド。フォッシュが Dawn に、マニュエルが Traumatic に専念したので、彼らはバンドというよりもプロジェクトだった。ゴア＆グラインド――どんなサウンドかわかるよな。
ラインナップ
Henrik Forss: Vocals, Manuel: Guitar/Vocals, Jocke Larsson: Bass/Vocals（のちに下手ドラムを披露）
過去のメンバー
Ola: Drums (-1992)
デスコグラフィー
Rehearsal (1991)
Emanuating Mucous Semen, Demo (1992)

FURBOWL
1991 年にヴェクファで、元 Carnage のヨーハン・リーヴァと元 Jesus Exercise のマックス・トーネルによって結成されたデス／ゴシック・バンド。マイク・アモッ

ト（Carnage/Carcass/ Arch Enemy）が 1 本目のデ
モテープにゲストとして参加した。次第に彼らのデス
メタル色は薄れ、90 年代中期の Entombed を予見し
たかのようなデス・ロックに傾倒していった。その後、
彼らの音楽はサイケデリック・ロックへ発展した。バ
ンド名義を Wonderflow に変更してから、デスメタル
色はまったくなくなった。1993 年にバンドを脱退し
たヨーハン・リーヴァは、マイケル・アモット率いる
Arch Enemy に加入した。
ラインナップ
Nicke Stenemo: Guitar/Keyboards, Max Thornell:
Drums, Per Jungberger: Guitar (1993-)
過去のメンバー
Johan Liiva: Guitar/Vocals/Bass (1991-1993)
デスコグラフィー
The Nightfall of Your Heart, Demo (1991)
Demo 2, Demo (1992)
Those Shredded Dreams, LP/CD (Step One, 1992)
Promo 93, Demo (1993)
Rehearsal (1993)
7" (Cenotaph, 1993— 未発表かも？）
The Autumn Years, CD (Black Mark, 1994)

FURIA
2000 年前後に登場したストックホルムを拠点とした
バンド。At the Gates からの影響が明らかだが、ブラッ
クメタル色も見え隠れする。まあまあのバンド。
ラインナップ
Micke Broman
デスコグラフィー
Sagor, Demo (2000)

GADGET
1997 年にウィリアム・ブラックモンのソロ・プロジェ
クトとしてスタートしたバンド。デモテープを 1 本
制作しただけで活動は停滞した。1999 年末に彼はギ
ターのリーキャル・オルソンとともにプロジェクトを
再始動させ、サウンドは Nasum 影響下の激烈なグラ
インド／デスだった。その後、バンドの体制が整い、
Relapse との契約を獲得した。Nasum が消滅した今
Gadget はスウェーデンのグラインド界を牽引する存
在になりつつある。若干のダサいエモ風なところを除
けば、彼らはカッコいいと思う。ウィリアム・ブラッ
クモンは Withered Beauty に、リーキャル・オルソン
は Diskonto（俺が以前ベースを担当していたバン
ド）にも在籍し、そして、フレードリック・ニーグレー
ンは Sorcery、Ashram、そして "伝説的な" パンク・
バンドである Dross での活動で知られている。
ラインナップ
William Blackmon: Guitar/Drums/Vocals, Rikard
Olsson: Guitar, Emil Englund: Vocals, Fredrik
Nygren: Bass
デスコグラフィー
Promo 00, Demo (2000)
Promo December 00, Demo (2000)
Exhumed/Gadget-split, EP (Relapse, 2001)
Remote, CD (Relapse, 2004)
The Funeral March, CD (Relapse, 2006)

GARDENIAN
1996 年にユーテボリで結成された典型的なメロ
ディック・デスメタル・バンド。彼らはデモテープを
制作することなく CD をリリースした。普通レベルの

アルバムを 2 枚発表した後、解散した。
ラインナップ
Niclas Englin: Guitar, Thym Blom: Drums, Robert
Hakemo: Bass, Apollo Papathanasio: Vocals
過去のメンバー
Håkan Skoger: Bass, Jim Kjell: Vocals, Kriss
Albertsson: Bass
デスコグラフィー
Two Feet Stand, CD (Listenable, 1997)
Soulburner, CD (Nuclear Blast, 1999)
Sindustries, CD (Nuclear Blast, 2000)

GARDENS OF OBSCURITY
1991 年にヘルシングボリで、Slavestate という名義
で活動を始めたグラインドコア集団。何度かのリハー
サルの後に、彼らはバンド名を Asmodeus に変更
し、音楽性もドゥーム・デスに変化していった。1 本
のデモテープを発表してから、Gardens of Obscurity
という名義に変更したが、どのレーベルも興味を示
さなかったため、バンドは解散した。メンバー数名
は Darksend に専念した。メンバーの多くは他のバ
ンドにも在籍していることで知られているが、ペー
タル・ウィルドール（Agretator、Arch Enemy、
Armageddon、Darkane、Dawn of Oblivion、
Electrocution 250、Honey Hush、Majestic、Silver
Seraph、Time Requiem、ZanineZ）ほどは活躍して
いない。
ラインナップ
Tony Richter: Vocals, Mathias Teikari: Guitar,
Mikael Bergman: Bass, Peter Wildoer: Drums
過去のメンバー
Martin Thorsén: Drums, William Fetty: Guitar,
Joakim Persson: Guitar
デスコグラフィー
The Lamentation, Demo (1993)

GATES OF ISHTAR
1992 年、スウェーデン北部の都市ルーレオで元
Decoration のオスカル・カールソンとニクラス・ス
ヴェンソンによって結成されたバンド。バンドは早々
と成功を収めたが、2 人は The Everdawn を結成する
ためにバンドを脱退した。Gates of Ishtar の 2 枚目の
アルバムである『The Dawn of Flames』は、あの名
高い Unisound Studio でレコーディングされた最後の
作品となった。音楽性だって？ Dissection 風のメロ
ディック・デスメタルであるが、Dissection には及ば
ない。
ラインナップ
Mikael Sandorf: Guitar/Bass/Vocals, Urban
Carlsson: Guitar, Oskar Karlsson: Drums
過去のメンバー
Andreas Johanson: Drums, Stefan Nilsson: Guitar,
Thomas Jutenfäldt: Guitar, Harald Åberg: Bass,
Daniel Röhr: Bass（ゲスト参加）
デスコグラフィー
Best Demo of 95, Demo (1995)
Promo 95 Live, Demo (1995)
Seasons of Frost, Demo (1995)
A Blood Red Path, CD (Spinefarm, 1996)
The Dawn of Flames, CD (Invasion, 1997)
At Dusk and Forever, CD (Invasion, 1998)

GEHENNAH

1990 年、フォシュハーガ出身の Gehennah は、Gehenna の名義でプリミティヴな音を追求し、活動を始めた。彼らはデスメタルというよりは Venom に近い音像だった。クールではあるが、騒ぎ立てるほどの技術ではない。それにもかかわらず、90 年代中期、彼らは Osmose Productions 傘下の Kron-H の目にとまった。Kron-H は Disfear、Dellamorte、Driller Killer など、パンクとメタルを融合したスウェーデン産バンドを多く抱えていた。Gehennah は大した成功を収めた訳ではないが、アンダーグラウンドでしばらくの間カルト的な存在だった。結成当初、ロニーは Vomitory で、ヘルコップは Dawn of Decay でプレイしていた。

ラインナップ
Mr Violence: Vocals, Rob Stringburner: Guitar, Ronnie Ripper: Bass, Hellcop: Drums

過去のメンバー
Captain Cannibal: Drums

デスコグラフィー
Kill, Demo (1992)
Brilliant Load Overlords of Destruction, Demo (1993)
Hardrocker, CD (Primitive Arts, 1995)
No Fucking Christmas, 7" (Primitive Arts, 1995)
King of the Sidewalk, CD (Osmose, 1996)
Headbangers Against Disco vol. 1, Split 7" (Primitive Arts, 1997)
Decibel Rebel, CD (Osmose, 1997)
Gehennah/Rise and Shine, Split 7" (Primitive Arts, 1998)
10 Years of Fucked Up Behaviour, EP (Bad Taste Entertainment HQ, 2003)

GENERAL SURGERY

1989 年にマッティ・カルキ（Carbonized、Dismember）とグラント・マックウィリアムスが創始したクールなサイド・プロジェクト。間もなくしてバンドにヨアシム・カールソン（Afflicted Convulsion）とマッツ・ノードルップ（Crematory）が加わった。そして、結成当初のヴォーカルはリーキャル・カベッザ（Unanimated、Dismember）が担当した。初期はゴリゴリの Carcass もどきバンドだった彼らだが、次第にオリジナリティーが出てきた。結成以降、何度もメンバーチェンジが行なわれたが、初期メンバーほど長く在籍したものはいなかった。（メンバー全員が売れっ子バンドに在籍していたので当然といえば当然だったのかもしれない。）どのラインナップにおいても、彼らは超ブルータルでプリミティヴなデスメタルを極限までに臨んでいた。そして、11 年間もの活動休止期間を経て、バンドは再始動した。もちろん心機一転の新体制であることは間違いないが、大胆なラインナップだった！　グレイト・ファッキング・バンドだ！

ラインナップ
Joacim Carlsson: Guitar, Adde Mitroulis: Drums, Johan Wallin: Guitar, Micke van Tuominen: Bass, Erik Sahlström: Vocals

過去のメンバー
Glenn Sykes: Bass, Richard Cabeza: Vocals, Grant McWilliams: Vocals, Jonas Derouche: Guitar, Andreas Eriksson: Bass, Matti Kärki: Bass, Mats Nordrup: Bass, Erik Thyselius: Drums（ゲスト参加）, Christofer Barkensjö: Drums（バンド構想のみ。バンドとは一度もリハーサルをしていない）, Anders Jakobsson: Drums（彼もまたバンド構想のみ。メンバー間の最初のミーティング前に脱退）

デスコグラフィー
Erosive Offals, Demo (1990)
Pestisferous Anthropophagia, Demo (1990)
Internecine Prurience, Demo (1990)
Necrology EP, 7" (Relapse, 1991)
Necrology, MCD (Nuclear Blast, 1994)
General Surgery/County Medical Examiners, Split CD (Razorback Records, 2003)
General Surgery/County Medical Examiners, Split LP (Yellow Dog, 2003)
General Surgery/Filth, Split (Bones Brigade, 2004)
Demos, 7" (Nuclear Abominations, 2004)
General Surgery/Machetazo, Split (Escorbuto Recordings, 2004)
Left Hand Pathology, CD/LP (Listenable/Power-It-Up, 2006)

GENETIC MUTATION

90 年代中期にミョールルビーで Mithotyn のステーファンとカーステンによって結成されたデスメタル・ジョーク・プロジェクト。メロディーと抑え気味の絶叫スタイルは、ブラックメタルとメロディック・デスメタルの黄金時代を彷彿とさせる。しかし、全編を通してかなりブルータルなのは確か。1995 年のデモテープ『Future Vision』は、巷のディスコグラフィーに掲載されているが、しかし実在しない。

ラインナップ
Karsten: Drums, Stefan Weinerhall: その他すべてのパート。

デスコグラフィー
Promo 93, Demo (1993)
Promo, Demo (1994)

GENOCRUSH FEROX

1997 年に人里離れたボーレンゲの町で、デスメタル・フリークス達が Cromb の名義で始めたバンド。まもなくして、彼らはブルータル・オールドスクール・デスマシーンの Genocrush Ferox へと変化した。バンドの初期ギタリストであったオルソンがバンドに与えた影響は計り知れない。彼が求めていたのは“カモメの鳴き声を逆回転させるように”プレイすること。超すっげぇよな。ブルータルでキャッチーで完全にいかれてる。骨の髄までグイグイくるトゥーブのヴォーカルは最高だった。しかし、数年後には解散してしまった。トゥーブは 2000 年に Insision に参加したが、2004 年には脱退してしまった。不思議なことに、トゥーブの脱退から 1 週間後にヨンソンが Insision にドラマーとして加わった。Genocrush Ferox と Cromb の過去音源は CD でリリースされた——全部ゲットしてくれ！

ラインナップ
Toob Brynedal: Vocals/Guitar, Per: Guitar, Marcus Jonsson: Bass, Henke: Drums

過去のメンバー
Dan Olsson: Guitar (until 2000)

デスコグラフィー
The Sepulchre Devastation, Demo (1998)
Glory Glory Strangulation, Demo (2000)
The Sepulchre Strangulation, CD (Escorbuto

Recordings, 2003)
Demo, Demo (2003—Cromb 名義)
4 Tormenting Ways to Death, Split CD (Gruft
Production, 2005—Cromb 名義)

GHAMOREAN
1997 年にウーメオで結成されたデス・ブラックメタル・バンド。デモテープを見たことはなかったが、最近 CD でリリースされた。
ラインナップ
Henrik Sundström: Vocals, Andreas Båtsman:
Guitar, Niklas Gandal: Bass, Jimmy Borgström:
Drums
デスコグラフィー
Plaguempire, CD (Kharmageddon, 2005)

GILGAMOSH—Decortication 参照。

GOD—GOD B.C. 参照。

GOD AMONG INSECTS
2003 年にストックホルムで結成されたバンド。精力的な（うん……時々は飽きたりもするのかな……）ケンタ・フィリップソン（ロード・K）による、継続中の終わりなきプロジェクト。Dark Funeral のマッセ・プロバリ（エンペラー・メーガス・カリギュラ）と Vomitory のトゥビアス・グスタフソンのおかげで、フィリップソンが手掛けた作品の中でベストな出来となった。
ラインナップ
Emperor Magus Caligula: Vocals, Lord K Philipson:
Guitar, Tomas Elofsson: Bass, Tobias Gustafsson:
Drums
デスコグラフィー
World Wide Death, CD (Threeman Recordings,
2004)

GOD B.C.
1986 年に God というシンプルな名で始動したヘルシングボリ出身のスラッシュメタル・バンド。God B.C.に改名後、Wild Rags からアルバムがリリースされ僅かな成功をつかんだ。しかし、アルバム発表後は脚光を浴びることもなく解散した。グラナトとリクターは Agretator に、ハルベックはのちに Hyste'riah G.B.C.に改名する Hyste'riah に加入した。次のことは注目に値するであろう。トム・ハルベックはスウェーデンで初めてエクストリーム・メタルを取り扱ったファンジンである『At Dawn They Read』を発行した。
ラインナップ
Joakim Warneryd: Vocals, Magnus Nilsson: Guitar,
Jesper Granath: Bass, Tom Hallbäck: Drums
過去のメンバー
Fredrik Elander: Vocals, Pierre Richter: Guitar
デスコグラフィー
Four Wise Men, Demo (1988)
Eargasms in Eden, LP (Wild Rags, 1989)

GOD MACABRE
カールスタード出身の Macabre End は 1991 年、ベーシストの追放を目論んでいた――そこで数年前の Nihilist がしたやり方で、一度バンドを解散し、お呼びでないベーシストの彼には内緒で新しい名義でバンドを立ち上げた。God Macabre に改名した後、彼は

メトロトロンを導入し、大胆でプログレッシヴな要素がドス黒く劇的に交配したデスメタルを追求した。彼らはアンダーグラウンドでは名が知られる存在だったが、しかし成功には至らなかった。成功に至らなかった理由として、録音されたレコードが 2 年経ってからようやくリリースされたことだろう。1993 年にバンドは解散した。それからストールハマルは Utumno に加わった。振り返ってみると、もしかしたら彼らは初期ファンを維持するために改名すべきではなかったのかもしれない。それでも、彼らはいまだに真正スウェディッシュ・デスメタルの代表格であることには変わらはない。2002 年、God Macabre の唯一のアルバムは Relapse によってリミックスされ、再編され、リリースされた。（CD には Macabre End のデモテープも収録されている）
ラインナップ
Per Boder: Vocals, Jonas Stålhammar: Guitar/Bass/
Mellotron, Ola Sjöberg: Guitar
過去のメンバー
Niklas Nilsson: Drums
デスコグラフィー
The Winterlong, MLP (MBR, 1993)
The Winterlong, CD (Relapse, 2002)

GODBLENDER
ハーノサンド出身のデスメタル・バンド。90 年代末にストックホルムに拠点を移し、ニューメタルをプレイし始めた。そんな奴らのことなんて忘れてしまえ。
ラインナップ
Håkan Eriksson
デスコグラフィー
Demo 95, Demo (1995)

GODDEFIED
1990 年にカールスクーガで結成された初期デスメタル・バンド。Dismember や Entombed 風のクールなバンドではあるが、オリジナリティーは感じられない（それにクオリティーも高くない）。1995 年に解散したが、2004 年に再始動したと伝えられている。注目に値するのは、レーベル・オーナーがバンド・ロゴを読み間違えたため、シングル盤では "Goddified" と間違ったスペルで記載されてあること！ 本当の話だって！
ラインナップ
Jonas Aneheim: Guitar, Matthias Pettersson: Drums,
Richard Eriksson: Bass, Jan Arvidsson: Guitar/
Vocals
過去のメンバー
Micke Persson: Guitar
デスコグラフィー
Assembly of the Damned, Demo (1991)
Abysmal Grief, Demo (1992)
Abysmal Grief, 7" (Wild Rags, 1993)

GODGORY
1992 年にカールスタードで結成された良質のメロディック・デスメタル・バンド。多くのバンドとは違い、Godgory はメロディーとブルータリティーを見事に融合させた。2 人組になってから Nuclear Blast と契約したが、クオリティーは低下した。
ラインナップ
Erik Andersson: Drums, Matte Andersson: Vocals
過去のメンバー

Mikael Dahlqvist: Guitar (1994-1996), Fredric Danielsson: Bass (1994-1996), Stefan Grundel: Guitar (1994-1996), Thomas Heder: Keyboards (1996)
デスコグラフィー
Demo 94, Demo (1994)
Sea of Dreams, CD (Invasion, 1995)
Shadow's Dance, CD (Invasion, 1996)
Resurrection, CD (Nuclear Blast, 1999)
Way Beyond, CD (Nuclear Blast, 2001)

GODHATE
Throneaeon が自らのバンド名に嫌気がさし、Godhate と改名したバンド（Throneaeon なんていうバンド名を誰にも覚えてもらえないばかりか、彼らは行き詰ってしまったのだ）。彼らが演奏するのは Deicide 風の筋金入りの直球デスメタル。バンドは今のところどのレーベルともサインしていないので、もし君がレーベルを運営しているのなら契約するべきだ！
ラインナップ
Tony Fred: Vocals/Guitar, Jens Klovengård: Guitar, Claes Ramberg: Bass Roger Sundquist: Drums
デスコグラフィー
Anguish, EP (2005)

GODS OF OBSCURITY
デモテープを1本発表したということくらいしか俺は知らない。お似合いのバンド名だな。
デスコグラフィー
Abyss of Coloured Tears, Demo (1994)

GOREFLESH
1994 年にデモテープを1本制作したヴァーナム出身のデスメタル・バンド。
ラインナップ
Kosta Christoforidis: Vocals, Andreas Andersson: Drums, Michael Palm: Guitar, Daniel Ögren: Bass
デスコグラフィー
Stoned, Demo (1994)

GOREGOAT 3007
1991 年に Keks、Bloodstone、Cauterizer で活躍するミッケ・サミュエルソンが、Goregoat 3007 という愛嬌たっぷりの名前で立ち上げたソロ・プロジェクト。彼はドゥーミーなデモテープを 1991 年に制作した。名称は定かではないが、彼は Xyt-Thul という名義の、もしくは Xyt-Thul に似た名前のソロ・プロジェクトを立ち上げたと思うが、よく覚えていない。
ラインナップ
Micke Samuelsson: 全パート担当
デスコグラフィー
Aliens on Acid, Demo (1991)

GOREMENT
1989 年にニューシューピングでスラッシュメタル・バンドとしてスタートしたが、しかしすぐにガテラルでドスの利かせたヴォーカルを特徴とする、超過激なブルータル・デスメタル部隊に生まれ変わった。90 年代初期、Gorement はアンダーグラウンドでカルト的なステイタスを獲得したが、成果には結びつかなかった。彼らは本物だったし、スウェーデンで最もブルータルなバンドの一つだったので残念でならない。

凄いってもんじゃない！　最近、彼らの過去の音源が CD でリリースされたんだ――買わない奴はフ抜け野郎だ！　因みにメンバーの多くは Piper's Dawn というバンドにも在籍していた。このバンドはデスメタルとは全く関係なかった。Piper's Dawn はデモテープ1本を残し、幸いにも解散した。注目に値することは、初期 Gorement は Gorefest のロゴとそっくりだったし、デモテープのアートワークも Morbid Angel の『Blessed are the Sick』で使用されたものと同じだった（Hexenhaus のデビュー・アルバムに使用されたデルヴィルの絵画）。
ラインナップ
Jimmy Karlsson: Vocals (1991-), Patrik Fernlund: Guitar, Daniel Eriksson: Guitar, Nicklas Lilja: Bass, Mattias Berglund: Drums
過去のメンバー
Mikael Bergström: Vocals (1991), Evil-Jeppe: Vocals (1989-1991), Tobbe: Drums (1989-1991)
デスコグラフィー
Human Relic, Demo (1991)
Obsequies, Demo (1992)
Obsequies, 7" (After World, 1992)
Into Shadows/The Memorial, 7" (Poserslaughter, 1992)
The Ending Quest, CD (Crypta, 1994)
Promo 95, Demo (1995)
Darkness of the Dead, CD (Necroharmonic/Morbid Wrath, 2004)

GRAVE
ゴットランド島出身の極上の個性派デスメタル・バンド。Grave がスウェディッシュ・デスメタルの先駆者的存在であることに間違いない。ヨルゲン曰く、彼らはヘヴィメタルをするために 1984 年から Destroyer や Anguish、Rising Power などの名義でバンド活動を始めたが、1986 年末になってからもっと過激な音楽にシフトしていったという。初期は、彼らは自分ちのことを Corpse と呼んでいたが、しかし 1988 年にバンド名を Grave に変更すると、音楽性もドイツのスピードメタルからスウェディッシュ・デスに方向転換した。デビュー・アルバムの『Into the Grave』はスウェディッシュ・デスメタル界で史上最高の1枚として後世に伝わっている。彼らは高品質なサウンドを作り出していた。しかし、それもヨルゲン・サンドストルム在籍していた時の話である。1995 年にヨルゲン・サンドストルムが脱退すると、初期の威力が幾分か失われてしまった。しかし、ヴォーカリストのリンドグレーンは次第にその才能が開花した。
ラインナップ
Ola Lindgren: Guitar/Vocals, Jonas Torndal: Guitar (当初はベース)、Fredrik Isaksson: Bass, Ronnie Bergerståhl: Drums
過去のメンバー
Jörgen Sandström: Guitar/Bass/Vocals, Jens Paulsson: Drums, Pelle Ekegren: Drums, Christofer Barkensjö: Drums
デスコグラフィー
Black Dawn, Demo (1987—Corpse 名義)
Sick Disgust Eternal, Demo (1988)
Sexual Mutilation, Demo (1989)
Anatomia Corporis Humani, Demo (1989)
Tremendous Pain, 7" (Century Media, 1991)
Grave/Devolution, Split LP (Prophecy Records, 1991)

Anatomia Corporis Humani, MLP (MBR, 1991)
Into the Grave, LP/CD (Century Media, 1991)
You'll Never See, CD (Century Media, 1992)
And Here I Die...Satisfied, MCD (Century Media,
1993)
Soulless, CD (Century Media, 1994)
Hating Life, CD (Century Media, 1996)
Extremely Rotten Live, CD (Century Media, 1997)
Back From the Grave, CD (Century Media, 2002)
Morbid Ways To Die, Box (Century Media, 2003)
Fiendish Regression, CD (Century Media, 2004)
As Rapture Comes, CD (Century Media, 2006)

GRAVITY
80年後期にムータラで始動した荒削りなスラッシュ・
バンド。スプリット・シングルを発表したが、デスメ
タル・ブームになすすべもなく、活動は休止した。高
品質なバンドだっただけに残念でならない。
ラインナップ
Flammex: Vocals/Guitar, Rosco: Bass/Vocals, Mike:
Drums
デスコグラフィー
Magic Doom, Demo (1988)
Gravity/Damien/Atrocity/Tribulation Split 7"(Is this
Heavy or What Records, 1988)

GREEDKICK—Regurgitate（アーヴェスタ）参照。

GREFFWE
1985年に始動した超オブスキュアなスラッシュ／ブ
ラック／デスメタル・ソロ・プロジェクト。まったく
話にならない2本のデモテープを発表した後、1992
年に活動を休止した。しかし2001年にまた復活した
と聞いている。まだ活動している気配はないので、作
り話の可能性もある。
ラインナップ
Nechrochristcrusher: Guitar/Bass/Drums/Vocals,
Jimmie: Drums (2001-)
デスコグラフィー
Bloodhunting, Demo (1986)
The Burning of Priests, Demo (1989)

GRIEF OF EMERALD
1990～92年頃（準備期間だったのかもしれない）に
ウッデヴァラで結成された、平凡なブラック／デスメ
タル・バンド。1995年になってから本格的に活動を
始めた。ヨニー・レヒトはDecameronでもプレイし
ていた。
ラインナップ
Anders Tång: Bass, Johnny Lehto: Vocals/Guitar,
Jonas Blom: Drums, Jimmy Karlsson: Guitar, Lena
Hjalmarsson: Keyboards, Anders Hedström: Guitar/
Vocals
過去のメンバー
Fredrik Helgesson: Drums (1997-1998), Dennis
Karlsson: Drums (1996-1997), Robert Bengtsson:
Keyboards (1994-2003)
デスコグラフィー
The Beginning... , Demo (1995)
...The Beginning, EP (Spellcast/Deviation Records,
1997)
Signs From a Stormy Past, CD (1997)
Nightspawn, CD (Listenable, 1998)

Malformed Seed, CD (Listenable, 2000)
Christian Termination, CD (Listenable, 2002)

GRIMORIUM
1989年にソーダシューピングでヨアキム・ユートバ
リ（のちにMardukに加入）によって立ち上げられ
たデスメタル・プロジェクト。スローなデス／ブラッ
クメタル要素もあったがクオリティーは微妙だった。
デモテープにはアンドレアス・アクセルソン（Edge
of Sanity、Marduk）がゲスト・ヴォーカルとして参
加しているが、その後、プロジェクトは解散した。
ラインナップ
Joakim Göthberg: 全パート担当
デスコグラフィー
Dead Tales, Demo (1991)

GRINDNECKS
2003年に結集された（メンバーの多くは
Slaughtercultに関与している）プロジェクト、また
はお遊びバンド。紋切型スラッシュ／デスメタルにお
バカな歌詞。バンドは現在活動休止中。
ラインナップ
Mikael Eriksson: Guitar, Mattias Nilsson: Bass,
Joakim Proos: Vocals, Daniel Moilanen: Drums,
Jonas Larsson: Guitar
過去のメンバー
Johan Lundin: Guitar, Thim Blom: Drums
デスコグラフィー
Terror Rising, Demo (2004)
460 from Hell, Demo (2005)

GROTESQUE
1988年にユーテボリで、Conquestの残党らによって
結成されたスウェディッシュ・デスメタル最初期の至
極バンド。彼らは史上最もブルータルなスウェディッ
シュ・バンドとしてその名を轟かせている。そして彼
らの音楽性は誰にも模倣されずに現在に至っている。
Grotesqueは唯一無二な存在だったが、短命だった。
その後、リンドバリとスヴェンソンは、才気溢れる
ビョーラー兄弟と意気投合し、At the Gatesを結成した。
一方、メンバーのヴォーリーンはLiers in Waitを創っ
た。At the GatesとLiers in Waitのいずれもスウェー
デンが生み出した最高のバンドである。ヴォーリーン
はまた、Emperorや Dissectionなどのアルバム・ジャ
ケットを手掛けるアーティスト、ネクロロードとして
も名声を獲得している。初期のドラマーであるヨーハ
ン・ラーゲルは一風変わったブラックメタル・アクト
のArckanumや Sorhinでの活動で有名である。
ラインナップ
Kristian Wåhlin: Guitar, Tomas Lindberg: Vocals
（時々ベースとドラムも担当した！）, Alf Svensson:
Guitar (1989-), Thomas Eriksson: Drums (1989-)
過去のメンバー
Johan Lager: Drums (1988-1989) David Hultén:
Bass/Guitar (1988-1989), Per Nordkvist: Bass (1988),
Jesper Jarold: Bass (1989)
デスコグラフィー
Ripped From the Cross, Rehearsal (1988)
Ascension of the Dead, Rehearsal (1988)
4/7/89, Rehearsal (1989)
Blood Run From the Altar（別タイトル The Black
Gate is Closed), Rehearsal (1989)
Fall Into Decay, Rehearsal (1989)

In the Embrace of Evil, Demo (1989)
Incantation, MLP (Dolores, 1991)
In the Embrace of Evil, CD (Black Sun, 1996)

GRUEL
2005 年にデビュー・デモテープをリリースした新興デスメタル・アクト。インパクトを与えられるかどうかは時が教えてくれるだろう。
ラインナップ
Jocke: Vocals/Guitar, Victor: Vocals/Guitar, Peo: Bass, Andreas: Drums
デスコグラフィー
Gruel, Demo (2005)

GUIDANCE OF SIN
1994 年にクングセーゲンで始動した、もともとは A Canorous Quintet のイエッペ・リョーヴグレーンとライナス·ニルブランドによるサイド・プロジェクト。Paradise Lost のサウンドに近いが、彼らの楽曲は不思議なほど印象に残らない。そして、彼らは 2001 年に解散した。
ラインナップ
Mattias Leinikka: Vocals, Jeppe Löfgren: Guitar（初期はベースも担当）, *Linus Nirbrandt: Guitar, L.E Simnell: Bass (1998-), Tobbe Sillman: Drums (1999-)*
過去のメンバー
Fredrik Andersson: Drums (1996-1998)
デスコグラフィー
Soul Disparity, Demo (1997)
Souls Seducer, CD (Mighty Music, 1999)
Acts, 7" (Nocturnal Music, 2000)
6106, CD (Mighty Music, 2000)

GUILLOTINE
1995 年にウーメオで結成され、ドイツ・バンド群にたっぷり影響を受けた 90 年代中期のスラッシュメタル・バンド。Noctural Rites の何人かメンバーによるプロジェクト。
ラインナップ
Nils "Snake" Eriksson: Bass, Fredrik Mannberg: Guitar/Vocals, Cobra: Drums
過去のメンバー
Insane: Drums, Fredrik "Spider" Degerström: Guitar/Vocals
デスコグラフィー
Under the Guillotine, Demo (1996)
Under the Guillotine, CD (Necropolis, 1997)

HARASSED
1989 年頃にウステルスンドで結成されたデスメタル・キッズ 5 人組。オリジナル・ドラマーであるローベット・エリクソンが地元 "友人" のバンドである Celeborn に加わったことで、彼らはいつも地元ナンバー 2 だった。Harassed は良質なデモテープを 3 本発表したのちに解散した。彼らのことでよく覚えているのは、デモテープはスペルミスだらけだったこと——間違えた単語の上に小さなシールをペタペタ沢山貼ってあったから情けなかった（例えば、"exploring" のシールを剥がすと "explaning" と下に書いてあった。ありえねぇ～！）参考までにローベット・エリクソンはのちに Entombed のニッケ・アンダソンと The Hellacopters を結成したことは有名である。
ラインナップ

Daniel Hedblom: Guitar, Jocke Bylander: Guitar, Martin Hoväng: Bass, Niklas Gidlund: Drums (1990-), Thomas Johansson: Vocals
過去のメンバー
Robert Eriksson: Drums (1989-1990)
デスコグラフィー
Mindly Disorder, Demo (1991)
Desire of Exploring the Afterlife, Demo (1992)
Blessed by Suffering, Demo (1993)

HARMAGEDDON
ウップサーラ出身だと思う。それ以上はわからない。
ラインナップ
Andreas Öman: Vocals/Guitar, Christer Lundström: Drums/Samples, Micke Holmgren: Bass
デスコグラフィー
Rather be Dead, Demo (1994)

HARMONY
1992 年にストレングネースで Embryo の残党から生まれた彼らは、1995 年にスプリット EP を発表した後に Torment（別項目参照）へと名義を変更した。スラッシュ風味の凡庸なデスメタル・バンド。過去の音源が近年 CD でリリースされた。
ラインナップ
Pehr Larsson: Vocals/Bass (1994-), Peter Karlsson: Guitar, Kjell Enblom: Drums
過去のメンバー
Odd Larsson: Vocals/Bass/Keyboards (1992-1994), Crille Lundin: Bass (1992-1994), Thomas Fyrebo: Guitar (1992-1994), Ingela Ehrenström: Vocals
デスコグラフィー
Blood Angels, Demo (1992)
Until I Dream, Demo (1993)
The Radice from a Star, Demo (1994)
The Radice from a Star EP, Harmony/Serenade Split EP (Sere, 1995)
Summoning the Past, CD (Konqueror Records, 2004)

HARVEY WALLBANGER
1989 年にサーラでスタートした青臭いスラッシュコア。今日聴いてもサウンドは酷いが、しかし彼らは 80 年代後期のサウンドを象徴している。当時は、アンダーグラウンド・ミュージックを結束しようとする動きがあったため、エクストリームであればどんなものでも受け入れられていたのだ。当然といえば当然のことだが、彼らは 90 年代にはいっても衆望を集めることができず、1993 年に解散した。ソーレーンはバンドが解散する前に、Tribulation に加わった。
ラインナップ
Daniel Sörén: Guitar/Vocals, Johan Feldtmann: Bass/Vocals, Fritz Quasthoff: Vocals, Jonas Wincent: Drums/Vocals, Magnus Hansson: Guitar
デスコグラフィー
Abominations of the Universe, Demo (1990)
Have a Nice Day, Demo (1991)
Irrevocable Act, 7" (Active Music, 1992)
Sick Jar of Jam, LP (Frisk Fisk Records, 1992)

HASTY DEATH
1988 年にファールン／オルサで結成されたクールなスラッシュメタル・バンド。彼らは Slayer や Celtic Frost の影響下のスラッシュを身上とする。特に

ヴォーカルはトム・ウォリアーからの影響が強い。最
近のレトロ・スラッシュ・バンドの奴らに彼らの爪の
垢を煎じて飲ませてやりたくなる。なんだって彼らは
グレイトでグルーヴィーで生々しいのだからな。俺に
とって彼らのような音が大好物だ！ 参考までに、ト
マス・オルソンはのちに Unleashed に加入した。

ラインナップ
Micke Jarvegård: Bass/Vocals, Mange Starbrink:
Drums, Tomas Olsson: Guitar/Vocals, Johan
Hinders: Guitar (1989-)
デスコグラフィー
Deadly Illusion, Demo (1989)
Subterranean Corrosion, Demo (1990)

HATRED
1987 年にヘーデモラで結成された攻撃性溢れるス
ラッシュメタルの至宝。上質なバンドだったが、かの
有名なスウェーデン発のメタル・ラジオ番組である
『Rockbox』からリリースしたコンピレーション LP
に参加したあと、活動が収束に向かった。ヴォーカリ
ストのルンディンはバンドを脱退し、低品質であるが
僅かな成功を収めた Hexenhaus に加入した。他のメ
ンバーは Interment（スヴェッドルンドとヤンソン）、
Centinex（ウィクルンドとヤンソン）、Dellamorte な
どの良質なデスメタル・バンドに加わった。アンダソ
ンとバリグレーンはクラストの先駆者である Asocial
に在籍していることで知られている（ヤンソンものち
に Asocial に参加）。俺にとって、彼らはスウェーデ
ン史上最高のスラッシュメタル・バンドだ。なんとし
てもデモテープを入手してくれ。

ラインナップ
Thomas Lundin: Vocals, Johan Jansson: Guitar,
Kenneth Wiklund: Guitar, Thomas Anderson: Bass,
Sonny Svedlund: Drums
過去のメンバー
Tommy "T.B" Berggren: Vocals/Bass, Jan Björke:
Guitar
デスコグラフィー
Winds of Doom, Demo (1987)
Welcome to Reality, Demo (1989)
The Forthcoming Fall, Demo (1990)

THE HAUNTED
The Haunted は 1996 年に Seance の元ギタリスト、
パトリック・ヤンセンが At the Gates のドラマーで
あるアードリアン・エルランドソンとともに結成した
バンド。At the Gates が解散した後に、アンデシュ
とヨーナス・ビョーラーもメンバーとして加わった。
The Haunted は At the Gates が残した Earache との
契約を引き継いだ形で契約を継続させた。そして、彼
らは At the Gates のサウンドをさらにピュア・スラッ
シュへと進化させ 90 年代最高のレトロ・スラッシュ・
バンドとなった。ヤンセンとアンデシュ・ビョーラー
の両者は最高のリフ・マスターである。エルランドソ
ンは Cradle of Filth に参加するために 1 枚目のアル
バムを発表した後にバンドを脱退した。エルランドソ
ンの後釜としてデンマークの元 Invocator と Konkhra
の名手であるペール・モラー・ヤンセンが加わった。
ヴォーカリストのドルヴィングはデビュー作リリース
後に脱退し、Face Down のマルコ・アロが加入した。
しかし 2004 年にドルヴィングはバンドに再加入を果
たした。アンデシュは勉学のために暫し脱退していた
が、その期間はバンド活動が停滞しているように思え

た。彼が復帰すると、『One Kill Wonder』の大半の
楽曲を手掛け、バンド活動は再度軌道に乗った。The
Haunted はスウェーデンのグラミー賞において "ベ
スト・メタル・アルバム" 賞を 2 回も獲得するなど大
成功を収めた──この賞を受賞した本物のメタル・バ
ンドは数少ないのだ。それ以前には、At the Gates も
『Slaughter of the Soul』で賞にノミネートされたも
のの、バカバカしいことに、あのエモ・ポップ・バン
ドの Fireside が賞をかっさらってしまった。

ラインナップ
Patrik Jensen: Guitar, Anders Björler: Guitar, Jonas
Björler: Bass, Per Möller Jensen: Drums (1998-),
Peter Dolving: Vocals (1996-1998, 2004-)
過去のメンバー
Marco Aro: Vocals (1998-2003), Adrian Erlandsson:
Drums (1996-1998), John Zweetsloot: Guitar (1996)
デスコグラフィー
Demo 97, Demo (1997)
The Haunted, CD (Earache, 1998)
The Haunted Made Me Do It, CD/LP (Earache, 2000)
Live Rounds in Tokyo, CD (Earache, 2001)
One Kill Wonder, CD/LP (Earache, 2003)
rEVOLVEr, CD/LP (Century Media, 2004)
The Dead Eye, CD (Century Media, 2006)

HAVOC
クリスティーネハムン発の 90 年代中期デス／ブラッ
ク・メタル・バンド。のちに Brimstone に改名し、殺
傷力抜群のヘヴィメタルを演るようになった。

デスコグラフィー
Nightfrost, Demo (1996)
Feel Our Flames Caress, Demo (1997—Brimstone 名
義）

HEADLESS
1990 年頃にアーヴェスタで活動していたデスメタル
バンド群の中で彼らが一番成功しなかった部類に入る
だろう。生々しくプリミティヴな雰囲気に満ちていた
が、演奏能力に長けていなかった。俺が覚えている限
り、彼らのライブサウンドは若干初期の Sodom を彷
彿させた。ギタリストのリーヨンバリはバンド解散後
に悲劇的な死を遂げた。彼はクレイジーなメタル狂と
して人々の記憶に残るだろう。

ラインナップ
Jonny Lejonberg: Guitar, Leif Forsell: Vocals/Bass,
Stefan Sohlström: Guitar, Staffan Dickfors: Drums

HEADLESS CORPSE
2000 年代にムンドールで結成されたバンド。彼らが
プレイしていたのは Mortician 影響下のブルータル・
デスメタルで、バンドの特徴としてドラムマシンを
使ったことである。音楽性は二番煎じかもしれない
が、このようなブルータルなバンドがスウェーデン西
部から出てきたのは歓迎すべきだ。2 本目のデモテー
プの方が 1 作目よりは良作である。

デスコグラフィー
Support Violence!, Demo (2002)
Seconddemon, Demo (2003)

HEARSE
2001 年、Furbowl の元メンバーであるヨーハン・リー
ヴァとマックス・トーネルが結集し再びデスメタル
をプレイするために始めたバンド（ヨーハンは Arch

Enemy 脱退直後だった）。デス／ロック・テイストを
キープしつつメロディーを導入し、原点回帰を目指し
た。
ラインナップ
Johan Liiva: Vocals/Strings, Mattias Ljung: Strings/
Vocals, Max Thornell: Drums/Strings
デスコグラフィー
Hearse, Demo (2002)
Torch, EP (Hammerheart, 2002)
Dominion Reptilian, CD (Hammerheart, 2003)
Armageddon, Mon Amour, CD (Candlelight, 2004)
Cambodia, EP (Karmageddon, 2005)
The Last Ordeal, CD (Karmageddon, 2005)

HECTORITE
2000 年代のデス／スラッシュにまだ興味あるか？
あるならこのバンドをおススメしよう。
ラインナップ
Peter Strömqvist: Guitar, Roger Bergsten: Guitar,
Olle Groth: Drums, Niklas Sundström: Bass, Klas
Wiklund: Vocals
デスコグラフィー
Insano Technimetal, Demo (2001)
Nocturnal Metempsychosis, Demo (2002)
Subliminal Torment, Demo (2003)

HELLICON
2001 年にハーニンゲで結成されたメロディック・デ
ス／スラッシュメタル・バンド。ポテンシャルはある
が、まだスタイルを確立していない。俺からのアドバ
イスをしよう──クリーン・ヴォーカルをやめたほう
がいい、絶叫スタイルの方がもっと良い！
ラインナップ
Pehr Hägg: Vocals, Joakim Antman: Guitar, Mattias
Frånberg: Guitar, Johannes Borg: Bass, Robert
Wernström: Drums
デスコグラフィー
Helliconia, Demo (2002)
A New Beginning, Demo (2004)

HELLMASKER
その昔（1998 年）、極寒地であるルーレオで、ヴォー
カリストの “ヘルヴィッツ” がデスメタルをプレイす
るために、Deathbound のメンバーを集めた。彼らは
デモテープ『Probably the Best Band in the World』
をリリースしたが、反響は何もなかった。つまり、
彼らはデモテープのタイトルとおりの “おそらく世
界一のバンド” ではなかったのかもしれない。（また
は世の中が彼らにまだ追いついていなかったのかもし
れない）。Game Over、Necromicon、Deathbound、
Morthirim、Zmegma、The Hippos、Satariel、
Cide、Bootpunk などいくつものバンドを掛け持ちし
てプレイしていた “ソイド” は、地元では数少ないド
ラマーだったのかもしれない。
ラインナップ
Hellviz: Vocals, Good Old Nick: Guitar, Mr
Moshbaron: Guitar, Tommi "Hellkuntz" Konu: Bass,
Zoid: Drums
デスコグラフィー
Probably the Best Band in the World, Demo (1998)

HELLMASTER—Incardine 参照。

HELLPATROL
2003 年にボーレンゲで結成されたレトロ・スラッ
シュ・バンド。
ラインナップ
Micke Brander: Vocals, Jimi Wallin: Guitar/Vocals,
Linus Bergquist: Guitar, Stefan Eriksson: Bass
過去のメンバー
Olle Mårthans: Drums（ゲスト参加）
デスコグラフィー
Rot the Fuck Up, Demo (2003)
At the Depths of Despair, Demo (2004)
At the Crypt, Demo (2005)

HELLSPELL
1997 年にクリファンスタで結成されたブラック／デ
スメタル・デュオ。結成当初は Infernal という名義だっ
たが、1999 年に Hellspell へと改名した。同年にデモ
テープと CD を（1 作ずつ）リリースしたが、その後
バンドは消滅した。両メンバーは Supreme Majesty
と Non Serviam でもプレイしている。その他に、ク
リーレは Mortum と Darksend のメンバーであったこ
とも知られている。
ラインナップ
Chrille Andersson: Vocals/Drums, Daniel Andersson:
Bass/Guitar/Vocals
デスコグラフィー
Evil Gathering, Demo (1997—Infernal 名義)
Warlust, Demo (1999)
Devil's Might, CD (Invasion, 1999)

HELLTRAIN
2002 年にルーレオで Decortication/The Everdawn
や Gates of Ishtar、Defleshed、The Duskfall、
Scheitan の元メンバーらが結成したバンド。彼らはコ
マーシャル色の強いデス／ロックを身上としていたた
め、Nuclear Blast と契約することができた。
ラインナップ
Pierre Törnkvist: Vocals/Guitar, Patrik Törnkvist:
Guitar/Organ/Piano/Bass, Oskar Karlsson: Drums/
Guitar
デスコグラフィー
The 666 EP, EP (Heathendoom, 2003)
Route 666, CD (Nuclear Blast, 2004)

HELOTRY
ハルムスタード発の 90 年代初期ドゥーム／ブラック
／デスメタル・バンド。バンドの首謀者であるトマス・
カールソンは Autopsy Torment、Devil Lee Rot、
Tristitia、Pagan Rites での活動でも知られている。
ラインナップ
Tomas Karlsson, Luis B Galvez
デスコグラフィー
Demo January-93, Demo (1993)

HELVETICA—Incarnated 参照。

HERESY
Insult の 2 名のメンバーによる新興デスメタル・バン
ド。彼らはまだ若すぎて、彼らのバンド名は既にイ
ギリスの伝説的なバンドによってつけられたものだと
知らなかったに違いない。
ラインナップ
Erik Gärdefors: Vocals/Guitar, Karl Wahllöf:

Drums, Robert Granli: Bass
デスコグラフィー
Perdition, Demo (2004)

HETSHEADS
1988 年 8 月にヨハネゾーヴで結成されたハードコア・バンド。当初は Hetsheads with Hetsfaces and the Fuckfaces of Death という素晴らしい名義だった。バンド名が超なげぇ！　音楽性は次第にデスメタルに変異を遂げ、バンド名も Hetsheads にと短縮された。その後、彼らはさらに名義を Blackshine に替えて、パンキッシュなロックンロールをプレイするようになった。ストロシークはおそらく Necrophobic（または Mykorrhiza）での活動で知られている。
ラインナップ
Anders Strokirk: Vocals/Guitar, Stabel: Guitar, Fredda: Bass, Freimann: Drums
デスコグラフィー
Remonstrating the Preserver, Demo (1991)
We Hail the Possessed, CD (Repulse, 1994)

HEXENHAUS
1987 年にストックホルムで結成された Hexenhaus は、80 年代のスウェーデンのスラッシュメタル群で最も成功したバンドだった。結成当初、彼らは Maninnya と名乗り、音楽性はメタル・バンドである Maninnya Blade の延長線上にあった。しばらくすると、彼らはバンド名を Hexenhaus に変更し、完璧なスラッシュ布陣を創り上げるために幾度とメンバーチェンジを繰り返した。その過程で、彼らは Mezzrow や Hatred、Damien からメンバーを"強奪"したこともあった。しかしこれが原因で活動は停滞し、まとまりがなくなってしまう。いずれにせよスラッシュメタル界にとって彼らは時代遅れな存在だったのだ─デスメタルがシーンを席巻すると Hexenhaus は消滅した。注目すべきことは、彼らのどのアルバムもそれぞれ違うヴォーカリストを迎えたことがそれ以上に驚くことはその作品のいずれもイマイチだったことである。彼らの最後のヴォーカリストを務めるトマス・ルンディンは最高峰の Hatred ではもっと良い仕事をしていた。のちにマイク・ウェッドは短期間だけ King Diamond のバンドに在籍した。今のところ、これが彼が成し遂げた一番の出来事かもしれない。
ラインナップ
Mike Wead (Mikael Vikström): Guitar, Marty Marteen: Bass, Marco A Nicosia: Guitar, John Billerhag: Drums, Thomas Lundin: Vocals
過去のメンバー
Thomas Jaeger: Vocals, Nicklas Johansson: Vocals, Andreas Palm: Guitar, Mårten Sandberg: Bass, Ralph Rydén: Drums, Jan Blomqvist: Bass, Conny Welén: Bass, Martin Eriksson: Drums
デスコグラフィー
Demo (1987─Maninnya 名義)
A Tribute to Insanity, LP (Active, 1988)
The Edge of Eternity, LP (Active, 1990)
Awakening, LP (Active, 1991)
Deja Voodoo, CD (Black Mark, 1997)

HOLOCAUST
1994 年にリードシューピンクで結成されたガチンコ・デスメタル・バンド。2 本のデモテープとミニ・アルバムを残して解散した。ところどころ垣間見るブラッ

クメタルの要素がサウンドに絶妙にマッチしていた。バンド名も最高──解散してしまったのが悔やまれる。
ラインナップ
Metalwarrior (Andreas Söderlund): Guitar/Vocals, Gutsfucker (Kristian Carlin): Bass, Berto Hjert: Drums
デスコグラフィー
Eternized Death, Demo (1996)
Gloom, Demo (1998)
Hellfire Holocaust, EP (Sound Riot, 2000)

HORNED
2000 年にスコッグハルで結成されたスラッシュ／デス・アクト。普通レベルのバンドであるが、ビョルン・ラーションのグロウル・ヴォーカルはカッコいい。3 年の間に 5 本ものデモテープ、さらにベスト盤もリリースした！
ラインナップ
Björn Larsson: Vocals/Bass, Kim Jardemark: Guitar, Henrik Kihlgren: Guitar, Johan Rudberg: Drums
デスコグラフィー
Dark Society, Demo (2000)
Three Ways to Kill, Demo (2001)
Sun City Compilation Vol 4, Split CD (Studiofrämjandet, 2002)
Live at Metal Clüb, Demo (2002)
Revenge, Demo (2002)
Unholy Anthology, Best of/Compilation (2003)
Halo of the Flesh, Demo (2003)

HÖST
デスメタル風サウンドに果敢に挑んだヘヴィメタル・バンド──ということはオールドスクール・ブラックメタルっぽいのかも？　1994 年にリンシュービングで結成されたフィリップ・カールソン（Corporation 187、元 Satanic Slaughter）のソロ・プロジェクト。セッション・ミュージシャンの中には Deranged や Satanic Slaughter に在籍していたアンドレアス・デブレーンもいた。
ラインナップ
Filip Carlsson: Guitar/Bass
過去のメンバー
Robban Eng: Drums（ゲスト参加）, *Andreas Deblén: Vocals*（ゲスト参加）, *Pehr Severin: Vocals*（ゲスト参加）
デスコグラフィー
Demo 95, Demo (1995)
Demo 96, Demo (1996)
Demo 97, Demo (1997)

HOUSE OF USHER
1990 年にエシルストゥーナのメタル旗艦である Macrodex が解散したのち、ケネード、マルティン、ヤニが House of Usher を始動した（それ以外の Macrodex の元メンバーは Crypt of Kerberos を結成した）。House of Usher のスローでセンスのあるデスメタルはもっと注目されるべきだった。彼らは Entombed や Grotesque、Merciless、Mayhem らが参加したあの伝説的なコンピレーション LP 『Projections of a Stained Mind』にも楽曲を提供した。ケネードはかつて卓越したクラスト・バンドであ

る No Security でギターを担当していたが、その後は
Dischange/Meanwhile でしばらくドラムを担当した
（一方、No Security のドラマー、ヤロ・レヒトはギ
ター担当）。ケンタ・フィリップソンは無数のプロジェ
クト（Leukemia、Project Hate、God Among Insects
など）に携わり、Dark Funeral でもプレイした。メ
ンバーについて、おそらく最も注目すべきことは、
House of Usher 解散後、マルティン・ラーションが
At the Gates にしばらく在籍したことであろう。なん
てこった！　ほとんど無名なのに、彼らはスウェーデ
ンのエクストリーム・ミュージック史に数え切れない
功績を残したんだ！
ラインナップ
Stefan Källarsson: Vocals/Bass, Mattias Kennhed:
Guitar, Martin Larsson: Guitar, Kenth Philipson:
Drums
過去のメンバー
Jani Ruhala: Vocals, Jani Mylläringen: Drums
デスコグラフィー
On the Very Verge, 7" (Obscure Plasma, 1991)
When Being Fucked With, Demo (1993)
Promo #2, Demo (1993)

HUMAN FAILURE—Anachronaeon 参照。

HYDRA
ストックホルム出身のメロディック・ブラック／デス
メタル・バンド。歌詞のテーマはギリシャ神話に基
づいている。"タイタン" が 1995 年に結成したもの
の、メンバー体制が整い、精力的に活動を始めたの
は 1999 年になってから。初期のスタイルはダウン・
チューニングを特徴とするデスメタルだったが、やが
てメロディーやブラックメタルに魅了されていった。
ラインナップ
Flame: Guitar/Bass, Titan: Guitar, Thunder: Drums
過去のメンバー
Tornado: Drums, Maugrim: Bass
Erebus: Vocals
デスコグラフィー
Polemos, Demo (1999)
Cursed Battlegrounds, Demo (2000)
To Aima emon, Demo (2000)
Phaedra, CD (Heretic Sound, 2003)
Head of Medusa, Demo (2004)

HYPNOSIA
1995 年にヴェクファで結成された At the Gates 影響
下のバンド。オリジナリティーはあまり見当たらな
いが、激速で猛烈なスラッシュメタルを身上として
いた。Hypnosia はラインナップ、特にベーシストの
座が不安定だった（過去メンバーには Entombed、
Carnage、Spiritual Beggars での活動で知られるヨ
ニー・ドルデヴィッチもいた）。バンドは 2002 年に解
散。
ラインナップ
Lenny Blade: Bass, Mikael Castervall: Vocals/
Guitar, Hampus Klang: Guitar, Michael Sjöstrand:
Drums
過去のメンバー
Carl-Petter Berg: Guitar, Johnny Dordevic: Bass,
Klas Gunnarsson: Bass/Vocals, Johan Orre: Guitar,
Mange Roos: Bass/Vocals
デスコグラフィー

Crushed Existence, Demo (1996)
The Storms, Demo (1997)
Violent Intensity, MCD (Iron Fist, 1999)
Extreme Hatred, CD (Hammerheart, 2000)

HYPOCRISY
ペルビーの森に潜む逸材であるペータル・テクレン
によって 1990 年に結成されたバンド。結成当時のバ
ンド名は Seditious だった。ペータルとドラマーのラー
シュ・ソーケは Conquest で 1984 年からヘヴィメタ
ルをプレイしていた。Hypocrisy を結成する前、ペー
タルはしばらくの間アメリカに住んでいた。滞在中、
彼は Malevolent Creation や Meltdown への加入を試
みた。しかしスウェーデンにルーツを持つ彼は帰国す
ることとなる。スウェーデンに帰国後、彼は 90 年代
のスウェディッシュ・デスメタル・シーンにおいて最
も重要な人物の 1 人になった――Hypocrisy の大黒柱
だけでなく、Abyss Studio のサウンドを左右するキー
パーソン／サウンドマスターでもあった。Hypocrisy
は Nuclear Blast レーベルに在籍し、数多くのヒット
作を世に送り出した。初期のブルータル・デスメタル
は次第にメロディックで臨場感を帯びたサウンドへと
変わり、世界中で支持を受けた。ペータルはインダス
トリアル・メタル・バンドの Pain でも成功を収め、
セッション・ギタリストとして Marduk にも参加し
た。彼は War や The Abyss をはじめ、俺がリストに
挙げた以上のプロジェクトに参加している。また、
ペータルは Lock Up を立ち上げるのにも力添えたが
（Terrorizer 再結成から始まったバンドなのだ！）、多
忙すぎてフルタイムでの参加は叶わなかった。ホルグ
は Immortal の元ドラマーだった。そして、マッツ・
プロバリは現在 Dark Funeral に加入している（訳者
註：エンペラー・メーガス・カリギュラ。現在は脱退
している）。
ラインナップ
Peter Tägtgren: Guitar/Vocals, Mikael Hedlund:
Bass, Horgh: Drums (2004-), Andreas Holma:
Guitar
過去のメンバー
Lars Szöke: Drums (1990-2003), Jonas Österberg:
Guitar (1992), Mats Broberg: Vocals (1992-1993),
Mattias Kamijo: Guitar（ゲスト参加）
デスコグラフィー
Rest in Pain, Demo (1992)
Penetralia, LP/CD (Nuclear Blast, 1992)
Pleasure of Molestation, MCD (Relapse, 1993)
Obsculum Obscenum, LP/CD (Nuclear Blast, 1993)
Inferior Devoties, MCD (Nuclear Blast, 1994)
The Fourth Dimension, CD (Nuclear Blast, 1994)
Abducted, CD (Nuclear Blast, 1996)
Carved Up/Beginning of the End, 7" (Relapse, 1996)
Hypocrisy/Meshuggah, Split 7" (Nuclear Blast,
1996)
Maximum Abduction, MCD (Nuclear Blast, 1996)
The Final Chapter, CD (Nuclear Blast, 1998)
Hypocrisy Destroys Wacken, CD (Nuclear Blast,
1999)
Hypocrisy, CD (Nuclear Blast, 1999)
Into the Abyss, CD (Nuclear Blast, 2000)
10 Years of Chaos and Confusion, CD (Nuclear
Blast, 2001)
Catch 22, CD (Nuclear Blast, 2002)
The Arrival, CD (Nuclear Blast, 2004)

Virus Radio EP, EP (Nuclear Blast, 2005)
Virus, CD (Nuclear Blast, 2005)

HYPOCRITE
1989 年にストックホルムで結成された平凡なデスメ
タル・バンド。当時は Dark Terror という名義だった。
初期の頃、彼らは Merciless にインスパイアされてい
たが、しかし独創性や良曲に恵まれなかった。その後、
At the Gates に影響を受けるものの結果は同じだっ
た。ペータル・ノージはおそらく Mörk Gryning での
活動で知られている。注目すべきことは、スウェディッ
シュ・デスメタル界きっての逸材ヴォーカリストであ
るラーシュ＝ユーラン "L.G." ペトロフが一時的にこ
のバンドに在籍していたことである（単なる気分転換
のためだと思うが）。最後の音源発表から 6 年経過し
ているが、彼らはまだ活動していると聞いている。
ラインナップ
Johan Haller: Vocals/Bass, Peter Nagy: Drums
(1990-), Henrik Hedborg: Guitar (1992-)
過去のメンバー
Niklas Åberg: Guitar (1989-1995), Jim: Guitar
(1990-1991), Dennis: Drums (1989-1990), L.G.
Petrov: Vocals
デスコグラフィー
Ruler of the Dark, Demo (1989)
Welcome to Abaddon, Demo (1991)
Dead Symbols, Demo (1994)
Heaven's Tears, Hypocrite/Electrocution Split 7"
(Molten Metal, 1994)
Edge of Existence, CD (Offworld, 1996)
Into the Halls of the Blind, CD (No Fashion, 1999)

HYSTE'RIAH
80 年代後期にランズクローナで始動したスラッシュ
メタル・バンド。友人バンドである God B.C. の
影響が大きかった（もしくは逆だったかも？）。
Destruction や Exodus のような激速で強力なサウン
ドだったが、成功には至らなかった。1989 年に God
B.C. のドラマーであるトム・ハルベックが参加したの
ち、Hyste'riah G.B.C. にと改名された。
ラインナップ
Jerry "Krown" Kronqvist: Vocals/Bass/Drums, Klas
Ideberg: Vocals/Guitar/Bass
過去のメンバー
Håkan Lindén: Bass, Ray Grönlund: Vocals,
Joachim Leksell: Vocals, T. Seehagen: Drums
デスコグラフィー
Attempt the Life, Demo (1987)
Jeremiad of the Living, Demo (1988)
Demo, Demo (1989)

HYSTE'RIAH G.B.C.
God B.C. のドラマー、トム・ハルベックを擁した、
Hyste'riah の延長線上にあったバンド。1991 年にア
ルバムをリリースしたが（発売までに 2 年間もかかっ
てしまった）、デスメタルに完全に水をあけられてし
まった。クラス・イーデバリはその後 Darkane、The
Defaced、Terror 2000 に加入した。
ラインナップ
Jerry "Krown" Kronqvist: Vocals/Bass, Klas Ideberg:
Vocals/Guitar, Tom Hallbäck: Drums
デスコグラフィー
Snakeworld, LP (Hellhound, 1991)

IGNATUM
2002 年にマルメーで始動したデス／スラッシュ・バ
ンド。
ラインナップ
Thomas Hulteberg: Vocals, Martin Eklöv: Guitar/
Vocals, Martin "Germ" Bermheden: Guitar/ Vocals,
Alex Hassel: Bass, Fredrik "Natas" Illes:
Drums
デスコグラフィー
Ward 13, Demo (2005)

ILEUS
1990 年末にエシルストゥーナ／クンショールで結成
されたアクト。ペータルは Crypt of Kerberos、クラ
スト・バンド Meanwhile、ネオクラシカル・ダーク・
ウェーヴ・デュオ Arcana における活動で有名だ。
ラインナップ
Peter Pettersson: Drums (1991-), Vocals (1991), B.S:
Bass, Jari Manner: Guitar, Tero Viljanen: Vocals
(1991-), Dan Jonsson: Guitar
過去のメンバー
Tero（上記メンバーとは同名異人……）*: Vocals*
(1990-1991), Johan Syversen: Vocals
デスコグラフィー
Demo 91, Demo (1991)
Demo 92, Demo (1992)

IMMEMOREAL
1993 年にアリングソースで結成。ブラックメタルを
演っていると公言していたが、明らかにデスメタル
の影響も受けている。元 Prophanity のクリステル・
オルソン、アンデシュ・マルムストルム、クリス
ティアン・アホ、それに Ablaze My Sorrow と The
Ancients Rebirth の元メンバーであるマルティン・ク
ヴィストも在籍していた。現在バンドはヴォーカリス
トとベーシストを募集中のため、活動停止中。
ラインナップ
Grendel (Christer Olsson): Guitar, Blash: Guitar,
Wouthan (Anders Malmström): Drums/Keyboards
過去のメンバー
Tyr: Guitar (1993-1994), Lord Asael: Vocals (1994-
1995), Christian Aho: Bass/Vocals, GoatN. (Martin
Qvist): Vocals
デスコグラフィー
Winterbreeze, Demo (1995)
The Age Nocturne, Demo (1998)
Towards 1347, Demo (1999)
Temple of Retribution, CD (Blackend Records, 2001)

IMMERSED IN BLOOD
1998 年に Inverted の残党らが結成したユーテボリの
バンド。中心人物は精力的な活動で知られるヨーエ
ル・アンダソン（Exempt や Nominon に在籍し、数
多くのギグを企画した）。このバンドはかなりの上モ
ノ。極限のブルータル・デスメタルは理想形。まさに
ユーテボリ・シーン史上最高のバンドの一つ。
ラインナップ
Joel Andersson: Bass, Johan Ohlsson: Guitar,
Jonny Bogren: Drums, Christian Strömblad: Guitar,
Fredric Johnsson: Vocals
過去のメンバー
Jocke Unger: Drums, Stefan Lundberg: Vocals,
Robert Tyborn Axt: Guitar

デスコグラフィー
Eine Kleine Deathmusik, Demo (1999)
Sweets for My Sweet/Chapter 1, Split (*Lowlife Records*, 2000)
Relentless Retaliation, EP (*Downfall Records*, 2001)
Killing Season, CD (*Arctic Music Group*, 2003)

IMMERSION
ヴェーナシュポリ出身の新興メロディック・デスメタル・バンド。彼らの唯一の作品であるデモテープのタイトルにはオリジナリティーを感じられない。音楽性も然りだ。
ラインナップ
Linus Johansson: Vocals, Marcus Hesselbom: Guitar, Jon Sannum: Bass, Anders Brusing: Guitar, Erik Johansson: Drums
デスコグラフィー
Death Is Just the Beginning, Demo (2004)

IMMORTAL DEATH—Iniuria 参照。

IMPERIAL DOMAIN
1994 年にウップサーラで結成された普通レベルのメロディック・デスメタル・バンド。
ラインナップ
Philip Borg: Guitar, Tobias V. Heideman: Vocals, Peter Laitinen: Guitar, Alvaro Romero: Drums
過去のメンバー
Anders Eklöf: Guitar, Kalle Wallin: Drums, Erik Wargloo: Bass
デスコグラフィー
The Final Chapter, Demo (1995)
In the Ashes of the Fallen, Demo (1996)
In the Ashes of the Fallen, CD (*Pulverised Recs.*, 1998)
The Ordeal, CD (*Konqueror Records*, 2003)

IMPERIOUS
1997 年に Obscura 名義で結成された、ニーネスハムン発の真正デスメタル・バンド。2000 年代初頭に Imperious に改名し、破壊力十分のサウンドを生み出し続けている。クリスは超絶技巧派のドラマーである。
ラインナップ
Johan: Vocals/Guitar, Chris: Drums, Rickard Thulin: Bass, Adam Skogvard: Vocals/Guitar
過去のメンバー
Emil: Vocals/Guitar
デスコグラフィー
Demo 99, Demo (1999—Obscura 名義)
In Agony, Demo (2000—Obscura 名義)
In Splendour, CD (*Retribute Records*, 2003)

IMPIOUS (スンツヴァル)
スンツヴァルで結成されたドゥーミーな 90 年代中期のデスメタル・バンド。トロールヘッタンの激烈な Impious と間違わないように。
ラインナップ
Roger Lagerlund
デスコグラフィー
Let there be Darkness, Demo (1996)
Winter Goddess, Demo (1997)

IMPIOUS (トロールヘッタン)

1994 年にトロールヘッタンで（ということは彼らはトロール〈怪物〉っぽい？）結成された攻撃性溢れるデスメタル・バンド。彼らはすぐに立て続けに 5 本ものデモテープを制作したが、どれも良作とはいえなかった。その後、Black Sun、Konqueror、それに Metal Blade と契約し、アルバムをリリースしたが、どの作品もイマイチだったのだ！彼らがどうやって契約を結べたのかは謎。ちなみに、スンツヴァル出身のドゥーミーな Impious と混同しないように。特筆すべきことは、Impious はドラマーが安定しなかったこと——ドラマー 2 名とも The Crown に行ってしまったのだ。
ラインナップ
Valle Daniel Adzic: Guitar, Martin Åkesson: Vocals, Mikael Norén: Drums (2002-), Erik Peterson: Bass, Robin Sörqvist: Guitar
過去のメンバー
Johan Lindstrand: Drums (1994-1996), Marko Tervonen: Drums (1996), Ulf "Wolf" Johansson: Drums (1996-2002)
デスコグラフィー
Infernal Predomination, Demo (1995)
The Suffering, Demo (1996)
Promo 97, Demo (1997)
Evilized, CD (*Black Sun*, 1998)
Promo 99, Demo (1999)
Terror Succeeds, CD (*Black Sun*, 2000)
The Killer, CD (*Hammerheart*, 2002)
The Deathsquad, EP (*Hammerheart*, 2002)
Fate of Norns Release Shows, Split CD (*Metal Blade*, 2004)
Hellucinate, CD (*Metal Blade*, 2004)
Born to Suffer, CD (*Karmageddon Media*, 2004)

IN AETERNUM
1992 年にサンヴィーケンで結成された不屈のブラック／スラッシュ／デスメタル・バンド。初期は Behemoth の名義だった。結成以来、メンバーの入れ替わりが激しく、Infernal、War、Nominon、Suffer、Serpent、Sorcery、Funeral Mist、Watain など他のバンド出身のメンバーで構成されていた。良質なバンドではあるが、スウェディッシュ・メタル界で名を上げるためには力量不足。原因は多くのスタイルを融合しようとしているからであろう。それでも、彼らはアメリカをツアーしたり、Wacken Open Air に出演したりとかなりの成功を収めている。
ラインナップ
David Larsson: Guitar/Vocals, Perra Karlsson: Drums, Clabbe Ramberg: Bass, Erik Kumpulainen: Guitar
過去のメンバー
Daniel Nilsson-Sahlin: Guitar, Demogorgon: Vocals (1992-1994), The Dying: Drums (1992-1994), Andreas Vaple: Bass (1994-2003), Paul Johansson: Guitar (1997-2001), Joacim Olofsson: Drums (1997-2001), Tore Stjerna: Drums (2002-2004), Robert: Bass (2003-2004)
デスコグラフィー
Domini Inferi, Demo (1992)
The Ancient Kingdom, Demo (1993)
The Pale Black Death, Demo (1996)
And Darkness Came, MCD (1997)
Demon Possession, Pic-7"(*Metal Supremacy*, 1999)

Forever Blasphemy, CD/LP *(Necropolis, 1999)*
The Pestilent Plague, CD/LP *(Necropolis, 2000)*
Past and Present Sins, CD/LP *(Necropolis, 2001)*
Nuclear Armageddon, CD *(Agonia, 2003)*
Beast of the Pentagram, 10" *(Agonia, 2003)*
Covered In Hell, Picture-7" *(Bloodstone Entertainment, 2004)*
No Salvation, MCD *(Agonia, 2004)*
The Pestilent Plague, Pic-LP *(2005)*
Dawn of a New Aeon, CD *(Agonia, 2005)*

IN BATTLE
スンツヴァルを拠点に、1996年に始動したウォーメ
タル・プロジェクト。彼らは結成当初にはブラック
メタル・スタイルでプレイしていたが、しかし、次
第に初期のスタイルを封印し、2004年頃になると、
Morbid Angel影響下のブルータル・デスメタル・
バンドに変化していった。率直に言うと、現在の彼
らのスタイルは超高速でタイトなドラムに頼りすぎ
ているきらいがある（ニルス・フィヤールストルム
は Aeon、Chastisement、Odhinn、Sanctification、
Souldrainer でも叩きまくっている）。フィルイン、リ
フ、楽曲構成はあまりにも切れ味悪く、紋切型でグッ
と来ない。サウンドが起伏に富んでいないので、バン
ドというよりはプロジェクトのような感じだ。でも、
ドラマーは驚愕するほど速い！ アルバム『Welcome
to the Battlefield』のレコーディングはエリック・ルー
タン（Hate Eternal に在籍し、Morbid Angel の元メ
ンバー）が手掛けた。ルータン自身もギターソロで1
曲を披露している。
ラインナップ
*Nils Fjällström: Drums, John Frölén: Bass, Hasse
Karlsson: Guitar, John Odhinn Sandin: Vocals,
Tomas Elofsson: Guitar*
過去のメンバー
*Håkan Sjödin: Guitar/Bass, Chastaintment: Bass,
Otto Wiklund: Drums, Marcus Edvardsson: Bass* （ゲ
スト参加）
デスコグラフィー
In Battle, CD *(Napalm, 1997)*
The Rage of the Northmen, CD *(Napalm, 1998)*
Soul Metamorphosis, EP *(Imperial Dawn, 2004)*
Welcome to the Battlefield, CD *(Metal Blade, 2004)*

IN COLD BLOOD—Raise Hell 参照。

IN FLAMES
In Flames が始動したのは1990年だったが、度重な
るメンバーチェンジを経て、デモテープが完成した
のは3年後だった。彼らは At the Gates が築いたメ
ロディック・スタイルのデスメタルを導入し、
そのスタイルをさらに洗練させた（驚くべきことに、
In Flames は結成当初、Bad News のカバーバンド
だった——あのイギリスのパロディー・ロックバンド
である！）。俺の耳には彼らのサウンドはウンザリす
るほどコマーシャルでわざとらしかったが、認めよ
う、彼らは誰も想像していなかった成功を収めた。In
Flames は今日では大規模な世界ツアーや驚異的なレ
コード枚数を売り上げる、スウェーデンで最もビッグ
なバンドの一つになった。しかし、彼らは既にデスメ
タルとは決別してしまった。ここで知っておくべき
ことは、フリデーンは Dark Tranquillity の、そして
Dark Tranquillity のミカエル・スタンネは In Flames

のオリジナル・ヴォーカリストだったということ！
他の顔ぶれに関しては、過去には、Marduk、Tiamat、
Hammerfall、Arch Enemy、Eucharist、Dawn、
Cemetary の元メンバーもいた。
ラインナップ
*Anders Fridén: Vocals, Jesper Strömblad: Guitar,
Björn Gelotte: Guitar* （当初はドラムも担当）, *Peter
Iwers: Bass, Daniel Svensson: Drums*
過去のメンバー
*Johan Larsson: Bass (1990-1997), Anders Jivarp:
Drums (1995), Daniel Erlandsson: Drums
(1995),Glenn Ljungström: Guitar (1990-1997),
Niclas Engelin: Guitar (1997-1998), Anders Iwers:
Guitar (1990-1992), Carl Näslund: Guitar (1993-
1994), Mikael Stanne: Vocals (1993-1994), Joakim
Göthberg: Vocals (1995)*
デスコグラフィー
Promo Demo '93, Demo *(1993)*
Lunar Strain, CD *(Wrong Again, 1994)*
Subterranean, EP *(Wrong Again, 1994)*
The Jester Race, CD *(Nuclear Blast, 1995)*
Scorn/Resin, Single *(Nuclear Blast, 1997)*
Whoracle, CD *(Nuclear Blast, 1997)*
Black Ash Inheritance, EP *(Nuclear Blast, 1997)*
Colony, CD *(Nuclear Blast, 1999)*
Clayman, CD *(Nuclear Blast, 1999)*
The Tokyo Showdown, CD *(Nuclear Blast, 2001)*
Reroute to Remain, CD *(Nuclear Blast, 2002)*
Cloud Connected, Single *(Nuclear Blast, 2002)*
Trigger, EP *(Nuclear Blast, 2003)*
The Quiet Place, Single *(Nuclear Blast, 2004)*
Soundtrack to Your Escape, CD *(Nuclear Blast,
2004)*
Come Clarity, CD *(Nuclear Blast, 2006)*
A Sense of Purpose, CD *(Nuclear Blast, 2008)*

IN PAIN
90年代初期にアンデシュリョーヴ／トレルボルグで
活動していた正統派デスメタル・バンド。
デスコグラフィー
Demo (1994)

IN THY DREAMS
サーラ出身の90年代中期のバンド（1996年に結
成）。At the Gates にあまりにも似すぎていてこっ
ちが赤面してしまうくらいだ。のちにメンバー数人
が Dellamorte のヴォーカリストのヨーナス・シェー
ルグレーンと Carnal Forge を結成したので、In Thy
Dreams は解散した（そういえば、Carnal Forge のサ
ウンドはこっちが赤面してしまうほど The Haunted
にソックリ！）。それでも、In Thy Dreams は At
the Gates のパクリ・バンドの中で最も優れている
一つだろう（そして、Carnal Forge は素晴らしき
The Haunted のクローン）。ストゥーヴマルクとリ
ンフォッショの両方とも真正デスメタル・バンドの
Wombbath でプレイしていた。
ラインナップ
*Jari Kuusisto: Guitar, Petri Kuusisto: Bass, Håkan
Stuvemark: Guitar, Stefan Westerberg: Drums*
過去のメンバー
*Fredrik Ericsson: Bass, Thomas Lindfors: Vocals,
Jonas Nyren: Vocals*
デスコグラフィー

Stream of Dispraised Souls, EP (Wrong Again, 1997)
The Gate of Pleasure, CD (WAR, 1999)
Highest Beauty, CD (WAR, 2001)

INCAPACITY
2002 年にファーヴデで結成されたスラッシーなデス
メタル・バンド。クオリティーはかなり高かった──
Edge of Sanity、Marduk、Unmoored のメンバーが
結集したので当然かもしれない。Cold Records のオー
ナーであるオマール・アーケイが Solar Dawn のアン
デシュ・エードルンドにデスメタル・バンドの結成話
を持ち掛けたことで、Incapacity は始動した。かくし
て作為的な少年バンドはデスメタル・シーンにこっそ
り入り込んだのである。
ラインナップ
Andreas Axelsson: Vocals, Robert Ivarsson: Guitar,
Christian Älvestam: Guitar, Anders Edlund: Bass,
Henrik Schönström: Drums
過去のメンバー
Kalle Johansson: Drums, Robert Karlsson: Vocals
デスコグラフィー
Chaos Complete, CD (Cold Records, 2003)
9th Order Extinct, CD (Cold Records, 2004)

INCARDINE
1991 年にファールホルメン／ヴィーカルビンを拠
点に Hellmaster の名義で始動したバンド。初期
は Slayer と Entombed のカバーバンドだったが、
Incardine へと改名してからオリジナル曲制作にも取
り組んだ。スラッシュ・テイストのある良質で古典的
なデスメタル、またはデスメタル・ヴォーカルが載っ
たスラッシュ。どっちでもいいと思う。1993 年に CD
が出るはずだったが、解散してしまった。
ラインナップ
David Ahlberg: Vocals, Daniel Wallner: Guitar,
Fredrik Folkare: Guitar/Bass, Jonas Tyskhagen:
Drums
過去のメンバー
Rickard Arvidsson: Bass (1991-1992)
デスコグラフィー
Moment of Connection, Demo (1992)
Demo 2, Demo (1992)

INCARNATED
1991 年にボールネスで結成され、当初は Helvetica の
名義で活動していた真正デスメタル・バンド。かなり
いい線いっている。所属レーベル（Voice of Death、
Wild Rags）とトラブル続きだったので、リリースが
滞った。それに度重なるラインナップ・チェンジも活
動を停滞させる原因だった（トーニという名前のメン
バーは 3 人いたし、ペータルという名のドラマーも 3
人もいたのだ！）。過去のメンバーはのちに Morgana
Lefay、Divine Sin、Carbunate に加わった。
ラインナップ
Henrik Andersson: Vocals, Fredde: Guitar, Peter
"Kråkan" Jonsson: Guitar, Fredrik Lundberg: Bass,
Peter Andersson: Drums
過去のメンバー
ボールネスの若者全員がギター演奏ができていたのか
もしれない……。
デスコグラフィー
Wool Gathering, Demo (1993)

Choirs of the Dead, Demo (1997)
Drown in Blood, MCD (unreleased, 1998)

INCENDIARY
Incendiary は 1998 年に活動をスタートし、2002 年に
デモテープを制作した。まだ活動していると思うが、
もしそうだとしたら、ビールで乾杯でもしているのか
も。バンド写真でしか判断できないが。
ラインナップ
Pontus Arvidson: Vocals/Guitar, Tobbe: Bass, Lalle:
Drums
過去のメンバー
David: Vocals, Jens: Guitar
デスコグラフィー
Incineration, Demo (2002)

INCEPTION
2002 年にウップサーラで結成されたアヴァンギャル
ド・デスメタル・バンド。メンバー 2 人がさらにエ
クストリームな Deviant に専念するためにバンドを
脱退すると、解散の危機が訪れた。しかしそれでも
Inception は活動を続行させた。
ラインナップ
Sebbe: Guitar, Simon: Guitar, Victor: Drums
過去のメンバー
Fredde: Bass, Tobbe: Vocals, EB: Drums, Fritz:
Drums, Kenneth Valdek: Guitar
デスコグラフィー
Awaken the Hordes, Demo (2002)
Before a Kneeling God, Demo (2003)
In Plethora, Demo (2005)

INCINERATOR
1995 年に狂信的なキリスト教信者が多いことで知ら
れるヨンシューピングで結成されたスラッシュメタル
（イキがるために は、ブラックメタルのほうがよかっ
たんじゃないかな？）。数多ある At the Gates クロー
ンとは違って、彼らは荒削りのジャーマン・スタイル
の真正オールドスクール・スラッシュだった。むさ
苦しかったが、斬新だった！　俺は Arise や Terror
2000 よりもこっちのほうが好きだった。メンバーチェ
ンジが多すぎたので、ここに書かないけど、だけどそ
んなのを気にするやつなんている？　楽しけりゃあい
いんだよ！
ラインナップ
Lenny Blade: Bass/Vocals, Andreas Nilzon: Drums,
Jonas Mattson: Guitar
過去のメンバー
Lomm: Drums Wikstén: Guitar, Mikael "Cab"
Casterval: Guitar, Mikael Granqvist, Magnus
Alakangas, Fredrik Andersson, Jonas Larsson,
Henrik Åberg
デスコグラフィー
Order of Chaos, Demo (1996)
Thrash Attack, Demo (1998)
Thrash Attack, EP (Sound Riot, 2000)
Hellavator Musick, CD (Mourningstar Records,
2002)
World Incinerator, Demo (2003)
Disciples of Sodom, Demo (2003)
The Cocoon of Asphyx, Split Demo (Nihilistic
Holocaust, 2005)

INCISION
90年代初期に始動したダン・スワノ（Edge of Sanity
など）のプロジェクトの一つ。もう1人のメンバーは
トーニ"イット"シャルッカ（Abruptum など）。ゴア、
死、倒錯で満たされた真正デスメタル・バンド。のち
にストックホルムで結成される Insision と間違わない
ように。
ラインナップ
It (Tony Särkkä): Vocals（それにドラムも少し担当
していたと思われる）*, Dan Swanö:* 残り全パート。
デスコグラフィー
Infest Incest, EP (1991— 未発表 *)*
Perverted Possession, Demo (1991)

INCURSION
1990年にストックホルムで始動したオブスキュア・
デスメタル・バンドの一つ。彼らがリリースしたデモ
テープは俺が本書執筆中に発見できなかった数少ない
うちの1本。このためどのようなサウンドなのかわか
らない。
ラインナップ
Joel Andersson: Guitar/Vocals
デスコグラフィー
Demo (1990)

INDUNGEON
1996年にミョールビーで Mithotyn のヴェイネルハル
と Thy Primordial のアンダソンとアルブレクトソン
が結成したプロジェクト。彼らのスラッシュ／デスメ
タルのクオリティーは普通。可もなく不可もなくと
いった感じ。ヴェイネルハルはのちにパワーメタル・
バンド Falconer を結成した。
ラインナップ
Stefan Wienerhall: Bass/Guitar, Karl Beckman:
Drums/Vocals, Michael Andersson: Vocals, Jonas
Albrektsson: Bass
デスコグラフィー
Machinegunnery of Doom, Demo (1996)
Machinegunnery of Doom, CD (Full Moon
Productions, 1997)
The Misanthropocalypse, CD (Invasion, 1998)

INEVITABLE END
2003年にネッファーで結成された新興スラッシュ／
デスメタル・バンド。
ラインナップ
Andreaz Hansen: Vocals, Emil Westerdahl: Bass,
Joakim Malmborg: Guitar, Christoffer Johansson:
Drums
過去のメンバー
Joakim Bergquist: Vocals/Bass, Jonas Arvidson:
Guitar, Magnus Semerson: Vocals
デスコグラフィー
Inevitable End, Demo (2004)

INFANTICIDE（イェヴレ）
2002年にイェヴレで結成された新進気鋭のデス／グ
ラインド・バンド。ビーテオ出身の古参スラッシュ・
バンドとは別バンド。
ラインナップ
Simon Frid: Vocals（初期はベースも担当）*, Johan*
Malm: Guitar, Kristoffer Lövgren: Drums, Olle: Bass
デスコグラフィー

Global Death Sentence, Demo (2003)
Ultra Violence Propaganda, Demo (2003)
Promo 2005, Demo (2005)

INFANTICIDE（ビーテオ）
ビーテオ出身のありきたりな90年代初頭のスラッ
シュ・バンド。1990年結成当初は Force Majuere と
いう名義だったが、すぐに改名した。まずまずではあ
るが、何か物足りない。そうだなぁ……Kazjurol に似
ているかも。イェヴレ出身の新人グラインド・バンド
と混同しないように。
ラインナップ
Andreas Fors: Guitar, Micke: Guitar (1992), Niklas:
Guitar (1990-1992), Öberg
デスコグラフィー
Disharmony, Demo (1991—Force Majuere 名義)
Obtain and Devour, Demo (1992)
Obtain and Devour, 7"(Hit It, 1992)
Infanticidemo, Demo (1993)

INFERIOR BREED— Soilwork 参照。

INFERNAL（クリファンスタ）—Hellspell 参照。

INFERNAL（ストックホルム）
1996年に Dark Funeral を脱退したダーヴィド・パ
ルランドが結成した激烈バンド。確かな演奏技術に
裏打ちされた地獄のようなブルータル・ブラックメ
タル。過去と現在のメンバーは皆、Dark Funeral、
Necrophobic、Funeral Mist、War、Dissection、
Dawn、Defleshed、In Aeternum、Sportlov などのエ
リート・バンドの出身。（訳者註：ダーヴィド・パル
ランドは2013年に自殺した）
ラインナップ
Typhos (Henrik Ekeroth): Vocals/Guitar, Blackmoon
(David Parland): Guitar/Bass, Alzazmon (Tomas
Asklund): Drums
過去のメンバー
Matte Modin: Drums, Themgoroth: Vocals
デスコグラフィー
Infernal, EP (Hellspawn, 1999)
Under Wings of Hell, Split (Hammerheart, 2002)
Summon Forth the Beast, EP (Hammerheart, 2002)

INFERNAL GATES
1992年にシール／フォシュハーガで結成されたアク
ト。初期は猛烈なデスメタルだったが（彼らはそれを
ブラックメタルと呼んでいた）、次第に超ヘヴィでス
ローなドゥームメタルに変化した。
ラインナップ
Stefan Sundholm: Vocals/Keyboards, Anders
Hagerborn: Bass, Jonas Gustafsson: Drums, Johan
Hedman: Guitar, Jan-Åke Österberg: Guitar
デスコグラフィー
In Sadness..., Demo (1993)
The Gathering of Tears, Demo (1994)
From the Mist of Dark Waters, CD (X-Treme, 1997)
When Angels Fell, EP (1999)

INFERNAL WINTER—Serpent Obscene 参照。

INFERNUS RITUAL—Ancients Rebirth 参照。

INFESTATION

のちに有名となるアンデシュとヨーナス・ビョーラー兄弟と、当時既に有名だったトマス・リンドバリが1990年2月にフォーヴォースで始動したブルータル・バンド。この3人が至高のAt the Gatesに専念すると同時にInfestationは消滅した。

ラインナップ
Björn Mankner: Guitar, Jonas Björler: Drums, Anders Björler: Guitar, Tomas Lindberg: Bass/Vocals

過去のメンバー
Jan-Erik: Bass

デスコグラフィー
When Sanity Ends, Demo (1990)
Fears, Demo (1990)

INFESTDEAD

フィンスポング出身のダン・スワノによるプロジェクトの一つで、この時は、アンドレアス・アクセルソン（両者とも偉大なEdge of Sanity在籍）との企画。冒涜性に溢れている！

ラインナップ
Dan Swanö: Basically Everything, Andreas Axelsson: Vocals

デスコグラフィー
Kill Christ EP, EP (Invasion, 1996)
Hellfuck, CD (Invasion, 1997)
Jesusatan, CD (Invasion, 1999)
Hellfuck & Killing Christ, CD (Hammerheart, 2000)

INFESTER

90年代初期のエシルストゥーナ出身のデスメタル・バンド。House of UsherとCrypt of Kerberos同様、InfesterはMacrodexの残党らによって1991年に結成された。活動期間は一年間ほどだった。

ラインナップ
Johan Hallgren: Guitar, Marcus Pedersen: Bass, Roger Pettersson: Vocals/Guitar, Janne Vårbeck: Drums

デスコグラフィー
Demo 1, Demo (1992)

INFURIATION

ウッフェ・セーダルンドとラーシュ=ユーラン "L.G." ペトロフによる短命に終わってしまったプロジェクト。プロジェクトはNihilistが解散したころに活動していた。彼らの音源を聴いた者は僅かだったが、皆絶賛していた。

ラインナップ
Ulf Cederlund, Lars-Göran Petrov

INIURIA

1993年までImmortal Deathという名義で活動をしていたウレブルー出身のバンド。間違いなくドゥーミーでスラッシーなデスメタル・サウンドだった——でも俺だったら、"immortal（不滅／不朽）" なんてつけないかな。改名して正解だったと思う。彼らを表すならば、ミディアム・テンポ、メロディー、ヘタクソ・ヴォーカルの3語で十分だ。

ラインナップ
Fredrik Johannessen: Vocals, Henrik Dahlberg: Guitar, Stefan Karlsson: Guitar, Johan Landhäll: Bass, Patrik Pelander: Drums

過去のメンバー
Jenny: Keyboards（ゲスト参加）

デスコグラフィー
Beyond Darkness, Demo (1991)
When All is Lost, Demo (1992)
Forgiveness, Demo (1993)
All the Leaves Has Fallen EP, EP (1995)
Promo 96, Demo (1996)

INNERFLESH

バンドはパンクを演るために、2003年にウップサーラで活動を開始したのだが、メンバーのメタル好きが高じて、スラッシーなデスメタルへと変わっていった。

ラインナップ
Markus Luotomäki: Vocals/Guitar, Peter Wiström: Guitar, Johan Björkenstam: Bass, Gustaf Hedlund: Drums

過去のメンバー
Henrik Myrberg: Vocals, Magnus Hakkala: Bass

デスコグラフィー
The Flesh Unleashed, Demo (2005)

INSALUBRIOUS

1993年にスンツヴァル／スンズブルックで結成された、良ית だが、明らかに二番煎じのデスメタル・バンド。3人のメンバーがAbyssosに専念すると、1993年にInsalubriousは消滅した。2002年にギタリストのニクラス・ヨハンソンが自殺するとすべてが終わった。安らかに。

ラインナップ
Niklas Johansson: Guitar, Daniel Meidal: Guitar, Niklas Nilson: Vocals, Andreas Söderlund: Drums, Pär Eriksson: Bass

過去のメンバー
Christian Rehn: Bass, Vincent Dahlquist: Vocals

デスコグラフィー
Le Culte des Morts, CD (Spiritual Winter Productions, 1994)
Pieces of a Dream, Demo (1994)
She Only Flies at Night, EP (Spiritual Winter Productions, 1995)
Lament of the Wolves, CD (Spiritual Winter Productions, 1995)
Bringer of the Northern Plague, EP (Spiritual Winter Productions, 2002)

INSANE OBSESSION

カルマル発の新興で生々しいデスメタル・バンド。

ラインナップ
Erik Bengtsson: Bass/Vocals, Tobias Berqvist: Drums, Martin Nilsson: Bass, Andreas Eriksson: Guitar

デスコグラフィー
Welcome to the Maniacs Hall of Fame, Demo (2002)

INSANITY—Shagidiel 参照。

INSISION

1997年にストックホルムで結成してから、すぐにスウェーデン産らしくないブルータルさで一躍注目を浴びた。超エクストリームでテクニカルなサウンドはDismemberやAt the Gatesというより、Cannibal CorpseやSuffocationに似ていた。しかし、テクニカ

ルなスタイルがゆえ、メンバーは複雑な楽曲を会得する必要があった。それが原因で大規模なラインナップ・チェンジをもたらした（現在はオリジナル・メンバー誰1人残っていない——Napalm Death のように！）。俺自身が1999年にバンドに加わったとき、ローゲル・ヨハンソンの型破りなアイディアを再現するために演奏法を学ばないといけなかった。Insision の歌詞のテーマは、2000年にカール・ビラートが加わってから、当初のゴア描写から悪魔崇拝主義へと劇的に変わった。歌詞テーマの変更とヨハンソンの複雑なリフと相まって、Insision は完全に新しいバンドとして生まれ変わったのである。この変化に Earache レーベルが目をつけ、2001年の契約につながった。アンダーグラウンド・バンドでありながら Insision は Suffocation や The Haunted らと広範囲にわたってツアーを行なった。そして、2005年にはタイでプレイした初の欧米圏出身のデスメタル・バンドになった。俺たちはそんな力量があるのか？　そうありたいよな。（俺たちはたぶんオタク野郎なんだと思う——俺はこんな馬鹿げた本を書いているしな！）

ラインナップ
Roger Johansson: Guitar (1997-), Daniel Ekeroth: Bass (1999-), Carl Birath: Vocals (2000-), Marcus Jonsson: Drums (2004-)
過去のメンバー
Johan Thornberg: Vocals (1997-1999), Tomas Daun: Drums (1997-2004), Toob Brynedal: Guitar (2001-2004), Joonas Aahonen: Guitar (1997-1998), Danne Sommerfeldt: Bass (1998), Patrik Muhr: Guitar (1997-1998), Christian Ericsson: Guitar（ゲスト参加, 2004-2005), Janne Hyttiä: Bass（ゲスト参加）
デスコグラフィー
Meant to Suffer, Demo (1997)
Live Like a Worm, Demo (1998)
The Dead Live On, MCD (Heathendoom, 1999)
Promo 2000, Demo (2000)
Revelation of the Sadogod, Demo (2001)
Insision/Inveracity, Split 10" (Nuclear Winter, 2001)
Beneath the Folds of Flesh, CD (Earache/Wicked World, 2002)
Revealed and Worshipped, CD (Earache/Wicked World, 2004)
Ikon, CD (Dental Records, 2007)

INSULT
2004年にホーレシールで結成された新人デスメタル・バンド。メンバー2名は Heresy でもプレイしている。
ラインナップ
Erik Gärdefors: Guitar/Vocals, Karl Wahllöf: Drums, Johan Thorstensson: Bass, Johan Svensson: Vocals
デスコグラフィー
Decree, Demo (2005)

INTERMENT
粗削りなサウンドだった Beyond の残党が1990年に結成したアーヴェスタ出身のバンド。彼らのスタイルは真正スウェディッシュ・デスメタル、まさにお手本そのもの。メンバーの演奏技術もさることながら、楽曲も粒揃い。くそ野郎！　文句のつけようがないほどのバンドなのに、成功していないのが残念だよ。彼らはスウェディッシュ・デスメタル界きっての逸材の一つ。心臓がバク

バクするほどブルータル。ヤンソンとイングルンドは、Dellamorte や Centinex で精力的に活動を続けている。イングルンドはあの偉大な Uncanny にも在籍していた。2000年代に入ってから、Interment は何度かリハーサルを行い、デモテープをレコーディングした。絶対に手に入れるんだぞ！
ラインナップ
Johan Jansson: Guitar/Vocals, John Forsberg: Guitar, Micke Gunnarsson: Bass, Kennet Englund: Drums (1992-)
過去のメンバー
Sonny Svedlund: Drums (1990-1992), Jens Törnros: Vocals
デスコグラフィー
...Where Death Will Increase, Demo (1991)
Forward to the Unknown, Demo (1992)
Shall Evil Unfold, Demo (1994)
The Final Chapter, Demo (1994)
Demo (2006)

INTERNAL DECAY
1987年にマーシュタで結成。バンド名は Critical State から Subliminal Fear へと変更し、そして1991年のデモテープ・リリース時には Internal Decay に落ち着いた。彼らの音楽性は移ろいやすく、ヘヴィメタル、グラインド、スラッシュ、メロディック・デスメタルへと変わっていった。おそらく絶え間ないラインナップ・チェンジとバンド内のいざこざで活動が停滞したのだろう。結局1994年に Internal Decay は空中分解した。活動ピーク時には、Obituary、Tiamat、Edge of Sanity など有名バンドの前座も務めた。
ラインナップ
Kim Blomquist: Vocals, Micke Jakobsson: Guitar, Kenny: Bass (1990-), Karim Elomary: Keyboards (1993-), Thomas Sjöholm: Drums, Hempa Brynolfsson: Guitar (1993-)
過去のメンバー
Danne: Guitar (1987-1991), Pontus: Vocals (1987-1989), Willy Maturna: Guitar (1991-1993), Kim: Bass (1987-1990), Dave: Drums (1987-1990)
デスコグラフィー
Demo (1991)
A Forgotten Dream, CD (Euro Records, 1993)

INTOXICATE
1988年夏に結成されたユーテボリ出身のスピードメタル・バンド。楽曲は悪くないし、キャッチーなリフ、それに全体の雰囲気は良好。しかし、彼らのスタイルは90年代初期のシーンには、少しスラッシュすぎた。それに、1本目のデモテープの1曲目のイントロでふざけすぎたのが仇となって彼らは信頼性を損ねた。
ラインナップ
Grytting: Vocals, Tommy Carlsson: Guitar, Pasi: Drums, Tomas: Guitar, Martin: Bass
デスコグラフィー
Monomania, Demo (1989)
Tango of Nietzsche, Demo (1990)
Into Hiberation, Demo (1991)

INVADER
1997年にウーメオで結成されたメロディック・シンフォニック・デスメタル・バンド（一体何だ、それ？）。

今まで3本デモ音源を制作しているが、俺はあえて聴いていない。
ラインナップ
Axel Sebbfolk: Bass, Choffe: Guitar, Peppe: Guitar, Barre: Vocals, Robert Wiberg: Drums, Gustav Svensson: Keyboards
過去のメンバー
Jonas Eriksson: Drums, Tonie Rombin: Vocals
ディスコグラフィー
Furial, Demo (1998)
Negative Dimension, Demo (2003)
Equilibrium, Demo (2005)

INVERTED
1992年にアリングソースで、元 Inverted Cross のマッツ・ブロムバリとクリスティアン・ハッセルホーンが結成したデスメタル・アクト。グラインドが多用されたドイツのスピードメタル的雰囲気のある、極めてブルータルなサウンド。アンダーグラウンドで長い間くすぶっていたが、這い上がるには力及ばなかった。解散後、メンバー数名はかの凄まじい Immersed in Blood を結成した。ダン・ベンツォンは一時期 Deranged に加わり、現在は Crowpath に在籍。
ラインナップ
Patrik Svensson: Vocals, Johan Ohlsson: Guitar, Joel Andersson: Bass, Kristian Hasselhuhn: Drums
過去のメンバー
Henric Heed: Vocals, Larsen Svensson: Guitar, Dan Bengtsson: Bass, Joakim Almgren: Vocals, Mats Blomberg: Guitar, Anders Malmström
ディスコグラフィー
Tales of Estaban, Demo (1991)
Heaven Defied, Demo (1992)
Empire of Darkness, 7" (Regress Records, 1994)
Revocation of the Beast, MCD (Wild Rag, 1994)
Shadowland, CD (Shiver Records, 1995)
Inverted/Centinex Split 7" (Voice of Death, 1995)
There Can Only Be One, CD (1998)

INVIDIOUS—Katalysator 参照。

JARAWYNJA—Solar Dawn 参照。

JIGSORE TERROR
2001年に結成されたゴア・グラインド・アクト——こんな最高のジャンルがまだ生き残っていて感動モノだ！　Repulsion、Terrorizer、Carcass 影響下の超絶サウンド。これなんだよ！　メンバー2名は Birdflesh、そしてそのうちの少なくとも1名は General Surgery にも居たことがある。プロジェクトであるが、彼らはグラインド・バンドに求められるすべての要素を兼ね備えているんじゃないかな？
ラインナップ
Tobbe Ander: Guitar, Adde Mitroulis: Drums/Vocals, Hampus Klang: Bass
過去のメンバー
Tobbe Eng: Vocals
ディスコグラフィー
World End Carnage, CD (Listenable, 2004)

JULIE LAUGHS NOMORE
1995年にユースダールで結成されたメロディック・デスメタル・バンド。何作かリリースしたが、結果を残すことはできなかった。ロニー・バリエスタールは現在 Grave に在籍。
ラインナップ
Danne Carlsson: Vocals, Benny Halvarsson: Guitar/Vocals, Thomas Nilsson: Guitar, Thomas Olsson: Bass/Vocals, Ronnie Bergerståhl: Drums/Vocals
ディスコグラフィー
Julie Laughs Nomore, EP (1996)
Live in Studio 1996, Demo (1996)
De Tveksamma/Julie Laughs No More, Split (Humla Productions, 1997)
When Only Darkness Remains, CD (Serious Entertainment, 1999)
From the Mist of the Ruins, CD (Vile, 2001)

KAAMOS
ストックホルム出身の Kaamos は、1998年に A Mind Confused が解散すると、A Mind Confused のメンバーのヨーハンとトマスとコンスタンティンがより残虐性溢れるサウンドを求めて始動したバンド。Repugnant 同様、Kaamos は90年代の初期のスウェディッシュ・シーンに我々を誘ってくれる。彼らは否定するかもしれないが、『Lucifer Rising』を聴くと Edge of Sanity を彷彿とさせる。Kaamos は強烈なサウンドである以上にライブも迫力満点だ。ショーングレーンとニッケは Serpent Obscene の元メンバーで、クリストフェルは Serpent Obscene のほかに Repugnant と Grave にも在籍した経験がある——彼はオールドスクール中毒じゃないのか？　もし君がスウェーデンの音楽チャートを決定する立場ならば、きっと彼らをトップに君臨させてみたくなるに違いない。そんな Kaamos だが、もし彼らが初期のデスメタル・シーンについて唯一分かっていないことがあるのだとすれば、それはユーモアの精神かもしれない。Kaamos はガチすぎるので、彼らは80年代後期のデスメタルというよりは90年代初頭のブラックメタルに精神的につながっていると思う。残念ながら Kaamos の活動が2006年5月に終止符を迎えたとの情報を得たばかりだ。彼らはこれからも忘れ去られることはないだろう。
ラインナップ
Karl Envall: Vocals/Bass, Konstantin Papavassiliou: Guitar, Nicke: Guitar, Christofer Barkensjö: Drums
過去のメンバー
Thomas Åberg: Drums (1998-2000), Johan Thörngren: Vocals/Bass (1998-1999)
ディスコグラフィー
Promo 1999, Demo (1999)
Kaamos, 7" (Dauthus, 1999)
Curse of Aeons, Demo (2000)
Kaamos, CD (Candlelight, 2002)
Lucifer Rising, CD (Candlelight, 2005)

KARNARIUM
1998年にユーテボリで結成されたデスメタル・バンド。2本のデモテープとシングルを制作したが、状況が変わらなかったので、メンバーの多くが脱退した。2005年には過去音源が CD でリリースされた。風穴を開けるかどうか、今後の様子をみることにしよう。
ラインナップ
Funeral Whore: Guitar/Vocals, Jim Voltage: Drums/Bass
過去のメンバー
Gurra: Guitar, Redjet: Bass, Aho: Bass, Saigittarius:

Drums
デスコグラフィー
Breaking the Manakles of Malkuth, Demo (2000)
Demo #1, Demo (2000)
Split Tape, Split (Into the Warzone, 2004)
Karnarium, Single (Nuclear Abominations Records, 2004)
Tänk På Döden, CD (Embrace My Funeral Records, 2005)

KATALEPTIK
2000 年に 2 本のデモテープをリリースしたデスメタル・プロジェクト（メンバーの 1 人は Poison や Ratt 風のバンドでプレイしているので、あまり期待しないほうがいい）。それ以降、バンドの情報は伝わってこない。
ラインナップ
Henke: Guitar, Micke: Vocals
過去のメンバー
Björn
デスコグラフィー
Built To Destroy, Demo (2000)
Haunted by Disaster, Demo (2000)

KATALYSATOR
近年始動したウップサーラ発の、圧巻のオールドスクール・デスメタル・バンド。俺は 2005 年に Uppsala Deathfest で彼らを見たことがある。当時、彼らは 14 歳にも満たなかったと聞いていたが、音は最高だった！　ルックスは Nihilist のようで、サウンドは Grotesque のようだった。それでいて、フェスではどのバンドよりもデスメタルの貫禄を見せつけていた。ステージを降りたあと、奴らはビールを頭からぶっかけたんだ。今まで 1 本しか出していない彼らのデモテープは、超極悪そのもので、あたかも 1989 年が再び到来したような雰囲気を醸し出していた。ちなみにそのテープは、オーマン兄弟のガレージでレコーディングされたものだった！　彼らが年をとらないことを望むばかりだ。彼らは 2007 年に Invidious に改名したが、しかし新名称で惹きつけた新しいハードコアファンは今でも彼らを Katalysator と呼ぶ！　彼らは現在のスウェーデンにおいて最高峰のバンドだ。
ラインナップ
Hampus Eriksson: Guitar, Pelle Åhman: Vocals, Adde Mat: Guitar, Adde B Bollben: Drums, Gotte Åhman: Bass
デスコグラフィー
Zombie Destruction, Demo (2005)
Mass Genocide Ritual, Demo (2007)

KATATONIA
1987 年にストックホルムでアンデシュ・ニーストロムとヨーナス・レーンクスが結成した、オリジナリティー溢れるバンド（結成当初は Melancholium という名義）。アンデシュ・ニーストロムとヨーナス・レーンクスはバンドにおいて重要な役割を担った。1992 年にデモテープ『Jhva Elohin Meth』をリリースすると、活動が軌道に乗り始めた。Katatonia は実際のところブラックメタルをプレイしていなかったが（初期のリハーサル音源だけがブラックメタルといえるだろう――クソッ、1988 年の時点で彼らは既に時代を予見していたんだ！）、やがて流行ったブラックメタルとリンクしていた。彼らはブラックメタルのトレード

マークである、コープス・ペイントを施し、"ブラックヘイム"、"ロード・セス" などの別称を使い、それに長い間ペンタグラムをロゴに採り入れたのである。サウンドは陰鬱で臨場感溢れるデス／ゴシックメタルだったが、次第にメタリックなエモ・ポップに変わった。バンドに転機が訪れたのは、レーンクスがアルバム『Discouraged Ones』でクリーン・ヴォイスで歌うと決めたころだろう。それまで内臓が飛び出るほど絶叫していた者にとっては劇的な変化だった。音楽性の変化がラインナップの変化にも影響をもたらした。新メンバーにはフレードリック（元 Uncanny）とマティアス（元 Dellamorte）のノルマン兄弟がいた。セッション・ミュージシャンには、『Brave Murder Day』でそれぞれドラムとヴォーカルで参加したダン・スワノ（Edge of Sanity など）やミカエル・オーケルフェルト（Opeth）も含まれる。誰がなんと言おうと、Katatonia は唯一無二のスタイルを持っていることは疑いの余地もない。彼らの初期作品は、ムーディーでアトモスフェリック、まさにメタルの秀作。
ラインナップ
Anders Nyström: Guitar, Jonas Renkse: Vocals（初期はドラムも担当）, *Fredrik Norrman: Guitar, Mattias Norrman: Bass, Daniel Liljekvist: Drums*
過去のメンバー
Mikael Åkerfeldt: Vocals（ゲスト参加）, *Israphel Wing: Bass, Dan Swanö: Drums*（ゲスト参加）, *Mikael Oretoft: Bass*（ゲスト参加）
デスコグラフィー
Rehearsal (1988)
Jhva Elohin Meth, Demo (1992)
Jhva Elohin Meth...the Revival, EP (Vic Recs 1992)
Dance of December Souls, CD (No Fashion, 1993)
For Funerals To Come, EP (Avantgarde, 1995)
Scarlet Heavens EP, Katatonia/Primordial Split 7" (Misanthropy, 1996)
Brave Murder Day, CD (Avantgarde, 1996)
Sounds of Decay, MCD (Avantgarde, 1997)
Saw You Drown, MCD (Avantgarde, 1997)
Discouraged Ones, CD (Avantgarde, 1998)
Tonight's Decision, CD
Teargas EP, MCD (Peaceville, 2001)
Last Fair Deal Gone Down, CD (Peaceville, 2001)
Tonight's Music, EP (Peaceville, 2001)
Ghost of the Sun, Single (Peaceville, 2003)
Viva Emptiness, CD (Peaceville, 2003)
Brave Yester Days, CD (Peaceville, 2004)
The Black Sessions, CD (Peaceville, 2005)
The Great Cold Distance, CD (Peaceville, 2006)

KAZJUROL
1986 年、陰鬱な工業地帯で知られるファーガシュタ（ここにはスウェディッシュ・デスメタルのライブハウスの聖地、Rockborgen があった）で、パンクキッズ達がスウェーデン産スラッシュメタルを演りだして始めたバンド。しかし、初期デモテープのクオリティーは普通だったので、彼らは哀れなほど注目されなかった。だが彼らはレコード契約を獲得した。彼らがどのようにしてレコード契約を獲得したのかはかいまだ不可解である――信じられないほど、ごくありふれたバンドだったからだ。推測するに、彼らの契約には近しい友人だったペータル・アールクヴィストの後ろ盾があったとみていいだろう。ペータルはスウェーデン

でエクストリームなギグを数多く企画し、極小レーベル Uproar を運営していた。粗悪サウンドを繰り出した Kazjurol はデスメタルの浸透とともに死に絶えた。アールクヴィストは、自身の新興レーベルである Burning Heart が繁栄の兆しを見せるとシーンから去っていった（Kazjurol も Burning Heart に一時期在籍していた）。彼のレーベルにはポップ／パンク・バンドの Millencollin や The Hives が在籍し、一時代を築いた。

ラインナップ
Pontus: Guitar, T-ban: Guitar, Håkan: Bass, Uffe: Drums, Henrik Ahlberg: Vocals/Bass

過去のメンバー
Tomas Bengtsson: Vocals, Kjelle: Vocals, Bäs: Vocals, Andy: Bass, Bonden: Drums

デスコグラフィー
Breaking the Silence, Kazjurol/Homo Picnic/ Instigators/Quod Massacre Split 7" (1986)
The Earlslaughter, Demo (1987)
Messengers of Death, 7" (Uproar, 1987)
A Lesson in Love, Demo (1988)
Dance Tarantella, LP (Active, 1990)
Bodyslam EP, 7" (Burning Heart, 1991)
Concealed Hallucinations, EP (Burning Heart, 1991)
Toothcombing Reality's Surroundings, EP (Burning Heart, 1991)

KEKS
1989 年から 1991 年まで活動していた初期のデスタル・バンド。彼らはデモテープを 1 本だけ作ったが、そのデモテープでミカエル・サミュエルソン（Cauterizer）はヴォーカルとベースの両方を 1 人で担当した。サミュエルソンによると、バンドはたった一度だけリハーサルして、ギグを 1 本、デモテープを 1 本作ったという——テープには彼がベーシストであると記載してあるが、実際のところベース・パートなんてなかった。

ラインナップ
Michael Samuelsson: Vocals/Bass

デスコグラフィー
Darkness, Demo (1991)

KENTIK BROSK
80 年代後期に Tribulation のメンバーがスラハメルで毎日呑みあかし、酔っぱらっていたときにお遊びで作ったプロジェクトの一つ。バンドはハードコアとデスメタルを強烈に交配したようなスタイルで、フォーシュバリが携わった作品のなかではダントツに良い。

ラインナップ
Magnus Forsberg ...... それと他の *Tribulation* メンバー。

デスコグラフィー
Demo (1988)

KERBEROS—Draconian 参照。

KILL
1998 年にユーテボリで結成されたサタニックなデス／ブラックメタル・バンド。笑えるニックネームを持ったメンバーが多数在籍した。見るだけでどんなサウンドか察しがつくだろう。

ラインナップ
Getaz: Drums, Gorgorium: Bass/Guitar, DD

Executioner: Guitar

過去のメンバー
Carl Warslaughter: Vocals, Assassmon: Bass, Black Curse: Guitar, Hellthrasher: Bass, Havoc: Vocals, Killhailer (Jens Pedersen): Vocals

デスコグラフィー
Nocturnal Death, Demo (1999)
Necro, EP (Evil Never Dies, 2001)
Morbid Curse, Demo (2003)
Horned Holocaust, CD (Invictus Productions, 2003)
Live for Satan, CD (Satanic Propaganda, 2004)
Morbid Curse, EP (Apocalyptor/Pentagram Warfare, 2005)

KILLAMAN
Murder Corporation のヴォーカルが脱退した後に、Deranged のリーキャルとヨーハンが Reclusion のルンとともに立ち上げたプロジェクト。初期はデスメタルにパンクの味付けが加えられた、グラインドっぽいクラスティーなサウンドだったが、次第にスラッシュっぽく変わっていった。他の多くのプロジェクトのように、騒ぎ立てるほどのクオリティーではない。Insision がアルバム『Beneath the Folds of Flesh』でアクセルソンをプロデューサーに迎えたあと、Insision のローゲル・ヨハンソンが本プロジェクトに参加した。

ラインナップ
Johan Axelsson: Guitar, Rune Foss: Vocals, Roger Johansson: Guitar, Rikard Wermén: Drums, Kaspar Larsen: Bass

デスコグラフィー
Killaman, Demo (2002)
Killaman, CD (Displeased, 2003)

KNIFE IN CHRIST
2002 年にウーメオで結成されたデスメタル・バンド。彼らはデモテープを作らず、MP3 音源をネットでアップしているのを見るだけで反吐が出る。気合入れて、ちゃんとテープ出せよ！

ラインナップ
Henrik Boman Mannberg: Vocals, Ronnie Björnström: Guitar, Ludvig Johansson: Guitar, David Ekevärn: Drums

KOMOTIO
2000 年にファールンで始動した激烈メタルコア。初期 2 本のデモテープはかの有名な Abyss Studio でレコーディングされた。

ラインナップ
Sonny: Vocals, Daniel: Guitar, Sodomizer: Drums, Jansson: Guitar, Pär: Bass

デスコグラフィー
Coma Delirium, Demo (2001)
A Document of...., Demo (2002)
La Divina Slakthus, Demo (2003)

KÖTTBULLAR
80 年代後期、ユーテボリに潜んでいた超オブスキュアなバンド。スプリット・デモテープしか音源が残されていない。バンド名はスウェーデン語で“ミートボール”と意味するのだから、おそらくシリアスなバンドではなかった。

デスコグラフィー

Köttbullar/Meatgrinder-split, Demo (1988)

KREMATORIUM

2004 年に Seminarium に改名した、ユーテボリ出身
の新興デス／スラッシュ・アクト。ビョルンがチェロ
の勉強を始めるためにバンドは解散した。メタルはど
うした？

ラインナップ
Kim Söderström: Vocals（初期はギター）, Leo
Berglund: Bass, Björn Risberg: Guitar, Jocke
Nordanståhl: Drums
過去のメンバー
Andreas Henriksson: Vocals
デスコグラフィー
Demo II, Demo (2003)
Seminarium, Demo (2004)

THE KRIXHJÄLTERS

80 年代後期にストックホルムで結成された良質な
ハードコア／クロスオーヴァー・バンド。次第にスラッ
シュっぽくなっていったが、もっと酷くなった、貧弱
な Omnitron のようだ。デスメタルの要素はまった
ないが、冒険してみたくなったらチェックしてみてく
れ！

ラインナップ
Pontus Lindqvist: Vocals/Bass, Pelle Ström: Guitar,
Rasmus Ekman: Guitar, Stefan Källfors: Drums
デスコグラフィー
Krixhjälters, 12" EP (Rosa Honung, 1984)
Hjälter Skelter, EP (CBR, 1988)
Evilution, MLP (CBR, 1989)
A Krixmas Carol, EP (CBR, 1990)

KRUX

2002 年に Entombed のペータル・ファンヴィンドと
ヨルゲン・サンドストルム、それに Candlemass のレ
イフ・エードリングによって結成された、ドゥームメ
タルの真髄に迫ったプロジェクト。良い作品だとは思
うが、Candlemass や Entombed の没リフから曲が作
られたのではないかと勘繰ってしまうかも。

ラインナップ
Jörgen Sandström: Guitar, Peter Stjärnvind:
Drums, Leif Edling: Bass, Mats Levén: Vocals
デスコグラフィー
Krux, CD (Mascot Records, 2003)

LACRIMAS—Rapture（アリングソース）参照。

LAETHORA

ユ ー テ ボ リ の Laethora は、2005 年 に Dark
Tranquillity のギタリストであるニクラス・スンディ
ンによって立ち上げた新興バンド。彼らのスタイルは
デスメタルだと思うが、俺自身まだ聴いたことがない
のでどうこう言えない。

ラインナップ
Jonatan Nordenstam: Vocals/Bass, Joakim Rosen:
Guitar, Niklas Sundin: Guitar, Joel Lindell: Drums
デスコグラフィー
Promo (2005)

LAKE OF TEARS

1992 年 5 月 に 人 里 離 れ た ボ ロ ー ス で、Carnal
Eruption と Forsaken Grief の残党らによって結成さ

れたバンド。初期の彼らの音楽性はメタル・サウンド
とグロウル・ヴォーカルを特徴としていたが、しかし
すぐにヘヴィな要素が淘汰された。実際、彼らは本書
で言及しているバンドの中で最もメタルっぽくないバ
ンドの一つだろう。どちらかというと、ゴシック・
ポップ／メランコリック・ロックと形容される。個人
的には彼らにはまったく興味がないが、彼らは Black
Mark で帝王 Bathory に次ぐ売れっ子バンドなので
ファンはいるのだろう。しかし、2003 年に古巣レー
ベルを離れ、伝説的なドイツのスラッシュ・レーベル
である Noise に鞍替えした。興味深いことに、クォー
ソンの妹のヤンネ・テブレルがいたく彼らを気に入
り、アルバムでバッキング・ヴォーカルとして参加し
ている。

ラインナップ
Daniel Brennare: Vocals/Guitar, Mikael Larsson:
Bass, Johan Odhuis: Drums, Magnus Sahlgren:
Guitar
過去のメンバー
Christian Saarinen: Keyboards, Jonas Eriksson:
Guitar, Ronny Lahti: Keyboards/Guitar, Ulrik
Lindblom: Guitar, Jennie Tebler: Vocals（ゲスト参
加）
デスコグラフィー
Demo 1, Demo (1993)
Greater Art, CD (Black Mark, 1994)
Headstones, CD (Black Mark, 1995)
A Crimson Cosmos, CD (Black Mark, 1997)
Lady Rosenred, MCD (Black Mark, 1997)
Forever Autumn, CD (Black Mark, 2000)
Sorcerers/Natalie and the Fireflies, Single (Black
Mark, 2002)
The Neonai, CD (Black Mark, 2002)
Greatest Tears Vol. 1, CD (Black Mark, 2004)
Greatest Tears Vol. 2, CD (Black Mark, 2004)
Black Brick Road, CD (Noise, 2004)

LAST RITES—Phobos 参照。

LEAVE SCARS

1988 年に結成されたルンド出身のありがちなデス／
スラッシュ・バンド。初期の名義は Macabre。なん
で名前を変えたのかわかるだろ？

ラインナップ
Jonas Regnéll: Guitar/Vocals, Marcus Freij: Guitar,
Daniel Preisler: Drums/Vocals
デスコグラフィー
Demo (Macabre 名義 , 1988)
The Terminal Suffer, Demo (1992)

LEFT HAND SOLUTION

1991 年にスウェーデン北部の町、スンツヴァルで結
成された良質なスウェディッシュ・ドゥームメタル・
バンド。クリーンな女性ヴォーカルを特徴としてい
る。1997 年、彼らは Nuclear Blast の目にとまり、ア
ルバム『Fevered』を再発売したが、売り上げが振る
わず古巣レーベルに戻った。オリジナル・ヴォーカリ
ストのクリスティーナ・ホイイェルツはのちにメロ
ディック・ブラックメタル・アクトの Siebenbürgen
に加わった（バンド結成当初、メンバーには男性ヴォー
カリストもいた。ハードコアの帝王である Totalitär
と超おバカバンドの The Kristet Utseende で活躍し
ていたヨルゲン・ファールバリである）。

ラインナップ
Erik Barthold: Drums (1992-), Marina Holmberg:
Vocals (1994-), Janne Wiklund: Guitar (1997-),
Robert Bergius: Bass
過去のメンバー
Peter Selin: Bass, Jocke Mårdstam: Guitar (1991-
1997), Kristina Höijertz: Vocals (1992-1994), Jörgen
Fahlberg: Vocals/Bass (1991-1992), Liljan Liljekvist:
Drums (1991-1992), Henrik Svensson: Bass （ゲスト
参加）
デスコグラフィー
Dwell, Demo (1992)
Falling, Demo (1993)
Shadowdance, MCD (Massproduktion, 1994)
Demo 95, Demo (1995)
Fevered, CD (Massproduktion, 1996)
Missionary Man, MCD (Massproduktion, 1999)
Black in Grace, CD (Massproduktion, 1999)
Light Shines Black, CD (Massproduktion, 2001)

LEGION—Cranium 参照。

LEPRA
2001 年に結成されたメロディック・デスメタル・バ
ンド。3 本のデモテープを制作したものの、誰の目に
もとまらなかった。
ラインナップ
Benny Hallman: Vocals, Thomas Dahlman: Guitar,
Aad Andersson: Bass, Christoffer Andersson: Drums
過去のメンバー
Krille: Guitar
デスコグラフィー
The Doomsday Shadow, Demo (2001)
Bleeding, Demo (2003)
Quick, Easy & Painful, Demo (2003)

LEPRECHAUN
正直言って、このバンドについてまったく知らない
が、知っていることといえば、1998 年にブルータル・
デスメタル・サウンドのデモテープをリリースしたと
いうことだけ。
デスコグラフィー
Blasphymon, Demo (1998)

LEPROSY
1987 年にヘルシンボリで結成された超オブスキュ
アなバンド。メンバーが 1 名交代し、かなり強烈な 2
本のデモテープを制作した。脚光を浴びなかったのは
残念だ。
ラインナップ
Patrik "Peo" Olofsson: Vocals, Patrik "Svarre"
Svärd: Guitar, Magnus "Mange" Liljetoft: Guitar,
Miko Mattson: Bass, Niclas "Snille" Olsson: Drums
過去のメンバー
Christian "Damen" Carlsson: Bass
デスコグラフィー
Death to This World, Demo (1988)
Full of Hate, Demo (1990)

LEUKEMIA
1989 年 10 月に始動した、ケンタ・フィリップソ
ン（『Hypnosia』の編集者であり、多くのプロジェ
クトの創始者）のプロジェクト。当初の名義は

Braincancer。はじめのうち、ヨッケとジミーは
Purpose という武骨なロック・バンドで活動してい
たが、スウェーデン国営放送のテレビ番組で Filthy
Christians を目の当たりにした途端、ブルータルなサ
ウンドを追求し始めた。翌年、彼らは Misery の名義
で始動したが、しかし 1990 年 12 月 4 日に Leukemia
に変えた。グループには数多のセッション・ミュージ
シャンが参加していた。例えば、ラーシュ＝ユーラン
"L.G." ベトロフ（Entombed）、ヨルゲン・サンドス
トルム（Grave/ Entombed）、そしてマティアス・ケ
ネード（Meanwhile）である。それにもかかわらず、
彼らのハードコア風味のデスメタルは悲惨な結果しか
もたらさなかった——特にヴォーカルは酷かった。
のちにバンドは Lame に改名したが、まったく言い
得て妙である。（訳者註：Lame= ダサい）フィリップ
ソンはもっと良質なバンドである The Project Hate
（ヨルゲン・サンドストルムと結成）と God Among
Insects で活動を続けた。さらに、彼は近年 Dark
Funeral でベースを担当している。俺の個人的趣味で
はあるが、彼は『Hypnosia』誌を再始動したほうが
いいと思う。彼が今まで携わったプロジェクトで一番
クールだからな。
ラインナップ
Kentha Philipson: Drums, Jocke Granlund: Vocals,
Tobias: Guitar
過去のメンバー
Jimmy: Guitar (1989-1990), Jörgen: Bass (1989-
1990)
デスコグラフィー
Morbid Imaginations, Reh. (1989—Braincancer 名
義)
Antiqued Future, Demo (1990—Braincancer 名義)
Visions From Within, Demo (1991)
Innocence Is Bliss, Demo (1992)
Suck My Heaven, CD (Black Mark, 1993)
Grey Flannel Souled, CD (Step One, 1994)

LEVIATHAN—Ophthalamia 参照。

LIERS IN WAIT
1990 年に Grotesque が解散すると、トマスとア
ルフが At the Gates を、クリスティアン・ヴォー
リーンは Liers in Wait を始動した。ヴォーリーン
が Grotesque のすべての楽曲を手掛けていたため、
Liers in Wait のサウンドとスタイルも Grotesque の
延長線上にあったが、残念ながら彼らはブレイクする
ことはなかった。結成当初、彼らの活動は順調満帆に
行くかと思われたが（1992 年にはプロモーション・
ビデオを制作し、1993 年には Vader とのツアーも敢
行された）、数年後に空中分解した。その理由として
考えられるのは、各メンバーが他のプロジェクトなど
で手一杯だったからだろう（メンバーチェンジが頻繁に行な
われたからだろう（過去の在籍メンバーリストを見
てほしい）。ドラマーのニルソンはのちに Luciferion
に加入し、1995 年にはギタリストのヴォーリーンと
Diabolique を結成した。ヴォーリーンはおそらく、
CD や T シャツのアートワークでよく知られている
のではないかと思う。彼は"ネクロロード"の名義
で Emperor、King Diamond、Tiamat、Therion、
Entombed などのアートワークを手掛けている。
Liers in Wait は 1 作目のアルバムで Therion のクリ
ストフェル・ヨンソンをヴォーカルに迎えた。こんな
超ブルータルなバンドにはそうそうお目にかかれな

い。俺にとって、彼らのスタイルは残虐性の権化だ。
ラインナップ
Kristian Wåhlin: Guitar, Matthias Gustafsson: Bass, Hans Nilsson: Drums
過去のメンバー
Anders Björler: Guitar, Jörgen Johansson: Guitar, Christoffer Johnsson: Vocals/Guitar/Keyboards（ゲスト参加）, *Tomas Lindberg: Vocals, Mattias Lindeblad: Bass, Mats: Drums, Moses: Guitar, Alf Svensson: Guitar, Daniel Erlandsson: Drums*
デスコグラフィー
Spiritually Uncontrolled Art, MLP (Dolores, 1991)
Immersie Obscura, Demo (1992)
Deserts of Rebirth, LP (well, this one was never released to my knowledge)

LIFELESS—Project Genocide 参照。

LIGAMENT
ホルムスンド／ウーメオで始動したありきたりな90年代初期のデスメタル・バンド。Nocturnal Rites のメンバーが作り上げたジョークバンドだと思う。皮肉なことに Nocturnal Rites のサウンドはもっとジョークだけどな。
ラインナップ
Mattias Lönnback, Mats Björklund: Vocals
デスコグラフィー
Demo 92, Demo (1992)
Demo (1993)

LIVING GUTS—Cauterizer 参照。

LOBOTOMY
1989年1月に、ストックホルム郊外の退屈な町であるシースタで誕生した Rapture は、同年10月に Lobotomy へと改名し、本格的に始動し始めた。初期のスタイルはグラインドだったが、やがてデスメタル・サウンドに変化した。所属レーベルやラインナップでトラブルが生じていたものの、1996年に No Fashion との契約を獲得した。しかし、彼らが広範な支持を受けることはなかった。聴いてみれば、なんとなくその理由がわかるだろう。勘違いしないで欲しいが、彼らのクオリティーはちっとも悪くはない。ただ、スウェディッシュ・デスメタル・シーンにて、彼らのようなレベルでは太刀打ちできなかったのだ。初期音源のほうが後発作よりもよっぽど面白味があった。2000年、彼らはついに解散の道を選んだ。バンドリーダーのストラシルは過去に『Ruptured Zine』を発行していた。現在彼は Dental Records（所属バンドには Birdflesh、Hearse、Insision などがある）を運営している。
ラインナップ
Max Collin: Vocals, Etienne Belmar: Guitar, Lars Jelleryd: Guitar（初期はベース）, *Patric Carsana: Bass, Daniel Strachal: Drums*
過去のメンバー
Fredrik Ekstrand: Guitar, Jonas: Vocals (1989), Leffe: Guitar (1989)
デスコグラフィー
When Death Draws Near, Demo (1990)
Against the Gods, Demo (1992)
Nailed in Misery, Demo (1992)
Hymn, 7" (Rising Realm, 1993)

Lobotomy, CD (Chaos, 1995)
Nailed in Misery—Against the Gods, CD (Thrash Corner, 1995)
Kill, CD (No Fashion, 1997)
Born in Hell, CD (No Fashion, 1999)
Holy Shit, EP (No Fashion, 2000)

LOCK UP
この国際色豊かなプロジェクトは、闘将ペーター・テクレンの指揮の下、ロサンジェルスの伝説である Terrorizer の再結成がきっかけで始まった。再結成計画が暗礁に乗り始めると、Lock Up が生まれた。ラインナップには、ジェシー・ピンタド（故人、元 Napalm Death ／ Terrorizer）、シェーン・エンバリー（Napalm Death）、ペーター・テクレン（Hypocrisy）、ニック・ベイカー（元 Dimmu Borgir、Cradle of Filth）を擁していた。のちにテクレンはトマス・リンドバリ（Skitsystem、Disfear、At the Gates）と交代。Lock Up は病的なほど超高速で激烈なグラインドコアを身上としていた。スウェディッシュ・バンドともうは言い切れないが、本書に記載した。
ラインナップ
Jesse Pintado: Guitar, Shane Embury: Bass, Nick Barker: Drums, Tomas Lindberg: Vocals (2000-)
過去のメンバー
Peter Tägtgren: Vocals (-2000)
デスコグラフィー
Pleasures Pave Sewers, CD (Nuclear Blast, 1999)
Hate Breeds Suffering, CD (Nuclear Blast, 2002)
Live in Japan, CD (Nuclear Blast, 2005)

LOGIC SEVERED
2004年にヘスレホルムで始動した、実験的要素の強い新人デスメタル・バンド。もう既にこれほど多くのメンバーが関わっているのだから、どれほど実験的なのか分かるだろう？噂によれば、Body Core、Verminous、Infernal Hellfire のメンバーによるプロジェクトだといわれている。
ラインナップ
John Doe: Vocals/Samples/Congas/Didgeridoo, Jane Doe: Guitar, Missing: Drums/V-drums/Percussion, Lost: Bass, Withheld: Guitar
過去のメンバー
Mjölner: Drums, Behemoth: Vocals, Gandalf: Bass, Vlad: Guitar, Pan: Guitar, Necrophallus: Vocals
デスコグラフィー
Complete Maggotry EP, EP (Dustbin, 2004)
Fraction of a Vile Existence, CD (Dustbin, 2004)

LORD BELIAL
1992年12月に始動したトロールヘッタンのバンド。ブラックメタル・ブームに便乗しようと明らかだったが、しかし彼らのサウンドは若干スローすぎた。しかもデスメタルに影響されていたため、彼らは衆目を集めることができなかった。それでも、彼らは結成後まもなく No Fashion と契約し、進化を遂げた良作を連発している。No Fashion がファシズム曲「Purify Sweden」のリリースを拒んだため、結果的に Lord Belial は Regain Records と契約を交わすことになった。彼らのイメージは過激であるが、音楽性はかなりメロウである——5人のフルート奏者を使っているので、それも当然かも。
ラインナップ

Thomas Backelin: Vocals/Guitar, Anders Backelin:
Bass, Mickael Backelin: Drums, Hjalmar Nielsen:
Guitar
過去のメンバー
Daniel Moilanen: Drums, Vassago (Niclas
Andersson): Guitar (1992-2000, 2001-2003), Plague
(Fredrik Wester): Guitar (2000, 2002), Lilith: Flute
(1993-1999), Jenny Andersson: Flute（ゲスト参加）,
Cecilia Sander: Flute（ゲスト参加）, Catharina
Jacobsson: Flute（ゲスト参加）, Annelie Jacobsson:
Flute（ゲスト参加）, Jelena Almvide: Cello（ゲスト
参加）
ディスコグラフィー
The Art of Dying, Demo (1993)
Into the Frozen Shadows, Demo (1994)
Kiss the Goat, CD (No Fashion, 1995)
Enter the Moonlight Gate, CD (No Fashion, 1997)
Unholy Crusade, CD (No Fashion, 1999)
Angelgrinder, CD (No Fashion, 2002)
Doomed by Death, Lord Belial/Runemagick- Split
(Aftermath, 2002)
Purify Sweden, picture 7" (Metal Fortress, 2003)
Scythe of Death, EP (Metal Fortress, 2003)
The Seal of Belial, CD (Regain, 2004)
Nocturnal Beast, CD (Regain, 2005)

LOSS
2000 年に結成されたカールスタード出身のデスメタ
ル・バンド。Mental Crypt のメンバー、ヤン・ヤン
ソンとウルフ・ヤンソンによるプロジェクト。
ラインナップ
Matte Andersson: Vocals, Kjell Elmlund: Drums,
Sven Erik Fritiofsson: Guitar, Jan Janson: Guitar,
Ulf Jansson: Bass
過去のメンバー
Hugo Bryngfors: Vocals
ディスコグラフィー
Human Decay, Demo (2000)
Verdict of Posterity, CD (Scarlet Records, 2001)
Promo 2002, Demo (2002)
No Sanity Left, Demo (2004)

LOTHLORIEN
1998 年に Black Mark からアルバムをリリースして、
2002 年に解散したヴァルバリ出身のバンド。彼らは
デスメタルを演っていると公言していたが、自分で聴
いて判断してくれ。その後、メンバーのほとんどはデ
スメタルとはまったくかけ離れた Frequency に加入
した。
ラインナップ
Henrik Serholt: Vocals, Tobias Birgersson: Guitar,
Linus Wisdom: Guitar, Tobias Johansson: Bass,
Daniel Hannendahl: Drums/Percussion, Nils-Petter
Svensson: Keyboards（ゲスト参加）
ディスコグラフィー
In the Depth of Thee Mourning, Demo (1996)
The Primal Event, CD (Black Mark, 1998)

LOUD PIPES
Loud Pipes は 90 年代初期に始動したストックホルム
発のプロジェクト。このバンドの基本的なスタイル
は、デスメタル・マニアックス達によるダーティーで
ファストなパンクである。メンバーにはペータル・ファ
ンヴィンド（Entombed、Merciless）、フレードリッ
ク・リンドグレーン（Terra Firma、Unleashed）、フ
レードリック・カーレーン（Merciless）、それに悪名
高き狂人ナンドール・コンドールがいた。作品を聴く
と明白なのだが、メンバーは印象的なリフを生み出す
ことよりもビールを浴びることに時間をかけていたと
思わせる。確かにパワーがあるが、それほど強力では
ない。それでも Loud Pipes はフランスのレーベルで
ある Osmose と契約できた。90 年代中期は Osmose
がスウェーデンのクラスト／メタルの契約獲得に力
を入れていたときだった（レーベルは Dellamorte、
Driller Killer、Disfear とも契約した）。ファンヴィン
ドのドラム捌きは彼の他のどの作品と比べても精彩に
欠いていた。レコーディング中ずっと酔っぱらって
いたに違いない。代わりに Uncurbed を聴いたほうが
よっぽどいい。
ラインナップ
Peter Stjärvind: Drums, Fredrik Lindgren: Guitar,
Fredrik Karlén: Bass, Nandor Candour: Vocals
ディスコグラフィー
Drunk Forever, Demo (1995)
Loud Pipes/Essoasso split 7" (1995)
The Downhill Blues, CD (Osmose, 1997)

LUCIFER
1990 年にミョールビーで Salvation の残党が結成した
バンド。結成のきっかけは主に、Salvation が解散直
前に結んだレコード契約を引き継ぐためだった。デモ
テープ 2 本とシングル 1 枚を発表した。そのあと、メ
キシコのレーベルである Bellphegoth Records と契約
するも、諸事情でマスターテープをレーベルに送る
ことはなかった。やがてバンドは解散したため、ア
ルバムはお蔵入りとなった。ミカエルは Atryxion、
Carcaroht、Indungeon、Thy Primordial、Metroz で
もプレイしていた（Metroz にはヨニーも在籍してい
た）。
ラインナップ
Mikael Andersson: Guitar（初期はベースも担当）,
Jonny Fagerström: Drums/Vocals, Michael Fast:
Bass (1992-)
過去のメンバー
Lars Thorsén: Guitar (1992), Mika Savimäki: Guitar
(1993)
ディスコグラフィー
The Ritual, Demo (1991)
Darkness, Demo (1991)
The Dark Christ, Single (1992)
Promo, Demo (1993)

LUCIFERION
1993 年にペータル・ヴァイネル・アンダソンと
Sarcazm のミカエル・ニクラソンが結成したユーテ
ボリのバンド。後者は Luciferion と同様にブルータル
な Liers in Wait にも在籍していた。程なくしてペー
タルが脱退し、Liers in Wait のハンス・ニルソンが
加わると、彼らの暴虐性は完結した。彼らはアルバム
を 1 枚リリースしたほか、2 枚のコンピレーション・
アルバムに参加したが、ブレイクすることはなかっ
た。Luciferion が解散すると、ニルソンは 1996 年に
Diabolique を結成した。他の多くの 90 年代初頭のバ
ンドのように、Luciferion の初期音源は 2000 年代に
リリースされた。ゲットして、彼らのブルータルさに
触れてくれ。

ラインナップ
Wojtek Lisicki: Vocals/Guitar, Mikael Nicklasson: Guitar, Hans Nilsson: Drums, Martin Furängen: Bass
過去のメンバー
Peter Weiner Andersson: Drums, Johan Lund: Keyboards
ディスコグラフィー
DT, Demo (1994)
Demonication (The Manifest), CD (Listenable, 1994)
The Apostate, CD (Listenable, 2003)

LYKANTROP
ナチスを歌詞テーマとした新興のブラック／デスメタル・バンド。炎上させるためなのか、ガチなのかわからないが、白人至上主義バンド Heysel のメンバーが在籍していると聞く。
ディスコグラフィー
Violent Behavior, CD (Resistance, 2003)

MACABRE—Leave Scars 参照。

MACABRE END
1988 年 12 月にヴァルバリで始動した、真正スウェディッシュ・スタイルを貫いた上質な古参デスメタル・バンド。もう一つ別の名義もあったが、俺は忘れてしまった。彼らは 1989 年に、当初プレイしていたグラインドコア・スタイルをデスメタルに変え、そして 1990 年 2 月に Macabre End へと改名した。シングルをリリースしたのち、彼らは Relapse からリリースする予定だったシングル『Nothing Remains Forever』のレコーディングをしたが、計画が頓挫した。1991 年末にヨハンソン（『Suppuration Zine』の編集者でもある）がバンドを脱退したが、残りのメンバーは God Macabre として続行している。生々しい良質の真正デスメタルである。
ラインナップ
Per Boder: Vocals, Jonas Stålhammar: Guitar (1990-), Ola Sjöberg: Guitar, Thomas Johansson: Bass, Niklas Nilsson: Drums
ディスコグラフィー
Consumed by Darkness, Demo (1990)
Consumed by Darkness, 7" (Corpse grinder, 1991)

MACHINE GOD—Face Down 参照。

MACRODEX
1987 年にエシルストゥーナでハードコア・バンド Cruelty として始動（ヤニとヤリは悪名高い白人至上主義バンド Pluton Svea の原型となったバンドに加入……とんでもねえなぁ）。まもなく Cruelty はファストで激しいデス／スラッシュ・バンドに生まれ変わった。1989 年にはスウェディッシュ・デスメタル・エリート集団の一翼を担うようになっていたが、しかし彼らはいつも Entombed、Grave、Merciless の後塵に拝していた。2 本のスラッシーなデスメタル・デモテープを発表した後、彼らはメロウでスローな音楽を書くようになった。しかし、メンバー間の音楽的相違により彼らは消滅し、Crypt of Kerberos と House of Usher に分裂した。ハリ・モンティは売れっ子ポップ・バンドの Kent に在籍している！
ラインナップ

Roger Pettersson: Guitar/Vocals, Peter Pettersson: Guitar, Christian Eriksson: Vocals, Martin Larsson: Bass, Micke Sjöberg: Drums
過去のメンバー
Jocke: Guitar, Mattias Kennhed: Guitar, Jani Myllärinen: Drums, Stefan Karlsson: Bass, Jari "Roiten" Riutanheimo: Bass, Harri Mänty: Vocals
（ゲスト参加。Cruelty 時代）
ディスコグラフィー
Who Cares, Demo (1988—Cruelty 名義)
Disgorged to Carrion, Demo (1989)
Infernal Excess, Demo (1989)
Remains of a Lost Life, Demo (1990)

MADRIGAL
1998 年にユーテボリで始動したメロディックなアクト。デスメタルとゴシック系に影響を受けていた。他の多くのバンドのように Nuclear Blast と 1 枚契約したが、商業的な成功を得られなかったので契約は打ち切られた。
ラインナップ
Martin Karlsson: Vocals/Guitar, Linda Emanuelsson: Piano/Keyboards, Kristoffer Sundberg: Guitar, Lukas Gren: Bass
過去のメンバー
Marcus Bergman: Drums
ディスコグラフィー
Enticed, Demo (1998)
I Die, You Soar, CD (Nuclear Blast, 2001)

MALEDICTUM
ストックホルムのメロディック・ブラック／デスメタル・バンド。結成、デモテープ発表、解散がすべて 2000 年の一年間のうちに行なわれたので（俺が知る限りでは）、惜しまれつつ辞めたわけではない。メンバーは Hydra、Nocturnal Damnation、Siebenbürgen にも在籍していたので、ブルータルさは期待しないほうがいいだろう。
ラインナップ
Dennis (Death's Poet): Vocals, Linda: Guitar, M. Ehlin: Guitar/Vocals/Programming, Jessica: Bass
過去のメンバー
Berge: Guitar, Kim: Drums
ディスコグラフィー
Into the Darkness, Demo #1, Demo (2000)

MALEFICIO
1990 年には結成されていたレーラム出身のバンド。彼らはありとあらゆるメタリックな要素を自分たちの音楽に融合させようとした。しかし、まったくメタルを感じさせないようなフルートやヴァイオリンまでも取り入れたので、デス、ブラック、スラッシュ、フォーク、ヘヴィメタルが中途半端にごった煮された結果となった。彼らはレコード契約なしにデモテープを作り続けたバンドとしてギネス記録を持つべきだ。18 本もデモテープをリリースしたのだからな。実際のところ、彼らが自主制作した唯一のアルバムは、デモテープ並みのクオリティーだった！ 引き際がわからないのか、それとも単に勘違いしているだけなのだろうか？とにかく、試しにデモテープを 1 本手にとってみて、自分で確かめてみてくれ。
ラインナップ
Daniel Johannesson: Guitar/Vocals, Mikael

Fredriksson: Guitar, Ebion: Bass, Peter Derenius: Drums/Keyboards
過去のメンバー
Martin Söderqvist: Bass/Vocals (1995-1996), Charlotte: Vocals (1996), Fredrik Ramqvist: Bass (1996), Hanna: Violin (1996), Heiki: Flute (1996), Rickard Yxelflod: Vocals (1996), Jimmy Hiltula: Guitar/Vocals, Erik Gustafson: Bass/Vocals
デスコグラフィー
Eyes of Darkness, Demo (1991)
Go to Hell, Demo (1991)
Hail You the Beast, Demo (1991)
I Killed Jesus, Demo (1992)
Silence, Demo (1995)
Bockfot, Demo (1995)
Liar on the Cross, Demo (1996)
The Truth, Demo (1996)
Burn, Demo (1997)
Thy Morbid Fear, Demo (1997)
Winterschlacht 97, Demo (1997)
Under the Black Veil, Demo (1998)
Wings of Malice, Demo (1998)
Winterschlacht 99, Demo (1999)
Malediction Lecture, Demo (2000)
Army of Forgotten, CD (2001)
Human Remains, Demo (2003)
Entwined in Mysteries, Demo (2004)

MALUM
2001 年にランズクローナで結成されたデスメタル・バンド。のちにシーレシュービンゲを拠点に活動した——知り合いに聞いたが、シーレシュービンゲなんてどこにあるのかを知っている奴は1人もいなかった。1本目のデモテープのタイトルは最高。スウェーデン語を勉強してくれ！（訳者註：英語で"Eat Hell with Shit（クソくらえ）"）
ラインナップ
Dahrum: Bass/Vocals, Chrisum: Guitar, Smaluml: Drums/Vocals
過去のメンバー
Jocke: Guitar
デスコグラフィー
Åt Helvete Med Skiten, Demo (2002)
Angel Descending, Demo (2005)

MANIFREST
成功には至らなかった数多くあるスウェディッシュ・バンドの一つ。1992 年にウレブルーで結成された Manifrest は、デモテープを1本制作した後に消滅した。Deicide から影響をかなり受けた、実に良質なサウンドだった。独創性があったし、スラッシーな要素を融合させようとしたようだ。ダン・スワノと Gorysound Studio のおかげで、彼らのデモテープのサウンドは非常に良質だった。ダニエル・アンダソンは割と名の通っている Necrony でも活動していた。注意すべきなのは、バンド名が Manifest と記載されていることもあるが、正しいスペルは Manifrest。
ラインナップ
Björn: Guitar/Vocals, Mikael: Guitar, Daniel Andersson: Bass, Mattias Borg: Drums
デスコグラフィー
Mind, Demo (1992)

MANINNYA BLADE
1980 年 にボーデンで Fair Warning の名義で結成されたバンド。Maninnya Blade に改名後、彼らはスウェーデン初のスピードメタル・バンドの一つとなった（控えめにいっても彼らはダーティーなヘヴィメタルを演っていたことは確か）。また、エクストリームと称されるスウェディッシュ・バンド群で、最初にアルバム・リリースにこぎ着けたバンドの一つでもあった。しかし、彼らは 1987 年に解散してしまう。解散後、メンバーの数名は Maninnya として活動を続け、のちに有名となる Hexenhaus を結成した。2000 年、Maninnya Blade は再起動し、数回のギグをこなし、過去音源を CD で再発した。元ドラマーのマルティン・エリクソンは現在 E-Type 名義で、名うてのテクノ大御所としてヨーロッパで活躍している。俺自身は彼らのデモテープを見たり聴いたりしたことはないが、10本程度出していたということである。
ラインナップ
Leif Eriksson: Vocals（当初はギターを担当）, Andreas "RIck Meister" Pahlm: Guitar, Nicke "Ripper" Johansson: Guitar, Jan "Blomman" Blomqvist: Bass, Ingemar Lundeberg: Drums
過去のメンバー
Martin Eriksson: Drums, Mikael "Mike Wead" Wikström: Guitar, Jerry Rutström: Guitar
デスコグラフィー
Demo (1982—Fair Warning 名義)
The Barbarian/Ripper Attack, 7" (Platina, 1984)
Demo 85, Demo (1985)
Merchants in Metal, LP (Killerwatt, 1986)
Tribal Warfare, Demo (1987)
A Demonic Mistress From the Past, CD (Marquee Records, 2001)

MARAMON
結成当初はメロディック・ブラックメタル・バンドだったが、やがてメロディック・デスメタル・バンドに変わった。彼らは 2001 年にリンデスバリで結成されたが、良いリフを考えるよりもメンバーチェンジに翻弄された。
ラインナップ
Peter Ristiharju: Vocals, Christer Karlsson: Guitar, Stefan Andersson: Bass, Christian Muhr: Drums
過去のメンバー
Tommie Dahlberg: Keyboards, Tommy Bruhn: Keyboards, Tobias Matsson: Bass, Kalle Jansson: Drums, Christian Persson: Keyboards, Rickard Källqvist: Guitar/Bass, Ola Högblom: Guitar, Pär Hjulström: Drums, Rickard Källqwist: Guitar（ゲスト参加）, Martin Jacobsson: Drums（ゲスト参加）
デスコグラフィー
Hednaland, EP (2002)
Sömn, Demo (2002)
Dödens Rike, Demo (2003)
Me, Myself, I, CD (Karmageddon Media, 2005)

THE MARBLE ICON
1994 年7月にニューシュタで結成されたドゥーム／デスメタル・バンド。サウンドは My Dying Bride に近いが、激しさは彼らのほうが上。ただメロディックさやプロフェッショナルさには欠けていた。ヨーナス・キンブレルは Dispatched の元メンバー。
ラインナップ

Jonas Kimbrell: Bass, Oskar: Guitar (initially also vocals), Mattias: Drums, Erik Sahlström: Vocals (1995-), Jimmi: Guitar
デスコグラフィー
Queen Damager, Demo (1995)
Sombre Epigraph, Demo (1996)

MARDUK
1990 年末にギタリストのモルガン・ホーカンソン（Abruptum）によって結成されたバンド。彼らは Bathory 全盛時代後、初のスウェディッシュ・ブラックメタル・バンドの一つに数えられる。結成以来、彼らはこの世で最もブルータルなメタルを創り出すことを目的とした。認めなくてはいけないのは、彼らの成就は間近だということ。独特で暴虐性溢れる彼らのサウンドは進化を続け、1999 年の『Panzer Division Marduk』で完成された。彼らの作品の多くは素晴らしい出来ではあるが、それでも本アルバムは凶暴性に満ちた最高傑作といえる。一糸乱れぬ演奏、スピード、それに暴力性が究極なまでに再現されている。Marduk はデスメタルとブラックメタルの双方のファンから支持を受けている数少ないバンドである。彼らは 90 年代のスウェディッシュ・ブラックメタル・シーンが生み出した最も素晴らしいバンドであると俺は思っている。事実、Dissection や Abruptum はブラックメタル然としたバンドではないため、Bathory 亡きあと、Marduk が紛れもなくジャンルを代表する唯一のスウェディッシュ・バンドといえるだろう（のちに登場した Dark Funeral はブラックメタルの流儀をさらに忠実に踏襲しているが）。
ラインナップ
Morgan "Steinmeyer" Håkansson: Guitar, Emil Dragutinovic: Drums (2002-), Magnus "Devo" Andersson: Bass (2004-), Guitar (1992-1995), Mortuus: Vocals (2003-)
過去のメンバー
Roger "B War" Svensson: Bass (1992-2004), Fredrik Andersson: Drums (1994-2002), Erik "Legion" Hagstedt: Vocals (1995-2003), Joakim Göthberg: Drums (1990-1993), Vocals (1993-1995), Andreas Axelsson: Vocals (1990-1993), Rikard Kalm: Bass (1990-1992), Kim Osara: Guitar (1995-1996)
デスコグラフィー
Demo #1, Demo (1991)
Fuck Me Jesus, Demo (1991)
Here's No Peace, 7" (Slaughter, 1991)
Dark Endless, CD/LP (No Fashion, 1992)
Those of the Unlight, CD/LP (Osmose, 1993)
Opus Nocturne, CD/LP (Osmose, 1994)
Fuck Me Jesus (91 Demo), MCD (Osmose, 1995)
Heaven Shall Burn...When we are Gathered, CD/LP (Osmose, 1996)
Glorification, CD (Osmose, 1996)
Live in Germania, CD/LP (Osmose, 1997)
Nightwings, CD/LP (Osmose, 1998)
Panzer Division Marduk, CD/LP (Osmose, 1999)
Infernal Eternal, CD (Blooddawn, 2000)
Obedience, EP (Blooddawn, 2000)
La Grande Danse Macabre, CD (Blooddawn, 2001)
Slay the Nazarene, Single (Blooddawn, 2002)
Blackcrowned, Box (Blooddawn, 2002)
Hearse, Single (Blooddawn, 2003)
World Funeral, CD (Blooddawn, 2003)

Plague Angel, CD (Blooddawn, 2004)
Deathmarch, EP (Blooddawn, 2004)
Warschau, CD (Regain, 2005)

MASTICATE
このフィンスポング／ウレブルー発のバンドは、90 年代初期にダン・スワノが数多く携わっていたプロジェクトのうちの一つ。基本的には、スワノとヤコブソンによる野郎 2 人組バンド。1990 年 10 月 5 日にスワノとヤコブソンがさらにブルータルなバンドを構成するために結成されたもの。スワノの良質なプロジェクトのうちの一つといえるだろう。彼らが作り出すのは、グラインド・パートや超低音ヴォーカルを特徴とするカッコよくて激烈なデスメタル。
ラインナップ
Dan Swanö: Guitar/Bass/Vocals, Anders Jakobsson: Drums/Vocals
デスコグラフィー
Desecration, Demo (1990)

MASTICATION
1990 年にウプランズ・ヴァースビーで結成されたデスメタル・バンド。驚くことにデモテープ・リリース前に Crematory、Candlemass、Dismember の前座を務めた――それを聞くだけでも 1990 年に戻りたくなるな！今の若い奴らは "すぐにアルバムを作ろう" なんて考えるから質が落ちるのであって（単に俺が老いぼれただけかもしれない）、当時の若いバンドはメタル人生を全うすることができればそれで良かったんだ。ちなみに、Mastication は Grave、Unanimated、Coercion、Excruciate、Morpheus、Mykorrhiza、Cauterizer に在籍するメンバーで構成されている。察しの通り、良いバンドだ。
ラインナップ
Janne Rudberg: Guitar, Daniel Lofthagen: Bass/Guitar, Lars Levin: Vocals, Per Ekegren: Drums
デスコグラフィー
Demo 1991, Demo (1991)
Demo #2, Demo (1991)
Mastication, Demo (1991)

MASTICATOR
1991 年に 3 本ものデモテープを発表した初期のスウェディッシュ・デスメタル・バンド。のちにヴォーカリストは Vintersorg（それに、Otyg、Borknagar、Fission、Havayoth、Cosmic Death にも）に加入し、ブラックメタルに鞍替えした。
ラインナップ
Vintersorg: Vocals/Guitar, Daniel O: Guitar, Mattias Marklund: Bass, Benny Hägglund: Drums
デスコグラフィー
Demo, Demo (1991)
Demo（タイトル不明）, Demo (1991)
Dismembered Corpse, Demo (1991)

MASUGN
2005 年にユーテボリで結成されたブラック／スラッシュ／デスメタル・バンド。ジョークバンドだと思う。
ラインナップ
Frid: Guitar, M.K Stenvold: Guitar, Noc: Drums, Eytzinger: Bass/Vocals
デスコグラフィー
Damballah, Demo (2005)

A Scent of Decreation (2005)

MAUSOLEUM
2002年にアルボーガで結成されたメロディック・デスメタル・バンド。メンバー2名が交代し、バンド名もSoulbreachに変更された。ディノ、マグナス、ティモはSeptic Breedでもプレイしていた。マグナスはThroneaeonに在籍したこともある。
ラインナップ
Per Fransson: Guitar, Dino Medanhodzic: Guitar, Magnus Wall: Bass, Henrik Brander: Drums
過去のメンバー
Timo Kumpumäki: Vocals, Peter Svensson: Bass
デスコグラフィー
Demo 2003, Demo (2003)
Fluctuating Senses, Demo (2003)

MAZE OF TORMENT
結成当初はTorment（別項目参照）の名義で活動していたストレングネース発のバンド。1996年のデビュー作を機にMaze of Tormentへと改名し、現在も活動を続けている。普通レベルのバンドであるが、バンド史を語ると長くなる。クリーレ・ルンディンとペータル・カールソンはDeceiverでの活動で有名で、ペータル・ヤンソンはCrypt of Kerberosでプレイしていた。
ラインナップ
Kjell Enblom: Drums, Erik Sahlström: Vocals, Magnus Lindvall: Guitar, Rickard Dahlin: Guitar, Cloffe Caspersson: Bass
過去のメンバー
Pehr Larsson: Vocals/Bass (1994-1998), Peter Jansson: Bass (1997-1999), Kalle Sjödin: Bass, Viktor Hemgren: Guitar
デスコグラフィー
The Force, CD (Corrosion, 1996)
Faster Disaster, CD (Iron Fist Productions, 1999)
Death Strikes, CD (Necropolis, 2000)
Maze Bloody Maze, Single (Merciless, 2002)
The Unmarked Graves, CD (Hellspawn, 2003)
Brave the Blizzard, Single (TPL records, 2004)
Hammers of Mayhem, CD (Black Lodge, 2005)

MEADOW IN SILENCE
1995年にヴィーキングスタードで始動したデス／ドゥーム／ヘヴィメタル・アクト。どうやら自らをブラックメタル・バンドと称しているようだが、当てはまらない気がする。メンバーチェンジを頻繁に行なっているようだが、詳しいことはわからない。彼らはもういないのではないかな。
ラインナップ
Weinherhall: Vocals/Guitar, Karl: Vocals/Guitar/Keys, Karsten: Drums, Schutz: Bass/Vocals
デスコグラフィー
Rehearsal (1995)
Rehearsal 2 (1995)
From Beyond the Stars, Demo (1995)
Promo 96, Demo (1996)
Through the Tides of Time and Space, CD (Violent Nature, 1996)

MEADOWS END
1993年にオーンフォースヴィークで結成されたメロディック・デスメタル・バンド。数年前にシングルCDを自主製作したので、いまだ健在なのは間違いない。しかし、シーンでは話題に上がってこない。
ラインナップ
Henrik Näslund: Keyboards, Jan Dahlberg: Guitar, Daniel Tiger: Drums, Mats Helli: Bass, Anders Rödin: Vocals
デスコグラフィー
Beyond Tranquil Dreams, Demo (1998)
Self-Forsaken, Demo (1999)
Everlasting, Demo (2000)
Soulslain, Demo (2002)
Somber Nation's Fall, EP (2004)

MEASURELESS
セフレ出身のブルータル・グラインディング・デスメタル・バンド。A級バンドではないが、1993年のブラックメタル・トレンドに反旗を翻し、残虐スタイルを貫いた彼らには感服する。
ラインナップ
Henrik Persson: Drums/Vocals, Christer: Guitar, Mats Bergqvist: Guitar, Daniel: Bass/Vocals
デスコグラフィー
Abandoned to Die, Demo (1993)
Demo 2, Demo (1994)

MEFISTO
暴虐性に満ちた、最初期のスウェディッシュ・バンドの一つ。Bathoryが築いた軌跡を踏襲し、カルト的な地位に上り詰めた。彼らは1984年にストックホルムでTormentの名義で始動したが、その後すぐに改名した。Mefistoは邪悪なデス／ブラックメタル・サウンドを極限なまでに推し進めた。彼らはおそらくスウェーデンのアンダーグラウンド・シーンで初めて注目されたバンドだろう。彼らにはマネージャーさえもついていたのだが、解散するまで一度もライブを行なわず、デモテープも2本しか発表しなかった、マネージャーを付ける意味があったとはいえなかった。過去音源はBlooddawn/Regainから CD で再発されているので、当時のことを知りたければ聴いてみるといい。彼らこそがカルトバンドだといえるだろう。
ラインナップ
Omar Ahmed: Guitar, Sandro Cajander: Bass/ Vocals, Roberto Granath: Drums
デスコグラフィー
Megalomania, Demo (1986)
The Puzzle, Demo (1986)
The Truth, LP/CD (Blooddawn/Regain, 1999)

MEGASLAUGHTER
1986年にユーテボリを拠点としてDinloydの名義で結成されたバンド。音楽性が次第にCannibal CorpseとMetallicaをミックスしたような中途半端なサウンドに変わっていったため、うまくいかなかった。デモテープ数本とアルバム1枚を発表したが、1992年にバンドは解散した。リリックはのちにDerangedのメンバーと共にMurder Corporationプロジェクトを結成し、シーンに戻ってきた。さらに彼は2001年にレーフリング兄弟と正統派ヘヴィメタル・バンドであるJaggernautを結成した。パトリック・レーフリングは1997から99年までの間大成功を収めたあの忌まわしいHammerfallに在籍し、ドラマーを務めた。
ラインナップ

Jens Johansson: Vocals, Emil Lilic: Vocals, Kenneth Arnestedt: Guitar, Alex Räfling: Bass, Patrik Räfling: Drums
デスコグラフィー
Death Remains, Demo (1989)
Demo, Demo (1991)
Calls from the Beyond, LP (Thrash, 1991)

MEGATHERION—Therion 参照。

MELANCHOLIUM—Katatonia 参照。

MELISSA
1986 年にビャーヌムで結成され、結成当初はハードコア／グラインドをプレイしていたが、80 年代後期にはテクニカル・スラッシュへと変わっていった。彼らは生存競争の激しかった 90 年代初期のスウェディッシュ・デスメタル・ブームの渦中で生き残ることはできなかった。俺は本書の執筆を始めるまで、彼らのことをすっかり忘れていたよ（しかも、最初は何を書いていいのかも分からなかったよ）。
ラインナップ
Schizo: Drums（初期はヴォーカル）, Paranoya: Guitar/Vocals (1988-, 初期ベース), Trauma: Bass (1989-), Stezzo: Guitar (1989-)
過去のメンバー
Necro: Bass (1988-1989)
デスコグラフィー
Demo (1986)
Garagedemo 1, Demo (1988)
Garagedemo 2, Demo (1988)
Welcome, Demo (1989)
A Flight to Insanity, 7" (Underground Records, 1989)

MEMORIA
1999 年にネッファーで結成されたメロディック・デスメタル・バンド。2000 年にデモ CD をリリースしたが、それ以降音沙汰がなし。便りがないのは良い知らせなのかもしれないな。
ラインナップ
Ludvig: Vocals, Johan: Drums, Josef: Guitar, Martin: Bass, Patrik: Keyboards
デスコグラフィー
Memoria, MCD (2000)

MEMORIUM
1992 年に結成されたホーリェッド出身のバンド。彼らはキーボードとドラムマシンで、熾烈なデスメタル・シーンで頭角を現わそうとした。彼らは、"独創的"は必ずしも "面白さ" を必要としない、ということを証明してくれた生き証人なのだ。誰か彼らのことを覚えているか？　ダニエル・アンダソンは『Recension Mag』の編集者でもあった。
ラインナップ
Daniel Andersson: Keyboards, Fredrik: Vocals, Joel, Markus
過去のメンバー
Dennis
デスコグラフィー
The Oak of Memories, Rehearsal (1992)
Enlightment, Demo (1992)
At the Graveyard, Rehearsal (1993)

Deepest Woods, Demo (1993)
Memorium, EP (1994)

MENTAL CRYPT
1993 年に結成されたカールスタード出身のバンド。Dismember や Interment 風のオールドスクール・デスメタルではあるが、Pantera、Sepultura、Slayer からの影響も見受けられる。少し中途半端ではあるが、許容範囲。もともとは Loss のメンバーによるサイド・プロジェクトだった。Mental Crypt はいまだ活動中ではあるが、何年も音沙汰がない。
ラインナップ
Hugo Brygfors: Vocals, Kjell "Kjelle" Elmlund: Drums, Sven Erik Fritiofsson: Guitar, Jan Janson: Guitar, Ulf Jansson: Bass
過去のメンバー
Blappan: Bass/Vocals
デスコグラフィー
Black Hole, Demo (1993)
Aimless, Demo (1994)
Sects of Doom, Demo (1996)
Extreme Unction, CD (Black Mark, 1998)
Ground Zero, Demo (1999)

MEPHITIC
90 年代初期にシーンに登場したノードマーリング出身のヘヴィ・デス／スラッシュ・バンド。下手で説得力のかけらもないサウンドということしか知らない。
ラインナップ
Patrik Jonsson
デスコグラフィー
The Sweet Suffering, Demo (1992)
Demo (1993)

MERCILESS
スウェーデンで最も古くから活動し、オリジナリティーに溢れたデスメタル・バンドの一つ。1986 年に小さな町であるストレングネースで結成された彼らは、Sodom 影響下の凶暴かつ激速なスラッシュメタルを目指した。過激で一切の妥協をしないスタイルは、ノルウェイジャン・ブラックメタルの雄、ユーロニモスをも惹きつけた。そして、Merciless のデビュー作は、彼のレーベル Deathlike Silence の第一弾作品となった。80 年代後期から 90 年代初期まで、Merciless は Sodom と Sepultura とのかの有名なギグを含め、スウェーデン国内のショーをすべて制覇した。1992 年にカールソンがパンク・バンド Dia Psalma 加入のためにバンドを脱退すると、Merciless は鬼才ペーター・ファンヴィンド（Unanimated、Face Down、Entombed）をドラマーとして迎えた。しかし、それでもバンドは正当に評価されるまでに至らなかった。長い期間活動停止状態だったが（90 年代後半は生存すらしていなかった）、Merciless は今でも独自の孤高なスラッシュ／デスメタルをプレイし続けている。2004 年、オリジナル・メンバーであったステーファン・カールソンがバンドに復帰した。ファンヴィンドは Entombed にも在籍していたので、Merciless のために思うようには時間が取れなかったというのが理由である（正直に言えば、カールソンの方が Merciless に合っていると思う）。Merciless はスウェーデン史上、極上のバンドの一つであると俺は思っている。特に 2 本目のデモテープ『Realm of the

Dark』とデビュー作の『The Awakening』は最高傑作である。

ラインナップ
Fredrik Karlén: Bass, Erik Wallin: Guitar, Roger Pettersson: Vocals (1987-), Stefan "Stipen" Karlsson: Drums (1986-1991, 2004-), Kalle: Vocals (1986-1987)
過去のメンバー
Peter Stjärnvind: Drums (1991-2004)
デスコグラフィー
Behind the Black Door, Demo (1987)
Realm of the Dark, Demo (1988)
The Awakening, LP (Deathlike Silence, 1990)
Branded by Sunlight, Merciless/Comecon Split 7" (CBR, 1992)
The Treasures Within, LP/CD (Active, 1992)
Unbound, LP/CD (No Fashion, 1994)
Merciless, CD (VME, 2003)

MESENTERY
90年代初期にミョールビーで結成されたデスメタル・バンド。グラインディング・ドラムと野太いグロウル・ヴォーカルが特徴。メンバーはもちろん他のミョールビー出身のバンドから構成されている。
ラインナップ
Lars Tängmark, Janne Martinsson, Rickard Martinsson, Karsten Larsson, Magnus Linhardt
デスコグラフィー
Demo 1, Demo (1992)
Demo 2, Demo (1993)

MESHUGGAH
1987年に退屈な北部の町ウーメオで結成された、超絶エクスペリメンタル・スラッシュ・バンド。彼らの初期のスタイルはMetallica色が強かったが（結成時の名義はMetallien）、次第に比類なき超テクニカル・リフマシーンへと変化を遂げた。彼らの演奏能力は抜群に高く、イェンスのヴォーカルは異彩を放っていた。しかし、まさにMeshuggahがブレイクするという直前に、メンバーが負傷するという最悪の事態に見舞われた。最初はギタリストのトーレンダールが事故で指先を切断し、次にドラマーのホーケが旋盤に手を巻き込まれたのである。しかしそれにもめげず、彼らは貪欲に活動を続けた。ギタリストが6弦以上のギターを巧みに操るようになると、サウンドは次第に異質になっていった。DismemberやAfflictedと同じく、Nuclear Blastが契約した最上のスウェディッシュ・バンドといえるだろう（オッケー、分かったよ、Dischangeもクールだよな！）。ユニークで圧倒的、誰もが必ずチェックしなくてはいけないバンド。デスメタルとの関係って？ おい、野暮なこと言うんじゃねぇよ‼ Meshuggah抜きにしてエクストリーム・メタルを語れねぇんだよ。
ラインナップ
Jens Kidman: Vocals（初期はギターも担当），
Fredrik Thorendal: Guitar, Tomas Haake: Drums, Martin Hagström: Guitar, Dick Lövgren: Bass
過去のメンバー
Peter Nordin: Bass, Niklas Lundgren: Drums, Gustav Hielm: Bass
デスコグラフィー
Ejaculation of Salvation, Demo (1989)
Psykisk Testbild, EP (Garageland, 1989)
Promo 1991, Demo (1991)

Contradictions Collapse, LP/CD (Nuclear Blast, 1991)
None, EP (Nuclear Blast, 1994)
Destroy Erase Improve, CD (Nuclear Blast, 1995)
Selfcaged, MCD (Nuclear Blast, 1995)
Hypocrisy/Meshuggah, Split (Nuclear Blast, 1996)
The True Human Design, MCD (Nuclear Blast, 1997)
Chaosphere, CD (Nuclear Blast, 1998)
Rare Trax, CD (Nuclear Blast, 2001)
Nothing, CD (Nuclear Blast, 2002)
I, EP (Nuclear Blast, 2004)
Catch 33, CD (Nuclear Blast, 2005)

MESQET
90年代中期のメロディック・デスメタル・バンド。質は劣る。
デスコグラフィー
Dreamless, Demo (1996)

METALLIEN—Meshuggah 参照。

METEMPSYCHOSIS—Mournful 参照。

METROZ
1989年にムータラで結成されたプリミティヴ・デス／スラッシュ・バンド。スティーヴォがToxaemia加入のために脱退すると、ミカエルとヨニーはLuciferを結成した。
ラインナップ
Mikael Andersson: Bass, Tommy: Guitar, Jonny: Drums
過去のメンバー
Stevo Bolgakoff: Vocals
デスコグラフィー
Brain Explosion, Demo (1989)
Demo (1990)

MEZZROW
1988年にニューシューピングで始動した、初期のスウェディッシュ・スラッシュメタル・バンド。デモテープ・リリース後、アンダーグラウンド・シーンで注目を浴び、彼らは多くのライブをこなした。俺は1989年に彼らをライブで少なくとも3回は観たことがある。しかし、アルバム発表後、デスメタルがMezzrowをはじめ、スウェーデンの多くのスラッシュメタル・バンドを一掃してしまった。それでも、彼らが数年間はスウェディッシュ・シーンを牽引していたバンドの一つだったということには間違いない（訳者註：のちにスウェディッシュ・デスメタル・シーンの中心人物となるニッケ・アンダソンはMezzrowのデモテープ『Frozen Soul』〈1988年〉と『Frozen Soul』〈1989年〉にベーシストとして参加した）。
ラインナップ
Staffe Karlsson: Guitar/Vocals, Zebba Karlsson: Guitar/Vocals, Uffe Pettersson: Vocals/ Bass, Steffe Karlsson: Drums
過去のメンバー
Conny Welén: Bass, Nicke Andersson: Bass
デスコグラフィー
Frozen Soul, Demo (1988)
The Cross of Tormention, Demo (1989)
Then Came the Killing, LP (Active, 1990)

Demo 91, Demo (1991)

MIDAS TOUCH
1985 年にウップサーラで活動をスタートしたテクニ
カル・スピードメタル。彼らは Noise Records との契
約を獲得したが、90 年代初期のデスメタル・ブーム
の波にのまれ、消滅した。パトリック・ヴィーレーン
とパトリック・スポロングは大成功を収めたインダ
ストリアル・メタル・グループである Misery Loves
Company で活動を続け、Earache からアルバム 2 枚
をリリースした。
ラインナップ
Patrick Wirén: Vocals, Lasse Gustavsson: Guitar,
Thomas Forslund: Guitar, Patrick Sporrong: Bass,
Bosse Lundström: Drums
過去のメンバー
Rickard Sporrong: Guitar
デスコグラフィー
Ground Zero, Demo (1987)
Presage of Disaster, LP (Noise Records, 1989)

MIDIAM
90 年代初期に登場した、ヨッケ・ペッタションによ
るミョールビー発のワンマン・プロジェクト。ハード
コアとデスメタルの要素を取り入れた激烈グラインド
コア。
ラインナップ
Jocke Pettersson
デスコグラフィー
Demo (1992)

MIDVINTER
スウェーデン北部出身のブラック／デスメタル・プロ
ジェクト。ラインナップが安定せず、ヨン・ノトヴェ
イト（Dissection）やアルフ・スヴェンソン（At the
Gates）など著名なミュージシャンがヘルプで参加し
た。しかし、楽曲が平凡でつまらなかったため、バン
ドの状況は変わらなかった。
ラインナップ
"Kheeroth": Vocals, "Damien": Guitar/Bass,
"Zathanel": Drums
過去のメンバー
Björn: Vocals, Krille: Drums
デスコグラフィー
Midvinternatt, Demo
At the Sight of the Apocalypse Dragon, CD (Black
Diamond, 1997)

MIGUL
ファールン出身の短命に終わったブラック／デスメタ
ル・バンド。2000 年にデモテープを制作したが、や
がて活動休止した。
ラインナップ
Jocke Olsson: Guitar/Vocals, Olof Henriks: Guitar/
Vocals, Johan Bengs: Bass/Vocals, Gustav,
Bergqvist:Drums
デスコグラフィー
Hymns of Migul, Demo (2000)

MINDCOLLAPSE
1989 年には既にヴェクファで結成されていたデス／
スラッシュ・バンド。当初は Astray という名義で活
動していたが、90 年代初頭に Mindcollapse へと改名

した。2001 年に彼らはようやくレーベルと契約する
が、しかしその 2 年後には解散した。
ラインナップ
Johan Kaiser: Vocals, Mathias Nilsson: Guitar,
Eddie Partos: Guitar, Olle Segerback: Bass, Jonas
Hallberg: Drums
デスコグラフィー
Lifeless, CD (1996)
Vampires Dawn, CD (VOD, 2001)

MINDFALL
2001 年にユーテボリで始動したデス／スラッシュ・
バンド。彼らは現在までにデモテープを 1 本しかリ
リースしていない。
ラインナップ
Alexander Avenningson: Drums, Axel Widén: Vocals,
Erik Ward: Bass, Thommy Thorin: Guitar/Vocals
デスコグラフィー
From the Barren, Demo (2003)

MINDSLIP
1999 年にストックホルムで結成されたデス／スラッ
シュ・バンド。
ラインナップ
Daniel Lundh: Vocals, Johan Adamsson: Guitar,
Janek Hellqvist: Guitar, Andreas Lundin: Bass,
Jaanus Kalli: Drums
デスコグラフィー
Dissident, Demo (2000)
No Allegiance, Demo (2001)
Dead Silence, Demo (2004)

MINDSNARE—Relevant Few 参照。

MISCREANT
1993 年にヴェステルオースで始動したスローでメロ
ディックなデスメタル・バンド。彼らの 1 本目のデモ
テープは Rosicrucian のリハーサル室でレコーディン
グしたため、サウンドは最悪だった。Unisound でレ
コーディングした 2 本目のデモテープでは、Marduk
のヨアキム・ユートバリがヴォーカルとして参加し
た。この時点で彼らは At the Gates のサウンドにか
なり近かった。次に彼らはデビュー CD を Wrong
Again からリリースした。出来はまあまあだった
が、バンドはすぐに消滅した。ヨニー・ヴラァニン
グ は Ebony Tears や Dog Faced Gods、Eyetrap、
Mânegarm でもプレイしていた。
ラインナップ
Johnny Wranning: Vocals, Peter Kim: Guitar, Peter
Johansson: Guitar, Magnus Ek: Bass/Keyboards,
Johan Burman: Drums/Percussion
過去のメンバー
Pontus Jansson: Drums
デスコグラフィー
Ashes, Demo (1993)
Promo 93, Demo (1993)
Dreaming Ice, CD (Wrong Again, 1995)

MISHARK—Embracing 参照。

MIST
2002 年末、クリスティーネハムンとビョーネボリ出
身の 4 名によって結成されたデスメタル・バンド。彼

らにギグを1本とデモテープを1本（リハーサルの生録り）発表した後に解散するが、のちにもっとメロディック色の強いPorkrindとして生まれ変わった。

ラインナップ
Andreas Henningsson: Vocals/Bass, Kent Andersson: Drums, Andreas Gottschalk: Guitar, Josef Laében Rosén: Guitar

デスコグラフィー
Mist of Darkness, Demo (2003)

MISTWEAVER
1998年にタービーで結成されたプログレッシヴ要素のあるメロディック・デスメタル・バンド。彼らは結成後の5年間で4本のデモテープを発表した。しかし、どのレーベルからの誘いもなかったため、彼らは賢明にも解散する選択をとった。

ラインナップ
Rickard Martinsson: Vocals/Bass, Stefan Weinerhall: Guitar, Karl Beckmann: Guitar/Keyboards, Karsten Larsson: Drums

過去のメンバー
Helene Blad: Vocals, Christian Schütz: Vocals/Bass, Johan: Guitar

デスコグラフィー
Behold the Shields of Gold, Demo (1993)
Meadow in Silence, Demo (1994)
Nidhogg, Demo (1995)
Promo'96, Demo (1996)
In the Sign of the Ravens, CD (Invasion, 1997)
King of the Distant Forest, CD (Invasion, 1998)
Gathered Around the Oaken Table, CD (Invasion, 1999)

MITHOTYN
ヴァイキング・メタルに粗削りのヴォーカルを特徴とする90年代中期のミョールビー出身のバンド。俺の好みではない（たとえそこにウオッカが入っていってしてもな）、けれどもこのようなスタイルのバンドにしては良質の方だと思う。（訳者註："俺の好み"を原文では"my cup of tea"と表現しているため、直訳すると"ウオッカ入り紅茶でも飲まない"）4本のデモテープを制作した後（よく『In the Dead of Night』と記載されているようではあるが、しかし実際には存在しない）、Invasionと契約したが、時代は彼らの味方をしてくれなかった。そして、話題にもならなかった3枚のCDをリリースした後に、彼らは解散した。しかし彼らはもっと脚光を浴びても良かったのではないかと思う。結成当初、彼らはCerberus（別項目参照）の名義で活動していたが、いまはひとつだった。メンバーの多くはThe Choir of Vengeance、Falconer、Indungeon、Dawnに在籍し、そっちの方で名が通っていた。

ラインナップ
Rickard Martinsson: Vocals/Bass, Stefan Weinerhall: Guitar, Karl Beckmann: Guitar/Keyboards, Karsten Larsson: Drums

過去のメンバー
Helene Blad: Vocals, Christian Schütz: Vocals/Bass, Johan: Guitar

デスコグラフィー
Behold the Shields of Gold, Demo (1993)
Meadow in Silence, Demo (1994)
Nidhogg, Demo (1995)

Promo'96, Demo (1996)
In the Sign of the Ravens, CD (Invasion, 1997)
King of the Distant Forest, CD (Invasion, 1998)
Gathered Around the Oaken Table, CD (Invasion, 1999)

MNEMONIC
1994年にユーテボリで結成されたデスメタル・バンド。翌年、デモテープ2本発表するが、バンドはまもなく消滅した。

ラインナップ
Mikael Nordin: Guitar/Vocals, Pär Romvall: Bass, Mikael Fredriksson: Guitar, Boss Dr Rhythm: Drums（俺にはドラムマシンのように聴こえるが）

過去のメンバー
Michael Jungestrand: Drums

デスコグラフィー
Shades From a Missing Epoch, Demo (1995)
While We Dream, Demo (1996)

THE MOANING
1994年にルーレオ／ボーデンで結成されたメロディック・デス／ブラックメタル・バンド（デスよりもブラックの要素が強い）。翌年、No Fashionと契約を結んだ。なんとか1作はリリースできたが、正直なところ良作とはいえなかった。スヴェンソンはGates of Ishtarにも在籍した（さらにThrone of Ahazにも在籍していた）。

ラインナップ
Pierre Törnkvist: Vocals, Mikael Granqvist: Guitar, Patrik Törnkvist: Guitar, Niklas Svensson: Bass, Andreas Nilzon: Drums

デスコグラフィー
Promo Okt 94, Demo (1994)
Blood from Stone, CD (No Fashion, 1996)

MOANING WIND
90年代中期頃にカールスタードで結成されたマイナーなデスメタル・アクト。デスメタルというよりもゴシックメタルに近いかもしれない。1本目のデモテープはリハーサル室でレコーディングされたが、それにも関わらずサウンドはかなり良質だった。ヨーハンとトマスはさらに狂暴なバンドのDawn of Decayでも活動していた。Moaning Windは1997年にCapricornへと改名したが、のちの活動については俺は把握していない。マルティン・ビヤウーンは『Möffa Zine』も発行していた。

ラインナップ
Johan Carlsson: Vocals/Bass, Tomas Bergstrand: Guitar, Magnus Eronen: Guitar, Martin Bjöörn: Drums

過去のメンバー
Anders Karlsson: Bass

デスコグラフィー
In Thy Forest, Demo (1994)
Demo 2, Demo (1994)
Demo 3, Demo (1995)
Visions in Fire, CD (Corrosion, 1996)
Demo 1997, Demo (1997—Capricorn 名義)

MOMENT MANIACS
ブルータルなクラスト／デスメタル・プロジェクト。2名のMardukと3名のWolfpack/Wolfbrigadeの

メンバーで構成されている。俺は彼らのレコーディングの最中に Abyss Studio を訪れたことがある。彼らは気分をアゲるために Motörhead の『Overnight Sensation』と Dellamorte の『Uglier & More Disgusting』をずうっと聴いていたと記憶している。功を奏したのは明らかで、かなり強烈な作品となった。それに彼らはよく呑んだくれていたので、ヴォーカル・パートは後日レコーディングする羽目になった。というのは、ヨンソン（まさしく狂人。クラストの先駆者 Anti Cimex のメンバーとして有名）がへべれけになって、レコーディング中に皆の目の前でぶっ倒れたのだ。

ラインナップ
Bogge: Bass, Fredrik: Drums, Jonsson: Vocals, Alho: Guitar, Jocke: Guitar
デスコグラフィー
Two Fucking Pieces, CD (Distortion, 1998)

MONKEY MUSH

Monkey Mush は、アンゲレード出身のドラムマシンを駆使したグラインドコア・バンド。初めの頃は Splort という名義で始動していたが、1989 年 10 月 4 日に改名した。Monkey Mush は違いなく、病的で、そしてポルノとゴアに憑りつかれていた。彼らは、スウェーデンで最も悪名高い人物の 1 人である "オンケル"、別名 "ザ・シット・マン（クソ野郎）" のパトリック・アンダソンを擁していた。グロテスクであることは間違いないが、しかしどの作品のクオリティーも高かったというわけではない。コルホネンはプリミティヴなデスメタル・アクト、Angel Goat に僅かの間だけ在籍していたことがあった。彼は当時の古き良き時代に、精力的に『Slimy Scum 'zine』を発行していた。

ラインナップ
Harri Juvonen: Guitar/Bass/Vocals, Tommi Korhonen: Bass/Vocals, Patrik Andersson: Vocals/ Guitar
デスコグラフィー
Demo 90, Demo (1990)

MOONDARK

1993 年にアーヴェスタで始動した良質なバンド。彼らの音楽性は Crypt of Kerberos による影響が強く、超スローでダウン・チューニングされた激烈なメタルを特徴とした。彼らは次第に Dellamorte へと変化し、認知度が増した。

ラインナップ
Kennet Englund: Guitar, Johan Jansson: Drums, Mattias Norrman: Bass, Mats Berggren: Bass/Vocals
デスコグラフィー
Demo #1, Demo (1993)

MOONSTRUCK

1993 年にビャーレッドで結成したメロディック・テクニカル・デスメタル・バンド。彼らは 3 年周期で活動しているようだ。1996 年にデモテープを、1999 年には CD を、2002 年には何もなかったので、もしかすると解散したのかもしれない。

ラインナップ
Fredrik Sandberg: Vocals/Guitar, Jonas Forsen: Guitar, Magnus Persson: Bass/Keyboards, Per Telg: Drums
デスコグラフィー
Under Her Burning Wings, Demo (1996)
First Light, CD (Dragonheart, 1999)

MOORGATE

2001 年にルンドで結成されたブラック／デスメタル・バンド。

ラインナップ
Joakim Holst: Vocals, Magnus Åberg: Guitar, Fredrik Svensson: Guitar, Simon Lundh: Bass, Erland Olsson: Drums
デスコグラフィー
Drawn From Life, Demo (2003)
I Am the Abyss When You Fall, Demo (2004)

MORAL DECAY

1990 年末にウーメオで結成されたバンド。初期はラインナップが不安定だった――当時の多くのスウェディッシュ・バンドと同じく、常にハイテンションで動き回るティーンエージャーだったので、メンバーチェンジはいたしかたなかったのかもしれない。長く活動することもなく、彼らはフェードアウトした。Moral Decay はいたって普通レベルのスラッシーなデスメタル・バンドだった。特にヴォーカル・パートではそう強く感じる。

ラインナップ
Matte: Guitar, Hampus Stigbrand: Guitar, Rogga: Drums, Janne: Bass/Vocals
デスコグラフィー
Aeons of Iniquity, Demo (1991)

MORBID

1987 年初頭にストックホルムで結成されたバンド。Morbid はスウェーデン一番の大御所カルトバンドの一つへと成長していった。彼らのホラーをテーマとしたイメージは強烈で、当時としてはサウンドも生々しく、激しかった。しかし、ペール・イングヴェ "デッド" オリーンがあの悪名高きブラックメタル・アクトの Mayhem に加入するためにノルウェーに移住すると、バンドは失速した。ラーシュ＝ユーラン "L.G." ペトロフとウッフェ・セーダルンドは Nihilist/ Entombed で活動を続け、イェンス・ノースストルムは Contras と Skull に加わった。デモテープ『December Moon』のほとんどの楽曲を手掛けた TG は、パンク・バンドの The Sun に在籍していた。Morbid のカリスマ性が最高潮に達したのは、1991 年にペール・イングヴェ・オリーンがピストル自殺を図ったときだった。この出来事によって彼らのデモテープ（それにリハーサル音源）は様々なレーベルから再発された。

ラインナップ
Lars-Göran "Drutten" Petrov: Drums, Uffe "Napoleon Pukes" Cederlund: Guitar, Jens "Dr Schitz" Näsström: Bass, Zoran: Guitar (1988-), Johan Scarisbrick: Vocals (1988-)
過去のメンバー
Per Yngve "Dead" Ohlin: Vocals (-1988), John "John Lennart" Hagström (別名 "Gehenna"): Guitar (-1988), "Slator": Bass, "TG": Guitar, "Klacke": Guitar
デスコグラフィー
Live From the Past, Rehearsal (1987)
Dark Execution, Rehearsal (1987)
December Moon, Demo (1987)
Last Supper, Demo (1988)
December Moon, 12" (Reaper records, 1994)
A Tribute to the Black Emperors, CD (Bootleg, 1994)
Death Execution (Bootleg, 1996)

Death Executions II, LP (Bootleg, Holycaust records, 1997)
Live From the Past (Bootleg, 1997)
Defiants of the Church, MC (Bootleg, DEAD Productions, 1998)
My Dark Subconscious, flexi-6" (Russian pressing, 2000)
Death Execution III, 7" (Reaper Records, 2001)
Live in Stockholm, LP (Reaper Records, 2002)

MORBID FEAR—Authorize 参照。

MORBID GRIN
2001 年にティングスリュードで結成されたデスメタル・バンド。
ラインナップ
Rune: Vocals, Alex: Guitar. Sjögren: Drums
過去のメンバー
Robban: Bass
デスコグラフィー
Demo (2003)

MORBID INSULTER
2004 年にヒューノーで始動した粗削りなメタル・プロジェクト。初期の彼らの音楽性はデスメタル影響下のスラッシュだった。しかし、Bathory、Nifelheim、Vulcano からインスピレーションを受けると、デス、ブラック、スラッシュとはカテゴライズできなくなった。汚く、過激なメタル。これがオールドスクールの流儀だ！
ラインナップ
Erik: Guitar/Bass/Vocals, Alex: Drums
過去のメンバー
Daniel: Vocals
デスコグラフィー
Strike from the Grave, Demo (2005)
Endless Funeral, Demo (2005— 俺が知る限り未発表）

MORBID LUST
1986 年にルンドで人知れずに短期間活動していたバンド。Morbid Lust はギグを何本かとリハーサルを 1 回行なったのち、かの偉大な Obscurity のメンバーが彼らの活動に終止符を打った。弱冠 16 歳の才能豊かなドラマーのヴァレンティンがこんなポンコツ・バンドでくすぶっているのがあまりにも不憫だと思った Obscurity のメンバーが、彼を "盗んだ" のである！ヴァレンティンがバンドを脱退すると、ローテルは Flegma を立ち上げた。
ラインナップ
Micke "Muh" Jönsson: Vocals, Rother: Guitar/Vocals, Anders Hansson: Guitar
Folkesson: Bass, Valentin: Drums
デスコグラフィー
Rehearsal (1986)

MORBIDITY
Satanic Slaughter のステーファン・カールソンによるプロジェクトだと思われる。1988 年に始動し、唯一のデモテープを 1989 年にリリースした。音楽性？生々しくてクサ레・スピードメタル。君はどう思う？
ラインナップ
Stefan Karlsson: Guitar
デスコグラフィー

Demo #1, Demo (1989)

MORDANT
ダールス・ロンゲードは辺鄙で小さな村。しかし、たった一つのことで有名な場所——それは Nifelheim の出身地だということ。Mordant のメンバーがこの地獄のような場所で育ったので、おそらく彼らが 1997 年にブラック／スラッシュ・バンドを結成したときに最も彼らに影響を与えたのは Nifelheim だろう。期待してみようぜ。
ラインナップ
Bitchfire: Vocals, Carnage: Bass, Necrophiliac: Drums
過去のメンバー
Leatherdemon: Guitar
デスコグラフィー
DIE!!!!, Demo (2001)
Suicide Slaughter, Demo (2002)
Suicide Slaughter, EP (Agonia, 2002)
Momento Mori, CD (Agonia, 2004)

MORGH
ピーテオ出身の忘れられたバンド。デモテープを 1 本制作しただけだったが、いつ発表されたのか確信はない。
デスコグラフィー
Ashes of Disgrace, Demo (1992)

MORGUE
1990 年にリンシューピングで結成されたかなり平凡なデス／スラッシュ・バンド。Satanic Slaughter の中心メンバーであるステーファン・カールソンが主導していたため、Morgue の他のメンバーも全員 Satanic Slaughter でプレイしていたことがあった。バンドには、のちに Deranged、Nephenzy、Bloodbath、Nifelheim、Witchery、Seance、Spiteful などで活躍する優秀なメンバーも含まれていた。デモテープを 1 本制作しただけだったが、Morgue はメタルの真髄を心得ていた。彼らにはフルレングス・アルバム『Mission to Eradicate』を作る計画もあったが、俺が知っている限り発売されてはいない。
ラインナップ
Andreas Deblèn: Vocals, Stefan "Ztephan Dark" Karlsson: Drummar, Stefan Johansson: Guitar, Kecke Ljungberg: Bass, Martin "Axe" Axenrot: Drums
過去のメンバー
Imse: Drums (1990-1996), Halle: Vocals (1991-1996), Jalle: Guitar (1991), Esa: Bass (1991), Andreas Fullmestad: Guitar
(1991-1992), Rille: Bass (1994-1996)
デスコグラフィー
Gospel of Gore, Demo (1992)

MORIBUND（ユーテボリ）
2002 年に結成されたユーテボリのバンド。デスメタル・スタイルに共産主義的な政治歌詞を融合させていた。胸糞悪い。解散してくれて万々歳だな。
ラインナップ
Niklas: Vocals, Mathias: Guitar, Jimmy: Guitar, Robin: Drums, Peter: Bass/Vocals
デスコグラフィー
Moribund, Demo (2003)
Annihilation, Demo (2005)

MORIBUND（ソーデルハムン）

90年代初期ソーデルハムン発のデスメタル・バンド。クオリティーは高いと思う。力量があったし、演奏もタイトで、独創的だった。ただ同郷バンド Authorize の影に隠れてしまった（そんな Authorize もそこまでは成功していなかったけどな）。機会があればチェックしてくれ。でも間違っても、近年結成されたユーテボリの同名バンドと混同しないように！
ラインナップ
Martin Ståhl
デスコグラフィー
Into Depths of Illusion, Demo (1991)

MÖRK GRYNING

90年代中期のブラックメタル全盛時代に登場した凡庸なブラックメタル・バンド。ストックホルムを拠点に、彼らは1993年末の結成以来、かなりの成功を収めた。しかし彼らのようなバンドは、Marduk や Dark Funeral などのスウェディッシュ・ブラックメタルを牽引するようなバンドと比べると説得力に欠けていた。そこそこ才能があるのは認めるが、それでものちにデスメタル影響下にある作品のほうが断然に秀逸だった。そのまま真正デスメタル・バンドとして活動を続けていれば、さらに支持を受けたかもしれないが、しかし彼らはそうせずに、2005年初めに活動を休止した（バンドの中心人物であるペータル・ノージが2004年に脱退したが、もしかしたら他のメンバーは彼のアイディアを必要としていたのかもしれない）。ヨーナス・ベルンドは Wyvern や Diabolical、Mortifer などのメンバーとして知られ、そしてペータル・ノージは Hypocrite や Wyvern、Eternal Oath、Defender で活動した経験がある。
ラインナップ
Goth Gorgon (Jonas Berndt): Guitar/Bass/Vocals/Keyboards, Johan Larsson: Keyboards
過去のメンバー
Avatar (Mattias Eklund): Guitar/Vocals, Draakh Kimera (Peter Nagy): Vocals/Guitar/Drums/Percussion/Keyboards
デスコグラフィー
Demo 1, Demo (1993)
Demo 2, Demo (1994)
1000 År Har Gått, CD (No Fashion, 1995)
Return Fire, CD (No Fashion, 1997)
Maelstorm Chaos, CD (No Fashion, 2001)
Pieces of Primal Expressionism, CD (No Fashion, 2003)
2005 Demo, Demo (2005)
Mörk Gryning, CD (Black Lodge, 2005)

MORNALAND

1995年にヴェステルオースで始動したブラック／デスメタル・バンド。スプリット・シングルは別として、デモテープ以上の作品をリリースしなかった。2000年以降の活動は聞いていない。
ラインナップ
Jacob Alm: Bass, Joakim Jonsson: Drums, Tommy Öberg: Guitar, Henrik Wenngren: Vocals
デスコグラフィー
Origin Land, Demo (1996)
The Journey, Demo (1996)
Prelude to World Funeral..., Split (Near Dark, 1997)
In Dead Skies..., Demo (1998)

Promo 1999, Demo (1999)
Feathers of Rapture, Demo (2000)

MORPHEUS

音楽性は傑出していたものの、アンダーグラウンドでくすぶっていた90年代初期の良質なスウェディッシュ・デスメタル・バンドの一つ。ストックホルム出身の Morpheus は、Exhumed の延長線上にあったバンドで、元 Carbonized のルーデーンとエクストルムをメンバーに擁していた。しかしながら、彼らはチャンスに恵まれず、数年間の活動ののち消滅した。ルドバリは Excruciate を結成するために、アルバムを作る前にバンドを脱退した（彼は Mastication にも在籍していた）。ラムステッドとバリエベックは現在、Nifelheim と Necrophobic に在籍している。凄いからチェックしてくれ。
ラインナップ
David Brink: Vocals, Stefan Ekström: Guitar, Sebastian Ramstedt: Guitar, Johan Bergebäck: Bass, Markus Rudén: Drums
過去のメンバー
Janne Rudberg: Guitar
デスコグラフィー
Obscurity, Demo (1990)
In the Arms of Morpheus, 7" (Opinionate!, 1991)
Son of Hypnos, CD (Step One, 1993)

MORSUS

このスラハメル出身の若い奴らは俺の老骨にむち打ってくれる。周りを見渡すとメロディックな In Flames クローンだらけのこのご時世、彼らが2004年にゴア／デスメタル・バンドを始動しただけでも賞賛モノだ。彼らがこのままずっとブルータル道を突き進んでほしい。メンバーの何名かはブラックメタル・バンド Dark Obsession にも在籍している。
ラインナップ
Tobias Johansson: Vocals, Alexander Söderstedt: Guitar, Simon Hyytiäinen: Guitar, Fredrik Ekström: Drums, Emelie Svenman: Bass
デスコグラフィー
Zombie Terror 04, Demo (2004)
Sledgehammer Holocaust, Demo (2005)

MORTAL ABUSE

1987～1988年に活動していた、ほとんど無名だったヴェクフラ出身のスラッシュメタル・バンド。彼らは単に日頃の鬱憤を晴らす方法を探していただけの10代の若者だったので、ろくに演奏もできなかった。未発表に終わったが、彼らはデモテープ1本と数本のギグをユースセンターで行なった。なぜ彼らのことを書くのかって？　メンバーにはあのヨニー・ドルデヴィッチ（のちに Carnage や Entombed に加入した）やヨーハン・リーヴァ（のちに Carnage や Furbowl に加入した）がいたからだ！　スウェディッシュ・アンダーグラウンド・メタルのレアものコレクターにとって、彼らのテープは血眼になって探す宝なのだ。ほとばしる暴力の極致がここにある！
ラインナップ
Johan Liiva: Drums, Johnny Dordevic: Guitar, "Mr Sodom": Bass/Vocals
デスコグラフィー
Demo (1988)

MORTALITY

成功するには若干出遅れすぎた 1987 年に結成された
ニューシュービング／ティストバリヤ出身のスラッ
シュメタル・アクト（Meshuggah を別として、初期
のスウェディッシュ・スラッシュメタル・バンドで成
功したといえるバンドがいたらの話だが）。モッシュ・
パートとリフの応酬を特徴としていた Metallica や
Testament 風の正統派ベイエリア・スラッシュ・サ
ウンド。彼らの活動のピークは『Rockbox』のコンピ
レーション・アルバムに参加したときだった。そのア
ルバム収録されている他のスラッシュメタル・バン
ドの Hatred と比べてみると、なぜ彼らが成功に至ら
なかったのかがよくわかる（しかし、凄まじかった
Hatred が成功しなかったのは解せない）。悪くはない
が、説得力に欠ける。

ラインナップ
Danne Andersson: Vocals/Guitar, Peter Rosén:
Guitar, Tobbe Pettersson: Drums, Sammy Wendelius:
Bass
デスコグラフィー
Demo 1, Demo (1989)
The Prophecy, Demo (1990)
When Barbarity Reigns, Demo (1991)

MORTELLEZ

2000 年に結成されたイェヴレ出身のブラック／デス
メタル・バンド。歌詞はスウェーデン語で書かれてい
る、そして、醸し出す雰囲気はデスメタルというより
ブラックメタル。

ラインナップ
Eki: Guitar, Patrik: Vocals, Forsberg: Drums,
Robert: Bass, Krisha: Guitar
過去のメンバー
Dennis: Guitar, Andreas: Drums
デスコグラフィー
Oskuldens Ängel, Demo (2001)
De Dödas Dal, Demo (2001)
De Dödas Dal, EP (2002)
Pesten, Demo (2002)
Sorg, Demo (2003)

MORTIFER

1994 年にティーレーソーで結成されたメロディック・
ブラック／デスメタル・アクト。基本的には Mörk
Gryning のヨーナス・ベルンドによるソロ・プロジェ
クト。実際、Mortifer は Mörk Gryning が結成する前
から始動していた。活動は順調だったが、結果を出せ
なかった――理由は楽曲がつまらなかったからだと思
う。1998 年にアルバム『Masters of the Universe』
をレコーディングするが、未発表に終わった。デモテー
プをもう 1 本発表した後、彼らは限界を感じ、活動を
休止した。

ラインナップ
Jonas Berndt: Bass/Keyboards, Danny Eideholm:
"Insane Art", Dennis Ekdahl: Drums
過去のメンバー
Peter Wendin: Guitar（ゲスト参加）*, Daniel: Vocals*
（ゲスト参加）*, Jonas Nilsson: Guitar*
デスコグラフィー
Promo, Demo (1993)
Battle of the Tyrants, Demo (1996)
Running out of Time, Demo (1997)
Harbringer of Horror, Demo (1999)

MORTUARY

2000 年にデモテープを発表した、ボーガモッセン発
のデスメタル・バンド。それ以降の情報は伝わってこ
ない。

ラインナップ
Martin Fernström: Vocals/Bass, Magnus Lundkvist:
Drums, Fredrik Palmqvist: Guitar/Vocals
デスコグラフィー
Enter the Mortuary, Demo (2000)

MORTUM

1997 年にクリファンスタで結成されたデスメタルっ
ぽいバンド。次第に古典的ブラックメタルに鞍替え
した。CD タイトルを見ると、彼らは Spinal Tap の
前座に相応しいかもしれないと思わせてしまう。
Mortum が解散すると、リーレ、バルテック、クリー
レは Supreme Majesty を結成した。ホーカンソンは
Embraced、Evergray、The Forsaken のメンバーと
しても知られている。

ラインナップ
Chrille Andersson: Vocals/Guitar, Tina Carlsdotter:
Vocals, Michael Håkansson: Bass, Bartek Nalezinski:
Drums, Rille Svensson: Guitar
デスコグラフィー
The Goddess of Dawn, Demo (1997)
Promo 98, Demo (1998)
The Druid Ceremony, CD (Invasion, 1998)

MORTUUS

ブラックメタル色の強いデスメタル・プロジェクト。
シングル 1 枚リリースした。

デスコグラフィー
Mortuus, 7" (The Anja Offensive, 2005)

MOURNFUL

90 年代初期に Metempsychosis の名義で始動したデ
スメタル・バンド。デモテープを 1 本リリースした後
に、彼らは改名し、そして Berserk とのギグを 2 本
演った。2 本目のデモテープをリリースした直後にバ
ンドは消滅した。Wyvern や Sins of Omission、Mörk
Gryning、Raise Hell での活動でも有名なメンバーも
いる。

ラインナップ
Toni Kocmut: Guitar/Vocals, Joy Deb: Guitar, Marco
Deb: Bass, Dennis Ekdahl: Drums
デスコグラフィー
Demo (Metempsychosis 名義)
2nd Demo

MOURNING SIGN

90 年代初期（1992 年結成）に結成されたハルスタハ
マル出身のバンド。2 枚の佳作アルバムを発表した
が、注目を集めることはできなかった。ファストで演
奏力の高いデスメタル。聴いてみる価値あり。

ラインナップ
Kari Kainulainen: Guitar, Robert Pörschke: Vocals,
Henrik Persson: Drums, Petri Aho: Guitar/Bass
過去のメンバー
Tomas Gårdh: Bass
デスコグラフィー
Last Chamber, Demo (1992)
Alienator, EP (Godhead, 1995)
Mourning Sign, CD (Godhead, 1995)

Multiverse, CD (Godhead, 1996)

MURDER CORPORATION
1995 年にマルメーで、Deranged のメンバーとイェミル・リリック（元 Megaslaughter）が結成したプロジェクト。Deranged の暴虐性よりも弱いが、スラッシュメタル色がさらに濃いのが特徴。彼らは 2002 年に活動を休止したが、Deranged のメンバーはすぐに同系統プロジェクトの Killaman を始動した。俺が思うに、彼らは Deranged にもっと集中したほうが良かったと思う。メロディックでスラッシーなバンドすべてに応戦するために、スウェーデンには超ブルータル・デスメタル・バンドが必要なのだ。
ラインナップ
Johan Axelsson: Guitar, Rikard Wermén: Drums, Johan Anderberg: Vocals/Bass
過去のメンバー
Dan Bengtsson: Bass, Jens Johansson: Vocals, Emil Lilic: Vocals
ディスコグラフィー
Blood Revolution 2050, MCD (Repulse, 1996)
Kill, MCD (Planet End, 1998)
Retract the Hostile, 7" (Stormbringer, 1998)
Murder Corporation/Vomitory Split 7" (Hangnail, 1999)
Murder Corporation, CD (Regain, 1999)
Santa Is Satan, Deranged/grind Buto Split CD (Psychic Scream, 2000)
Santa Is Satan, CD (Psychic Scream, 2000)
Whole Lotta Murder Going On, CD (Psychic Scream, 2000)
Tagged and Bagged, CD (Displeased, 2001)

MURDER SQUAD
Entombed のウッフェ・セーダルンド、 Merciless のペータル・ファンヴィンド（のちに Entombed に加入した）、Dismember のリーキャル・カベッツとマッティ・カルキに共通していることが一つある——それは彼ら全員が Autopsy を世界最強のバンドとして崇めていることである。彼らは何をしたかって？ そう、彼らは 1993 年に結集し、このプロジェクトを始動したのである。初期の彼らはカバー曲しか演らない Bonesaw という名義で活動していたが、すぐさま Murder Squad に改名し、オリジナル曲を創り始めた。しかし Murder Squad はそれでも、彼らにインスピレーションを与えたバンドである Autopsy と驚くほど似ていた。きっと、Autopsy が世界最高のバンドだから、Autopsy の要素を取り除くことができなかったのかもしれない。Murder Squad の 2 作目では、Autopsy の首謀者であるクリス・ライファートがヴォーカルとして数曲参加したことで、アルバムの完成度に磨きがかけられた。
ラインナップ
Uffe Cederlund: Guitar, Peter Stjärnvind: Drums, Rickard Cabeza: Bass, Matti Kärki: Vocals
過去のメンバー
Chris Reifert: Vocals（ゲスト参加）
ディスコグラフィー
Unsane, Insane and Mentally Deranged, CD (Pavement, 2001)
Ravenous, Murderous, CD (Threeman Recording, 2003)

MUTANT
それなりのクオリティーのインダストリアル・ブラック／デスメタル・バンド。1998 年にヘンリック・オールソン（Scar Symmetry、Altered Aeon、Theory in Practice、元 Diabolical、元 Thrawn）が立ち上げたプロジェクト。たった 1 人のもう 1 人のメンバーはペータル・フェーバリで、彼は Sorcery に在籍していた。
ラインナップ
Henrik Ohlsson: Vocals/Drum Programming, Peter Sjöberg: Guitar
ディスコグラフィー
Eden Burnt to Ashes, Demo (1998)
The Aeonic Majesty, CD (Listenable, 2001)

MUTILATED UNDEAD
南部の町オーフス出身の US バンド影響下のデスメタル・バンド。2000 年に結成されたようだが、俺が知っているのはそこまで。
ラインナップ
Mongoblaster: Vocals/Guitar/Bass, GG Zillah: Drums
ディスコグラフィー
Death, Demo (2001)

MUTILATOR
アリングソース出身のオブスキュア・デスメタル・バンド。デモテープを 1 本制作した後に消滅した（他のバンドに吸収されたのかもしれない）。
ディスコグラフィー
Demo, Demo (1990)

MY OWN GRAVE
2001 年にスンツヴァルで結成されたメロディック・デス／スラッシュ・バンド。デモテープを発表し続けたことでレコード契約に結びついた。彼らはこれからも活動を続けてくれると思う。
ラインナップ
Mikael Aronsson: Vocals, Anders Härén: Guitar, Stefan Khilgren: Guitar, Max Bergman: Bass, John Henriksson: Drums
過去のメンバー
Ramin Farhadian: Vocals
ディスコグラフィー
New Path/Same Path, Demo (2001)
Dissection of a Mind, Demo (2002)
Blood and Ashes, Demo (2003)
Progression Through Deterioration, Demo (2004)
Unleash, CD (New Aeon Media, 2005)

MY SANCTUARY OF HATE
2003 年にウップサーラで始動した、デスメタル影響下のメロディック・ヘヴィメタル。
ラインナップ
Mattias: Guitar, David: Bass, Irfan: Vocals, Edvin: Drums, Anders: Guitar
過去のメンバー
Nicklas, Gustav
ディスコグラフィー
Hatelist, Demo (2004)
Marks of Violence, Demo (2004)

MYKORRHIZA
2001 年にストックホルムで結成されたデスメタル・

バンド。Excruciate の元メンバー、ヘンリック・ブリノルフソンのソロ・プロジェクト。何人ものメンバーがヴォーカルとして参加している。その中にはアンデシュ・ストロシーク（元 Necrophobic、Blackshine）やラーシュ・レーヴィン（元 Excruciate、Mastication）もいる。

ラインナップ
Henrik "Hempa" Brynolfsson: Guitar/Bass, Martin Karlsson: Drums

過去のメンバー
Anders Strokirk: Vocals（ゲスト参加）, *Lars Levin: Vocals*（ゲスト参加）, *Tor Adolfsson: Vocals*（ゲスト参加）, *Matilda Karlsson: Vocals*（ゲスト参加）, *Siri Hagerfors: Vocals*（ゲスト参加）

デスコグラフィー
Mykorrhiza, EP (Konqueror Records, 2002)
Shattered Dreams, CD (Konqueror Records, 2003)

MYNJUN

2002 年にストックホルムで結成されたメロディック・デスメタル・バンド。創設者は Imperious のスコーグヴァードとシュリン（両者は Coercion にも在籍している）、それにバリエスタール（Centinex、World Below、Amaran の元メンバー）である。質はかなり高いが、メンバーは他のバンドに重きを置いて活動しているため、このプロジェクトはフェードアウトしている。

ラインナップ
Adam Skogvard: Guitar/Vocals, Ronnie Bergerståhl: Drums, Rickard Thulin: Bass

過去のメンバー
Daniel Josefsson: Guitar

デスコグラフィー
Commencement, Demo (2003)
Receding Strengths, Demo (2005)

NAGLFAR

1992 年結成されたウーメオ発のアクト。彼らは自らブラックメタルと称したことはなく、悪魔主義的歌詞も採用しなかったが、当時流行りだったトレンドの二番煎じに甘んじた。オリジナリティーに欠けるが、国外では人気があった。歳月を経て、彼らはより洗練され、よりファストになり、よりブルータルさが増していった。現在は Marduk の影響がちらついていて、そして若干デスメタルにも傾倒している。2005 年初頭にリーダー兼ヴォーカリストのイェンス・リデーンが脱退するとバンドは窮地に陥った。しかし、他のメンバーは続行することに決めたことで窮地を脱した。メンバーは Bewitched、Setherial、Midvinter、Havayoth、Ancient Wisdom、Guillotine、Throne of Ahaz、Embracing、Auberon など地元のバンド出身者で固められている。

ラインナップ
Kristoffer Olivius: Vocals/Bass, Marcus Norman: Guitar, Andreas Nilsson: Guitar, Mattias Grahn: Drums, Peter Morgan Lie: Bass (Drums 1995-1997)

過去のメンバー
Fredrik Degerström: Guitar (1993 -1994), Morgan Hansson: Guitar (1993-2000), Ulf Andersson: Drums (1992–1994), Mattias Holmgren: Drums (1995), Jens Rydén: Vocals (1992-2005)

デスコグラフィー
Stellae Trajectio, Demo (1994)

We are Naglfar—Fuck You, Demo (1995)
Vittra, CD (Wrong Again, 1995)
Maiden Slaughter, Demo (1996)
When Autumn Storms Come, 7" (War, 1997)
Diabolical, CD (War, 1998)
Ex Inferis, MCD (Century Media, 2001)
Sheol, CD (New Haven/Century Media, 2003)
Pariah, CD (Century Media, 2005)

NASUM

1992 年にウレブルーで始動し、大成功を収めたグラインド・グループ。もともと Necrony のメンバーであるアールリクソンとヤコブソンによるサイド・プロジェクトだった。1993 年にミエシュコ・タラールツイクが加入し、アールリクソンが脱退したあとは、タラールツイクとヤコブソンは 2 人組として長い間活動した。Nasum はすぐに攻撃性溢れるプロジェクトとして高い評価を受け、そして多数リリースされたシングルが彼らのポテンシャルの高さを如実に示した。リーヴェリョード（元 Burst）の加入によって、活動が軌道に乗った。企画された多くのツアーの中には Suffer や In Aeternum のペール・カールソンをドラムに擁したものもあった。2004 年に、Nasum はスウェーデンの P3 Guld Award のベストメタル／ロック・アルバム賞を受賞した。彼らの音楽性は基本的にはグラインドコアである。最盛期の彼らの音楽性は、Carcass の初期のサウンドに多少似ていて、しかし時々グラインド・バンドに通じるような多様性に欠けるところもあった。しかしながら彼らは素晴らしいバンドであることには変わらない。おそらく近年のグラインド・バンドで最高の部類に入るのではないかと思う。ミエシュコが自身の Studio Soundlab を始動した際、あの伝説的な Gorysound/Unisound Studio のダン・スワノの機材を譲り受けたことで、Nasum の作品は圧巻の出来となった。クリエイティヴなミエシュコは Insision や Nine の作品も手掛け、そのいずれも良質だった。バンドには輝かしい未来が待ち受けているはずだった。しかし、2004 年末にミエシュコ・タラールツイクが休暇中のタイで津波に巻き込まれ亡くなってしまったことで、活動に幕が下ろされた。彼の死が悔やまれる。

ラインナップ
Anders Jakobsson: Drums（初期はギターとベース）, *Mieszko Talarczyk: Vocals/Guitar (1993-2004), Urban Skytt: Guitar, Jon Lindqvist: Bass*

過去のメンバー
Jesper Liveröd: Bass, Rickard Alriksson: Drums/Vocals, Per Karlsson: Drums（ゲスト参加）, *Jari Lehto: Drums*（リハーサル一回のみ！）

デスコグラフィー
Blind World, Nasum/Agathocles Split 7" (Poserslaughter, 1993)
Really Fast, EP (Really Fast, 1993)
Domedagen, Demo (1994)
Grindwork, Split (Grindwork Productions, 1994)
Smile When You're Dead, Nasum/Psycho Split 7" (Ax/ction, 1994)
Industrislaven, MCD (Poserslaughter, 1995)
The Black Illusions, Nasum/Abstain Split 7" (Yellow Dog, 1996)
World in Turmoil, 7" (Blurred, 1996)
Regressive Hostility, EP (Hostile Regression, 1997)
Nasum/Warhate Campaign, Split 7" (Relapse, 1999)

Inhale/Exhale, CD (Relapse, 1998)
Human 2.0, CD (Relapse, 2000)
Nasum/Asterisk, Split 7" (Busted Heads, 2001)
Nasum/Skitsystem, Split 7" (No Tolerance, 2002)
Helvete, CD (Relapse, 2003)
Shift, CD (Relapse, 2004)
Grind Finale, CD (Relapse, 2005)

NAUSEA—Omnius Deathcult 参照。

NECROCIDE
スウェーデン中からメンバーが集結し、1996 年に結
成されたノードマーリング／フディクスヴァル発の
アクト。US スタイルのデスメタルであるが、クオリ
ティーはそれほど高くはない——楽曲は稚拙で新鮮味
がなかった。音楽性は 2000 年代によくあるタイプの
ゴア・グラインドで、可もなく不可もなくといったと
ころ。ブランドは人気のあるクラスト・バンド Totalt
Jävla Mörker にも在籍し、ベースを担当している。
ラインナップ
Victor Brandt: Vocals, Tommy Holmer: Drums,
Per Söderlund: Bass, Pär Swing: Guitar, Roberth
Svensson: Guitar
過去のメンバー
Richard: Bass, Daniel Westerberg: Vocals, Roberth
Svensson: Bass, Erland
デスコグラフィー
Necrocide, Demo (2000)
The Second Killing, Demo (2002)
Declaration of Gore, Demo (2003)

NECROGAY
ゴア・グラインド／オールドスクール・デスメタルの
構築を目標に、2001 年にヴェトランダで始動したバ
ンド。彼らは実際にそうしたが、音楽性は良くも悪く
もなかった。
ラインナップ
Viktor Berggren: Drums, Erik Nystrand: Guitar,
Emil Forstner: Bass, Emil Palm: Vocals
過去のメンバー
Carl-Oskar Andersson: Vocals, Henrik Gustafsson:
Bass, Andreas Holmsten: Vocals
デスコグラフィー
Necrogay, Demo (2004)

NECROMICON
1993 年にルーレオで結成された平均レベルのブラッ
ク／デスメタル・グループ。かなり激しいが、軟弱な
シンフォニック要素があるために真正デスメタルとは
いえない。本物と比べると何か少し物足りない感じ
だ。彼らは 2003 年に Cimmeran Dome に改名した。
このバンドが凄いところは、メンバーの経歴である。
メンバーは Dissection、Dark Funeral、Hellmasker、
Deathbound、Dawn、Blackmoon、The Duskfall、
Morthirim、Satariel、Battlelust、Infernal、Them、
Sobre Nocturnel に参加している！
ラインナップ
Stefan Lundgren: Guitar, Nicklas Sundkvist: Guitar,
Patrick Sundkvist: Bass, Kai Jaakola: Vocals
過去のメンバー
Daniel Björkman: Vocals, Jonas Mejfeldt: Bass/
Guitar, Roger Johansson: Keyboards, Sara Näslund:
Vocals, Robert "Zoid" Sundelin: Drums/Vocals,

Tomas "Alzazmon" Asklund: Drums, Henrik Åberg:
Guitar
デスコグラフィー
When the Sun Turns Black, Demo (1994)
Through the Gates of Grief, Demo (1994)
Realm of Silence, CD (Impure Creations, 1996)
Sightveiler, CD (Hammerheart, 1998)
Peccata Mundi, CD (Hammerheart, 2000)

NECRONOMIC—Nocturnal Rites 参照。

NECRONY
1990 年夏に Necrotomy の名義で始動した、ウレブ
ルー発の狂暴なゴア／デスメタル・バンド。なんとい
うバンド名かは忘れてしまったけれど、彼らは確か
Necrony という名義に落ち着く前に、短期間だが違う
名義でも活動をしていたはずだ。Necrony に改名し
たあと、彼らの進撃が始まった。狂っているほど獰猛
で、歌詞は抱腹絶倒してしまうほど胸くそ悪い。彼ら
のインスピレーションは誰が何と言おうと Carcass、
Carcass……そして Carcass。はっきりいって彼らは
まるで Carcass の分身だ（だから General Surgery に
も似ているよな）。オリジナリティーが皆無だったの
で、当時俺は何とも思わなかった。それでも俺が思う
に、彼らの最高傑作はカバーアルバムの『Necronycism:
Distorting the Originals』（ゲストでダン・スワノも
参加）だろうな。今聴き返してみると、サウンドはか
なり良いんだな！　聞くところによると、ヤコブ
ソンは Necrony の活動が始まる前はギターに触った
こともなかったというのだ！　のちに、彼は彼自身
が最も得意とするドラムにスイッチして、グライン
ド・バンド Nasum をアールリクソンと結成し、大成
功を収めた。だけど、アールリクソンはその後すぐ
に Nasum を脱退してしまった。これらの活動とは別
に、ヤコブソンは 90 年代、あの素晴らしいファンジ
ン『Hymen』の編集も行っていた。ところで、この
バンドは初期段階で "ゴア" から "病理学的" な歌詞
に移行したこともここで言っておくべきだろう——な
んたって、それぞれまったく別モノだからな。
ラインナップ
Anders Jakobsson: Guitar/Bass, Rickard Alriksson:
Vocals/Drums
過去のメンバー
Dan Wall: Guitar, Daniel Andersson: Bass, Jimmy:
Guitar（バンド構想のみ。バンドとプレイはしてい
ない）
デスコグラフィー
Severe Malignant Pustule, Demo (1991)
Mucu-Purulent Miscarriage, 7" (Poserslaughter,
1991)
Pathological Performances, CD (Poserslaughter,
1993)
Promo Tapes 93-94, Demo (1994)
Necronycism: Distorting the Originals, CD
(Poserslaughter, 1995)
Under the Black Soil, pic-7" (2000)
Poserslaughter Classic Remasters, CD
(Poserslaughter, 2005— バンド非公認)

NECROPHOBIC
1988 年にストックホルムで、"リフの帝王" の異名を
持つダーヴィド・パルランドによって結成されたデス
メタル・バンド。結成当初は別の名義だった。彼らは

長い歳月ブルータルなデスメタルを生み出し続けたに
も関わらず、注目を浴びることがなかった。度重なる
メンバーチェンジや Black Mark との契約によってバ
ンド活動が停滞したのだ（Black Mark は Bathory 以
外はブレイクさせることはできなかったのだ）。その
上、悲しいことに、彼らがやっとアルバムを発売でき
たときにはブラックメタル・ムーヴメントの真っ只中
で、彼らはすっかり陰に隠れてしまったのだった。そ
して、パルランドが Dark Funeral に加入するために
脱退すると、バンドの存続は致命的となった――のち
に彼が Dark Funeral を脱退したときにも同じことが
起こったのだが……。それでも、彼らをチェックして
みる価値はかなり高い。活動が絶好調のとき、彼らは
スウェディッシュ・デスメタルを代表する最高峰バ
ンドの一つだった。大抵のメンバーは Dismember や
Crematory、Morpheus、Nifelheim、Therion などの
至極のバンドにも関わっていた。

ラインナップ
*Joakim Sterner: Drums, Tobias Sidegård: Bass
(1991-), Sebastian Ramstedt: Guitar (1996-), Johan
Bergebäck: Guitar (2001-)*
過去のメンバー
*David Parland: Guitar (1989-1996, 2000), Martin
Halfdahn: Guitar (1997-2000), Anders Strokirk:
Vocals (1992-), Stefan Harrvik: Vocals (1991-1992),
Jocke Stabel: Bass (1991)* …… それにパルランドによ
ると "キリスト教信者のホモ・ポーザー野郎" も在籍
していたということである。（『*Funeral Zine*』2 号）
デスコグラフィー
*Rehearsal (1989)
Slow Asphyxiation, Demo (1990)
Unholy Prophecies, Demo (1991)
The Call, 7" (Wild Rags, 1993)
The Nocturnal Silence, CD (Black Mark, 1993)
Spawned by Evil, EP (Black Mark, 1996)
Darkside, CD (Black Mark, 1996)
The Third Antichrist, CD (Black Mark, 2000)
Bloodhymns, CD (Hammerheart, 2002)
Tour EP 2003, EP (Hammerheart, 2003)
Hrimthumsum, CD (Regain, 2006)*

NECROPIA
1996 年に結成して、1998 年に解散したバンド。その
2 年間に彼らがデモテープを残したという記録はな
い。スヴァードはその後 Terror 2000 に加入、オース
ターディウスは 9th Plague や Sacrificial Thorns でプ
レイした。
ラインナップ
*Riad Haddouche: Vocals/Bass, Niklas Svärd:
Guitar, Kristofer Orstadius: Guitar, Jonas Gagner:
Drums*

NECROPSY—Eternal Darkness 参照。

NECROTISM—Embalmed 参照。

NECROTOMY—Necrony 参照。

NECROVATION
2002 年にイェーヴェレードで結成されたデスメタル・
アクト。もともと Das Über Elvis というステキな名
義だった。Necrovation になってからは、よりシリア
スなサウンドに変化し、真正オールドスクール・デス

メタルを追求した。かなり上もの。
ラインナップ
*Seb: Vocals/Guitar, Cliff: Bass, Biinger: Drums,
Robert: Guitar*
デスコグラフィー
*Bratwürst Terror, Demo (2002—Das Über Elvis 名義)
Chants of Grim Death, EP (Blood Harvest, 2004)
Necrovation, Demo (2004)
Ovations to Putrefaction, Demo (2004)
Curse of the Subconscious, Necrovation/Corrupt
Split CD (Blood Harvest, 2005)*

NEFARIOUS
90 年代初期にミョールビーで結成されたブルータル・
グラインド・バンド。ドラムマシンを使ったヘンケ・
フォッシュ（Dawn など）のプロジェクト。聴いてみ
ると彼らがなぜ短命に終わったかわかるだろう。
ラインナップ
Henrik Forss: Vocals, Lasse
デスコグラフィー
*Demo
Necrorgasm Convulsions, Demo (1992)*

NEON DEATH—Eructation 参照。

NEPHENZY—Nephenzy Chaos Order 参照。

NEPHENZY CHAOS ORDER
1995 年にリンシューピングで Nephenzy の名義で結
成したバンド。彼らは At the Gates 風の高品質な
デスメタルをプレイし、デモテープ 2 本、EP、そ
れにアルバムをリリースした。しかし、1999 年には
Nephenzy Chaos Order に改名し、サウンドがモダ
ンになった。けれども、その変化は成功にならず、
彼らは CD を 1 枚リリースした後に解散した。カミ
ジョー は Hypocrisy、Pain、The Abyss、Algaion
での活動で知られている。マルティン・アクセン
ロットが参加したバンドはその上を行く見事なもの
で、名だたるバンドに参加している（Witchery、
Bloodbath、Nifelheim、Triumphator、Morgue、
Satanic Slaughter)。
ラインナップ
*Martin Hallin: Vocals, Mathias Kamijo: Guitar,
Tobbe Leffle: Guitar, Simon Axenrot: Bass, Martin
Axenrot: Drums*
過去のメンバー
*Kim Arnell: Drums (1998-2000), Mattias
Fredriksson: Bass (1998-2000), Adrian Kanebäck:
Guitar (1998-2000)*
デスコグラフィー
*Stolen Blessing, Demo (1996—Nephenzy 名義)
Worshipped by the Mass, Demo (1997—Nephenzy 名
義)
In Anguish and Furious Pain, 7" (Loud N' Proud,
1998—Nephenzy 名義)
Where Death Becomes Art, CD (Black Diamond,
1998—Nephenzy 名義)
The Right to Remain Violent, Demo (2000)
Pure Black Disease, CD (Black Diamond, 2003)*

NEZGAROTH
1992 年にカールスタードで結成されたドゥームメタ
ル・バンド。ダルグレーンがさらに激烈なバンドであ

る Vomitory に専念すると決めたときにバンドは消滅
した。Vomitory には短期間だけだが、バリクヴィス
トも在籍した。
ラインナップ
Fredrik Danielsson: Drums, Thomas Bergqvist:
Bass, Bengt Sund: Guitar, Ulf Dalgren: Guitar
過去のメンバー
Rikard Löfgren: Vocals（ゲスト参加）*, Robert*
Fjälleby: Lyrics
デスコグラフィー
Demo 1, Demo (1993)
Demo 2, Demo (1994)

NIDVERK
2002 年にイェリヴァレで結成されたブラック／デス
メタル・アクト。
ラインナップ
Ante: Vocals/Bass, Simon: Guitar, Hellfire: Guitar,
Robert: Drums
デスコグラフィー
Nattens Hälsning, Demo (2005)

NIFELHEIM
1990 年にダールス・ロンゲードで Nifelheim が産み
落とされてから、スウェーデンは忌まわしい場所と
なって、二度と戻ることができなくなった。この痛快
なブラックメタル・バンドを生み出したのは、エリッ
クとペール・グスタフソンの悪たれ双子の兄弟。彼ら
は日々ブラックメタルの理想像を追い求めていた。南
米や東欧のバンド、それにサタンからイメージを膨ら
ませて、兄弟はスパイクを身につけ、極限なまでのイ
メージを推し進めた。邪悪で、滑稽で、馬鹿げていて、
コミカル！ 国営テレビ局のドキュメンタリー番組で
兄弟の熱狂的な Iron Maiden ファンぶりが放映され
ると、彼らの奇異な身なりが一般スウェーデン人の間
でも有名となった。彼らがまさに世界一のダイ・ハー
ド Iron Maiden ファンなのである。それがきっかけで
兄弟の姿が保険会社のテレビ CM に使われたことも
あったほどである。(訳者註：動画サイトで Broderna
hardrock - Bil で検索してみよう。スウェーデンの
保険会社 Trygg-Hansa の CM) それはさておき、
Nifelheim はメタルの権化なのだ。彼らをリスペクト
しないんだったら消え失せろ。元メンバーの"ディー
モン"は実際はドラマーである——しかし、彼はすべ
ての作品においてギターを担当している！
ラインナップ
Tyrant (Erik Gustavsson): Guitar/Bass, Hellbutcher
(Per Gustavsson): Vocals, Vengeance From Beyond
(Sebastian Ramstedt): Guitar, Sadist: Guitar, Peter
Stjärnvind: Drums
過去のメンバー
Goat (Per Alexandersson): Vocals (1996), Jon
Zwetsloot: Guitar, Morbid Slaughter: Guitar (1991-
1993), Demon: Guitar, Battalion: Guitar, Devastator
(Martin Axenrot): Drums
デスコグラフィー
Unholy Death, Demo (1993)
Nifelheim, CD (Necropolis, 1995)
Headbangers Against Disco Vol. 1, Split (Primitive
Art, 1997)
Devil's Force, CD (Necropolis, 1998)
Servants of Darkness, CD (Black Sun, 2000)
Unholy Death, Single (Primitive Art, 2000)

13 Years, CD (I Hate Records, 2003)
Envoy of Lucifer (Regain, 2006)

NIGHTCHANT
1993 年にリンゲェムで結成され、2 名の絶叫タイプの
ヴォーカリストを擁したメロディック・デス／ブラッ
クメタル・バンド。プロジェクトのような感じを受
けるが、実際そうだと思う。Nightchant のメンバー
構成は基本的に、Thornclad メンバー 3 名の爆音に
Forlorn メンバー 2 名の絶叫によってトッピングされ
たバンドである。彼らの唯一のデモテープは合格点で
ありながら、楽曲は頭に残らない。
ラインナップ
Viktor Klint: Guitar/Bass/Keyboards, Jonas Remne:
Guitar, Adrian Hörnquist: Drums
過去のメンバー
Daniel Bryntse: Vocals（ゲスト参加）*, Magnus*
Björk: Vocals（ゲスト参加）
デスコグラフィー
Peacebleed, Demo (1996)

NIGHTSHADE
1996 年にクンスバッキャで結成されたメロディック・
デス／ブラック・アクト。
ラインナップ
Daniel Kvist: Vocals, Snake Stevens: Guitar, Daniel
Hjelm: Guitar, Christer Pedersen: Bass, Daniel
Larson: Keyboards, Kristo Napalm: Drums
過去のメンバー
Daniel Hjelm: Guitar, Sebbe: Bass, Birdie: Bass,
Peter: Bass, Daniel Boström: Drums, Adam: Vocals
デスコグラフィー
Benighted, Demo (1997)
Devil, Demo (1998)
Astoreth, Demo (1999)
Wielding the Scythe, CD (Scarlet, 2001)

NIHILIST
のちにあの偉大な Entombed へと変容する伝説的な
バンド。俺にとって、彼らはスウェーデンの 100%
真正デスメタル・バンドである。Nihilist は 1987 年に、
休まることを知らない精力的なティーンエージャーら
によって結成されたバンドである。メンバーには、陰
鬱なストックホルムの郊外にあるファールホルメン出
身のニッケ・アンダソン、それに同じく陰鬱くさい町
であるシースタ出身のアレックス・ヘリッドとレイ
フ・クズネルがいた。Nihilist のサウンドはニッケ・
アンダソンによって創り上げた爆発しそうな暴虐性と
一級のリフに満ちていた。それゆえ彼らは偉業を達成
するはずだった。スウェーデン中の奴ら——少なくと
もシーンにいた奴ら全員がそう思っていたに違いな
い。もっとも、その数は多く見積もってもたったの数
百人程度だったが……。しかし、1989 年 8 月にバン
ドの中心人物とベーシストのヨニー・ヘードルンドの
間に亀裂が生じたことでバンドに終幕が訪れた——メ
ンバーは自分らより若干先輩のヨニーを解雇するなん
て出来なかった！ その後、ヘードルンドは強力な
Unleashed を始動させ、残りのメンバーは数日後にあ
のバンドを編成したのだ。驚くことに、Nihilist の初
期デモテープは 2005 年になってようやく CD で再発
された——そして、その年のベストアルバムにノミ
ネートされたのだ！ 彼らはスウェディッシュ・デス
メタルの代表格。Bathory と同様、Nihilist/Entombed

は多大な影響をもたらしたスウェディッシュ・メタ
ル・バンドである。俺たちはひれ伏すしかない。とこ
ろで、本書を執筆中にレイフ・クズネルが非業な死を
遂げたとの知らせがあった──彼はあの重厚なスウェ
ディッシュ・デスメタル・ギター・サウンドの考案者
として後世に伝わるであろう。
ラインナップ
*Nicke Andersson: Drums, Alex Hellid: Guitar, Lars-
Göran Petrov: Vocals (1988-), Johnny Hedlund: Bass
(1988-), Uffe Cederlund: Guitar (1987-1988, 1989-),
Vocals (1987)*
過去のメンバー
*Leif Cuzner: Guitar (1988)/Bass (1987-1988), Mattias
(別名 "Buffla"): Vocals (1987-1988, 彼は写真に映っ
ただけ)*
デスコグラフィー
Premature Autopsy, Demo (1988)
Only Shreds Remain, Demo (1988)
Drowned, Demo (1989)
Drowned, 7" (Bloody Rude Defect records, 1989)
1987-1989, CD (Threeman Recordings, 2005)

NINE
1994 年にリンシューピングで結成された Nine は、
Entombed の『Wolverine Blues』の獰猛なロック襲
撃にインスピレーションを受けていたことは明らか
だった。彼らはデモテープによってアンダーグラウン
ドでの地位の確立をすることなく、レコード契約を獲
得したので、かなり周到に計画されたバンドであると
分かる。彼らのサウンドは当たり障りのない普通レベ
ル。楽曲の詰めは甘く、スタジオで即興で創ったよう
な印象だったが、プロフェッショナルさは失われてい
なかった。Nine はかなり成功し、今はスウェーデン
の大手ハードコア・レーベルの Burning Heart に所属
している。
ラインナップ
*Johan Lindqvist: Vocals, Benjamin Vallé: Guitar/
Vocals, Robert Karlsson: Bass, Tor Castensson:
Drums*
過去のメンバー
Oskar Eriksson: Bass
デスコグラフィー
To the Bottom, EP (No Looking Back Records, 1995)
Listen, CD (Sidekicks, 1997)
Kissed by the Misanthrope, CD (Sidekicks, 1998)
Lights Out, CD (Burning Heart, 2001)
Killing Angels, CD (Burning Heart, 2003)

NINNUAM
2001 年にカトリーネホルムで結成されたブラック／
デスメタル・バンド。結成時は Yxa という名義だっ
た（Yxa はスウェーデン語で "斧" の意味）。バンド
名はすぐに変えられ、そしてその後彼らは CD を 1 枚
リリースした。
ラインナップ
*Mattias "Matte Hellcore" Johansson: Vocals, Kim
Laakso: Guitar, Robert Gustafsson: Guitar, Thord
Brännkärr: Drums, Måns Jaktlund: Bass, Robert
Johansson: Keyboards*
過去のメンバー
Andreas Jennische (Lenny): Bass (2001-2002)
デスコグラフィー
Scar Salvation, Demo (2002)

NIRVANA 2002
アルバム制作までたどり着けなかった、至高のスウェ
ディッシュ・デスメタル・バンドは 4 組存在する。アー
ヴェスタの Interment、ボロースの Evocation、ストッ
クホルムの Crematory、それにこのバンド──イェー
ツビンの Nirvana 2002。1988 年初頭に壮絶な攻撃を
仕掛けた彼らは、最初期に結成されたスウェディッ
シュ・デスメタル・バンドだった。Prophet 2002 の
名義で始動した彼らは 1989 年に Nirvana と改名し
た。しかしシアトル発のあの劣悪バンドと同名だった
ため、彼らは以前使っていたバンド名の最後部分の
2002 を新名義に加え、新バンドとして生まれ変わっ
た。セーフストロムはのちに Entombed にヴォーカ
リストとして一時的に加入し、EP『Crawl』をレコー
ディングした。しかし、残念ながら Nirvana 2002 は
成功を享受することはなかった。彼らのシーンからの
離脱は、オールドスクール・スウェディッシュ・デス
メタルを少なからず知る者にとって相当な痛手だっ
た。殺傷能力の高いリフ、パワフルなサウンド、ヘヴィ
なグルーヴ、そして圧倒的な咆哮──そのすべてがこ
のバンドにあった。俺は彼らのデモテープをいまだに
よく聴いている。セーフストロムは、スウェーデン国
営テレビ局で人気を博していた映画紹介番組で最近ま
で司会を務めていた。彼には成功してほしいと思う。
ただ、一つだけ言わせてほしい。バンドを再編成して
くれってな。お前は痛いほど才能豊かな奴なんだか
ら！ セーフストロムとクヴィックはクールなファン
ジン『Hang'em High』の編集者でもあった。
ラインナップ
*Orvar Säfström: Vocals/Guitar, Erik Qvick: Drums,
Lars Henriksson: Bass*
過去のメンバー
Robert Eriksson: Drums（ゲスト参加, 2007）
デスコグラフィー
Truth & Beauty, Rehearsal (1989)
Watch the River Flow, Rehearsal (1989)
Excursion in 2002 (No Dimension), Rehearsal (1989)
Mourning, Demo (1990)
Rehearsal (1990)
Disembodied Spirits, Demo (1990)
*Nirvana 2002/Appendix/Authorize/Fallen Angel,
Split EP (Opinionate! Records, 1990)*
Promo 91, Demo (1991)

NO FUCKING GOD
Motörhead 風のロックンロールとスラッシュを特徴
とする 90 年代中期のデスメタル・バンド。初期は No
Fucking Way という名義だったが、改名して良かっ
たと思う（別にそれでいい響きになったというわけで
はない）。デスメタル中心地フィンスポング発の良質
なブルータル・バンドだったが、残念ながら注目され
ることはなかった。
ラインナップ
*Janne: Drums, Rob: Vocals, Tompa: Guitar, Robert
Ivarsson: Bass/Guitar*
デスコグラフィー
Demo (1996)

NO REMORSE
1988 年 11 月に始動したヴェクファ出身のスラッシュ
メタル・バンド。多くのスラッシュ・バンドと異な
り、彼らは当時勢力を拡大していたデスメタル・シー
ンの影響をまったく受けなかった。その代わりに、彼

らはパワーメタル色を採り入れた。しかし、アグレッ
シヴさが十分ではなかったので、俺の食指が動くこと
はなかった。のちに、彼らはさらに激しい音楽性の
Temperance（別項目参照）へと発展していった。も
しかしたら、彼らはブルータルな極右ナチ・バンドの
No Remorse と混同を避けるために改名したのかもし
れない。
ラインナップ
Fredrik Ernerot: Guitar/Vocals, Johan Ernerot:
Drums, Magnus Magnusson: Bass
過去のメンバー
Tor: Bass
デスコグラフィー
Wake Up or Die, Demo (1990)

NOCROFOBIC—Decameron 参照。

NOCTURNAL DAMNATION
2004 年にストックホルムで始動したオールドス
クール・デスメタル・プロジェクト。初期の名義は
Nocturnal Domination だった。しかし何らかの理由
で、彼らは名前のかなり似た Nocturnal Damnation（ラ
インナップも再編された）へと変更した。何人かのメ
ンバーは Hydra、Dispatched、Maledictum で活動し
ている。
ラインナップ
Death's Poet (Dennis): Vocals, Danne: Bass,
Dimman: Drums
過去のメンバー
Micke: Guitar, Berge: Guitar, Kimpa: Bass
デスコグラフィー
The Harvester, Demo (2005—Nocturnal Domination
名義）
When Life has Lost all Meaning, Demo (2005)

NOCTURNAL DOMINATION—Nocturnal
Damnation 参照。

NOCTURNAL RITES
1990 年北部のウーメオで始動したメタル・バンド。
結成当初は Necronomic の名義だった。彼らはアルバ
ムを作っていなかったにも関わらず、90 年初期に少々
注目を集めていた。初期デスメタル時代、彼らの平凡
なりなリフは俺や俺のアーヴェスタにいる酔っ払い友人連
中の間ではまったく話題に上らなかった。彼らは現
在、パワーメタルに鞍替えしているが、それで良かっ
たと思ってる。彼らのアルバム・タイトル見てみれ
ばどんな感じかわかるだろう。パワーメタル・グルー
プとして彼らはかなりの成功を収めているが、俺はも
の凄くダサいと思っている。Katalysator のほうがい
いぜ！
ラインナップ
Jonny Lindkvist: Vocals, Nils Norberg: Guitar,
Fredrik Mannberg: Guitar, Nils Eriksson: Bass, Owe
Lingvall: Drums
過去のメンバー
Mattias Bernhardsson: Keyboards, Anders
Zackrisson: Vocals, Ulf Andersson: Drums, Mikael
Söderström: Guitar
デスコグラフィー
Obscure, Demo (1991)
Promodemo, Demo (1992)
In a Time of Blood and Fire, CD (Megarock, 1995)

Tales of Mystery and Imagination, CD (Century
Media, 1997)
The Sacred Talisman, CD (Century Media, 1999)
Afterlife, CD (Century Media, 2000)
Shadowland, CD (Century Media, 2002)
New World Messiah, CD (Century Media, 2004)
Lost in Time: The Early Years of Nocturnal Rites,
CD (Century Media, 2005)
Nocturnal Rites/Falconer, Split (Swedmetal Records,
2005)
Grand Illusion, CD (Century Media, 2005)

NOMINON
ニルソンとスーラスラーミが多忙を極めていた 1993
年に、Choronzon（別項目参照）の残党から結成した
ヨンシューピング発の秀逸バンド。彼らのブルータ
ル・スタイルはスウェディッシュ・デスメタルの新潮
流（Soils of Fate、Spawn of Possession、Insision、
Visceral Bleeding など）を予見していたが、それに
もかかわらず、彼らの 1 作目は大したことはなかっ
た。ニルソンとスーラスラーミが Dion Fortune に在
籍していたころ、彼らはしばらく活動停止状態だっ
た。Nominon はすぐに復活したが、しかしそれ以来、
不安定なラインナップに悩まされ続けている。とにか
く、凄くカッコいいから、聴いてみるといい！ ド
ラマーのドラーグティノヴィッチはブラックメタル
の覇者である Marduk に参加するためにバンドを脱
退したが、彼の後釜としてペッラ・カールソン（元
Serpent、In Aeternum）がメンバーに加わった。彼
らは永遠に続けてくれると思う、というよりも期待し
ている。なお、過去や現在在籍メンバーの出身バンド
は多すぎてここには書ききれない。
ラインナップ
Daniel Garptoft: Vocals, Juha Sulasalmi: Guitar/
Vocals, Joel Anderson: Bass, Perra Karlsson: Drums,
Kristian Strömblad: Guitar
過去のメンバー
Peter Nilsson: Vocals, Nicke Holstensson: Vocals,
Jonas Mattsson: Vocals/Guitar, Christian Cederborg:
Guitar, Lenny Blade: Bass, Tobias Hellman: Bass,
David Svartz: Bass, Emil Dragutinovic: Drums
デスコグラフィー
My Flesh, Demo (1996)
Demo II 96, Demo (1996)
Promo 97, Demo (1997)
Diabolical Bloodshed, CD (X-treme, 2001)
Blaspheming the Dead, EP (Nuclear Winter, 2003)
Fafner/Nominon: Daemons of the Past, Split CD
(Northern Silence, 2004)
The True Face of Death, EP (Nuclear Winter, 2004)
Blaspheming the Dead, 7" (Nuclear Winter, 2005)
Recremation, CD (Konqueror/Blood Harvest, 2005)

NON SERVIAM
1995 年にクリファンスタで結成されたブラック／デ
スメタル・バンド。2 枚ほどアルバムをリリースした
が、広範な支持を受けることはなかった。2000 年か
らは活動休止状態ではあるが、解散はしていないと思
う。
ラインナップ
Rikard Nilsson: Vocals, Anders Nylander: Guitar,
Daniel Andersson: Guitar/Vocals, Christian
Andersson: Bass/Drums/Vocals

過去のメンバー
Magnus Emilsson: Drums (1995-1998), Johannes Andersson: Guitar (1996-1997)
デスコグラフィー
The Witches Sabbath, Demo (1995)
The Witches Sabbath—The Second Vision, Demo (1996)
Between Light and Darkness, CD (Invasion, 1997)
Necrotical, CD (Invasion, 1998)
Play God, Single (Aftermath, 2000)
The Witches Sabbath, CD (Aftermath, 2000)

NONEXIST
ヨーハン・リーヴァ（Arch Enemy、Furbowl、Carnage）、マッテ・モーディン（Defleshed、Dark Funeral、Infernal）、ヨーハン・レインホルツ（Andromeda、Opus Atlantica、Skyfire）をフィーチャーしたメロディック・デスメタル・プロジェクト。おそらくリーヴァが興味を失ったことで、彼らは解散に至った。なので、彼らの作品は1作目のCDのみである。
ラインナップ
Johan Reinholdz: Guitar/Bass, Matte Modin: Drums
過去のメンバー
Johan Liiva: Vocals
デスコグラフィー
Deus Deceptor, CD (New Haven, 2002)

NOSFERATU
1989年8月にストレムスタードで結成されたデスメタル・バンド。初期はスラッシュメタルをプレイしていたが、次第に獰猛なサウンドになった。ブルータルでシンプル。ギタリストのマティアスはのちに、ヨン・ノトヴェイトとオーレ・ウーマンとRabbit's Carrotを結成した（のちに彼らはDissectionを結成）。
ラインナップ
Jocke: Guitar/Vocals, Mäbe: Drums (1990-), Bass (1989-1990), Martin: Bass (1990-)
過去のメンバー
Mathias: Guitar (1989-1990), Frykholm: Drums (1989-1990)
デスコグラフィー
Decadence Remains, Demo (1990)

NUGATORY
超陰鬱で面白みもないハルスバリ（多くのスウェーデン人は電車で通過するだけで下車したことがない町）で、1990～1991年の冬に始動。結成当初はWild Youthという名義だった。彼らが成長するにつれて軟弱な名前を捨てたくなり、1992年にはNugatoryに落ち着いた。残忍なデスメタル・サウンドではあるが、明らかに何かが足りない。クオリティーか？
ラインナップ
Jocke Olsson: Bass/Vocals, Mogge Johansson: Guitar, Veikko Heikkinen: Drums, Fredrik Gahm: Guitar, Knutis: Vocals (1996-)
デスコグラフィー
Mongoloized, Demo
Nugatory, MCD (Playwood, 1995)
Promo 1997, Demo (1997)

NUMANTHIA
1993年にソーデルテリエで始動したバンド。初期は

プリミティヴなデスメタルをプレイしていたが、ブラックメタルの勃興とともにサウンドもそれに近くなった。のちにオリジナリティーを出そうとしたが、時既に遅かった。
ラインナップ
James Göransson: Keyboard, Tommy Rundblad: Bass, Fredrik Börjesson: Guitar, Fredrik Pira: Vocals, Pontus Wedenlid: Drums
過去のメンバー
Albin Wall: Guitar (1993-1995)
デスコグラフィー
And Then the Water Came, Demo (1994)

OBDURACY
2000年にフィンスポングという最高の土壌で醸成されたデスメタル・バンド。とはいえ高水準だった地元デスメタル・バンドのレベルに達するのは難しかった。ダニエルとトマスはSuicidal Seductionにも在籍している。
ラインナップ
Daniel Persson: Bass/Vocals, Mikael Silander: Guitar, Niklas Persson: Drums, Tomas Lagrén: Guitar/Vocals
デスコグラフィー
Death by Dawn, Demo (2002)

OBERON—Auberon 参照。

OBLIGATORISK TORTYR
フランスのレーベルOsmose Productionsと契約した一風変わったバンド。1998年にウッデヴァラ／ユーテボリで結成されたこのデス／グラインド・バンドについて、スウェーデン中探しても、知っている奴などどこにも見当たらなかった。彼らはフランス人のためにCDを1枚制作した。今は静かに活動を続けている。因みに彼らのバンド名はスウェーデン語で"強制的拷問"を意味する。
ラインナップ
Jens Kjerrström: Guitar/Vocals, Viktor: Bass/Vocals, Fredrik: Drums
デスコグラフィー
Obligatorisk Tortyr, CD (Osmose Productions, 2000)

OBNOXIOUS—Skinfected 参照。

OBSCENE（エシルストゥーナ）
エシルストゥーナ出身のオブスキュア・デスメタル・バンド。1990年にデモテープを1本制作した。
ラインナップ
Jani: Guitar/Vocals, Stefan: Guitar/Vocals, Sami: Drums, Tobbe: Bass
デスコグラフィー
Grotesque Experience, Demo (1990)

OBSCENE（ヨンシューピング）
2000年代にヨンシューピングで始動したブルータル・デスメタル・バンド。結成当初のベーシスト、ヘルマンは現在9th Plagueに在籍し、過去にNominonやDion Fortuneにもいたことがある。エシルストゥーナ出身の同名古参バンドと混同しないように。
ラインナップ
Henrik Olin: Vocals, Mikael Wedin: Guitar/Vocals, Olaf Landen: Drums, Alexander Andersson: Bass

過去のメンバー
Tobbe Hellman: Bass
デスコグラフィー
Rehearsal '01, Demo (2001)
Demo '02, Demo (2002)
Laceration of the Unborn, Demo (2003)
Laceration of the Unborn, Obscene/Bestial
Devastation, Split (Redrum Records, 2005)

OBSCURA—Imperious 参照。

OBSCURE DIVINITY
イスラヴェード出身のデスメタル・アクト。1999年に始動し、数年後にデモテープを1本制作し、その後解散した。ケミは "スコールグ" という別称でMisteltein にも在籍している——その名前ってどこからとってきたんだ？
ラインナップ
Dan Sörensen: Guitar, Joakim Tapio: Bass, Ville Kemi (Skorrgh): Vocals, Tobias Lindman: Drums
過去のメンバー
Robert Sveningsson: Vocals, Anders Lindsten: Bass
デスコグラフィー
Obscure Divinity, Demo (2002)

OBSCURE INFINITY
1991年にマリエスタードで結成されたデスメタル・バンド。音楽性は初期の Gorefest に似ていたが、でもなぜキーボードを入れたんだろう？ 1994年にあの秀逸なバンド、Fulmination とスプリット・アルバムを制作する予定だったが、どういうわけか実現しなかった。
ラインナップ
Magnus Persson: Vocals, Jockalima: Guitar, Erik: Bass, Frank: Drums, Leif Eriksson: Keyboards
デスコグラフィー
Beyond the Gate, Demo (1992)
Requiem, Demo (1992)
Promo, Demo (1994)
Lycanthrope, Demo (1996— 未発表かも？)

OBSCURED
強いて言うならば、1本デモテープを出したものの、それ以上の活動は聞いたことがない超オブスキュアなデスメタル・アクトであるということ。
デスコグラフィー
Obscured, Demo (1994)

OBSCURITY（ヤルフェッラ）
ヤルフェッラ発90年代初期のデスメタル・バンド。1992年にシングルをリリースし、その後解散。ヨッケ、マッティ、ローベットの結束はいまだ強く、共に Vicious Art に在籍し、現在のシーンでも精力的に活動を続けている。メンバーの全員は Dominion Caligula でもプレイしている。ローベットとマッティは Dark Funeral にもいたことがある。つまり、絶対必聴バンドである。だけれど、マルメー出身の超伝説的な同名異バンドと混同するなよ。
ラインナップ
Jocke Widfeldt: Vocals/Guitar, Matti Mäkelä: Guitar/Vocals, Robert Lundin: Drums/Vocals, Martin Modig: Bass
デスコグラフィー

Wrapped in Plastic, EP (1992)

OBSCURITY（マルメー）
80年代中期にデモテープ2本をリリースした、マルメー出身のエクストリーム・スウェディッシュ・バンド。1985年に始動した彼らは、Bathory や Sodom、Destruction にかなり影響を受けていた。ご想像の通り、彼らのサウンドは一級品である。しかし残念ながら、Obscurity はアンダーグラウンドから這い上がることはできなかった。スウェディッシュ・デスメタルの起源を探るのなら Mefisto や Bathory と同じくらい、彼らは必聴バンドである。彼らは既に存在はしていないが、本書初版を読んでくれたメンバーが感銘を受け、音楽活動を再開することに意欲的になり、リハーサルを始めてくれたのだ！）
ラインナップ
Daniel Vala: Bass/Vocals (当初はギターも担当), Jan Johansson: Guitar (当初はドラムも担当), Jörgen Lindhe: Guitar (1985-), Valentin: Drums (1986-)
デスコグラフィー
Ovations to Death, Demo (1985)
Damnations Pride, Demo (1986)
Ovations to Death, 7" (To the Death, 1998)
Damnations Pride, 7" (To the Death, 1998)
Damnations Pride, CD (Scarlet, 1998)

OCCRAH
1996年に結成されたストゥールフォッシュ出身のデスメタル軍団。お遊びバンドだったし、正直いってあまりよくない。
ラインナップ
Hedman: Vocals, Chris: Guitar, Juha: Guitar, Eric: Drums
デスコグラフィー
Slaughter of the Innocent, Demo (1997)

OCTOBER TIDE
Katatonia の先行きを案じたレーンクスとノルマンが1995年に本プロジェクトを立ち上げた。現在 Katatonia の活動が順調なため、同系統サウンドの彼らは解散の道を選んだ。
ラインナップ
Jonas Renkse: Vocals/Drums, Fredrik Norrman: Guitar/Bass, Mårten Hansen: Vocals
デスコグラフィー
Promo Tape, Demo (1995)
Rain Without End, CD (Vic, 1997)
Grey Dawn, CD (Avantgarde, 1999)

OFERMOD
1996年に結成された邪悪なデスメタル・プロジェクト。 発起人は Malign、Teitanblood、Dödfödd、Nefandus、Funeral Mist などで活躍するブラックメタル・キッズ達だった。ストックホルム／ノースーピング出身の彼らは何年も休止状態だったが、2004年に再始動したと聞いている。
ラインナップ
Leviathan (Nebiros/Nord): Vocals, Moloch: Vocals, Atum: Guitar, Michayah (Belfagor): Guitar, J. Kvarnbrink (Tehom): Bass, Shiva (Necromorbus): Drums
過去のメンバー

Mist: Bass
デスコグラフィー
Mystérion Tés Anomias, 7" (Pounding Metal, 1998)
Mystérion Tés Anomias, EP (Evangelium Diaboli, 2005)

OMINOUS
1991 年に結成されたマルメー出身の強力なデス／スラッシュ・バンド。体制が整うまでに長い年月を要したが、2000 年にようやくアルバムを発表した。元ヴォーカリストのフェアホルムは、The Forsaken Feared Creation での活動でも知られている。現在、サンヴェードは、Obscurity のヨルゲン・リンデと共に S.K.U.R.K に在籍している。
ラインナップ
Joel Cirera: Drums, Johan Linden: Bass, Sören Sandved: Guitar, Johan Saxin: Guitar
過去のメンバー
Mårten: Drums (1994-1997), Pontus: Vocals (1993-1996), Björn: Bass (1995-1997), Thomas Lejon: Drums (1998), Dan Johansson: Bass (2000-2001), Anders Sjöholm: Vocals, Jocke: Bass
デスコグラフィー
Demo 1994, Demo (1994)
Sinister Avocation, Demo (1995)
Promo 97, Demo (1997)
The Spectral Manifest, CD (Holy Records, 2000)
Void of Infinity, CD (Holy Records, 2002)

OMNITRON
80 年代から 90 年代に突入すると、正統派ハードコア・グループの The Krixhjälters は Omnitron に改名し、スラッシュメタル・スタイルの構築に全力を注いだ。"Slayer よりもハードに"、"Prong よりもヘヴィに"、"Red Hot Chili Peppers の頃よりも独創的に（"の頃" は原文ママ。本当は "よりも" と言いたかったんだろう！）"（訳者註："Than（〜よりも）" と書くところを "Then（の頃）" とタイプミスをしたのだろう）、そして "スウェーデン史上最高のパワースラッシュ・バンド" との宣伝文句を掲げ、CBR はアルバムをリリースし、世界征服を目論見た。しかし、彼らは失敗に終わった。ギタリストらはもっと激烈なプロジェクトの Comecon で活動を続けた。
ラインナップ
Stefan Kälfors: Drums/Vocals, Pontus Lindqvist: Vocals/Bass, Pelle Ström: Guitar/Vocals, Rasmus Ekman: Guitar/Vocals
デスコグラフィー
Omnitron, LP (CBR, 1990)

OMNIUS DEATHCULT
ノーシューピング出身の彼らは "エクストリーム・メタル" をプレイしていると公言している。2002 年に Nausea の名義で始動した彼らは、2004 年に Amarok に改名し、2005 年ついに Omnius Deathcult に落ち着いた（今だけかも？）。デスメタルというよりもブラックメタル。しかしあまり面白味はない。
ラインナップ
Hrym: Guitar, Selvmord: Bass, Mictian: Drums/Vocals
過去のメンバー
Mean: Guitar（ゲスト参加）*, Norðurljós: Guitar*
デスコグラフィー

Demo 1, Demo (2004—Nasuea 名義)
Promo 2005, Demo (2005—Amarok 名義)
Amarok, Demo (2005)
Demo #2, Demo (2005)

ONDSKA—Battlelust 参照。

ONE MAN ARMY AND THE UNDEAD QUARTET
2004 年に The Crown が解散すると、ヨーハン・リンドストランドはこのバンドを結成した。1 本目のデモテープをリリースした後、このトロールヘッタン出身の 5 人組は Nuclear Blast との契約を獲得した。The Crown のようなデス／スラッシュであるが、より悠然としていてキャッチー。ヨーハンは Impious、ペッカは Reclusion にも参加している。
ラインナップ
Johan Lindstrand: Vocals, Valle Adzic: Bass, Mikael Lagerblad: Guitar, Pekka Kiviaho: Guitar, Marek, Dobrowolski: Drums
デスコグラフィー
When Hatred Comes to Life, Demo (2005)
21st Century Killing Machine, CD (Nuclear Blast, 2006)

OPENWIDE—Blessed 参照。

OPETH
遡ること 1987 年、ティーンエージャーのミカエル・オーケルフェルトとアンデシュ・ノディーンは地元のストックホルムで、Eruption に在籍し、活動していた。時同じく、彼らの友人のダーヴィド・イースバリは自身のバンド Opet を解散し、Crowley を結成した。どちらの若きバンドも活動が上手くいかなかったので、中心メンバーはすぐに、より洗練された名義の Opeth でバンドを再編成した。結成当初の彼らは、ブラックメタルに若干こだわりを見せていたが、次第に個性的でプログレッシヴな領域に足を踏み入れた。バンドはラインナップに大きな不安要素を抱えていたが、しかしそれが逆にプラスに作用しているようだ。彼らは商業的に想像を超える成功を収めている。個人的には彼らの音楽性はあまり好きではないが、リスペクトはしている。特にオーケルフェルトは、超才能豊かなヴォーカリストであり、ミュージシャンである。
ラインナップ
Mikael Åkerfeldt: Guitar/Vocals, Peter Lindgren: Guitar, Martin Lopez: Drums, Martin Mendez: Bass, Per Wiberg: Keyboards
過去のメンバー
Mattias Ander: Bass (1992), Johan DeFarfalla: Bass (1991, 1994-1996), Nick Döring: Bass (1990-1991), Stefan Guteklint: Bass (1992-1993), David Isberg: Vocals (1990-1992), Anders Nordin: Drums (1990-1997), Kim Pettersson: Guitar (1991), Andreas Dimeo: Guitar (1991)
デスコグラフィー
Promo, Demo (1994)
Orchid, CD (Candlelight, 1995)
Morning Rise, CD (Candlelight, 1996)
My Arms Your Hearse, CD (Candlelight, 1998)
Still Life, CD (Peaceville, 1999)
The Drapeny Falls, Single (Koch Records, 2001)
Blackwater Park, CD (Peaceville, 2001)

Deliverance, CD (Music for Nations, 2002)
Still Day Beneath the Sun, Single (Music for
Nations, 2003)
Damnation, CD (Music for Nations, 2003)
The Grand Conjuration, Single (Roadrunner, 2005)
Ghost Reveries, CD (Roadrunner, 2005)

OPHTHALAMIA

デスメタルの中心地、フィンスポング出身の強烈なア
クト。彼らは 1989 年に、トーニ・シャルッカによっ
て結成され、Leviathan の名義で活動した——トーニ
の異名であるあの有名な"イット"は、風変りなブ
ラックメタル・バンドの Abruptum、Vondur、War
での活動で知られている。彼らの平均レベルのブラッ
ク／デスメタル・サウンド以上に注目すべきことは、
シーンに影響力をもたらした数多くのミュージシャ
ンがこのバンドのラインナップを固めていたことで
ある。ヴォーカルは Dissection のヨン・ノトヴェイ
ト、エリック"リージョン"ホーグステッド（のちに
Marduk に加入）、それに Abruptum のイェム"オー
ル"バリエが担当していた。ドラムは奇才ベニー・ラー
ション（Edge of Sanity）、ベースは Swordmaster/
Deathstars のイェミル・ノトヴェイト（ヨンの弟
——のちにギターを担当）だった。バンドの中心人物
が他のバンドに専念していたため、Ophthalamia はブ
レイクすることはなく、今では忘れ去られた存在に
なっている。
ラインナップ
Tony Särkkä (It): Guitar, Emil Nödtveidt: Guitar/
Vocals (初期はベース), Jim Berger (All): Vocals, Ole
Öhman: Drums, Mikael Schelin: Bass
過去のメンバー
Benny Larsson: Drums (1989-1996), Robert Ivarsson:
Bass (1994), Erik Hagstedt: Vocals (1994-1995), Jon
Nödtveidt: Vocals (ゲスト・ヴォーカル)
デスコグラフィー
A Long Journey, Demo (1991)
A Journey in Darkness, CD (Avantgarde, 1994)
Via Dolorosa, CD (Avantgarde, 1995)
To Elisha, CD (Necropolis, 1997)
Dominion, CD (No Fashion, 1998)
A Long Journey, CD (Necropolis, 1998)

ORAL

1984 ～ 1989 年にホームタウンのユーテボリで活動し
ていたそれなりに破壊力のあるクラスト・バンド。彼
らのギタリストであるアルフ・スヴェンソンはのちに
Grotesque や At the Gates に参加したため、このバ
ンドは歴史的な重要性を持つといえる。1994 年にバ
ンドは短期間だけ再結成して、1 作リリースした。
ラインナップ
Pedda: Bass, Uno: Vocals, Niklas: Drums, Alf
Svensson: Guitar
デスコグラフィー
Slagen i Blod, EP (Fairytale Records, 1994)

ORCHARDS OF ODENWRATH

ストックホルム出身のヴァイキング／デスメタルっぽ
いサウンドを特徴とする 2 人組。
ラインナップ
Johan Larsson: Vocals, Patrik Jensen: Guitar,
Matthias Carlsson: Bass, Johan Imselius: Drums,
Jörgen Johansson: Guitar

デスコグラフィー
Necronomicon, Demo (1989)

ORCHRISTE

1987 年 10 月にリンシューピングでパトリック・ヤ
ンセンによって結成された初期のドゥーム／スラッ
シュ・バンド。彼らのスタイルは次第に獰猛さを増
し、1989 年にリリースされたデモテープはドゥーム
／デスとカテゴライズできるだろう。1990 年の解散
後、ヤンセンとラーションは Total Death のメンバー
と共により高い知名度を得た Seance を結成した。そ
の後、ヤンセンは Satanic Slaughter（短期間のみ）、
Witchery、The Haunted に加入し、才能が開花した。
ラインナップ
Johan Larsson: Vocals, Patrik Jensen: Guitar,
Matthias Carlsson: Bass, Johan Imselius: Drums,
Jörgen Johansson: Guitar
デスコグラフィー
Necronomicon, Demo (1989)

ORIGIN BLOOD

新人デス／スラッシュ・バンド——じゃあ、次にいっ
てみようか？
ラインナップ
Rob: Vocals/Guitar, Robin: Guitar, Simon: Bass,
Brian: Drums
デスコグラフィー
Mr. Jakker Daw, CD (RAHW Production, 2004)

ORION

2004 年にヴァルバリで結成されたメロディック・デ
スメタル・アクト。
ラインナップ
Lisa Hultgren: Vocals, Joakim Rydberg: Guitar,
Conrad Ohlsson: Bass, Jonas Karlsson: Drums
過去のメンバー
Anton Honkonen: Guitar (2004-2005), Jonathan
Serey Araya: Vocals (2004), Christoffer: Bass (2004)
デスコグラフィー
Stars of Orion, Demo (2004)
Angels Never Die, Demo (2005)

OVERFLASH

1992 年にノーシューピングでマグナス"ディーヴォ"
アンダソン（Cardinal Sin、Marduk）が立ち上げたプ
ロジェクト。もう 1 人のメンバーは引っ張りだこのド
ラマー、スワノ。デモテープのタイトルを痛快だと思
わないか？
ラインナップ
Magnus "Devo" Andersson: Vocals/Bass/Guitar, Dan
Swanö: Drums
デスコグラフィー
Sodomizing Songs of Pure Radiation, Demo (1992)
Threshold to Reality, CD (MNW, 1993)
Silent Universe, CD (MNW Zone, 1996)

OVERLORD

ストックホルム出身のマイナーなデスメタル・バン
ド。Overlord が結成されたのは 1997 年だったが、私
が見たことがあるのは彼らの 2002 年のデモテープだ
けだ。現在は活動休止状態。たぶんメンバーが見つか
らないんだと思う。
ラインナップ

Victor: Guitar, Tobbe: Drums
過去のメンバー
Wall: Vocals, Jocke: Bass
デスコグラフィー
Bloodstained Demo III, Demo (2002)
Demo 2002, Demo (2002)

OVERLORD INDUSTRIES

スウェーデン北部の死にそうなくらい寒いイェリヴァ
レは、俺が今まで訪れたなかでダントツに憂鬱な場所
の一つだと記憶している。おそらく、そんな地を生き
抜く唯一の方法はデスメタル・バンドを結成すること
だと思う。実際、彼らはそれを2004年に実行した。
彼らのデモテープのタイトルを見るとお遊びバンドと
いうことがわかる。暇つぶしのために作ったんだろう。
ラインナップ
Peter Strandgårdh: Vocals/Bass, Patrik Ylmefors:
Vocals/Guitar, Olle Dyrander: Drums
デスコグラフィー
Die Konspiracy of the Midi Drum Translator, Demo
(2004)
Superunderground Vehicle, Demo (2004)
Wissen, Kreativität und Macht, Demo (2004)
Pissingonanazi.com, Demo (2005)

OXIPLEGATZ

ユーテボリ発のアルフ・スヴェンソン（At the
Gates、Grotesque）によるソロ・プロジェクト。ア
ルフ・スヴェンソンが電子音を駆使し"スペース・
メタル"をプレイしているのが特徴である。バンド
は1993年に始動し、1999年に消滅するまでに3枚の
アルバムを制作した。異質で独創性に満ちたプロジェ
クトだった。ところで、バンド名の出所についてだが
Oxiplegatzはドナルド・ダックのコミックが元ネタ
となっている。
ラインナップ
Alf Svensson: Guitar/Vocals/Bass/Keyboards /Drum
Programming, Sara Svensson: Vocals（ゲスト参加）
デスコグラフィー
Fairytales, CD (Fairytale, 1995)
Worlds and Worlds, CD (Adipocere, 1997)
Sidereal Journey, CD (Season of Mist, 1999)

PAGAN RITES

ハルムスタードの町がこのかなりおちゃらけたブラッ
ク／ヘヴィ／デスメタルを自信もってお勧めする。
1992年の結成以来、彼らはメンバーの出入りは激し
かった。全員が滑稽（そうでもないか？）なニック
ネームを使っているため、誰がグループにいるのかも
わからない。カールソンとレーテリエーは元Autopsy
Torment、他のメンバーもNifelheim、Devil Lee
Rot、Tristitia、The Ancients Rebirthに在籍してい
た。面白いかって？　たぶんな。クオリティーはどう
かって？　自分で聴いてみな。
ラインナップ
Harri Juvonen: Guitar（初期はドラムも担当）,
Thomas Karlsson (Unholy Pope): Vocals
過去のメンバー
Adrian Letelier (Black Agony): Bass, Dennis Widén
(Angerbodor): Guitar, Karl Vincent (Sexual Goat
Licker): Drums, Lord of the Deeps: Bass, Luis B
Galvez: Guitar, Hellbutcher: Drums, Tyrant: Bass
デスコグラフィー

Pagan Rites, Demo (1992)
Through the Gates of Hell, Demo (1992)
Frost, Demo (1992)
Promo, Demo (1993)
Pagan Metal, Demo (1993)
Flames of the Third Antichrist, 7" (Stemra, 1993)
Hail Victory!, 7" (Molon Lave, 1993)
Sodomy in Heaven, EP (1994)
Pagan Rites, CD (Warmaster, 1996)
Live Smedjan 14/9/00, Demo (2000)
Bloodlust and Devastation, LP (Primitive Art, 2001)
Hell Has Come to Mother Earth, Demo (2002)
Mark of the Devil, CD (Primitive Art, 2002)
Rites of the Pagan Warriors, CD (Iron Pegasus,
2003)
Dancing Souls, Single (Monster Nation, 2005)

PAGANDOM

1987年に結成され、Intoxicateと同じくユーテボリ出
身の初期スラッシュ・アクト。タイトでキャッチーで、
かなり良質。
ラインナップ
Christian Jansson: Vocals, Rickard Ligander:
Drums, Martin Carlsson: Guitar, Jens Florén: Bass
デスコグラフィー
Demo
Hear Your Naked Skin Say Ashes to Ashes, Demo
(1990)
Crushtime, CD (Crypta, 1994)

PAGANIZER

1998年にガムレビー／ユーテボリで結成されたス
ラッシーなデスメタル・バンド。2000年にCarve
に改名したと聞いたが、しかし彼らはPaganizerと
してもアルバムを制作し続けている。メンバーは
Ribspreader、Blodsrit、Portal、Primitive Symphony
にも関わっている。アクティブな奴らだ。
ラインナップ
Roger Johansson: Vocals/Guitar, Matthias Fiebig:
Drums, Patrik Halvarsson: Bass
過去のメンバー
Andreas (Dea) Carlsson: Guitar, Oskar Nilsson:
Bass, Jocke Ringdahl: Drums, Diener:
Bass
デスコグラフィー
Stormfire, Demo (1998)
Into Glory's Arms We Will Fall, Paganizer/Abbatoir
Split CD (Psychic Scream, 1999)
Deadbanger, CD (Psychic Scream, 1999)
Promoting Total Death, CD (Forever Underground,
2001)
Dead Unburied, CD (Forever Underground, 2002)
Murder Death Kill, CD (Xtreem Music, 2003)
Death Forever "The Pest of Paganizer", CD (Xtreem
Music, 2004)
No Divine Rapture, CD (Xtreem Music, 2004)

PAN-THY-MONIUM

Edge of Sanityのリーダーであるダン・スワノが立
ち上げた数多くあるバンドのうちの一つ。その中で
も、このバンドは良質といえる。1990年夏に結成さ
れたこのバンドは、臨場感溢れるユニークなスタイ
ルのデスメタルとして、すぐに認知されるようにな

る。他のメンバーには、ベニー・ラーション（Edge of Sanity、Ophthalamia など）とローベット・カールソン（Darkified、1997 年にダン・スワノと入れ替わりで Edge of Sanity に加入）がいた。彼らがプレイしているのはフィンスポング流の高品質プログレッシヴ・デスメタルである！

ラインナップ

Dan Swanö: Guitar/Bass/Keyboards/Effects, Benny Larsson: Drums, Robert Karlsson: Vocals, Robert Ivarsson: Guitar, Dag Swanö: Guitar/Organ/Saxophone

デスコグラフィー

...Dawn, Demo (1990)
Dream II, 7" (Obscure Plasma, 1991)
Dawn of Dreams, LP/CD (Osmose, 1992)
Khaoohs, LP/CD (Osmose, 1993)
Khaoohs and Kon-Fus-Ion, CD (Relapse, 1996)

PANDEMONIC

1998 年に結成されたウプランズ・ヴァースビー発の良質なスラッシュメタル・バンド。数多くある退屈なレトロ・スラッシュ・バンドと違って、彼らの方が断然に良い。ドラマーのマルクスはかつて、さらに猛烈さが際立つ Genocide Ferox でベースを担当していた。そんな彼は 2004 年に Suffocation とのツアー直前に、Genocide Ferox よりもさらに激しい Insision に加入した。

ラインナップ

Micke Ullenius: Vocals, Micke Jakobsson: Guitar, Linus Ekström: Bass, Marcus Jonsson: Drums

過去のメンバー

Eric Gjerdrum: Guitar, Nicke Karlsson: Drums, Harry Virtanen: Bass

デスコグラフィー

Suburban Metal, Split (Denim Records, 1999)
Lycanthropy, Demo (1999)
The Authors of Nightfear, CD (WWM, 2000)
Ravenous, Demo (2002)
The Art of Hunting, Demo (2004)

PANDEMONIUM

1997 年にルンドを拠点としたデスメタル・バンドの End が解散すると、ギタリストのヴェステソンとアールグレーンがドゥームメタルを追求するために、この Pandemonium を始動させた。デモテープや自主制作 EP を出すなどと成長していったので、彼らはレコード契約するに至り、CD もリリースできた。スペルは違うが、フィンスポングのあの秀逸な Pan-Thy-Monium と混同しないように気をつけてくれ。

ラインナップ

Erik Olsson: Keyboard/Vocals, Jacob Blecher: Drums/Vocals, Johan Sånesson: Bass, Kalle Wallin: Vocals, Oskar Westesson: Guitar/Vocals, Thomas Ahlgren: Guitar/Vocals

過去のメンバー

David Länne: Keyboards, Erik Odsell: Keyboards, Patrik Magnusson: Drums

デスコグラフィー

Emotions from the Deep, Demo (1998)
...To Apeiron, EP (1998)
Twilight Symphony, EP (2000)
Insomnia, CD (JCM, 2002)
The Autumn Enigma, CD (JCM, 2005)

PANTHEON

1995 年にティーレーソーで結成された凡庸なブラック／デスメタル・バンド。メンバーは同年、のちにさらに成功することになる Thyrfing をも始動していたため、Pantheon の活動はすぐに停滞状態となり、そしてデモテープを 2 本発表した後、完全に消滅した。

ラインナップ

Jocke Kristensson: Guitar/Keyboards/Vocals, Patrik Lindgren: Bass, Thomas Väänänen: Drums

デスコグラフィー

By the Mist of Nightfall, Demo (1996)
Only Chaos Reigns, Demo (1997)

PANTOKRATOR

たった一つの理由で有名になったプログレッシヴ・デスメタル・バンド——その理由とは、彼らが敬虔なキリスト教信者であり、聖書にもとづいた歌詞を採用していることである。1996 年に結成して以来、彼らはデモテープや CD のリリースを着実に増やしている。しかし、もし俺が聞き及んでいる彼らの評価は "軟弱さ" と "独創性がない" ということ以外ないといえば、きっと罵る声が聞かれるに違いない。この場違い感をカバーするために、卒倒するほどのサタニックな歌詞をゴスペル聖歌隊に歌ってもらうとちょうど良くなるかもしれない。

ラインナップ

Karl Walfridsson: Vocals, Mattias Johansson: Guitar, Jonas Wallinder: Bass, Rickard Gustafsson: Drums, Jonathan Steele: Guitar/Vocals

デスコグラフィー

Ancient Path/Unclean Plants, Demo (1997)
Even Unto the Ends of the Earth, Demo (1998)
Allhärskare, Demo (2000)
1997-2000, CD (2001)
In the Bleak Midwinter/Songs of Solomon, Split (CLC Music, 2001)
Songs of Solomon, EP (2001)
Blod, CD (Rivel Records, 2003)

PATHOLOG

俺は名前も聞いたこともないデスメタル・バンド。1995 年にデモテープ 1 本作ったようだ。俺が知っているのはそれだけ。

デスコグラフィー

Demo 1995, Demo (1995)

PATHOLOGY

デモテープを 1 本リリースしたことくらいしか知らないオブスキュア・バンド。Patholog と同じメンバーが在籍しているのかもしれないが、それについても俺は誰かにデタラメを吹き込まれたのかもしれない。

デスコグラフィー

Exasperating Slow Dissection, Demo (1992)

PENTAGRAM—Tribulation（スラハメル）参照。

PERGAMON—Taketh 参照。

PERGOLOS

ファールン出身のカッコいいデスメタル・バンド。今までにデモテープを 2 本制作。彼らが生き残るかはこれからをみてみよう。

ラインナップ

Jocke Olson: Guitar, Linus Bergqvist: Guitar,
Christer Björklund: Bass, Olle Ekman: Drums, Olof
Henriks: Vocals
デスコグラフィー
Dawn of Recreation, Demo (2003)
Century Warcult, Demo (2004)

PEXILATED
90年代初期にアーヴェスタで結成された実験的要
素の強いスラッシュメタル・バンド。このバンドは
かなり良質。ヨーナス・シェールグレーンの鬼気迫
る咆哮や大半のリフは絶妙。この卓越したヴォーカ
リスト兼ギタリストは Dellamorte、Carnal Forge、
Centinex、Scar Symmetry で活動を続けている。
ラインナップ
Jonas Kjellgren: Vocals/Guitar, Johan Engström:
Guitar, Peter Sundmark: Bass, Johan Tillenius:
Drums
デスコグラフィー
A New Beginning of Unfaithful Life, Demo (1994)

PHOBOS
1997年にハルバリ／クムラで結成されたデスメタル・
バンド。長きにわたり彼らは Last Rites として知られ
ていたが、しかし 2000 年代に Phobos へと改名した。
しかし、何も進展がなかった。デモテープを 2 本リリー
スしたあとに彼らは解散した。
ラインナップ
Joel Fornbrant: Vocals/Guitar, Kari Kallunki:
Guitar, Martin: Bass, Appi: Drums
過去のメンバー
Gabbe: Bass, Tobbe: Drums/Vocals
デスコグラフィー
Last Rites, Demo (2000—Last Rites 名義)
Essential Agony, Demo (2002)

PLAGUE DIVINE
1997 年から活動を続けるストックホルムのデス／グ
ラインド・バンド。彼らはこれまでに 3 本しかデモテー
プを制作していないが、ずっと活動してくれることを
願おう。今の世の中には強烈なブラスト・ビートが必
要なんだ！
ラインナップ
Nico Åsbrink: Guitar, Jacob Andersson: Bass, Johan
Husgavel: Vocals
過去のメンバー
Peter Emanuelsson: Vocals, Chris Konstandinos:
Guitar, Juan Araya: Drums
デスコグラフィー
Demo 1999, Demo (1999)
Conceived to Perish, Demo (2002)
Promo, Demo (2004)

PLEDGE SIN AND THE PAINFUL
新興のドゥーム／デスメタル・プロジェクト。
ラインナップ
Firesteel: Guitar/Vocals, Moonsorrow: Vocals
デスコグラフィー
Demo, Demo (2004)

POEM
2002 年頃から活動しているメロディック・デス／ス
ラッシュ・バンド。

ラインナップ
Alex Widén: Vocals, Martin Meyerman: Guitar,
Staffan Persson: Bass
過去のメンバー
Mike: Drums, Ufuk Demir: Drums
デスコグラフィー
Virginity, Demo (2003)
Angelmaker, Demo (2004)

POLTERKRIST
北部の町ルーレオ出身のサタニック・デスメタル・バ
ンド。2000 年以降、年に一度のベースでデモテープ
を発表している。これからデビュー CD のレコーディ
ングに入るようだ。
ラインナップ
Stefan Granlund: Drums, Martin Åberg: Guitar,
Andreas Pelli: Bass, Johan Sinkkonen: Guitar, Mats
Asplund: Vocals
過去のメンバー
Erik Lejon: Guitar (2000-2002), Johan Dahlberg:
Bass (2000)
デスコグラフィー
Cold Lazarus, Demo (2000)
Killed With Domination, Demo (2001)
Stabs You in the Back, Demo (2002)
The Death Cell, Demo (2003)
Force of Evil, Demo (2004)

PORPHYRIA
1993 年にエシルストゥーナで結成されたオブスキュ
ア・デス／ブラックメタル・プロジェクト。結成 4 年
経ってからデモテープを制作した。
ラインナップ
Andreas Jonsson: Drums, Micke Lindblom: Guitar,
Daniel Forn Bragman: Guitar/Bass/Vocals, Annelie
Berglund: Keyboards
デスコグラフィー
Demo, Demo (1997)

PORTAL
1996 年に Blodsrit/Carve のイェミルとマティアスが
結成したバンド。デモテープは作らずにアルバムをリ
リースしたので、おそらく彼らはプロジェクトだと思
われる。
ラインナップ
Kristian Kaunissaar: Guitar/Vocals, Stefan
Johansson: Guitar/Vocals, Emil Koverot: Bass,
Mattias Fiebig: Drums
デスコグラフィー
Forthcoming, CD (Cadla Productions, 2001)

POSEIDON
1998 年にヘルシングボリで結成されたメロディック・
デスメタル・バンド。飽和状態にあるメロディック・
デスメタル・シーンにおいて、彼らはデモテープを発
表するだけでくすぶっている——もしくは才能がない
だけなのか？
ラインナップ
Andreas Weis: Guitar/Vocals, Jocke Petterson:
Guitar/Vocals, Emil Sandin: Bass/Vocals, Robban
Bengtsson: Vocals, Jesper Sunnhagen: Drums
過去のメンバー
Sebastian Rydell: Bass, Daniel Pålsson: Drums

デスコグラフィー
My Last Kingdom, Demo (2000)
The Counting, Demo (2001)
Crucified, Demo (2003)
Error, Demo (2003)
Unplugged, Demo (2003)

PRIMITIVE SYMPHONY
1992 年にヴェステルヴィークで結成された、Deicide 影響下のデスメタル・バンド。クオリティーは普通だが、ヴォーカルが酷い。ジミーとパトリックは Blodsrit、パトリックは Paganizer にも在籍。
ラインナップ
Patrik Halvarsson: Bass, Björn Jonsson: Drums, Christian Nordh: Guitar, Jimmie Nyhlen: Vocals, Rasmus Ström: Guitar/Keyboards
デスコグラフィー
Obscene Sadist, Demo (1995)
Of Satan's Breed, Primitive Symphony/Bluttaufe Split CD (Psychic Scream, 2001)

PROBOSCIS
ハードコアとファンクの要素を取り入れた、超テクニカルで異質なデスメタル──まるで Primus をもっと強烈にした感じだ！ 1991 年にストックホルム郊外のヴァーリングビーでマグナス・リルエンダールによって結成されたバンド。バンド結成時のギタリストであるヨアシム・カールソン（Afflicted、General Surgery、Face Down）は 1995 年に Face Down に入るためにバンドを去ったが、後釜に元 Crematory のミカエル・リンデヴァルが加わった。
ラインナップ
Magnus Liljendahl: Vocals, Andreas Eriksson: Bass, Mikael Lindevall: Guitar (1995-), Björn Viitanen: Drums (1995-)
過去のメンバー
Joacim Carlsson: Guitar (1991-1995), Linus Bladh: Drums (1991-1995)
デスコグラフィー
Demo 1992, Demo (1992)
Slap Psycho Metal Core, Demo (1993)
Fall in Line, 7" (Amigo, 1995)
Stalemate, CD (Diehard, 1997)

PROCREATION
基本的には Therion のクリストフェル・ヨンソンによるプロジェクトだがダーヴィド・イースバリ（Opeth）がヘルプで参加していた。1989 年に始動し、デモテープを 1 本リリースし、ライブを何本かこなしたものの、長くは続かなかった。Therion がブレイクすると、本プロジェクトの活動が頓挫した。
ラインナップ
Christoffer Jonsson: Drums/Guitar, David Isberg: Vocals
過去のメンバー
Erik Gustafson: Guitar (1989, ゲスト参加), Peter Hansson: Guitar (1991, ゲスト参加)
デスコグラフィー
Enter the Land of the Dark Forgotten Souls of Eternity, Demo (1990)

PROJECT GENOCIDE
北部の極寒地ボーデンで結成されたバンド。結成当初は Lifeless の名義でメタルコアをプレイしていたが、サウンドが（わずかに）激しくなると Project Genocide に改名した。しかしデモテープ以上のクオリティーになるとは到底思えない。
ラインナップ
Lasse: Vocals, Nicke: Guitar, Hellish: Guitar, Micke: Bass, Ante: Drums
デスコグラフィー
Arise to Obey, Demo (2002)
Promo 2003, Demo (2003)

THE PROJECT HATE
精力的な活動で知られるケンタ・フィリップソン（House of Usher、Leukemia、Odyssey、Dark Funeral、God Among Insects）によるウレブルー発のプロジェクト。1998 年に始動し、やがてフィリップソンの相棒はヨルゲン・サンドストルム（Entombed、元 Grave）となった。最高のラインナップだったが、チープなインダストリアル・デスメタルはいただけなかった。フィリップソンは現在 God Among Insects の活動で多忙だが、The Project Hate でも活動中のようである。
ラインナップ
Kentha Philipson (別名 Lord K): Guitar/Keyboards/Programming, Jörgen Sandström: Vocals/Bass, Petter S. Freed: Guitar, Jo Enckell: Jo Enckell, Michael Håkansson: Bass
過去のメンバー
L.G. Petrov: Vocals, Magnus Johansson: Bass（ゲスト参加）*, Mia Ståhl: Vocals*
デスコグラフィー
Deadmarch: Initiation of Blasphemy, CD (1998)
1999 Demo, Demo (1999)
Cyber Sonic Super Christ, CD (Massacre/Pavement, 2000)
When We Are Done, Your Flesh Will Be Ours, CD (Massacre/Pavement, 2001)
Killing Hellsinki, CD (Horns Up Records, 2002)
Hate, Dominate, Congregate, Eliminate, CD (Threeman Recordings, 2003)
Armageddon March Eternal (Symphonies of Slit Wrists), CD (Threeman Recordings, 2005)

PROPHANITY
スウェーデンのブラックメタル・ブーム初期から活動していた Prophanity は、1991 年にアリングソースで結成され、バンド名を忘れてしまったが、結成当初は別名義だった。しかし活動は軌道に乗らず、1998 年までにアルバムをリリースできなかったので、かなり遅いデビューとなった。Prophanity は常に不安定なラインナップに悩まされていた。シーンに埋没した彼らのデモテープは、青臭いブラックメタルと絶叫ヴォーカルが好きな奴らだけにお勧めする。もっとデスメタルっぽいアルバムのほうがウケるかもしれないが、まあどうだろうね。クリステル、アンデシュ、クリスティアンはあの秀逸な Immemoreal にも在籍していた。しかも、アンデシュは過去に Inverted でもプレイしていた。
ラインナップ
Christer "Grendel" Olsson: Guitar, Anders "Woutan": Drums, Nicklas Magnusson: Guitar, Patrick "Patsy" Johansson: Vocals/Bass
過去のメンバー

Mathias "Ferbaute" Järrebring: Vocals (1991-1999),
Christian Aho: Bass, Carl-Johan Sörman: Vocals,
Robert Lindmark: Bass (1996-1999), "Nauthis"
(Mats)
デスコグラフィー
Demo 1, Demo (1994)
Messenger of the Northern Warrior Host—Demo 2,
Demo (1994)
I Vargens Tecken, 7" (Voice of Death/Sorrowmoon,
1995)
Battleroar, Demo (1997)
Stronger than Steel, CD (Blackend, 1998)

PROPHECY
デモテープを 1 本だけ制作した無名のデス／スラッ
シュ・バンド。
デスコグラフィー
Remission of Sins, Demo (1992)

PROPHET 2002—Nirvana 2002 参照。

PURGAMENTUM
2002 年にリンシューピングで結成されたデスメタル・
バンド。デモテープを発表した後にメンバー 2 名とも
脱退したので、バンドは活動休止状態になった。
ラインナップ
Linus Fredriksson: Guitar, Johan Larsson: Bass/
Vocals
過去のメンバー
Jonas Lundberg: Guitar/Vocals, Jakob Selbing:
Drums
デスコグラフィー
Deathenchanté, Demo (2003)

PURGATORY—Dawn of Decay 参照。

PUTREFACTION
ヴィスビー出身の彼らの正体は Grave。Putrefaction
は 1989 年頃に始動したサイド・プロジェクト。この
プロジェクトがのちに消滅すると、楽曲は Grave の
レパートリーになった。オーラ・リンドグレーンは
かつて、Putrefaction を "Carcass 愛" が高じて結成
したと語っている（General Surgery、Necrony、そ
してミョールビーのバンド群を例にするまでもない
が）。なぜなら、当時はスウェーデン全土が Carcass
の『Symphonies of Sickness』に陶酔していたのだから。
ラインナップ
だから ......1989 年当時の Grave のメンバーだって。
デスコグラフィー
Painful Death, Demo (1989)

RABBIT'S CARROT
イカれたバンド名（それに超ガキだった）をつけた、
ストレムスタードの出身のスラッシュメタル・バン
ド。彼らについて有名なのはたった一つだけ、それ
はのちに Dissection を結成したヨン・ノトヴェイト
とオーレ・ウーマンの出身バンドであるということ。
彼ら以外のメンバーについてはわからないが、ヨンと
オーレが Dissection 結成のために脱退した後もバン
ドを存続させようとしていたようだ。しかも 1991 年
には Dissection との対バンもしていた。けれども、
結局は挫折してしまった。
ラインナップ

大勢の奴ら。
過去のメンバー
Jon Nödtveidt: Guitar, Ole Öhman: Drums
デスコグラフィー
A Question of Pain, Demo (1989)
Demo 1990, Demo (1990)

RAISE HELL
Raise Hell は 1995 年にストックホルムで In Cold
Blood の名義で始動した（Frost、Frozen in Time、
Forlorn とも呼称されていた）。デモテープを発表し
た後、多くのレーベルが彼らの争奪戦を繰り広げ、最
終的に Nuclear Blast が契約を獲得した。俺には争奪
戦の謎がよくわからない、なぜなら彼らのサウンドは
標準以下のレトロ・スラッシュだったからだ。俺が推
測するに、多くのレーベルが彼らに飛びついたのは、
デモテープをリリースした時のメンバーの平均年齢
が 15 歳とかなり若かったからではないかと思う。事
実、彼らが成長すると Nuclear Blast は彼らに興味を
失くした。Raise Hell は現在、地元のレーベル Black
Lodge と契約している。
ラインナップ
Dennis Ekdahl: Drums, Jimmy Fjällendahl: Vocals,
Jonas Nilsson: Guitar/Vocals, Niklas Sjöström:
Bass/Vocals
過去のメンバー
Henrik Åkerlund: Drums (1995-1996), Johan
Lindquist: Drums, Torstein Wickberg: Guitar
デスコグラフィー
Nailed, Demo (1997—In Cold Blood 名義)
Holy Target, CD (Nuclear Blast, 1998)
Not Dead Yet..., CD (Nuclear Blast, 2000)
Nuclear Blast Festivals 2000, Split (Nuclear Blast,
2001)
Wicked Is My Game, CD (Nuclear Blast, 2002)
To the Gallows, EP (Black Lodge, 2005)
City of the Damned, CD (Black Lodge, 2006)

RAPTURE（アリングソース）
1996 年に Lacrimas の名義で始動したメロディック・
バンド。1999 年に Rapture に改名してからデモテー
プを発表したが、それ以降の活動は聞いていない。オー
ロフとエリアスは Dragonland に在籍し、パトリック
は Prophanity での活動で知られている。
ラインナップ
Patrick Johansson: Vocals, Olof Morck: Guitar,
Niklas Örnfelt: Guitar, Johnny Johansson: Bass,
Elias Holmlid: Drums
デスコグラフィー
Sphere of Sorrow, Demo (1999)

RAPTURE（シースタ）—Lobotomy 参照。

RAVAGED
ゴットランド島のヴィスビーでは、その昔 Grave が
登場してからほとんどデスメタル・バンドは現れな
かった。2001 年に彼らが現れ、地元シーンを活性化
させようとしたが、失敗に終わった——Ravaged は
デモテープ 2 本をリリースしたあと、解散してしまっ
た。
ラインナップ
Joon Svedelius Lindström: Vocals, Marcus Persson:
Guitar, Johan Olofsson: Drums, Pelle Andersson:

Guitar
過去のメンバー
Anton Randahl: Bass, Jenz Ekedahl: Bass
デスコグラフィー
Embrace the Sound of Death, Demo (2002)
Funeral Parade, Demo (2003)

REAPER—Soulreaper 参照。

REGURGITATE（アーヴェスタ）
1991 年 1 月にアーヴェスタで、Entangled の名義で
結成されたオブスキュア・デスメタル・バンド。結
成当初は Disharmonic Orchestra や Pungent Stench
風の（それに多少 Voïvod の影響もあった）デスメ
タルをプレイしていたが、次第に異質なスタイルへ
と変化し、メタル色が薄れていった。のちに彼らは
Greedkick に改名するが、結局は解散してしまった。
ちなみに、ストックホルムの Regurgitate と混同し
ないように。そして、ダーヴィド・ボックは『Ugly
Logo Zine』の編集者だった。
ラインナップ
David Bock: Guitar/Vocals, Fredrik Palm: Bass/
Vocals, Thomas: Drums
デスコグラフィー
Trials of Life, Demo (1992)
Promo 93, Demo (1993—Greedkick 名義)

REGURGITATE（ストックホルム）
1990 年にストックホルムで結成された、リーキャル・
ヤンソンによるワンマン・ブルータル・グラインドコ
ア・プロジェクト。しばらくの間ペータル・ファン
ヴィンド（Merciless、Entombed）が携わっていたが、
しかし他のバンドで忙しかったため短期間の参加にと
どまった。のちにバンドに復帰した彼は Regurgitate
の作品で唯一無二のドラム・パフォーマンスを披露
している。他のメンバーも Crematory、Afflicted、
Dawn、General Surgery などに参加し、輝かしい経
歴を持っていることも挙げておこう。Regurgitate は
真正グラインドコアとしてみなされ、それよりさらに
荒々しい Crematory と同等の評価を得ている。血み
どろ歌詞、ノイジーなグラインド、狂ったヴォーカル、
それ以上何を望むんだ？ 最高だよな！ スプリット
作品を大量にリリースしているのは、グラインドの流
儀に則っているからなんだ。2006 年にはアーヴェス
タのデスメタル番長、ヨーハン・ヤンソンがバンドに
加入した。
ラインナップ
Rikard Jansson: Vocals, Urban Skytt: Guitar, Jocke
Pettersson: Drums, Johan Jansson: Bass (2006-)
過去のメンバー
Glenn Sykes: Bass Peter Stjärnvind: Drums, Johan
Hanson: Bass, Mats Nordrup: Guitar/Drums, Terje:
Bass（ゲスト参加）, Anders Jakobsson: Drums（ゲ
スト参加）
デスコグラフィー
Demo 1, Demo (1991)
Regurgitate/Vaginal Massacre, Split 7"
(Poserslaughter, 1992)
Brainscrambler, Regurgitate/Psychotic Noise, Split
7" (Glued Stamps, 1993)
Concrete Human Torture, Demo (1994)
Regurgitate, CD (Poserslaughter, 1994)
Regurgitate/Grudge, Split 7" (Obsession, 1994)

Regurgitate/Dead, Split MCD (Poserslaughter, 1994)
Effortless Regurgitation of Bright Red Blood, CD
(Lowland, 1994)
Fleshmangler, Regurgitate/Intestinal Infection, Split
7" (Noise Variations, 1996)
Promo 1999, Demo (1999)
Regurgitate/Filth, Split 7" (Painiac, 2000)
Carnivorous Erection, CD (Relapse, 2001)
Regurgitate/Gore Beyond Necropsy, Split 7" (No
Weak Shit, 2001)
Regurgitate/Realized, Split 7" (Stuhlgang, 2001)
Sodomy and Carnal Assault, Split (2001)
Cripple Bastards/Regurgitate, Split (2002)
Hatefilled Vengeance, EP (2002)
Regurgitate/Entrails Massacre, Split (2003)
Regurgitate/Noisear, Split (2003)
3-Way Grindcore Knockout, Round 1, Split (2003)
Bonesplice/Baltic Thrash Corps, Split (2003)
Deviant, CD (Relapse, 2003)
Regurgitate/Suppository, Split (2004)
Sickening Bliss, CD/LP (Relapse, 2006)

RELENTLESS
1997 年にウレブルー／リンデスバリで始動した US
スタイルのデスメタル・バンド。初期はオールドスクー
ル・デスメタルをプレイしていたが、次第に複雑でモ
ダンなスタイルに変化を遂げた。楽曲はあまり印象に
残らないが、それでも良いバンドであることは確か。
メンバーチェンジが原因でバンドは停滞したが、彼ら
が続けてくれると願っている。ちなみに、ローベット・
カントはかつては『Serenity Zine』の編集者だった。
ラインナップ
Matte Andersson: Vocals/Guitar (for some time,
bass), Pär Svensson: Drums, Oscar Pålsson: Bass
(2003-)
過去のメンバー
Gabbe: Guitar (1999-2001), Robert Kanto: Bass
(2000-2001, 2001-2002), Guitar (1997-1999, 2001),
Fredrik: Guitar (2002-2003)
デスコグラフィー
Pestilence of the Undead, Demo (1999)
Experiment in Excrement, Demo (2000)
Relentless, Demo (2001)
Tempest of Torment, CD (Crash Music, 2004)

RELEVANT FEW
2000 年頃に Mindsnare の名義で始動したバンド。彼
らはちょっと変わっている。というのは、ユーテボリ
出身にもかかわらず Napalm Death 風のグラインド／
デスメタルを演っているからである。
ラインナップ
Christian Lampela: Guitar, Henke Svensson: Vocals,
Robert Hakemo: Bass, Daniel Moilanen: Drums
過去のメンバー
Johan Carlsson: ocals, Johan Nilsson: Guitar
デスコグラフィー
Demo (Mindsnare 名義)
Who Are Those of Leadership, CD (No Tolerance,
2002)
The Art of Today, CD (No Tolerance, 2003)

REMAINS OF THE GROTESQUE
2003 年にカルマルで結成されたブラック／デスメタ

ル・グループ。
ラインナップ
Lars Bakken, Oskar Öberg
過去のメンバー
Oskar Jacobsson
デスコグラフィー
The Black Moon Rises, Demo (2005)

REMASCULATE
2004 年にヴォールビーで結成された、パンクっぽい
グラインド／デスメタル・バンド。彼らはプロジェク
ト・バンドだと思う。Insision のマルクス・ヨンソン
をドラムに擁している。
ラインナップ
*Micke Strömberg: Guitar/Vocals, Marcus Jonsson:
Drums, Johan Bladlund: Bass, Ludde Engellau:
Vocals*
デスコグラフィー
Til the Stench Do Us Part, Demo (2004)
*Blend in and Juice Them, CD (Evigt Lidande
Productions, 2005)*

REPUGNANCE
1990 年 2 月に結成されたサクスダーレン出身のバン
ド。当初は Atrocious Reek という名義だった。おそ
らく彼らは、Grotesque が登場して以降、初めてヒリ
ヒリするような絶叫型ヴォーカル（グロウル・スタイ
ルではなく）を実践したバンドの一つだろう。しかし
彼らは広く支持されることはなかった。時代が彼らに
追い付いていなかったのか、もしくはただ単に彼らが
粗悪だっただけかもしれないな。
ラインナップ
*Micke Timonen: Guitar/Vocals, Mattias Timonen:
Drums, Hedlund: Bass*
デスコグラフィー
Rehearsal (1990—Atrocious Reek 名義)
Covetous Divinity, Demo (1990)

REPUGNANT
1998 年にストックホルム郊外にある小さな町のノル
スボリで始動した Repugnant が目指したのは、極上
のオールドスクール・デスメタルを創り上げること。
そして彼らはやってのけた。あの楽曲、あのヴォーカ
ル、あのサウンド――すべてがそこにあった！ それ
に Repugnant は当時のデスメタル・シーンにあった
ユーモアの真髄をわかっていた。彼らのステージ・ネー
ムを見るがいい――メアリー・グーア、ロイ・モービッ
ドソン、サイド E バーンズ、クリス・ピスをな。(訳
者註:ゲイリー・ムーアではなく "メアリー・グーア"、
ロイ・オービソンではなく "ロイ・モービッドソン [モー
ビッドソン = 病的息子]"、"サイド E バーンズ [サイ
ド・バーンズ = もみあげ]"、それに "クリス・ピス [ピ
ス = しょんべん]"。その他、カルロス・サンタナで
はなく "カルロス・サタナス [サタナス = ラテン語
で悪魔]" というステージ・ネームも使っている。彼ら
独特のユーモア・センス）あの伝説的な Macabre と
のギグを何度かこなしたあと、アホネンとバルケン
フェはバンドを脱退した。代わりに Insision のトマス・
ダウンとグスタフ・リンドストルムが後釜として加
わった。しかし 2004 年、Centinex との過酷なフィン
ランド・ツアー終了後、バンドは解散した。2002 年
にレコーディングされたアルバムは長い間お蔵入りに
なっていたが、2006 年にやっと日の目を見た。これ

は 2006 年のベスト・アルバムだと思う！ 俺にとっ
て、彼らはスウェーデン史上最高のレトロ・デスメタ
ル・バンドだ。彼らの音源を全部ゲットしてくれ。
ちなみに、アホネンは Insision 結成時のオリジナル・
メンバーだった――Insision が彼にとってあまりにも
複雑になってきた頃、アホネンは Insision を離れ、
Repugnant に加わった。
ラインナップ
*Tobias "Mary Goore" Forge: Vocals/Guitar, Johan
"Sid E Burns" Wallin: Guitar, Gustaf "Carlos
Sathanas" Lindström: Bass (2000-), Tomas "Tom
Bones" Daun: Drums (2000-)*
過去のメンバー
*Joonas "Roy Morbidson" Ahonen: Bass (1999-2000),
Christofer "Chris Piss" Barkensjö: Drums (1998-
2000), Karl Envall: Bass (1998-1999)*
デスコグラフィー
Spawn of Pure Malevolence, Demo (1999)
Hecatomb, 7" (To the Death, 1999)
Hecatomb, MCD (Unveiling the Wicked, 2000)
Draped in Cerecloth, Demo (2001)
*Dunkel Besatthet, Repugnant/Pentacle, Split (To the
Death, 2002)*
Repugnant/Kaamos, Split Live Demo (2003)
Premature Burial, EP (Soulseller Recs, 2004)
Epitome of Darkness, CD (Soulseller Records, 2006)

RETALIATION
1993 年にミョールビーで、鬼才ヘンリック・フォッ
シュ（Dawn、元 Nefarious）によって始動された
無慈悲なデス／グラインド・バンド。フォッシュは
『Brutal Mag』や『Dis-organ-ized Zine』も発行した
人だ。Retaliation は活動初期にドラムマシンを使用
していたが、しかしすぐペッタションをドラマーとし
て迎え、そしてギタリストのアルブレクトソンを加え
た。長年にわたって多彩な彼らだったが、何故かライ
ブは 1994 年の Thy Primordial と Dawn との対バン
の一度のみだった。もし Traumatic、Funeral Feast、
Retaliation、Nefarious、それに Carcaroht のメンバー
が 1 バンドに集約されていたならば、ミョールビーは
きっとシーンを制していただろう。まあ、良質な作品
も多かったから、それで良しとしよう。
ラインナップ
*Henrik Forss: Guitar/Vocals, Andreas Carlsson:
Vocals, Jonas Albrektsson: Guitar (1994-), Jocke
Petersson: Drums (1994-), Jon: Bass/Vocals*
デスコグラフィー
Acrid Genital Spew, Demo (1993)
Devastating Doctrine Dismemberment, Demo (1994)
*The Misanthrope, Retaliation/Gut Split 7"
(Regurgitated Semen, 1994)*
*Grindwork, Retaliation/Nasum/Vivisection/CSSO
Split 7" (Grindwork Productions, 1995)*
*Pray for War, Retaliation/Exhumed Split 7"
(Headfucker, 1998)*
The Execution, CD (Headfucker, 1999)
*Suicidal Disease, Retaliation/The Kill Split 7"
(Mortville, 2000)*
*Boredom and Frustration, EP (Blood Harvest/
Sounds of Betr, 2001)*
*Violence Spreads its Drape, CD (Putrid Filth
Conspiracy, 2002)*

RETRIBUTION

ピーテオ出身のデスメタル・バンド。2002 年以降精力的に活動しており、デモテープを何本も出している。
ラインナップ
Fredrik Nyman: Vocals, Joel Öhman: Guitar, Rickard Karlsson: Guitar, Hans Sunnebjer: Drums
過去のメンバー
Daniel Nordh: 各種パート（ゲスト参加）, Kristofer Bäckström: Bass, Erik Flodin: Drums/Bass
デスコグラフィー
Archaic Warfare, Demo (2002)
Carnage of Autumn, Demo (2003)
Ahead the Days of Reprisal, Demo (2004)
Vol. 4, Demo (2005)

REVOCATION

1998 年にストックホルムで結成された良質デスメタル・バンド。長い間何も情報がないので、現在は活動停止状態か解散しているのだと思う。メンバーの何人かは Kaamos で活躍している。Repugnant のトゥビアス・フォルゲも在籍していた。
ラインナップ
Drunkschwein: Bass/Vocals, Fred Hellbelly: Drums, Jonny Putrid: Guitar
過去のメンバー
Erik Hellman: Guitar, Tobias Forge: Guitar
デスコグラフィー
Reincarnated Souls of Hell, Demo (1999)
Reincarnated Souls of Hell, EP (Nuclear Winter, 2004)

RIBSPREADER

2003 年に始動したガムレビー発のデスメタル・プロジェクト。アルバムを2作発表して、そして解散した。基本的にはヨハンソン（Carve、Paganizer）主導のソロ・プロジェクトであるが、一番有名なメンバーはやはりダン・スワノ。
ラインナップ
Roger Johansson: Guitar/Vocals, Mattias Fiebig: Drums, Patrik Halvarsson: Bass
過去のメンバー
Andreas Karlsson: Guitar/Bass, Dan Swanö: Guitar, Johan Berglund: Drums
デスコグラフィー
Bolted to the Cross, CD (New Aeon/Karmageddon Media, 2004)
Congregating the Sick, CD (New Aeon/Karmageddon Media, 2005)

RIPSTICH—Dormitory 参照。

RIVER'S EDGE—Expulsion 参照。

ROSICRUCIAN

初期は Atrocity（別項目参照）の名義でヴェステルオースを拠点に活動していたバンド。しかし、過激なサウンドを追求するため 1989 年に改名し、メンバーも入れ替えた。ただ、彼らがこだわりを見せていたモッシュっぽいリフとベイエリア風のヴォーカルは、90 年代の奴らをドン引きさせた。そして、度重なるラインナップ問題に端を発した解散はあまりにも早すぎた。解散後、リンデン、ソーデルマン、ヤコプソンは Slapdash を結成した。

ラインナップ
Magnus Söderman: Guitar, Johan Wiegal: Keyboards, Fredrik Jakobsson: Bass, Lars Linden: Vocals/Guitar (1990-), Andreas Wallström: Drums (1994-)
過去のメンバー
Glyn Grimwade: Vocals (1989-1993) Ulf Peterson: Vocals, Patrik Marchente: Drums (1992-1994), Kentha Philipson: Drums (1989-1992)
デスコグラフィー
Initiation Into Nothingness, Demo (1989)
Demo (1990)
Silence, CD (Black Mark, 1991)
No Cause for Celebration, CD (Black Mark, 1994)

ROTINJECTED

2000 年にヴァルバリで結成されたデスメタル・バンド。実際のところ、このバンドは Anata の別称バンドだ。だが、なぜそんなことしたんだ？ コニーとビョルンは Eternal Lies でもプレイしている。
ラインナップ
Fredrik Schälin: Vocals, Björn Johansson: Guitar, Andreas Allenmark: Guitar, Henrik Drake: Bass, Conny Pettersson: Drums
デスコグラフィー
Demo 2001, Demo (2001)
Demo 2001, Demo (2001)

ROTTING FLESH

1990 〜 91 年の間に 6 か月間だけ活動していたアンゲレード出身のデスメタル・バンド。ヴォーカリストのヨーニとトミーは Chronic Torment を結成（のちに Sacretomia）し、ギタリストは Angel Goat を始動した。なんでアンゲレードにフィンランド系メタル野郎がそんな大勢いるんだ？
ラインナップ
Ari Juurikka: Guitar, Jouni Parkkonen: Vocals, Tommy Parkkonen: Drums, Harri J: Guitar, Mikka V: Bass
デスコグラフィー
Rehearsal (1991)

ROUTE NINE

1991 〜 94 年の間活動していたダン・スワノによる多すぎるサイド・プロジェクトのうちの一つ——俺たち全部フォロー出来るかな？ Necrony/Nasum のヤコブソンがドラムで参加した（ある意味 Masticate が再結成したようなものだ）。彼らのアルバムにはデモテープの古い音源が収録されている。まさにウレブルー／フィンスポング出身者によるプログレッシヴな融合体、チェックしてみたくなるよな。
ラインナップ
Dan Swanö: Vocals/Guitar/Bass/Keyboards, Anders Jacobsson: Drums
デスコグラフィー
Demo 92, Demo (1992)
Before I Close My Eyes Forever, EP (Inorganic, 1993)
The Works, MCD (Spam, 2001)

RUNEMAGICK

1990 年にユーテボリで始動したニクラス・ルドルフソン（Swordmaster、Sacramentum、Deathwitch）のサイド・プロジェクト。初期のギグでは、ノルマン

（Dissection）やロースベック（Decameron）がヘルプで参加した。1993 年に活動休止となるが、1997 年に新メンバーを加え、復活した。新メンバーの中にはベーシストのパルムダール（元 Dissection）もいた。その後さらにラインナップが変更されたため、一体誰がメンバーなのか誰も知らない。彼らは活動初期に自分たちをブラックメタル・バンドと称し、コープス・ペイントも施していたが、しかしそのサウンドはドゥーミーなゴシックっぽい感じのデスメタルだった。再結成してから、Runemagick は尋常ではない数の作品をリリースしてきたが、クオリティーはまちまちであった。ちなみに、初期メンバーのバージョンはニッケ・アンダソンと Death Breath を結成した。

ラインナップ
Niklas Rudolfsson: Vocals/Guitar, Daniel Moilanen: Drums (1999-), Emma Karlsson: Bass (1999-)
過去のメンバー
Jonas Blom: Drums（ゲスト参加, 1998-1999), Nils Karlén: Bass (1990-1992), Johan Norman: Guitar (1992-1993), Robert Persson: Vocals/Guitar (1991-1993), Alexander Losbäck: Bass (1992-1993), Johan Bäckman: Bass (1993), Peter Palmdahl: Bass (1997-1998), Fredrik Johnsson: Guitar (1997-2003), Tomas Eriksson: Guitar
デスコグラフィー
Promo Demon, Demo (1991)
Alcoholic Rehearsal, Demo (1991)
Fullmoon Sodomy, Demo (1992)
Necro Live, Demo (1992)
Dark Magick Promo, Demo (1997)
The Supreme Force of Eternity, CD (Century Media, 1998)
Enter the Realm of Death, CD (Century Media, 1999)
Resurrection in Blood, CD (Century Media, 2000)
Ancient Incantations, 7" (Aftermath, 2001)
Sepulchral Realms, Demo (2001)
Dark Live Magick, LP (Bloodstone, 2001)
Worshippers of Death, Runemagick/Soulreaper split (2002)
Requiem of the Apocalypse, CD (Aftermath, 2002)
Moon of the Chaos Eclipse, CD (Aftermath, 2002)
Doomed by Death, Runemagick/Lord Belial split (Aftermath, 2002)
Darkness Death Doom/The Pentagram, CD (Aftermath, 2003)
Darkness Death Doom, CD (Aftermath, 2003)
On Funeral Wings, CD (Aftermath, 2004)
Envenom, CD (Aftermath, 2005)
Black Magick Sorceress, EP (Aftermath, 2005)
Invocation of Magick, CD (Aftermath, 2005)

SACRAMENTUM

1990 年にフォールシューピングで、カーレーンによって Tumulus という名義で結成されたバンド。度重なるラインナップ・チェンジのあと、1993 年に Sacramentum へと改名した。彼らは若干売れたが、大成功とまではいかなかった。ルドルフソンは Runemagick や Swordmaster（彼らがエレクトロ／ポップ／メタル／ゴシック風の Deathstars に変化する前）にも在籍していた。音楽性は平均レベルだが、彼らのブラックメタルとデスメタルの融合は、俺には攻撃性を失わせ、中途半端に聴こえてしまう。
ラインナップ

Anders Brolycke: Guitar, Nils Karlén: Vocals/Bass
過去のメンバー
Nicklas Andersson: Guitar, Freddy Andersson: Bass, Mikael Rydén: Drums Nicklas Rudolfsson: Bass/ Drums Thomas Backelin: Guitar, Tobias Kjellgren: Drums, Johan Norrman: Guitar, Micke: Drums
デスコグラフィー
Sedes Imporium, Demo (1993)
Finis Malorum, EP (Northern Production, 1994)
Far Away from the Sun, CD (Adipocere, 1996)
The Coming Chaos, CD (Century Media, 1997)
The Black Destiny, CD (Century Media, 1999)

SACRETOMIA

1991 年 4 月にアンゲレードで、Chronic Torment の名義で結成されたバンド。結成初期はスラッシュメタルをプレイしていたが、当時の多くのバンドと同じように、すぐにブルータルに変化した。彼らの音楽性は Deicide や Morbid Angel 影響下の良質なデスメタル——デモテープのタイトルを見ればどんなサウンドかわかるだろう。彼らが活動を続けなかったのは残念だ。パルコネン兄弟は短命に終わったバンド、Rotting Flesh にも在籍していた。
ラインナップ
Mikael Vänhanen: Guitar, Jouni Parkkonen: Guitar/ Vocals, Tommy Parkkonen: Drums/Vocals, Niclas: Bass
過去のメンバー
Mirko Varis: Bass
デスコグラフィー
Altar of Sin, Demo (1992)

SACRILEGE

1998 年にスヴェンソンが In Flames のドラマーとして参加したことぐらいしか言うことがない。バンドは存続しているが、1997 年から作品を出していない。
ラインナップ
Daniel Dinsdale: Guitar, Richard Bergholz: Guitar, Daniel Kvist: Bass, Daniel Svensson: Drums/Vocals
過去のメンバー
Michael Andersson: Vocals, Christian Frisk: Bass
デスコグラフィー
...and Autumn Failed, Demo (1996)
To Where the Light Can't Reach, Demo (1996)
Lost in the Beauty You Slay, CD (Black Sun, 1996)
The Fifth Season, CD (Black Sun, 1997)

SACRIUM

90 年代初期に結成されたファールン出身のバンド。彼らの音楽性は、低音ヴォーカルに低速デスメタルを特徴としていた。クオリティーは低くないが、紋切型でつまらない。グランヴィークが次に加入した Without Grief のほうがよっぽどましだ。
ラインナップ
Jonas Granvik: Vocals, Dahlquist: Bass/Guitar, Lindh: Bass/Drums
デスコグラフィー
Somnus es Morti Similis, Demo (1992)

SADISTIC GANG RAPE

1991 年にアーヴェスタの小さな町に住む 3 名のあばずれ娘によってこのステキな名称のバンドが結成された。活動初期は地元のデスメタル狂

のヤンソン（Dellamorte、Beyond、Interment、Hatred、Fulmination、Centinex、Uncurbed、Asocial、Regurgitate（ストックホルム）、Uncanny、Demonical——凄いバンドだらけだ!）とトーンルース（Uncanny、Uncurbed）がドラムと時々ヴォーカルでヘルプしていた。そのうち、スーシーとマリー＝ルイースが自らヴォーカルを担当し、これが効果絶大となった。同じ頃、彼女らはキャッティスのボーイフレンド、クリストフェル・ハールボリを正式にドラマーとして迎えた。しかし残念なことに、彼女らの音楽は次第にデスメタルから離れ、クラスト・パンク・スタイルに移行していった。さらに最悪なことに、彼女らがせっかくつけた極上バンド名をショボいSociety Gang Rape なんかに変えてしまったんだ。後期の作品は悪くはなかったが、でも昔の面影はなかった。Sadistic Gang Rape メンバーの大半が女の子だったため、男性優位のデスメタル・シーンでは正式にドラマーで歓迎されていた。バンドの最盛期（暗黒時代かな？）には、彼女らはこの世で最も猟奇的な女性バンドだったのである。
ラインナップ
Kattis Lammi: Guitar, Sussie Berger: Bass/Vocals, Marie-Louise Ehrs: Guitar/Vocals, Christoffer Harborg: Drums
過去のメンバー
Johan Jansson: Drums/Vocals (1992), Jens Törnros: Vocals (1992)
デスコグラフィー
Massdevastation, Demo (1992)

SADISTIC GRIMNESS
Sadistic Grimness は 2000 年にウッデヴァラ／ステヌングスンドで結成された。初期は真正ブラックメタルをプレイしていたが、のちにデスメタル要素を取り入れた。メンバーは Angst、Kill、Diabolicum、Conspiracy、Ill-Natured、Mastema などのマイナーどころのバンドにも参加していた。
ラインナップ
DD Executioner: Vocals/Guitar, Kemper Lieath（別名 Kevorkian): Drums, Fleshripper (Rikard): Bass
過去のメンバー
Nocturnal Skullsodomizer: Guitar（ゲスト参加）, *Robert Carnifex: Bass, Master Motorsåg: Vocals*（ゲスト参加）
デスコグラフィー
From Heaven to the Abyss, Demo (2000)
Bleed for the Goat, Demo (2001)
Split Cunt of Virgin Mary, Sadistic Grimness/Kerberos split (Ordealis Records, 2004)
Vicious Torture, CD (Infernus Rex, 2004)

SADO BASTARDOS
本書にはオブスキュアで存在価値ゼロのバンドが多く掲載されているが、このウップサーラ出身のならず者もご多分に洩れず偏執的で、病的で、衝撃的なのはず。この超絶グラインド・バンドは、90 年代中期の 2 年間は定期的にリハーサルをやっていたようだ。ただベーシストのロビンによると、毎回のリハーサルでは必ず殴り合いの喧嘩に発展したというのである。ある時、ロビンがグラインド・パートなしのアイディアを思いつき、曲を創り上げたときには、ヴォーカリストからいきなり顔面にパンチをお見舞いされ、鼻をへし折られたそうだ。ロビンが医者に行きたいと懇願す

ると、ヴォーカリスト（40 いくつのホームレス）は彼に真顔でこう囁いた――"リハーサルを最後までやんねえと、お前をぶっ殺すぞ"と。彼らの最初で最後となったギグは、郊外にある底辺地区のゴッツンダでのパーティーの最中に行なわれた。15 人の"観客"がいたそのギグは悲劇的に幕を閉じた。最後の曲の演奏中、ヴォーカルがステージダイブしたものの、コンクリート地面に激突し、首の骨が折れ、即死状態だったそうだ。それが原因でバンドが解散すると、ギタリスト（亡くなったヴォーカリストの息子だった!）は精神病院行きとなり、ドラマーは殺人罪で服役した。ロビンはというと、ウップサーラ駅で廃車両内での生活をスタートさせた。そんな Sado Bastardos だが、リハーサルを録音していたのは明らかで、けれどもその唯一のテープもロビンが私物と共に段ボール箱の中に入れ、元友人宅に置き忘れてしまったそうだ。そのテープを手に入れようとした地元のグラインド・マニアックス達からかなりの額をオファーされたロビンだったが、けれども彼は元友人と顔を合わせる勇気などなかった。よって、一生彼らの音源を聴くことは出来ないと思う。奇怪で病的な音に夢中な奴らにはこのバンドはうってつけかもしれないが、しかし彼らの音源に触れたり、ライブを観たりする機会はゼロに近いだろう。唯一できることといえば、彼らのバンド名を革ジャンに描くことくらいかもしれない。ただこれも厄介なのだ、なぜなら彼らのロゴを誰も見たことがないからだ――こうであってほしいなぁ、手書きのペンタグラムの背景にタイムズ・ニュー・ローマンのフォントでタイプされたバンド名……。
ラインナップ
死んだホームレスのジジイ: Vocals, その死んだホームレスのジジイのガキ: Guitar, Robin: Bass, 変態野郎: Drums
デスコグラフィー：
Rehearsal (199?)

SALVATION
1989 年にミョールビーで結成されたデスメタル・バンド。彼らはデモテープを 1 本のみ制作し、そして解散してしまった。その後、メンバーは Lucifer、Atryxion、Carcaroht、Indungeon、Thy Primordial、Metroz に加入した。
ラインナップ
Mikael Andersson: Bass, Jonny Fagerström: Drums, Fredrik Åstrand: Guitar, Tommy: Guitar
過去のメンバー
Jonas Larsson: Vocals（ゲスト参加）
デスコグラフィー
Carnage Remains, Demo (1990)

SANCTIFICA
Sanctifica は 1996 年に始動し、2002 年の解散までに 2 枚のアルバムをリリースした。彼らはキリスト教のメッセージをメロディック・ブラック／デスメタルに融合しようとしたバンドの一つ。気味悪いし、感心しない。ヨナタンは同系統のバンドの Pantokrator に在籍している。メンバー数名は As a Reminder でバンド活動を続けた。As a Reminder なんて知らない。あ、知りたくもないが。
ラインナップ
David: Vocals, Jonathan: Bass/Vocals, Hubertus: Guitar/Vocals, Henrik: Guitar/Vocals, Daniel: Drums, Aron: Keyboards

デスコグラフィー
In the Bleak Midwinter, Demo (1998)
Spirit of Purity, CD (Little Rose Productions, 2000)
In the Bleak Midwinter/Songs of Solomon,
Sanctifica/Pantokrator Split (CLC Music, 2001)
Negative B, CD (Rivel Records, 2002)

SANCTIFICATION
2001年にウステルスンドで結成された反キリスト・
デスメタル・バンド。良質なUSスタイルのデスメ
タルなので、チェックしてみるといい。メンバーい
ずれも、Divine Desecration、God Among Insects、
In Battle、Aeon、Souldrainer、Deranged、Defaced
Creationなどの良質なバンドに在籍していた、ある
いは在籍している。
ラインナップ
Mathias Mohlin: Vocals, Tomas Elofsson: Guitar,
Nils Fjellström: Drums, Kristoffer Hell: Bass
過去のメンバー
Daniel Dlimi: Guitar, Peter Jönsson: Bass, Jörgen
Bylander: Bass
デスコグラフィー
Demo 01-02, Demo (2002)
Misanthropic Salvation, CD (Remission Records,
2003)
Promo 2004, Demo (2004)

SANGUINARY
90年代中期にブルーで結成されたデスメタル・バン
ド。サウンドは90年代初期のバンドを彷彿とさせる。
それがいいんだ！
ラインナップ
Mattias Lenikka: Guitar/Vocals, Raimo: Drums,
Danne: Guitar, L-E: Bass
過去のメンバー
Juppe: Bass
デスコグラフィー
Demo 1, Demo (1995)

SARCASM
高品質で臨場感たっぷりのウップサーラ発のデスメタ
ル・バンド。Sarcasmは1990年末に、狂人ギタリス
トのフレードリック・ヴァレンバリと悪名高きメタル
レジェンドのヘワル・ボザルスランによって結成され
た（ヘワルほどメタルな奴はいねぇ。マジで）。公式
にデモテープをリリースする前に作った2本のリハー
サル・テープはAutopsyを彷彿させるサウンドだっ
たが、しかしその後すぐにオリジナリティ溢れるサ
ウンドに変化した。ヴァレンバリのメロディックか
つ破壊的なリフ、ボザルスランの戦慄を覚えるかの
ようなヴォーカル、これらによってSarcasmは唯一
無二の存在となった。作品全体を覆う雰囲気は生々
しいブラックメタルのようだった——Dissectionのあ
の雰囲気にかなり近かった。彼らの未来は開けてい
るはずだったが、1994年にヴァレンバリがトマス・
リンドバリ（At the Gates）とクラスト・バンドの
Skitsystemを結成するために脱退すると、Sarcasm
は空中分解した。結局、彼らは精彩を取り戻すこと
ができなかった。必ずチェックすべきバンドである。
ラインナップ
Heval Bozarslan: Vocals, Dave Janney: Bass, Henrik
Forslund: Guitar (初期はドラム), Oscar Karlsson:
Drums, Anders Eriksson: Guitar

過去のメンバー
Fredrik Wallenberg: Guitar, Simon Winroth: Drums
デスコグラフィー
In Hate, Demo (1992)
Porta 1, Demo (1992)
Porta 2, Demo (1992)
Demo (1993, unreleased)
Dark, Demo (1993)
Demo 93, Demo (1993)
A Touch of the Burning Red Sunset, Demo (1994)
A Touch of the Burning Red Sunset, CD (Breath of
Night, 1998)
Scattered Ashes, 7" (Danse Hypnotica, 1999)

SARCAZM
1990年夏にユーテボリで結成されたSarcazmは、
Slayer、Metallica、Annihilator風のスラッシーなメ
タルをプレイしていたが、彼らも日の目を見ること
はなかった。ちなみに、ウップサーラの至極バンド
のSarcasmと混同しないように！　アンダソンとエ
ンゲリンはのちにLuciferionを結成した。1997 〜 98
年、エンゲリンはIn Flamesのライブにギターで参加
した。
ラインナップ
Krister Albertsson: Vocals/Guitar, Niclas Engelin:
Guitar, Beppe Kurdali: Bass (1993-), Peter
Andersson: Drums
過去のメンバー
Bo Falk: Bass
デスコグラフィー
Snaildeath, Demo (1990)
Human Decadence, Demo (1991)
Jeremiads, Demo (1993)
Breathe Shit Exist, CD (Deathside, 1994)

SARGATANAS REIGN
1997年にノーシュービングで始動した平均的なクオ
リティーのデスメタル・バンド。結成当初のヴォー
カルはディーヴォ（Marduk）が担当していたが、
やがてヨーナス・マットソン（Incinerator、元
Nominon）と交代した。
ラインナップ
Jonas Mattson: Vocals, Niklas Samuelsson: Bass,
Stefan "Vrashtar" Kronqvist: Drums, Kristoffer
"Ushatar" Andersson: Guitar, Marcus Lundberg:
Guitar
過去のメンバー
Johan Ericsson: Bass, Magnus "Devo" Andersson:
Vocals
デスコグラフィー
Sargatanas, Demo (1998)
Satanic Hymns, Demo (1998)
The God Below, Demo (1998)
Hellucination, EP (I Hate Records, 2001)
Euthanasia... Last Resort, CD (I Hate Records, 2002)
Bloodwork: Techniques of Torture, CD (Blooddawn/
Regain, 2005)

SARS
2003年にアールヴィカで結成されたデス／グライン
ド・バンド。Sarsの歌詞は倒錯とユーモアに溢れて
いた。メンバーがTribulation（アールヴィカ）と
Guerillaに在籍していたので、考えてみればそれは当

然なことなのかもしれない。おそらく、彼らはプロジェクト・バンドだと思う。
ラインナップ
Adam "Ma Sars" Zaars: Guitar/Vocals, Jonka "Pipen Doom Occulta" Andersson: Bass/Vocals, Jakob "Doom Krahft" Pungberg: Drums
デスコグラフィー
Night of the Living Sars, Demo (2003)

SARTINAS
絶叫ヴォーカルが特徴のメロディック・デスメタル・バンド——察しのとおり、彼らは At the Gates の『Slaughter of the Soul』リリース後に登場した。デモCD を 2 枚制作するが、パッとせず消滅した。
デスコグラフィー
Sartinas, Demo (1996)
Demo CD '97, Demo (1997)

SATANIC SLAUGHTER
ステファン"ステッファン・ダーク"カールソンが彼の人生を賭けたバンド、だからお前も Satanic Slaughter をリスペクトしてくれ。1985 年に始動した彼らは（その前は Evil Cunt という名義で活動していた！）、間違いなくスカンジナヴィア初のエクストリーム・メタル・バンドの一つである（けれども、彼らの初期のスタイルはどちらかというとパンク／スラッシュだった）。彼らはバンド結成当初からゴタゴタ続きだった。結成当時のベーシストは放火犯で精神病棟に強制収監された。さらにバンドの中心人物であるカールソンは 1989 年に暴行罪で起訴され、彼の服役中は Satanic Slaughter の活動停止が余儀なくされた。1992 年にバンドは再始動するも、1997 年に音楽性の不一致と致命的なメンバーチェンジが原因で、バンドは崩壊状態となった。ステファンはメンバー全員を解雇したので、彼から解雇されたメンバーは Witchery を結成した。ステファンはすぐに新メンバーを加えるが、しかしベースのフィリップ・カールソンが Corporation 187 のヴォーカリストとして参加するためバンドを脱退すると、困難が再び立ちはだかった。けれども、ステファンはそれでもバンドを存続させた——彼の不屈の精神には心底感服する。彼らの音楽性はどうだって？ ブラック、スピード、デスメタルの融合型だ。一番良いのは、Sodom と Destruction を比較してみることかもしれない。クールではあるが、超絶とまではいかない。しかし結局、ステファンであってもバンドを存続させることはできなかった。ラインナップに問題を抱えたまま（少なくとも 25 人のメンバーが出たり入ったりしてたのである！）、成果をあげることなく解散してしまった。俺が 2006 年にステファンからもらったメールには、バンドを再始動したということが書かれていた——奴はバンドに一生を賭けていたんだ！ けれども悲しいことに、俺がちょうど彼にスウェディッシュ・デスメタル・シーン黎明期についてインタヴューする予定だったその 4 日前に、彼は心不全のために亡くなった。彼はまさに全身全霊注いでいたんだ！ 安らかに。
ラインナップ
Andreas Deblèn: Vocals (1995-), Ztephan Dark (Stefan Karlsson): Guitar (1985-), Stefan Johansson: Guitar (1999-), Simon Axenrot: Bass (2003-), Martin Axenrot: Drums (1998-)
過去のメンバー

Toxine (Tony Kampner): Vocals (1987, 1994-1996), Mikki Fixx: Guitar (1985), Jörgen Sjöström: Guitar (1985), Patrik Strandberg: Guitar (1985), Jonas Hagberg: Guitar (1987-1989), Janne Karlsson: Guitar (1989), Patrik Jensen: Guitar (1995-1996), Richard Corpse: Guitar, Kecke Ljungberg: Guitar (1997-1999), Ron B. Goat: Bass (1985-1987), Patrik "Kulman": Bass (1987-1989), Peter Blomberg: Bass (1989), Filip Carlsson: Bass (1997-2003), Pontus Sjösten: Drums (1985), Peter Svedenhammar: Drums (1985-1987), Robert Falstedt: Drums (1987-1989), Evert Karlsson: Drums (1989), Gerry Malmström: Drums (1989), Mique (Mikael Kampner): Drums (1987, 1994-1997), Robert Eng: Drums (1997-1998)
デスコグラフィー
One Night in Hell, Demo (1988)
Satanic Slaughter, CD (Necropolis, 1995)
Land of the Unholy Souls, CD (Necropolis, 1997)
Afterlife Kingdom, CD (Loud 'n Proud, 2000)
The Early Years: Dawn of Darkness, CD (Necropolis, 2001)
Banished to the Underworld, CD (Black Sun, 2002)

SATANIZED
1991 年に結成され、リハーサルとギグを一度だけ行なっただけで消滅した、ユーテボリ出身のデスメタル・バンド。メンバーは Dissection、Decameron、Nifelheim、Ophthalamia、Soulreaper、Runemagick、Lord Belial など名の通ったバンドを結成した。歴史的に凄まじく惹かれるバンドだ！
ラインナップ
Per Alexandersson: Vocals, Jon Nödtveidt: Guitar, Johan Norman: Guitar, Tobias Kellgren: Drums, Thomas Backelin: Bass
デスコグラフィー
Demo, Demo (1991)

SATARIEL
Satariel は 1993 年に Beheaded と Dawn of Darkness の残党によって結成された。ラインナップに大きな問題を抱えていたため、長い期間、活動がままならなかった。サウンドはオールドスクール・デスメタルとメロディック・ギター、それにドゥームをミックスした感じである。しかし、俺は合格点をあげられない。スウェーデン北部出身の他のバンド同様（Satariel は最北ボーデン出身）、彼らはオリジナリティーに欠け、インチキ臭い。もっと本物のバンドを聴いて満足してくれ！
ラインナップ
Pär Johansson: Vocals, Magnus Alakangas: Guitar/Keyboards, Mikael Degerman: Bass, Robert Sundelin: Drums, Mikael Grankvist: Guitar
過去のメンバー
Fredrik Andersson: Guitar, Andreas Nilsson: Drums, Mats Ömalm
デスコグラフィー
Thy Heaven's Fall, Demo (1993)
Desecration Black, Demo (1994)
Hellfuck, Demo (1995)
Promo 96, Demo (1996)
Lady Lust Lilith, CD (Pulverized, 1998)
Promo 2000, Demo (2000)
Phobos and Daimos, CD (Hammerheart, 2002)

Hydra, CD (Cold Records, 2005)

SATUREYE

90 年代末にストレングネースで結成されたスラッシュメタル・バンド。良い点といえば、ロッガ（Merciless）の異彩放つ絶叫ヴォーカルと他のレトロ・スラッシュ・バンドに欠けているグルーヴさがあること。良いバンドではあるが、至宝の Merciless の足元にも及ばない。

ラインナップ
Rogga: Vocals, Norsken: Guitar, Jocke: Bass, Henke: Drums
デスコグラフィー
Silvery Souls, Demo (2001)
Satureye, Demo (2002)
Where Flesh and Divinity Collide, CD (Karmageddon Media, 2004)

SAWCHAIN

ビーテオ発の新興スラッシュ／デスメタル・バンド。
ラインナップ
Jonathan Asplund: Drums, Johnny Johansson: Guitar, Joel Karlsson: Guitar, Andreas Nilsson: Bass, Fredrik Nyman: Vocals
過去のメンバー
Roland: Drums, Toni Sunnari: Guitar, Stefan Lundberg: Vocals
デスコグラフィー
Abra Cadaver, Demo (2002)
Monument of Hate, Demo 2002
Architecture of Evil, Demo (2004)

SCAR SYMMETRY

アーヴェスタ・シーンの立役者、ヨーナス・シェールグレーンが 2004 年の Carnal Forge 脱退直後に、Cold Records から "Soilwork 風グループ" の結成話を持ち掛けられた（しかし、彼らは結局 Nuclear Blast と契約した。ちょっと驚き）。そこで、ヨーナス・シェールグレーンは人脈をたよりに彼のお気に入りのミュージシャンを集め、メロディック・デスメタルを模倣するのではなく、自らの感性に従うことにした。その結果雑多なスタイルが混ざり合う、上出来とはいえない中途半端なものになってしまった。シェールグレーンの卓越した才能を堪能するのなら、Centinex、Carnal Forge、Dellamorte、Pexilated を聴いたほうがいい。お前らゴメンな。もっと良いところを見つけようと思うんだけど、俺にはできなかった。
ラインナップ
Christian Älvestam: Vocals, Henrik Ohlsson: Drums, Jonas Kjellgren: Guitar, Per Nilsson: Guitar, Kenneth Seil: Bass
デスコグラフィー
Symmetric in Design, CD (Metal Blade, 2005)
Pitch Black Progress, CD (Nuclear Blast, 2006)

SCENTERIA

2002 年にハルムスタードで結成されたデス／スラッシュ・バンド。同郷の Arch Enemy のレベルに達するまでには時間がかかりそうだ。
ラインナップ
Niklas Pettersson: Guitar, Daniel Landin: Drums, Stefan Persson: Vocals/Guitar, Johan Andreasson: Bass

デスコグラフィー
Signs of Hypnotica, Demo (2002)
Descent from Darkness, Demo (2002)
Path of Silence, Demo (2003)
Art of Aggression, CD (Karmageddon Media, 2004)

SCHEITAN

Scheitan は 1996 年に北部の町であるルーレオで結成すると、瞬く間に Invasion との契約を獲得した。すべてのバンドに共通することだが、デモテープをリリースせずにスキルを磨かず、すぐアルバムに飛びつくバンドには気をつけろ。大概は売れ線狙いのゴミだからだ。まぁ、Scheitan はゴミとまで言えないが、彼らのメロディックなサウンドは説得力に欠ける。バンドは 90 年代にはかなり成功し、Century Media に所属していた。1999 年以降の活動は聞いていないので、解散したんだろう。ところで、トーンクヴィストが関わっているバンドがいくつあるのか記録をとっている奴いるか？
ラインナップ
Oskar Karlsson: Guitar/Bass/Drums, Pierre Törnkvist: Guitar/Vocals/Bass, Lotta Högberg: Vocals, Göran Norman: Keyboards
デスコグラフィー
Travelling in Ancient Times, CD (Invasion, 1996)
Berzerk 2000, CD (Invasion, 1998)
Nemesis, CD (Century Media, 1999)

SCREAMS OVER NORTHLAND

臨場感溢れるドゥーム／デスメタルを特徴とするリンシュービング発ワンマン・プロジェクト。俺が把握しているのは EP をリリースしたことだけだ。
ラインナップ
Tomas Andersson: すべてのパート担当。
デスコグラフィー
Screams over Northland, EP (Ghoul Records, 1999)

SCUM—Amon Amarth 参照。

SCURVY

1998 年にウプランズ・ヴァースビーで結成されたハチャメチャ・バンド。血管が壊死してしまうほどのサウンドは Macabre に激ソックリ。だから最高だってことだ！ ヴァーリンは現在 General Surgery に在籍し、それにかつては強力な Repugnant でもプレイしていた（それに彼は小さなレーベル／ディストロ、Escorbuto をも運営している）。俺は彼らの音楽性がかなり好きだし、もっと何か出してほしいと思っているが、でも解散しているかもしれないな。
ラインナップ
Fredrik Andersson: Bass/Vocals, Johan Wallin: Guitar/Vocals, Martin "Curry" Persson: Drums
デスコグラフィー
Demotape, Demo (2000)
Scurvy/Death Reality, Split (Perverted Taste, 2001)
Tombstone Tales/Second Ejaculation, CD (Perverted Taste, 2002)
Funeral Fist Fucker, Scurvy/Morsgatt, Split (Noise Variations, 2002)

SCYPOZOA

90 年代初期、フィンスポング発のプロジェクト。Scypozoa は気が狂うほどもの凄いデス／スラッシュ

をプレイしていた。彼らはダン・スワノが関わっていた無数の音楽プロジェクトのうちの一つではなかった。事実、ローベット・カールソン（訳者註：彼はダン・スワノの Pan-Thy-Monium にも在籍）がこの Scypozoa に参加していたものの、彼らはフィンスポング出身バンドで Edge of Sanity のメンバーが関わっていない数少ないバンドの一つだった（いや、待てよ。ローベット・カールソンは 1997 年に Edge of Sanity に加入したんだよな？あちゃ〜！）。

ラインナップ
Tomas Lindgren, Janne Ivarsson, Robert Karlsson
デスコグラフィー
Signs From the Erratic Past, Demo (1991)
Diary, Demo (1992)

SCYTHER
2002 年にヨンシューピングで始動したデス／ブラックメタル・プロジェクト。生々しくて、クールで、かなり上質なオールドスクール・スタイル。主要メンバーのマルティンソンは Legion での活動でもっと名が通っているだろう。
ラインナップ
Lars Martinsson: Vocals/Drums
デスコグラフィー
Tombgrinding Dead Metal, Demo (2003)
The Sick Curse of Scyther, Demo (2004)

SEANCE
1990 年にリンシューピングで、Orchriste（ラーションとヤンセン）と Total Death（キャンプネール、ペッタション、カールソン）の残党が結成したバンド。キャンプネールとペッタションは Satanic Slaughter にも在籍していたことがあった。偶発的にバンドが発生した直後、彼らは初のギグを Merciless と対バンを果たした。そして、1991 年にリリースしたデモテープが Black Mark との契約につながった。Seance は本当に凄かった。けれども、2 作目以降は振るわず、次第に活動が鈍化していった。メンバーの多くは Satanic Slaughter、さらに Witchery に参加した。カールソンは Diabolique に加入し、ヤンセンはスウェディッシュ・メタル・バンドで最も成功したバンドの一つ、The Haunted を結成した。Seance は解散しておらず、自主制作で 3 作目をレコーディングした（タイトルは『Awakening of the Gods』だったと思う）。彼らは目下所属レーベルを探しているところなので、君がレーベルを運営していたら契約してくれ！
ラインナップ
Tony Kampner: Guitar (1990-), Rikard Rimfält: Guitar (1995-), Bass (1994-1995), Micke Pettersson: Drums (1990-), Jonne: Bass (1995-), Johan Larsson: Vocals (1990-)
過去のメンバー
Christian "Bino" Carlsson: Bass (1990-1994), Patrik Jensen: Guitar (1990-1995)
デスコグラフィー
Levitised Spirit, Demo (1991)
Forever Laid to Rest, CD (Black Mark, 1992)
Saltrubbed Eyes, CD (Black Mark, 1993)

SEARING I
1999 年にウップサーラで結成されたデス／スラッシュ・バンド。デモを何本か制作後、2005 年によようやくアルバムをリリースした。

ラインナップ
Marcus Olofsson: Guitar, Mattias Hultman: Bass, Andreas Engman: Drums, Anders Björk: Guitar, Andreas Öman: Vocals
過去のメンバー
Andreas Hansson: Vocals
デスコグラフィー
Vol. 01, Demo (2002)
A Treacherous Ride, Demo (2003)
Vol. 02, Demo (2003)
Tons of Hate, Demo (2004)
Bloodshred, CD (Black Lotus Records, 2005)

SEDITIOUS—Hypocrisy 参照。

SEGREGATION
ユーテボリ発の 90 年代初期のブラック／デスメタル・バンド。驚くほどブルータルだが、クオリティーは高くない。彼らがこの世に残したのはデモテープ 1 本のみ。
ラインナップ
Mika Suolanko: Guitar/Vocals, Petteri: Bass/Vocals, Otto: Guitar, Branko: Drums
デスコグラフィー
Blessed, Demo (1992)

SEMINARIUM—Krematorium 参照。

SEPTEMBER
1992 年にデモテープを 1 本だけリリースした、オブスキュア・ドゥーム／デスメタル・バンド。そして、暗黒の彼方に葬られた。
デスコグラフィー
Time of Darkness, Demo (1992)

SEPTIC BREED（ランズクローナ）—The Forsaken 参照。

SEPTIC BREED（ヴェステルオース）
スウェディッシュ・デスメタル界のホープ。Septic Breed は、2003 年の初めにヴェステルオースで、若き 3 人組によって活動が始まった。サウンドは期待できる！ メンバーの多くはもっと低レベルの Mausoleum でも活動しているが、これからはもっと Septic Breed に専念してほしいと俺は願っている。ちなみに、The Forsaken も結成当初は Septic Breed という名義だったが、同名異バンドであることを分かってくれよ。
ラインナップ
Timo Kumpumäki: Vocals, Dino Medanhodzic: Guitar, Andreas Lagergren: Guitar, Magnus Wall: Bass, Erik Stenström: Drums
デスコグラフィー
Killorama, Demo (2003)

SEPTIC BROILER—Dark Tranquillity 参照。

SEPTIC GRAVE
1994 年にイェリヴァレで結成されたブルータルかつメロディックなデスメタル・バンド。1996 年にリンドマルクは Prophanity に加わった。
ラインナップ
Daniel Engman: Vocals, Fredrik Hjärström: Guitar,

Robert Lindmark: Bass, Jörgen Björnström: Drums
デスコグラフィー
Beyond the..., Demo (1994)
Caput Mortam, MCD (Midnight Sun, 1995)

SEPTIC SOUL
2003〜4年にデモテープを3作リリースした、ソーデルハムン発のブラック／デスメタル・バンド。既に解散していると思うが、実際のところわからない。
ラインナップ
Peter Lindblom: Keyboards, Lars Emil Fredlund: Bass, Nicklas Holmsten: Vocals, Jimmy Östlin: Guitar, Johan Erik Samuelsson: Guitar/Vocals, Mattias Lars Sjögren: Drums
過去のメンバー
Sonny Helström: Guitar/Vocals
デスコグラフィー
Demented Existence, Demo (2003)
Pure Hate, Demo (2003)
Grief Induced Hallucination, Demo (2004)

SERAPH PROFANE
1991年4月にSalvatorの残党が結成したグローメン／ファルケンバリ発のバンド。結成初期はCorpus Christiとの名義だったが、間もなくしてSeraph Prophaneへと改名した。彼らがプレイするのは普通レベルのヘヴィなメロディック・デスメタルで大したことはない。クリストフェル（と結成時のメンバー、トマス）はドゥーム・バンドのEntityにも在籍していた。
ラインナップ
Niklas Sjöberg: Drums, Erik Frankki: Guitar, Christofer Wallin: Vocals, Håkan Johansson: Guitar (1991-), Pierre Gregersson: Bass (1991-)
過去のメンバー
Tomas Gustafsson: Bass (1991)
デスコグラフィー
Incarcerated, Demo (1992)
Rehearsal (1993)

SERPENT(1993)
1993年にEntombedのベーシスト、ラーシュ・ローセンバリとTherionのベーシスト、アンドレアス・ヴァールが結成したサイド・プロジェクト。彼らのメンバーチェンジは激しく、1994年にはSufferの元メンバーのサミュエルソンとカールソンの2名が加わった。けれども、バンドに劇的な変化が訪れたのはまだその後のことだった。Therionを脱退したヴァールの役目を引き継ぐためにローセンバリがTherionに加入すると、ローセンバリの後釜には、かつて在籍していたヴァールがSerpentに復帰した。しかしヴァールも結局はSerpentを脱退し、代わりにピョートルがベースを担当した。そして、バンドは解散となった。Serpentはヘヴィでクールだったが、広く支持を獲得することはなかった。
ラインナップ
Piotr Wawrzeniuk: Vocals/Bass（初期はドラムも担当）*, Johan Lundell: Guitar, Ulf Samuelsson: Guitar, Per Karlsson: Drums*
過去のメンバー
Andreas Wahl: Bass/Guitar, Lars Rosenberg: Bass
デスコグラフィー
In the Garden of Serpent, CD (Radiation, 1996)

Autumn Ride, CD (Heathendoom 1997)

SERPENT(2000)
2000年に始動したストックホルムのバンド。ラーシュ・ローセンバリとアンドレアス・ヴァールによって7年前に結成された同名バンドと混同しないように。彼らはスラッシュっぽさが随所に顔をのぞかせている、オールドスクール・デスメタル・バンド。ブラックメタルっぽいところも多少あるかもしれない。それと、"シン（罪）"や"レイヴン（カラス）"など滑稽な別称を使っていた。Serpentはドラムマシンを採用していたので、インダストリアル風なところもある。現在までに彼らはデモテープを5本出しているが、レコード契約には至っていない。
ラインナップ
J. "Tyr" Dyme: Guitar, K. "Sin" Alutoin: Vocals/Bass, M. "Raven" Säfstrand: Keyboards/Vocals (2002-)
デスコグラフィー
Serpent, Demo (2001)
Art of War, Demo (2002)
Dominator, Demo (2003)
Dark Desires, Demo (2004)
Unleash the Fury, Demo (2005)

SERPENT OBSCENE
1993年にヨーハン、ヨーナス、ニクラスがInfernal Winterを結成した。ローニンゲ出身の彼ら3人組はバンドをSerpent Obsceneに進化させ、活動を本格化させた。彼らの音楽性は気迫に満ちたシンプルなデス／スラッシュ。エリックは元The Marble Iconで、Maze of Tormentでもヴォーカルを担当していた。ヨーハンとニクラスは、現Serpent Obsceneのドラマーであるバルケンフェと、1998年にKaamosを結成。現在は、KaamosとSerpent Obscene両方の活動にピリオドが打たれたようだ。本書に掲載している骸骨に羽根の生えたイラストは、エリック・サールストルムがもともと自身のバンドのシンボルとして作ったものだった。
ラインナップ
Erik Sahlström: Vocals, Nicklas Eriksson: Guitar, Johan Thörngren: Guitar/Vocals, Christoffer Barkensjö: Drums, Rob Rocker: Bass
過去のメンバー
Jonas Eriksson: Drums
デスコグラフィー
Behold the Beginning, Demo (1997)
Massacre, Demo (1999)
Serpent Obscene, CD (Necropolis, 2000)
Devestation, CD (Black Lodge, 2003)

SEVERED
1990年にデモテープを制作したデス／グラインド・バンド。その後、跡形なく消えた。
デスコグラフィー
Rot, Demo (1990)

SGT. CARNAGE
2001年にクリファンスタで始動した、戦争をテーマとしたデス／スラッシュ・バンド。メンバーはVerminous、Non Serviam、Supreme Majesty、Immersed in Bloodなど良質なバンド出身で知られている。

ラインナップ
Mats Lyborg: Vocals, Pelle Melander: Guitar, Anders Nylander: Guitar, Simon Frödeberg: Bass, Jocke Unger: Drums
過去のメンバー
Mattias Göransson: Guitar (2001-2003)
デスコグラフィー
Absolut Carnage, Demo (2004)

SHADOW CULT
2005年にマルメーで始動したバンド。本書掲載中、彼らが一番新しいバンドかもしれない。メロディック・デス／グラインドっぽいサウンドと聞いている。"メロディック・デス／グラインド"って何だろう──世も末って感じだよな？
ラインナップ
Karolina: Vocals, Mikael: Guitar, Andreas: Bass, Johan: Drums
デスコグラフィー
Transformation, Demo (2005)

SHADOWBUILDER
2001年に結成されたユーテボリ発のデス／スラッシュ・バンド。彼らによって、The Haunted/At the Gates のクローンは決して先駆者以上の結果を残せないということの証明をまた一つ増やした。
ラインナップ
Henrik Blomqvist: Vocals, Oscar Albinsson: Guitar, Ufuk Demir: Drums, Thomas Broniewicz: Bass, Erik Johansson: Guitar
過去のメンバー
Pontus Jordan: Drums, Christoffer Norén: Guitar, David Flood: Drums
デスコグラフィー
When God Created Light..., Demo (2002)
Bone Ritual, Demo (2003)
Pestilence, Demo (2004)

SHADOWS AT DAWN
Succumb のメンバーが結成した、ヴェステルオース発の90年代中期のブラック／デスメタル・プロジェクト。結成メンバーは基本的に Succumb のメンバーである。At the Gates 寄りのサウンド。
ラインナップ
Tony Sundqvist
デスコグラフィー
The Cold and Beautiful, Demo (1993)

SHADOWSEEDS
1993年にストックホルムで始動した、カールソンとのちに Therion のドラマーであるエリクソンによるシンフォニック・デスメタル・バンド。カールソンは暗黒魔術集団"ドラゴン・ルージュ"のリーダーとして知られ、そして Therion のコンセプトの多くを創り上げてる。音楽性？　俺が聴いた感じでは、かなり雑かな。長い間の活動停止状態が続いたが、のちにカールソンは自分のソロ・プロジェクトとしてバンドを再始動させ、2004年にデモテープをリリースした。
ラインナップ
Daemon Deggial (Thomas Karlsson): Vocals/ 全パート担当
過去のメンバー
Daemon Kajghal (Tommy Eriksson): Guitar/Bass/

Drums, Petra Aho: Vocals（ゲスト参加）
デスコグラフィー
Dream of Lilith, CD (Dark Age, 1995)
Der Mitternacht Löwe, Demo (2004)

SHAGIDIEL
90年代初期にウレブルーで結成されたデスメタル・バンド──スラッシュっぽい激しさをもっていて、超クール。Shagidiel は、ミエシュコ・タラールツィクが Nasum への加入とあの有名な Soundlab Studio を作る前、彼が初めて参加したバンドの一つである。Shagidiel へ改名する前、彼らは長い間 Insanity として活動していた。その頃彼らは、どういう方向へ進むべきか、音楽性を模索しているようだった──まあ、そんな感じの過去なんて忘れてあげようぜ。
ラインナップ
Daniel Friberg: Vocals, Mieszko Talarczyk: Guitar, Jan Petterssen: Drums, Nico Torres: Bass
デスコグラフィー
Fall, Demo (1992)

SHAMHAROTH
ステーンハムラ出身のブラック／デスメタル・バンド。1995年にデモテープをリリースしたものの、消滅した。
ラインナップ
Jonas: Guitar, Acke: Drums, Micke: Bass/Vocals
デスコグラフィー
Spheres Ablaze, Demo (1995)

SHATTERED
At the Gates の『Slaughter of the Soul』の成功に触発され、1996年にダールス・ロンゲードで結成されたデス／スラッシュ・バンド。彼らはヘヴィメタルとデスメタルをミックスさせ、独自のスタイルを築こうとした。私見だが、レトロ・スラッシュで良質なバンドの一つだと思う。でも、ダールス・ロンゲードのバンドで最高なのは Nifelheim ということには変わらないけどな。
ラインナップ
Johan Karlsson: Drums, Jimi Andersson: Guitar, Erik Andersson: Vocals/Bass
過去のメンバー
Lars Karlsson: Guitar
デスコグラフィー
Serenade of Sadism, Demo (2001)
Seductors Manual, Demo (2002)
Reckless Aggression, Demo (2003)
Wrapped in Plastic, CD (Black Mark, 2004)

THE SHATTERED
2001年にカールスクローナで Dissectum の名義で結成されたバンド。のちに改名したが、猛烈な真正デスメタルを特徴とする攻撃的スタイルは変わらなかった。注目すべきなのは、彼らよりも知名度の高い Visceral Bleeding が彼らのヴォーカリストを"強奪"したこと。The Shattered がいかにポテンシャルの高いバンドなのか、分かるよな。他のメンバーは地元のバンド、Abused、Foreskin Fester、Caustic Strike での活動で知られている。ダールス・ロンゲードの同名バンドとはまったく関係ないので、気をつけるように。
ラインナップ

Carle Jephson: Vocals, Andreas Wiberg: Guitar,
Robin Holmberg: Guitar, Max Grahn: Drums
過去のメンバー
Christoffer Renvaktar: Bass（ゲスト参加）*, Martin*
Pedersen: Vocals (2001-2003), Björn Pettersson: Bass
(2001-2004)
デスコグラフィー
Destined to Suffer, Demo (2002—Dissectum 名義)
Pale with Terror, Demo (2003—Dissectum 名義)
Dissectum, Demo (2004)
The shattering Begins, CD (Retribute, 2005)

SHIFTLIGHT
1997 年に始動したメロディック・デス／ドゥー
ム・バンド。マティアスは Embraced、ニクラスは
Sovereign での活動で知られている。
ラインナップ
Mattias Lindström: Vocals/Bass, Andreas: Guitar,
Nicklas: Drums
過去のメンバー
Fredrik Nevander（ゲスト参加）
デスコグラフィー
Life is a Dream, Demo (2000)
AM 25.807, Demo (2002)
Shiftlight, Demo (2003)
Demo 4, Demo (2003)

SHURIKEN
2000 年にユーテボリで結成されたメロディック・デ
スメタル・デュオ。
ラインナップ
Påhl Sundström: Vocals/Guitar/Bass, Erik
Sundström: Drums
デスコグラフィー
Shuriken, Demo (2000)

SICK996
2001 年に極寒の地であるキルナで始動した、ブログ
レッシヴ・デスメタル・バンド。自主製作で CD を 1
枚リリースした。
ラインナップ
Mick Syrmström: Guitar, V-Saäd Bashiti: Guitar,
Anar Ström: Bass, Niklas Huru: Keys, Carl
Andersson: Drums
過去のメンバー
Max Chinile: Guitar
デスコグラフィー
Jerusalem Calling, CD (2004)

SICKNESS—Benighted 参照。

SIDE EFFECTS—Skinfected 参照。

SINS OF OMISSION
Berserk、Mournful、Metempsychosis の メ ン バ ー
が集結し、結成したストックホルムのグループ。
1996 年からラインナップは幾度となく変わった。メ
ン バ ー は、A Canorous Quintet、Mörk Gryning、
Dismember、Thyrfing、Raise Hell、Wyvern、
October Tide、Crimson Moonlight で功績を残してい
る。メロディックでリフ主体の楽曲、それにデスメタ
ル・ヴォーカルが特徴の CD を 2 枚リリースし（俺が
知る限りデモテープのリリースはないと思う）、やが

て解散した。
ラインナップ
Mårten Hansen: Vocals, Martin Persson: Guitar,
Mattias Eklund: Guitar, Thomas Fällgren: Bass,
Jani Stefanovic: Drums
過去のメンバー
Dennis Ekdahl: Drums (1996-2002), Toni Kocmut:
Vocals/Guitar (1996-2000), Johan Paulsson: Guitar
(1996), Marco Deb: Bass (1996), Jonas Nilsson:
Guitar (1996-1997)
デスコグラフィー
The Creation, CD (Black Sun, 1999)
Flesh on Your Bones, CD (Black Sun, 2001)

SIREN'S YELL
1988 年にストレムスタードで始動したスラッシュメ
タル・バンド。デモテープを 1 本制作したあとに解散
したが、けれどもメンバー 3 名はのちにあの至高の
Dissection を結成した。歴史をたどるために、是非
Siren's Yell のデモテープを聴いてほしい！
ラインナップ
Jon Nödtveidt: Vocals/Guitar, Mattias "Mäbe"
Johansson: Guitar, Peter Palmdahl: Bass, Ole
Öhman: Drums
デスコグラフィー
Demo, Demo (1988)

SKINFECTED
Obnoxious として 1989 年にヴェステルオースで結
成。90 年代初期、3 本のデモテープをリリースするが
売れず、1994 年 Side Effects に改名。さらに改名し
たのち、1998 年に Skinfected として初のデモテープ
『Addicted to Hate』をリリースした。2001 年によう
やくミニ CD をリリースするも、既にバンドのピーク
は過ぎていた。彼らはいまだ活動を続けているようだ
が、近ごろは音沙汰なし。
ラインナップ
Andreas Johansson: Guitar, Daniel Johansson:
Bass, Joakim Jonsson: Guitar (1994-), Andreas
Edmark: Drums (1995-)
過去のメンバー
Andreas Hermansson: Drums (1989-1997), Fredrik
Petterson: Vocals (1989-2002)
デスコグラフィー
A Brutal Act, Demo (1992—Obnoxious 名義)
Verdict of Futurity, Demo (1992—Obnoxious 名義)
In Silence, Demo (1993—Obnoxious 名義)
Addicted to Hate, Demo (1998)
Live 2000, Demo (2000)
Rehearsal, Demo (2000)
Blessed by Ignorance, MCD (King Size, 2001)

SKULL
Morbid ベーシストのイェンス・ノースストルムを加
え、Contra の延長線上にあったバンド。デスメタル
でもなんでもない、ストックホルム発のスラッシャー
Skull が、あの伝説的なコンピレーション『Projections
of a Stained Mind』に参加できただけでも、アンダー
グラウンド・シーンで楽望を集めた。彼らはデスメタ
ルではなかったが、まもなくハードコア／ポップ・バ
ンドの Teddybears に変化し、スウェーデンで人気を
博した。
ラインナップ

Glenn Sundell: Drums/Vocals, Patrik Lindqvist: Vocals/Guitar, Jens Näsström: Bass/Vocals
デスコグラフィー
You're Dead, Demo (1990)

SKULLCRUSHER
リンシューピング発のスラッシュっぽいデスメタル・バンド。1997年に結成され、同年デモテープを制作したが、すぐに解散した。
ラインナップ
Tomas Andersson: Guitar/Vocals, Viktor Westerberg: Guitar, Erik Anneborg: Bass, Fredrik Andersson: Drums
デスコグラフィー
Tortured to Death, Demo (1997)

SLAKT
彼らについてはあまりよくわからないが、2005年にデモテープを制作したのは間違いないようだ。彼らのバンド名（スウェーデン語で"愛"の意味）とデモテープ（スウェーデン語で"殺戮"の意味）のタイトルを見る限り、ジョークバンドだと思う。そうでなければ奴らはマヌケなだけなのかもな。
ラインナップ
Lucy Bastard, Agent Fuckface, Lance Copkill, Åge Kreuger (別名 Insekt)
過去のメンバー
Dirty Doris: Vocals
デスコグラフィー
Kärlek, Demo (2005)

SLAUGHTERCULT
2003年にユーテボリで結成されたデス／ブラックメタル・アクト。メンバー全員は Clonaeon、Grindnecks、Stykkmord のいずれかにも在籍している。
ラインナップ
Ronny Attergran: Vocals, Andreas Frizell: Guitar, Robert Johansson: Vocals, Jonas Larsson: Guitar, Mattias Nilsson: Bass, Jonas Wickstrand: Drums
過去のメンバー
Niklas Olsson: Drums, Mikael Eriksson: Guitar
デスコグラフィー
To Gash the Skin, Demo (2004)
Suffer in Perversion, Demo (2005)

SLAVESTATE（ヘルシングボリ）—Gardens of Obscurity 参照。

SLAVESTATE（ヴァルパリ）
2001年にヴァルパリで結成されたメロディック・デスメタル・バンド。それ以来、彼らはデモテープを着実にリリースしている。
ラインナップ
Anton Hensner: Drums, Jimmy Askelius: Vocals, Johan Persson: Guitar/Vocals, Julian Duniec: Bass, Fredrik Bastholm: Guitar/Vocals, Arek Trzaska: Vocals
過去のメンバー
Oskar Nilsson: Bass
デスコグラフィー
Thundereyes, Demo (2001)
Demo 3, Demo (2002)

Demo 4, Demo (2002)
Demo 5, Demo (2003)
Mordant Serenades, Demo (2004)

SOIL OF THE UNDEAD
2000年代に始動したエールムフル発のバンド。最近では彼らのような本気度の高いバンドは少ない。古き良き時代のスウェーデンとアメリカ産バンドのサウンドが見事に融合した。将来が期待できる。ヘンケは Kataleptik や Springdusk にも在籍している。
ラインナップ
Slask: Vocals, Henke: Guitar/Bass, Chrille: Drums
デスコグラフィー
From Armageddon's Morbidity, Demo (2001)
Seduced by Mental Desecrations, Demo (2003)

SOILS OF FATE
1995年にストックホルムでクランツとリンドヴァルの2名が始動した、超ガテラル・ヴォーカルとグルーヴィーなリフを特徴としたバンド。Soils of Fate は90年代後期のニュー・ウェーヴ・オヴ・ウルトラ・ブルータル・スウェディッシュ・デスメタルの起爆剤の役割を担ったが、しかし彼らは短パン、ベースボール・キャップ、ホッケー・ジャージのイメージを押し出したことが原因で、シーンの中心部から外れていった。けれど彼らには紛れもなく注目を集める期間はあった、しかも彼らは演奏力抜群のミュージシャンであることも確か。なお、名声を誇るアメリカ産バンドの Dying Fetus と Misery Index に在籍していたケヴィン・タリーが近年バンドに参加している。
ラインナップ
Henke Crantz: Vocals/Bass, Magnus Lindvall: Guitar
過去のメンバー
Kevin Talley: Drums（ゲスト参加）, Jocke: Drums, Nicke Karlsson: Drums, Henke Kolbjer: Guitar
デスコグラフィー
Pain...Has a Face, Demo (1997)
Blood Serology, EP (Empty Vein Music, 1998)
Sandstorm, CD (Retribute, 2001)
Crime Syndicate, CD (Forensick, 2003)
Highest in the Hierarchy of Blasting Sickness, CD (Forensick, 2005)

SOILWORK
1996年にユーテボリで結成された Soilwork は、初期は短期間ではあるが、Inferior Breed という名義で活動していた。彼らは In Flames と区別がつかないほどソックリだった——そのサウンドとはメロディーを多用したユーテボリ産レトロ・スラッシュ／デスメタルだった。大成功した In Flames のおかげで、Soilwork の人気にも火が付いた。彼らはあの有名な双子のいるバンドよりも良質かもしれない（訳者註：At the Gates のビョーラー兄弟のことを指していると思われる）、だが、本書では大して重要ではない。メンバーの多くは Darkane、Embraced、Evergray、Aborted、Mortuary、Terror 2000 などで優れた功績を残している。ラインナップが固まらず不安定だった——現在のドラマーもセッション・メンバーである。
ラインナップ
Björn Strid: Vocals, Ola Frenning: Guitar, Sven Karlsson: Keyboards, Ola Flink: Bass, Dirk Verbeuren: Drums

過去のメンバー
Carl-Gustav Döös: Bass, Mattias Nilsson: Guitar,
Ludvig Svartz: Guitar, Peter Wichers: Guitar,
Jimmy Persson: Drums, Henry Ranta: Drums,
Richard Evensand: Drums, Carlos
del Olmo Holmberg: Keyboards
デスコグラフィー
In Dreams We Fall Into the Eternal Lake, Demo
(1997)
Steel Bath Suicide, CD (Listenable, 1998)
The Chainheart Machine, CD (Listenable, 1999)
A Predator's Postcard, CD (Nuclear Blast, 2001)
Natural Born Chaos, CD (Nuclear Blast, 2002)
Light the Torch, Single (Nuclear Blast, 2003)
Figure Number Five, CD (Nuclear Blast, 2003)
Rejection Role, Single (Nuclear Blast, 2003)
The Early Chapters, EP (Nuclear Blast, 2004)
Stabbing the Drama, Single (Nuclear Blast, 2005)
Stabbing the Drama, CD (Nuclear Blast, 2005)
Stabbing the Drama, Sampler (Nuclear Blast, 2005)

SOLAR DAWN
1997 年に Jarawynja の名義で始動したファーヴデ発
のバンド。彼らのデビュー・デモでは、ペッタション
（Dawn、Thy Primordial、Regurgitate）がヘルプと
して雇われた。Solar Dawn の音楽性を端的にいうと
メロディック・デスメタルである。エードルンド、
フェーンストルム、エルヴェスタムは Incapacity の
メンバーである（フェーンストルムとエルヴェスタ
ムはのちに Torchbearer と Unmoored にも参加して
いる）。エルヴェスタムは Scar Symmetry プロジェク
トの結成時に、ヨーナス・シェールグレーン（Carnal
Forge、Dellamorte、Centinex）に招集された。
ラインナップ
Anders Edlund: Guitar, Henrik Schönström: Drums,
Christian Älvestam: Bass/Vocals, Robban Karlsson:
Guitar
過去のメンバー
Andreas Månsson: Guitar (1997-2002), Marcus
Engström: Drums (1998-2000), Linus Abrahamsson:
Bass (2000), Jocke Pettersson: Drums （ゲスト参加）
デスコグラフィー
Festival of Fools, Demo (1998—Jarawynja 名義)
Desideratum, Demo (1999—Jarawynja 名義)
Frost-Work, MCD (Mighty, 2001)
Equinoctim, CD (Mighty, 2002)

SOLILOQUY
90 年代初期のストールヴィーク発のデスメタル・バ
ンド。飽和状態のシーンに埋没してしまったため、や
がて解散した。
ラインナップ
Allin: Vocals, Spålle: Guitar, Jocke: Drums, Leif
Olsson: Guitar
過去のメンバー
Jörgen: Bass （ゲスト参加）
デスコグラフィー
Soliloquy, Demo (1992)
Nee, Demo (1992)

SOLITUDE
2001 年に結成された凡庸なメロディック・デス／ス
ラッシュ・アクト。2002 年以降活動は停止状態なの

で、解散していることを願う。
ラインナップ
Nina Nordgren: Bass, Andreas Johansson: Guitar,
Henrik Unander: Keyboards, Johan Nordgren:
Drums, Johan Kisro: Guitar, Mathias Öystilä:
Vocals
デスコグラフィー
Evermore Alone, Demo (2001)
Inde Ira et Lacrimae, Demo (2002)

SOMNIUM
フッディンゲ出身の 90 年代中期のメロディック・デ
スメタル・バンド。サウンドは Without Grief に似て
いるが、それほどよくはない。
ラインナップ
Martin Erlandsson
デスコグラフィー
Timeless Grief, Demo (1997)

SONIC SYNDICATE—Fallen Angels 参照。

SORCERY
1986 年にはサンヴィーケン／イェヴレで結成されて
いたバンド。彼らは時代とともにヘヴィに変化してい
き、最終的にはこの世で最も生々しく、ブルータルな
デスメタル・スタイルに完結した。活動ピーク時には
異彩を放っていたが、どういうわけか成果を出すこと
ができなかった。しばらく活動休止状態が続いていた
あと、1997 年ついに解散を発表している。け
れども、彼らは 80 年代後期のスウェディッシュ・デ
スメタル・シーンでは重要な役割を担っていた。その
後、ポール・ヨハンソンは In Aeternum に数年間在
籍し、そしてニーグレーンはあの偉大なグラインド・
バンドである Gadget のベーシストとなった。
ラインナップ
Ola Malmström: Vocals, Paul Johansson: Guitar/
Drums, Peter Hedman: Guitar, Patrik Johansson:
Drums
過去のメンバー
Fredrik Nygren: Guitar (1986-1992), Magnus
Karlsson-Mård: Bass/Guitar (1986-1992, 1993-1994),
Patrik L. Johansson: Drums (1986-1987), Mikael
Jansson: Bass (1988-1991), Erik Olsson: Bass
(1992-1993), Peter Sjöberg: Guitar (1987), Joakim
Hansson: Drums (1987-1988), Leif Nordlund: Guitar
(1986)
デスコグラフィー
The Arrival, Demo (1987)
Ancient Creation, Demo (1988)
Unholy Crusade, Demo (1989)
Rivers of the Dead, 7" (Thrash, 1990)
Bloodchilling Tales, LP (Underground, 1991)

SORDID
Soils of Fate や Thronaeon 風のヨンシューピング発
のブルータル・メタル集団。1999 年に Sordid Death
の名で、彼らの激しさに満ちた旅が始まった。2002
年にバンド名が短縮されたが、しかしゾンビが腐敗す
るほどの究極なまでの長い活動が続いている。シング
ル盤のプロダクションは酷いが、それが良いんだ！
ラインナップ
Samuel Johansson: Vocals/Guitar, Johan
Ylenstrand: Guitar, Karl Hannus: Bass, David

Wreland: Drums
過去のメンバー
Gustav Karlsson: Drums
ディスコグラフィー
Sordid Death, 7" (2001—Sordid Death 名義)
Demo CD-R, Demo (2002—Sordid Death 名義)
Armed to Their Grinning Teeth, CD (Forensick, 2004)

SORDID DEATH—Sordid 参照。

SORG
1995 年にシーグトゥーナで始動したブラック／デスメタル・バンド。何本かのデモテープ・リリースをするも、結局注目されることはなく、解散した。メンバーの多くは、Maze of Torment、Soils of Fate、Deformity、Steel Prophet、Pandemonic、Brain Damage などで活躍している。彼らの 1 本目のデモテープのタイトル（スウェーデン語で "己の憧憬の渓谷" の意味）は、史上最も軟弱でくだらないタイトルだな！
ラインナップ
Victor Hemgren: Guitar/Vocals, Rickard Dahlin: Guitar, Micke Nyholm: Drums, Henke Kolbjer: Bass
過去のメンバー
Petter Rosqvist: Drums (1995-1998), Nicke Karlsson: Drums (1999), Olle Bodin: Bass (1995-1998)
ディスコグラフィー
Mina Drömmars Dal, Demo (1996)
Devestated Light, Demo (1997)
Demo III, Demo (1998)

SORHIN
初期はミッケ "ナットフルスト" ウステルバリのワンマン・プロジェクトとして始動した、ボーレンゲ発の真正ブラックメタル・バンド。作品は 90 年代中期のトレンドを模倣した感じで、面白味が感じられなかった。それでも、彼らの 1 本目のデモテープはやたらプリミティヴなので、傑作だった。初期の作品では、ペータル・テクレン（Hypocrisy、Abyss Studio）がドラマーとして雇われた。彼らはデスメタルでは決してないが、それでも本書に掲載しようと思ったのは、1 本目のデモテープがあまりにも拙劣で極悪だったからだ——まるで粗悪なスウェーデン版 Burzum だ！ なお、ヨーハン・ラーゲルは超伝説的な Grotesque のオリジナル・メンバーである。ちなみに、Sorhin の 1 作目のシングルのタイトルは最悪。訳そうと思ったけど、恥ずかしいったらありゃしない。
ラインナップ
Micke "Nattfurst" Österberg: Vocals, Anders "Eparygon": Guitar/Bass
過去のメンバー
Anders "Zathanel" Löfgren: Drums (1996-2000), Johan "Shamaatae" Lager: Drums (1993-1995)
ディスコグラフィー
Svarta Själars Vandring, Demo (1993)
I Fullmånens Dystra Sken, Demo (1994)
Åt Fanders med Ljusets Skapelser, 7" (Near Dark, 1996)
I det Glimrande Mörkrets Djup, CD (Near Dark, 1996)
Skogsgriftens Rike, MCD (X-treme, 1996)
Döden MCMXCVIII, MCD (Near Dark, 1998)

Apocalypsens Ängel, CD/LP (Shadow, 2001)
Sorhin/Puissance Split 7" (Svartvintras, 2002)

SOULASH—The Duskfall 参照。

SOULDEVOURER
最近俺がベースで加入したバンド。ヴォーカルもギターも担当して、そしてすべての楽曲を創るロバン・セネベック（元 Dismember、元 Unleashed）のいるバンドからの誘いを断れる奴なんているわけないだろ？ ロバン・セネベック、彼こそがデスメタル・ヴォーカリストの鑑だ——奴が戻ってきたんだ！ Souldevourer のサウンドはロバン・セネベックが Dismember に在籍していた時を彷彿とさせる、昔ながらのスウェディッシュ・スタイル（みんなどう思う？）。それに彼の殺傷能力の高いヴォーカルで味付けされているんだ。奴は天才だ。他のメンバーは誰かって？ ドラムにスターナー（Necrophobic）、ギターにオーラ・リンドグレーン（Grave）を擁している。
ラインナップ
Robban Sennebäck: Vocals, Daniel Ekeroth: Bass, Sterner: Drums, Ola Lindgren: Guitar

SOULDRAINER
2000 年にウステルスンドで結成されたメロディック・デスメタル・バンド。君がウステルスンドに行ったことがないのなら、言っておくよ、何にもない場所だって。だからメンバーは Chastisement、Aeon、Divine Desecration、In Battle、Sanctification、Odhinn、Defaced Creation に参加することで退屈さを紛らわせていたんだ。
ラインナップ
Johan Klitkou: Vocals, Daniel Dlimi: Guitar, Marcus Edvardsson: Guitar, Jocke Wassberg: Bass, Nils Fjellström: Drums
ディスコグラフィー
Daemon II Daemon, Demo (2002)
Promo 2004, Demo (2004)
First Row in Hell, Single (2005)

SOULLESS—Disowned 参照。

SOULREAPER
1997 年に Dissection 元メンバーのシェールグレーンとノルマン（元 Decameron）が結成した、Reaper という名義のブルータル・デスメタル・グループ。著作権の関係で、のちにバンド名を改名した。彼らは Morbid Angel 影響下のデモテープをリリースしたあと、Nuclear Blast との契約を獲得した。しかし、どうやら Soulreaper はいくつもの問題を抱えていたようである。彼らは 1 作目の CD をリリースした後に、Nuclear Blast との契約が解消され、そして今はヴォーカリストがいない状態である。彼らにはこの苦境を乗り越え、壮絶な攻撃を仕掛けてほしい！
ラインナップ
Johan Norman: Guitar, Mikael Lang: Bass, Tobias Kjellgren: Drums, Stefan Karlsson: Guitar
過去のメンバー
Christoffer Hjertén: Vocals, Mattias liasson: Guitar, Christoffer Hermansson: Guitar
ディスコグラフィー
Written in Blood, CD (Nuclear Blast, 2000)
Worshippers of Death, Soulreaper/Rumemagick Split

7" (Bloodstone, 2002)
Son of the Dead, EP (Hammerheart, 2002)
Life Erazer, CD (Hammerheart, 2003)

SOURCE

1998 年にヘールユンガの若きティーンエージャーが
始動したメロディック・デスメタル・バンド。メンバー
の結束は固く、5 年後アルバムをリリースした。

ラインナップ

Jonathan Blomberg: Vocals, Pierre Andersson:
Guitar, Niklas Fjärve: Guitar, Daniel Fjärve: Bass,
John Gelotte: Drums

過去のメンバー

Andreas Nilsson: Guitar (1998-2000), Per Korpås:
Bass (1998-1999)

デスコグラフィー

Through The Skies of Destiny, Demo (1998)
Enslaved, Demo (1999)
Condemnation, Demo (2001)
Left Alone, CD (Goi Music, 2003)

SPAWN OF POSSESSION

1997 年にカルマルで結成されたブルータル・デスメ
タル・バンド。もともとレーンダム、カールソン、ブ
ルースリングによる 3 人組のバンドだった。彼らは
早い時期にリハーサルを重ねながら独自のスタイル
を確立したことが、結果的にプラスに働いた。Deeds
of Flesh、Dying Fetus、Cannibal Corpse からインス
ピレーションを受けたサウンドは絶品だった。彼らは
この世で最も複雑な楽曲を創り、限界に挑戦したので
ある。唯一の欠点といえば、まだキャッチーな曲が出
来上がっていないことくらい。彼らの楽曲は無数の超
複雑リフを繋ぎ合わせたような印象を受けるのだ。
それでも、彼らはヨーロッパとアメリカ・ツアーを結
成初期の早い時期に達成させるなど、数多くの実績を
残した。ドラマーのレーンダムとベーシストのデヴェ
リュードは Visceral Bleeding（これまた至極のバン
ド）において、それぞれヴォーカルとドラムを担当し
ていた。彼らは 2006 年に惜しまれながら解散するま
で、近年のスウェディッシュ・デスメタル・シーンの
リーダー的存在だった、

ラインナップ

Dennis Röndum: Drums/Vocals, Jonas Karlsson:
Guitar, Jonas Bryssling: Guitar, Niklas Dewerud:
Bass (2001-)

過去のメンバー

Jonas: Vocals（ゲスト参加）

デスコグラフィー

The Forbidden, Demo (2000)
Church of Deviance, Demo (2001)
Cabinet, CD (Unique Leader, 2003)

SPAZMOSITY

1994 年末にストックホルムで結成された正統派デス
／ブラックメタル・バンド。不安定なラインナップに
悩まされ、結成後 11 年たってもまだ 1 枚すらアルバ
ムをレコーディングしていないにもかかわらず、いま
だに活動を続けている。彼らには尊敬の念を覚える。
オリジナル・ヴォーカリストのシストネンはファンジ
ン『Maelstorm』と『The Other Side』を発行してい
た。バンドが窮地に立たされていた時期に、売れっ子
だったマルクス・ヨンソン（Insision、Pandemonic、
Remasculate）がヘルプで加わったバンドの一つ。

ラインナップ

Peter Emanuelsson: Vocals, Björn Thelberg: Guitar,
Mikael Lamming: Guitar, Micke Nordström: Bass,
Jesper Enander: Drums

過去のメンバー

Acke Åkesson: Drums (1996-2000), Gurra Pellijeff:
Bass (1995-1996), L-E Limnell: Bass (1996-1998),
Mathias Sistonen: Vocals (1995-1996), Björn
Vassuer: Drums (1994-1996), Tomas Örnsted: Bass
(1994), Marcus Jonsson: Drums（ゲスト参加）

デスコグラフィー

The Fading of Life, Demo (1997)
Brought Back From the Grave, Demo (1999)
Storm Metal, Demo (2003)

SPIRITUS SANCTI

2000 年にムータラで始動したデス／スラッシュ・バ
ンド。まず彼らは CD をリリースしてから、デモテー
プを制作した。

ラインナップ

Boris: Vocals, Hannes: Bass, TG: Guitar, Steve:
Guitar, Westman: Drums

過去のメンバー

Satan: Guitar

デスコグラフィー

Human Unknown, CD (Fullhouse Records, 2002)
Demo 2003, Demo (2003)
Rågersången, Demo (2004)

SPITEFUL

1992 年に Benighted の名義で結成されたリンシュー
ピング出身のバンド。デモテープをリリースし、
Spiteful に改名してから、彼らの音楽性はデスメタ
ルからブラックメタルに近づいた。アンドレアスは
Deranged（それと Satanic Slaughter）、フィリップは
Corporation 187（それと Satanic Slaughter）での活
動で注目されている。

ラインナップ

Jocke: Bass/Guitar, Andreas: Drums/Vocals, Filip
Carlsson: Guitar

デスコグラフィー

Demo 93, Demo (1993)
Demo #3, Demo (1994)

SPLATTER

2003 年にリンシューピングで結成されたデス／グラ
インド・デュオ。グラインドし続けろ、狂ったクレ
イジー・ダイアモンドよ。(訳者註：このフレーズは
Pink Floyd の「Shine On You Crazy Diamond（邦題：
クレイジー・ダイアモンド）」へのオマージュだと思
われる）

ラインナップ

Stefan "Death Growler of Death" Hedström:
Vocals, Anders "Gore" Carlborg: Guitar/Bass/Drum
Programming/Vocals

デスコグラフィー

War Against the Living, Demo (2003)
An Ode, Demo (2004)

SPLATTERED MERMAIDS

マルメー出身の新興デス／グラインド・バンド。2005
年に結成後、すぐに自主製作 EP をリリースした。

ラインナップ

Johan Bergström: Vocals, Johan Hallberg: Guitar, Martin Schönherr: Drums
デスコグラフィー
Bloodfreak, EP (2005)

SPLITTER
2003 年にストックホルムで結成されたデス／グラインド・バンド。かなり良質。
ラインナップ
Fredde: Vocals, Thimmy: Guitar, Niklas: Guitar, Oskar: Drums, Matte: Bass
過去のメンバー
Thomas: Bass
デスコグラフィー
Stundens Chockerande Intryck, Demo (2004)
Vardagsångest, EP (2005)

SPLORT—Monkey Mush 参照。

SPONTANEOUS COMBUSTION
90 年代初期にヴェーナシュボリで結成された、ありきたりなデスメタル・バンド。君はこのバンドの随所から、当時スウェディッシュ・バンドの間で流行ったサウンドを垣間見ることができるであろう。
ラインナップ
Per Ståhlberg
デスコグラフィー
Spontaneous Combustion, Demo (1992)

SPORTLOV
これはブラックメタル・ムーヴメントの終着点かもしれない。2000 年にウップサーラ出身の数名のミュージシャンが、Vintersemestre（スウェーデン語で"冬季休暇"）という名前のドイツ・バンドの存在を知る。そして、あまりにもブラックメタルを侮辱していると断定した（ところで何でそんなアホらしいバンド名にしたんだろう？）。そこで、彼らはそのノリに便乗して、自らエクストリーム・ブラックメタル・バンドを作ってしまった。ウィンター・スポーツがテーマの歌詞に耽り、このジャンルにはお決まりの雪、氷、トロール（怪物）などを盛り込み、弄んだのだ。大方の予想を裏切り、彼らのサウンドは圧巻だった！ Defleshed、Dark Funeral、Diskonto、F.K.Ü.、そして Uncurbed などの最上級のメタルやクラスト・バンドのメンバーらで固められていたので、当然といえば当然の結果だったのかもしれない。このバンドはかなりお勧め。
ラインナップ
Stefan "Count Wassberg" Pettersson: Vocals, Kaj "Dubbdäck Doom Occulta" Löfven (別名 *Lord Dubbdäck): Guitar, Lars "Hell Y Hansen" Löfven: Guitar, Matte "Fjällhammer" Modin: Drums, Lawrence "Thermoss" Mackory: Bass*
過去のメンバー
Daniel Ekeroth: Vocals（ゲスト参加）
デスコグラフィー
Snöbollskrieg, MCD (Head Mechanic, 2002)
Offerblod i Vallabod, CD (Head Mechanic, 2003)

SPRINGDUSK
1999 年に始動した、Soil of the Undead と Kataleptik のヘンケによるソロ・プロジェクト。サウンドはドゥーム／デス。デモテープ 1 本しか完成していないが、こ

れでいいのかもしれない。
ラインナップ
Henke: Vocals/Guitar/Bass/Drums
デスコグラフィー
A Journey Through Misery, Demo (2002)

STABWOUND
2000 年代にユーテボリで結成され、Dying Fetus や Deeds of Flesh に近づこうと必死だったバンド。実際、デスメタルというよりもむしろゴア・グラインド。Stabwound は短命だったにもかかわらず、アメリカをツアーするなどかなり成功していた。しかし、それにもかかわらず彼らは 2005 年に解散。若いバンドだったので、メンバー同士が上手くいかなかったのだろう。
ラインナップ
Per Ahre: Guitar/Vocals, Viktor Linder: Drums/ Vocals, Fredrik Linfjard: Guitar/Bass/Vocals, Mikka Häkki: Bass, Uffe Nylin: Vocals
過去のメンバー
Ante: Guitar/Vocals, Oskar: Drums/Vocals, Henke Crantz: Vocals（ゲスト参加）
デスコグラフィー
Stabwound, Demo (2001)
Malicious Addiction, Demo (2002)
Bloodsoaked Memories, EP (The Flood Records, 2002)
Human Boundaries, CD (Brutal Bands, 2004)

STIGMATA(1992)
90 年代初期にどこからともなく現れたバンドの一つ。デモテープを 1 本制作したのち消滅。この真正デスメタル・バンドと近年結成されたメロディックな Stigmata を混同しないように——後者は 2002 年に Blinded Colony と改名した。
デスコグラフィー
Deceived Minds, Demo (1992)

STIGMATA(2000)—Blinded Colony 参照。

STORMRIDER
1999 年にブルー（ストックホルム郊外）で結成された戦争に憑りつかれたブラック／デスメタル・バンド。4 年間の戦いを貫いたあと、デビュー CD をリリースした。
ラインナップ
YX: Vocals, Mikael Strandberg: Guitar, Henrik Larsén: Guitar, Morgan Ramstedt: Bass, Kristoffer Ahlberg: Drums
デスコグラフィー
Born of Chaos, Demo (1999)
God Is Dead, Demo (2000)
...Into Battle..., Demo (2001)
First Battle Won, CD (New Aeon Media, 2003)

STRANGULATION
2001 年に Butchery の残党が結成したカールスクーガ発のデスメタル・バンド。Cannibal Corpse 影響下の良質バンドで、ヴォーカリストがとにかくイカれてる。四六時中は聴きたくない汚くて肉厚なデスメタル。彼らがシーンの将来を担う可能性があるかもしれない。注目すべきは引っ張りだこのデニス・レーンダム（Spawn of Possession、Visceral Bleeding）がかつて在籍していたことである。

ラインナップ
Johnathan O. G (別名 Gonzales): Vocals, Tobias
Israelsson: Drums, Juha Helttunen: Guitar, John
Carlsson: Bass
過去のメンバー
L-E Limnell: Bass, Dennis Röndum: Vocals
デスコグラフィー
Carnage in Heaven, Demo (2002)
Withering Existence, Demo (2003)
Atrocious Retribution, CD (Retribute Records, 2004)

SUBLIMINAL FEAR—Internal Decay 参照。

SUCCUMB
90年代初期にヴェステルオースで結成されたメロ
ディック・デスメタル・バンド。
ラインナップ
Tony Sundquist
デスコグラフィー
Rehearsal 93, Rehearsal (1993)

SUFFER
1988年2月に小さな町ファーガシュタから登場した
デス／スラッシュの交配種。同郷のKazjurolと比べ
ると、Sufferはすべての面において勝っていたが、
それにもかかわらずブレイクしなかったのが残念で
ある。唯一のアルバム作品をリリースしたのち、バ
ンドは消滅した。サミュエルソンとカールソン（元
Wartox）はSerpentに加入した。ウーマンはAbhoth
の元メンバーであるヨルゲン・クリステンセンとマッ
ツ・ブリカートとSufferの再結成を試みているが、
今のところは実現に至っていない。なお、ペール・カー
ルソンはファンジン『Mould Mag』を、そして短期
間在籍したサイド・ギタリストのロニー・エイドはあ
の伝説的な『Morbid Mag』を発行していた。
ラインナップ
Joakim Öhman: Guitar/Vocals, Patrik Andersson:
Bass, Per Karlsson: Drums (1990-), Ulf Samuelsson:
Guitar (1991-)
過去のメンバー
Ronny Eide: Guitar (1990-1991), Conny Granqvist:
Drums (1988-1990)
デスコグラフィー
Cemetary Inhabitants, Demo (1989)
Manifestion of God, Demo (1991)
On Sour Ground, 7" (New Wave, 1993)
Global Warming, EP (Napalm, 1993)
Human Flesh (Live), 7" (Immortal Underground,
1993)
Structures, CD (Napalm, 1994)

SUICIDAL INSANE BASTARD
1998年にユーテボリで始動した、Throne of Paganの
元ヴォーカリストのクリストフェル・リーキャルソン
によるワンマン・プロジェクト。彼らの目的は、ユー
テボリであっても何か激烈なものを作り出せると証明
することだった。まぁ、破壊的なドラムマシンを使う
のはそのためだろう。3本のデモテープをリリースし
たあと、クリストフェルはやりつくしたと感じたのか
もしれない。そうしてプロジェクトは終わりを迎えた。
ラインナップ
Christoffer Richardsson: 全パート担当。
デスコグラフィー

Psychotic Nightmare, Demo (1998)
Inside, Demo (1998)
Bastard, Demo (1999)

SUICIDAL SEDUCTION
2000年にフィンスポングで始動したメロディック・
デスメタル・バンド。2枚のEPをリリースしたが、フィ
ンスポングの崇高なエクストリーム・メタルの歴史に
その名を残すには時間がかかりそうだ。
ラインナップ
Erik Dahlquist: Guitar, Samuel Öjring: Drums,
Tomas Lagrén: Vocals, Tomas Nilsson: Guitar
過去のメンバー
Daniel Persson: Bass
デスコグラフィー
Endless Suffering, EP (Black Moon Records, 2003)
Guilty on All Counts, EP (Ominous Recording, 2005)

SUICIDAL WINDS
Suicidal Winds は、1992年にKristos Mortisの元メ
ンバーのマティアスとペータルによって結成された、
数少ないウッデヴァラ出身のバンド。彼らはライン
ナップに問題があったため、1本目のデモテープのリ
リースが1994年にまでずれ込んだ。1999年にCDデ
ビューするが、その頃には既に時代遅れなサウンドに
なってしまっていた。またさらに、2002年に、アン
デシュとマルティンがConspiracyに加入するために
バンドを脱退するという事態にも見舞われた。彼らの
レコードを買ってあげようぜ。分かり切っているだろ
う、このバンドが君らの助けが必要なんだ！
ラインナップ
Mathias Johansson: Vocals (当初はベースも担当),
Peter Haglund: Guitar, Emil Johansson: Guitar
(2002-), Fredrik Andersson: Bass (2002-), Thomas
Hedgren: Drums (2002-)
過去のメンバー
Andreas Ström: Guitar (1996-2002), Martin
Hogebrandt: Drums (1996-2002)
デスコグラフィー
The Road to..., Demo (1994)
Massacre, Demo (1996)
Aggression, Demo (1997)
Winds of Death, CD/LP (No Colours, 1999)
Joyful Dying, Suicidal Winds/Bestial Mockery Split
7" (2000)
Victims in Blood, CD/LP (No Colours, 2001)
Misanthropic Anger, 7" (Warlord, 2002)
Crush Us With Fire, EP (No Colours Recs., 2003)
Rarities, CD (Agonia Records, 2004)
Wrath of God, CD (Agonia Records, 2004)

SUNDOWN
ヨニー・ホーゲル（元 Tiamat/Sorcery）とマティアス・
ロードマルム（Cemetary）をフィーチャーしたプロ
ジェクト。結成年の1997年にParadise Lostとツアー
も行なったが、インパクトを与えることはできなかっ
た。やがてハーゲルが脱退し、プロジェクトは頓挫し
た。音楽性？ うん……。プログレッシヴ・ゴシック
メタルという感じだな。まあ普通かな。
ラインナップ
Mathias Lodmalm: Vocals, Herman Engström:
Guitar, Andreas Karlsson: Bass, Christian Silver:
Drums

過去のメンバー
Andreas Johansson: Guitar, Johnny Hagel: Bass
デスコグラフィー
Design 19 Rough Mixes Promo, EP (Century Media, 1997)
Design 19, CD (Century Media, 1997)
Glimmer, CD (Century Media, 1999)
Halo, CD (Century Media, 1999)

DAN SWANÖ
数えきれないほどのバンドに参加しているあの男が、次第に自分名義のもとで何かをレコーディングし始めた。それが行なわれたのが1998年。アルバム全体はプログレ風サウンドではあるが、ヴォーカルは獣性剥き出し。
ラインナップ
Dan Swanö: 全パート担当。
デスコグラフィー
Moontower, CD (Black Mark, 1998)

SWEDISH MASSACRE
2003年にクンソーで結成されたデス／スラッシュ・アクト。こんな感じのバンドあといくつ続くんだ？ この残虐なバンド名ってどう思う？ ちょっと一服させてくれよ……。
ラインナップ
Jon Peterson: Guitar, Toni Åkerman: Bass, Kristoffer Johansson: Drums
過去のメンバー
Denny: Vocals
デスコグラフィー
Eyes of Reflection, CD (2004)

SWORDMASTER
1993年にユーテボリで、Dissectionのヨンの弟であるイェミル・ノトヴェイトが始動したバンド。活動初期はブラックメタルの流行に便乗しているかにみえたが、成熟すると、メイクを取り去り、そしてかなり良質なスラッシュ・アクトに変化していった。彼らはOsmose Productionsと契約し、超直球型のスラッシュ・アルバムを2枚発表した。1997年には Enslaved、Dark Tranquillity、Dellamorte、Bewitched、DemoniacとのWorld Domination Tourにも帯同した。残念ながら、バンドは2001年には終焉を迎えたが、Swordmasterに代わってインダストリアル・プロジェクトのDeathstarsが発足した。しかし、ルドルフソンが彼らの音楽性に異を唱えたので、彼はオーレ・ウーマン（元Dissection）と交代した。なお、1995年にオリジナル・ドラマーであるシェールグレーンがDissection加入のためにバンドを脱退するときも、ウーマンが一時的に代わりに参加したことがあった。
ラインナップ
Andreas Bergh: Vocals, Emil Nödtveidt: Guitar, Kenneth Gagfer: Bass, Niklas Rudolfsson: Drums, Erik Halvorsen: Guitar
過去のメンバー
Tobias Kjellgren: Drums, Ole Öhman: Drums
デスコグラフィー
Demo, Demo (1994)
Rehearsal '94, Demo (1994)
Wrath of Times, EP (Full Moon Productions, 1995)
Wrath of Times, Swordmaster/Zyklon B Split CD

(Mystic Prod, 1996)
Postmortem Tales, CD (Osmose, 1997)
Deathrider, MCD (Osmose, 1998)
Moribund Transgoria, CD (Osmose, 1999)

SWORN
戦争に憑りつかれているデスメタル・バンドをここにも発見。彼らは2004年にユングシーレで結成された。
ラインナップ
Dennis: Bass/Vocals, Peter: Guitar, Steff: Guitar, David: Drums
過去のメンバー
Sebb: Vocals
デスコグラフィー
Global Demise, Demo (2005)

SYN:DROM.
2003年にスンツヴァルで始動したメロディック・デスメタル・バンド。ヨニー・ペッタションはCavevomitにも在籍している。
ラインナップ
Jonny Pettersson: Vocals, David Karlsson: Guitar, Roger Bergsten: Guitar, Daniel Mikaelsson: Drums, Daniel Åsén: Bass
デスコグラフィー
Dead Silent Screaming, Demo (2004)
Promo 2005, Demo (2005)

SYSTEM SHOCK
2003年にノーシューピングで始動したメロディック・デスメタル・バンド。アメリカの至宝Nileのジョージ・コリアスが彼らとドラムをプレイしていたこともあった――本当に凄い。
ラインナップ
Lukas Bergis: Guitar, Dimitris Loakimogloul: Vocals, Markus Engström: Drums, Olle Sundfeldt: Bass, Slathis Cassios: Keyboards
過去のメンバー
George Kollias: Drums
デスコグラフィー
Arctic Inside, CD (New Aeon Media, 2004)

T.A.R.
1993年にストックホルムで結成されたバンド。結成当時はVulture Kingの名義で活動していたが、彼らは結成して一年間で解散してしまった。T.A.R.の存在感は希薄だったが、しかし彼らはDismember、Insision、Face Downなどと対バンしたこともあった。1997年に凄腕のペール・カールソン（Serpent、元Suffer）がドラマーとして加入したが、しばらくすると跡形もなくバンドは解散した。彼らのサウンドは殺傷能力のあるパワーメタルといえるだろう。冒険する気があるなら聴いてみてほしい。
ラインナップ
Torbjörn Sandberg: Vocals, Juan Gauthier: Guitar, Östen Johansson: Bass (1994-), Stefan Sjöberg: Guitar (1995-), Per Karlsson: Drums (1997-)
過去のメンバー
Tommi Sykes: Drums (1993-1996), Preston: Bass (1993-1994), Conny: Guitar (1994-1995)
デスコグラフィー
Baby Inferno, Demo (1994—Vulture King 名義)
Act II, Demo (1995—Vulture King 名義)

Are You Deaf, Demo (1996)
Fear of Life, CD (Heathendoom, 1997)
Tar and Feathers for the Millennium, MCD/7"
(Heathendoom, 1998)

TAEDEAT
ウーメオ出身のデス／ブラックメタル・バンド。2002
年の結成以来、彼らはデモテープや CD を着実にリ
リースしている。
ラインナップ
Mad Mathew: Bass, Mark Danneman: Drums,
Azogh Martins: Vocals, Calvin Shroom: Guitar
過去のメンバー
Threat: Guitar
デスコグラフィー
Taedeat, Demo (2003)
The Hexagon Chronicles, Demo (2003)
Death Awaits You, Demo (2004)
Putrid, Demo (2004)
We Bring the Fourth, CD (Sulphur Community,
2004)
Quademortis, Demo (2005)

TAETRE
このメロディック・ブラック／デスメタル・アクトの
出身地は……、そうお察しの通り、ユーテボリ。彼ら
は 1993 年に結成され、Dissection の影響を強く受け
ていたが Dissection のクオリティーには及ばなかっ
た。結成初期、彼らは Enthrone の名義で始動してい
たが、やがてスラッシュとヘヴィメタルの要素を取り
入れたサウンドに変わっていった。しかしながら上手
くはいかなかった。俺が覚えているのは、ドラマーの
ペッタションがしばらく "グレイヴヤード・スケルト
ン（墓場のガイコツ）" というダサい名前を使ってい
たことだ。
ラインナップ
Jonas Lindblood: Vocals/Guitar, Kalle Pettersson:
Drums, Daniel Kvist: Bass/Vocals, Daniel Nilsson:
Guitar (1995-2002, 2004-)
過去のメンバー
Conny Vandling: Bass (1993-2001), Maggot: Guitar
デスコグラフィー
Demo, Demo (1995)
Eternal Eclipse, Demo (1996)
The Art, CD (Emanzipateon/Die Hard, 1997)
Out of Emotional Disorder, CD (Emanzipateon/Die
Hard, 1998)
Divine Misanthropic Madness, CD (Mighty Music,
2002)

TAKETH
キーボード、トロール（怪物）、森林、ファンタジー
によってブラックメタルが嘲笑の的になり始めたこ
ろ、クリスチャン・ブラック／デスメタル・バンドが
いくつか現れ始めた。1996 年に Pergamon の名義で
始動した彼らは、デモテープ 2 本をリリースしたあと
の 1999 年に Taketh に改名した。最近、ブラックメ
タル界で流行っている歌詞のテーマは自殺だって聞い
ているが、俺にはその理由がわかる。だってこんなバ
ンドを聴いていれば俺だって死にたくなるさ！
ラインナップ
David Dahl: Vocals, Mikael Lindqvist: Guitar,
Atahan Tolunay: Guitar, Lars Walfridsson: Bass,

Johan Dahl: Drums
過去のメンバー
Emil: Guitar, Jonas: Bass
デスコグラフィー
Forgiven, Demo (2000—Pergamon 名義)
Breaking an Image, Demo (2001—Pergamon 名義)
His Majesty, Demo (2002)
Live Demo, Demo (2003)
Freakshow, CD (Fear Dark Productions, 2005)

TALION
1998 年ヴェクファ発の強烈なスピード／スラッシュ
メタルとデスメタルのサウンドを融合したバンド。彼
らのサウンドはかなりクールなのだが、残念なことに
あまり作品を出していない。ヴォーカリストのマル
ティン・ミッシーはあの伝説的なドイツのスピードメ
タル・バンドの Protector に在籍していることで有名
だ。
ラインナップ
Fredrik Lundquist: Guitar/Vocals, Martin Missy:
Vocals, Magnus Karkea: Bass, Calle Sjöström:
Drums
過去のメンバー
Gustav Hjortsjö: Drums, Joakim Svensson: Bass,
Erik Almström: Guitar
デスコグラフィー
Operation Massacre, Demo (2003)
Visions of Deterioration, CD (2003)

TANTALIZE—Embryo 参照。

TEMPERANCE
No Remorse（別項目参照）として知られていた、ヴェ
クファ出身の初期のスラッシュ／デスメタル・バン
ド。1991 年に彼らは何かやらかしたことに気づき、
そこで、改名するとともに、よりブルータルさを追求
するバンドに生まれ変わった。Temperance は 90 年
代初期にはいくつかのファンジンでフィーチャーさ
れ、ポーランドやリトアニアなどの国でもギグを演っ
たが、しかしアンダーグラウンドから這い上がること
はできなかった。もちろん超激速な曲もあったが、俺
が思うに、他のスウェーデン産真正デスメタル・バン
ドらと比べると、彼らのリフ構成はスラッシュすぎた
のだと思う。なお、ベーシストがかなり交代している
ことに注目してほしい。下のリストに挙げている人物
以外に、名前を忘れてしまったが、もう 1 人いたはず
だ。
ラインナップ
Fredrik Ernerot: Guitar/Vocals, B-Häng: Drums,
Mange: Bass (1994-)
過去のメンバー
Danne: Bass (1992-1993), Hasse: Bass (1993),
Malena: Bass (1994-1995)
デスコグラフィー
Hypnoparatized, Demo (1992)
One Foot in the Grave, 7" (Shiver Records, 1993)
Temperance... Live!, Demo (1994)
Krapakalja, CD (Shiver Records, 1995)
Promo, Demo (1996)
7" EP, EP (Stormbringer Productions, 1999)

TENEBRE
1996 年にマルメーで結成され、自らのサウンドを

"イーヴル・メタル（邪悪メタル）"と呼称した変わりものバンド。バンドの創始者は元 Flegma のメッツとライアン。Tenebre は度重なるメンバーチェンジに見舞われたが、活動を休止しなかった。アルバム『Mark ov the Beast』では、イタリアのカルトバンドの Death SS のスティーヴ・シルヴェスターをゲストとして迎えている。

ラインナップ
Richard Lion: Guitar (当初はベースも担当),
Fredrik Tack: Guitar, Andreas Albin: Drums, Ivana:
Keyboards, Jenny T: Bass
過去のメンバー
Peter Mårdklint: Guitar, Victor Fradera: Vocals,
Julius: Keyboard, Joel Linder: Drums, Kalle Metz:
Vocals, Lakas Sunesson: Guitar, Franco Bollo:
Guitar, Martin Olsson: Guitar
デスコグラフィー
Halloween, EP (RH, 1997)
Cultleader, EP (RH, 1997)
Tombola Voodoo Master, EP (1997)
XIII, CD (RH, 1997)
Grim Ride, CD (1998)
Mark ov the Beast, CD (Regain, 2000)
Descend from Heaven, EP (Regain, 2002)
Electric Hellfire Kiss, CD (Regain, 2002)
Heart's Blood, CD (Regain, 2005)

TERMINAL FUNCTION
1998 年にサンヴィーケンで結成されたテクニック至上主義プログレッシヴ・デスメタル・バンド。彼らも一応"デスメタル"に入る。
ラインナップ
Victor Larsson: Vocals, Mikael Almgren: Guitar,
Stefan Aronsson: Guitar/Bass/Keyboards, Johan
Wickholm: Bass, David Lindkvist: Drums/Keyboards
デスコグラフィー
Time Bending Patterns, Demo (2002)
Time Bending Patterns 2003, Demo (2003)
The Brainshaped Mind, Demo (2004)

TERROR
ユーテボリのいかがわしい裏通りで 1994 年の春に数週間のみ活動したグラインド／デスメタル・プロジェクト。At the Gates の中心メンバーと Dissection のヨン・ノトヴェイトが結託して作ったプロジェクト——なんと超絶豪華なラインナップだろう！ もしデモテープを聴くチャンスがあれば、とことん聴きこんでくれ。激しくて絶品だぜ。
ラインナップ
Jon Nödtveidt: Vocals, Anders Björler: Guitar, Jonas
Björler: Bass, Adrian Erlandsson: Drums
デスコグラフィー
Terror Demo, Demo (1995)

TERROR 2000
Soilwork のビョルンと Darkane のクラースによるスラッシーなプロジェクト。1999 年の結成以来、着実に CD をリリースし、メンバーも数名交代した。多くのプロジェクトと同じように、彼らのサウンドは即興で作られた没リフで構成されていて、心はここにあらずだった。それでも、俺の率直な意見であるが、若干であるものの、彼らは Soilwork や In Flames よりいい。
ラインナップ

Björn Strid: Vocals, Klas Ideberg: Guitar, Niklas
Svärd: Guitar, Erik Tyselius: Drums (2001-), Dan
Svensson: Drums
過去のメンバー
Henry Ranta: Drums (1999-2001)
デスコグラフィー
Slaughterhouse Supremacy, CD (Scarlet, 2000)
Faster Disaster, CD (Scarlet, 2002)
Slaughter in Japan—Live 2003, CD (Scarlet, 2003)
Terror for Sale, CD (Nuclear Blast, 2005)

TERRORAMA
まだいたよ、レトロ・スラッシュ・バンド。今回の彼らはノーシュービング出身。彼らはブラックメタルとクラストパンクに首を突っ込んでいるが、やっているのは単なるメロディックなモダン・スラッシュメタル。
ラインナップ
Peter: Vocals, PP: Drums, Nilson: Guitar, Z: Bass
過去のメンバー
Eric: Guitar
デスコグラフィー
Misanthropic Genius, Demo (2002)
Promoting the Orthodox, Demo (2003)
Horrid Efface, Demo (2004)
Horrid Efface, CD (Nuclear War Now! Productions,
2004)

TERRORTORY
2000 年にシェレフテオで結成されたデス／スラッシュ・バンド。もしも俺がそんな最果ての地獄のような場所に生まれていたら、もっと彼らより激しい音楽をプレイしていたと思うんだけどなぁ。
ラインナップ
Johan Norström: Vocals, Peter Hägglund: Drums,
Stefan Widmark: Guitar (初期はベース), Michael
Bergvall: Guitar, Olov Häggmark: Bass
過去のメンバー
Anton Larsson, Marcus Carlsson
デスコグラフィー
2004 Demo, Demo (2004)
Demo 2005, Demo (2005)

THEORY IN PRACTICE
1995 年 7 月にサンヴィーケンで結成されたテクニカル・デスメタル・バンド。1 本目のデモテープが注目されたことがきっかけで、その後の 3 枚の傑作アルバムにつながった。Theory in Practice は活動休止状態にあるが、その間ウールソンは Scar Symmetry、Altered Aeon、Mutant で 活躍している (彼はDiabolical や Thrawn にも参加している)。
ラインナップ
Mattias Engstrand: Bass/Keyboards, Peter Lake:
Guitar, Henrik Ohlsson: Drums/Vocals
過去のメンバー
Johan Ekman: Guitar/Vocals, Patrick Sjöberg:
Drums
デスコグラフィー
Submissive, Demo (1995)
Third Eye Function, CD (Pulverised, 1997)
The Armageddon Theories, CD (Pulverised, 1999)
Colonizing the Sun, CD (Listenable, 2002)

THERION

このウプランズ・ヴァースビー出身のバンドは、スラッシュメタル・バンド Blitzkrieg として 1987 年にクリストフェル・ヨンソンとペータル・ハンソンによって結成された。彼らは 1988 年に Megatherion に、そしてまもなくして、もっとシンプルな名前の Therion にと改名した。新名義のもと、彼らはスウェーデン産初期デスメタル・バンドとしてシーンの一翼を担うようになった。彼らの初期のサウンドは直球型で高品質だったが、年月が経つと次第に異質さが増していった。メタルにクラシック音楽、オペラ、声楽を融合させたヨンソンのスタイルがバンドに大きな変化をもたらした。また、ヨンソンの個性的な構想はラインナップにも大きく影響を与えた。メンバーチェンジを記録をするのも困難なほどだった。メンバーの中で有名なのはラーシュ・ローセンバリ（Entombed/Carbonized）やマッティ・カルキ・カルキ（Dismember）、そしてヨーナス・メルバリ（Unanimated）である。Therion は異端な存在ながら、見事にブレイクを果たした。1995 年以来、彼らは Nuclear Blast の商業的成功の柱石を担っている。もし君が冒険してみたいのであれば、彼らの最新作を聴いてみるといいだろう。けれども、もし君が真正デスメタルでヘッドバンギングしたいだけなら、彼らの 1 枚目のミニ・アルバム『Time Shall Tell』を首がもげるまで聴いてみてくれ。

ラインナップ
Christofer Johnsson: Vocals/Guitar/Keyboards, Kristian Niemann: Guitar, Johan Niemann: Bass, Petter Karlsson: Drums

過去のメンバー
Jonas Mellberg: Guitar/Keyboards, Peter Hansson: Guitar/Keyboards, Magnus Barthelson: Guitar, Erik Gustafsson: Bass, Fredrik Isaksson: Bass, Lars Rosenberg: Bass, Andreas Wallan Wahl: Bass, Piotr Wawrzeniuk: Drums, Oskar Forss: Drums, Sami Karpinnen: Drums, Matti Kärki: Vocals, Jan Kazda: Bass (ゲスト参加), Tommy Eriksson: Guitar (ライブでドラム担当、ゲスト参加), Wolf Simon: Drums (ゲスト参加), Richard Evensand: Drums (ゲスト参加), Sarah Jezebel Deva (Sarah Jane Ferridge): Vocals (ゲスト参加), Martina Astner (Hornbacher): Vocals (ゲスト参加), Kimberly Goss: Keyboards/Vocals (ゲスト参加), Mats Levén: Vocals (ゲスト参加)

デスコグラフィー
Paroxysmal Holocaust, Demo (1989)
Beyond the Darkest Veils of Inner Wickedness, Demo (1989)
Time Shall Tell, MLP (House of Kicks, 1990)
Of Darkness, CD (Deaf, 1991)
Beyond Sanctorium, CD (Active, 1992)
Symphony Masses/Ho Drakon Ho Megas, CD (Megarock, 1993)
The Beauty in Black, EP (Nuclear Blast, 1995)
Lepaca Klifoth, CD (Nuclear Blast, 1995)
Siren of the Woods, MCD (Nuclear Blast, 1996)
Theli, CD (Nuclear Blast, 1996)
A'rab Zaraq Lucid Dreaming, CD (Nuclear Blast, 1997)
Vovin, CD (Nuclear Blast, 1998)
Crowning of Atlantis, CD (Nuclear Blast, 1999)
Deggial, CD (Nuclear Blast, 2000)
Secret of the Runes, CD (Nuclear Blast, 2001)

Bells of Doom, CD (Therion Fanclub, 2001)
Live in Midgard, CD (Nuclear Blast, 2002)
Lemuria, CD (Nuclear Blast, 2004)
Sirius B, CD (Nuclear Blast, 2004)
Atlantis Lucid Dreaming, CD (Nuclear Blast, 2005)

THIRD STORM

1986 年にウップサーラで始動した Third Storm は紛れもなくスウェーデン初のブラックメタル・バンドの一つ。リーダーはヴォーカリストのヘワル・ボザルスワン。彼は他のメンバーを Bathory、Sodom、Hellhammer に代表されるエクストリームの世界に誘ったのである。Third Storm は、炸裂するドラムと暴力的なギターを武器に、当時としてはかなりブルータルな音楽性だった。ボザルスワンのヴォーカルは常軌を逸していたが、けれどもリフの大半は酷かったため、残念ながら彼らの活動は成功しなかった。激しいメンバーチェンジの末、1988 年末にはボザルスワンだけが残り、バンドを解散せざるを得なかった。彼は数年後、偉大な Sarcasm に加入してカムバックを果たすが、わずかばかりの注目を集めるだけにとどまった。メンバーのヨルゲン・ジグフリードソンはファンジン『Heavy Rock』を発行し、そして Opinionate! や Step One などのレーベルをも運営し、Morpheus や Furbowl の作品をリリースした。シーン全盛期には彼は Deicide、Immolation、Candlemass、Master、Entombed、Therion、Merciless など多くのギグの PR 活動を行なった。ちなみに、Third Storm というバンド名は、Hellhammer の曲タイトルから来ている。彼らの唯一の音源はたぶん地獄から来ているのだろう。

ラインナップ
Heval Bozarslan: Vocals, Roland Esevik: Bass, Erik Forsström: Guitar (1987-), Drums (1986-1987), Jonas Holmgren: Drums (1987-)

過去のメンバー
Jimmy: Guitar (1986-1987), Jörgen Sigfridsson: Drums (1987)

デスコグラフィー
Smell of Vomit in the Torture Hall, Rehearsal (1988)

THRASH AD

1998 年にユーテボリで始動したデス／スラッシュ・バンド。たぶんおそらく、The Haunted から影響を受けたのだろう。彼らはデモテープを 2 本制作し、2003 年に解散した。

ラインナップ
Anders Jönsson: Guitar, Tony Netterbrant: Drums, Patric Svärd: Guitar/Vocals, Jimmy Laj: Bass

過去のメンバー
Fredric Kuhlin: Drums

デスコグラフィー
Century of Chaos, Demo (2000)
Escape the World, Demo (2002)

THRASHHOLES

1985 年にヴェクファで結成された正統派スラッシュメタル・バンド。デモテープを 2 本リリースしているが、俺が耳にしたことがあるのは 1990 年の『Spooky Hour』だけだ。Exodus や Testament の影響を受けた良質なスラッシュだったが、90 年代初期には既に時代遅れだった。その後、1995 年にバンドは解散した。Thrashholes はその後 Corrosive に改名し、

Bums からアルバムをリリースする予定だったが、他
の多くのバンドと同じく、ボッタクられた挙句、アル
バムはお蔵入りになった。
ラインナップ
Stefan Ström: Vocals/Guitar, Anders Gyllensten:
Guitar, Arild Karlsson: Bass, Magnus Georgsson:
Drums
デスコグラフィー
Braindamage in Botorp, Demo (1987)
The Pill, Demo (1988)
Spooky Hour, Demo (1990)
Gissa den Tredje?, Demo (1991)

THRAWN
2001 年に始動し、デモテープをレコーディングした
のち、正統派スラッシュの Altered Aeon に変容し
た。ヘンリック・ウールソンは Scar Symmetry、
Mutant、Theory in Practice、Diabolical でも活躍し
ている。
ラインナップ
Kjell Andersson: Vocals, Henrik Ohlsson: Guitar/
Bass/Drums, Niklas Rehn: Guitar
過去のメンバー
Per Nilsson: Guitar（ゲスト参加）
デスコグラフィー
Light Creates Shadows, Demo (1997)

THREE DAYS IN DARKNESS
2004 年にウップサーラで始動したデス／スラッシュ・
バンド。インパクトを与えるかどうかは時が経てばわ
かる。
ラインナップ
Erik Vieira: Vocals, Mattias Thalén: Guitar, Thomas
Johansson: Guitar, David Ståhlberg: Bass, Johan
Berggren: Drums
デスコグラフィー
Three Days in Darkness, Demo (2005)

THRONE OF AHAZ
1991 年に結成したウーメオ出身のブラックメタル風
デスメタル・バンド("ブラックメタル風"というのは、
彼ら曰く、つまり"流血、スパイク、コープス・ペイ
ント、それに黒色蝋燭"のこと——『Funeral Zine』
2 号）。デモテープ・リリース後、No Fashion から契
約をオファーされた。紆余曲折を経てリリースされた
デビュー作は 1994 年末になってやっと日の目を見た
が、既に彼らの活動のピークは過ぎていた。彼らのブ
リミティヴなリフとメロディックなギターが絡み合う
スタイルが広く注目を集めたり、評価されることはな
かった。
ラインナップ
Fredrik Jocobsson: Vocals, Kalle Bondesson: Bass,
Johan Mortiz: Drums, Marcus Norman: Guitar
(1995-)
過去のメンバー
Nicklas Svensson: Guitar (1991-1995), Peter: Guitar
(1991-1992)
デスコグラフィー
At the Mountains of the Northern Storm, Demo
(1992)
Nifelheim, CD (No Fashion, 1994)
On Twilight Enthroned, CD (No Fashion, 1996)

THRONE OF PAGAN
1996 年にユーテボリで始動したゴシック・デスメタ
ル・バンド。彼らは、Deicide や Morbid Angel から
の影響を自認していたが、しかしそのサウンドはそれ
らとは似ても似つかなかった。重厚でサタニック寄り
の歌詞ではあった。解散するまでに 2 本のリハーサル・
テープをリリースした以外、彼らはコンピレーション
CD に参加しただけだった。その後、リーキャルソン
はソロ・プロジェクト Suicidal Insane Bastard を立ち
上げた。
ラインナップ
Christoffer Richardsson: Vocals, Christian Åkerberg:
Bass, Niels Nankler: Drums, Niklas: Guitar（彼の
苗字を忘れた！　本書のようなプロジェクトではメン
バー名を思いだすのに苦労する）
In my Dreams, Rehearsal (1996)
Sacrifice Me, Rehearsal (1997)

THRONEAEON
1991 年にヴェステルオースで結成されたが、多くの
メンバーチェンジを経て、1995 年に Throneaeon 名
義となった。彼らは様々な困難に直面したものの、デ
モテープの評判は上々だった。1999 年にはやっとミ
ニ CD がリリースされ、2 年後にはアルバムが発表さ
れた。Throneaeon は Deicide 影響下のテクニカルで
ブルータルなデスメタルが特徴だった（Deicide の楽
曲にそっくりで、歌詞も Deicide と見分けがつかない
ほどだった）。Throneaeon は間違いなく、スウェー
デン産バンドで良質な部類に入るだろう。バンド名が
定着しなかったため、彼らは 2004 年に Godhate（別
項目参照）に改名した。Godhate の名がシーンに浸透
するかは時のみぞ知る。それでも、彼らは上質のバン
ドなので、サポートしてくれ。
ラインナップ
Roger Sundquist: Drums, Jens Klövegård: Guitar,
Claes Ramberg: Bass, Tony Fred: Vocals/Guitar
過去のメンバー
Andreas Dahlström: Bass, Göran Eriksson: Guitar,
Magnus Wall: Bass
デスコグラフィー
Demo 1, Demo (1995)
Carnage, Demo (1996)
With Sardonic Wrath, MCD (Helgrind, 1999)
Neither of Gods, CD/LP (Hammerheart, 2001)
Godhate, CD (2004)

THUS ABHOR
1995 年にリンシューピングで始動した、ワンマン・
ブラック／デスメタル・プロジェクト。俺はひそかに
疑っている、彼はメイクをしたいが為にプロジェクト
を立ち上げているのではないかとね。2 本のデモテー
プをリリースした後にメイクはクレンジングされ、プ
ロジェクトも最期を迎えた。
ラインナップ
Abhorz: Guitar/Bass/Vocals
デスコグラフィー
Enchanted by Darkened Shadows, Demo (1997)
Dreadful Harmony—IV, Demo (1997)

THY PRIMORDIAL
Carcaroht からラーシュ・トーセーンが脱退したあ
と、Carcaroht の残党組が本プロジェクトを立ち上
げ、活動を続けた。ブラックメタル色が強く、ゴア色

は弱い。それで十分分かるよな？　彼らは 11 年間で 6 枚のアルバムをリリースし、そして 2005 年に解散した。

ラインナップ

Mikael Andersson: Guitar, Jonas Albrektsson: Bass, Jocke Pettersson: Drums, Nicke Holstensson: Vocals (2003-)

過去のメンバー

Andreas Karlsson: Vocals (-2003), Markus Nilsson: Guitar (-2000)

デスコグラフィー

De Mörka Makters Alla, Demo (1994)
Svart Gryning, Demo (1995)
Signs of Leviathan, EP (Paranoia Syndrome, 1996)
Where Only the Seasons Mark the Paths of Time, CD/LP (Pulverised/Paranoia Syndrome, 1997)
Under Iskall Trollmåne, CD (Gothic Records, 1998)
At the World of Untrodden Wonder, CD (Pulverised, 1999)
The Heresy of an Age of Reason, CD (Pulverised, 2000)
The Crowning Carnage, CD (Blackend Records, 2001)
Pestilence Upon Mankind, CD (Blackend Records, 2004)

THYRFING

1995 年春に始動したストックホルム産のヴァイキングメタル・バンド。Amon Amarth と似ているが、Thyrfing は自身はスウェーデン語の歌詞を採用しているということで、Amon Amarth とは差別化されている。しかし、彼らのサウンドはキーボードに頼りすぎているので、俺のような古参デスメタラーを惹きつけるのは難しい。

ラインナップ

Thomas Väänänen: Vocals, Patrik Lindgren: Guitar, Henrik Svegsjö: Guitar, Peter Lööf: Keyboards, Jimmy Sjölund: Bass, Joakim Kristensson: Drums

過去のメンバー

Vintras: Guitar

デスコグラフィー

Solen Svartnar, Demo (1995)
Hednaland, Demo (1996)
Thyrfing, CD/LP (Hammerheart, 1998)
Valdr Galga, CD (Hammerheart, 1998)
Solen Svartnar, 7" (Grim Rune, 1998)
Hednaland, CD/LP (Unveiling the Wicked, 1999)
Urkraft, CD/LP (Hammerheart, 2000)
Vansinnesvisor, CD/LP (Hammerheart, 2002)
Farsotstider, CD (Regain, 2005)

TIAMAT

Tiamat は最古参スウェディッシュ・デスメタル・バンドの一つである。Tiamat の初期体制は 1988 年 8 月にヨーハン・エードルンドの指揮で整えられた。結成当初の Tiamat は Treblinka という名義だった。しかし、ティーンエージャーのエードルンドがすぐに Treblinka という名前では商業的な限界があると感じたので、Tiamat に改称した（一時期 Abomination とも名乗っていたこともあった）。Therion と同様、ワンマン・プロジェクト（在籍したメンバーは多すぎてここには書ききれないほどだ）だった Tiamat は幾度となくメンバーチェンジを繰り返し、また音楽性

も年を追うごとに劇的に変化していった。結成当初はプリミティヴでざらざらしたブラック／デスメタルをプレイしていたが、次第に生々しさが淘汰されたのである。激しさを残した最後の作品は 1994 年の『Wildhoney』だったように、90 年代中期にはメタルの領域で語るには違和感を覚えるようになっていた。以降、エードルンドはプログレッシヴ・ロックとサイケデリック・ポップの融合を目指した。Tiamat は Century Media レーベル史上でもっとも売れたバンドとなったが、俺自身彼らの成功をまったく理解できなかった。彼らは誰とでもツアーしていたように思われた。Black Sabbath や Type O Negative など異なるジャンルのバンドともね。個人的には、初期音源が彼らの最高傑作である。これもすべてエードルンドには音楽に関する先見の明があったことは認めてやらないといけない。

ラインナップ

Johan Edlund: Vocals/Guitar, Thomas Petersson: Guitar, Anders Iwers: Bass, Lars Skjöld: Drums

過去のメンバー

Johnny Hagel: Bass (1990-1996) Jörgen Thullberg: Bass (1988-1992), Kenneth Roos: Keyboards (1992-1994), P.A. Danielsson: Keyboards, Magnus Sahlgren: Guitar, Stefan Lagergren: Guitar (1988-1990), Fredrik Åkesson: Guitar, Niklas Ekstrand: Drums (1990-1994), Anders Holmberg: Drums (1988-1990)

デスコグラフィー

Crawling in Vomits, Demo (1988—Treblinka 名義)
The Sign of the Pentagram, Demo (1989—Treblinka 名義)
Severe Abomination, 7" (Mould in Hell Records, 1989—Treblinka 名義)
A Winter Shadow, 7" (CBR, 1990)
Sumerian Cry, LP/CD (C.M.F.T, 1990)
The Astral Sleep, LP/CD (Century Media, 1991)
Clouds, CD (Century Media, 1992)
The Sleeping Beauty—Live in Israel, CD (1994)
Wildhoney, CD (Century Media, 1994)
A Musical History of Tiamat, CD (Century Media, 1995)
Gaia, EP (Century Media, 1997)
A Deeper Kind of Slumber, CD (Century Media, 1997)
Cold Seed, MCD (Century Media, 1997)
Brighter Than the Sun, MCD (Century Media, 1999)
Skeleton Skeletron, CD (Century Media, 1999)
For Her Pleasure, EP (Century Media, 1999)
Vote for Love, CD (Century Media, 2002)
Judas Christ, CD (Century Media, 2002)
Cain, Single (Century Media, 2003)
Prey, CD (Century Media, 2003)

TORCHBEARER

2003 年 に Satariel、Unmoored、Incapacity、Traumatized、Setherial、Solar Dawn のメンバーが始動したデス／スラッシュ／ブラックメタル・プロジェクト。

ラインナップ

Pär Johansson: Vocals, Christian Älvestam: Guitar, Göran Johansson: Guitar, Mikael Degerman: Bass, Henrik Schönström: Drums

デスコグラフィー

Yersinia Pestis, CD (Cold Records, 2004)

TORMENT（ストックホルム）—Mefisto 参照。

TORMENT（ストレングネース）
90 年代中期のストレングネース発デスメタル・バンド。結成当初、Harmony（別項目参照）として知られていた Torment は、At the Gates からインスパイアされていたことは明らかだったが、他の多くのレトロ・スラッシュ・バンドと同様、クオリティーは低かった。プロフェッショナルであることは確かだが、メロディーを多用しすぎていて、そして絶叫ヴォーカルも鼻についた。彼らは間もなくして Maze of Torment（別項目参照）に変容した。
ラインナップ
Peter Karlsson: Guitar, Kjell Enblom: Drums, Pehr Larsson: Vocals/Bass
デスコグラフィー
Promo 95, Demo (1995)

TORTURE—Decortication 参照。

TORTURE ETERNAL
2003 年にウブランズ・ヴァースビーで結成されたブルータル・デスメタル・バンド。彼らがプレイしているものこそが真性デスメタルなので、なんとかブレイクしてほしい。
ラインナップ
Linus Nylén: Drums, Rikard Bjernegård: Guitar/ Vocals, Tobbe: Guitar, Ari: Bass
過去のメンバー
Mathias: Bass, Ramis: Vocals, Jonas: Vocals, Christer, Peder
デスコグラフィー
Sickness and Dismembered Gutsorgasmus, Demo (2003)
Mentally Killed Before the Birth, CD (Sorrow Embraced Records, 2005)

TOTAL DEATH
1986 年にミッケとトーニ兄弟が Satanic Slaughter を脱退したのち、リンシューピングで活動をスタートしたバンド。彼らはリンシューピング周辺で瞬く間に衆目を集め、国内バンド・コンテスト Rock SM において強力なスラッシュメタルを披露した。しかし彼らは成功には至らず 1990 年に解散してしまう。トーニ、ミッケ、そしてクリスティアンは Orchriste のパトリック・ヤンセン、ヨーハン・ラーションとあの凄絶な Seance を結成した。
ラインナップ
Tony Kampner: Guitar, Micke Pettersson: Drums, Christian "Bino" Carlsson: Bass, Ponta: Vocals
デスコグラフィー
Rehearsal (1988/89)
Musik för Miljön, Comp LP (Studiefrämjandet, 1989)

TOTAL WAR—War 参照。

TOXAEMIA
1989 年 1 月にムータラで結成されたブルータル・デスメタル・バンド。彼らのスタイルはどういうわけか、スウェーデンとアメリカ産の中間といった感じで

はあるが、でもかなり上手くこなしている。いずれにせよ、生存競争の激しかった 90 年代初期に成功には至らず、他の良質バンドと同様、消えていった。
ラインナップ
Emil Norrman: Drums, Stevo Bolgakoff: Guitar/ Vocals (1990-), Pontus Cervin: Bass
過去のメンバー
Linus Olzon: Guitar (1989-1991), Brun: Vocals (1989), Holma: Vocals (1989-1990)
デスコグラフィー
Kaleidoscopic Lunacy, Demo (1989)
Toxaemia, 7" (Seraphic Decay, 1990)
Buried to Rot, Demo (1991)

TRAUMATIC
1990 年 3 月にスラッシュ・バンドの Crab Phobia の残党が結成した、ミョールビー発の破壊力抜群のデスメタル・バンド。歌詞は 100% Carcass にインスパイアされたゴア・グラインドではあるが、サウンドはテクニカル・デスメタルだった。1992 年にバンド内部で問題が表面化し、マニュエルが加入したものの、すぐに脱退した。翌年、空中分解したかと思いきや、彼らは諦めなかった。彼らは良質なバンドだったので成功しなかったのが本当に残念だった。彼らの初期作品はいまだ新鮮さを失っていない。1996 年に彼らは突然 CD をリリースしたが、しかしあまりデスメタルっぽくなかった——聴かないように。
ラインナップ
Manuel: Guitar/Bass, Jonas Larsson: Vocals, Totte Martini: Drums
過去のメンバー
Benny: Bass (Crab Phobia 名義で), Matte: Guitar (Crab Phobia 名義で), Lasse: Bass（ゲスト参加）
デスコグラフィー
Crab Phobia Vol. 1, Rehearsal (1990—Crab Phobia 名義)
The Process of Raping a Rancid Cadaver, Demo (1990)
A Perfect Night to Masturbate, 7" (CBR, 1991)
The Morbid Act of a Sadistic Rape Incision, 7" (Distorted Harmony, 1991)
Spasmodic Climax, CD (Traumatic Ent., 1996)

TRAUMATIZED
まだここにもデス／スラッシュ・バンドはいた。彼らは 2000 年に南部の町のトレルボリで結成された。デモテープ 1 本だけが彼らの活動の証。フェーンストルムは Unmoored、Solar Dawn、Torchbearer、Incapacity での活動で知られている。
ラインナップ
John Andersson: Vocals/Guitar, Andreas Hedberg: Guitar, Nicklas Leo: Bass
Henrik Schönström: Drums
デスコグラフィー
The Mooring, Demo (2001)

TREBLINKA—Tiamat 参照。

TRIBULATION（アールヴィカ）
2001 年にアールヴィカで始動したスラッシュ・バンド。やがてデスメタル色を強め、2004 年には完全にデスメタル・バンドとなった（メンバーが何名か交代したが）。自ら Tribulation と名乗っているというこ

とは、過去のスウェディッシュ・アンダーグラウンド・シーンについてまったく知らなかったのかもしれない——または、ただ気にしないのかもしれない。というのはスラハメルには伝説的な同名バンドが存在しているからである。2つのバンドはまったく音楽性が違うので混同しないでほしい。現在、アールヴィカのTribulation はあの古典的スタイルを踏襲した、良質で生々しいデスメタルを特徴としている。暴力的。(訳者註：近年ではさらに音楽性が変化し、ゴシックメタル影響下のデスメタルをプレイしている)

ラインナップ
Johannes Andersson: Vocals/Bass, Jonathan Hultén: Guitar, Adam Zaars: Guitar, Jakob Johansson: Drums

過去のメンバー
Joseph: Guitar, Jonas: Drums, Jimmie: Drums, Olof: Bass/Vocals

デスコグラフィー
Aggression Within, Demo (2001)
Agony Awaits, Demo (2004)
The Ascending Dead, Demo (2005)

TRIBULATION（スラハメル）
次第に異様で実験的要素の強いロックに変容した、スラハメル出身のイカれたスラッシュメタル・バンド。スウェディッシュ・スラッシュ・シーンの先駆者だった彼らは 1986 年に Pentagram 名義で始動したが、1987 年 2 月に Possessed の有名曲タイトルから拝借した Tribulation と改名した。1990 年の活動ピーク時に、彼らは Carcass や Entombed と対バンをしたが、そのあとは鳴かず飛ばずだった。デスメタルが最盛期を迎えたときは、Tribulation は一風変わった実験的要素の強いサウンドに踏み込んでしまった。後期のわけのわからないサウンドより、初期のほうが断然良かった。おそらく海外の奴らは、なぜ彼らが当時のスウェディッシュ・アンダーグラウンド・シーンで一目置かれていたのかを理解できないだろう。ナンセンスな時代だったもんなぁ！ 最初のメンバーチェンジのあと（スティーヴォの後釜として、Harvey Wallbanger のダニエルが加入）、バンドはすぐに活動を休止し、パンク／ロック・バンドの Puffball へと変貌を遂げた。ドラマーのマグナス・フォーシュバリは、80 年代のスウェーデンにおいて極めて重要なテープ・トレーダーであった。彼はシーンに計り知れない影響力をもたらした。

ラインナップ
Magnus Forsberg: Drums, Toza: Vocals/Guitar, Hojas: Bass, Daniel Sörén: Guitar (1993-), Stevo Neuman: Guitar (1986-1993)

デスコグラフィー
Infernal Return, Demo (1986—Pentagram 名義)
Pyretic Convulsions, Demo (1988)
Tribulation/Atrocity/Gravity/Damien Split 7"(Is This Heavy or What? Records, 1988)
Void of Compassion, Demo (1990)
Posers in Love, Demo (1991)
Clown of Thorns, LP (Black Mark, 1992)
Oil Up the Stud, Demo (1993)
Spicy, EP (Burning Heart, 1994)

TRISKELON
ナチスの歌詞をデスメタルにのせて広めようとしていることで知られるトロールヘッタン出身のバンド。歌詞が聞き取れないことで悪評のジャンルで歌詞を広めようなんて、彼らは一体何をしたかったんだ？ 彼らのサウンドはかなり説得力に欠けるね。ナチ・バンドは縦ノリで大味な演奏の Oi サウンドにこだわってくるとは！

デスコグラフィー
Endast Mörker, CD (1997)
Vrede, CD (1998)

TRISTITIA
1992 年 8 月にハルムスタードで結成されたドゥーム／デスメタル・バンド。メンバーは Pagan Rites に在籍——あの悪名高いトマス・カールソンは Autopsy Torment や Devil Lee Rot での活動で知られている。彼らのサウンドはあまり激しくないので、代わりにメンバーが参加している他のバンドをチェックしてくれ。

ラインナップ
Thomas Karlsson: Vocals, Luiz Beethoven Galvez: Guitar/Bass/Keyboards

過去のメンバー
Harri Juvonen: Bass, Bruno Nilsson: Drums, Adrian Letelier: Bass, Rickard Bengtsson: Vocals（ゲスト参加）, Alessio: Drums, Stefan Persson: Vocals

デスコグラフィー
Winds of Sacrifice, Demo (1993)
Reminiscences of the Mourner, Demo (1994)
One With Darkness, CD (Holy, 1995)
Crucidiction, CD (Holy, 1996)
The Last Grief, CD (Holy, 2002)
Garden of Darkness, CD (Holy, 2002)

TRIUMPHATOR
1995 年にリンシューピングで始動した、マルクス・ティエナによるプロジェクト。ファストで攻撃的な激しいブラックメタルを特徴とする Triumphator のサウンドは、かなり Marduk に似ていた——メンバーの多くは Marduk にも在籍しているので、当然なことかもしれない。彼らは直球型でガチンコだった。ティエナはストックホルムで Shadow Records を運営していた。しかし、彼が違法薬物と銃器所持で逮捕されたため、店舗とバンドは消滅した。

ラインナップ
Marcus Tena: Bass, Arioch (Mortuus): Guitar/ Vocals, Morgan S. Håkansson: Guitar, Fredrik Andersson: Drums

過去のメンバー
Linus Köhl: Guitar/Vocals (1995-97), Martin Axenrot: Drums (1995-97)

デスコグラフィー
The Triumph of Satan, Demo (1996)
The Ultimate Sacrifice, 7" (The Mark of Sartan, 1999)
Wings of Antichrist, CD (Necropolis, 2000)

TUMULUS—Sacramentum 参照。

TWILIGHT SYMPHONY
1994 年にボーデンで結成されたドゥーム／デス・バンド。デモテープ 1 本を残し、バンドは崩壊した。

ラインナップ
Henrik Stenqvist: Vocals/Guitar, Johan Ericsson: Guitar/Vocals, Benny Persson: Bass/Vocals, Henrik

Leghissa: Drums
デスコグラフィー
At Dawn, Demo (1998)

TYRANT

2006年末、ペータル・ビヤルユー（元 Crypt of Kerberos、元 Macrodex、Meanwhile、Arcana）は、プロデュース過多のサウンドに嫌気がさし、すべてが生々しくシンプルで、グロテスクだった昔のあの頃へのもの懐かしさに思いを募らせた。そこで彼は Tyrant を作った。すぐに D・F・ブラグマン（The Black、元 Vinterland）とアンドレアス・ヨンソン（The Black、元 Vinterland）と結託し、そしてたったの26時間で楽曲を完成させ、『Reclaim the Flame』をレコーディングした。同年春、俺（本書の著者ダニエル・エーケロート、Insision、元 Dellamorte）はベースとして加わった。いくつかのレーベルからオファーあったが、俺たちは Listenable と契約し、Gorgoroth とのツアーを敢行した。Tyrant は Bathory、Celtic Frost、Venom、Motörhead、Autopsy のような生々しくて、無骨なメタルを追求している――それ以上でもそれ以下でもない。3コードにディストーションを目一杯かけて、ビールを浴びるほど飲んだら、楽曲が出来上がったなんて凄いな！

ラインナップ
Peter Bjärgö: Guitar, D.F Bragman: Vocals, Andreas Jonsson: Drums, Daniel Ekeroth: Bass, Make Pesonen: Drums （ゲスト参加）/*Beer Mascot*
デスコグラフィー：
Reclaim the Flame, LP/CD (Hell's Cargo/Listenable, 2007)

UNANIMATED

1989年、ストックホルム郊外で産声をあげたブラックメタルとデスメタルの壮絶な交配種。結成時はヴォーカルにリーキャル・カベッザを擁していたが、しかし彼は Dismember に入るために、すぐにバンドを脱退した――けれども彼は2作目のアルバムではベーシストとしてバンドに復帰した。1996年にファンヴィンドが Face Down に加入したため、バンドは解散した（彼はまたすぐに Face Down を離れ、Entombed に加入した）。Necrophobic と同じく、Unanimated も極上のバンドだった。なので、もっと成功を手にしても良かったと思う。

ラインナップ
Peter Stjärnvind: Drums, Jonas Mellberg: Guitar, Richard Cabeza: Bass (1994-), Vocals (1989-90), Mikael Jansson: Vocals (1990-), Jonas Bohlin: Guitar (1991-), Jocke Westman: Keyboards
過去のメンバー
Daniel Lofthagen: Bass (1991), Chris Alvarez: Guitar (1989-1991)
デスコグラフィー
Rehearsal, Demo (1990)
Fire Storm, Demo (1991)
In the Forest of the Dreaming Red, CD (No Fashion, 1993)
Ancient God of Evil, CD (No Fashion, 1995)

UNCANNY

1987年、13歳にも満たなかったキッズ（！）の、フレードリック・ノルマン（のちに Katatonia に加入）とケネト・イングルンド（のちに Interment、

Moondark、Dellamorte に加入）が結託したことでバンド結成のきっかけとなった。数年後、2人は超絶な Uncanny の前身バンドである Cicafrication を立ち上げた。彼らはグラインド／デスメタル・バンドを収録したレアなコンピレーション・テープ『Avesta Mangel』でデビューしたが、しばらくするとバンドの方向性が変わった――強烈なデスメタル・スタイルになったのである。その判断は素晴らしかった！ 圧倒されるような楽曲、重厚なサウンド、センスが光るドラム、それに鬼気迫るヴォーカルがそこにあった。彼らは最も過小評価されているスウェディッシュ・デスメタル・バンドの一つであると思う。メンバーは Katatonia（ノルマン）、Dellamorte（イングルンド）、Interment（イングルンド）、Centinex（イングルンド）、Sadistic Gang Rape（ハルポリ）、Fulmination（フォシェル）、Uncurbed（トーンルース）にも在籍した。ヨーハン・ヤンソン（ギター、Dellamorte、Interment、Uncurbed、Regurgitate など）とマティアス・ノルマン（Dellamorte、Katatonia）は2008年に行なわれた Uncanny の再結成ギグにセッション・メンバーとして参加した。

ラインナップ
Kennet Englund: Drums, Jens Törnros: Vocals, Fredrik Norrman: Guitar, Christoffer Harborg: Bass/Guitar, Mats Forsell: Guitar (1992-)
デスコグラフィー
Transportation to the Uncanny, Demo (1991)
Nyktalgia, Demo (1992)
Uncanny/Ancient Rites Split LP (Warmaster, 1993)
Splenium for Nyktophobia, CD (Unisound, 1994)

UNCURBED

アーヴァスタで生まれた Uncurbed は、スウェーデン史上最も強烈なクラスト・バンドの一つに数えられる。結成当初は、Extreme Noise Terror や Napalm Death 影響下の爆裂ノイジー・クラスト／グラインドを特徴としていたが、次第に破壊力満点でノリ重視のクラスト・アクトに変化していった。1998年以来、彼らの作品は極上のクオリティーを誇っている。過去や現在に在籍しているメンバーはいずれも、Asocial、Uncanny、Interment、Dellamorte、Diskonto、Sportlov、Centinex、Hatred などの最強バンドの出身である。

ラインナップ
Johan Jansson: Drums, Tommy "T.B" Berggren: Vocals (1994-), Kenneth Wiklund: Guitar (2000-), Bass (1999-2000), Mikael Gunnarsson: Guitar (2003-), Bass (1990-1999), Jimmy Lind: Bass (2000-)
過去のメンバー
Steffe Pettersson: Vocals (2002-2005), Conny Enström: Guitar (1990-2003), Nico Knudsen: Guitar (1992-2002), Jens Törnroos: Vocals (1992-2002), Henrik Lindberg: Vocals (1992-1994)
デスコグラフィー
The Strike of Mankind, Demo (1992)
The Strike of Mankind, CD (Lost & Found, 1993)
Uncurbed/Disfear, Split 7" (Lost & Found, 1993)
Mental Disorder, MCD (Lost & Found, 1994)
A Nightmare in Daylight, CD (Finn Records, 1995)
The Strike of Mankind/Mental Disorder, 2CD (Lost & Found, 1996)
Punk and Anger, CD (Finn Records, 1996)
Uncurbed/Society Gang Rape, Split 7" (Yellow Dog,

1996)
Peace, Love, Punk, Life...and Other Stories, CD/LP
(Sound Pollution, 1998)
Keeps the Banner High, CD/LP (Sound Pollution,
2000)
Punks on Parole, CD/LP (Sound Pollution, 2002)
Ackord för Frihet, MCD/10" (Sound Pollution, 2003)
Uncurbed/Autoritär, Split 7" (Yellow Dog, 2004)
Uncurbed/My Cold Embrace, Split 7" (Yellow Dog,
2005)
Welcome to Anarcho City, CD/LP (Sound Pollution,
2006)

UNGRACED
ストックホルム出身の新興デス／ブラックメタル・バ
ンド。
ラインナップ
O.Heiska: Vocals, T Jansson: Guitar/Vocals, A
Kuorilehto: Bass/Vocals
デスコグラフィー
Demo 2005, Demo (2005)

UNHOLY
90 年代に活動していたスンツヴァル出身の普通レベ
ルのデスメタル・バンド。ヴィクルンドは Left Hand
Solution でもプレイした。
ラインナップ
Mattias Hagman: Vocals, Janne Wiklund: Guitar,
Henke Svensson: Guitar, Johan Hamrin: Bass,
Mårten Magnefors: Drums
デスコグラフィー
Abused, MCD (Massproduktion, 1994)

UNHOLY POPE
1992 年にデモテープを 1 本制作し、消滅したオブス
キュア・デス／スラッシュ・バンド。プロジェクトだ
と思う。
デスコグラフィー
Demo, Demo (1992)

UNLEASHED
1989 年 12 月、Nihilist と Dismember の崩壊後に、
元メンバーのヨニー・ヘードルンド（元 Nihilist）と
ローベット・セネベック（元 Dismember）がストッ
クホルムで創り上げたバンド。既に聞き及んでいるか
もしれないが、Unleashed を創り上げたセネベックだ
が、Carnage が解散すると Dismember を再結成する
ためにすぐに Unleashed を脱退した（そう、激動の
スウェーデンのデスメタル黎明期をたどるのは至難
の業なのだ）。Unleashed の圧倒的存在感を示したデ
モテープが Century Media との契約に結びついた。
その後、リリースされたデビュー作『Where No Life
Dwells』はスウェディッシュ・デスメタルの先駆的最
高傑作に数えられる。彼らの成功は Bolt Thrower、
Sadus、Morbid Angel、Cannibal Corpse など錚々た
るバンドとのヨーロッパと全米ツアーによって後押
しされ、未来は開けているはずだった。加えて、デ
ビュー作に続く 2 作のアルバムも良作だった——しか
し、その後 Unleashed は輝きを失ってしまう。彼ら
は異教徒戦史のテーマにこだわりすぎてしまって、良
質のリフを生み出すことを疎かにしてしまったのであ
る。しかし、Unleashed は近年、傑作アルバム『Sworn
Allegiance』で息吹を取り戻した。彼らは一段と強靭

になった！
ラインナップ
Johnny Hedlund: Vocals/Bass, Thomas Olsson:
Guitar, Anders Schultz: Drums, Fredrik: Guitar
過去のメンバー
Fredrik Lindgren: Guitar (1989-1997), Robert
Sennebäck: Vocals/Guitar (1989-1991)
デスコグラフィー
The Utter Dark, Demo (1990)
Revenge, Demo (1990)
...Revenge, 7" (CBR, 1990)
Century Media Promo Tape, Demo (1990)
And the Laughter Has Died, 7" (Century Media,
1990)
Where No Life Dwells, LP/CD (Century Media, 1991)
Shadows in the Deep, LP/CD (Century Media, 1992)
Across the Open Sea, LP/CD (Century Media, 1993)
Live in Vienna '93, CD (Century Media, 1994)
Victory, CD (Century Media, 1995)
Eastern Blood—Hail to Poland, CD (Century Media,
1996)
Warrior, CD (Century media, 1997)
Hell's Unleashed, CD (Century Media, 2002)
Sworn Allegiance, CD (Century Media, 2004)
Midvinterblot, CD (SPV, 2006)

UNLEASHED SOUL
2003 年にファーシュタで始動したデス／スラッシュ・
バンド。既にメンバーがかなり交代している！
ラインナップ
Magnus Grönberg: Vocals/Guitar, Joel Fernberg:
Guitar, Krister Pilblad: Bass, Nils Åsén: Drums
過去のメンバー
Robin Bjelkendal: Vocals, Marie Nyström: Vocals,
Eric Westerberg: Vocals, Victor Norberg: Guitar,
Robin Lindlöf: Guitar, Hannes Wester: Drums
デスコグラフィー
Theatre of Darkness, Demo (2004)
Asylum Dreams, Demo (2005)

UNMOORED
1993 年にファーヴデで始動。ドラマー不在のまま、2
作目のアルバムでは Thy Primordial のヨッケ・ペッ
タション（Dawn、Cranium）をヘルプに迎え、レコー
ディングした。エルヴェストラムとフェーンストルム
は Solar Dawn を結成（Incapacity や Torchbearer で
もプレイしていた）。Unmoored のデビュー作は 1995
年にレコーディングされていたが、しかしリリースさ
れるまでに 2 年の歳月がかかった。彼らはドゥームや
パンクからの影響も垣間見えるガレージ風のデスメタ
ル・バンド。その後はさらにプログレッシヴに変化し
ていったが、脚光を浴びてはいない。
ラインナップ
Christian Älvestam: Guitar/Vocals, Thomas
Johansson: Guitar, Henrik Schönström: Drums
過去のメンバー
Rickard Larsson: Guitar, Torbjörn Öhrling: Bass,
Jocke Pettersson: Drums, Niclas Wahlén: Drums
デスコグラフィー
Shadow of the Obscure, Demo (1995)
More to the Story than Meets the Eye, Demo (1997)
Cimmerian, CD (Pulverised, 1999)
Kingdom of Greed, CD (Pulverised, 2000)

Indefinite Soul-Extension, CD (Code 666, 2003)

UNORTHODOX—Defaced Creation 参照。

UNPURE
1991 年にニーネスハムンで結成されたデス／ブラックメタル・バンド。大胆なラインナップ・チェンジと中途半端なサウンドが原因で、後発のブラックメタル・バンドの陰に追いやられてしまった。その後、彼らはなんとかアルバムをリリースし続け、サウンドはかなりイケてると思う。
ラインナップ
"Kolgrim": Bass/Vocals, "Hräsvelg": Vocals/Guitar, "Jonathon": Drums
過去のメンバー
Åberg: Guitar, Vic: Guitar, Johan Blackwar: Guitar
デスコグラフィー
Demo 1, Demo (1992)
Demo 2, Demo (1993)
Demo 3, Demo (1994)
Unpure, CD (Napalm, 1995)
Coldland, CD (Napalm, 1996)
Headbangers Against Disco Vol. 1, Split 7" (1997)
Promo Tape 1998, Demo (1998)
Sabbatical Splittombstone, Sabbat/Unpure Split 7"
(Iron Pegasus, 2001)
Trinity in Black, CD (Drakkar, 2001)
World Collapse, CD (Agonia Productions, 2004)

UPON THE CROSS
1998 年に結成されたフォシュハーガ出身のバンド。デモテープ 1 本のみしか出していない。
ラインナップ
Erik Hallstensson: Vocals, Kim Jadermark: Guitar, Joakim Sävman: Guitar, Johan Sundström: Drums
デスコグラフィー
Point of No Return, Demo (1999)

UTUMNO
1990 年に Carnal Redemption の名義で始動したヴェステルオース出身のグループ。初期はデスメタルをプレイしていたが、グランジ・ムーヴメントに触発されたため、ヤワになっていた。ストールハマルは Macabre End/God Macabre のメンバーでもあった。ヨーハン・ハルバリは 2001 年に自ら命を絶った。安らかに。
ラインナップ
Jonas Stålhammar: Vocals, Staffan Johansson: Guitar, Dennis Lindahl: Guitar, Dan Öberg: Bass, Johan Hallberg: Drums (1992-)
過去のメンバー
Pontus: Drums (1990-1991)
デスコグラフィー
Twisted Emptiness, Demo (1990)
The Light of Day, 7" (Cenotaph, 1991)
Across the Horizon, CD (Cenotaph, 1994)

VALCYRIE
1988 年にトロールヘッタンで始動したスラッシュメタル・バンド。シーンで注目されることはなく、デスメタル・ブームによって消されてしまった。解散前しばらくは Depict Pathos の名義で活動していた。メンバー何名かはのちに Pathos 名義でバンドを存続させ

た。
ラインナップ
Martin Sikström: Bass/Vocals, Esko Salow: Drums, Morgan Ruokolainen: Guitar, Lennart Specht: Guitar
デスコグラフィー
Into the Questions of What, Demo (1990)

VARGAGRAV
1997 年にストックホルムで始動した、実験的要素が強いブラック／デスメタルのワンマン・プロジェクト。Hydra の元メンバーによる彼ら唯一のデモはそれほど惹かれる作品ではない。しかし、タイトルの『VargAgraV』はエクストリーム・メタル界で発見できる数少ない回文の一つだ！
ラインナップ
Maugrim: すべてのパート担当。
デスコグラフィー
VargAgraV, Demo (2004)

VASSAGO
1994 年にユーテボリで始動した、Lord Belial のミカエルとニクラスによるプロジェクト（彼らは 1987 年だと言っているが）。彼らがプレイしたのはスピード／スラッシュ／ブラックメタルっぽいサウンド。彼らのメイン・バンドよりもむしろこっちのほうが良い。
ラインナップ
Nicklas Andersson: Vocals/Guitar, Mikael Backelin: Drums
過去のメンバー
Janne Rimmerfors: Drums, Terje Eriksson: Bass, Suckdog: Guitar, Bloodlord: Bass, KK Kranium: Keyboards, Sadistic Sodomizer: Drums
デスコグラフィー
Nattflykt, Demo (1995)
Hail War, Split LP w/Antichrist (Total War, 1996)
Knights from Hell, CD (No Fashion, 1999)

VERMIN
1991 年秋にネッファーで結成された。結成当初のサウンドはかなりクールでファストなブルータル・デスメタルだった。しかし、彼らは Entombed の 90 年代中期のアルバムを聴きすぎていたのかもしれない。後発作品は Entombed のモノマネに成り下がり（リフのいくつかはまるで Entombed）、ヴォーカルはかなり酷かった。それが原因で彼らは昔からのファンを失い、解散した。ちなみに、フレッド・エストビー（Carnage、Dismember）はアルバム 2 作目に参加している。過去音源を集めた 1 枚目の CD が最高作であるというのは言うまでもない。
ラインナップ
Jimmy Sjöstedt: Vocals/Guitar, Mathias Adamsson: Drums, David Melin: Guitar (1997-), Bass (1994-1997), Timmy Persson: Bass (1997-)
過去のメンバー
Moses Shtich: Guitar (1991-1997), Johan Svensson: Bass (1991-1994)
デスコグラフィー
Demo 91, Rehearsal (1991)
Demo 92, Demo (1992)
Life Is Pain, Demo (1992)
Scum of the Earth, Demo (1994)

Obedience to Insanity, CD (Chaos, 1994)
Plunge Into Oblivion, CD (Chaos, 1995)
Millennium Ride, CD (No Fashion, 1998)
Filthy F***ing Vermin, CD (No Fashion, 2000)

VERMINOUS
Delve の名義で結成されたが、2002 年に Verminous
と改名した。Kaamos や Repugnant を彷彿とさせる
至極のオールドスクール・デスメタル・バンド。チェッ
クしてくれ！
ラインナップ
Linus Björklund: Guitar/Vocals, Andreas Johansson:
Drums, Pelle Melander: Guitar, Simon Frödeberg:
Bass
デスコグラフィー
Sentenced by the Unknown, Demo (2001—Delve 名義)
The Dead Amongst, EP (Nuclear Winter, 2002—
Delve 名義)
Smell the Birth of Death, Demo (2003)
The Dead Amongst, Demo (2003)
Impious Sacrilege, CD (Xtreem Music, 2003)

VICIOUS
2002 年に結成されたヴェステルオース出身のデス／
スラッシュ・バンド。元ドラマーのアダム・ホーベー
ルは Enthralled での活動で知られている。
ラインナップ
Pontus Pettersson: Guitar, Simon Jarrolf: Guitar,
Fredrik Eriksson: Drums/Vocals
過去のメンバー
Adam Hobér: Drums, Erik Wallin: Drums, Henrik
Wenngren: Vocals, Alexander Savander: Bass
デスコグラフィー
Pure Evil (Straight From Hell), Demo (2001)
Chains Won't Hold it Back, Demo (2002)
Vile, Vicious & Victorious, CD (Sound Riot, 2004)

VICIOUS ART
2002 年にストックホルムで結成された至高のバン
ド。多少ブラックとスラッシュからの影響が窺える圧
倒的なオールドスクール・デスメタル・バンド。メン
バーは Dark Funeral、Entombed、Grave、Obscurity（ヤ
ルフェッラ）、Guidance of Sin、Dominion Caligula 出
身者なので、当然演奏はタイト。
ラインナップ
Jocke Widfeldt: Vocals (初期はベースも担当), Matti
Mäkelä: Guitar, Tobbe Sillman: Guitar, Jörgen
Sandström: Bass/Vocals, Robert Lundin: Drums
デスコグラフィー
Demo 2003, Demo (2003)
Fire Falls and the Waiting Waters, CD (Threeman
Recordings, 2004)

VIRGIN SIN
1982 年にはマルメーで結成されていた強力なスラッ
シュメタル・バンド。驚くことにいまだ健在である。
結成初期は生々しいスラッシュメタルをプレイしてい
たが、やがてハードなヘヴィメタル・バンドに落ちぶ
れた。バンドのリーダーが Alice Cooper 風のステー
ジ演出を構想していたため、彼らは長期間活動休止状
態だった。しかし、そんなステージをいまだに誰も見
たことがない。ドラマーのマルティンは Deranged で
もプレイしたこともある。

ラインナップ
Dagon: Vocals, SS66: Guitar, Schreck (Martin
Schönherr): Drums, Zoak: Bass
過去のメンバー
Mantus: Guitar, Fenris: Guitar, Terra: Bass,
Euronymus: Bass, Rimmon: Bass, Gharon: Bass,
Gorgo: Drums, Mr. Maniac: Drums
デスコグラフィー
Rehearsal (1985)
Demo 88, Demo (1988)
Suck for Salvation, Demo (1991)
Deep Red, Demo (1994)
Make'Em Die Slowly, EP (To the Death, 1999)
Seduction of the Innocent, 10" EP (To the Death,
2003)

VISCERAL BLEEDING
1999 年にカルマルで、ペータルとニクラスが結成
したド迫力デスメタル・バンド。Cannibal Corpse
や Suffocation に触発された彼らは、Soils of Fate や
Insision を踏襲し、さらに技巧派ブルータリティーを
極めた。2004 年、デニスは Visceral Bleeding と同じ
ほど秀逸な同系統バンドの Spawn of Possession のド
ラムに専念するために、バンドを脱退した。
ラインナップ
Peter Persson: Guitar, Marcus Nilsson: Guitar, Calle
Löfgren: Bass, Tobias Persson: Drums
過去のメンバー
Martin Pedersen: Vocals（ゲスト参加）, Dennis
Röndum: Vocals, Niklas Dewerud: Drums
デスコグラフィー
Internal Decomposition, Demo (2000)
State of Putrefaction, MCD (2001)
Remnants of Deprivation, CD (Retribution, 2002)
Transcend Into Ferocity, CD (Neurotic Records,
2004)
Remnants Revived, CD (Neurotic Records, 2005)

VITUPERATION
2004 年にストックホルムで始動したデス／スラッ
シュ・バンド。彼らは暴力、ゴア、死についての歌詞
を特徴としており、一皮剥けると超ブルータルに変貌
する可能性を秘めている。
ラインナップ
Sebbe Zingerman: Vocals/Guitar, Simon Zingerman:
Bass, Tor Steinholtz: Guitar
過去のメンバー
Jocke Wallgren: Drums
デスコグラフィー
Live at Bro, Demo (2005)

VOMINATION
2004 年末に始動したヴィスビー出身のデス／ブラッ
ク・バンド。奴らは本気だ。Grave の過去の栄光に近
づけるかは時が教えてくれるだろう。頑張ってくれ！
ラインナップ
Joon Svedelius Lindström: Vocals, Pehr Andersson:
Guitar/Bass, Johan Olofsson: Drums
デスコグラフィー
A Cold Wind of Sorrow, Demo (2004)
Yog-Sothoth, Demo (2005)
Four Ways of Brutality, Split CD (Magik Art
Entertainment, 2005)

VOMITORY

1989年から活動しているカールスタード出身のブルータル・デスメタル・バンド。結成当初はVenomとSodomのカバーバンドだった——そう、始まりはそれでいい！　彼らはSeanceやDerangedと同様に、90年代後期のブルータル・スウェディッシュ・デスメタル・ブームを予感させる存在だった。彼らのサウンドはグラインド・パートに満ちているが、全体的にはオールドスクール・スウェディッシュ・デスメタルの雰囲気を漂わせている。それがまたカッコいいんだ！　Vomitoryは、信念を貫けば必ず実は結ぶこと、の生き証人なのだ。そんな彼らだが、しかし結成当初は大物（そして良質）スウェディッシュ・バンド群に水をあけられていた上、初のシングルをリリースした時には、名高い（そして酷い）ブラックメタル・バンド群の陰に隠れてしまったのだ。メンバーの何人かはバンドを去ったが、Vomitoryは活動を諦めなかった。今日、大御所ブルータル・スウェディッシュ・デスメタル群の中で、彼らはMetal Bladeとの契約を獲得したのである。リスペクトの言葉しかない。

ラインナップ
Urban Gustafsson: Guitar (当初はヴォーカルも担当), Tobias Gustafsson: Drums, Erik Rundqvist: Vocals/Bass (1997-), Peter Östlund: Guitar (2005-)
過去のメンバー
Ulf Dalgren: Guitar (1991-2005), Thomas Bergkvist: Bass (1993-1996), Ronnie Olsson: Vocals (1989-1996, 当初はベースも担当), Bengt Sundh: Bass (1990-1993), Jussi Linna: Vocals (1996-1999)
デスコグラフィー
Nömefrgx, Demo (1991— バンド非公認)
Promo 93, Demo (1993)
Moribound, 7" (Witchhunt, 1993)
Through Sepulchral Shadows, Demo (1994)
Raped in Their Own Blood, CD (Fadeless, 1996)
Redemption, CD (Fadeless, 1999)
Vomitory/Murder Corporation Split 7" (Hangnail Productions, 1999)
Anniversary Picture Disc, 7" (Vomitory, 1999)
Revelation Nausea, CD (Metal Blade, 2000)
Blood Rapture, CD (Metal Blade, 2002)
Primal Massacre, CD (Metal Blade, 2004)

VOODOO—Fester Plague 参照。

VOTARY

1992年にデモテープを1本制作してから消滅した、スポンガ出身のデスメタル・バンド。ベルマルとコリンはLobotomyで活躍した。ベルマルはUndercroftにも在籍していた。
ラインナップ
Tore Öyen: Guitar, Etienne Belmar: Guitar, Max Collin: Bass, Micke Grip: Drums
過去のメンバー
Nicko Karalis: Vocals（ゲスト参加）
デスコグラフィー
Aimless Life, Demo (1992)

VOTUR

In FlamesやDark Tranquillityから強く影響を受けた2000年代のストックホルム産アクト。ハンセンはSins of Omission、A Canorous Quintet、October Tideでの活躍で知られている。

ラインナップ
Jake Sandén: Guitar, Anden Englund: Guitar, Johan Majbäck: Bass, Erik Larsson: Drums, Mårten Hansen: Vocals
デスコグラフィー
Votur, Demo (2000)
Planet Cemetery, EP (Nocturnal Music, 2003)

VULCANIA

1983～84年に存在していた超オブスキュア・バンド。短い活動期間中に彼らはリハーサル・テープを1本残したが、俺は聴いたことがない。オーラはRedrvmとFlegmaに、リンドはあの至極のバンドのObscurityに加入した。
ラインナップ
Dennis "Anti": Vocals, Jörgen Lindhe: Guitar, Ola Püschel: Guitar, Kvidde: Drums
デスコグラフィー
Burn the Cross, Rehearsal (1984)

VULTURE KING—T.A.R. 参照。

V.Ö.M.B.—Walking Worm Colony 参照。

VÖRGUS

2004年にストックホルムで始動した混沌としたデス／スラッシュ・バンド。真のオールドスクール・アティテュードに感化されていることで知られている彼らは、泥酔状態で立て続けに何枚も自主制作CDをリリースした。
ラインナップ
Straight-G: Guitar/Vocals, Nenne Vörgus: Vocals/Bass, Mikke Killalot: Drums/Vocals
過去のメンバー
Oppegaard: Vocals
デスコグラフィー
Vörgus is the Law, CD (2001)
The Evil Dominator, CD (2002)
Pure Perkele, CD (2003)
Vörgusized, CD (2004)

WALKING WORM COLONY

V.Ö.M.B.の名義で結成されたファールン出身のダーティーなデスメタル・バンド。初期はあまりにもオールドスクールっぽかったので、彼らが2000年代に結成されたことが信じられなかったぐらいだった。なかなかのサウンドだった。2本目のデモテープはもっとスラッシュ寄りになった、そして前作の半分くらいしか良くなかった。Walking Worm Colonyに改名してからは、オールドスクール・デスメタルからもっとインスパイアされていった。その調子だ。
デスコグラフィー
Right Foot Highway, Demo (2002—V.Ö.M.B. 名義)
Warcry, Demo (2002—V.Ö.M.B. 名義)
Demon 2003, Demo (2003)

WAR

1997年に始動したブラックメタル・プロジェクト。Hypocrisy、Abruptum、初期Dark Funeralの主要メンバーによって構成された。超激速な音像がかっちりと演奏されているので、デスメタルのような印象を与えている（あたかもMardukのように）。1枚目のミニCDが彼らの最高傑作で、ラインナップも一番良い。

いい線いっている！　彼らは 2001 年に Total War と改名した——しかし、その後の活動は聞いていない。
ラインナップ
Jim "All" Berger: Vocals, David "Blackmoon" Parland: Guitar, David "Impious" Larsson: Bass (1999-)
過去のメンバー
Peter Tägtgren: Drums, Michael Hedlund: Bass, Tony "It" Särkkä: Guitar, Lars Szöke: Drums（ゲスト参加）
デスコグラフィー
Total War, MCD (Necropolis, 1998)
We Are War, CD (Necropolis, 1999)
We Are...Total War, CD (Hellspawn, 2001)

WAR EMPIRE
2001 年にカーリックスで始動したデス／ブラックメタル・バンド。2002 年にデモテープをリリースしたが、それ以降は音沙汰なし。
ラインナップ
Robert: Vocals, Rikard Ökvist: Guitar, Magnus: Guitar, Nisse: Bass, Alex: Drums
過去のメンバー
Erik Forsgren: Drums
デスコグラフィー
End of Chapter Earth, Demo (2002)

WARMONGER
ニーネスハムンで結成された 90 年代後期のドゥーム／中世風フォーク／デスメタル・バンド。このバンドは最悪。
ラインナップ
Ulf Johansson
デスコグラフィー
Warmonger, Demo (1998)

WATAIN
1998 年にウップサーラで始動した真正ブラックメタル・バンド。ウップサーラという町は Watain と Sportlov の極悪バンドを2つも擁するには小さすぎたため、のちに Watain はストックホルムに活動拠点を移した。目下、Watain はスウェーデンで最も売れているニュースクール・ブラックメタル・バンドである。というのも、彼らのサウンドとルックスはオールドスクールを踏襲しているからである。もし君が伝統的なブラックメタルにのめり込んでいるならば、きっとハマるだろう。でも注意してくれ——奴らの極悪さは霊界レベルなんだ！
ラインナップ
Erik Danielsson: Vocals/Bass, H. Jonsson: Drums, P. Forsberg: Guitar, Sethlans Teitan: Guitar (ライブのみ), A. (Alvaro Lillo): Bass (ライブのみ)
過去のメンバー
Y.: Bass, Tore Stjerna: Guitar（ゲスト参加）
デスコグラフィー
Go Fuck Your Jewish "God", Demo (1998)
Black Metal Sacrifice, Demo(1998)
The Essence of Black Purity, 7" (Grim Rune, 1999)
Rabid Death's Curse, Demo (2000)
The Ritual Macabre, Live Album (Sakreligious Warfare, 2000)
Rabid Death's Curse, CD/LP (Drakkar, 2000)
The Misanthropic Ceremonies, Split (Spikekult

Rekords, 2001)
Promo 2002, Demo (2002)
Casus Luciferi, CD/LP (Drakkar, 2003)
Sworn to the Dark, CD (Season of Mist, 2007)

WELL OF TEARS
2001 年にイェヴレで結成されたメロディック・デスメタル・バンド。
ラインナップ
Jonny Widén: Vocals, Kenneth Larsson: Guitar, Johan Sjöblom: Guitar, Andreas Melander: Bass
過去のメンバー
Michael Rosendahl: Guitar, Jon Skoglund: Bass, Christian Wahlund: Drums
デスコグラフィー
Well of Tears, Demo (2002)
Autumn Storms Has Come, Demo (2004)

WINDS
基本的には Thyrfing のメンバーによるデスメタル・サイド・プロジェクト。1998 年に始動し、2001 年にデモテープをリリースした。
ラインナップ
Henke Svegsjö: Guitar/Vocals, Kristoffer Dahl: Guitar, Jocke Kristensson: Bass, Thomas Vänäänen: Drums
デスコグラフィー
Promo 2001, Demo (2001)

WITCHERY
1996 年、ベーシスト以外のすべてのメンバーが Satanic Slaughter に在籍していた。しかし、Satanic Slaughter のリーダーであるステーファン・カールソンから一斉解雇を言い渡されたため、彼らはシャーリー・ダンジェロを加え Witchery を結成したのである。彼らの猛烈なスピードメタルはすぐに衆望を集め、Necropolis との契約を獲得した。しかし、ヤンセンが同時期に始動した別のバンドの The Haunted が大成功を収めたので、Witchery は彼らの陰に隠れてしまった。所属レーベルとのトラブルによって活動が停滞したが、けれども彼らはいまだ精力的に活動している。
ラインナップ
Tony "Toxine" Kampner: Vocals, Patrik Jensen: Guitar, Rikard "Richard Corpse" Rimfält: Guitar, Sharlee D'Angelo: Bass, Martin Axenrot: Drums
過去のメンバー
Micke Pettersson: Drums
デスコグラフィー
Restless & Dead, CD (Necropolis, 1998)
Witchburner, EP (Necropolis, 1999)
Dead, Hot and Ready, CD (Necropolis, 1999)
Symphony for the Devil, CD (Necropolis/MFN/Toy's Factory, 2001)
Don't Fear the Reaper, CD (Century Media, 2006)

WITHERED BEAUTY
1993 年にあの強力な Conspiracy の残党によって結成されたイェヴレ出身のドゥーム／ブラック／デスメタル・アクト。プリンツは Sorcery のメンバーでもあった（それに Windwalker、Forlorn、Morramon）。彼らがプレイしているのは売れ線狙いのサウンドなので、Nuclear Blast と契約したのも納得できる。しか

し、彼らは結果を残すことができず、ここ何年も音沙汰がない。現在ブラックモンはもっと良質なグラインド・バンドである Gadget に在籍している。
ラインナップ
Daniel Bryntse: Vocals/Guitar（初期はドラムも担当）, Tobias Björklund: Bass, William Blackmon: Guitar, Jonas Lindström: Drums
過去のメンバー
Tobias Björklund: Bass/Vocals, Magnus Björk: Guitar
デスコグラフィー
Screams From the Forest, Demo (1994)
Through Silent Skies, Demo (1995)
Withered Beauty, CD (Nuclear Blast, 1998)

WITHIN Y
ユーテボリのメロディック・デスメタル・バンドってまだいたのかぁ——彼らの結成は 2002 年。
ラインナップ
Andreas Solveström: Vocals, Mikael Nordin: Guitar, Niknam Moslehi: Guitar, Thim Blom: Drums, Matte Wänerstam: Bass
過去のメンバー
Niklas Almen: Guitar
デスコグラフィー
Feeble and Weak, Demo (2002)
Extended Mental Dimensions, CD (Karmageddon Media, 2004)

WITHOUT GRIEF
1995 年 11 月にファールンで結成されたバンド。ヴォーカリストのグランヴィークはあの偉大なファンジン『Metal Wire』を発行していた（現在彼は大手の雑誌『Close-Up』で活躍している）。ドラマーのパトリック・ヨハンソンは長年 Yngwie J. Malmsteen のバンドに在籍していた。 音楽性？ かなりオーソドックスなユーテボリ風のメロディック・デスメタルではあるが、Dark Tranquillity や In Flames よりははるかに良いと思う。注目すべきなのは、彼らの持ち味の驚異的なドラムと良質な低音ヴォーカルだろう。なぜ多くのメロディック・デスメタル・バンドは絶叫型ブラックメタル・ヴォーカルで歌っているんだろう？ グロウルしろ！
ラインナップ
Jonas Granvik: Vocals, Tobias Ols: Guitar, Daniel Thide: Guitar, Björn Tauman: Bass, Patrik Johansson: Drums
過去のメンバー
Ola: Bass, Niclas Lindh: Guitar
デスコグラフィー
Forever Closed, Demo (1996)
Promo 96, Demo (1996)
Deflower, CD (Serious Entertainment, 1997)
Absorbing the Ashes, CD (Serious Ent., 1999)

WOMBBATH
1990 年 8 月に結成されたサーラ出身のバンド。低音で唸るヴォーカル・スタイルを特徴とし、グルーヴィーなデスメタルをプレイする。悪くはないが、彼らは近郊アーヴェスタ出身バンドのクオリティーには届かない。やはり Uncanny、Interment、Fulmination のほうがワンランク上である。彼らはアルバムを 1 枚リリースしたが、ブラックメタル全盛時代だったので、

誰にも気が付かれなかった。リンフォッシュはのちに In Thy Dreams に加入した。
ラインナップ
Daniel Samuelsson: Vocals, Tobbe Holmgren: Guitar, Håkan Stuvemark: Guitar, Richard Lagberg: Bass, Roger Enestedt: Drums
過去のメンバー
Boppe Andersson: Keyboards, Tomas Lindfors: Vocals
デスコグラフィー
Brutal Mights, Demo (1991)
Several Shapes, 7" (Thrash, 1992)
Internal Caustic Torments, CD (Thrash/Infest, 1993)
Lavatory, EP (Napalm, 1994)

WORTOX—Altar 参照。

XENOPHANES
1993 年 6 月にストレングネースで始動したバンド。Xenophanes は、90 年代中期に数多く存在した、絶叫ヴォーカルを特徴とするスウェディッシュ・メロディック・デス／ブラックメタル・バンドの一つだった。かなり良質なサウンドではあるが、スリリングではない——同系統のバンドにもよくあることだったが。ルンディンは Harmony、Torment、Maze of Torment にも在籍していた。
ラインナップ
Morgan Wiklund: Drums, Jocke Hasth: Guitar, Crille Lundin: Bass, Klabbe Alaphia: Vocals, Danne Sporrenstrand: Guitar
過去のメンバー
P. Niva: Vocals, Marcus Öhrn: Vocals, Simon: Guitar
デスコグラフィー
In the Shadow of the Naked Trees, Demo (1996)
Promo 96, Demo (1996)
Xenofanes/Cranial Dust, Split (Cadla, 1997)

XYMONTHRA
ヨンシューピング発の技巧派バンド。ドゥーム、スラッシュ、デスを縦横無尽にミックスさせていたが、90 年代中期にはおそらくかなり異質だったに違いない。だけれども、彼らには確かなクオリティーがあった。ドラマーは片腕しかなかったと記憶している——もしそうだったら彼は世界一速くて、最高のドラマーに違いない！
ラインナップ
Andreas Risberg
デスコグラフィー
Her Cherished Death, Demo (1993)

XZORIATH
1999 年にリンシューピングで結成されたシンフォニック・デスメタル重奏団。
ラインナップ
Eva Heinaste: Vocals/Keyboards/Violin, Dzenan Kapidzic: Guitar, Rikard Johansson: Bass, Gustav Ladén: Keyboards, Jan Sigemyr: Bass, Joakim Svensson: Drums
過去のメンバー
Emil Gustafson: Drums
デスコグラフィー
Laws of the Third Apocalypse, Demo (2002)

Redimensioned, Demo (2003)
Faces Reversed, Demo (2004)

ZAHRIM
ファルケンバリ出身のブラック／デスメタル・バンド。結成初年にデモテープをリリースしたが、その後は沈黙した。レーンフェーは Ablaze My Sorrow に加入していることで知られている。
ラインナップ
Kristian Lönnsjö: Vocals, Carl Mörner: Guitar,
Kristian Svensson: Guitar, Andreas Düring: Bass,
Jens Wranning: Drums
過去のメンバー
Henrik Möller: Guitar
デスコグラフィー
Within the Grey Shades, Demo (1997)

ZAVORASH
1996 年に精力的なトーレ・スティアナ（Necromorbus、Chaos Omen、In Aeternum、Funeral Feast など）がストックホルムで創ったブラック／デスメタル・プロジェクト。1 本目のデモテープでは"モルドールの暗黒語"で歌われている——ここではあえて口にもしたくないが。オタクな奴らめ。(訳者註：J・R・R・トールキンのファンタジー小説に登場する架空の魔法の指輪『一つの指輪』において、"モルドール族の暗黒語"で書かれた銘文)
ラインナップ
Tore Stjerna: Drums, Nil: Guitar, Totalscum:
Vocals, Gideon: Bass
過去のメンバー
Zagzakel: Guitar, Zablogma
デスコグラフィー
Za Vorbashtar Raz Shapog, Demo (1997)
In Odium Veritas, Demo (1998)
In Odium Veritas 1996-2002, CD (Selbstmord
Services, 2003)

ZINC ORGAN
1998 年にストックホルムで始動した一風変わったデスメタルとフュージョンを融合したバンド。歌詞はゴアとエロが題材。狂気に満ちているが、良質かどうかは正直俺にもわからない。ポンタとダーヴィドは Incendiary での活動で知られている。
ラインナップ
David Segerbäck: Vocals, Ponta: Guitar, Johan
Hallander: Bass, Anders Olsson: Drums
過去のメンバー
Jocke: Guitar, Stefan: Guitar, David Lichter: Guitar
デスコグラフィー
Pleasure of Revenge, Demo (2000)
Alive With Worms, Demo (2001)

ZONARIA
2001 年にウーメオで、数名の若者によって立ち上げられた Seal Precious 名義のバンド。結成初期はパワーメタルをプレイしていたが、改名後はメロディック・デスメタルに鞍替えした——少なくともそれを進歩ととらえよう。
ラインナップ
Simon Berglund: Guitar/Vocals, Emil Nyström:
Guitar, Karl Flodin: Bass, Emanuel Isaksson:

Drums
過去のメンバー
Christoffer Wikström: Bass, Mikael Hammarberg:
Vocals, Claes-Göran Nydahl: Drums, Niklas
Lindroth: Drums, Johan Aronsson: Keyboards,
Simon Carlén: Drums, Gustav Svensson: Keyboards
（ゲスト参加）
デスコグラフィー
Evolution Overdose, Demo (2005)

スウェディッシュ・デスメタル・ファンジン一覧

＊『ファンジン名』（サイズ、使用言語）
＊サイズ：
A5= 縦210x 横148mm
A4= 縦297x 横210mm
A3= 縦420x 横297mm

ABNORMALCY
（A5、スウェーデン語）
1991 年にフィンスポングでマルティン・アーフが創
刊した典型的な 90 年初期のスウェーデン産ファンジ
ン。メタルとパンク比率は半々で、カット・アンド・
ペースト（記事を切り貼りしたページ）レイアウトで、
ファンジン編集者とバンドへの短いインタヴューが
あって、短くて役に立たないレヴューも読める。おま
けに子供じみたマンガなんて織り混ぜてある！　デス
メタル・シーンに焦点を絞っているわけではないが、
フィンスポング（Gorysound/Unisound Studio、Edge
of Sanity、その他強烈なバンドを数多く産出した町）
で作られていたので、デスメタルの話題が頻繁に出て
くる。編集者のアーフは Darkified のメンバーとして
知られている。

AGGRO CULTURE
（A4、スウェーデン語）
1995 年にストレングネースで、トマス・ニークヴィ
ストが創刊し、メタル全般を網羅しているかなり良心
的な 90 年代中期のファンジン。インタヴューの多く
はスウェーデンのバンドへの取材によるもの。マイナ
ス点はありきたりなレイアウト（でもごちゃごちゃし
ていない）。

AKASHA MAGAZINE
（A4、スウェーデン語）
ヤールフェル出身のアンキ・スンデレーンが創刊した
ファンジン。ライター全員が女性というのが興味深
い。内容は軟弱なポップスからブルータル・デスメタ
ルまで多彩なジャンルを取り上げている。レイアウト
は合格点だが、プロフェッショナルとまではいかな
かった。加えて、ライター陣の質にばらつきがあった
上、90 年代中期のファンジンにありがちな、深く考
察することより随所にギャグを織り込む傾向があっ
た。俺は通常後者のアプローチを好むが、この『Akasha
Magazine』にはそれがありすぎた。俺ってそんなこ
とを言える立場かよ、だよな？　だってファンジンが
出回った時に俺は入手しただけだから、まあ許してや
るよ！　レヴューやインタヴューが多く、それにヴァ
ンパイアに関するバカバカしい記事もある。

AKASHA REVIEW
（A4、スウェーデン語）
ファルケンバリを拠点に、ニルス・ラーションが発行
したファンジン。

AMPUTATION
（A4、英語）
ネットによってファンジンが全滅する前に登場した最
後のファンジンの一つである。編集者はミカエル・ス
カーラ。ストックホルムを拠点に、スカーラはメタル・
シーンの繁栄のために尽力していたと思う。エクスト
リーム・メタルしか取り上げていないというのは高得
点。だが敢えて粗探しをするのであれば、レイアウト
は退屈でしかなかった。ページに記事をペタペタ貼っ
て、手作り感満載のファンジン時代って最高だったよ
な！　とにかく、このファンジンは他の多くの雑誌と
違って、真摯に音楽に向き合っていた。それに、ス
カーラ自身が全部を書いていた。文字通りすべてな！
これこそが精魂を傾けるってことなんだ。彼は特にス
ウェディッシュ・シーンの普及に注力したようだ。リ
スペクトの言葉以外見当たらない。

イアウトや文章に稚拙な印象を受けるが、しかしそれでも全世界でスラッシュメタル旋風が吹き荒れていた時代の文献として貴重である。80年代中期の多くのファンジンと異なり、『At Dawn They Read』は90年代に入っても順調に稼働していた。編集者のハルベックは God B.C. や Hyste'riah G.B.C. のドラマーとしても活躍していた。

ATHANOR 'zine
（A4、スウェーデン語）
1999年にウーメオでダニエル・リンドホルムが創刊したファンジン。コンピューターを使ったレイアウトは酷く、無機質でいまひとつな印象を与えた。インタヴューの質問も型にはまっていて、パッとしなかった。その上、ガキがやらかしそうな、アホっぽいポルノビデオのレヴューもあった。けれども、それでもいいじゃないか！ ――ネットでクソみたいな記事を我慢して読むくらいだったら、こっちのほうがよっぽどましだ！

AZZAZINE
（A5、スウェーデン語）
1992年にカールスタードでC.J.ラーシュゴーテンとダニエル・マグナソンが創刊した、メタルよりパンクに重きを置く雑多で素朴なファンジン。

AROTOSAEL
（A5、スウェーデン語）
1995年にウーメオを拠点にマルクス・ステーンマンとペーデル・ラーションが創刊した、分厚く、体裁も最高の90年代中期のファンジン。ブラックメタルが当時のシーンを席巻していた時代だったが、編集者たちはデスメタルやドゥームメタルにも惹かれていたようだ。記事は単刀直入で簡潔、それに内輪ギャグ満載なので、ファンジンのお手本そのもの。かなり良質なファンジンだ。

ARTIQUE 'zine
（A4、スウェーデン語）
1993年頃ウーメオで発行されたファンジン。編集者はフレードリック・デーゲーストルム。ごちゃごちゃしていて、シリアスさに欠ける90年代中期のファンジン。地元のシーンを中心に掲載。いくつかのインタヴューは友達同士の他愛のない会話程度に成り下がっている。それでも読み物として面白い。

AS 'zine
（A5、スウェーデン語）
1991年にフォシュハーガで、ステッフェ・ミタンデルが創刊した混沌としたプリミティヴなデスメタル・ファンジン。う……ん、一生懸命やっているのはわかる、でも最高傑作ではない。

AT DAWN THEY READ
（A5、英語）
1985年頃にヘルシングボリでトム・ハルベックによって創刊されたファンジン。これはスウェーデンでいち早くエクストリーム・メタルの存在を察知したファンジンの一冊である。今となっては、初期頃の発刊のレ

BACKSTAGE
（A4、スウェーデン語）
1988年にダールス・ロンゲードで、レンナルト・ラーションが創刊した息の長かった雑誌。スウェーデン産バンドしか取り扱わなかったため、この雑誌は異彩を放っていた。ということは言うまでもなく、パンクやロック・バンド、それにデスメタルが誌面を飾っていたということである。それが良かったんだよな！ レイアウトは上出来で、レヴューやインタヴューも大量に載っていた。攻撃的なスウェーデン産音楽が好きな

ヤツなら一度はお世話になったんじゃないかな。今で
もこんな雑誌は通用すると思う。

BANG THAT HEAD
（A5、スウェーデン語）
1987 年頃にハルムスタードで、狂人トマス・カール
ソンがこのチープで拙い文章のファンジンを少なくと
も 1 号発行した。のちに彼はファンジン『Splatter』
を創刊するが、これもまた超絶に酷い英語で書かれて
いた。ただのお遊びだったんだろう。カールソンはお
そらく、Pagan Rites などの西部沿岸地域のバンド群
に在籍していたことでもっと名が知られていただろ
う。

BARBARIC POETRY
（A4、英語）
2000 年頃にユーテボリでヤンネ・フフタが創刊した
ファンジン。2000 年代に登場したファンジンの中で
は佳作！ このファンジンの特徴はエクストリーム・
メタルを専門に扱っていること。それに、彼は自分が
何を言いたいのかをちゃんと理解して書いている。良
心的なファンジンにすべて共通することだが、この雑
誌もギグ・レポート、レコードレヴュー、インタヴュー
が多く掲載されていた。真のファンジン編集者という
のは実際現場に足を運んでいるものだ。そうすれば
すべていいか？ まぁ、そうでもないな。『Barbaric
Poetry』の欠点といえば、これは他の新興ファンジン
にもいえることだが、安直なレイアウトだ。クソ！
死ぬまでコンピューターを恨んでやる！ このファン
ジンは 2000 年代のエクストリーム・メタルファンす
べてにお勧めできる雑誌。

BATTLE OF BEWITCHMENT
（A4、英語）
1993 年にウッデヴァラでローベット・ヘーグが創刊
したファンジン。ファンジン好きが高じて作ったこと

が明らかだった（ヘーグはバンドと同じくらい頻繁に
他のファンジン編集者にもインタヴューしていた）。
誌面一面にわたり、デスメタルとブラックメタルが容
赦なくぶった切られていた。インタヴューの質問は問
題ないし、彼の英語もまあ悪くない（俺の英語もか
な？）。マイナス点は、あまりレヴューを掲載してい
ないこと、レイアウトが魅力的ではないこと。それで
も合格点以上のファンジンではある。

BESTIALISKT MANGEL
（A4、スウェーデン語）
『Metal Wire』誌を発行した編集者による、強烈な
名前のファンジン。表紙しか見たことないが、高品質
なファンジンの雰囲気があるな！

BLACKENED 'zine
（A5）
1997年頃にファルケンバリで創刊されたファンジン。

BRUTAL MAG
（A4、英語）
1991 年にミョールビーでヘンリック・フォッシュが
創刊したファンジン——俺はこういうのが好きなん
だ。かなりチープなレイアウトに幼稚なイラスト——
これだよ！ センスある編集者に共通するが、フォッ
シュもバンド・ロゴをかなり多く掲載していた。イン
タヴューの質問はバカっぽいし、答えも同じくバカっ
ぽい。しかも英語はかなり下手。でも、楽しけりゃい
いんだよな！ それに、彼は独特の音楽観を持って
いたようだ。例えば、2 号目掲載の Mayhem のイン
タヴューではユーロニモスを小バカにしようとしてい
たからな。最高峰のバンドのインタヴューを掲載して
いたし、革新的なデモテープも分析していた。これく
らい激しくて、意気込みを感じるファンジンに今では
めったにお目にかかれない。

THE BURNING HEART
（A4 ／ A5、スウェーデン語）
1990 年頃にファーガシュタでペータル・アールクヴィ
ストが創刊したファンジン。ペータル・アールクヴィ
ストは 80 年後期から 90 年代前期に多くのブルータ
ル・ギグを企画した人だ。彼はパンクとメタルの両方
にも興味があったようだ。

CADLA MAGAZINE
（A5、スウェーデン語）
1995 年頃にスンツヴァル出身の奴が創刊した、退屈
で記事に面白みもない、おまけにレイアウトも最悪な
ファンジン。良いところなし。

CANDOUR
（A4、英語）
『Candour』はマルティン・カールソンが
『Megalomaniac』誌の次に発行したファンジン。カー
ルソンはもっとエクストリームなバンドを掲載しよう
としていたが、しかし内容から当時の彼はまだ根っか
らのスラッシュメタル・ファンだったことが推測でき
る。

CASCADE
（A5／A4、英語）
1988 年にビリダル／ユーテボリで発行された、最初
期のスウェディッシュ・デスメタル・ファンジン。
編集に携わってたのは、何を隠そう Grotesque（それ
に At the Gates、Skitsystem、Disfear、Lock Up、
Great Deceiver) のトマス・リンドバリとヨーハン・
ウステルバリ（のちに Decollation、Diabolique、
Great Deceiver に在籍）だった。超乱雑なレイアウト
とカオス状態の文章は（一応オブラートに包んで言っ
てみたつもり）、まさしくデスメタルの初期シーンを
体現していた。ティーンエージャーのエネルギーと狂
気が骨の髄まで炸裂していた。今になっても俺はこの
ファンジンがすごく好きだし、君も屍を踏み越えても
一冊は手に入れてほしい！　第2号は出回らなかった
ので、探しても無駄骨だからな──その代わりに、彼
ら2人が発行したパンク／スラッシュ寄りのファンジ
ン『Thrashin' Deluge』を探せよ。

CEREBRAL 'zine
（A4）
1992 年頃にヤールップで、Deranged のリーダーであ
るリーキャル・ヴェルメーンが創刊したカッコイイ
ファンジン。内容はデスメタルを主に取り上げている
が、気分転換に彼好みのブルータルなクラストパン
ク・バンドもいくつか掲載してある。

CHAINSAW POETRY
（A5、英語）
1995 年にウーメオでボー・サンドバリが創刊したファ
ンジン。この 90 年代中期のファンジンはデスメタル
とブラックメタルに主眼を置いている。レイアウトは
かなり稚拙だが、悪くはない。普通レベルで、大した
ことはないけどね。第1号は『Dusk Magazine』との
共同発行。

CHICKENSHIT
（A5、英語）
1987 年にファールホルメンを拠点に、スウェディッ
シュ・デスメタル界隈で最重要人物であるニッケ・ア
ンダソン（Nihilist/Entombed）が構想を練っていた
ファンジン。彼は初期のスウェディッシュ・シーンに
おいて極上のアートワークを残し、そして、誰よりも
間近にシーンを見てきたので、このファンジンは他に
有無を言わせない圧倒的な内容になるはずだった。し
かし、創刊されることなく、終わってしまった。おそ
らく、ニッケはバンド活動で手が回らなかったのだろ
う。彼がファンジンをやり遂げなかったのは、俺たち
にとってかなりの痛手だ。

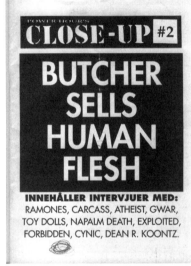

CLOSE-UP MAGAZINE
（A4、スウェーデン語）
1991 年にノーシューピングを拠点に（のちにストッ
クホルムに移した）、ロバン・ベシロヴィッチが全身
全霊を捧げたライフワーク。創刊当初、片手間で作ら
れ、予算ゼロだった『Close-Up』は、やがてスカンジ
ナヴィア最大かつ最高のメタル雑誌としてその名を
轟かすようになった。確かに今やこの雑誌から初期
にあった情熱は失われ、アンダーグラウンド・シー
ンに関しての掲載もほとんどないが、しかしそれで
もクオリティーはキープしている。個人的には、Iron
Maiden や Metallica などの大御所バンドの特集記事
ではなく、小さなギグや映画レヴューをフィーチャー
していたあの頃のファンジンが懐かしい。でも彼らを
責めることなんてできない──だって、彼らも食べて
いかないといけないから、仕方がないんだ。現在でも
マイナーなバンドの記事やレヴューが載っているし、
そしてなにより重要なのは、この雑誌が 90 年代初期
から存続している唯一のファンジンであるというこ
と。他の奴らはどこに行ってしまったんだ？　彼らを
リスペクトしないと。（訳者註：『Close-Up』は 2019
年に廃刊になった模様）

CONFUSION

（A5／A4）

1990年頃にファールブリンゲでエリック・グートボーンが創刊したファンジン。当初の誌名は『Gult Strykjärn』だった。パンクや他のジャンルも混ざっているものの、この雑誌はデスメタルに重きを置いている。クオリティーは次第に上がり、A4サイズの4号目を発行した頃にはかなり上質になった。しかし、A5サイズに戻った5、6号はメインストリームに傾倒し、何か物足りなくなった。最終号（第7号）はページ数が少なく、かなり薄かった。推測するに、発行者はファンジン制作に飽きてしまったのだと思う。

CONSPIRACY

1993年にストレングネースで、ペータル・カールソンが創刊した短命に終わったファンジン。彼は1995年にファンジン『Sadistic Bitch』を新たにスタートさせた。

CONSPIRACY MAGAZINE

（A4、英語）

1996年頃にバンドハーゲンで、クラス・スヴェンソンが創刊したカッコいいブラックメタル・ファンジン。デスメタルもわずかながら掲載されている。多くのブラックメタル支持者と違い、彼らはユーモア・センスのある文章を書いていた。おそらくこれは、選民思想の強い90年代中期のブラックメタル世代（自分の見識を広げるために、ガキの時に軟弱なメタルを聴いていたとか御託を並べるような奴らのこと）が創り上げたファンジンの中で最高の部類に入るだろう。シーン初期に創刊された同名ファンジンと混同しないようにな。

COWMAG FANZINE

（A4、スウェーデン語）

ファーガシュタを拠点に、テッド・ダーヴィッソンが発行したファンジン。この90年代中期のファンジンはメタルとパンクを惜しげもなくミックスしていたが、どうやら後者のほうを気に入っていたようだ。彼らは最新作だけではなく、ライター各自のお気に入りの過去作品のレヴューも掲載していた。インタヴューが多数掲載され、そのほとんどはスウェーデン産のバンドに対して行なわれたものだった。ファンが創り上げたお手本のようなファンジンだな。レイアウトについてだが、彼らは『Close-Up』のレイアウトを真似したかったようだが、しかしかなり安っぽい出来栄えになってしまった。最高傑作ではないが、健闘している。

CRIMINAL TENDENCIES MAG

1991年頃にユーテボリでミカエル・ウイモネンが創刊したファンジン。

CRITICAL MASS

（A5、スウェーデン語）

1996年にマルメーでヤーンバリ氏が創刊した、ブルータルなメタルならなんでも取り上げた、ユーモラスでクールなファンジン。

CURIOSITY 'zine

（A4）

1993年頃にネッファーでペータル・スヴェンソンが創刊したファンジン。低品質なデスメタル・ファンジンで、そのレイアウトも酷かった。その上、ページ数は少なく、文章も拙い。

DARK AGE MAGAZINE

（A4、スウェーデン語）

1996年にルーレオでトーンクヴィスト氏が発行したファンジン。これはブラックメタルでウサ晴らしするために、怒りにかまけて勢いまかせでつくった、10代の姿を反映した雑誌なのだろう。でもブラックメタルって本来そんなもんだよな！

DARK AWAKENING

（A4、英語）

1988年頃にストックホルムで、Entombedのアレックス・ヘリッドによって創刊された素朴なファンジン。彼が創り出す音楽のほうがよっぽどいい。

DARK DIMENSION

（A4、初期はスウェーデン語、5号以降は英語）

ヴァーリングビーで、ヨーナス・ベルンドが発行した90年代中期／後期のファンジン。流行など眼中にない真のエクストリーム音楽ファンによって創られたものだ。彼らは自分たちの好きなバンドを掲載していただけだった。Gamma RayやScanner、さらにMardukやMayhem、あとハードコア・バンドも載っていた――でもこれら大部分のハードコア・バンドは彼らのレヴューによってこきおろされていた。奴らは骨の髄までメタル狂なんだよ！　内輪ウケ記事や失笑してしまうなどのチープなレイアウトもあった。まあ、その多くは幼稚でおバカっぽかった（第1号なんては赤面してしまうほどにな）。実際のところ、初期に発行された雑誌はただの粗悪品だった。でもよ、これがファンジンっていうもんだよ！　ったく、今の若い奴らは何してんだ？　ちゃんちゃらおかしいインターネットなんかいじってないで、『Dark Dimension』みたいなのを作れよ――今すぐに！

DARK DIVINITY

（A5、英語）

1995年頃にスンツヴァルで"ヨーナス"という名前の奴が創刊したファンジン。この90年代中期のファンジンは光沢紙に印刷されていたが、文章は大したことはなかった。ブラックメタル系を中心に掲載。"マッシュルームでハイになる方法"もあるなど、記事もスパイスが効いていた。気分がいいときに読んでみると面白い。

（訳者注：『HÅRDROCK DAZE』に関しては原書で
はカバーのみが掲載されており、書誌データはなぜか
非掲載）。

DARK PAST 'zine
（A4、スウェーデン語）
1996 年にクリファンスタで C・アンダソンが創刊し
たファンジン。これを支離滅裂な 10 代のブラックメ
タルに対する衝動として捉えよう。

DAWN 'zine
（A4、スウェーデン語）
1994 年にウッデヴァラで、ペートローネとトーニが
創刊したファンジン——おそらく彼らはメタルであれ
ば何でも受け入れていたのだろう。レイアウトはあま
り凝っていないが、直向きさは伝わってくる。

DEADBANGER 'zine
（A5、スウェーデン語）
2005 年にヴェステルオースで、イェスペル・アール
が創刊したファンジン。真正デスメタル・ファンジン
がいまだに発行され続けているのは凄いことだよな？
面白くもなんともないウェブジンが蔓延っている今の
世の中で、オールドスクールへのこだわりを見せてい
る彼らのファンジンはかなり新鮮。ずっと続けてくれ
ることを望む。

DELICIOUS DISMEMBERMENT MAG
(A4)
1991 年頃にハーラで、ロニー・オルソンが創刊した
ファンジン。記事も体裁もいいが、最高水準とまでは
いかない。

DESPOT
（A5、英語）
1990 年にトロールヘッタンでヤーリ・クーセーラに
よって創刊されたファンジン。デスもグラインドもス
ラッシュも一度にごちゃ混ぜにしたこのファンジンは
90 年代初期雑誌の代表例である。記事はチープで、
全体的におちゃらけている。

DIS-ORGAN-IZED 'zine
（A5、英語）
ミョールビーを拠点としていたヘンリック・フォッシュによるファンジン。乱雑感は否めないが、体裁はクールだし、記事も良く書ける。このようなファンジンは90年代初期のスウェディッシュ・デスメタル・シーンにおいて非常に重要な役割を担った。第3号目はあの最高峰の雑誌である『Septic 'zine』との共同発行。

DOOMSDAY MAG
（A5、スウェーデン語）
1996年にクリスティーネハムンで、アンドレアス・ヘドバリとペール・モーリンが創刊した雑誌。ウィットに富み、容赦のない文章とパンクっぽいレイアウトを特徴とした90年代後期の極上のファンジン。彼らは自分らが好む音楽をすべて掲載した。それこそ、ガレージバンクからエクストリーム・デスメタルに至るまで。かなり楽しめるファンジンである。

DUSK MAGAZINE
（A5、スウェーデン語）
1994年にウーメオでイェンス・リデーンが発行したファンジン。バンド、ファンジン、スタジオなどエクストリーム・メタル・シーンに関連するありとあらゆる面を網羅していて、かなり良質なファンジンだった。ファンジンにはバンド・ロゴの分析など、独特でクールな記事も含まれていた。極上の仕上がり。イェンス・リデーンはまた最近までNaglfarのヴォーカルだった。

DWELLERS END
（A5、英語）
1992年頃にクムラで、マルクス・ルーダールが創刊した雑誌。エクストリーム・メタル、パンク、スプラッ

ター映画など色んなものがぎっしり詰め込まれたファンジン。情報量が多いし、内容はかなり良い。レイアウトはごちゃごちゃしているが、許容範囲だ。

ELEGY
（A4、英語）
1996年頃にエシルストゥーナでエリアス・エプスタインが創刊した雑誌。この90年代中期のファンジンはレイアウトが紋切型で無機質である。だけど、いくつか良いバンドも掲載している。昔のファンジンのようにはいかないが、読みごたえのある雑誌といえる。残念なのは、Moonspell、Tiamat、Opethなど面白くないバンドばかり掲載していること。

ENDTIME
（A5、英語）
1995年頃にリーディンギャーでエリック・ノルディンが創刊した雑誌。この簡素でページ数も少ないファンジンはドゥームメタルを中心に掲載していた。ヴィジョンもエネルギーもまるで感じられない。

EXPOSITORY MAG
（A4、スウェーデン語）
1990年にアルボーガで、マッテ・ペッタションが創刊した真正初期スウェディッシュ・デスメタル・ファンジン。これは凄い！　面白おかしくて、個人的嗜好を惜しげもなく晒けだした記事、それに、クールなレイアウトも備わっている。デモテープやレコード、ギグ、ファンジンとたくさんのレヴューを掲載していたし（欲しいものがすべて揃っていた！）、インタヴューも極めて痛快だった。すべてのバンド・ロゴが複写されたレヴューコーナーが特に圧巻だった。ところで、Dismemberのロゴから拝借したこのファンジンのロゴも超クールだった！　彼らは本物だよ——これがデスメタルっていうもんだ！

FACT OR FICTION
（A4、スウェーデン語）
フィンスポングを拠点にオーサ・ヨンセーンが創り上げたファンジン。残念なことに、彼女は2号までしか発行しなかった――第1号は『Close-Up』誌とのコラボレーション企画で発行され、第2号を発行したあとに母親になった（因みに夫はあの有名なダン・スワノである）。このファンジンはもっぱらスウェディッシュ・デスメタルを扱っていて、インタヴューとデモテープのレヴューしか掲載していない。まあ、確かにインタヴューの質問は大したことはないし、レイアウトも落第点。でも俺は好きだな。

FALKEN 'zine
（A4、スウェーデン語）
1996年頃にファルケンバリで、トマス・グスタフソンが創刊したファンジン。このありきたりな90年代中期のファンジンは"残念な"メタル・グループ中心に掲載していた。まあまあのレベルであるが、スウェディッシュ・メタル・シーンの凋落が手に取るように分かる一冊だ。

FEAR MAGAZINE
（A4、スウェーデン語）
クリッパンを拠点にミカエル・ボーゴシェールスキが創刊したファンジン。この90年代中期のファンジンは全編にわたりデスメタルのみを掲載していた。世界トップクラスのバンドに対する良質なインタヴューや鋭い洞察力のあるレヴューを数多く掲載していた。マイナス点は、無味乾燥なレイアウト――コンピューターのクソ野郎！　これは気合の入った優良なファンジンだよ。

FEARLESS MAGAZINE
（A5、スウェーデン語）
1997年にヴァルバリで、ローベット・ペッタションが創刊した、ある意味希少性の高いファンジン――というのも、既にデスメタルが廃れた90年代後期であったにもかかわらず、発行されたデスメタル専門誌だからだ。この雑誌はどちらかというと、レイアウトにまとまりがなく、さらに編集者の奇妙な思いつきによって、1作品につき2名のライターがレヴューを書いたものだから、さらに収拾がつかなくなった。それに、見当違いのおバカな記事のせいで一気に興醒めたりもした――例えばタトゥーに関する記事。んなもん誰が読むんだよ！　まあ、だけど読み物としては及第点だな。

FENRIR 'zine
（A5、スウェーデン語）
1993年頃にクムラでマルク・ルードールが創刊したファンジン。それまでは、ルードールは『Dwellers End』を発行していたが、英語で書くのに飽きたため、代わりにこのファンジンを発行し始めた。このファンジンは、スウェディッシュ・アンダーグラウンドを網羅していてなかなかよくできている。個人的には『Dwellers End』のほうが好きだけど、まぁ、それも、俺がオールドスクール野郎だからだな。

FENZINE
（A5、スウェーデン語）
1990年にサクスドーレンでミッケ・ティモネンが創刊した、かなり雑然としているものの、超クールなデスメタル・ファンジン。ブラックメタルの来襲前から発行されていたので、パンクも数多く掲載されている。雑誌にはスウェディッシュ・アンダーグラウンド・シーンのほかに、国外のバンドも多く取り上げられている。全体的にみると、古き良き時代のファンジンであるといえる。

FILTHNOISE
（A5、スウェーデン語）
1989年頃にウレブルーでジミー・ヨハンソンが創刊
したファンジン。この雑誌は最高に下卑で、残忍で、
まるで地獄から這い出してきたようなパンク・ファン
ジン。この雑誌にはメタル・バンドが出てくることは、
ほとんどなかった。だけど、読むと面白いんだよ、こ
れが。

FLOTZILLA
（A5、スウェーデン語）
80年代後期にファールブリンゲでニクラス・ペッタ
ションが創刊したファンジン。この古き良き時代の
ファンジンは、メタルやパンクを全般的に取り扱っ
ている。シブくて、雑然としたレイアウトではある
が、全体的な雰囲気は良好である。お決まりのインタ
ヴューやレヴュー以外にも、この雑誌にはクールなマ
ンガも掲載している——不朽の名声を得ているヨーナ
ス・ランネルゴールドの作品である。これらとは他に、
この『Flotzilla』はスペルミスが多いことでギネスブッ
クに載るかもしれないという特徴も持っている。ペッ
タションの初歩的な語学力は、彼が一度でも学校で英
語を勉強したのかと首をかしげてしまうほどだ。逆に
これがアナーキーさを出すためにはプラスに作用した
のかもしれない。しかしこのようなファンジンはもう
お目にかかれない、過去の遺物になってしまったから
な——まるで、無声映画とかタイプライターのように。

FOAD
（A5、スウェーデン語＆英語）
1991年にエーケーローでミッケ・サミュエルソンと
ニーレ・カールソンが創刊したファンジン。このかな
り雑乱とした素朴なデスメタル・ファンジンは、期待
以上の出来だ。特筆すべきなのは、彼らがマイナーで
まったく無名なバンドのインタヴューを多く掲載して
いる点。そういう意味では、『FOAD』は今や大変歴
史的価値のある文献なのだ。

FORMLESS KLUMP MAG
ステーンハムラ発、アンドレアス・フリスクが創刊し
たファンジン。このファンジンはデスメタルとパンク
を取り扱った。それ以上言うことはないな。フリ
スクはCauterizerでもプレイしていた。

FUNERAL 'zine
（A5／A4、スウェーデン語）
1992年頃にファルケンバリでアンデシュ・ドーンバ
リが創刊したファンジン。この90年代初期の典型的
ファンジンは雑然としたカット・アンド・ペースト（記
事を切り貼りしたページ）のレイアウトで、エネルギー
に満ちていた。スウェディッシュ・シーンの特集や国
外バンドのインタヴューがくまなく網羅されている。
ゴア映画レヴューや悪魔や骸骨のカッコいいイラスト
は燃えたぎるような10代の反骨精神に火をつけた。
グッドジョブ！

THE GATHERING
（A4、英語）
1993年にロートルプでエリック・ホーグステッドが
創刊したファンジン。このファンジンがブラックメタ
ルの深みにはまったのは、ノルウェーでのあの残虐行
為が発生した後からだった。今となっては記事のほと
んどが笑止千万——"なぜ真正ブラックメタルがデス
メタルやゴア・グラインドよりも優れているのか"と
いう記事が俺が読んできた中でも最も失笑を誘うもの
だった。スペルミスがわんさとある上、レイアウトも
まったく味気なかった。90年代初期のブラックメタ
ラーのほとんどがそうだったが、編集者は皆自分が教
養人だと自負していた。しかし、実は彼はビールで酔っ
ぱらい、女の子をナンパするのが好きな、一介のティー
ンエージャーにすぎなかった（おいおい、俺たちみん
なそんな感じだっただろう。まぁ上手くいかないとき

がほとんどだったけどな！）。あの頃、俺は確かにこの雑誌を読むのを楽しんでいたよ。ホーグステッドはおそらく Marduk のヴォーカリスト（ステージ・ネームは“リージョン”）としてもっと知られているかもしれない。

GARYGOYLE MAGAZINE
（A4）
1997 年頃にボーレンゲで創刊された、90 年代後期の良質なデス／ブラックメタル・ファンジン。

GIACOMINA
（スウェーデン語）
1991 年にリードシュービングでトッペ・サールが創刊した、簡素であるが良質なデスメタル・ファンジン。

GRAVEYARD MAGAZINE
1992 年にエシルストゥーナで、マーケ・ペーソネンが創刊したファンジン。Darkthrone から Running Wild といったメタル音楽にとっていいというものはすべて掲載されている。ただし、レイアウトは若干物足りない。

GRIMIORIUM DE OCCULTA
（A5、英語）
1991 年頃にユーテボリで、ミカエル・ウイモネンとダニエル・ムネォースが創刊したファンジン。この雑然とした雑誌はデスメタルを専門的に扱う。編集者の 2 人は Cabal のメンバーだが、彼らのバンドよりもこちらの雑誌の方がはるかに良い。しかしそれでも、当時の優良スウェディッシュ産ファンジンと肩を並べるまでのレベルではなかった。なお、この雑誌以前には、ウイモネンは『Criminal Tendencies Mag』を発行していた。

GOETIA
（A5、スウェーデン語）
1992 年にモルビロンガでニクラス・ヨハンソンが創刊したファンジン。このファンジンはあのブラックメタルの狂乱状態を追いかけるかのように突如として登場した。編集者はブルータル・デスメタルに対してあからさまに嫌悪感を示し、その逆にたとえどんなに軟弱であっても、ブラックメタルとカテゴライズされるものには盲目的に賛同した。今ではそんな記事は噴飯ものだけどな。それでもファンジンの見た目は最高だし、記事もまあまあ良く書けている。ただ、読みにくいフォントを使っていて惜しかった。このファンジンで最も可笑しかったのは表紙だった――大量の雲の写真（飛行機から撮った写真か？）だったり、森を描写した写真だったり（彼の庭の写真か？）。彼は邪悪でドス黒さを醸し出そうとしていたのだろう――でもそんなのただだだアホっぽかった。

THE GOLDEN DAWN
（A5、スウェーデン語）
1992 年にファルケンバリでアレックス・ベンツォンが創刊したファンジン。1 号しか発行されていない。

GRAVEYARD SKELETON
（A4、英語）
編集者のマーケ・ペーソネンはあの勇猛なブラックメタル・バンドの The Black やあのドゥーミーなデスメタル・バンドの Eternal Darkness に加入していたことで知られている。彼は Tyrant にも携わっていた。

GUTS MAG
（スウェーデン語）
1991 年頃にウレブルーで、マグナス・アスプルンドが創刊したファンジン。このファンジンは同地方で発行された『Hymen』と同様、パンクとメタルをミックスして掲載していた。発行物としてはかなり貧弱だが、まあ許せる。

HAMMER
（A4、スウェーデン語）
ストックホルムを拠点として、ヨーハン・ホルムが創刊したファンジン。これは 80 年代初期最大手のスウェーデン産メタル雑誌である。ご存知だと思うが、当時はまだデスメタルがこの世に存在しておらず、誌面の中心はもっぱらヘヴィメタルだった。雑誌にはブラックメタルなど新しいトレンドについて取り上げた興味深い記事があった――1984 年の時点では、Angelwitch、Anvil、Witch、Oz、Venom、Mercyful Fate をブラックメタルとしてカテゴライズしていたのである！　記事は下品で能天気な口調で書かれていたが、レイアウトはクールだった。ガキだった奴らに大人の世界を教えたんだよ。

HANG'EM HIGH
（A5 ／ A4、英語）
1988 年にイェーツビンで、オルヴァー・セーフスト
ルムとエリック・クヴィックが創刊したファンジン。
これはスウェーデン初のデスメタルの専門誌である
――しかし、誌面を飾っていたのはほとんどスラッ
シュだった。タイプライターとコピー機を携えた2名
のティーンエージャーが創り上げたこのファンジン
は、ほとばしる情熱に満ち溢れていた。内容はかなり
面白い！　編集者であるセーフストルムとクヴィック
は Nirvana 2002 の中心人物でもあった。セーフスト
ルムはその後さらにヴォーカリストとして Entombed
に短期間在籍した。リスペクトの言葉しかない。

HARMONY
（A5、スウェーデン語）
1997 年頃にマリエスタードでヤンネ・ヤンソンが創
刊したファンジン。これはクラスト系バンドを中心に
掲載した雑誌である。デスメタルも多少掲載されてい
る。体裁が味気ないし、記事もお粗末。

HEATHENDOOM
（A5 ／ A4、スウェーデン語）
1996 年にペトラ・アホとペール・カールソンが創刊
したファンジン。この分厚い、情報満載のファンジン
は良好なレイアウトだが、コンピューターに頼りすぎ
る面があって、人間味が感じられない。編集者はオカ
ルトに傾倒しているようで、悪魔主義、魔術、享楽主
義など俺がまったく興味ない記事を掲載している。ブ
ラックメタルやドゥームメタルが彼らのお気に入り
だったようで、それに、十分なほどのデスメタルがあ
ることで面白さを保っている。"お高くとまるんじゃ
なくて、もっとブルータルになれよ！"って思わず言
いたくなる。彼らはもっと獰猛なパンクを聴いて、
ファンジンの中身がいかに軟弱なのかを悟ったほうが
いい。こんなこと読んだら、君は間違いなくこの雑誌

は低品質だと思うに違いない。でも実のところそんな
ことはない。ただ、記事の多くはあくびが出るほど退
屈だが、他のファンジンを凌駕する。

HEAVY METAL MASSACRE
（A4、スウェーデン語）
1983 年にダールス・ロンゲードでレンナルト・ラー
ションとミッケ・ヨンソンが創刊したファンジン。こ
れはおそらく、メタルの最も猟奇的な側面にこだわっ
たスウェーデン初のファンジンだろう。1984 年まで
に発行された4冊は初期のスウェディッシュ・メタル・
シーンに関する貴重な文献である。その後、レンナル
ト・ラーションは音楽雑誌『Backstage』を創刊した。

HEAVY ROCK
1985 年にウップサーラでヨルゲン・ジグフリードソ
ンが創刊したファンジン。この粗削りなファンジンは
ヘヴィメタルを中心に掲載している。のちにジグフ
リードソンはギグを企画したり、Opinionate! や Step
One といったレーベルを運営したりと、初期デスメ
タル・シーンの旗頭として名を馳せた。

HELLELUJA (STRANGE TASTE)
（A4、スウェーデン語）
ヴァーリングビー発のこの粗雑なファンジンは、ブ
ラックメタル、デスメタル、その他ジャンルが混雑と
掲載されていた。まったくちゃらんぽらんとした幼稚
なファンジ
ンであるが、微笑ましくもある。入手価値はないがね。

HELTER SKELTER
1992 年頃にヤーップでペール・ギレンベックが創
刊したファンジン。現在彼は Regain Records を運営
している。

HYMEN
（A5、スウェーデン語）
1990 年にウレブルーで創刊した伝説的なファンジ
ン。超精力的な活動で知られたアンデシュ・ヤコブソ
ン（Necrony/ Nasum）が 90 年代初期に定期発行し
ていた雑誌である。彼は既成概念にとらわれない、寛
容的な視野をもっていたので、デス、スラッシュ、パ
ンクと彼が好むあらゆるものを取り入れた。音楽の話
題以外にも、多ジャンルにわたるトピックを掲載し、
何でもありだった。内容も良く書かれていて、レイア
ウトも秀逸だった。第 7 号目からコンピューターでレ
イアウトを作るようになってからも、彼はそのクオリ
ティーをキープしていた。特にデモテープを紹介する
コーナーでは、ほとんどすべてのバンド・ロゴが掲載
されていたので、まさに圧巻だった。ヤコブソン氏よ、
もう一度こんな感じのファンジン作ってくれない？

HYPNOSIA
（A5、英語）
1990 年にマルムシューピングでケンタ・フィリップ
ソンが創刊したファンジン。第 1 号は超プリミティヴ
だが、その後数号ではかなり改善した。雑然としてい
て、見た目はチープ、だけれど、内容はしっかりして
いる。他のスウェーデン産のファンジンと違い、この
ファンジンは国外のシーンも国内のシーンと均等に
扱っていた。情報量が多く、楽しみながら読めるので、
おそらくフィリップソンの作品中で一番の出来だろう
——彼が在籍していた Leukemia や他のバンドなんて
忘れてしまえ！

IMMORTAL MAG
（A4、スウェーデン語＆英語）
1993 年にウッデヴァラで、ペータル・ハグルンドと
マティアス・ヨハンソンが創刊したファンジン。この
良質なファンジンはブラックメタルとデスメタルの全
般を掲載している。創刊号は、記事の大半がスウェー
デン語で書かれていたが、2 号以降からは英語で書か
れるようになった。面白いインタヴュー、数多いレ
ヴュー（特に多いのがデモテープのインタヴュー）、
そしてクールなレイアウト――ファンジンはこうでな
くちゃな。

IMMORTAL UNDERGROUND
（A4、英語）
1993 年頃にルーレオで、Decortication のビエール・
トーンクヴィストがコンピューターを駆使して創刊し
たファンジン。かなり記事はよく書けていて、コン
ピューターで作ったにもかかわらず体裁はなかなか良
い。内容はスウェディッシュ・デスメタル中心に掲載
している。

INSOMNIA 'zine
（A5、スウェーデン語）
イェリヴァレを拠点にダーヴィド・カーレーケトが発
行したファンジン。これはまったくもって無味乾燥な
ファンジン――酷すぎるので読むのが苦痛に感じるく
らいだ。

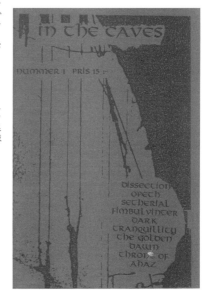

IN THE CAVES
（A5、スウェーデン語）

1994 年にウーメオで、パトリック・ヨンソンとアンドレアス・ニルソンが創刊したファンジン。この典型的な 90 年代中期のファンジンはメロディック・デスメタルとブラックメタルを掲載している。かなり良く書けていて、レイアウトも良い。このファンジンは、同じくウーメオから創刊された 90 年代中期のファンジン『Dusk Mag』と同じような雰囲気を持つ（実際彼らの第 1 号はこの『In the Caves』との共同発行）。

INZINERATOR
1990 年にフィンスポング／ノーシューピングで、クリスティアン・カールクイストとダン・スワノが発行したファンジン。彼らは 1 号を発行したのち、スワノは Edge of Sanity と Unisound Studio を立ち上げ、カールクイストはファンジン『Close-Up』を創刊するというさらに大きなプロジェクトに専念したので、2 号以降を発行することはなかった。

KABUTO
（A5、スウェーデン語）
1992 年頃にノルバリでトールーフ・ランネゴードが創刊したファンジン。このユーモア満載のファンジンはデスメタルとマンガや他のカッコいいものとをミックスさせていた。くだらないけど面白い。のちにランネゴードは自ら命を絶った。安らかに。

MAELSTORM
（A4、英語）
1996 年頃にブルーでマティアス・シストネンが創刊したファンジン。この良質な 90 年代中期のファンジンはアンダーグラウンドのスウェディッシュ・デスメタルに焦点を置いている。体裁もよく、記事も平均以上。そして、情報も多い上楽しめる。ただただ上出来！

MAGGOTY MAG
（A5、スウェーデン語）
1992 年にファルケンバリで、アンデシュ・ブルーションとアレックス・ベンツォンが始めたプリミティヴなデスメタル・ファンジン。レイアウトも良くないし、インタヴューの内容も浅い。

MALARIA
（A5、スウェーデン語）
1995 年頃にマルムバリエットのマティアス・リンドマルクが創刊したファンジン。このかなり良質なファンジンはブルータル・メタル全般と Änglagård などのプログレッシヴ・バンドを掲載している。90 年代中期のスウェディッシュ・ファンジンの良き手本である。

（訳者注：『KAKAFONI』に関しては原書ではカバーのみが掲載されており、書誌データはなぜか非掲載）。

LEMONZINE
（A5、スウェーデン語）
ルンドを拠点にスタッファン・スニッティングとイェスベル・ユンゲが発行したファンジン。これはパンク系を中心に扱っている雑誌だが、編集者はどうやらデスメタル・バンドもいくつかお気に入りがあった模様。ちなみに、コンピューターで作られたレイアウトは超つまらない。

MEGALOMANIAC
（A4、英語）
1986 年にイースタを拠点に、精力的な活動で知られるマルティン・カールソンが創刊した初期スラッシュメタル・ファンジン。カールソンはのちに『Candour』、さらに『Close-Up』の編集に携わった。彼はまた、スウェーデンのタブロイド紙『Expressen』で常勤ライターを務めている。『Megalomaniac』はかなり荒削りだが、直向きさは伝わってくる。Kreator と Destruction が天下統一していた時代の歴史的な文献である。

MEGA MAG
（A5 ／ A4、英語）
1989 年にストレムスタードで、故ヨン・ノトヴェイトが Dissection を結成する前に創刊した超クールなファンジン。第 1 号の誌面は主にスラッシュメタルとハードコアが占め、レイアウトは杜撰だった。しかし、第 2 号では完全に生まれ変わった――『Mega Mag』は史上最強のスウェディッシュ・ファンジンの一冊となったのだ。ページはデスメタルで覆いつくされ、Obituary や Sepultura などの国外バンドの記事も多くあった。ヨンは良質バンドを求め、スウェーデン中をくまなく探した。その上、第 2 号のレイアウトの絶妙さ、インタヴューの質問の見事さ、ギグ・レポートの多さ、デモテープに対する機知に富んだ鋭さ、ファンジンやレコードのレヴューの掲載など、ファンジンに必要なものがすべて揃っていた。ヨンはまだ若かったものの、彼は非常に英語が上手かった（少なくとも他の多くのファンジンと比べれば、彼の方が数段も上だった）。当時の彼の朗らかでフレンドリーな態度は、今ファンジンを読み返してもホッとするものだが、しかしのちに彼がブラックメタルを礼賛した威圧的な戯言とは 180 度かけ離れたものだった。なお、ファンジンは死ぬほど凄い！

METAL DUCK MAG
（A4、スウェーデン語）
ヴァクスホルムを拠点にラッフェ・フェーストルムが創刊したファンジン。この 90 年代中期の平均的なデスメタル・ファンジンはスウェディッシュ・シーンを中心に掲載している。コンピューターが普及し始めたときにありがちだが、レイアウトは退屈そのものだった。だが、内容は良いので気づかないものな。まともなインタヴュー、数多くのレヴューとギグ・レポート、良質なファンジンに掲載されているような記事がすべて載っている！

METAL GUARDIANS
（A4&A5、英語）
1986 年頃にユーテボリで、イェードヴァード・ヤンソンとトマス・ロサンデルが創刊したファンジン。このヘヴィメタル／スラッシュメタル・ファンジンでデスメタル繁栄前の時代を垣間見ることができる。レイアウトは雑だが、読んでいて面白い。

METAL WIRE
（A4、スウェーデン語）
1997 年にファールンでヨーナス・グランヴィークが創刊したファンジン。元々このファンジンを立ち上げたのは、ヴェステルオース出身のパトリック・アンダソンという奴だった。しかし、第 1 号が完成する前に、ヨーナス・グランヴィークが主導権を握るようになった。『Metal Wire』はスウェーデン史上、最高にカッコいいメタル雑誌の一冊に違いない。第 1 号はありふれた白黒コピーのファンジンだったが、それでも当時から極上ファンジンの片鱗を見せつけた。すべての面において、他のファンジンと比べると少しだけプロフェッショナルで、少しだけセンスが良かった。しかも、彼らは第 1 号を無料で配布するという賢いことをしたので、すぐに新たな読者を開拓することに成功した。発行し続けたおかげで、『Metal Wire』は燦然と輝く至高のスウェーデン産メタル雑誌として好評を博した。数多くの絶妙なインタヴュー、ウィットに富んだレヴュー、それにクロスワードやクイズなど独創性に溢れていた。グランヴィークが『Close-Up』に寄稿するため、『Metal Wire』は 2004 年に廃刊になった。これは我々にとってかなり痛手となった――俺たちには両方が必要なんだ。

MOTÖRMAG
（A4、スウェーデン語）
1996 年ファルケンバリでマルティン・クヴィストが

立ち上げたファンジン。この典型的な 90 年代中期の
ファンジンはブラックメタルとメロディック・デスメ
タルを中心に掲載していた。レイアウトはつまらない
が、全体の雰囲気は合格。

MORBID MAGAZINE
（A4、英語）
当初はノルウェー、その後はスウェーデンのファーガ
シュタを拠点に移したロニー・エイドによるファンジ
ン。80 年代後期に、高品質の光沢紙に印刷されたこ
のデスメタル雑誌は、ノルウェーの『Slayer Mag』
とともに、ファンジン業界で双璧をなしていた。マイ
ナス点など見当たらない、金字塔的ファンジン。どん
な手を使ってでも探してみろ。

MOULD MAGAZINE
（A4、英語）
1990 年にクムラ（のちにリンデスバリ）を拠点にペー
ル・カールソンが創刊したファンジン。わちゃわちゃ
と雑然したデスメタル・ファンジン——あの古き良き
スタイルを踏襲している。第 1 号では、インタヴュー
の質問は短くてバカっぽかったし、その上どのバンド
に対してもまったく同じだった。第 2 号以降からは若
干改善されたが、だけれど俺は第 1 号の大雑把なスタ
イルのほうが好きだ！ 小細工なしの初期衝動に溢れ
ているこのファンジンは、既に失われてしまったデス
メタルの絶頂期を思い出させてくれるんだ。俺は本当
にこの雑誌が好きだよ。過ぎ去った時代の貴重な文献
だな。

MOURN MAG
（A4、スウェーデン語）
1995 年にトレナースでマティアス・ヤクソンが創刊
したファンジン。これは 90 年代中期にありがちなコ
ピー印刷されたファンジン。当時の流行に染まった誌
面には、最高峰のデスメタル・バンドよりも、普通レ
ベルのスラッシュ／ブラックメタル・バンドが踊って
いた。

MYSTICISM MAGAZINE
（A4、英語）
ティーレーソーを拠点に、トマス・ヴァーアナネンと
パトリック・リンドグレーンが発行したファンジン。
このファンジンは 90 年代中期のブラック／デスメタ
ル・シーンをフィーチャーしている。見栄えは良い。

MÖFFA
（A5、スウェーデン語）
1992 年にカールスタードでマルティン・ビョオーン
が創刊したデスメタル・ファンジン。レイアウトはご
ちゃごちゃしていたが、だけれど内容はよく書けてい
たし、情報量も多かった。しかし、当時最高峰のス
ウェーデン産ファンジンには、若干及ばなかった。編

集者はドゥーム・バンドの Moaning Wind でドラマーでもあった。

NAZGUL MAG
（A4、スウェーデン語）
1997 年にローニンゲでトミー・クーセラが始めたファンジン。この簡素で洗練されたファンジンはブラックメタルに焦点をあてていた。俺はこの雑誌のアンダーグラウンドっぽい雰囲気が好きだった。

NEVER BELIEVE
（A5、英語）
1990 年にスラハメルでマグナス・フォーシュバリが創刊したファンジン。この古き良き時代のファンジンは残虐な音楽であればなんでも取り上げていた。目を見張るようなシーン特集や"イケてる"パンクっぽいレイアウトが素晴らしかった。今じゃこんな雰囲気出せないよな。フォーシュバリは Tribulation のドラマーでもあった。それ以上に重要なことは、彼は初期スウェディッシュ・デスメタル・シーンの No.1 テープ・トレーダーだったってことな。

NITAD
（A5、スウェーデン語）
1996 年にカールスタードでマティアス・アンダンソンが創刊したファンジン。基本的にはクラストパンクを中心に掲載しているのだが、デスメタルも若干載っている。デスメタルを取り上げない理由なんてないよな？　2 つのジャンルには共通点も多いんだから。

NOCUOUS 'zine
（A5、英語）
1992 年に、ニュースタを拠点に、ダニエル・ルンドバリとヨーナス・キンブレルが創刊したファンジン。この情報量が多い、分厚くて、上質なファンジンは、そのごちゃごちゃしたレイアウトから、あまり時間をかけずに作られたように思われる。しかしそれでも、編集者のバンドである Dispatched よりは質はずっと良い。

NOT
（A4、英語）
1985 年にマルメーを拠点に、ヨニー・クリスティアンセン、リーキャル・ライアン、ケネト・アインセンが創刊したファンジン。こんな最高の古き良きファンジンには今ではめったにお目にかかれない。『NOT』は 80 年代後期にスウェーデン南部のシーンを牛耳っていた、そしてブルータルな音楽であればなんでも記事として取り入れていた。ハードコア、スラッシュ、クロスオーヴァー、ブラック、デス、スピードなど──その他なんでもありだ！　大御所バンドとのインタヴューのほかに、編集者たちはアンダーグラウンドでの動きに敏感に反応し、センセーションを巻き起こす新しいバンドを絶えず探していた。個人的には、バンド・ロゴや写真満載のレイアウトが気に入っている。最高峰のファンジンなので、どこかで見つけたら必ずゲットしてくれ。

THE OTHER SIDE
（A5、スウェーデン語）
1995 年にブルーでマティアス・システンネンが創刊したファンジン。質はまともで、カット・アンド・ペースト（記事を切り貼りしたページ）スタイルの体裁で、内容はかなり良く書けていて、記事も面白い。その後、システンネンはファンジン『Maelstorm』を始めた。

OUTSHITTEN CUNT MAG
（A5、英語）
1999 年頃にローニンゲを拠点に、エリック・サールストルム、トゥビアス・フォルゲ、カール・イェーンヴァールが創刊した 90 年初期のエネルギーに満ち溢れた高品質なファンジン。1999 年に発行されたというのが信じられないほどだ。Possessed や Immolation などの大御所のほか、スウェーデン・アンダーグラウンド・シーンの有望株のインタヴューも数多く掲載している。レイアウトはコンピューターと昔ながらのカット・アンド・ペースト（記事を切り貼りしたページ）を融合したスタイルを使っていて、見栄えはかなりカッコいい。編集陣は Kaamos や Repugnant のメンバーで名を馳せているほか、『To the Death』のパトリック・クロンバリによる記事もいくつかあったぐらいだから、彼らはデスメタルの真髄を心得ているんだよ！

PAINKILLER
（A5、スウェーデン語）
マリエスタードを拠点にヤン＝オーロフ・ヤンソンとカッレ・リーエバリが発行したファンジン。この 90 年代中期のファンジンはパンクを中心に掲載しているが、しかし編集者たちは臆することなくメタルも載せていた。レイアウトは素人丸出しだったが、けれどもその中にも良い雰囲気は漂っていた。インタヴューの質問はシンプルで幼稚だが、しかし効果的だった！　例えば、Darkthrone などのバンドがお構いなしに雑に扱われていることで結構笑える。このファンジンは、同じ土壌から出現したクラストパンクとブラックメタルという 2 つのジャンルのミッシング・リンクを埋める役割を果たし、そして 2000 年代にその 2 つが結びつき、タッグを組んだのである。楽しい！

PEERLESS
（A4／A5、スウェーデン語）
1993 年にヴェステルヴィークでミカエル・カリオマが創刊したこのファンジンは、当初、デスメタルを中心に取り上げていた。やがて他のジャンルも掲載するようになったが、質はそれでも悪くなかった。しかし、コンピューターを導入するとレイアウトが目も当てられないほど酷くなった。

PESTILENTIA
（A5、スウェーデン語＆英語）
1997 年にリンシューピングでヨーエル・ベルヴァーリンネが創刊したファンジン。この 90 年代後期のかなり普通のファンジンは可もなく不可もなく、といったところ。

PIE MAG
（A5、スウェーデン語）
ヴェステルオースでカレ・ヨハンソンが発行した息の長かったファンジン。ごちゃごちゃしたレイアウトの中にすべてのジャンルが詰まっている──Accept、Foetus、The Hellacopters、Entombed など何でもあり。しかし、デスメタルは編集者の好みではなかったようだ。良心的なファンジンだが、極上ではない。

POLLUTION
（A5、スウェーデン語＆英語）
2000年にストックホルムでヨーナス・ヘンリクソンが創刊した混沌としたパンク・ファンジン。たまにメタルも掲載していた。クールで独特。

POSERKILL
（A5、英語）
1988年頃にタービーでヨーハン・ラーゲルグレーンが創刊したファンジン。彼の片割れのヨーハン・エードルンドはTreblinkaとTiamatのリーダーとして有名である。出版したのは1号のみで、この1号はかなりのプレミアもの。

PRIMITIVE ART MAG
（A5、スウェーデン語）
1993年にハルムスタードとムータラで、パオロ・スターヴェルとヨアキム・クヌートソンが創刊したファンジン。このファンジンはメタルやパンクのみならず、すべてのジャンルを取り上げていた。レイアウトがクールでないのが残念。

PROFITBLASKAN
（A5／A4、スウェーデン語）
1984年にへーレフォッシュ（のちにムータラ）でミカエル・ソーリンが創刊したファンジン。このファンジンは1991年まで続いた。ソーリンが惹かれていたのは常にパンクだったが、でもメタルも数多く取り上げていた。俺はこのファンジンのレイアウトが凄く好きで、とんでもないくらい荒削りで、カッコよくて、とっ散らかってて、それでいてブッ壊れている！ソーリンはその後『Close-Up』の常勤ライターとして活躍した。彼みたいにメロディック・パンクとエクストリーム・ブラックメタルの両方に情熱を傾けている奴はそうそういない。このファンジンとこれを発行した奴はマジで狂っている――だけど最高！

PUNISHMENT
（A4、英語）
カトリーネホルムを拠点にクリスティアン・ヤンソン（のちにグスタフソン）が創刊したファンジン。この90年代中期の重量感たっぷりのファンジンは素晴らしい！　大量のレヴューやインタヴューは非常によくまとめられていて、普通のデスメタル・ファンジンよりも多くの見解を載せている。唯一のマイナス点は雑然としていて味気ないレイアウト。それでも、中身の詰まった最高のファンジンだ。

PURE DEATH 'zine
（A5、英語）
2001年にボーフスでカール・マルティンソンが創刊したファンジン。これは2000年代に登場した数少ないデスメタルを専門に取り扱った一冊である。残念なことに、この雑誌はコンピュータ処理された酷いレイアウトで、見栄えは酷くつまらなかった。しかし、読み進むにつれて、楽しくさせてくれる一冊ではある。彼らは決して記事を上手にまとめられたわけではなかったが、しかし彼らのファンジンには2000年代初期の活気に満ち溢れていたことが感じられる。彼らは真正デスメタルが好きだったようだ――だからThe Hauntedなどのバンドはボロクソに言われていた！そう、彼らは自らのめり込んでいる音楽に全精力を注いでいただけだったんだ、それ以上でもそれ以下でもない。今のシーンにはこのような心意気のあるファンジンが必要なんだ。

PURE PASSION
（A4、英語）
1997年にヴァッシゲブルーでテレース・トシュテンソンが創刊したファンジン。この編集者が全員女性の90年代後期のファンジンはメタルを全般に扱った。残念ながら記事は稚拙でレイアウトも最低だった。

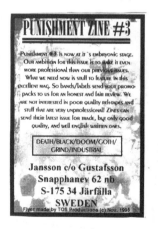

PUTREFACTION MAG
（A4、英語）

1989 年にストレングネースでトマス・ニークヴィストが創刊した最も古くて、最高な、そして最も長続きしたデスメタル・ファンジンである。その後、ロッガ・ペッタションがトマス・ニークヴィストに引き継ぎ、ファンジンを発行していた。このファンジンはすべてにおいて素晴らしい。創刊号でのニークヴィストの英語はかなり酷かったが、けれどもそれが逆にレイアウトに絶妙にマッチしていて、プリミティヴ効果を高めた！『Putrefaction Mag』は 1990 ～ 92 年の間に怒涛のように 7 号も続けて出版された。その後、ニークヴィストが彼のレーベルの No Fashion に専念すると、ファンジンは活動休止状態になった。しかし後に、ニークヴィストがボッタクられ、レーベルを失ったので、1995 年に Merciless のヴォーカリストであるロッガ・ペッタションと結託し、ファンジンを復活させた。復活号は良くまとまっていたが、以前ほどのクールさはなかった。ファンジンは定期的に発行されていため、インタヴューを通じてシーンがどのように発展していったのかを手に取るように読み解くことができる。"ブラックメタル"という用語が使われていなかった 1990 年、のちに自分たちは"常にブラックメタルに傾注していた"と主張するノルウェーのバンド群が、スウェディッシュ・デスメタル・シーンに一目を置いていた（彼らの餌食となったのは Entombed。どうやら Entombed をディスるのが、この頃の彼らの流行りのようだ）。"ブラックメタル"という用語がなかったことが分かるのは、Mayhem のペール"デッド"オリーンとのインタヴュー。彼は自身のバンドの音楽性をあらわすのに"ブラックメタル"という用語を使っていなかった。 その頃のオリーンは、インタビューに答えるときもジョークを言ったりするなど結構おちゃらけていたし、そして全体的な雰囲気も好友的で良かった。しかしそれから 1 年たった 1990 年末、再び行なわれたデッドのインタヴューでは、彼は退廃的な雰囲気になっていた――そして、その頃には自らの音楽をブラック／デスメタルを称していた。今となってはくだらないことかもしれないが、しかし歴史的文献としてプライスレスな価値がある。今すぐこのファンジンをゲットするんだ！

READ ALL ABOUT IT
（A4 ／ A5）

1991 年頃にアルボーガでマグナス・ブルリンが創刊したファンジン。パンクとデスメタルを程よくブレンドしている。

RECENSION MAG
（A4 ／ A5、スウェーデン語）

1992 年頃にホーリェッドでダニエル・アンダソンが創刊したファンジン。この 90 年代初期のファンジンはデスメタルとブラックメタルであれば何でも掲載した。レイアウトは若干面白みに欠けるが、記事はかなり読み応えあり。

R.S.S.S.
（A5、スウェーデン語）

1992 年頃にマルメーで、ヨニー・クリスティアンセンとパトリック・クロンバリが創刊したクールなファンジン。真正メタルだけを取り扱っていた『NOT』（ヨニー）や『To the Death』（パトリック）を廃刊した彼らは、このファンジンでエレクトロニック・ミュー

ジックからブラックメタルまで幅広く取り扱った。かなりごちゃごちゃした感じだが、十分に良質。

THE RUPTURED 'zine
（A5、英語）

ダニエル・ストラシャルがシースタで創刊したファンジン。この 90 年代初期のファンジンはエクストリーム・メタル全般をフィーチャーしている。かなり幼稚な感じではあるが、それでも良質。レイアウトが残念な感は否めないが、それで今読み返しても面白い雑誌である。編集者のストラシャルは Lobotomy のドラマーでもあった。そして、現在彼は Dental Records を運営している。

SADISTIC BITCH

1995 年にストレングネースでペータル・カールソンが創刊したファンジン。

SCENKROSS MAGASINET
（A3、スウェーデン語）

1994 年にウレブルーで、ヨニー・デアブラーとミエシュコ・タラールツィクが創刊したファンジン。このファンジンは新聞誌大のフォーマットだったので、とても変わっていたように見えた。おそらく、編集者のミエシュコ（Nasum の絶叫兼ギターを担当し、Soundlab Studio を運営）が、この大きさで印刷したほうが安上がりだと思いついたから、そのサイズにしたのだろう。掲載ジャンルはメロディック・パンクからエクストリームなポルノ・グラインドまでと多岐にわたっていた。その上、大量のレヴュー、インタヴュー、ギグ・レポートなど、ファンジンに必要なものはすべて掲載されてあった。しかし、いかんせんこの大きさなので、読むのが大変だが、しかしそれでも内容は良いので許せる。

味が欠けてしまい、そして興醒めしたつまらないものになってしまった。それでも、全体的にみると、良心的で情報量の多いデス／ブラックメタル・ファンジンである。

SIKA ÄPERÄ
（A5、スウェーデン語）
エシルストゥーナを拠点に、Finn Records を運営していた悪名高きヤロ・レヒトとヤリ・ユーホが創刊した、超下劣で混沌としたパンク・ファンジン。誌面はクラストパンクが中心だったが、Entombed やMerciless など、彼らのお気に入りのバンドも掲載されていた。このファンジンは間違いなく、俺好みの雑誌。彼らは独創的で究極に面白かったので、低レベルの模倣者を腐るほど生みだした。

SIMULATIONS MUZIC MAG
（A5）
1993 年頃にサーラでトーニ・ゼンゲリンが創刊したファンジン。

SKOGSDUVAN
（A4、英語）
1997 年にスンツヴァルで、クラースという名前の奴が創刊したファンジン。このファンジンにはありとあらゆるものが掲載されていた。メタルはその中の一部に過ぎなかった。よく書かれているが、残念ながら読んでいてつまらない。ファンジンっていうのはもっとトンガっていないとダメだ！

SLAVESTATE MAGAZINE
（A4、スウェーデン語）
ユーテボリを拠点にロニー・シュミットが創刊したファンジン。この光沢紙印刷されたファンジンは2000 年代にスカンジナヴィアの出版業界において『Close-Up』誌としのぎを削っていた。『Close-Up』と比べると、大手でもなければ、記事も良いわけでもなかったが、しかし、最近ではこちらの雑誌のほうが気に入っている。実際のところ、『Slavestate』には、アンダーグラウンドのギグ・レポートやデスメタルが多く載っているので、昔の『Close-Up』を彷彿とさせるのだ。しかし、既に述べたように、『Slavestate』には良いライター陣が揃っていないのだ。

SEPTIC 'zine
（A5／A4、スウェーデン語）
1991 年頃にニューシューピングでデニス・テンチッチが創刊したファンジン。のちにヘンケ・フォッシュが編集に加わった。『Septic 'zine』は 90 年代を代表する優良なファンジンの一冊である。スウェディッシュ・シーンを広く網羅し、その上、インタビューも良質だった。このファンジンは、ブラックメタル・トレンドがスウェーデンを覆いつくした時であっても、デスメタルに対する忠誠心は変わらなかった。そして、すべてのバンドを晶冑することなく、同列に扱っていた。『Septic』はブラックメタル・トレンドとは何たるかをいち早く察知したファンジンの一冊だった。その上で、ブラックメタルをからかっていた――"ブラックメタラーになる方法"という記事は最高だった！　なお、彼らのデスメタルのルーツはファンジンのロゴからでも明らかだった――彼らはあの有名な Earacheのレーベル・ロゴを少しばかり拝借していたのだ。このファンジンは、80 年代中期に解散したあの伝説的アンダーグラウンド・バンド Mefisto の解散インタヴューをいち早くに掲載した雑誌である。かなりのスクープだったな！　このファンジンを読むだけのために、スウェーデン語を学んでみてほしいぐらいだ。

SERENITY 'zine
（A5、スウェーデン語）
1995 年頃にリンデスバリでローベット・カントが創刊したファンジン。初期のころはかなり貧弱で、ごちゃごちゃしていたが（写真の上に白文字印刷はお勧めしないな）、しかし楽しんで読める一冊ではあった。その上、沢山のスペルミスのおかげで、さらに面白くなった。2 号目ではガラリと雰囲気が変わり、スウェーデン史上最もページに光沢感のあるファンジンの一冊となった。しかし悲しいことに、それと同時に少々人間

SLIMY SCUM
（A4、スウェーデン語）
1989 年頃にアンゲレードでトミー・コルホネンが創刊。これは古き良き時代に創られた抱腹絶倒なデスメタル・ファンジン。紙面は冷酷非情で下品、それにイケてるハチャメチャなデスメタル・レイアウトで覆いつくされている。世界各地のバンドのインタヴューを掲載し、全部で4号まで発行──誰かを殺してもいいから手に入れろ！

SONIC RENDEZ-VOUS
1991 年にヴェクファで、Carnage、Furbowl、それにArch Enemy の元フロントマンであるヨーハン・リーヴァが創刊した、センスの良い、極小流通のファンジン。体裁はカッコいい。

SORROW 'zine
（A4、英語）
1992 年にヴェステルオースでヨーナス・ストールハマルが創刊したファンジン。この合格点ラインのかなり平凡な 90 年代初期のファンジンは若干雑だが、見栄えはクール。突貫工事で作られたような印象を受けるが、だが結構楽しめる一冊である。第1号は『Ripping Slaughter』という名称で発行されたので、くれぐれも『Sorrow』1号で探さないように。

SPELLBOUND MAGAZINE
（A5、スウェーデン語）
1996 年にブルーでライナスなんとかという奴が創刊したファンジン。苗字は不明。

SPLATTER 'zine
（A5、英語）
1988 年頃にハルムスタードでトマス・カールソンが創刊したファンジン。これは『Bang That Head』の後継誌である。かなり拙いスウェーデン語で書かれて

いた『Bang That Head』と同じく、『Splatter 'zine』はゾッとするほど酷い英語で書かれていた。スラッシュメタルを扱った典型的な 80 年代中期のファンジン。

SUFFOZINE
1990 年頃にクムラでマルクス・ルーダールが創刊したファンジン。このごちゃっとした絶望的なファンジンは、スウェーディッシュ・デスメタルに特化して掲載していた。4号を発行した後に廃刊となり、そしてルーダールはもっと良質な『Dwellers End』を創刊した。

SUPPURATION 'zine
ヘーガシュテーンを拠点にオーラ・フェーバリが創刊したファンジン。彼はあの至極のバンドの Macabre End/God Macabre にも在籍していた。

SUPREMACY 'zine
（A5、スウェーデン語）
1996 年にビャーレッドでエリック・アンダソンが創刊したファンジン。

SURLY 'zine
（A4、スウェーデン語）
ブローマを拠点にティナ・クヌータルが発行したファンジン。この 90 年代初期のファンジンは見た目はチープだが、超クール。インタヴューの質問は紋切型で幼稚だが、しかし当時はそんな感じだった。魔女（それに雪男も！）に関するバカバカしい記事は今では考えられない。それでも、このようなファンジンはスウェーディッシュ・デスメタル黎明期には重要な位置を占めていた。

THRASHING HOLOCAUST
（A5、英語）
1991 年頃にモルビロンガで、ニクラス・ヨハンソン

とヘンリック・マリティンソンが創刊した90年代初期の高品質なデスメタル・ファンジン。他のスウェディッシュ・ファンジンと異なり、このファンジンは国外のバンドを中心に掲載していた。『Thrashing Holocaust』は3号まで発行し、1994年に廃刊した。創刊当初は『100% Pure Thrash』という名義だった。

TORMENT MAG
（A5、スウェーデン語）
2005年にウップサーラでペッレ・オーマンが創刊したファンジン。この超プリミティヴなカット・アンド・ペースト（記事を切り貼りしたページを印刷したもの）で創られたファンジンは、真性デスメタル雑誌がいまだに紙ベースで創られているという歓迎すべき嬉しい証拠だろう。弱冠14歳の編集者で、メタル狂であるオーマンは、あの痛快なオールドスクール・バンドのKatalysatorでヴォーカルを務めている。『Torment Mag』はポンコツだし、中二病を発症しているし、それにスペル間違いが多すぎる——でもそれがいいんだよな！

TORMENTOR MAGAZINE
（A4、スウェーデン語）
1995年頃にローニンゲで、ヨーハン・トーングレーン、ニクラス・エリクソン、エリック・ソールストルム、ヨーナス・キンブレルが創刊した90年代中期のファンジン。彼らはブラックメタル・トレンドと各種メロディック・メタルに心酔しているようだった。のちに彼らは自らのバンド（Repugnant、Kaamos、General Surgery）を通じて、彼らがデスメタルの真髄を極めていることを証明した。

TO THE DEATH
（A5／A4、英語）
1986年にイースタでパトリック・クロンバリが創刊したファンジン。『To the Death』は、スウェーデンで初めて、デスメタルを専門に扱うことを志したファンジンである。スラッシュやハードコアも数多く掲載されたが（同時期に創刊した『NOT』や『Megalomaniac』と同様に）、しかしパトリック・クロンバリは当時のどのファンジンよりも多くデスメタルを取り上げようとした。『To the Death』はニッケ・アンダソン（Nihilist/Entombed）のクールなイラストのおかげで、デスメタルっぽい誌面へと変化を遂げた。当時は真正デスメタルがスウェーデンを覆いつくしていたというのに、第4号が出版されることがなかったのは残念である。超最高レベルのファンジン。のちにパトリック・クロンバリは『Close-Up』でライターとして活躍した。

TWILIGHT 'zine
（A4、スウェーデン語）
1996年にオーフスでマグナス・イェミルソンが創刊したファンジン。

おちゃらけたり、クールになろうとしていないのが、せめての救いかも。この雑誌は、ヘヴィでハードなバンド全般をフィーチャーしていた。

Nu är den äntligen ute, universums enda och bästa döds zine... WRATH MAG #1. Den är tryckt i A4 format och är skriven på Svenska. Layouten är rent och proffsigt utförd. Innehåller utförliga intervjuer med: SUFFER, KATATONIA, LOBOTOMY, ROSICRUCIAN, DERANGED, TEMPERANCE, NECRONY, AFFLICTED, PAGAN RITES, GORYSOUND, LEUKEMIA, UNLEASHED, OBSCURE INFINITY, NOCTURNAL RITES och DEVOURED. Innehåller även artiklar med INTERNAL DECAY, LEAVE SCARS, EMBRYO, DROYS och DAWN OF DECAY. Självklart finns det oxå med Demo, Live och Zine recensioner. Allt det här kuliga kan du nu få direkt hem i din brevlåda för 15-20 Svenska pluringar (Ifall du skickar kronor, se till att det inte ramlar ur kuvertet. Tejpa fast dom!). Band som är intresserade av att vara med i #2 (Troligen på Engelska) kan skicka demos och annat kul till mig. All musik recenseras, och ifall jag tycker om musiken så skickar jag även en intervju. Vill någon skriva en artikel så är det bara att skicka den till mig så sätter jag in den, ifall den inte är väldigt dålig. Ni redaktörer som sitter och håller på massa tidningar (Engelska eller Svenska) kan skicka ett ex till mig så skickar jag mitt zine till er. Ja det var väl allt, hörs...

WRATH MAG
C/O Dennis Liljedahl
Utinivägen 3
126 54 HÅGERSTEN
SWEDEN

UGLY LOGO 'zine
（A4、英語）
1992年頃にアーヴェスタでダーヴィド・ボックが創刊したファンジン。これは90年代初期のプリミティヴで、かなり素人臭が漂うデスメタル・ファンジンである。ファンジン名である程度の内容は推測できるものだが、これは死ぬほど面白い。レイアウトはかなり煩雑――ボックはおそらく、少なくともタイプライター2台とコンピューター1台を駆使していたに違いない。

ULV 'zine
（A5、スウェーデン語）
1994年頃にヴェステルヴィークでJ・ヴィーバリが創刊したファンジン。このファンジンは極悪非道に徹しようとしていたようだった。もっぱらブラックメタルやエルジェーベト・バートリや黒死病などの記事を書いていたので、それが窺える。

UNDEAD MAG
（A4）
1992年にシンナでクリスティアン・エングクヴィストが創刊したファンジン。

UNICORN
（A4）
1996年にカルマルでマティアス・ヨハンソンが創刊したファンジン。この90年代中期の平凡なファンジンはデスメタルとブラックメタルをカバーしていた。以上。

VICTIM MAG
（A4、スウェーデン語）
ヘーガシュテーンを拠点にマリア・エリクソンが創刊したファンジン。これは出来の悪い、ポンコツな90年代中期のファンジンである。ライターが必要以上に

WRATH MAG
（A4、スウェーデン語）
1992年頃にヘーガシュテーンでデニス・リーエダールが創刊したファンジン。これは高品質なファンジンの良いお手本である。記事はどうってことはないが、レヴュー、ギグ・レポート、軽妙なインタヴューなどを数多く掲載している。レイアウトは煩雑ではあるが、バンド・ロゴなどと必要な情報はすべて掲載してある。エネルギーに満ち溢れた見事なファンジンだ！

ZELOT 'zine
（A4 ／ A5、スウェーデン語）
1993 年頃に創刊され、創刊当初の拠点はヘーガシュ
テーンだったが、その後スクーゴースへ移した。編集
者はスティーネ・ルンドクヴィスト。このファンジン
はメタル全般をカバーしており、見栄えも記事もかな
り良かった。どこから見ても良心的なファンジンであ
る。

ZINE OF SINS
（A4、英語）
1991 年にエーンフェーデでイサベル・ラーションが
創刊したファンジン。

ZYMPHONY 'zine
（A4、英語）
1992 年頃にセフレでマックス・トーレーンが創刊し
たファンジン。1992 〜 4 年頃に突如現れた、英語で
書かれた数え切れないスウェディッシュ・デスメタ
ル・ファンジンのうちの一冊。スウェディッシュ・シー
ンを見事までに再考した記事や国外バンドへのイン
タヴューを掲載している良質なファンジン。

初期スウェディッシュ・デスメタル・シーンの中心人物

（アィウエオ順）

アンデシュ・シュルツ（Anders Schultz）
結成以来、今日に至るまで Unleashed のドラマーを務めている。札付きのメタルマニア。
かなりのビール好き。

アンデシュ・ビョーラー（Anders Björler）
At the Gates と Infestation の創始者であり、リフ・マスター。現在 The Haunted に
おいて変幻自在なリフを披露している。（訳者註：現在、At the Gates、The Haunted からも
脱退している模様）

アンデシュ・フリデーン（Anders Fridén）
1995 年以降 In Flames のリード・ヴォーカリスト。それ以前は、Dark Tranquillity の
初代ヴォーカリストだった。

イェスペル・トゥーション（Jesper Thorsson）
Afflicted Convulsion/Afflicted のリーダー。音楽業界で非凡な才能を発揮している。
現在、Roadrunner など伝説的なレーベルのアーティストを擁する Bonnier Amigo の
A&R、そして代表取締役として多忙な毎日を送っている。（訳者註：2020 年現在、Export
Music Sweden AB の最高経営責任者）

ウルフ "ウッフェ" セーダルンド（Ulf "Uffe" Cederlund）
Morbid のリフ・マスター。のちに Nihilist と Entombed において主要メンバーとなる。現
在はクラスト・バンドの Disfear でギターを担当。

エリック・ヴァリーン（Erik Wallin）
Merciless の創設者でリフ・マスター。Merciless は不定期ながらも現在でも存続している。

オーケ・ヘンリクソン（Åke Henriksson）
ストックホルムの伝説的ハードコア・ミュージシャン。彼のバンド Mob 47 は一目置かれた
存在である。

オーラ・リンドグレーン（Ola Lindgren）
いまだ血気盛んな Grave のギタリスト、のちにヴォーカルも務める。

オルヴァー・セーフストルム（Orvar Säfström）
Nirvana 2002 のギターとヴォーカル担当。80 年代後期にはファンジン『Hang'em

High』を発行し、1991 年には Entombed でセッション・ヴォーカリストも務めた。2006年までスウェーデン・テレビ局において映画紹介番組のホストを務め、映画に関する本も執筆中。(訳者註：スウェーデン産ロールプレイング・ゲームの歴史を綴った『Äventyrsspel』〈2015〉と『Mutant』〈2018〉の 2 冊も上梓〈スウェーデン語〉)

クリスティアン・ヴォーリーン (Kristian Wåhlin)
複雑な Grotesque の楽曲の司令塔。のちに、Liers in Wait、Decollation、Diabolique の中心メンバーにもなった。"ネクロロード" というアーティストとしても名を馳せている彼は、ヨーハン・ウステルバリと共に Diabolique や The Great Deceiver でもプレイする (The Great Deceiver にはトマス・リンドバリも参加)。

クリストフェル・ヨンソン (Christoffer Johnsson)
Therion の創始者であり圧倒的なリーダー。Carbonized のメンバーだったこともあり、Liers in Wait の作品ではヴォーカルを披露した。現在 Therion 中心に活動している。

サンドロ・カヤンデル (Sandro Cajander)
カルト・バンド、Mefisto のベーシスト兼ヴォーカリスト。

ダーヴィド・ブロムクヴィスト (David Blomqvist)
Dismember と後期 Carnage のギタリストで、Entombed 結成時のベーシスト。現在彼は Dismember で重厚なデスメタル・サウンドを轟かしている。また、ストックホルムのレコード店で働いている。

ダニエル・ヴァラ (Daniel Vala)
伝説的な Obscurity のベーシスト／ヴォーカリスト。

ダン・スワノ (Dan Swanö)
Edge of Sanity の創始者であり、首謀者。彼は、90 年代 Gorysound/Unisound Studio を運営。スタジオ経営の他に、有名な Bloodbath や Incision、Pan-Thy-Monium などをはじめ数多くのメタルプロジェクトに携わる。(訳者註：標準スウェーデン語の発音だと「ドーン・スウォーネ」に近い響きだが、本書では世界的に定着している「ダン・スワノ」と表記する)

ディグビー・ピアソン (Digby Pearson)
伝説的レーベル Earache Records の主宰者。彼らはいまだにデスメタル・アルバムをリリースしている。

デニス・レーンダム (Dennis Röndum)
Spawn of Possession のドラマー。Visceral Bleeding の元ヴォーカリスト。

トゥビアス・フォルゲ（Tobias Forge）
Repugnant のギタリスト兼ヴォーカリスト。ファンジン『Outshitten Cunt Mag』の編集者。90 年代後期〜 2000 年初期のデスメタル・シーンに関わったあと、元 Repugnant の 2 名と共にポップバンドの Subvision に在籍している。（訳者註：その後、Ghost での目覚ましい活躍は本書に記載するまでもないだろう）

トッテ・マルティーニ（Totte Martini）
Crab Phobia/Traumatic のドラマー。現在彼はホラー映画の熱心なコレクターとして知られている。

トマス "クォーソン" フォーシュバリ（Thomas "Quorthon" Forsberg）
Bathory の司令塔。1984 年のファースト・アルバムのリリースから既にレジェンドの名をほしいままにしていた。2004 年に悲劇的な死を遂げるまで生ける伝説は続いた。

トマス "トンパ" リンドバリ（Tomas "Tompa" Lindberg）
Grotesque と At the Gates の残虐性満ち溢れたヴォイスの主。革新的なファンジン『Cascade』の編集にも携わった。現在では Disfear のフロントマンを務め、The Great Deceiver においてクリスティアン・ヴォーリーンとともにプレイしている。Lock Up ではセカンド・ヴォーカリストでもある。（訳者註：At the Gates は現在でも活動。再結成後、2018 年までに 2 枚のアルバムをリリースしている）

トマス・ニークヴィスト（Tomas Nyqvist）
長続きしたファンジン『Putrefaction Mag』の編集者であり、No Fashion Records の創始者。現在はレーベル Iron Fist Productions を運営している。

ニクラス "ニッケ" アンダソン（Niklas "Nicke" Andersson）
Nihilist と Entombed の創始者。活動初期はほとんどすべての楽曲を手掛けていた。さらに、Nihilist、Entombed、Dismember のロゴも作成し、Dismember のファースト・アルバムでもギターソロを披露している。スウェディッシュ・デスメタル・シーンにおいてベスト・ドラマーの 1 人に数えられている。現在では成功を収めたスウェーデン産ロック・グループ The Hellacopters のヴォーカリスト／ギタリストとして活躍している。ソロ・プロジェクトの The Solution でドラムも務め、近年ではデスメタル・プロジェクト Death Breath での活動を明らかにした。（訳者註：The Hellacopters は 2008 年に解散している。2020 年時点で、ニッケが携わっているバンドやプロジェクトは、Death Breath、Entombed、Imperial State Electric、Lucifer、それに The Solution）

パトリック・クロンバリ（Patric Cronberg）
伝説的ファンジン『To the Death』の編集者。のちに『Close-Up』誌のライターとなる。90 年代と 2000 年代初期、クロンバリは極小レーベル『To the Death』を運営していた。

現在はレコード・レーベルの Record Heaven で働き、1988 年の Grotesque のリハーサルで出会った女性と幸せに暮らしている。

パトリック・ヤンセン（Patrik Jensen）
Orchriste、Seance、Witchery、The Haunted の創始者であり、ギタリスト。また、彼は Satanic Slaughter にも在籍していた。The Haunted と Witchery は現在でも快進撃を続けている。

フレードリック "フレッダ" ホルムグレーン（Fredrik Holmgren）
デスメタル・レコードをスウェーデンで初めて流通させたディストロ、Chickenbrain Records の首謀者。彼は 80 年代後期には多くのギグを企画し、スウェディッシュ・デスメタル・バンドのシングルやデモテープをリリースした。初期デスメタル・シーンで最も中心にいた人物である。今日でもレコード業界で手腕を発揮している。（訳者註：2020 年現在、彼はレーベル Startracks を主宰している。所属バンドはスウェーデンのインディーポップバンド中心）

フレードリック・カーレーン（Fredrik Karlén）
スウェディッシュ・デスメタル界きっての狂人。彼がいないシーンなど考えられないだろう。何事も手荒く扱うという彼の態度や振る舞いには見習うべきものがある。伝説的なラインナップを配した Merciless はいまだ健在である。

フレッド・エストビー（Fred Estby）
Dismember の創設者でありドラマー。そして、Carnage でもドラムを担当していた。猪突猛進のデスメタル・スタイルを得意とする Dismember で活躍している。さらに Das Boot Studio のスタッフでもある。（訳者註：Dismember は 2011 年に解散したが、2019 年にオリジナル・ラインナップで再始動した。

ペータル・アールクヴィスト（Peter Ahlqvist）
ファーガシュタのライブハウス Rockborgen で数々の伝説的なギグを企画し、Uproar Records のオーナーでもあった。アールクヴィストが立ち上げ、大成功を収めた Burning Heart レーベルは、現在ディストリビューション業に専念している。

ペータル・テクレン（Peter Tägtgren）
Hypocrisy の創設者であり首謀者。Bloodbath や Lock Up などのプロジェクトにも参加している。最大の功績を残したのは、90 年代後期エクストリーム・メタル・アルバム作品のレコーディング・スタジオとしてその名を轟かせた Abyss スタジオであろう。彼はいまだに Hypocrisy のメンバー、そしてテクノ／メタル・バンドの Pain でも活躍する。

ヘワル・ボザルスラン（Heval Bozarslan）

Third Storm と Sarcasm のヴォーカリストで創始者。

マイケル・アモット（Michael Amott）
Carnage の創設者であり Carcass の元メンバー。現在、Arch Enemy において最も重要な役割を担っている。

マグナス・フォーシュバリ（Magnus Forsberg）
Tribulation のドラマー。初期シーンにおいて、スウェーデンのテープ・トレーディング界では彼の右に出る者はいなかった。

マッツ・スヴェンソン（Mats Svensson）
伝説的なハードコア・バンド、Asocial のギタリスト。今日でもエクストリーム・デスメタルを熱心に支持している。

マッティ・カルキ（Matti Kärki）
Therion と Carbonized のオリジナル・メンバー。その後、Carnage と Dismember に参加。General Surgery のオリジネーターでもある。現在でも精力的に活動する Dismember で、獣性むき出しの激しい咆哮を披露している。（訳者註：Dismember は 2011 年に解散したが、2019 年オリジナル・メンバーによるカムバックを果たした）

マティアス・ケネード（Mattias Kennhed）
デスメタル・バンド Macrodex のギタリスト、それにハードコア・バンド No Security のメンバーでもあった。90 年代初頭ハードコアに傾倒しデスメタル・シーンに別れを告げた。そして、ハードコア・シーンを牽引する存在となった。

ミカエル・オーケルフェルト（Mikael Åkerfeldt）
高く衆望を集める Opeth のヴォーカリスト、ギタリスト、ソングライターとして手腕を振るっている。Bloodbath でもヴォーカリストを務めていたこともある彼は、様々なプロジェクトを立ち上げ、才能をいかんなく発揮している。

ヤン・ヨハンソン（Jan Johansson）
Obscurity の創始者であり、ギタリスト。

ヨニー・ヘードルンド（Johnny Hedlund）
Nihilist のベーシストであり、のちに Unleashed の発起人となる。Unleashed は今日でも健在である。

ヨーハン・エードルンド（Johan Edlund）
Treblinka と Tiamat の創始者であり、司令塔――彼はいまだに斬新な音楽領域に果敢

に挑んでいる。80 年代後期、ファンジン『Poserkill』も発行していた。

ヨーハン・ウステルバリ（Johan Österberg）
シーンの黎明期、ファンジン『Cascade』をトマス・リンドバリと共に編集していた。
Diabolique、Decollation、The Great Deceiver のメンバーでもある。

ヨーハン・ヤンソン（Johan Jansson）
アーヴェスタで No.1 のデスメタル人材。彼は Hatred、Asocial、Beyond、
Interment、Dellamorte、Uncurbed、Centinex を含む数多くのバンドに在籍し、マル
チ・プレイヤーでもある。現在でも彼は Uncurbed、再結成した Interment、近年結成さ
れた Demonical、そしてストックホルムの Regurgitate で活躍している。

ヨルゲン・サンドストルム（Jörgen Sandström）
Grave の創始者であり、ヴォーカル、ギター、ベース担当。のちに Entombed でもベー
シストを永きにわたって務めていた。現在では、Vicious Art のギター担当。

ヨルゲン・ジグフリードソン（Jörgen Sigfridsson）
Therion、Deicide、Candlemass、Immolation など数々のギグを企画。『Heavy
Rock』の編集者。レーベル Opinionate!/Step One Records の運営にも携わっていた。
現在シーンからは完全に遠ざかっている。

ヨルゲン・リンド（Jörgen Lindhe）
カルト・バンド、Obscurity のギタリスト。

ヨン・ノトヴェイト（Jon Nödtveidt）
Dissection の悪名高きリーダー。当時、Rabbit's Carrot と Satanized、そして世にあ
まり知られることがなかった The Black を結成し、驚異的なファンジン『Mega Mag』も
発行した。2006 年他のプロジェクトに専念するため Dissection は消滅したが、結局何も
産み出されなかった。2006 年夏自害した。

ラーシュ＝ユーラン "L.G." ペトロフ（Lars-Göran "L.G." Petrov）
元 Morbid のドラマー。その後、Nihilist と Entombed ではヴォーカルを務めた。彼は
あのスウェディッシュ・デスメタルのグロウル・スタイルをたった 1 人で作り上げた。彼は
Entombed のヴォーカリストでもある。（訳者註：2013 年頃、アレックス・ヘリッドとラーシュ
＝ユーラン "L.G." ペトロフとの間で、Entombed のバンド名義使用権を巡る訴訟に発展した。
結果、アレックス・ヘリッドが勝訴し、ラーシュは 2014 年からは Entombed A.D. のバンド
名で活動をしている。2016 年、Entombed は『Close-Up』誌 25 周年記念のクルーズ船上イ
ベント Close-Up Båten において再結成された。演奏メンバーはアレックス・ヘリッド、ニッ
ケ・アンダソン、ウルフ "ウッフェ" セーダルンド、それに、ニッケの 20 歳年下の弟、ロー

ベット・アンダソン〈ヴォーカル〉、ニッケの異兄弟エードヴィン・オーフトンフォルク〈ベース〉、それに一時的に Entombed に在籍していたオルヴァー・セーフストルム〈ヴォーカル、2曲で参加〉。ローベットとエードヴィンはデスメタル・バンド、Morbus Chron のメンバーだった。もちろんラーシュはこのイベントには出演していない）

ラーシュ・ローセンバリ（Lars Rosenberg）
Carbonized の創設者。のちに Entombed や Therion にも加入した。

レイフ・クズネル（Leif Cuzner）
Nihilist の創始者であり、1987〜88 年にはギタリスト、ベーシストとして活動していた。Boss の Heavy Metal ペダルのつまみを最大限にセットして創り上げたあの独特なサンライト・ギターサウンドの発案者としてニッケ・アンダソンに認められている。クズネルは1988 年にカナダに移住し、俺が本書執筆中の 2006 年、仕事中の不慮の事故により非業な死を遂げた。（訳者註：実際カナダに移住したのは 1990 年で、それまでは Rapture やLobotomy でギターを担当していたという説もある。なお Encyclopaedia Metallum では、2006 年に自死を遂げたと記載している）

レンナルト・ラーション（Lennart Larsson）
スウェーデン初のエクストリーム・メタル専門誌『Heavy Metal Massacre』を発刊。のちに『Backstage』誌編集者、そして 2000 年版 Decibel フェスティバルの主催者でもあった。

ローゲル・スヴェンソン（Roger Svensson）
Marduk のベーシスト、Allegiance のリーダー。悪の限りを尽くしたのち、現在はテキサス州オースティンに居を構える。

ロバン・ベシロヴィッチ（Robban Becirovic）
80 年代後期から 90 年代初頭まで地元のラジオ番組『Power Hour』の DJ であり、Thrash Bash 企画の主宰者であった。現在でもスカンジナヴィア地方最大のメタル雑誌として知られている『Close-Up』を立ち上げた。

カタカナ表記については、FORVO (http://www.forvo.com/)、村井誠人編著『スウェーデンを知るための 60 章』（明石書店、2009 年）、欧羅巴人名録（ http://www.worldsys.org/europe/）を参考にした。

日本語版『スウェディッシュ・デスメタル』に寄せて

　スウェーデンで 2006 年に英語で出版されたデスメタル本。しかもアンダーグラウンド・シーンを題材とした内容にも関わらず一般書籍に混じって、その週かその月のトップセラーにチャートインした。その後、アメリカの Bazillion Points からも出版され、日本国内でも容易にそして安価で手に入れる事が出来るようになった。いまではポーランド、イタリア、ドイツ、フランスなど 6 カ国で出版されるという驚異のベストセラー本である。

　最初にこの本の噂を耳にした時、これは絶対に日本のデスメタル・シーンに必要だろうと直接、著者のダニエルに連絡して仕入れた。ユーロ高と送料がかさみ一冊 6000 円超えの販売価格にも関わらず初回入荷分は即完売。中身はスウェーデンのデスメタル・レジェンド達の四方山話が中心となっている。彼らの記憶の断片を一つ一つパズルのように繋ぎ合わせ完成したデスメタルの地図。デスメタルという音楽がいかにして誕生していったかを理解するのにも優れた内容である。しかしここ日本ではデスメタル黎明期への認知度、理解度はおよそ欧米のそれとは違うものであり、そのミッシング・リンクを埋める事も出来る良書なのだ。だが、この本が多くの日本のメタルファンに読まれるためには日本語である必要があった。

　それからふとしたきっかけでダニエルが日本に来るので当時、僕が運営していたギャラリーでブックサイン会を催し、ダニエルと交流を深める事が出来た。その後も彼とはコンタクトを取り続け、いつか日本語訳を出版したいという思いが強まっていった。2017 年、ダニエルがまた日本に来るという報がありその時、僕の中で思いはすでに行動に変わっていた。古くからの友人でもある濱崎氏が独立して出版社を立ち上げて、既に話題ある書籍を世に送りだしていた。この本を出すのは彼しか出来ないとも思ったし、彼もきっとそう思ったに違いない。そして濱崎氏の協力があって日本語出版の話を容易にまとめる事が出来た。翻訳には 90 年初期に『No Deception』ファンジンを作り、アンダーグラウンド・シーンに精通していた藤本氏。現在は大学で英語を教えるキャリアもあって、メタルの翻訳にありがちな誤訳もなく仕上がってある。

　2006 年に初版がスウェーデンで刊行されてから十数年経って、ついに日本語版刊行となった。日本語出版まで欧米とかなりの時差があるが、内容が古くなっている事はない。ここに書かれている事は 30 年以上も前の事。あの頃は良かった、などとノスタルジーに浸るための本ではない。あの時、スウェーデンで、世界で、デスメタルで、何が起こっていたのかを綴ったドキュメントなのだ。そしていつ読んでもそれは新鮮でデスメタルへの愛が溢れて出てくる素晴らしい本でもある。

　この本を読んでくれた全ての人に、翻訳の藤本氏に、出版を実現してくれた濱崎氏、そしてもちろんこの本の著者、ダニエルに感謝を。

　May the Death Metal be with You

2020 年 3 月 14 日

関根成年 Narutoshi Sekine (Obliterarion Records)

譯者あとがき

　原書『Swedish Death Metal』の初版は 2006 年、改訂版は 2008 年に発行されており、本邦訳『スウェディッシュ・デスメタル』が出るまでに 10 年以上の月日が経っている。したがって、読者の方々には最新のバンドの作品やメンバーチェンジなどについてはネットなどで調べていただけると幸いである。

　本書を読み進めていくとわかるが、内容はシーン当事者へのインタビューやエーケロート氏の私見にもとづいて書かれている。このため、かなり偏っている意見が散見される。しかしながら、当時のシーンを体験した者は、ノスタルジックな気分に浸ることができる。当時を知らない者は、シーンの熱量を疑似的に体験できる。双方にとって共感を覚えることができるという点で、非常に資料的価値が高いと思われる。日本では、ユーテボリから勃発した90 年代中期の "メロディック・デスメタル" ブームを突如沸き起こったものであると認識されているようである。そう解釈するのであれば、本邦訳はそのブーム前夜のミッシング・リンクを埋める役割をしていると思う。80 年代後期から 90 年代初頭のスウェディッシュ・デスメタル・シーンが布石となって、この "メロディック・デスメタル" ブームが登場したことを忘れてはならないのである。

　本書には当時の四方山話が多く記されているが、この機会に私のデスメタル体験談も述べてみたい。中学時代にロックに目覚めた私はすぐにメタルやスラッシュメタルの虜になった。動画や SNS を介して手軽に音源を聴くことができる今の世の中と違い、当時アルバムを購入しようにも、試聴も出来ず、雑誌のレヴューを参考にすることが多かった。はじめのうちは国内の雑誌に掲載されているバンドを聴いていた。そのうち国内の雑誌にはあまり掲載されていないバンドも聴きたくなり、洋書を取り扱う書店に行っては音楽雑誌を買い、輸入レコード店に行ってはファンジンを買い漁るようになった。しかし、レヴューでは高評価であったにもかかわらず、実際聴いてみるとそれほどではなかったり、低評価であったにもかかわらず、自分が求めているものであったりすることも少なくなかった。レコード購入費用を限られた小遣いやアルバイト代から捻出するので、レヴューだけを参考にするのを止めた。メンバー写真、アルバムのジャケット、曲のタイトル、直感にしたがって自分の求めるバンドを探し出す、いつしかその楽しさを覚えるようになった。また、レコード・ジャケットや歌詞カード裏に記載してあるサンクス・リストから親和性のあるバンドをたどったりもした。

　高校生になると、レコード店でアルバムを購入するだけでは飽き足らず、雑誌の文通コーナーを通じて、テープ・トレーディングを始めた。まだレコードデビューもしてもいないスラッシュメタル、デスメタル、ハードコア・バンドのデモテープを世界中のマニア達にダビングしてもらうことができた。しかし、デモテープをトレードしたり、バンドにオーダーしても、こちらの手元に確実に届く保証もなかった。残念ながら結局なしのつぶてだったこともあった。4 ヶ月くらい経って忘れたころに届いたこともあった。

　その後、何とかしてより多くの音源に触れたいという思いが強くなり（本書に登場するいく

つかのバンドメンバーがファンジンを発刊したのと同じ理由で）、私もファンジンを立ち上げることを思いついた。1990年から1992年の間に3号まで発行し、多くのバンドやテープ・トレーダーとの交流はしばらく続いた。私がテープ・トレーディングをやっていたり、ファンジンを発行していた80年代後期から90年代初頭は何をするにも手作業だった。振り返ってみると、この"手作業"で"手探り感"や"不確実性"というものが、今の時代にはない醍醐味なのかもしれない。

　当時は今とは違って海外アンダーグラウンド・シーンのバンドの来日もほとんどなかった。幸い、1992年から93年頃、私はアメリカで過ごす機会に恵まれた。到着当初、アメリカではさぞデスメタルが盛り上がり、ライブが多く観られるに違いないと期待に胸を膨らませていた。しかし、私が滞在したニューヨーク州のシラキュースは、ニューヨークのマンハッタンから長距離バスで8時間程度かかる片田舎の大学街。アンダーグラウンドのメタル系のライブはほとんどなかった。しかし、シラキュースには、Earth Crisisをはじめ、ハードコア・バンドの聖地としてよく知られていたライブハウスLost Horizonがあった。このため、Sick of It All、Strife、Bad Brainsなどハードコア系のバンドを多く観ることができた。私としては、せめてもの救いだった。地元にはメタルを取り扱う専門店もなく、大手CDチェーン店しか存在しなかった。その品ぞろえを見ても、"普通の"ロックや当時流行りのグランジ系のバンドがほとんどだった。中古CD／レコード店にはメタルやパンクのCDやレコードも置いてあったが、ロックのコーナーに混ざっていた程度だった。非常に期待外れだったことは間違いなかった。しかしそれでも、様々な音楽ジャンルに触れる機会を得ることができたのはよかったと思う。

　なお、たまに観ることのできたメタル系のライブで思い出深かったのは、1992年9月に行なわれた"Campaign for Musical Destruction"ツアーだった。このツアーではNapalm Death、Carcass、Cathedral、Brutal Truthなど知名度抜群のバンドらが名を連ねていた。会場には溢れんばかりの人で埋め尽くされ、アメリカでのデスメタルの盛り上がりを初めて肌で感じることができた。私自身のファンジンでCarcassのインタビューを掲載していたため、会場のセキュリティースタッフに話をつけると、メンバーに会わせてもらえるということになった。連れて行かれるままについていくと、なんとそこはLost Horizonに隣接するストリップ・クラブだった。本書によく登場するマイケル・アモットと初めて出会ったのはその場所であった。お楽しみ中のジェフ・ウォーカーもいたのだが、大音量の中、どのような話をしたのか覚えていない。ギターのビル・スティアーと出会ったのはストリップ・バーではなく、ライブ会場だった。次作のアルバムについて聞いてみると、ビルは"ソフィスティケイト（洗練）されているけれど、ビザール（奇怪）"と答えたと記憶している。それが、次年度にリリースされた『Heartwork（邦題：ハートワーク）』であった。この作品はオールドスクールのファンには不評だったが、メロディック・デスメタル・ブームの起爆剤となった。マイケル・アモットが在籍している脂の乗り切ったCarcassのライブを観ることができたのは本当に幸運だった。もちろん、Napalm Death、Brutal Truth、Cathedralのライブも素晴らしかったのを言うまでもない。

"Campaign for Musical Destruction" の盛り上がりと対照的だったのは、1992 年末に同じく Lost Horizon で行なわれたボストンのスラッシュ・バンド、Wargasm のライブだった。観客は私を含めて、たった 4 人だったように思う。本書にあるように、スラッシュメタルは完全にデスメタルに水をあけられていたのをまざまざと見せつけられた瞬間でもあった。ライブ開演前に Wargasm のメンバーに話しかけ、ファンジンをやっていることを伝えると、Wargasm のドラマーのバリーはしきりに "俺たちはデスメタルは嫌いだ"、"Morbid Angel のメンバーに会ったことあるけど、あいつらは礼儀知らずで最低だ" とまくし立てた。たまたまアメリカに持ってきていた彼らのミニポスターを差し出し、サインをもらうと、彼らはすぐに打ち解けてくれた。ギターのリッチは、ボストンまで遊びに来いよ、とまで言ってくれた。ちなみに、そのミニポスターというのはデンマークのファンジン『Blackthorn』の裏表紙に掲載されたものだった。その後、彼らの地元ボストンには何度も訪れた。ライブでは客数こそ少なかったものの、武骨で一切妥協のないパフォーマンスに圧倒された。

1993 年 5 月、Deicide、Dismember、Vader のパッケージ・ツアーにも遭遇することができた。Dismember のメンバーに会うために、会場である Lost Horizon に早めに到着したものの、肝心のメンバーの顔がよくわからなかった。Dismember のシャツを着て、うろつきながら会場外を歩いていたメンバーらしき人に "Dismember のメンバーですか?" と聞くと、彼はみるみるうちに顔が曇り、不機嫌になった。数分後、Deicide のシャツに着替えた彼を見かけた。彼は Deicide のギタリスト、エリック・ホフマンだったのだ。よほど間違えられたのが癪に障ったらしい (笑)。Dismember のメンバーはなかなか見当たらないので、がっかりしていると、ピンボール・マシンを囲んで、修学旅行生のようにはしゃいでいるキッズ達が目にはいった。後に、彼らが Dismember のメンバーであることが分かった。それからしばらくすると、会場入口付近から怒号が聞こえた。近くまで行ってみると、グレン・ベントンとプラカードを持った団体が怒鳴り合っていたところだった。本書には、グレン・ベントンの発言がもとで、メディアの格好の餌食になったというくだりがあるが、会場入り口付近でプラカードを持っていたのは動物愛護団体ではなく、キリスト教の宗教団体であったと記憶している。キリスト教の団体がライブを阻止すべく、会場まで押しかけ、まさに一触即発の様相を呈していた。ようやく到着した警官が団体を退散させると、退散させられた彼らに向かって、グレン・ベントンが中指を立てながら、両腕を天に突き上げた。そのグレン・ベントンを、今度はキッズがやんややんやと喝采を送った。日本では見られない光景を目の当たりにして、正直驚いたし、貴重な体験をしたと思っている。ライブでは、Dismember はほとばしる狂気に満ち溢れ、Vader はポーランドのデスメタル・シーン立役者としての風格を漂わせた。そして、それ以上に Deicide は一糸乱れぬ演奏技術の高さを披露し、強烈な印象を残した。

1994 ～ 95 年、幸いなことに私はイギリスに滞在する機会にも恵まれた。クリスマス期間中に、イギリスからヨーロッパ本土へとバックパックの旅行に出かけた。旅費を節約するために、連絡船を旅行手段に使い、24 時間以上かかってスウェーデンのユーテボリに到着した。早速、Dolores Records に行くと、At the Gates のメンバーであるトンパが両

手をカウンターにつきながら、店番をしている光景が目に入った。あの At the Gates のトンパがレコードショップで働いている！ ということ自体が衝撃的で、その後に二言三言話せたことも私としてはいい思い出になった。それから、レコードを物色していると、長髪の若者が若干たどたどしい日本語で話しかけてきた。話を聞くと、彼は Inverted というバンドに在籍するヨエル・アンダソンだった（彼は日本人とスウェーデン人のハーフ）。すると、宿がなかったら僕のうちに泊まっていいよ、と言ってくれて、有難く一泊させてもらった。その後、デンマーク、オランダ、ベルギー、ドイツなどをバックパックを背負って旅したが、デスメタルが縁で、泊まらせてくれたバンドメンバーはたくさんいた。当時は気づかなかったが、振り返るとアンダーグラウンド・シーンには互助精神は確かにあったのだ。

　以上がスウェディッシュ・デスメタル最盛期の私の体験談である。過激な音楽に魅せられ、微力ではあったがシーンに関わったおかげで、ネットワークが広がり、ここでは書ききれないほどの稀有な体験をした。著者のエーケロート氏と同じく、デスメタルによって生き甲斐を感じた１人であった。デスメタルが一つの音楽ジャンルとして確立され、爆発的なブームの真っ只中だった 1990 年から数えて 30 年経った 2020 年に本邦訳が出版されて心から嬉しく思っている。

　最後ではあるが、この邦訳本を実現させてくれたパブリブの濱崎誉史朗さんと翻訳の話を頂いた Obliteration Records/Butcher ABC の関根成年さんにこの場を借りてお礼を申し上げたい。関根さんとは、彼が以前のバンドに在籍し、ファンジンを発行していた時に知り合ったので、かれこれ 25 年以上の付き合いになる。国内外のアンダーグラウンド・シーンの活性化に尽力し、デスメタル・ライフを全うしている彼には頭が下がる思いである。

What man has created man can destroy — bring to light that day of joy!

令和 2 年 3 月 13 日
藤本淳史
Atsushi Fujimoto

オールドスクール・デスメタル・ガイドブック 上巻

アメリカ・オセアニア・アジア編

村田恭基

A5 判 224 頁　定価本体 2,400 円＋税

ホラーな世界観・混沌としたプロダクション、
荒々しい演奏……
ニュースクールに相対するものとして再発見され、リバイバルしたオールドスクール・デスメタル！
上中下 3 巻、まずはシーン発祥の地、アメリカ、そしてオセアニア、アジアから！「Thrash to Death」の古典的音源やタンパシーンなど歴史を検証

オールドスクール・デスメタル・ガイドブック 中巻

ヨーロッパ編

村田恭基

A5 判 232 頁　定価本体 2,400 円＋税

シリーズ第 2 弾はヨーロッパ
HM-2 なスウェディッシュデス
グルーミーなフィニッシュデス
ドゥーム＆アヴァンギャルドなダッチデス
ボルトスロウィング＆ゴスな UK デス、ブラックメタル大流行のノルウェー
オカルト蔓延る南欧、共産主義の面影を残す東欧等々
……

ウォー・ベスチャル・ブラックメタルガイドブック

究極のアンダーグラウンドメタル

アウトブレイク・ショウ

A5 判 224 頁　定価本体 2,200 円＋税

ブラックメタルやデスメタルがメインストリーム化するなか世界各地の地下シーンでスラッシュメタル・デスメタル・グラインドコア・ハードコアを融合させながら真の野獣性や野蛮さを死守し続けたオールドスクールな背徳者達。軟弱化した北欧ブラックメタルに対して、メタルが本来持つ暴力性を頑なに貫き通したシーンの主要バンドやリリースを丹念に紹介した前代未聞の歴史的資料。

ダニエル・エーケロート 著

デスメタルのミュージシャンでエクプロイテー
ション映画を扱った『Violent Italy』と『Swedish
Exploitation Cinema』の著者。今までデスメタル・
バンドの Insision、ハードコア・バンドの Dellamorte
や Disconto でベースを担当。近年ではデスメタル・
バンドの Usurpress、ロックンロール／パンク・バン
ドの Iron Lamb、ブラックメタル・バンドの Tyrant
や再結成した 80 年代の伝説的ブラックメタル・バン
ド、Third Storm に参加している。

藤本淳史 訳

中学一年生の時ロックに目覚め、その後メタルとパン
ク／ハードコアの洗礼を受ける。高校時代に世界中の
テープ・トレーダーやアーティストとテープ・トレー
ディングをし始めたことがきっかけで、90 年初期に
ファンジンを発行。いまだにロック、特にメタルとパ
ンク／ハードコアは人生の糧。音楽がきっかけで英語
に目覚め、現在は拓殖大学外国語学部英米語学科教授。

スウェディッシュ・デスメタル

2020 年 5 月 1 日　初版第 1 刷発行
著者：ダニエル・エーケロート
訳者：藤本淳史
装幀＆デザイン：合同会社パブリブ
発行人：濱崎誉史朗
発行所：合同会社パブリブ
〒 140-0001
東京都品川区北品川 1-9-7 トップルーム品川 1015
03-6383-1810
office@publibjp.com
印刷＆製本：シナノ印刷株式会社